SV
international
SCHWEIZER
VERLAGSHAUS

John Jakes

Liebe und Krieg

Deutsch von Werner Waldhoff

SV INTERNATIONAL
SCHWEIZER VERLAGSHAUS ZÜRICH

Die amerikanische Originalausgabe erschien 1984 unter dem Titel «Love and War» bei Harcourt Brace Jovanovich, Publishers, San Diego, New York, London.

Für Julian Muller.
Kein Schriftsteller hatte je einen besseren Freund.

5. Auflage, 1987
73.−272000. Tausend
© 1984 by John Jakes
© 1986 der deutschsprachigen Ausgabe
by SV international/Schweizer Verlagshaus AG, Zürich
Printed in Germany
by Franz Spiegel Buch GmbH, Ulm
ISBN 3-7263-6476-5

Es gibt zwei Dinge, die größer sind als alle andern:
Das eine ist die Liebe, das andere der Krieg.

KIPLING

Personenverzeichnis

Die Hazards (Norden)

George	Stahlindustrieller in Pennsylvania, West-Point-Absolvent
Constance	Georges Frau, stammt aus dem Süden
Stanley	ein farbloser Beamter in Washington
Isabel	Stanleys ehrgeizige Frau
William, genannt Billy	Berufsoffizier, West-Point-Absolvent
Brett, geb. Main	Billys Frau, stammt aus dem Süden
Virgilia	militante Abolitionistin, das schwarze Schaf der Familie

Die Mains (Süden)

Orry	Plantagenbesitzer in South Carolina, Klassenkamerad von George Hazard in West Point und dessen engster Freund
Cooper	Ingenieur, entschiedener Gegner der Sklaverei, setzt sich trotzdem für die Sache des Südens ein
Judith	Coopers Frau
Ashton	eine schöne Frau, die vor nichts zurückschreckt, um ihren gesellschaftlichen Ehrgeiz zu befriedigen
James Huntoon	Ashtons Ehemann, ein glückloser Anwalt
Brett	verheiratet mit Billy Hazard in Pennsylvania
Charles	ein verwaister Cousin, der mit den Main-Geschwistern aufwuchs, Berufsoffizier, Klassenkamerad von Billy Hazard in West Point und dessen engster Freund
Clarissa Gault Main	das greise Familienoberhaupt

Weitere wichtige Personen

Elkanah Bent	untalentierter Berufsoffizier, West-Point-Absolvent, Intimfeind von George Hazard und Orry Main
Justin LaMotte	Nachbar der Mains, ein brutaler Sklavenhalter
Madeline LaMotte	Justins Frau, floh vor dessen Gewalttätigkeit zu Orry Main, mit dem sie eine langjährige Liebe verbindet

Prolog:

Aprilasche

Am letzten Tag im April, eine Stunde vor Mitternacht, brannte das Haus. Das ungestüme Läuten der fernen Feuerglocken weckte George Hazard. Er stolperte den dunklen Flur entlang, die Treppen hoch zum Turm des Wohnhauses und trat auf den schmalen Balkon hinaus. Ein kräftiger, warmer Wind fachte die Flammen an und verstärkte ihr Licht. Selbst von seinem Standort aus, hoch oben über der Stadt Lehigh Station, erkannte er das brennende Haus – das einzige ordentliche Haus, das in der schäbigen Gegend nahe beim Kanal noch übriggeblieben war.

Er rannte hinunter in sein schwach erleuchtetes Schlafzimmer und schnappte sich seine Kleider, ohne mehr als einen flüchtigen Blick darauf zu werfen. Er versuchte sich leise anzuziehen, konnte aber nicht vermeiden, daß Constance, seine Frau, aufwachte. Sie war beim Lesen der Heiligen Schrift eingeschlafen – nicht ihre eigene Douay-Version, sondern eine der Familienbibeln der Hazards, in die sie ihren Rosenkranz gelegt hatte, ehe sie das Buch geschlossen und George einen Gutenachtkuß gegeben hatte. Seit dem Fall von Fort Sumter und dem Kriegsausbruch hatte Constance mehr Zeit als üblich über der Bibel verbracht.

«George, wohin rennst du?»

«Es brennt in der Stadt. Hörst du nicht den Feueralarm?»

Immer noch schläfrig rieb sie sich die Augen. «Aber du springst doch nicht immer gleich an die Pumpen, wenn die Glocken läuten.»

«Das Haus gehört Fenton, einem meiner besten Vormänner. In seinem Haushalt hat es kürzlich Ärger gegeben. Vielleicht ist das Feuer kein Zufall.» Er beugte sich über sie und küßte ihre warme Wange. «Schlaf weiter. In einer Stunde bin ich wieder im Bett.»

Er drehte das Gaslicht aus und begab sich schnell nach unten zum Stall. Er sattelte sich selbst ein Pferd; das ging bei weitem schneller, als wenn er einen Stallknecht geweckt hätte. Die Besorgnis spornte ihn zur Eile an. Seine spontane Anteilnahme verwirrte ihn geradezu, denn seit Orry Mains Besuch vor genau zwei Wochen hatte sich George in einem merkwürdig dumpfen Zustand befunden. Er fühlte sich fern vom Leben um sich herum und vor allem fern vom Leben einer Nation, deren eine Hälfte sich losgelöst und die andere Hälfte angegriffen hatte. Die Union war abgetrennt; Truppen wurden zusammengestellt. Und George hatte sich in die Isolation zurückgezogen, als hätte das keinerlei Auswirkungen auf sein Dasein oder seine Gefühle.

Kaum im Sattel, galoppierte er weg vom Herrschaftshaus, das er auf den Namen Belvedere getauft hatte, die gewundene Hügelstraße hinunter auf das Feuer zu. Die starken Windstöße bliesen wie die fauchenden Öfen des Hazard-Eisenwerks; das Haus des Vormanns mußte sich in ein Inferno verwandelt haben. War die freiwillige Werksfeuerwehr schon am Schauplatz? Er betete darum.

Auf der holprigen Straße mußte er sein Pferd fest unter Kontrolle halten. Sein Weg führte ihn an den zahlreichen Gebäuden des Eisenwerks vorbei, wo selbst zu dieser Stunde noch Licht brannte und Rauch und Lärm aufstiegen. Hazard war rund um die Uhr in Betrieb und produzierte Schienen und Bleche für die gerade anrollenden Kriegsanstrengungen der Union. Jetzt jedoch waren Geschäfte das letzte, was der an den Terrassen der besseren Heime vorbeihetzende Mann im Sinn hatte. Durch die ebenen Straßen des Handelsviertels galoppierte er der grellen Hitze des Feuers entgegen.

Seit einiger Zeit schon wußte George von den Problemen in Fentons Haus. Für gewöhnlich hörte er immer, wenn ein Arbeiter Schwierigkeiten hatte. Er wollte es so. Gelegentlich war Disziplin nötig, aber er bevorzugte den Einsatz von Diskussion, Verständnis und Rat, erwünscht oder nicht erwünscht.

Im vergangenen Jahr hatte Fenton seinen herumstreunenden Cousin aufgenommen, einen kraftstrotzenden Burschen, zwanzig Jahre jünger als er. Da ihm das Geld ausgegangen war, brauchte der junge Mann einen Job. Der Vorarbeiter verschaffte ihm einen bei Hazard, und der Neuankömmling führte sich einige Monate recht ordentlich.

Obwohl verheiratet, hatte Fenton keine Kinder. Seine gutaussehende, aber nicht mit besonderer Intelligenz gesegnete Frau stand altersmäßig dem Cousin näher als ihm. Bald schon bemerkte George, daß der Vorarbeiter an Gewicht verlor. Er schien seine Arbeit mit ungewohnter Gleichgültigkeit zu verrichten. Schließlich wurde George Bericht erstattet von einem teuren Fehler, der zu Lasten des Vorarbeiters ging. Und eine Woche später wiederholte sich das.

Letzte Woche hatte ihn George, sowohl um neuerliches Versagen zu verhindern als auch um dem Mann zu helfen, zu einem Gespräch geholt. Normalerweise locker und entspannt, sogar im Gespräch mit dem Besitzer, hatte Fenton nun einen kalten, angespannten, gequälten

Ausdruck in den Augen und ließ sich nur ein Zugeständnis entlocken: Er hatte mit häuslichen Schwierigkeiten zu kämpfen. Mehrfach betonte er die beiden Worte – häusliche Schwierigkeiten. George drückte sein Mitgefühl aus, stellte aber klar, daß die Fehler aufhören müßten. Fenton versprach, dafür zu sorgen, indem er die «Schwierigkeiten» behob und den Cousin aus seinem Haus warf. Mit einem unbehaglichen Gefühl beließ es George dabei, da er die Natur der «häuslichen Schwierigkeiten» ahnte.

Vor sich sah er nun Silhouetten, die vor den Flammen hin und her sprangen; Wasserstrahlen spritzten wirkungslos über das bereits eingestürzte Haus. Das rote Licht spiegelte sich im Metall der veralteten Pumpe und färbte die vier Pferde, die Pumpe und Schlauchwagen vor Ort gezogen hatten; wie schreckliche Bestien aus der Hölle scharrten sie mit den Hufen und schnaubten.

Als er aus dem Sattel sprang, hörte er einen Mann in der dunklen Straße links vom brennenden Haus brüllen. George drängte sich schnell durch die Zuschauer. «Bleib zurück, verdammt noch mal!» schrie der Freiwilligenchef durch seinen Schalltrichter, als George aus der Menge auftauchte. Der Chef liess seinen Arm sinken und entschuldigte sich sogleich: «Oh, Mr. Hazard, Sir. Hab' Sie nicht erkannt.»

Was bedeuten sollte, daß er den reichsten Mann der Stadt, vielleicht des ganzen Tales, nicht erkannt hatte, bis er beinahe vor ihm stand; jedermann kannte den stämmigen George Hazard, der in diesem Jahr sechsunddreißig geworden war. Georges windzerzaustes Haar wies die ersten von der Sonne gebleichten Stellen auf, die es im Frühling und Sommer aufzuhellen pflegten; aber auch einige graue Strähnen zeichneten sich schon ab. Die Augen, eisfarben, wie es in der Hazardfamilie üblich war, widerspiegelten das Feuer von außen und Georges Besorgnis von innen. «Was ist hier passiert?»

Den Worten folgte eine gestammelte Zusammenfassung vom Chef, während die Freiwilligen, die sich vor Jahren den Namen «Die Unentwegten» gegeben und ihr Motto, *Officium Pro Periculo*, auf jedes Ausrüstungsstück geprägt hatten, weiterhin an den Pumpen arbeiteten. Für das zerstörte Haus war das Wasser die pure Verschwendung. Man konnte nichts weiter tun als die nahegelegenen Schuppen und Hütten vor dem Funkenregen schützen. Deshalb hatte der Chef Zeit, sich mit dem wichtigsten Mann der Stadt zu unterhalten.

Er sagte, es sehe so aus, als hätte Fenton am Abend zuvor seine Frau mit seinem Cousin im Bett überrascht. Der Vorarbeiter hatte ein großes Küchenmesser genommen und seine Frau und ihren Liebhaber niedergestochen, bevor er das Haus in Brand steckte. Während dieser

Zeit hatte der tödlich verwundete Cousin es geschafft, das Messer gegen seinen Angreifer zu richten und ihm vier Stiche zuzufügen. Tränen füllten Georges Augen, und mit harten Fingerknöcheln rieb er drüber. Fenton war einer seiner umgänglichsten Männer gewesen; belesen, fleißig, intelligent, freundlich zu allen, die er beaufsichtigte.

«Der da brüllt, das ist er», sagte der Chef. «Aber er glaubt selber nicht, daß er noch lange zu leben hat. Die anderen beiden waren tot, als wir ankamen. Wir haben sie rausgezogen und zugedeckt. Sie liegen dort drüben, wenn Sie einen Blick darauf werfen wollen.»

Wie unter Zwang ging George auf die beiden Leichen zu, die unter einer Plane mitten auf der Straße lagen; ein unangenehmer Geruch strömte von ihnen aus. Das Schreien hielt an. Der Wind fachte das Feuer an, verlieh ihm eine fauchende Stimme und wirbelte Funken und glühenden Schutt durch die Luft. Die Freiwilligen pumpten weiter mit aller Kraft; die genieteten Lederschläuche liefen quer durch den leeren Kanal zum Wasser des Flusses.

George stoppte einen Schritt vor der Plane und hob sie an. Unlängst hatte er sich über die Kosten einer modernen Latta-Dampfpumpe für die Stadt informiert, deshalb wußte er einigermaßen Bescheid über Brände und ihre Auswirkungen. Das aber reichte nicht aus, um ihn auf den Anblick des toten Liebespaares vorzubereiten.

Die Frau war schlimmer verkohlt als der Mann, ihre geschwärzte Haut war aufgebrochen und hatte sich an vielen Stellen zusammengerollt. Die versengte Kleidung des Cousins enthüllte Hunderte von Brandblasen, aus denen wie Tränen eine leuchtend gelbe Flüssigkeit sickerte, in der sich das Licht spiegelte. Die Gesichter, Hälse und heraushängenden Zungen der beiden Opfer waren in letzter qualvoller Agonie auf der Suche nach frischer Luft angeschwollen, als nur noch sengender Rauch in ihre Lungen drang. Während sich bei der Frau schwer sagen ließ, ob die Flammen sie getötet hatten oder ob sie erstickt war, bestand beim Cousin kaum Zweifel; seine Augen quollen vor, groß wie Äpfel.

George ließ die Plane fallen und schaffte es, sich nicht zu übergeben, als es ihm heiß in der Kehle hochstieg. Der Anblick hatte bei ihm nicht nur den Gedanken an Feuer heraufbeschworen. Tod. Leiden. Verlust. Und in letzter, alles überwältigender Konsequenz: Krieg.

Erschauernd ging er zurück zum Feuerwehrchef; tief in ihm kamen unerwartete Gefühle in Bewegung.

«Kann ich helfen, Tom?»

«Mächtig nett von Ihnen, Sir, aber es ist zu spät, noch irgendwas zu tun. Wir können bloß nebenan alles naß halten.» Ein Feuerwehrmann kam auf sie zugerannt, um zu sagen, daß Fenton gestorben sei. Wieder schauderte George; warum hörte er immer noch dieses Schreien? Er schüttelte den Kopf. Der Chef fuhr fort: «Es war schon zu spät, als wir kamen.»

George nickte voller Trauer und ging zurück zu seinem Pferd.

Was mit George geschah, als er, das Pferd im Schritt gehen lassend, den Schauplatz verließ, war nur als Reaktion auf den Schrecken zu erklären: Der Zustand dumpfer Betäubung, in den er in letzter Zeit abgetrieben war, löste sich endlich auf.

Er hatte gewußt, daß in diesem Land ein Bürgerkrieg tobte. Aber Wissen hieß nicht Verstehen. Er hatte alles gewußt und nichts verstanden, obwohl er einstmals in Mexiko gekämpft hatte. Aber der Mexiko-Feldzug lag weit zurück. Als er langsam den Hügel hochritt, während der Wind Asche über ihn hinwegtrieb, holte ihn endlich die Realität ein. Die Nation befand sich im *Krieg*. Sein jüngerer Bruder Billy, ein Offizier des Pionier-Corps, war im *Krieg*. Sein bester Freund und Klassenkamerad in West Point, Kamerad in Mexiko, war im *Krieg*. Er erinnerte sich nicht mehr an den Schriftsteller, aber er erinnerte sich an die Zeilen: Niemand ist eine Insel –

Er ließ seine Gedanken über die letzten zwei Wochen zurückschweifen, versuchte, in der nationalen Stimmung eine Erklärung für seine eigene zu finden. Nach drei Jahrzehnten der Spannung war für viele, vielleicht für die meisten Bürger des Nordens, die Bombardierung von Fort Sumter ein willkommenes, wenn nicht freudiges Ereignis gewesen. George hatte diese Gefühle nicht teilen können; die Waffen bedeuteten, daß Männer guten Willens es nicht geschafft hatten, ein schmerzvolles menschliches Problem zu lösen, das am ersten Tag entstanden war, an dem weiße Händler Neger und Negerinnen an der Küste des wilden Amerikas verkauft hatten.

Ein Problem, das schon seit so langer Zeit unlösbar erschien – und zum Schluß nicht einmal mehr analysiert werden konnte, so dicht umgab der rhetorische Stacheldraht die gegnerischen Stellungen. Andere, die stets nur an sich dachten und für sich sorgten, nahmen die ganze Angelegenheit weniger tragisch; sie fanden es nicht bedrohlich, für sie war es lediglich ein Ärgernis, das zu umgehen war – so wie man schlafenden Bettlern in der Gosse auswich.

Aber in den Jahren, in denen der Kriegskessel zum Kochen gebracht worden war, hatte Amerika nicht nur aus zwei Klassen bestanden, den Fanatischen und den Gleichgültigen. Es gab auch Männer und Frauen mit anständigen Absichten. George zählte sich dazu. Hätten sie den

Kessel umstoßen, die glühenden Kohlen löschen und ein Konzil der Vernünftigen einberufen sollen? Oder klafften so tiefe Abgründe, daß die Heißsporne auf beiden Seiten das niemals zugelassen hätten? Wie auch immer die Antwort lauten mochte, die Männer guten Willens hatten sich nicht durchsetzen können, hatten den anderen das Kommando überlassen, und die gespaltene Nation befand sich im *Krieg.*

Trauer. Orry Main hatte sie geteilt, als er Lehigh Station besuchte. Das war gerade zwei Wochen her. Auf seiner mutigen Reise von South Carolina nach Pennsylvania hatte er sich zahlreichen Bedrohungen ausgesetzt; sein Aufenthalt selbst war extrem gefährlich geworden, als eines Nachts Georges Schwester Virgilia, eine heftige Gegnerin der Sklaverei und besessene Hasserin von allem und jedem, was aus dem Süden kam, einem aufgebrachten Pöbel Orrys Anwesenheit verraten hatte. Nur mit gezogener Waffe hatte George seinen guten, aufrichtigen Freund aus der Stadt bringen können.

Danach war – was gekommen? Nicht Apathie, nicht ganz. Er hatte sich mit den täglichen Problemen befaßt: Vertragsangebote; Unbehagen über Fentons häusliche Schwierigkeiten; hundert Dinge, große und kleine. Bis heute nacht hatte er sich vor der Bedeutung des Krieges gleichsam hinter einer Mauer versteckt. Feuer und Messer hatten diese Mauer zerstört und ihm wieder eine grundsätzliche Lektion ins Gedächtnis gerufen. Zum Teufel mit den Narren, die ganz fröhlich «nur» einen Neunzig-Tage-Konflikt voraussagten. Für Tod und Ruin reichten kurze Augenblicke aus.

Sein Herz hämmerte. Ihm war schlecht. Jenseits der niedergerissenen Mauer erkannte er die Drohung, der er sich in den vergangenen beiden Wochen zu entziehen gesucht hatte. Die Bedrohung betraf das Leben jener, die ihm am meisten auf dieser Welt bedeuteten, das langsam und sorgfältig geschmiedete Band zwischen seiner Familie und der Familie der Mains in South Carolina. Das Feuer hatte ihm gezeigt, wie zerbrechlich dieses Band war. Zerbrechlich wie Fenton und die anderen beiden und das Haus, das sie mit all ihren Leidenschaften, Unzulänglichkeiten und Träumen beherbergt hatten. Von all dem war nur Asche übriggeblieben, die der Wind um ihn herumwirbelte.

Wie er so nach Mitternacht am 1. Mai diesen Hügel in Pennsylvania hochritt, da konnte er der Glut einer kleinen, bald vergessenen häuslichen Tragödie den Rücken zuwenden – ein Klischee in ihrer Häufigkeit und Gewöhnlichkeit; und so gottverdammt erschreckend und herzzerbrechend, wenn man es vor Augen hatte. Physisch konnte er sich abwenden, aber nicht psychisch. Seine Vision griff über die vergangenen zwei Wochen hinaus und umfaßte zwei Dekaden.

16

Die Hazards, Eisenhüttenbesitzer aus Pennsylvania, und die Mains, Reispflanzer aus South Carolina, hatten ihre ersten Bande geknüpft, als sich je ein Sohn aus jedem Haus an einem Sommernachmittag des Jahres 1842 auf einem Pier im New Yorker Hafen begegneten. An diesem Tag schlossen George Hazard und Orry Main Bekanntschaft, auf einem Schiff, das den Hudson River Richtung Norden hochfuhr. Als sie an Land gingen, wurden aus ihnen Kadetten in West Point.

Dort erlebten und überlebten sie so vieles, was ihr spontanes Zusammengehörigkeitsgefühl verstärkte. Da war einmal die Kopfarbeit – leicht für George, der keine große Sehnsucht nach einer militärischen Karriere hatte; schwer für Orry, der nichts anderes anstrebte. Sie schafften es, die Schindereien eines hinterlistigen – einige behaupteten: verrückten – Studenten in höherem Semester namens Elkanah Bent zu ertragen, sie erreichten sogar nach einer Serie besonders abscheulicher Taten, die er begangen hatte, seinen Rausschmiß. Doch Washingtoner Einfluß hatte Bent wieder auf die Militärakademie zurückgebracht, und bei seiner Graduierung hatte er George und Orry versprochen, daß er nichts vergessen und ihnen ihre sämtlichen Sünden zurückzahlen werde.

Die Mains und die Hazards lernten einander kennen, während die lange Zündschnur des Partikularismus zum Pulver der Sezession niederbrannte. Besuche waren abgestattet worden, Bündnisse hatten sich geformt – auch Haß hatte es gegeben. Selbst George und Orry hatten ernsthaft miteinander gestritten. George weilte gerade zu Besuch auf der Main-Plantage, Mount Royal, als ein Sklave flüchtete, der gefaßt und auf Befehl von Orrys Vater grausam bestraft wurde. Der anschließende Streit stellte die größte Belastungsprobe ihrer Freundschaft dar, und beinahe wäre sie durch die Entzweiung, die wie ein langsam wirkendes Gift in den Blutkreislauf des Landes sickerte, zerstört worden.

Der Mexikanische Krieg, bei dem die beiden Freunde im gleichen Infanterieregiment als Lieutenants dienten, trennte sie schließlich auf unerwartete Art und Weise. Captain «Butcher» Bent schickte George und Orry an der Churubusco Road in den Kampf, wo ein Bombensplitter Orrys linken Arm wegriß und seine Träume von einer militärischen Laufbahn zerstörte. Kurz darauf rief George die Nachricht vom Tode von Hazard senior heim, weil seine Mutter, mit gesundem Instinkt ausgestattet, Georges älterem Bruder Stanley nicht zutraute, das gewaltige Familiengeschäft vernünftig zu lenken. Bald nachdem er das Kommando bei Hazard übernommen hatte, entriß George seinem ehrgeizigen, verantwortungslosen Bruder die Führung über die Eisenwerke.

Die Amputation seines linken Arms versetzte Orry zeitweilig in brütende, einsiedlerische Stimmung. Aber nachdem er erst einmal gelernt hatte, mit einer Hand Arbeiten auszuführen und die Plantage zu leiten, stand er dem Leben wieder optimistischer gegenüber, und seine Freundschaft mit George erneuerte sich von selbst. Orry war Trauzeuge, als George Constance Flynn heiratete, das römisch-katholische Mädchen, das er auf dem Weg nach Mexiko in Texas kennengelernt hatte. Dann beschloß Georges jüngerer Bruder Billy, die Akademie zu besuchen, während Orry, verzweifelt auf der Suche nach einer Möglichkeit, seinen verwaisten Cousin Charles vor dem Leben eines Taugenichts zu bewahren, diesen überredete, sich bei der Akademie zu bewerben. Bald schon entsprach die Freundschaft von Charles Main und Billy Hazard, die sich zuvor schon gekannt hatten, derjenigen der beiden älteren West-Point-Absolventen.

In der letzten Friedensdekade blieben viele Nord- und Südstaatler persönliche Freunde, trotz der immer heftiger werdenden Rhetorik, den immer schärferen Drohungen der politischen Führer auf beiden Seiten. Auch diese beiden Familien hielten es so. Mains kamen nach Norden, Hazards reisten gen Süden – allerdings in keinem Fall ohne Schwierigkeiten.

Georges Schwester Virgilia, deren leidenschaftliche Sklavenbefreiungsideen längst die Grenze zum Extremismus überschritten hatten, hätte beinahe das Band der Freundschaft gelöst, als sie während eines Hazard-Besuches auf der Plantage einem Main-Sklaven zur Flucht verhalf.

Orrys wunderschöne, aber charakterlose Schwester Ashton hatte eine Zeitlang an Billy Gefallen gefunden, aber bald schon erkannte dieser die Güte und Aufrichtigkeit von Ashtons jüngerer Schwester Brett. In vielerlei Hinsicht ebenso halsstarrig und verrückt wie Virgilia, hatte die zurückgewiesene Ashton auf ihren Moment der Rache gewartet; sie zettelte eine Verschwörung an, um Billy in einem an den Haaren herbeigezogenen Duell ermorden zu lassen, keine zwei Stunden nach seiner Hochzeit mit Brett in Mont Royal. Cousin Charles hatte das Komplott in seiner direkten Kavallerieoffiziersart angepackt – das heißt, ziemlich gewalttätig –, und Orry hatte Ashton und ihren Mann, den extremistischen Südstaatler James Huntoon, für immer vom Land der Mains verbannt.

Virgilias schwarzer Geliebter, der Sklave, bei dessen Flucht sie geholfen hatte, war als Mitglied von John Browns mörderischer Bande bei Harpers Ferry erschossen worden. Virgilia, die das miterlebt hatte, war voller Panik nach Hause geflohen und befand sich deshalb in jener

Nacht, in der Orry seinen gefährlichen Besuch abstattete, auf Belvedere. Dieser Besuch und die Umstände, die dazu geführt hatten, gingen einem nachdenklichen George durch den Kopf, als er das letzte steile Straßenstück nach Belvedere hochritt.

Orrys bilderstürmender älterer Bruder Cooper war für gewöhnlich anderer Meinung gewesen als die meisten Südstaatler, wenn es um ihre ganz spezielle Institution ging. Als Gegenbeispiel einer auf Landarbeit basierenden Ökonomie, die den Besitz von Menschen erforderlich machte, hatte er den Norden angeführt – keineswegs perfekt, aber ein Schritt in das neue, weltweit angebrochene Zeitalter der Industrialisierung. Im Norden strebten freie Arbeiter unter dem Dröhnen der Maschinen einer blühenden Zukunft entgegen, ohne die Last überalterter Methoden und Ideologien, die so schwer waren wie Handschellen und ebenso hinderlich. Was die traditionelle Ausrede von Coopers Staat und Region anbelangte, daß die Sklaven mehr Sicherheit besaßen und deshalb glücklicher waren als die Fabrikarbeiter in den Nordstaaten, die mit unsichtbaren Ketten an riesige, hämmernde Maschinen geschmiedet waren, so lachte er nur darüber. Ein Fabrikarbeiter konnte tatsächlich bei dem Lohn verhungern, den die Unternehmer ihm zahlten. Aber er konnte weder gekauft noch verkauft werden wie gewöhnliches Hab und Gut. Er konnte jederzeit gehen, und niemand würde ihn verfolgen; kein Arbeiter würde wieder eingefangen, ausgepeitscht und am Schwungrad seiner großen Maschine aufgehängt werden.

Cooper versuchte in Charleston eine Schiffsbauindustrie zu etablieren und hatte sogar mit der Konstruktion eines gewaltigen Eisenschiffs begonnen, entworfen nach den Plänen, die der geniale britische Konstrukteur Brunel ausgearbeitet hatte. George hatte Geld in das waghalsige Unternehmen gesteckt, mehr um ihrer Freundschaft willen und weil er Coopers Glauben teilte, als um eines schnellen Profits willen, für den die Aussichten gering waren.

In den letzten Tagen von Fort Sumter, als der Krieg zur Gewißheit wurde, hatte Orry Hypotheken auf den Familienbesitz aufgenommen und soviel Bargeld wie nur möglich zusammengekratzt. Die Summe belief sich auf sechshundertfünfzigtausend Dollar, einen Bruchteil der ursprünglich von George investierten Million und neunhunderttausend Dollar. Trotz seines deutlichen Südstaatenakzents hatte Orry es auf sich genommen, das Geld in einer kleinen, unscheinbaren Tasche per Zug nach Lehigh Station zu bringen. Das Risiko war gewaltig, aber er kam trotzdem. Aus Freundschaft und weil es um eine Ehrensache ging.

In der Nacht, in der sich die beiden Freunde trafen, hatte Virgilia heimlich den Mob zusammengetrommelt – mit ziemlicher Sicherheit, um den Besucher lynchen zu lassen. Aber der Versuch war fehlgeschlagen, Orry konnte sich mit dem Spätzug in Sicherheit bringen und befand sich nun – wo? South Carolina? War er sicher nach Hause gelangt, so besaß er wenigstens eine Chance, glücklich zu werden. Madeline LaMotte, die Frau, die Orrys Liebe besaß, wie sie ihn trotz ihrer Gefangenschaft in einer unheilvollen Ehe liebte, war nach Mont Royal geeilt, um vor einer Verschwörung gegen Billy zu warnen. Einmal dort, blieb Madeline gegen den Willen ihres Mannes, der sie seit Jahren systematisch gequält hatte.

Der Fall von Fort Sumter erzwang neue Entscheidungen. Charles hatte sich, nach seinem Ausscheiden aus der Armee der Vereinigten Staaten, der Kavallerie von South Carolina angeschlossen. Sein bester Freund, Billy, blieb bei den Pionieren der Union. Und Billys in den Südstaaten geborene Frau Brett lebte in Lehigh Station. Die persönliche Welt der Mains und der Hazards befand sich in einem höchst unsicheren Gleichgewicht, während sich massive, bedrohliche, unvorhersehbare Gefahren zusammenbrauten.

Das war es, was George während der vergangenen vierzehn Tage verdrängt hatte. Das Leben war eine zerbrechliche Angelegenheit. Freundschaft ebenso. Vor ihrer Trennung hatten er und Orry sich geschworen, daß der Krieg niemals das Band zwischen ihnen zerschneiden könnte. Als er sich an die Schrecken dieser Nacht, an die Schmerzensschreie und Glutkaskaden erinnerte, fragte sich George, ob sie sich nicht naiv verhielten. Ein fast wildes Gefühl durchpulste ihn, daß er etwas unternehmen mußte, um sich selbst seine Hingabe an die Verteidigung ihrer Freundschaft zu bestätigen.

Er brachte sein Pferd in den Stall und ging direkt in die Bibliothek von Belvedere, ein geräumiges Zimmer mit dem Geruch von Leder und Papier.

Als er auf seinen Schreibtisch zuging, sah er aus den Augenwinkeln ein Erinnerungsstück, das auf einem ansonst stets leeren Tisch aufbewahrt wurde. Es war ein konischer Gegenstand, aus grobem Material, ungefähr fünfzehn Zentimeter hoch. Die dunkelbraune Farbe deutete auf schweres Eisenerz hin.

Ihm wurde klar, weshalb seine Aufmerksamkeit erregt worden war. Irgend jemand – möglicherweise das Hausmädchen – hatte den Gegenstand aus seiner gewohnten Position gerückt. Er nahm den Meteoriten in die Hand und hielt ihn fest, während er den Ort vor sich sah, wo er ihn vor langer Zeit gefunden hatte – in den Hügeln um West Point während seiner Kadettenzeit.

20

Was in seiner Hand lag, war der Splitter eines Meteoriten, der aus unvorstellbaren Fernen durch die bestirnte Finsternis gekommen war. Sternen-Eisen, so nannten es die alten Männer seines Fachs, seine Vorfahren. Als die Pharaonen ihr Reich am Nil regiert hatten, war es bereits bekannt gewesen.

Eisen. Der mächtigste Stoff des Universums. Das Rohmaterial für den Aufbau und die Zerstörung von Zivilisationen. Daraus wurden die gewaltigen Todeswaffen geschmiedet, die George aus einer ganzen Reihe von Gründen zu produzieren beabsichtigte: Patriotismus, Haß auf die Sklaverei, Profit, ein väterliches Verantwortungsgefühl für jene, die bei ihm arbeiteten.

Was hier in seinen Händen lag, war, in gewissem Sinne, Krieg. Schnell legte er das Stück auf den Tisch zurück, genau an die Stelle, wo es hingehörte.

Er zündete das Gaslicht über seinem Schreibtisch an und öffnete die untere Schublade, in die er die kleine, einfache Tasche getan hatte – zur Erinnerung. Eine Weile betrachtete er die Tasche. Dann, aus einem tiefen Gefühl heraus, tauchte er die Feder ein und schrieb mit großer Geschwindigkeit:

Mein lieber Orry,
als Du diese Tasche zurückgabst, hast du eine Tat von höchstem Mut und Anstand vollbracht. Es ist eine Tat, die ich eines Tages hoffentlich wiedergutmachen kann. Falls ich es nicht tue – nicht tun kann –, so nimm diese Worte hier, damit Du meine Absichten kennst.

Vor allem sollst Du wissen, daß ich unbedingt das Band der Zuneigung zwischen unseren beiden Familien bewahren möchte, das seit so vielen Jahren gewachsen und immer stärker geworden ist. Das ist mein aufrichtigster Wunsch, und danach habe ich ge-strebt, trotz Virgilia, trotz Ashton – trotz der Lektionen über die Natur des Krieges, die ich einst in Mexiko gelernt, aber bis heute nacht vergessen hatte.

Ich weiß, daß Du an den Wert dieses Bandes ebenso glaubst wie ich. Aber es ist so zerbrechlich wie ein Weizenhalm vor der Eisen-sense. Sollte es uns nicht gelingen, das zu bewahren, was so sehr Bewahrung verdient – oder falls ein Hazard oder Main fällt, was, möge Gott Erbarmen mit uns haben, durchaus der Fall sein kann, wenn dieser Konflikt länger andauert –, so wirst Du wissen, daß ich unsere Freundschaft über alles andere stellte und sie nie aufge-geben habe. So, wie ich weiß, daß Du es auch tun wirst. Ich bete darum, daß wir uns sehen, wenn alles vorbei ist, doch falls nicht, so rufe ich Dir – aus meinem tiefsten Herzen – ein liebevolles auf Wiedersehen zu.

Dein Freund –

Er wollte gerade den ersten Buchstaben seines Vornamens schreiben, doch dann schrieb er statt dessen mit einem feinen, traurigen Lächeln seinen Spitznamen von West Point: *Stumpf.*

Langsam faltete er die Blätter; langsam legte er sie in die Tasche und schnallte sie zu; langsam schloß er die Schublade und erhob sich, begleitet von einigen irritierenden Geräuschen seiner Gelenke. Wegen der warmen Nacht standen die Fenster überall in Belvedere offen. Er roch den schwächer werdenden Brandgeruch, den der Wind herbeitrug. Ihn fror, und er fühlte sich alt, als er das Gaslicht ausdrehte und müde die Treppe hochstieg.

Erstes Buch

Eine Vision von Scott

Die Flagge, die jetzt noch hier in der Brise flattert, wird vor dem 1. Mai über dem Dom des alten Kapitols von Washington wehen.

LEROY P. WALKER,
Kriegsminister der Konföderierten, bei einer Rede in Montgomery, Alabama, April 1861

1

Die Morgensonne überflutete die Weide. Plötzlich tauchten hinter einem Hügel drei schwarze Pferde auf. Zwei weitere Pferde, mit herrlich glänzendem Fell und wehenden Mähnen und Schweifen, folgten ihnen hinunter in das windgepeitschte Gras. Dicht dahinter erschienen zwei berittene Sergeants in reichlich mit Tressen versehenen Husarenjacken. Die Sergeants, breites Grinsen auf den Gesichtern, ritten im Galopp, brüllend und ihre Mützen in Richtung der schwarzen Pferde schwenkend.

Der Anblick lenkte sofort Captain Charles Mains Truppe ab. Die jungen Freiwilligen aus South Carolina ritten auf ihren Braunen eine Straße entlang, die sich durch Wälder und Farmland des Prince William County schlängelte. Die Drei-Tage-Übung hatte sie ein ganzes Stück nordwärts zwischen Richmond und Ashland geführt, aber Charles glaubte, daß ein langer Ritt nötig war, um die Männer einzugewöhnen. Alle waren sie geborene Reiter und Jäger; andere Leute hätte Colonel Hampton für die Kavallerietruppe, die er in Columbia zusammengestellt hatte, gar nicht genommen. Aber ihre Reaktion auf die *Poinsett Tactics*, so der inoffizielle Name für das Handbuch, das seit 1841 die Bibel des Kavalleristen war, reichte von unterdrückter Gleichgültigkeit bis zu lauter Verachtung.

«Verschone mich vor Gentlemen-Soldaten», murmelte Charles, als einige seiner Männer ihre Pferde dem Zaun zuwandten, der Straße und Wiese trennte. Die schwarzen Pferde schwenkten um und galoppierten neben dem Zaun her. Die schwitzenden Sergeants waren ihnen hart auf den Fersen; sie donnerten an der langen Reihe der Kavalleristen in ihren schmucken, mit glänzenden Goldknöpfen verzierten Jacken vorbei.

«Wer seid ihr, Jungs?» rief Charles' Senior-Lieutenant, ein untersetzter, fröhlicher junger Mann mit rotem Kraushaar.

Die Junibrise trug, von Hufschlägen überdeckt, die Antwort zurück. «Black Horse. Fauquier County.»

«Zeigen wir ihnen, wie man reitet, Charlie», schrie First-Lieutenant Ambrose Pell seinem Vorgesetzten zu.

Um ein Chaos zu vermeiden, bellte Charles einen Befehl: «In Zweierreihen – Trab – *Vorwärts*!»

Das Manöver wurde so schlampig ausgeführt, daß es fast schon an Befehlsverweigerung grenzte. Die Truppe schaffte es, sich in der richtigen Gangart zu Zweierreihen zu formieren, und reagierte dann mit viel Geschrei auf Charles' Befehl zum Galopp. Aber es war schon zu spät, um die Sergeants noch einholen zu können, die die fünf schwarzen Pferde nach links trieben, über eine Wiese hinweg, und dann in einem Wäldchen verschwanden.

Neid bohrte seinen Stachel in Charles. Wenn die Unteroffiziere tatsächlich zur Black-Horse-Kavallerie gehörten, von der er schon so viel gehört hatte, dann hatten sie sich ein paar edle Tiere eingefangen. Mit seinem eigenen Pferd Dasher, in Columbia gekauft, war er unzufrieden. Die Stute stammte aus guter Carolina-Zucht, scheute aber häufig. Bis jetzt hatte «die Stürmerin» ihrem Namen noch keine Ehre gemacht.

Die Straße bog nach Nordosten ab, weg von der eingezäunten Weide. Charles reduzierte die Gangart auf Trab und ignorierte eine weitere frivole Frage von Ambrose, den er, beruflich gesehen, unglückseligerweise mochte. Er fragte sich, wie um alles in der Welt er aus dieser Ansammlung von Aristokraten, die einen beim Vornamen nannten, West Point verachteten und einen niederzuschlagen versuchten, wenn man ihnen einen unliebsamen Befehl gab, eine Kampfeinheit formen sollte. Seit ihrer Ankunft im Biwak unten in Hanover County hatte Charles zweimal seine Fäuste zu Hilfe nehmen müssen, um Disziplin herzustellen.

In der Hampton-Truppe hatte er so eine Art zusammengewürfelte Einheit bekommen, mit Männern, die aus allen Teilen South Carolinas stammten. Fast alle anderen unter Hamptons Kommando stehenden Einheiten, egal ob zu Fuß oder zu Pferd, waren in einem County, manche sogar in einer einzigen Stadt, zusammengestellt worden. Der Mann, der eine Kompanie formte, gewann für gewöhnlich auch die Wahl, mit der die Freiwilligen sich ihren Captain suchten. In Charles' Truppe gab es weder derartige Bekanntschaften noch Freundschaften; in seinem Dienstverzeichnis standen Jungs aus den Bergen, vom Fuße des Gebirges, ja sogar aus seinem eigenen Flachland. Dieses bunte Gemisch forderte einen Führer, der nicht nur aus guter Familie stammte, sondern auch über ausreichende Erfahrung in militärischen Dingen verfügte. Ambrose Pell, Charles' Gegenkandidat bei der Wahl, besaß das erstere, aber nicht das letztere. Und Wade Hampton hatte noch vor der Abstimmung klar gemacht, wer für ihn in Frage kam.

Trotzdem hatte Charles nur mit einer Mehrheit von zwei Stimmen gewonnen. Allmählich wünschte er, er hätte Ambrose gewählt.

Jetzt jedoch, wo die laue Sommerbrise sein Gesicht streichelte und Dasher auf jeden Schenkeldruck reagierte, hatte er das Gefühl, daß er zu großen Wert auf Disziplin legte. Bis jetzt war der Krieg ein einziger Jux. Ein Yankee-General, Butler, war bereits in einem heftigen Gefecht bei Bethel Church vermöbelt worden. Die Yankee-Hauptstadt, die der Politiker aus dem Westen präsidierte, den viele South Caroliner nur den «Gorilla» nannten, sollte sich in ein schreckenstarres Dörfchen verwandelt haben. Das Hauptproblem der vier Truppen der Hampton-Kavallerie schien sich auf epidemische Bauchschmerzen zu beschränken, erzeugt durch zu viele Feste in Richmond.

Sämtliche Freiwilligen hatten sich für zwölf Monate verpflichtet, aber keiner von ihnen glaubte daran, daß dieser Hickhack zwischen den beiden Regierungen neunzig Tage dauern würde. Während er den Duft des sonnenwarmen Grases und des Pferdeleibes einsog, fiel auch Charles, fünfundzwanzig Jahre alt, groß und tief gebräunt und auf eine etwas rauhe Art gut aussehend, der Gedanke schwer, daß sie sich im Krieg befanden. Noch größere Schwierigkeiten bereitete ihm die Erinnerung an das mulmige Gefühl in den Eingeweiden, wenn man ernst gemeinte Kugeln pfeifen hört, obwohl ihm schon einige um die Ohren geflogen waren, bevor er zu Beginn des Jahres bei der Zweiten U.S.-Kavallerie in Texas ausgetreten und heimgekehrt war, um sich den Konföderierten anzuschließen.

«*Oh, Jung-Lochinvar kam aus dem Westen –*» Charles lächelte; Ambrose sang das Gedicht mit monotoner Stimme. Andere fielen schnell ein: «*– überall entlang der weiten Grenze war sein Streitroß am besten.*»

Sympathie für diese jungen Heißsporne dämpfte Charles' professionelle Vorbehalte. Er hätte das Singen unterbinden müssen, aber er tat es nicht, sondern genoß schweigend seine persönliche Isolation. Er war lediglich ein paar Jahre älter als die meisten von ihnen, kam sich aber wie ihr Vater vor.

«*So treu in der Liebe und so furchtlos im Krieg – nie gab es einen Ritter, der Jung-Lochinvar glich!*»

Wie sie ihren Scott liebten, diese Südstaaten-Jungs. Die Frauen waren da nicht anders. Alle beteten sie Scotts ritterliche Visionen an und lasen unermüdlich jeden Roman und jedes Gedicht, das er geschrieben hatte. Vielleicht lag in dieser seltsamen Bewunderung des alten Sir Walter einer der Schlüssel zu diesem eindeutig seltsamen Krieg verborgen, der noch gar nicht richtig begonnen hatte. Cousin Cooper, der Ketzer der Main-Familie, sagte oft, der Süden blicke zuviel zurück, anstatt sich auf die Gegenwart zu konzentrieren – oder auf den Norden, wo Fabriken wie die Eisenwerke der Hazard-Familie die geographische und politische Landschaft dominierten. Voller Anbetung zurückzublicken zu der Ära von Scotts federgeschmückten Rittern war eine Angewohnheit, die Cooper häufig und voller Leidenschaft kritisierte.

Ganz plötzlich, voraus, zwei Schüsse. Ein Ruf von hinten. Sich im Sattel umdrehend, sah Charles, daß der Kavallerist, der aufgeschrien hatte, noch aufrecht saß – nur überrascht, nicht getroffen. Lautlos seine Unaufmerksamkeit verfluchend, wandte er sich wieder nach vorn und konzentrierte seinen Blick auf ein dichtes Nußbaumwäldchen rechts von der Straße. Blaue Rauchschlieren zwischen den Bäumen verrieten die Stelle, wo die Schüsse abgefeuert worden waren.

Ambrose und einige andere grinsten. «Knöpfen wir uns die Bande vor», brüllte ein Kavallerist begeistert.

Du Idiot, dachte Charles, während sich seine Magengegend zusammenkrampfte. Er erspähte Pferde in dem Wäldchen und hörte das Knallen weiterer Gewehre, übertönt vom Brüllen seiner eigenen Stimme, die den Befehl zum Angriff gab.

2

Der Angriff von der Straße auf die Bäume zu war ungeordnet, aber wirkungsvoll. Eine Yankee-Patrouille von einem halben Dutzend Reiter galoppierte davon, als Charles' Männer das Wäldchen stürmten.

Charles war der erste, sein doppelläufiges Schrotgewehr in der Armbeuge. Die Akademie und Texas hatten ihm beigebracht, daß erfolgreiche Offiziere führen; sie feuern nicht ihre Leute an. Der reiche und kräftig gebaute Pflanzer, der die Truppe zusammengestellt hatte, war das beste Beispiel dafür. Hampton war einer jener seltenen Männer, die kein West Point nötig hatten, um zu wissen, wie man Soldaten führt.

Zwischen den Walnußbäumen dröhnten Schrotgewehre, beantwortet von Gewehrfeuer; der Rauch wurde dichter, und Charles' Truppe riß auseinander. Jeder suchte sich seinen eigenen Weg, verhöhnte den jetzt kaum noch sichtbaren flüchtenden Feind.

«Wohin rennt ihr Yankee-Jungs so schnell?»

«Na los, dreht euch um, und kämpft gegen uns!»

«Die sind unsere Zeit gar nicht wert, Jungs!» schrie Ambrose Pell. «Ich wünschte, unsere Nigger wären hier. Die könnten sie jagen.»

Ein einzelner Schuß aus einem dunklen Teil des Wäldchens unterstrich seine letzten Worte. Instinktiv duckte sich Charles auf Dashers Hals hinunter. Die Stute schien nervös, unsicher, obwohl sie wie alle anderen Truppenpferde auch im Camp von Columbia an Gewehr- und Artilleriefeuer gewöhnt worden war.

Eine Kugel zischte vorbei. Sergeant Peterkin Reynolds brüllte. Sofort feuerte Charles beide Läufe in Richtung der Bäume ab. Augenblicklich ertönte ein Schmerzensschrei.

Er riß Dashers Kopf hart zurück, drehte sich um. «Reynolds?» Bleich, aber grinsend hielt der Sergeant seinen grauen Kadettenärmel hoch, mit einem Riß unten am Aufschlag und lediglich einem kleinen Blutfleck.

Freunde von Reynolds nahmen die Verwundung weniger leicht. «Verfluchte Schneider und Schuster zu Pferd», schrie ein Mann, als er an Charles vorbeigaloppierte, der ihn vergeblich zurückbefahl.

Durch eine Baumlücke sah Charles einen Nachzügler der Unions-Patrouille, ein plumper blonder Bursche ohne jede Kontrolle über sein Pferd, einen jener schweren Klepper, wie sie für die eilig zusammengewürfelte Nordstaaten-Kavallerie typisch waren. Der Mann gab seinem Pferd die Sporen und fluchte. Ein Deutscher.

Der Deutsche war ein derart schlechter Reiter, daß der Kavallerist, der an Charles vorbeigedonnert war, keine Mühe hatte, ihn einzuholen und seitlich aus dem Sattel zu zerren. Er schlug schwer zu Boden und kreischte, bis er seinen Stiefel aus dem linken Steigbügel befreit hatte.

Der junge Mann aus South Carolina hatte seinen langen, sechs Pfund schweren Säbel mit der zweischneidigen, geraden Klinge gezogen, der nach den Anweisungen des Colonels in Columbia geschmiedet worden war und über die den Vorschriften entsprechende Länge hinausging. Hampton hatte seine Truppe aus eigener Tasche ausgerüstet.

Ambrose ritt an Charles' Seite. Er deutete nach vorn. «Schau dir das an, Charlie, ja? Verschreckt wie 'n Waschbär.»

Ambrose übertrieb nicht. Der Yank kniete zitternd auf dem Boden, als der Kavallerist aus dem Sattel stieg, seinen Säbel mit beiden Händen packte und weit ausholte. Charles schrie: «Cramm! Nein!»

Kavallerist Cramm wirbelte herum und funkelte ihn an. Charles schob dem Lieutenant seine Schrotflinte in die Hand und sprang mit einem Satz vom Pferd. Er rannte auf den Kavalleristen zu und packte den noch immer erhobenen Arm.

«Ich sagte nein.»

Trotzig wehrte sich der Kavallerist gegen Charles' Griff. «Laß mich los, du verdammtes Schoßhündchen, du verfluchter West-Point-Hundesohn, du verdammter –»

Charles ließ los, donnerte dann seine rechte Faust in Cramms Gesicht. Aus der Nase blutend, knallte der junge Mann rücklings gegen einen Baumstumpf. Charles entwand ihm den Kavalleristensäbel und drehte sich um, schaute die finster blickenden Männer zu Pferd an.

«Wir sind Soldaten, keine Metzger, und ihr tut besser daran, das nicht zu vergessen. Der nächste Mann, der sich meinem Befehl widersetzt oder mich verflucht oder mich mit dem Vornamen anredet, marschiert vors Kriegsgericht. Nachdem ich persönlich mit ihm fertig bin.»

Er ließ seine Blicke über einige feindselige Gesichter gleiten, warf dann den Säbel zu Boden und ließ sich seine Schrotflinte zurückgeben. «Lassen Sie antreten, Lieutenant Pell.»

Ambrose wich seinem Blick aus, kam aber dem Befehl nach. Charles hörte Gemurre. Die freudige Stimmung des Morgens war verschwunden; es war ohnehin dumm von ihm gewesen, daran zu glauben.

Entmutigt fragte er sich, wie seine Männer im echten Kampf überleben sollten, wenn sie ein Scharmützel weniger ernst nahmen als eine Fuchsjagd. Wie konnten sie siegen, wenn sie sich weigerten, als Einheit kämpfen zu lernen – was in allererster Linie hieß, Gehorsam zu lernen?

Sein langjähriger Freund aus West-Point-Tagen, Billy Hazard von den Bundes-Pionieren, wußte, wie wichtig es war, den Krieg ernst zu nehmen. Cousin Orry Main und dessen engster Freund, Billys älterer Bruder George, wußten es ebenfalls. Alle Männer von der Akademie wußten es. Vielleicht erklärte das die Kluft, die zwischen den Berufsoffizieren der alten, regulären Armee und den Amateur-Heißspornen klaffte. Selbst Wade Hampton machte sich manchmal über die Männer von West Point lustig.

«Nicht schlimmer als Bienengesumm, nicht wahr?» hörte Charles einen Kavalleristen sagen, während Ambrose die Truppe auf der Straße wieder zu Zweierreihen formte.

Charles enthielt sich jeglichen Kommentars und ritt zu dem sich windenden, dreckverschmierten Gefangenen. «Du wirst einen weiten Weg mit uns zurückmarschieren müssen. Aber dir wird nichts geschehen. Verstehst du?»

«Ja, versteh.» Der Deutsche sprach ein mühsames Englisch.

Die Kavalleristen hielten alle Yankees für Pöbel oder Arbeiter; unwürdige Gegner. Als Charles den armseligen, dickbäuchigen Gefangenen musterte, konnte er diesen Standpunkt verstehen. Der Jammer dabei war lediglich der, daß es im Norden hunderttausendmal mehr armseliges Volk gab als im Süden. Das machten sich die Jungs aus Carolina nie klar.

Sein Freund Billy kam ihm in den Sinn. Wo war er? Würde Charles ihn jemals wiedersehen? Würden sich die Hazards und Mains je wieder nahestehen? Trotz der Ehe von Cousine Brett mit Billy?

Zu viele Fragen. Zu viele Probleme. Auf einmal war die Sonne für diese Sommerzeit viel zu kalt. Eine halbe Meile vom Schauplatz des Scharmützels entfernt hörte Charles sein Pferd Dasher husten. Ihre Nüstern waren übermäßig feucht, als er ihren Kopf herumzog.

Beginnender Ausfluß? Ja. Der Husten hielt an. Gott, nicht die Druse, dachte er. Das war eine Winterkrankheit.

Aber sie war ein junges Pferd, sehr empfindlich. Ihm wurde klar, daß er ein weiteres Problem hatte, mit möglicherweise katastrophalen Folgen.

3

Jeder Schulterstreifen des jungen Mannes wurde von einer einzelnen Silbertresse geziert. Sein Revers zeigte das Schloß mit den Türmen innerhalb eines Lorbeerkranzes, das Ganze goldgeschmückt auf einem kleinen schwarzen Samtoval. Sehr elegant, diese Uniform aus dunkelblauem Waffenrock und Röhrenhosen.

Der junge Mann wischte sich den Mund mit einer Serviette. Er hatte ein köstliches Mahl aus Beefsteak, Röstzwiebeln und Austern verspeist, dem er eine Mandelsüßspeise folgen ließ – morgens um zehn nach zehn. Frühstück konnte man hier bis elf Uhr bestellen. Washington war eine bizarre Stadt. Aber auch eine erschreckende Stadt. Jenseits des Potomac auf Arlington Heights entwarf Brigadegeneral McDowell Kriegspläne in dem Herrschaftshaus, das die Lees verlassen hatten. Während er auf neue Befehle wartete, hatte der junge Mann vorgestern ein Pferd gemietet und war hinübergeritten. Es hatte ihn nicht gerade aufgemuntert, als Armee-Hauptquartier einen überfüllten, lärmenden Ort mit deutlichen Anzeichen von allgemeiner Verwirrung vorzufinden. Hier schien man sich ziemlich bewußt zu sein, daß die Konföderierten-Posten nicht allzu viele Meilen entfernt standen.

Bundestruppen hatten den Potomac überquert und Ende Mai die Virginiaseite besetzt. Regimenter aus New England drängten sich nun in die Stadt. Ihre Anwesenheit schwächte das Entsetzen ab, das in der ersten Woche nach Fort Sumters Fall über Washington gelegen hatte; zu jener Zeit waren Telegraphen- und Eisenbahnverbindungen nach Norden für eine Weile unterbrochen gewesen. Jeden Moment hatte man mit einem Angriff gerechnet. Das Kapitol war eiligst befestigt worden. Einige der Ersatztruppen wurden vorübergehend dort untergebracht. Die Anspannung hatte sich etwas gelegt, aber der junge Mann spürte auch hier noch die gleiche Verwirrung, die er in McDowells Hauptquartier entdeckt hatte. Zu viele neue und alarmierende Dinge ereigneten sich zu schnell.

Gestern abend hatte er im Büro des alten Generals Totten, des Befehlshabers der Pioniere, seine Befehle entgegengenommen. First Lieutenant William Hazard wurde dem Department von Washington zugeteilt und hatte sich bei einem Captain Melanchton Elijah Farmer zum einstweiligen Dienst zu melden, bis seine reguläre Einheit, die Kompanie A – und aus mehr bestand das Pionier-Corps der Armee der Vereinigten Staaten nicht – von einem anderen Auftrag zurückkehrte. Billy hatte den Aufbruch der A-Kompanie verpaßt, da er sich zu der Zeit zu Hause in Lehigh Station, Pennsylvania, erholte, wohin er seine junge Braut Brett gebracht hatte. Er hatte sie auf der Main-Plantage in South Carolina geheiratet und wäre anschließend um ein Haar von einem ihrer früheren Verehrer ermordet worden.

Charles Main hatte ihm das Leben gerettet. Billys linker Arm schmerzte noch gelegentlich von der Derringer-Kugel, die ihn genausogut hätte umbringen können. Der Schmerz diente einem guten Zweck. Er erinnerte ihn daran, daß er auf ewig in Charles Mains Schuld stehen würde.

Das Frühstück hatte seinen Hunger gestillt, ihn aber nicht von seinen Vorahnungen erlöst. Billy war ein guter Ingenieur. Er war ausgezeichnet in Mathematik und liebte die Berechenbarkeit von Gleichungen und ähnlichen Dingen als Standardverfahren für Konstruktionen. Jetzt sah er sich einer Zukunft gegenüber, die weder geordnet noch berechenbar war.

Mehr noch, er fühlte sich isoliert. Er war von seinen Berufskollegen getrennt; von seiner Frau, die er von ganzem Herzen liebte; und, aus eigenem Entschluß, von einem seiner älteren Brüder. Stanley Hazard lebte mit seiner unangenehmen Frau und ihren beiden Zwillingssöhnen in dieser Stadt. Stanley war von seinem politischen Mentor, Simon Cameron, mit ins Kriegsministerium genommen worden.

Billy liebte seinen älteren Bruder George, aber für Stanley hegte er namenlose, zwiespältige Gefühle, die sich aus fehlendem Respekt, Schuldgefühlen und fehlender Zuneigung zusammensetzten. Er kannte keinen Menschen in Washington, aber das brachte ihn nicht dazu, Stanley zu besuchen. Tatsächlich hatte er deswegen im National Hotel sein Frühstück eingenommen, weil ein Großteil der Gäste hier immer noch für den Süden war; Stanley würde daher mit ziemlicher Sicherheit hier nicht anzutreffen sein.

Er hatte die Rechnung bezahlt und gab dem Kellner ein Trinkgeld. «Danke Sir – ich danke Ihnen. Das ist viel mehr, als ich von diesen billigen Westerntypen bekomme, die hier in der Stadt auftauchen, um sich von ihrem niggerliebenden Präsidenten einen Job vermitteln zu lassen. Zum Glück haben wir hier nicht so viele von dem Westernpack. Sie trinken kaum, vögeln werden sie vermutlich auch nicht, und alle schleppen sie ihr Gepäck selber. Einige meiner Freunde in anderen Hotels verdienen nicht mal –»

Billy ließ ihn mit seinem Gejammer stehen; der Akzent des Mannes deutete darauf hin, daß er aus dem Süden oder aus einem der Grenzstaaten stammte. Es schien massenhaft solche Leute in der Hauptstadt zu geben. Yankees, aber nur dem Namen nach. Fiel die Stadt, was durchaus der Fall sein mochte, dann würden sie in den Straßen die Stars-and-Bars-Fahne zur Begrüßung von Jeff Davis schwenken.

Draußen stellte er fest, daß es mittlerweile aus schlammig grauem Himmel zu nieseln begonnen hatte. Er stülpte seinen schwarzen Filzhut auf; eine Seite der tressenbesetzten Krempe war hochgebogen und wurde von einem glänzenden Messingadler gehalten.

Billy, ein Jahr älter als sein Freund Charles, war ein sehr kräftig gebauter junger Mann mit dunklen Haaren und den farblosen, eisigen Augen, wie sie in der Hazard-Familie üblich waren. Das derbe Kinn verlieh ihm einen Ausdruck von Zuverlässigkeit und Stärke. Kürzlich hatte er der neuen Schnurrbart-Mode nachgegeben; seiner, aus dem er jetzt gerade ein Frühstücksbrösel klaubte, war dicht und noch dunkler als sein Haar.

Da Billy vermutete, daß es sich bei Captain Farmer um einen politischen Günstling handelte, hatte er es mit seiner Meldung nicht eilig. Er beschloß, sich noch einige Stunden zu gönnen, um die Stadt zu erforschen – die Viertel, die weitab vom respektablen, modernen Teil lagen.

Bald schon bereute er seinen Entschluß. Der Krieg hatte die Stadtbevölkerung auf das Dreifache der ursprünglichen Vierzigtausend anschwellen lassen. Man konnte nicht über die Straße gehen, ohne Kutschen ausweichen zu müssen, betrunken schwankenden Soldaten, Fuhrleuten, die auf ihre Maultiere eindroschen und sie verfluchten, eleganten Gentlemen, die einem die Adresse eines Quacksalbers zuflüsterten, der die Französische Krankheit in vierundzwanzig Stunden kurierte – sogar Schweine und schnatternde Gänse waren unterwegs.

Schlimmer noch, die Stadt stank. Die schlimmsten Düfte stammten von den Abwässern, die voll schleimiger Klumpen im Stadtkanal trieben. Billy stoppte auf einer der Fußgängerbrücken, die zum Südwestteil führten, bekannt als «die Insel». Er schaute hinunter, wo ein toter Hund zwischen Salatblättern und Exkrementen dahintrieb.

Er schluckte Reste seines Frühstücks hinunter und ging schnell davon, in Richtung Osten auf das Kapitol zu, dessen Dom immer noch fehlte. Überall schwärmten Soldaten und Politiker herum. Arbeiter flitzten um große Stapel von Holz, Eisenplatten und Marmorblöcken. Billy bog um einen solchen Block und kollidierte mit einer alten, übergewichtigen Hure in federgeschmücktem, schmutzigem Samt. Sie ließ ihm die Wahl zwischen sich und ihrer graugesichtigen Tochter, nicht älter als vierzehn, die sich an ihre Seite drückte.

Billy bemühte sich um Höflichkeit. «Ma'am, ich habe eine Frau in Pennsylvania.»

Die Hure hatte für seine Höflichkeit nicht viel übrig. «Leck mich am Arsch», sagte sie, als er weiterging. Er lachte, aber nicht aus vollem Herzen. Ein paar Minuten später strebte er nach Norden in das überfüllte Gebiet, wo er ein Zimmer in einer Pension genommen hatte. Unterwegs kaufte er sich noch ein Schreibheft.

Später, in der zunehmenden Dämmerung, spitzte er eine Feder an. In Hemdsärmeln beugte er sich über die erste leere Seite seines Heftes, das von einer Lampe erhellt wurde. Er trug das Datum ein und schrieb:

Meine geliebte Frau – ich beginne dieses Tagebuch und werde es weiterführen, damit Du weißt, was ich, außer Dich ständig zu vermissen, heute getan habe und an den kommenden Tagen tun werde. Heute habe ich die Hauptstadt erkundet – kein angenehmes oder herzerwärmendes Erlebnis, aus Gründen, die der Anstand mir verbietet, dieser Seite anzuvertrauen –

Bei dem Gedanken an Brett – an ihr Gesicht, ihre Hände, ihren Duft in der Intimität ihres Bettes – spürte er ein körperliches Bedürfnis nach ihr. Für einen Moment schloß er die Augen. Als er sich wieder unter Kontrolle hatte, kritzelte er weiter.

Die Stadt ist bereits schwer befestigt, was ich als Anzeichen eines langen Krieges deuten würde, wäre es nicht allgemeine Überzeugung, daß er nur kurz sein wird. Ein kurzer Krieg ist aus vielerlei Gründen wünschenswert – nicht zuletzt aus dem offensichtlichsten Grund, daß wir als Mann und Frau zusammenleben können, wo immer auch mein Dienst mich in Friedenszeiten hinführen wird. Aber abgesehen von persönlichen Dingen läßt uns ein kurzer Krieg mehr Hoffnung, die Dinge wieder in die alte Ordnung zu bringen. Heute begegnete ich auf einem öffentlichen Weg einem Neger – entweder ein Freigelassener oder Konterbande, wie General Butler Südstaaten-Flüchtlinge bezeichnet. Der schwarze Mann gab den Gehsteig nicht frei, um mich passieren zu lassen. Die Erinnerung an diesen Vorfall hat mich den ganzen Tag beunruhigt. Ich bin ebenso sehr wie jeder andere Bürger darauf bedacht, die Schande der Sklaverei zu beenden, aber die Freiheit des schwarzen Mannes darf nicht zum Freibrief werden. Und ich glaube, ich stehe mit dieser Ansicht nicht allein. Für die Armee, das weiß ich, trifft es mit absoluter Sicherheit zu. Es heißt sogar, selbst unser Präsident spreche immer noch von der Notwendigkeit, die befreiten Schwarzen wieder in Liberia anzusiedeln. Deshalb meine Furcht vor einem sich länger hinziehenden Krieg, der sehr wohl das Chaos zu vieler schneller Veränderungen in der sozialen Ordnung mit sich bringen könnte.

Er hielt inne, die Feder auf gleicher Höhe wie die stetige Flamme. Wie feucht, wie schwer die Luft auf ihm lastete; jeder tiefe Atemzug kostete Anstrengung.

Die Worte erzeugten unerwartete Schuldgefühle. Jetzt schon verdammte er beinahe die ideologische Konfusion des Krieges. Vielleicht würden sich klarere Antworten abzeichnen, wenn er und Brett erst wieder vereint waren und sie dieses Tagebuch las.

Verzeih die merkwürdige Philosophiererei. Die Atmosphäre hier erzeugt eigenartige Zweifel und Reaktionen, und ich habe niemanden, mit dem ich das teilen könnte, mit Ausnahme desjenigen Menschen, mit dem ich alles teile – mit Dir, meine geliebte Frau. Gute Nacht, und möge Gott Dich segnen – – – –

Mit einem langen Federstrich beendete er den Absatz und schlug das Heft zu. Kurz darauf zog er sich aus und löschte die Lampe. Der Schlaf wollte nicht kommen. Das Bett war hart, und vor lauter Sehnsucht nach Brett wälzte er sich ruhelos herum, während draußen in den Straßen Rowdies Scheiben zerbrachen und Pistolenschüsse abfeuerten.

«Lije Farmer? Gleich dort, Kamerad.»

Der Corporal deutete auf ein Sibley-Zelt, weiß und kegelförmig, eines von vielen. Er gab Billy einen aufmunternden Klaps und schlenderte pfeifend davon. Bei den Freiwilligen war eine solche Disziplinlosigkeit derart weit verbreitet, daß Billy gar nicht darauf achtete. Vor dem Eingang zum Zelt räusperte er sich. Er faltete seine Handschuhe über der Schärpe und trat ein, den Marschbefehl in der linken Hand.

«Lieutenant Hazard meldet sich zur Stelle, Captain – Farmer –»

Die Verblüffung zog das letzte Wort in die Länge. Der Mann mochte fünfzig oder mehr sein. Schlohweißes Haar; patriarchalischer Ausdruck. Er stand im Unterhemd da, die Hosenträger über den Hüften, und hielt eine Bibel in der rechten Hand. Auf einem gebrechlichen Tisch entdeckte Billy einige technische Texte von Mahan. Er war zu verwirrt, um irgend etwas anderes wahrzunehmen.

«Ein herzliches Willkommen, Lieutenant. Ich habe Ihrer Ankunft mit großer Freude, nein, Erregung entgegengesehen. Sie überraschen mich gerade dabei, wie ich dem Allmächtigen im Morgengebet Dank sagen möchte. Wollen Sie sich mir nicht anschließen, Sir?»

Er kniete nieder. Bestürzung verdrängte sein Erstaunen, als Billy erkannte, daß es sich bei Captain Farmers Frage um einen Befehl handelte.

4

Während Billy sich in Alexandria zum Dienst meldete, fand eine der routinemäßigen Regierungsversammlungen im Gebäude des Kriegsministeriums an der Westseite des President's Park statt. Simon Cameron, der frühere politische Boß von Pennsylvania, führte von seinem unglaublich überhäuften Schreibtisch aus den Vorsitz, obwohl der Minister selbst die Versammlung nicht einberufen hatte; das hatte der ältliche, selbstgefällige Luftballon veranlaßt, der vorgab, die Armee zu kommandieren. Von einem Stuhl in einer Ecke aus, in die Cameron zwei Assistenten als Beobachter befohlen hatte, beobachtete Stanley Hazard General Winfield Scott mit einer Verachtung, die zu verbergen ihm Mühe bereitete.

Stanley, der auf die Vierzig zuging, war ein blasser Mensch. Zwar mit Bauch, aber beinahe zierlich im Vergleich zu dem General, der schon vor langer Zeit den Spitznamen «Alter Schaumschläger» bekommen hatte. Fünfundsiebzig Jahre alt, mit einem Rumpf, der einem aufgequollenen Klumpen Brotteig glich, so ließ Winfield Scott den oberen Teil des größten Stuhles, der im Gebäude aufzutreiben gewesen war, unter seiner Körpermasse verschwinden. Tressen überzogen seine Uniform.

Außerdem nahmen noch an der Versammlung der gutaussehende, pompöse Finanzminister, Mr. Salmon Chase, teil und ein Mann in einem schlicht geschnittenen grauen Anzug, der in der Stanley gegenüberliegenden Ecke saß. Seit Beginn der Versammlung hatte der Mann kaum ein Wort gesprochen. Mit höflicher, aufmerksamer Miene lauschte er Scotts Geschwafel. Als Stanley den Präsidenten das erstemal auf einem Empfang getroffen hatte, entschied er, daß es nur ein passendes Wort für ihn gab: abstoßend. Es war mehr eine Sache des persönlichen Stils als der äußeren Erscheinung, obwohl letztere sicherlich schon schlimm genug war. Stanley hatte eine Liste weiterer, gleicherweise treffender Beschreibungen zusammengestellt. Dazu gehörten albern, tölpelhaft und tierisch.

Unter Druck hätte Stanley zugegeben, daß er für die Teilnehmer an dieser Versammlung, allenfalls mit Ausnahme seines Vorgesetzten, nichts übrig hatte. Natürlich verlangte sein Job, daß er Cameron bewunderte, der ihn als Belohnung für viele freigiebige Beiträge zu dessen politischen Kampagnen nach Washington gebracht hatte.

Obwohl loyal eingestellt, hatte Stanley schnell die gröbsten Schwächen des Ministers erkannt. Beweis dafür sah er vor sich in den Aktentürmen und den Stapeln von Zeitungen aus Richmond und Charleston – wichtige Quellen für Kriegsinformationen –, die von jedem verfügbaren Plätzchen des Schreibtischs in die Höhe ragten. Vom Teppich ragten ähnliche Säulen empor. Chaos hieß der Gott, der Simon Camerons Kriegsministerium regierte.

Hinter dem großen Schreibtisch saß der Meister von all dem, den Mund zusammengepreßt, das graue Haar lang, die grauen Augen ein Rätsel. In Pennsylvania hatte man ihm den Spitznamen «Boß» gegeben, aber niemand benützte ihn mehr, zumindest nicht in seiner Gegenwart. Seine Finger waren ständig mit den wichtigsten Büroutensilien beschäftigt, einem schmutzigen Papierfetzen und einem Bleistiftstummel.

«– zu wenig Waffen, Herr Minister», schnaufte Scott. «Mehr höre ich nicht von unseren Ausbildungslagern. Uns fehlt das Material, um Tausende von Männern auszubilden und auszurüsten, die so tapfer dem Aufruf unseres Präsidenten gefolgt sind.»

Chase beugte sich vor. «Und der Ruf, voranzustürmen, Richmond zu stürmen, wird mit jeder Stunde drängender. Sie verstehen sicherlich den Grund dafür.»

Cameron sagte trocken, aber mit diskreter Zurechtweisung: «Der Kongreß der Konföderierten tagt bald dort.» Er konsultierte einen weiteren winzigen Papierfetzen, den er in seiner Jacke entdeckt hatte. «Um genau zu sein – am 20. Juli. Der gleiche Monat, in dem die meisten unserer Neunzig-Tage-Verpflichtungen auslaufen.»

«Also muß McDowell was unternehmen», schnappte Chase. «Auch er ist unzulänglich ausgerüstet.»

Heimlich notierte Stanley eine kurze Botschaft. *Wahres Problem sind die Leute.* Er erhob sich und reichte die Notiz über den Schreibtisch. Cameron packte sie, las sie, knüllte sie zusammen und deutete ein sparsames Nicken in Stanleys Richtung an. Er verstand McDowells Hauptsorge, bei der es nicht um die Ausrüstung ging, sondern um die Notwendigkeit, sich auf Freiwillige verlassen zu müssen, deren Verhalten er nicht voraussagen und deren Mut er nicht trauen konnte.

Cameron zog es jedoch vor, diesen Punkt unerwähnt zu lassen. Er erwiderte dem kommandierenden General mit schlammiger Nachgiebigkeit: «General, ich vertrete weiterhin die Meinung, daß unser Hauptproblem nicht in zu wenig Waffen, sondern in zu vielen Männern besteht. Wir haben bereits dreihunderttausend unter Waffen. Das sind weitaus mehr, als wir für die gegenwärtige Krise benötigen.»

«Nun, ich hoffe, Sie haben recht damit», sagte der Präsident aus seiner Ecke. Niemand beachtete ihn. Wie gewöhnlich war Lincolns Stimme hoch und schrill, ein Quell zahlreicher Witze hinter seinem Rücken.

Chase entschied sich gegen eine klare Antwort und für Rhetorik. «Wir müssen mehr tun als nur hoffen, Herr Präsident, und unsere Einkäufe in Europa massiver vorantreiben. Wir haben zu wenig Artillerie im Norden, jetzt, wo wir unter dem Verlust von Harpers Fer –»

«Europäische Einkäufe werden geprüft», sagte Cameron. «Aber meiner Meinung nach ist sowas unnötig extravagant.»

Scott stampfte auf den Boden. «Verdammt, Cameron, Sie reden von Extravaganz angesichts der Rebellion von Verrätern?»

«Vergessen Sie nicht den Zwanzigsten des nächsten Monats», ergänzte Chase.

«Mr. Greeley und gewisse andere Leute lassen kaum zu, daß ich es vergesse.»

Aber die gereizten Worte gingen unter, als Chase weiter dröhnte: «Wir müssen Davis und sein Pack zerquetschen, bevor sie von Frankreich und England anerkannt werden. Wir müssen sie vollkommen zerquetschen. Ich stimme mit dem Kongreßabgeordneten Stevens aus Ihrem Staat überein. Wenn die Rebellen nicht aufgeben und zurückkehren –»

«Das werden sie nicht.» Scott sprach von oben herab. «Ich kenne die Virginier. Ich kenne die Südstaatler.»

Chase fuhr ungerührt fort: «– dann sollten wir Thad Stevens Rat wortgetreu befolgen. Verwandeln wir den Süden in ein Schlammloch.»

Nach diesen Worten räusperte sich der Präsident.

Es war ein dezenter Laut, aber zufällig fiel er in eine Pause, und niemand konnte ihn ignorieren, ohne unhöflich zu sein. Lincoln erhob sich und schob seine Hände in die Taschen, was seine Magerkeit betonte. Er sah ausgemergelt und erschöpft aus. Und doch war er erst Anfang Fünfzig. Von Ward Lamon, einem Vertrauten des Präsidenten, hatte Stanley gehört, Lincoln glaube nicht daran, daß er je wieder nach Springfield zurückkehren würde. Jeden Tag trafen anonyme Morddrohungen in seinem Büro ein.

«Nun», sagte Lincoln. Dann sprach er schnell weiter, nicht laut, aber mit eindeutiger Autorität. «Ich möchte nicht sagen, daß ich mit Stevens Reaktion auf den Aufstand übereinstimme. Ich war stets sorgfältig darauf bedacht, daß die Politik dieser Regierung nicht in einen gewalttätigen, erbarmungslosen Kampf ausartet. Eine soziale Revolution, die eine auf Dauer zerrissene Union mit sich bringen würde. Ich will wieder eine geeinte Nation, und aus diesem und keinem anderen Grund hoffe ich auf eine schnelle Kapitulation der gegenwärtigen Regierung in Richmond. Nicht um Mr. Greeley zufriedenzustellen, vergessen Sie das nicht. Wir wollen diese Sache hinter uns bringen und irgendeine Lösung für die Beendigung der Sklaverei finden.»

Mit Ausnahme der nördlichen Grenzstaaten, dachte Stanley zynisch. Dort ließ der Präsident die Institution unangefochten, aus Furcht, diese Staaten würden sich sonst auf die Seite des Südens schlagen.

Zu Cameron sagte er: «Ich überlasse Ihnen die Einkäufe, Herr Minister. Aber ich wünsche genügend Waffen, um General McDowells Armee auszurüsten *und* die Ausbildungslager *und* die Streitkräfte, die unsere Grenzen schützen.»

Sie alle verstanden den letzten Hinweis: Kentucky und den Westen. Lincoln wollte jedes zufällige Mißverständnis ausschließen. «Treiben Sie die europäischen Einkäufe etwas energischer voran. Um die Dollars soll sich Mr. Chase kümmern.»

Rote Flecken tauchten auf Camerons runzligen Wangen auf. «Sehr wohl, Herr Präsident.» Er schrieb einige Worte auf das schmuddelige Papier und stopfte den Fetzen in eine Seitentasche.

Das Treffen endete mit Camerons Versprechen, einen Assistenten zu bestimmen, der augenblicklich mit Vertretern ausländischer Waffenhersteller Kontakt aufnehmen würde.

«Und beraten Sie sich, wenn es angebracht erscheint, mit Colonel Ripley», sagte der Präsident im Hinausgehen. Er bezog sich damit auf den Leiter des Waffenamtes der Armee mit Hauptquartier im Winder Building; wie Scott, so war auch Ripley ein Relikt des Krieges von 1812.

Auch Chase und Scott gingen, jeder von ihnen in besserer Stimmung wegen Camerons scheinbarer Nachgiebigkeit. Außerdem waren die Nachrichten aus dem westlichen Virginia in letzter Zeit recht gut. George McClellan hatte Robert Lee dort draußen Anfang Juni geschlagen.

Die Männer, die heute konferiert hatten, repräsentierten zwei unterschiedliche Strategien. Scott hatte vor einigen Wochen vorgeschlagen, eine Blockade über die gesamte Küstenlinie der Konföderierten zu verhängen und dann Kanonenboote und eine große Armee schnurstracks den Mississippi hinunterzuschicken, um New Orleans zu erobern und damit den Golf zu kontrollieren. Scotts Absicht war, den Süden vom Rest der Welt zu isolieren: Schneide sie von allen lebenswichtigen Gütern ab, die sie nicht selbst produzieren können, und die Kapitulation wird schnell und unvermeidlich folgen. Scott verstärkte seinen Standpunkt mit dem Versprechen, daß der Sieg mit einem Minimum an Blutvergießen gesichert werden könnte.

Einige Teile des Planes gefielen Lincoln; die Blockade war im April verwirklicht worden. Doch der Gesamtplan, von dem die Presse Wind bekommen und den sie «Scotts Anaconda» getauft hatte, stieß auf scharfe Kritik von Radikalen wie Chase – in der republikanischen Partei zahlreich vertreten –, die einen schnellen Triumph auf einen Streich bevorzugten. Diese Haltung kam am besten zum Ausdruck in dem «Auf nach Richmond!» – dem Slogan, der überall zu hören war, von den Kirchenkanzeln bis in die Bordelle; zumindest hatte man das Stanley erzählt. Obwohl er sich ständig nach Sex sehnte und seine Frau es ihm selten gewährte, war er zu schüchtern für Bordellbesuche.

Würde die Union weiter auf die Hauptstadt der Konföderierten drängen? Stanley blieb kaum Zeit, darüber Spekulationen anzustellen, weil Cameron schnell zurückkehrte, nachdem er seine Besucher hinausbegleitet hatte. Er sammelte Stanley und vier weitere Assistenten um sich, zerrte merkwürdig geformte, kleine Papierchen aus jeder Tasche und rasselte Befehle herunter. Der Fetzen, auf den der Minister den eindeutigen Befehl des Präsidenten niedergekritzelt hatte, flatterte unbeachtet zu Boden.

«Und Sie, Stanley», Cameron fixierte ihn mit Augen, so grau wie die winterlichen Hügel seiner schottischen Vorfahren, «wir haben heute noch dieses Treffen. Wegen der Uniformen.»

«Jawohl, Herr Minister.»

«Wir treffen diesen Burschen bei – warten Sie mal...» Er klopfte seine Jacke auf der Suche nach einem weiteren Informationsschnipsel ab.

«Willard's, Sir. Die Saloon-Bar. Sie haben es für sechs Uhr abends angesetzt.»

«Ja, sechs. Soviele Einzelheiten kann ich nicht im Kopf behalten.» Sein säuerliches Lächeln besagte, daß ihm das keine übertriebenen Sorgen bereitete.

Kurz vor sechs verließen Stanley und der Minister das Kriegsministerium und wechselten hinüber zur gepflegteren Seite der Avenue. Der gestrige Regen hatte die Straße wieder in einen Schlammtümpel verwandelt. Obwohl Stanley sehr vorsichtig ging, bekam er einige Spritzer auf seine Hosen. Ärgerlich. In Washington zählte der Schein mehr als die Realität. Das hatte ihm seine Frau beigebracht, wie so viele andere wertvolle Dinge in ihrem Eheleben. Ohne Isabel, das wußte Stanley sehr wohl, wäre er nichts weiter als ein Fußabtreter für seinen jüngeren Bruder George.

«– schickte ich eine telegraphische Botschaft nach unserer Versammlung heute morgen», hörte er Cameron sagen.

«Oh, tatsächlich, Sir? An wen?»

«An Ihren Bruder George. Wir könnten einen Mann mit seinen Erfahrungen im Rüstungsministerium brauchen. Wenn er einverstanden ist, dann hätte ich ihn gern hier in Washington.»

5

Stanley hatte das Gefühl, einen Fußtritt bekommen zu haben.

«Sie telegraphierten –? Sie möchten –? Meinen Bruder George –?»

«Ich möchte, daß er für das Kriegsministerium arbeitet», sagte der Minister mit der Andeutung eines Grinsens. «Geht mir seit Wochen im Kopf herum. Der Anpfiff heute morgen hat die Sache entschieden. Ihr Bruder ist einer der Männer von Gewicht in unserem Staat, Stanley. Spitze auf seinem Gebiet – vergessen Sie nicht, ich kenne die Stahlbranche. Ihr Bruder bringt die Dinge in Schwung. Er steht neuen Ideen aufgeschlossen gegenüber. Er ist der Mann, der frischen Wind in die Rüstung bringen kann. Ripley kann das nicht; er ist eine Mumie. Und sein Assistent, dieser andere Offizier –»

«Maynadier», flüsterte Stanley mit unglaublicher Anstrengung.

«Ja – nun, ihretwegen bekomme ich vom Präsidenten schlechte Noten verpaßt. Die beiden sagen zu allem nein. Lincoln ist an Gewehren mit gezogenem Lauf interessiert, aber Ripley meint, die taugen nichts. Wissen Sie warum? Weil er in seinen Lagerhäusern nichts weiter hat als eine Menge alter Gewehre mit glattem Lauf.»

Obwohl sich Cameron oft genug ebenso heftig gegen neue Ideen sträubte wie Colonel Ripley, war Stanley daran gewöhnt, daß sein Mentor die Schuld kunstvoll weiterschob. Die Politik in Pennsylvania hatte ihn darin zum Meister werden lassen. Stanley raffte schnell seinen Mut zusammen, um Cameron aus anderer Richtung anzugreifen. «Herr Minister, ich gebe zu, es ist notwendig, neue Leute zu holen. Aber warum haben Sie telegraphiert? Ich meine, wir haben nie darüber gesprochen...»

Ein scharfer Blick stoppte ihn. «Kommen Sie, mein Junge. Ich brauche nicht Ihre Erlaubnis, um irgendwas zu tun. Und Ihre Reaktion kannte ich bereits im voraus. Ihr Bruder hat die Führung der Hazard-Eisenwerke an sich gerissen, hat sie Ihnen einfach weggenommen, und das frißt seitdem an Ihnen.»

Ja, bei Gott, das stimmte. Seit sie kleine Kinder waren, hatte er in Georges Schatten gelebt. Jetzt stand er endlich auf eigenen Beinen, und schon kam dieser Kerl wieder an. Er würde das nicht zulassen.

Nichts davon sagte Stanley laut. Noch einige Schritte, und die Männer bogen in den Haupteingang von Willard's. Cameron sah fröhlich, Stanley elend aus.

Die Hotelhalle und die Aufenthaltsräume waren mit Leuten vollgestopft. Nahe bei einer mit Seilen abgesperrten Wand stritt sich einer der Willard-Brüder mit einem Maler herum. Das ganze Hotel roch nach Farbe, Mörtel – und nach schweren Parfüms. Unter den Lüstern plauderten Männer und Frauen mit Augen wie Glas und Gesichtern so steif wie Partymasken.

Stanley hatte sich genügend erholt, um hervorzubringen: «Natürlich ist es Ihre Entscheidung, Sir.»

«Richtig, das ist es.»

«Aber ich möchte Sie daran erinnern, daß mein Bruder keiner unserer stärksten Anhänger ist.»

«Er ist Republikaner, genau wie ich.»

«Ich bin sicher, er hat die Zeit noch nicht vergessen, als Sie auf seiten der Demokraten waren.» Stanley wußte, daß George ganz besonders erbost über die Ereignisse beim Konvent in Chicago gewesen war, der den Präsidenten nominiert hatte. Lincolns Wahlhelfer hatten die Stimmen benötigt, die Cameron kontrollierte. Der Boß hatte sie nur für einen Kabinettposten verschachern wollen. Deshalb sagte Stanley mit Bestimmtheit: «Wahrscheinlich wird er gegen Sie arbeiten.»

«Er wird *für* mich arbeiten, wenn ich ihn richtig anpacke. Ich weiß, daß er mich nicht mag, aber wir befinden uns im Krieg, und er hat in Mexiko gekämpft – ein Mann wie er kann der alten Flagge nicht den Rücken zuwenden. Außerdem», die grauen Augen nahmen einen verschlagenen Ausdruck an, «kann man einen Mann wesentlich leichter kontrollieren, wenn man ihn direkt unterm Daumen hat.»

Cameron beschleunigte seinen Schritt, um das Ende der Diskussion zu markieren.

Stanley blieb hartnäckig. «Er wird nicht kommen.»

«Doch, wird er. Ripley ist ein dämlicher alter Ziegenbock. Ich brauche George Hazard. Und ich kriege, was ich will.»

Mit seinem Stock stieß der Minister eine der Schwingtüren zur Saloon-Bar auf. Kochend vor Wut folgte ihm Stanley.

Der Geschäftsmann, der um die Unterredung ersucht hatte, irgendein Freund eines Freundes von Cameron, war ein gedrungener Bursche namens Huffsteder. Er bestellte und bezahlte die erwartete Runde Drinks – Lager für Stanley, Whisky für Cameron –, und das Trio ließ sich an einem Tisch nieder, der eben von einigen Offizieren verlassen worden war.

«Lassen Sie mich gleich zur Sache kommen», begann Huffsteder.

Cameron ließ ihm keine Chance. «Sie wollen einen Kontrakt. Da sind Sie nicht der einzige, das kann ich Ihnen sagen. Aber ich wäre nicht hier, wenn Sie nicht – oh, nennen wir es einen kleinen Bonus verdient hätten.» Ihre Blicke trafen sich. «Wegen früherer Gefälligkeiten. Wollen das nicht weiter ausführen. Also, was haben Sie anzubieten?»

«Uniformen. Schnelle Lieferung zum richtigen Preis.»

«Wo hergestellt?»

«In meiner Fabrik in Albany.»

«Oh, das ist gut. New York. Ich erinnere mich.»

Der Geschäftsmann holte ein Stück groben Stoffes aus seiner Jackentasche, dunkelblau gefärbt, und legte das Muster auf den Tisch. Stanley griff mit beiden Händen danach und riß es leicht mittendurch. «Schund», sagte er. Huffsteder sagte nichts. Cameron befingerte eines der Stücke. Genau wie Stanley wußte er, daß keine Uniform aus diesem Material länger als zwei oder drei Monate halten würde. Aber schließlich war Krieg; die Aktionen der Rebellen erforderten gewisse Kompromisse.

Cameron machte das sehr schnell deutlich. «Was die Beschaffung anbelangt, Mr. Hoffsteder», der Mann murmelte seinen korrekten Namen, aber Cameron ignorierte ihn, «so ist das Gesetz klar wie Kristall. Mein Ministerium hält sich an dieses Gesetz. Es werden versiegelte Gebote abgegeben, wenn der Kontrakt öffentlich ausgeschrieben wird. Andererseits habe ich gewisse Summen zu meiner persönlichen Verfügung, und ich kann dieses Geld weiterleiten an autorisierte Agenten des Kriegsministeriums für geheime Käufe, die nicht öffentlich ausgeschrieben werden. Verstehen Sie, worauf ich hinauswill?» Huffsteder nickte. «Wenn unsere tapferen Jungs Mäntel oder Pulver brauchen, dann können wir nicht zu pingelig sein, was das Gesetz betrifft. Mit den Rebellen drüben in Virginia, die möglicherweise jeden Moment hier einfallen, können wir nicht auf versiegelte Gebote warten, oder? Also», Cameron hob beredt eine Hand, «Spezialverträge, bezahlt aus einem Spezialfonds.»

Und nur für ganz spezielle Freunde. Schon nach diesen wenigen Monaten verstand Stanley das System recht gut.

Cameron ließ die redselige Pose fallen. «Stanley, schreiben Sie Namen und Adressen unserer Agenten im Staat New York für diesen Gentleman auf. Nehmen Sie Kontakt mit irgendeinem von ihnen auf, und ich bin sicher, Sie werden ins Geschäft kommen.»

«Sir, ich kann Ihnen gar nicht genug danken.»

«Aber das haben Sie doch bereits getan.» Wieder fixierten die grauen Augen den aufgeregten Mann. «Ich erinnere mich an den genauen Betrag der Spende. Reichlich, tatsächlich reichlich. Genau die

Art von Spende, die ich von jemandem erwarte, der die Kriegsanstrengungen unterstützen will.»

«Ich schreibe besser unseren Agenten», warf Stanley ein.

«Ja, kümmern Sie sich darum.» Cameron brauchte seinen Schüler nicht darauf aufmerksam zu machen, daß er sich auch vage genug ausdrückte; Stanley hatte über ein Dutzend Briefe dieser Art geschrieben. «Nun, Sir, wenn Sie mich jetzt entschuldigen, ich esse mit meinem Bruder zu Abend. Auch er dient unserer Sache. Kommandeur der Seventy-Ninth, New York. Hauptsächlich Schotten. Aber mich werden Sie nicht in einem Kilt erwischen. Nicht mit diesen Knien.»

In der Hotelhalle unternahm Stanley einen letzten Versuch. «Sir, ehe Sie gehen – denken Sie bitte noch einmal über George nach. Vergessen Sie nicht, er ist einer dieser West-Point-Pfauen.»

«Ich mag ihn oder die Institution kein bißchen besser als Sie, mein Junge. Ich schätze, wenn ich das Baby will, dann werd' ich schon die Wehen durchstehen müssen.»

«Herr Minister, ich bitte Sie!»

«Das reicht! Haben Sie mich nicht verstanden?»

Einige Köpfe drehten sich in ihre Richtung. Errötend packte Cameron Stanleys Ärmel und zerrte ihn zu einem leeren Sofa. «Kommen Sie her. James wird verärgert sein, wenn ich mich verspäte, aber ich möchte eines klarstellen.»

Oh, mein Gott, er wird mich entlassen –

Camerons Gesichtsausdruck ließ durchaus auf diese Möglichkeit schließen. Er drückte Stanley in die Kissen. «Jetzt hören Sie mir mal zu. Ich mag Sie, Stanley. Mehr noch, ich vertraue Ihnen, und das kann ich nicht von vielen sagen, die für mich arbeiten. Hören Sie auf, sich wegen Ihres Bruders Sorgen zu machen. Ich werde schon mit ihm fertig. Sie würden verdammt viel klüger handeln, wenn Sie die Vergangenheit vergäßen und sich die Gegenwart zunutze machten.»

Stumpfsinnig sagte Stanley: «Wie meinen Sie das?»

Ruhiger setzte sich Cameron hin. «Ich meine, schneiden Sie sich eine Scheibe von dem Dieb ab, mit dem wir es eben zu tun hatten. Suchen Sie sich eine günstige Gelegenheit, und schlagen Sie Kapital daraus. Ich leite mein Ministerium genau nach Vorschrift», Stanley war zu verwirrt, um über diese Absurdität zu lachen, «aber das heißt nicht, daß ich was dagegen hätte, daß gute, vertrauenswürdige Bekannte etwas verdienten. Viele kleine Aufgaben müssen erledigt werden, wenn wir die große Aufgabe schaffen wollen.»

Endlich dämmerte es. «Sie meinen, ich sollte um einen Kontrakt nachsuchen?»

Cameron schlug Stanley aufs Knie. «Genau.»

«Für was?»

«Was unsere Jungs brauchen. Dies hier zum Beispiel.» Er griff nach unten, klopfte gegen seinen Schuh und richtete dann seinen Blick sinnierend zur frisch gestrichenen Decke empor. «Die Schuhindustrie ist die zweitgrößte im Norden, bloß ist es ihr in letzter Zeit ziemlich dreckig gegangen. Ich möchte wetten, in New England stehen eine Menge kleiner Fabriken zum Verkauf.»

«Aber ich verstehe rein gar nichts von der Schuhindu-»

«Lernen, mein Junge.» Wie eine Schlange schoß Camerons Kopf auf ihn zu. «Lernen!»

«Nun, ich vermute, ich könnte –»

«Aber sicher.» Cameron, jetzt wieder ganz leutselig, gab Stanleys Knie einen zweiten Klaps und erhob sich. «Der Vorrat an Schuhen ist verdammt knapp. Eine äußerst günstige Gelegenheit für irgend jemanden.»

«Ich weiß die Anregung zu schätzen. Ich danke Ihnen.»

Cameron strahlte. «Gute Nacht, mein Junge.»

«Gute Nacht, Sir.»

Nachdem der Minister das Hotel verlassen hatte, starrte Stanley lange vor sich hin. Wie sollte er Isabels Zorn ertragen, wenn sie erfuhr, daß der Mann, der sie aus Lehigh Station gejagt hatte, erneut zu Stanleys Rivalen geworden war?

6

«Ohne die Nigger würd's diesen Krieg gar nicht geben.»

«Stimmt nicht. Die Rebs, die von der Union abgefallen sind, haben ihn angefangen. Ich sage, kämpfen wir für die Flagge, aber nicht für die Schwarzen.»

«Genau. Meiner Meinung nach ließe sich das Problem am besten lösen, wenn man sie alle erschießen würde.»

Andere Zivilisten in der Willard-Bar stimmten lauthals zu. Ein einsamer Offizier war der gleichen Meinung, aber da er sich in Uniform befand, enthielt er sich jeden Kommentars.

Der Offizier wog zweihundertdreißig Pfund. Ein Bauch wölbte seinen makellosen Uniformrock. In dem wachsweißen Gesicht, das die Sonne in einer halben Stunde verbrennen konnte, huschten die Blicke der dunklen Augen zu einem Ecktisch. Ein Mann, der soeben von zwei anderen verlassen worden war, saß noch dort. Der jüngere der beiden anderen hatte ein quälend vertrautes Gesicht gehabt.

Der Offizier schlürfte seinen Whisky und durchforstete sein Gedächtnis. Er war siebenunddreißig, aber sein schwarzes Haar zeigte bereits seit sechs Monaten graue Strähnen. Er färbte sie jeden Tag, um eine jugendliche Erscheinung präsentieren zu können. Brevet Colonel Elkanah Bent wünschte nur, er könnte das vor sich selbst ebenso leicht verbergen.

Dieses Grau ließ ihm seine eigene Sterblichkeit bewußt werden und verstärkte seine Frustrationen. Während des größten Teils seines Erwachsenenlebens hatte er unter Karrierefrustrationen gelitten. Im vergangenen Monat war es noch schlimmer geworden, während er die Tage in dieser pro-südstaatlichen, umnachteten Stadt vertrödelte. Bent haßte die Südstaatler fast genauso wie die Schwarzen. Am meisten haßte er einen Südstaatler namens Orry Main; Main und dessen Yankee-Klassenkameraden George Hazard. Dazu kam noch, daß in Washington der einzige Mensch wohnte, dem Bent eine gewisse Zuneigung entgegenbrachte; und ihn durfte er nicht sehen.

Das Gesicht des Fremden ging ihm nicht aus dem Kopf. Bent winkte den Barkeeper heran. «Haben Sie den Herrn gesehen, der gerade gegangen ist?»

«Minister Cameron.»

«Nein, sein Begleiter.»

«Oh, das war einer seiner Untergebenen. Stanley Hazard.»

Bents Hand ballte sich zur Faust. «Aus Pennsylvania?»

«Ich denke schon. Cameron hat eine Menge politische Freunde mit ins Kriegsministerium genommen.» Ein Nicken zu dem leeren Glas. «Noch einen?»

«Oh ja. Einen Doppelten.»

Stanley Hazard. Bestimmt George Hazards Bruder. Das würde die Ähnlichkeit erklären, trotz des weichen, schlaffen Gesichts. Für einen Moment überwältigten ihn derartige Emotionen, daß er sich ganz benommen fühlte.

Auf der Militärakademie waren Orry Main und George Hazard einen Jahrgang unter Elkanah Bent gewesen. Von Anfang an hatten sie sich gegen ihn verschworen und andere gegen ihn aufgehetzt. Sie waren für seine ausgebliebenen Beförderungen verantwortlich.

Ende der fünfziger Jahre war Bent zur Zweiten Kavallerie in Texas versetzt worden. Dort hatte Orry Mains Cousin Charles, ein draufgängerischer Lieutenant, neu im Regiment, seinen Ruf weiter beschmutzt.

Natürlich standen die Mains in diesem Krieg auf seiten der Südstaaten-Verräter. George Hazard hatte die Armee vor Jahren verlassen, aber sein jüngerer Bruder Billy war bei den Bundespionieren. Bent hatte keine Ahnung von ihrem Verbleib, er wußte nur eines mit absoluter Gewißheit: Elkanah Bent war zu Großem bestimmt; er sah sich als amerikanischer Bonaparte, mit aller Macht ausgestattet; und damit der Möglichkeit, die Mains und die Hazards zu vernichten.

Er stürzte seinen Whisky hinunter und rief sich Stanleys Erscheinungsbild ins Gedächtnis. Noch einen Drink, dann würde er gehen. Er schlürfte ihn, während er glückselige Visionen heraufzubeschwören suchte, wie er Stanley Hazard erwürgte oder ihm seinen Säbel in den Bauch bohrte. Aber viel nützte ihm das nicht. George war es, dem er weh tun wollte. George und dieser verfluchte Orry Main.

Seinen Säbelgriff umklammernd schlurfte er aus der Willard-Bar hinaus. Er konnte die feuchte Luft spüren und riechen; bald würde stinkender Nebel vom Fluß aufsteigen. Er stieß mit einem Austernverkäufer zusammen, der gerade seinen Karren wegrollen wollte. Bent verfluchte die verschwommene Gestalt und schwankte weiter, vorbei an zwielichtigen Schatten, die ihm mit fremden, lockenden Stimmen zuflüsterten. Wirkliche Stimmen? Phantome? Er war verwirrt.

Drei Blocks hielt diese Qual an, dann hatte er die Sicherheit seines Gasthauses erreicht. Keuchend kletterte er die Stufen zur erleuchteten Veranda hoch. Im Aufenthaltsraum traf er auf einen weiteren Pensionsgast, mit dem er sich ein wenig angefreundet hatte. Colonel Elsmdale, ein Mann aus New Hampshire mit gewaltigen Ohren, kaute an seiner Zigarre, während er auf einige Papiere deutete.

«Hab' heute meine Befehle abgeholt. Ihre auch. Da liegen sie. Nicht gerade die erfreulichsten Nachrichten.»

«Nicht – erfreulich?» Sich die bereits feuchten Lippen leckend, schnappte sich Bent die Befehle. Die Handschrift schien sich zu winden, als wären Schlangen im Papier gefangen. Aber er verstand jedes Wort. Er war so verängstigt, daß ihm unkontrollierbare Blähungen entwichen. Elsmdale verzog keine Miene.

«Gebiet von – Kentucky?»

Ein grimmiges Nicken. «Armee von Cumberland. Wissen Sie, wer dort das Kommando hat? Anderson. Der gleiche sklavenhaltende Stümper, der in Sumter die Fahne runtergeholt hat. Ich weiß, daß ihn eine Menge Leute als Helden bezeichnet haben, aber ich will verdammt sein, wenn ich dazugehöre.»

«Wo liegt dieses Camp Dick Robinson?»

«In der Nähe von Danville. Ausbildungscamp für Freiwillige.»

Ungläubig sagte Bent: «Ich habe Frontdienst gezogen – im Sezessions-Gebiet?»

«Ja, und ich ebenfalls. Ich bin darüber kein bißchen glücklicher als Sie, Bent. Wir werden Grünschnäbel zu kommandieren haben, Hekkenschützen hinter jedem Baum, niemand kämpft den Vorschriften entsprechend. Ich möchte wetten, die Bauern, die wir auszubilden haben, können nicht mal die gottverdammten Vorschriften lesen.»

«Da muß ein Irrtum vorliegen», flüsterte Bent, drehte sich um und stolperte auf die Treppe zu.

«Ganz sicher. Typisch für die Armee.» Elmsdale seufzte. «Gibt nichts, was wir dagegen tun könnten.»

Bent hörte nichts mehr; er schleppte sich die Stufen hoch, einen staubigen Flur entlang, in dem es nach Hammelfleisch und Zwiebeln roch. Bei dem Gedanken an das Abendessen drehte es ihm schon den Magen um. Endlich gelangte er zu seinem Zimmer. Er knallte die Tür zu. Sank auf die Bettkante. Frontdienst. Analphabeten in der Wildnis kommandieren, wo man jederzeit riskierte, eine Kugel von einem Südstaatensympathisanten einzufangen.

Was war geschehen? In der abgestandenen Dunkelheit, in der es nach Uniformbaumwolle und seinem eigenen Schweiß roch, kamen ihm fast die Tränen. Wo war sein Beschützer? Seit Bents Jugendzeit hatte dieser Mann insgeheim für ihn gearbeitet. Hatte für die Akademieberufung von Ohio aus gesorgt und dann, nach den Machenschaften von Hazard und Main und seiner Entlassung, mit einem Gesuch beim Kriegsminister seine erneute Zulassung erwirkt. Bis auf den unvermeidlichen Dienst im Mexikanischen Krieg und der einen Abkommandierung nach Texas hatte man ihn immer auf einen ruhigen, sicheren Posten gesetzt. Die Armee hatte ihn behalten, ungefährdet von –

Bis jetzt.

Mein Gott, sie schickten ihn ins Exil. Angenommen, er landete bei den Kampftruppen? Er könnte sterben. Warum hatte ihn sein Beschützer im Stich gelassen? Sicher war es ohne Absicht geschehen. Sicher wußte bis auf einige Schreibstubenhengste niemand was von diesen Befehlen. Das mußte die Erklärung sein.

Immer noch zitternd entschied er, was zu tun war. Es war eine Verletzung der schon lange bestehenden Vereinbarung, daß er nie in direkte Verbindung zu seinem Beschützer treten durfte. Aber diese Krise, diese absolute Katastrophe hatte Vorrang.

Er rannte aus dem Zimmer, die Treppe hinunter, und erschreckte

Elmsdale, der gerade hochkam. «Der Nebel da draußen ist mächtig dicht geworden. Wenn Sie rausmüssen, vergessen Sie Ihren Revolver nicht.»

«Ich brauche von Ihnen keinen Rat.» Bent schob ihn beiseite. «Aus dem Weg!» Mit wild schwingender Säbelscheide torkelte er zur Tür hinaus. Elmsdale fluchte und dachte für sich: Wie hat es ein Verrückter wie der da bloß geschafft, in der Armee zu bleiben?

7

Die Mietkutsche bog in die Nineteenth, wo der Abstand zwischen den einzelnen Häusern immer größer wurde. Die Reichen bauten in diesem abgelegenen Teil, um dem Dreck und den Gefahren der Innenstadt zu entrinnen.

«Welches Haus zwischen K und L?» rief der Kutscher.

«Da gibt's nur eins. Nimmt den ganzen Block ein.»

Bent hing am inneren Haltegriff, als wäre es eine Rettungsleine im Ozean. Sein Mund fühlte sich heiß und ausgedörrt an, sein restlicher Körper kalt. Der Nebel vom Potomac hängte selbst über die hellsten Fenster schmutzige Gazevorhänge.

Bents Ziel war die Residenz eines Mannes namens Heyward Starkwether. Im üblichen Sinne besaß Starkwether, der aus Ohio stammte, weder einen Beruf noch ein Büro noch eine erkennbare Einkommensquelle, obwohl er seit fünfundzwanzig Jahren in dieser Stadt lebte. Neue, unerfahrene Reporter in Washington bezeichneten ihn manchmal als Lobbyisten. Elkanah Bent wußte nicht viel über Starkwethers Angelegenheiten, aber er wußte zumindest soviel, daß die Bezeichnung Lobbyist zu dem Mann genauso paßte, als hätte man Alexander den Großen einen gemeinen Soldaten genannt.

Das Gerücht ging um, daß Starkwether gewaltige New Yorker Geldinteressen repräsentierte, Männer, deren Einfluß und Reichtum von olympischen Dimensionen war. Männer, die jedes Gesetz ignorieren konnten, wenn es ihnen in den Sinn kam, und die Regierungspolitik nach ihren persönlichen Absichten formten. Auf ihr Geheiß, so wurde gemunkelt, unterhielt Starkwether seit zwei Jahrzehnten Freundschaften auf höchster Regierungsebene.

«Biegen Sie hier ein», rief er. Der Kutscher hätte beinahe die Einfahrt zu dem Herrschaftshaus verpaßt, das einem griechischen Tempel glich. Nebel verbarg die weitläufigen Flügel und oberen Stockwerke; die leere Einfahrt und das Fehlen erleuchteter Fenster verwirrten Bent.

«Warten Sie auf mich», sagte Bent und ging die weiten Marmorstufen zum Eingang hoch. Er ließ einen der Türklopfer, einen gewaltigen Löwenkopf, zweimal fallen. Der Ton dröhnte auf und verhallte. War sein Beschützer verreist? Erneut klopfte er. Ein ältlicher Diener mit geröteten Augen öffnete ihm. Bevor er den Mund aufmachen konnte, sprudelte der Besucher heraus: «Ich bin Colonel Elkanah Bent. Ich muß Mr. Starkwether sehen. Es ist dringend.»

«Ich bedaure sehr, Colonel, aber das ist unmöglich. Heute nachmittag hatte Mr. Starkwether einen unerwarteten», der alte Mann hatte Schwierigkeiten, das Wort auszusprechen, «Anfall.»

«Sie meinen einen Schlaganfall.»

«Jawohl, Sir.»

«Aber er lebt, es geht ihm soweit gut, ja?»

«Der Schlaganfall war tödlich, Sir.»

Bent ging zur Kutsche zurück; er sah nichts, hörte nichts, und er fragte sich, wie er selbst überleben sollte, jetzt, da er seinen Vater verloren hatte.

8

«Er kommt hierher? Mit dieser katholischen Hündin, die über uns thront, als wäre sie eine Königin? Stanley, du Schwachkopf! Wie konntest du das zulassen?»

«Isabel», begann er mit schwacher Stimme, während sie an das Wohnzimmerfenster stürzte. Sie zeigte ihm die Rückseite ihres eintönig grauen Reifrocks und der dazu passenden Jacke, die sie täglich trug. Sie stöhnte so laut, daß man hätte meinen können, irgendein Mann würde sie vergewaltigen. Verdammt geringe Chance, daß sie das zuläßt, dachte Stanley mürrisch.

Seine Frau warf die Reifen hoch, um sich schnell umdrehen zu können, zu einer weiteren Konfrontation. «Warum um Himmels willen hast du keine Einwände dagegen erhoben?»

«Hab' ich doch! Aber Cameron will ihn haben.»

«Aus was für einem Grund?»

Stanley bot einige von Camerons Erklärungssätzen an, so gut er sie noch im Gedächtnis hatte. Hingestreckt auf einem Stuhl endete er lahm: «Die Chancen stehen recht gut, daß er gar nicht kommt.»

«Ich wollte, wir wären auch nicht gekommen. Ich verabscheue diese verfluchte Stadt.»

Er saß schweigend da, während sie dreimal das Wohnzimmer durchschritt und einen Teil ihrer Wut abreagierte. Er wußte, daß ihre letzte Bemerkung nicht ernst gemeint war. Sie liebte Washington, weil sie die Macht liebte und die Nähe zu jenen, die sie ausübten.

Ihre gegenwärtigen Umstände waren freilich nicht ideal. Ein anständiges Quartier war schwer zu finden, und so waren sie gezwungen gewesen, diese staubige, alte Suite in dem höhlenartigen National Hotel zu mieten, ein Versammlungsort von Südstaaten-Anhängern. Stanley wünschte, sie könnten umziehen. Von der Politik mal abgesehen war ein Hotel einfach nicht der richtige Ort, um zwei eigensinnige heranwachsende Söhne zu erziehen. Manchmal blieben Laban und Levi in dem Irrgarten der Korridore für Stunden verschwunden. Als Stanley um sieben gekommen war, hatte ihm Isabel berichtet, daß sie Laban dabei überrascht hatte, wie er mit einem der jungen Zimmermädchen herumschäkerte. Stanley hatte seinem Sohn eine Ermahnung erteilt – für ihn quälend und für den trotzigen Jungen langweilig. Dann hatte er den Zwillingen befohlen, für eine Stunde lateinische Verben zu lernen, und hatte ihre Schlafzimmertür zugesperrt.

Isabel beendete ihren letzten Rundgang und hielt vor ihm an, die Arme über ihrem kleinen Busen verschränkt. Zwei Jahre älter als Stanley, war sie mit zunehmendem Alter immer abstoßender geworden.

Als Antwort auf ihren funkelnden Blick sagte er: «Isabel, versuch doch zu verstehen. Ich habe widersprochen, aber –»

«Nicht eindringlich genug. Du machst nie etwas eindringlich genug.»

Sein Rücken versteifte sich. «Das ist unfair. Ich wollte mein gutes Verhältnis zu Simon nicht gefährden. Ich hatte den Eindruck, daß du das als Aktivposten betrachtest.»

Isabel Hazard war eine Expertin, was die Manipulation von Menschen anbelangte. Sie merkte, daß sie zu weit gegangen war. Die Einsicht dämpfte ihren Ärger.

«Das tue ich auch. Was ich gesagt habe, tut mir leid. Es ist nur so, daß ich George und Constance wegen all der Demütigungen, mit denen sie dich überschüttet haben, so verabscheue.»

Der Waffenstillstand war hergestellt, und er ging zu ihr. «Und dich.»

«Ja. Das würde ich ihnen gern zurückzahlen.» Lächelnd legte sie den Kopf schief. «Wenn sie tatsächlich herkommen, könnte ich vielleicht einen Weg finden. Wir kennen hier einflußreiche Leute, und du besitzt jetzt einigen Einfluß.»

Er legte den Arm um ihre Schultern. «Laß mich einen Whisky trinken, während ich dir ein paar gute Nachrichten erzähle.»

«Was ist es? Eine Beförderung?»

«Nein, nein – es ist ein Vorschlag von Simon, eine Art Bonus, um mich wegen George zu besänftigen.» Er beschrieb das Treffen mit dem Geschäftsmann und die folgende Unterhaltung mit Cameron. Isabel erkannte sofort die Möglichkeiten. Sie klatschte in die Hände.

«Für diesen Einfall würde ich zehn George Hazards in die Stadt kommen lassen. Wegen unseres Lebensunterhaltes wären wir nicht auf die Fabrik – oder auf die Launen deines Bruders – angewiesen. Stell dir bloß vor, was für ein Geld wir mit einem garantierten Kontrakt verdienen könnten!»

«Simon bietet keine Garantien», mahnte Stanley. «Solche Dinge werden nicht genau festgelegt. Aber ich bin mir sicher, das ist es, was er meint. Das Ministerium arbeitet so. Gerade jetzt arbeite ich beispielsweise an einem Plan, der Regierung Geld bei Soldatentransporten von New York nach Washington zu ersparen. Die momentanen Kosten liegen bei sechs Dollar pro Kopf. Wenn wir die Truppen über Harrisburg befördern, mit der Northern Central, können wir die Kosten auf vier Dollar senken.»

«Aber die Northern Central gehört Cameron.»

Der Whiskey wärmte ihn angenehm, und Stanley zwinkerte. «Für gewöhnlich machen wir damit keine Reklame.»

Isabel plante bereits. «Wir müssen augenblicklich nach New England reisen. Simon wird dir freigeben, nicht wahr?»

«Oh, ja. Aber wie ich ihm schon sagte, ich habe nicht die geringste Ahnung von Schuhfabrikation.»

«Das lernen wir. Zusammen.»

«Gib mir mein Kissen zurück, du kleiner Hundesohn!»

Dem plötzlichen Geschrei hinter der Tür des kleineren Schlafzimmers folgte weiteres Gefluche und Kampfgetümmel.

«Stanley, bring diese Jungs auf der Stelle zur Besinnung!»

Der General hatte gesprochen; der Untergebene war klug genug, keine Einwände zu erheben. Er stellte seinen Drink ab und begab sich widerwillig zum Schauplatz des Bruderkriegs.

9

In Pennsylvania verließ Billys Frau Brett am nächsten Tag Belvedere, um eine Besorgung zu machen. Genausogut hätte ein Diener nach Lehigh Station gehen können, aber sie wollte für eine Weile dem überhitzten Nähzimmer und der Freiwilligenarbeit entrinnen, die dort von den Damen des Hauses geleistet wurde. Die Arbeit für die Jungs der Union beunruhigte ihr Gewissen.

Belvedere, ein L-förmiges Steingebäude im italienischen Stil, erhob sich neben einer zweiten Residenz auf dem Gipfel eines Hügels mit Blick über den Fluß, die Stadt und die Hazard-Eisenwerke. Die andere Residenz war doppelt so groß – vierzig Zimmer. Sie gehörte Stanley Hazard und dessen fürchterlichen Frau, die hier einen Hausverwalter zurückgelassen hatten, als sie nach Washington gegangen waren.

Brett wartete auf der schattigen Veranda von Belvedere, bis ein Stallknecht den Buggy brachte. Sie riß ihm praktisch die Peitsche aus der Hand und donnerte in einer Staubwolke los, auf sich selbst ärgerlich wegen ihrer unberechtigten Unfreundlichkeit.

Brett war dreiundzwanzig, mit den dunklen Haaren und Augen, wie sie in der Main-Familie üblich waren. Sie war attraktiv, aber auf eine frischere, schlichtere Weise als ihre ältere Schwester Ashton, die von allen, Ashton eingeschlossen, als Schönheit angesehen wurde. Ashtons Lieblichkeit paßte zu Abendgesellschaften, zu süßem Duft und nackten Schultern bei Kerzenschein. Brett war mehr für Tageslicht und frische Luft geschaffen. Jegliche Koketterie lag ihr fern. Ihr Lächeln war offen und freundlich, eine Seltenheit bei jungen Frauen in ihrem Alter.

Aber das schien sich in der Heimatstadt ihres Gatten allmählich zu ändern. Die Leute wußten, daß sie aus South Carolina stammte, und behandelten sie mit der Vorsicht, die man einer welkenden exotischen Blume angedeihen läßt. Nicht wenige, so vermutete sie, hielten sie für eine heimliche Verräterin.

Je länger Billy wegblieb, je länger die schrecklichen Ungewißheiten dieses Krieges andauerten, desto isolierter und unglücklicher fühlte sie sich. Sie bemühte sich, diese Gefühle vor George und seiner Frau Constance zu verbergen, aber das gelang ihr bei weitem nicht perfekt, und sie wußte es.

Schweiß tränkte die Innenfläche ihrer Netzhandschuhe. Weshalb hatte sie die Handschuhe erst angezogen? Das Einspänner-Pferd brauchte einen scharfen Zügel, um auf der holprigen Straße gehalten werden zu können, die sich neben der Fabrik den Hügel hinabschlängelte. Die gewaltigen Hazard-Werke rauchten und lärmten vierundzwanzig Stunden täglich, produzierten unermüdlich Eisenbahnschienen und Grobbleche für die Kriegsanstrengungen der Union. Kürzlich hatte die Fabrik auch noch einen Kontrakt für Kanonen bekommen.

Wohin sie auch blickte, der Krieg war allgegenwärtig. Sie kam an einigen Jungs vorbei, die auf einem unbebauten Grundstück zum Klang von Löffeln exerzierten, die gegen einen Eimer geschlagen wurden; keiner der kleinen Soldaten war über zehn. Die Vorderfront des besten Hotels am Platz war mit vielen roten, weißen und blauen Flaggen geschmückt; heute nachmittag sprach George anläßlich einer patriotischen Versammlung im Hotel.

Sie fuhr zu Herberts Kaufhaus und band das Pferd an einem Eisenpfosten an. Als sie den Bürgersteig überquerte, bemerkte sie zwei Männer, die sie von einer schattigen Bank aus beobachteten. Ihre muskulösen Arme und die eintönige Kleidung deuteten darauf hin, daß sie wahrscheinlich im Hazard-Werk arbeiteten.

Der eine Mann sagte etwas zum anderen, der darüber so heftig lachte, daß er beinahe sein Bier verschüttet hätte. Trotz der Hitze schauderte Brett.

Im Kaufhaus roch es nach Lakritze und Roggenmehl und anderen Dingen, die Mr. Pinckney Herbert verkaufte. Der Besitzer war ein zartknochiger Mann mit hellen Augen, der Brett an einen Rabbi erinnerte, den sie einst in Charleston kennengelernt hatte. Herbert war in Virginia aufgewachsen, wo seine Familie vor der Revolution gelebt hatte. Mit zwanzig hatte ihn sein Gewissen nach Pennsylvania getrieben; aus dem Süden hatte er nichts weiter als seinen Abscheu vor der Sklaverei und den Namen Pinckney mitgebracht, der ihm gefiel und den er statt seines echten Namens Pincus angenommen hatte.

«Guten Tag, Mrs. Hazard. Womit kann ich Ihnen heute dienen?»

«Mit kräftigem weißem Faden, Pinckney. Weiß. Constance und Patricia und ich haben Mützen genäht.»

«Mützen. Gut, gut.» Er wich ihrem Blick aus. Als Georges Frau und Tochter mit dem Nähen begannen, hatte sich Brett ihnen angeschlossen, denn es schien nicht gerade ein Verrat zu sein, einem anderen menschlichen Wesen zu helfen, seinen Nacken vor Regen oder Sonnenbrand zu schützen. Warum hielt sich dann so hartnäckig dieses unterschwellige Gefühl der Treulosigkeit, während sie nähte?

Sie zahlte ein halbes Dutzend Spulen und verließ den Laden. Beim

Klang einer quietschenden Bohle drehte sie sich abrupt nach links; sofort wünschte sie sich, sie hätte es nicht getan. Da standen die beiden Müßiggänger und wirbelten Bier in ihren Blechkrügen herum.

«Was gibt's Neues von Jeff Davis, Lady?»

Sie wollte ihn einen Idioten nennen, entschied aber, daß es sicherer war, die Bemerkung zu ignorieren. Mit klopfendem Herzen eilte sie zu ihrem Buggy. Niemand war auf der Straße zu sehen. Sie hörte Geräusche hinter sich, schweren Atem, Stiefel auf harter Erde und spürte den Mann schon, noch ehe er sie an der Schulter packte und herumriß. Sie roch seine dreckige Kleidung und den Alkoholgestank.

«Möcht' wetten, du betest drum, daß Old Abe eines Nachts der Schlag trifft und er tot umfällt, he?» Der Begleiter des Mannes fand das so komisch, daß er losgröhlte. Das erregte die Aufmerksamkeit von zwei Männern auf der anderen Straßenseite. Als sie sahen, wer da belästigt wurde, gingen sie weiter.

Mit schwerer Zunge sagte der Mann: «Hast immer noch ein paar Nigger daheim in Carolina?»

«Ihr betrunkenen Idioten», sagte Brett. «Laßt eure Pfoten von mir.»

Der zweite Mann kicherte. «Das ist der alte Rebellengeist, nich', Lute?»

Der erste Mann grub seine Finger in Bretts Ärmel. Ihr Gesicht verzerrte sich. «Mit deinen Augen stimmt was nicht, Frau. Ich bin ein Weißer. Mit mir kannst du nicht wie mit deinen verdammten Sklaven reden. Krieg das in deinen Schädel, und das auch. Wir woll'n keine Sezessions-Verräter in der Stadt haben.» Er schüttelte sie. «Kapiert?»

«Fessenden, laß sie los, sofort.»

Pinckney Herbert war aus seinem Laden aufgetaucht. Der zweite Mann rannte auf ihn zu. «Rein mit dir, alter Jude!» Ein harter Schlag ließ den Händler zusammenklappen und warf ihn durch die Tür zurück. Er versuchte, sich zu erheben, während Fessenden seinen Bierkrug fallen ließ, Bretts Schultern packte und sie so hart schüttelte, daß es ihr weh tun mußte; vielleicht wollte er dabei auch ihre Brüste berühren.

Herbert packte den Türrahmen und versuchte sich hochzuziehen. Der zweite Mann schlug ihn unter das Kinn. Mit einem unwillkürlichen Aufschrei krachte Herbert auf den Rücken. Brett wußte, daß sie um Hilfe hätte rufen können, aber das ging ihr gegen den Strich. Auf einmal schien die Furcht sie zu überwältigen. Mit halb geschlossenen Augen sackte sie unter Fessendens Griff zusammen.

«Bitte, lassen Sie mich los!» Kamen Tränen? «Oh, bitte – ich bin nur eine arme Frau. Nicht so stark wie Sie.»

«Na, genau so soll sich ein Südstaaten-Mädel anhören.» Lachen. Fessenden schlang einen Arm um ihre Taille, preßte sie gegen das Rad des Buggys, beugte sich über sie; sein Bart kratzte über ihre Wange. «Sag bitteschön und warte, was passiert.»

Anscheinend verstand sie ihn nicht. «Ich bin nicht – groß und stark wie Sie – Sie müssen freundlich sein – höflich – Das könnten Sie doch? Ja?» Kleine, verzweifelte Seufzer mischten sich zwischen die zitternden Worte der Bitte.

«Ich werde drüber nachdenken, Missy», versprach Fessenden. Seine andere Hand griff nach ihrem Rock und den Petticoats darunter und dem Bein unter den Petticoats. Dadurch hatte sie die Hände frei.

«Du Yankeedreck.» Mit dem Bein, das er nicht festhielt, trat sie ihm in die Geschlechtsteile. Während er aufkreischte und rot anlief, stieß sie ihn in den Staub. Obwohl Pinckney Herbert immer noch mit blassem, schmerzverzerrtem Gesicht im Türrahmen stand, brach er über das unerwartete Wiederaufblühen der welkenden Blume in Gelächter aus.

Fessenden umklammerte seine Genitalien. Sein Freund belegte Brett mit einem üblen Schimpfnamen und ging auf sie los. Sie riß die Peitsche aus der Halterung und knallte sie ihm über die Backe.

Er sprang zurück, als hätte man ihm Feuer unter dem Hintern gemacht, und stolperte mit einem Schrei über Fessenden. Er landete auf dem Kopf, wobei er es gleichzeitig schaffte, Fessenden ins Gesicht zu treten.

Brett warf ihr Päckchen mit den Garnrollen auf den Boden des Einspänners, band das Pferd los und kletterte flink auf den Sitz. Als sie nach den Zügeln griff, stürmte der zweite Rowdy, wieder auf den Beinen, erneut auf sie los. Über ihren linken Arm hinweg versetzte sie ihm mit der rechten Hand einen zweiten Peitschenschlag ins Gesicht.

Mittlerweile waren einige Bürger, deren Gewissen sich doch noch gerührt hatte, in den Türen aufgetaucht und forderten ein Ende der Pöbelei. *Ein bißchen zu spät, besten Dank.* Sie jagte den Buggy auf die Hügelstraße zu; wie bösartige Wolken, die den Sommerstürmen vorausgingen, stieg hinter ihr der gelbe Staub auf. Wie ich diese Stadt hasse, diesen Krieg – alles, dachte sie, als die Wut der Verzweiflung wich.

10

Auf der provisorisch errichteten Bühne am Ende des großen Saales litt George Hazard furchtbar; Hitze, Redeschwälle und der härteste je von Menschenhand hergestellte Stuhl quälten ihn. Vor sich sah er feuchte Gesichter, wedelnde Papiere, Palmblattfächer und Fähnchen in jeder Wand.

Hinter George und den anderen Würdenträgern hing eine Lithographie des Präsidenten. Bürgermeister Blane, der bei Hazards als Vorarbeiter der Nachtschicht tätig war, hatte sich von seinem üblichen Tagesschlaf erhoben, um den Vorsitz der Versammlung zu übernehmen. Blane trommelte auf der Rednertribüne herum.

«Unsere Fahne ist geschändet worden! Entweiht! Niedergerissen von Davis und seinem verräterischen Mob von Pseudo-Aristokraten! Auf eine solche Mißhandlung der geheiligten Fahne kann es nur zwei Antworten geben: eine Geschoßsalve und einen Henkersstrick für jene, die es gewagt haben, diese Nation und ihr geliebtes, ehrwürdiges Wahrzeichen zu zerreißen!»

Allmächtiger, dachte George. Wie lange will er noch weitermachen? Blane sollte lediglich die beiden Hauptredner vorstellen; George war der widerwillige erste Redner, und ein führender Republikaner aus Bethlehem der zweite. Der Politiker stellte ein Freiwilligenregiment im Tal zusammen.

Der Bürgermeister redete und redete. George hätte es vorgezogen, an seinem Schreibtisch zu sitzen, die Produktion bei Hazard zu überwachen oder die Details für die Eröffnung einer Bank in Lehigh Station, der ersten in der Stadt, auszuarbeiten.

Für die Hazard-Werke und die meisten ihrer Angestellten war es zu unbequem geworden, die Bankgeschäfte in Bethlehem abzuwickeln. George vertraute darauf, daß eine örtliche Bank sinnvoll wäre und mit der Zeit sogar Profit abwerfen würde. Die neue Bank würde unter Pennsylvanias überarbeiteter Bankverordnung von 1824 eingerichtet werden, mit einer Zulassung von zwanzig Jahren und dreizehn Direktoren, die alle Bürger der Vereinigten Staaten und Aktienbesitzer zu sein hatten. Er und sein örtlicher Anwalt, Jupiter Smith, hatten alle Hände voll zu tun, die von der Zulassungsbehörde, der staatlichen Legislatur, verlangten Papiere vorzubereiten.

Statt dessen saß er hier, weil er der einzige Einwohner der Stadt war, der im Mexikanischen Krieg gekämpft hatte, und das Publikum nach einigen flammenden Bemerkungen über die Glorie des Krieges lechzte. Nun, er würde ihnen geben, was sie ersehnten, und sich bemühen, sich deswegen nicht allzu schuldig zu fühlen. Er wagte nicht laut zu sagen, was er wirklich in Mexiko gelernt hatte. Krieg war niemals glorreich, niemals großartig – außer in Aufrufen und Verkündigungen von Leuten, die nie dabei gewesen waren.

«Auf nach Richmond! Hoch lebe der alte Ruhm! An den Galgen mit den nichtswürdigen, gottlosen Konföderierten!»

George verdeckte mit einer Hand seine Augen, um eine sichtbare Reaktion zu vermeiden. Sein bester Freund Orry nichtswürdig und gottlos, ein solcher Gedanke war für ihn einfach absurd. Ebensowenig paßte diese Beschreibung auf viele andere Südstaatler, die er auf der Militärakademie kennengelernt und an deren Seite er in Mexiko gekämpft hatte. Tom Jackson, dessen militärisches Genie schon frühzeitig erkannt worden war, als er seinen Kadettenspitznamen «Der General» verpaßt bekommen hatte. Ob er immer noch an der Militärschule in Virginia unterrichtete, oder hatte er sich gemeldet? George Pickett, zuletzt in der Bundesgarnison in Kalifornien. Gute Männer, auch wenn sie unfähig oder unwillig waren, einen Ausweg aus der bestehenden Krise zu finden, die zum offenen Krieg entbrannt war. Nun, er trug genauso Schuld wie sie, daß man die Krise politischen Abenteurern und Bar-Rowdies überlassen hatte. Diese Formulierung stammte nicht von ihm, sondern von Braxton Bragg, einem weiteren West Pointler aus dem Süden.

«– vielfach ausgezeichneter Veteran des Krieges in Mexiko, zugleich äußerst erfolgreicher Industrieller, der vielen von uns ein vertrauenswürdiger Freund, guter Nachbar und großzügiger Arbeitgeber ist –»

So bekommst du keine Lohnerhöhung, Blane.

Scham vermischte sich mit diesem Gedanken. Was für ein verdammter Zyniker er doch geworden war.

«– Mr. George Hazard!»

Schnell befreite er seinen Kopf von der Last der telegraphischen Nachricht, die er heute morgen erhalten hatte. Er wedelte eine Fliege von seiner Nase und trat unter lautem Applaus vor, bereit, um der Sache willen ein paar großartige Lügen über die Freuden des Krieges vom Stapel zu lassen.

11

Auf halber Höhe des Hügels verlangsamte Brett das Tempo des Einspänners. Die Kraft, die ihr bei dem Zusammentreffen mit den Rowdies geholfen hatte, versickerte. Wieder, und diesmal schmerzhafter, empfand sie die Abwesenheit des einzigen Menschen, dessen gesunder Verstand und physische Gegenwart ihr durch diese schlechten Zeiten hätten helfen können.

Schon früher war sie in Lehigh Station das Ziel von Feindseligkeiten gewesen. Einige waren heimtückischer Natur – kleine Stiche, die sie zufällig bei gesellschaftlichen Anlässen bekam. Andere waren offen – höhnische Rufe, wenn sie durch die Straßen fuhr. Für gewöhnlich traf sie so etwas nicht. Genau wie ihr Bruder Orry war sie stolz auf diese Art von Stärke.

Aber dieser jüngste Vorfall hatte ihre Rüstung angekratzt. Weitere unwillkommene Gedanken folgten; Gedanken an ihre Schwester Ashton, die sich mit einem Möchtegernverehrer von Brett verschworen hatte, Billy an ihrem Hochzeitstag zu ermorden. Die Erinnerung war so deprimierend, daß sie nie lange darüber grübeln konnte, aber nun war sie da und belastete sie schwer.

Sie ließ das Pferd im Schritt gehen; ein Gefühl der Niederlage und der Einsamkeit überschwemmte sie. Mit einem leichten Schauder spürte sie Tränen hinter ihren geschlossenen Augenlidern. Sie hielt das Pferd an und blieb bewegungslos im gleißenden Sonnenschein sitzen. Sie wünschte, die Feindseligkeit der örtlichen Einwohnerschaft würde sie nicht aufregen, aber sie konnte es nicht verhindern.

Bald darauf hatte sie sich wieder unter Kontrolle. Sie schüttelte die Zügel, und als sie am großen Stall von Belvedere ankam, war sie wieder ganz beherrscht. Sie war fest entschlossen, kein Wort über den Vorfall zu verlieren, und hoffte nur, George würde nicht zufällig davon hören.

Als er heimkam, hatte sich der Rest der Familie zum Abendessen versammelt. Er betrat den Speisesaal, als Constance gerade zu ihrer Tochter in jenem freundlichen, aber festen Ton sprach, der für disziplinarische Angelegenheiten reserviert war.

«Nein, Patricia, du wirst dafür kein Taschengeld ausgeben. Wie du sehr wohl weißt, dient ein Glas- oder Marmorei nur einem einzigen

Zweck – die Handflächen einer übermäßig aufgeregten jungen Dame bei einem Tanz oder einer Party zu kühlen. Es wird noch einige Jahre dauern, ehe du so weit bist.»

Patricia schob die Lippe vor. «Carrie King hat eins.»

«Carrie King ist dreizehn, zwei Jahre älter als du. Wobei noch hinzukommt, daß sie wie zwanzig aussieht.»

«Und sich auch so benimmt, wie ich höre», bemerkte William mit einem unzüchtigen Grinsen. George amüsierte sich darüber, aber der Vater in ihm durfte sich das nicht anmerken lassen. Er warf seinem kräftigen, gutaussehenden Sohn stirnrunzelnd einen Blick zu.

Er beugte sich von hinten über den Stuhl seiner Frau, um ihre Wange zu küssen. «Tut mir leid, daß ich so spät komme. Ich habe noch im Büro vorbeigeschaut.» Eine vertraute Erklärung in diesen Tagen angestrengter Kriegsproduktion.

«Erzähl mir von deiner Rede», sagte Constance, während er an seinen Platz auf der anderen Seite des langen Tisches ging. «War sie ein Erfolg?»

«Umwerfend.» Er setzte sich.

«George, ich möchte es wirklich wissen.» Er reagierte mit einem müden Schulterzucken. «Die Versammlung. Wie ist sie gelaufen?»

«Wie zu erwarten war.» Eines der Hausmädchen stellte die Schildkrötensuppe vor ihm ab. «Die Rebellen sind dem Untergang geweiht, die Fahne wurde verbal einige hundertmal geschwungen, und dann rief dieser Politiker aus Bethlehem zu Freiwilligenmeldungen auf. Acht meldeten sich.»

Die Suppe half ihm ein bißchen, sich zu entspannen und seinem bequemen häuslichen Universum anzupassen. Über seinen Löffel spähte er zu Constance hinüber. Was für ein Glückspilz er doch war. Ihre Haut hatte immer noch die weiche Glätte frisch geschlagener Sahne, und ihre Augen leuchteten unverändert in dem gleichen lebhaften Blau, das ihn schon an dem Abend entzückt hatte, an dem sie sich kennenlernten, anläßlich eines Tanzes in Corpus Christi, veranstaltet für Armeeoffiziere auf dem Weg nach Mexiko. Nach dem Krieg hatte er sie nach Lehigh Station mitgenommen, um sie zu heiraten.

Constance war fünf Zentimeter größer als ihr Mann. Er nahm das als symbolischen Anreiz, sich ihrer würdig zu erweisen. Die Jahre geteilter Intimitäten und gemeinsam getragener Sorgen hatten ihre Liebe vertieft und die körperliche Anziehungskraft in der Ehe sehr lebendig gehalten.

Patricia zappelte herum. Sie spießte ihren Fisch mit der Gabel, als sei er schuld, daß sie keinen Handkühler bekam.

«Hat die Fabrik heute eine Menge Mützen produziert?» fragte George, mehr an Brett gerichtet. Sie saß zu seiner Linken, die Augen niedergeschlagen, das Gesicht müde. Sie hatte noch kein Wort mit ihm gesprochen.

«Ganz schön, ja», sagte Constance, während gleichzeitig ihr linker Arm vorschnellte. Sie zwickte Patricias Ohr und beendete so das Fischspießen.

Die Mahlzeit schleppte sich ihrem Ende entgegen. Brett verhielt sich ruhig. Nachdem George die Tafel aufgehoben hatte, folgte er seiner Schwägerin in die Bibliothek. Er schloß die Tür, bevor er sagte: «Ich hab' gehört, daß du heute Ärger hattest.»

Sie blickte müde auf. «Ich hatte gehofft, du würdest nichts davon erfahren.»

«Es ist eine kleine Stadt. Bedauerlicherweise stehst du ziemlich im Mittelpunkt der Aufmerksamkeit.»

Sie seufzte. George zündete eine seiner starken, dunkelbraunen Zigarren an, ehe sie sagte: «Vermutlich war es albern von mir, anzunehmen, das alles sei unbemerkt geblieben.»

«Vor allem, weil Fessenden und sein Cousin wegen tätlicher Bedrohung gegen dich unter Arrest stehen.»

«Wer hat sie angezeigt?»

«Pinckney Herbert. Du siehst, du hast doch einige Freunde in Lehigh Station.» Er erzählte ihr, daß er die beiden Angreifer bereits entlassen habe, und sagte dann mit sanfter Stimme: «Ich kann dir gar nicht sagen, wie wütend ich über die ganze Sache bin und wie leid es mir tut. Mir und Constance bedeutest du genausoviel wie jedes andere Familienmitglied. Wir wissen, wie schwer es für dich ist, so weit von zu Hause und von deinem Mann getrennt.»

Das war der Tropfen, der das Faß zum Überlaufen brachte. Sie sprang auf und schlang ihre Arme um seinen Hals, wie eine Tochter, die Trost beim Vater sucht. «Ich vermisse Billy ganz schrecklich – ich schäme mich zu sagen wie sehr.»

«Mußt du nicht.» Er tätschelte ihren Rücken. «Mußt du nicht.»

«Der einzige Trost ist, daß ich bald zu ihm kann, wo immer er dann auch ist. Alle sagen, der Krieg wird keine neunzig Tage dauern.»

«Das sagen sie.» Er ließ sie los und wandte sich ab, damit sie seine Reaktion nicht sah. «Schauen wir zu, daß diese neunzig Tage schnell vorbeigehen – ohne weiteren Vorfall. Ich weiß, daß es nicht der erste war. Du bist eine tapfere junge Frau, Brett. Aber kämpfe nicht jeden Kampf allein.»

Sie schüttelte den Kopf. «George, ich muß. Ich habe schon immer auf mich aufgepaßt.» Sie mühte sich ein Lächeln ab. «Ich bin schon wieder in Ordnung. So lange sind neunzig Tage auch wieder nicht.»

Was konnte er noch tun? Resigniert entschuldigte er sich und verließ den Raum, ein blaues Rauchband hinter sich herziehend.

Oben marschierte sein Sohn im Flur auf und ab und bellte das beliebte Lied, wie sie Jeff Davis an einem Apfelbaum aufhängen würden. George schickte William auf sein Zimmer, wo er dann eine halbe Stunde mit dem Jungen Rechnen übte. Die nächsten fünfzehn Minuten verbrachte er mit Patricia und versuchte sie davon zu überzeugen, daß sie schon zur rechten Zeit ihren Handkühler bekommen würde. Es mißlang ihm.

Im Bett, in seinem Nachthemd, war es unangenehm warm, trotz der wehenden Sommerbrise; er griff nach der tröstenden Rundung der Brust seiner Frau und drückte sich an ihren Rücken, während er ihr die Ereignisse beim Kaufladen schilderte. «Sie rechnet mit einem kurzen Krieg, damit solche Dinge nicht mehr passieren.»

«Ich auch, George. Von Vater habe ich seit Monaten nichts mehr gehört, und ich mache mir Sorgen um ihn, da unten in Texas. Du weißt, daß er mit seinem Haß gegen die Sklaverei und die Sklavenbesitzer nie hinterm Berg hielt. Ganz sicher wird das alles bald ein Ende haben.»

«Wie Orry sagte, wir hatten dreißig Jahre lang Zeit, es zu verhindern, aber wir haben es nicht verhindert. Ich hasse es, Bretts oder deinen Hoffnungen einen Dämpfer zu versetzen –» Er brach ab.

«George, beende bitte den Satz.»

Widerstrebend sagte er: «Brett hat vergessen, daß Lincoln im Mai weitere zweiundvierzigtausend Mann einberufen hat. Aber nicht für kurze Zeit. Die Jungs haben sich bei dieser Kampagne für drei Jahre verpflichtet.»

Ihre Stimme wurde schwach. «Ich habe es ebenfalls vergessen. Du hast keine großen Hoffnungen auf einen kurzen Krieg?»

Er wartete einen Moment, gestand aber schließlich: «Hätte ich diese Hoffnungen, so hätte ich Boß Camerons telegraphische Nachricht in dem Augenblick weggeworfen, in dem ich sie bekam.»

12

Während Brett ihre Probleme in den Vereinigten Staaten hatte, näherten sich ihr Bruder Cooper und dessen Familie dem Ende einer Eisenbahnfahrt in Großbritannien. Rauch und Asche flogen in das Erste-Klasse-Abteil der Familie, weil die Kinder, Judah und Marie-Louise, sich abwechselnd aus dem Fenster lehnten. Cooper erlaubte das, doch seine Frau Judith hielt es für gefährlich; in angespannter Haltung saß sie sprungbereit da und hielt die Kinder an der Taille fest.

Wie gewöhnlich schaffte es Cooper, in seiner tadellosen Kleidung unordentlich zu erscheinen, was an seiner Größe, seiner Schlaksigkeit, seinem gedankenverlorenen Gelehrtenbenehmen lag.

«Pa, da ist ein Fluß!» rief Judah, halb aus dem Abteil hängend. Sein Haar glänzte in der heißen Julisonne.

«Laß mich sehen, laß mich sehen!» Marie-Louise zwängte sich neben ihm in das Fenster.

«Auf der Stelle kommt ihr rein», sagte Judith. «Wollt ihr, daß euch die Brücke die Köpfe abschlägt?» Zwei kräftige Rucke stellten sicher, daß dies nicht passieren würde. Der Expreß von London ratterte über die Runcorn-Brücke; darunter blitzte der Merseyfluß auf wie ein Feld aus zersplitterten Spiegeln.

Judah sprang über den Gang und drückte sich gegen seinen Vater. «Sind wir bald in Liverpool?»

«Ja, in einer knappen halben Stunde.» Er begann die Pläne zusammenzurollen, um sie im Gepäck verstecken zu können.

Marie-Louise kletterte an seine rechte Seite. «Werden wir eine Weile bleiben, Papa?»

«Auf jeden Fall einige Monate.» Er lächelte und tätschelte sie.

«Wird uns Captain Bulloch besuchen?» fragte Judah.

«Das war die Bedeutung der Annonce in der *Times*. Natürlich ist es möglich, daß ihn irgendein Agent der Union in den letzten drei Tagen erledigt hat.»

«Cooper, ich glaube, du solltest über diese Arbeit keine Scherze machen. Geheime Botschaften über Zeitungsannoncen, feindliche Spione, die überall lauern – meiner Meinung nach ist das kein Thema für Witze.» Sie blickte vielsagend von ihrem Mann zu den Kindern, doch die waren vollkommen mit den langsam vorüberziehenden Schatten beschäftigt.

«Vielleicht nicht. Aber wir können nicht die ganze Zeit finster und grimmig sein, und obwohl ich meine Pflichten ernst nehme – und ich bin für die Warnungen durchaus empfänglich, die Bulloch in seinem Brief zum Ausdruck brachte –, wehre ich mich dagegen, daß wir uns von alle dem unseren Englandaufenthalt verderben lassen.» Er beugte sich vor, lächelte und berührte sie. «Das gilt vor allem für dich.»

Sie drückte seine Hand. «Du bist so ein lieber Mann. Tut mir leid, daß ich bissig war. Ich fürchte, ich bin müde.»

«Kein Wunder», sagte er mit einem Nicken. Mitten in der Nacht hatten sie King's Cross verlassen und später die Sonne über den friedvollen Kanälen und der sommergrünen Landschaft aufgehen sehen; kein Wort war gefallen über Ungewißheit, Heimweh und mögliche Gefahren.

Die Familie hatte Savannah mit dem letzten Schiff verlassen, das die Ausfahrt geschafft hatte, bevor die Union die Südküste blockierte. Das Schiff hatte Hamilton, Bermuda, angelaufen, ehe es weiter nach Southampton dampfte. Nach ihrer Ankunft in London hatten sie in engen, überfüllten Quartieren in Islington gehaust. Jetzt jedoch bestand Aussicht auf bessere, größere Räumlichkeiten in Liverpool, wo Cooper dem Chefagenten der Konföderierten-Marine zur Hand gehen sollte, der bereits vor einigen Wochen hier angekommen war. Ihre Mission bestand darin, die Konstruktion von seetüchtigen Sturmbooten anzukurbeln, um die Yankee-Schiffahrt zu stören. Hinter dem Programm steckte eine vernünftige Strategie. Konnte die Konföderation genügend Handelsschiffe vernichten oder kapern, dann würden die Versicherungsquoten in unermeßliche Höhen steigen; dadurch wäre der Feind gezwungen, Blockadeschiffe abzuziehen, um seinen Handel zu schützen.

Für Cooper waren maritime Angelegenheiten nichts Neues. Seine Liebe zur See ging weit zurück. Der ewigen Streitereien mit seinem mittlerweile verstorbenen Vater über Sklaverei und Bürgerrechte müde, unfähig, die Familienplantage noch länger zu ertragen, war er nach Charleston gegangen, um eine heruntergekommene kleine Handelsreederei zu leiten, die mehr zufällig in Tillet Mains Besitz gelangt war. Mit Hilfe von Studien, Entschlossenheit und harter Arbeit hatte Cooper die Carolina Shipping Company in die modernste Schiffslinie des Südens verwandelt, mit einer Gewinnspanne, die nur unwesentlich unter der ihrer größeren, aber konservativeren Rivalin im Hafen der Stadt lag, der John Fraser & Company. Diese Company wurde nun von einem anderen Selfmademan, dem Millionär George Trenholm, geleitet. Das Baumwoll-Büro in Liverpool, das unter dem Namen

Fraser & Trenholm operierte, würde heimlich die illegale Arbeit, die Cooper vor sich hatte, mit Geldmitteln unterstützen.

Vor dem Krieg hatte Cooper im Hafen von Charleston begonnen, seinen großen Traum zu verwirklichen – ein Schiff nach dem Muster der gewaltigen Eisenschiffe von Isambard Kingdom Brunel, dem genialen britischen Konstrukteur, den er zweimal besucht hatte. Er wollte beweisen, daß Schiffsbauindustrie in den Südstaaten eine durchaus realistische Möglichkeit darstellte, daß der Reichtum des Staates nicht ausschließlich aus dem Schweiß schwarzer Haut gepreßt werden mußte.

Während die Schreihälse nach der Sezession brüllten, arbeitete er still und leise weiter, zu still und zu leise – was ein Fehler war. Er arbeitete zu langsam – was ein weiterer Fehler war. Kaum war mit dem Bau der *Star of Carolina* begonnen worden, da hatten die Batterien das Feuer auf Fort Sumter eröffnet; er hatte das Schiff der Konföderierten-Marine überschrieben, und jetzt war es, falls er richtig informiert war, demontiert worden, weil das Metall für andere Zwecke benötigt wurde.

Coopers Begeisterung für den Schiffsbau war stärker als seine Zweifel an der Sache, die er vertrat. Lange schon war er der Meinung, daß der ignorante Süden sich auf einem Irrweg befand, weil er nicht in der Lage war, die Bedeutung der Industrialisierung zu erkennen, und sich an ein auf Sklaverei basierendes Agrarsystem klammerte. Ihm war die Vielschichtigkeit dieses Problems durchaus bewußt. Beide Seiten hatten Schuld an der Konfrontation, die von anständigen Männern wie etwa seinem Bruder Orry oder dessen altem Kriegskameraden George Hazard nicht gewünscht worden war, die sie aber auch nicht zu verhindern gewußt hatten. Cooper glaubte daran, daß es den Männern guten Willens auf beiden Seiten – er selbst zählte sich ebenfalls dazu – an Macht, aber auch an Initiative gefehlt hatte. Und so war es zum Krieg gekommen.

In diesem apokalyptischen Augenblick ging mit Cooper ein merkwürdiger Wandel vor: Er machte die Feststellung, daß er zwar den Krieg und jene, die ihn provoziert hatten, verachtete, daß er aber sein South Carolina um so mehr liebte. Also übergab er seine Schiffahrtsgesellschaft der neuen konföderierten Regierung und teilte seiner Familie mit, daß sie nach England reisen würden, um der Marine zu dienen.

Die Situation in England war, was die Konföderation anbelangte, sehr komplex, um nicht zu sagen verwirrend. Falls die volle Anerkennung durch England ausschließlich von den drei Abgesandten des Außenministers Toombs abhing, so bezweifelte Cooper, daß dieser

Mission je ein Erfolg beschieden sein würde. Rost und Mann kamen kaum über einen gewissen Grad an Mittelmäßigkeit hinaus, während der dritte Abgesandte, Yancey, einer der ursprünglichen Raufbolde war – ein derartiger Extremist, daß die Konföderiertenregierung ihn nicht haben wollte. Seine Englandmission lief auf Abschiebung ins Exil hinaus. Ein jähzorniger Bauernlümmel war kaum der richtige Verhandlungspartner für Lord Russell, den englischen Außenminister.

Außerdem besaß der Washingtoner Botschafter, Mr. Charles Francis Adams, Nachkomme von Präsidenten, einen Ruf als schlauer, aggressiver Diplomat. Er übte Druck auf die Regierung der Königin aus, um die Anerkennung der Konföderation hinauszuzögern. Und Cooper war davor gewarnt worden, daß Adams und seine Leute ein Spionagenetz aufgebaut hätten, um genau die Art von illegaler Betätigung zu verhindern, die ihn nach Liverpool gebracht hatte.

«Lime Street! Lime Street Station!»

«Judith, Kinder, folgt mir!» Er verließ als erster das Abteil und winkte einen Träger heran. Während das Gepäck ausgeladen wurde, kämpfte sich ein Mann mit mehr Haaren auf Oberlippe und Wangen als auf seinem runden Kopf durch die dicht gedrängten Fahrgäste, Träger und Straßenhändler zu den Neuankömmlingen durch. Der Mann hatte etwas Aristokratisches an sich und war gut, aber nicht extravagant gekleidet.

«Mr. Main?» Der Mann sprach leise, obwohl laute Stimmen und entweichender Dampf sehr wirkungsvoll verhinderten, daß sie belauscht werden konnten.

«Captain Bulloch?»

James D. Bulloch aus Georgia, im Dienste der Marine der Konföderierten, tippte an seinen Hut. «Mrs. Main – Kinder! Ein ganz herzliches Willkommen in Liverpool. Ich hoffe, die Reise war nicht zu anstrengend?»

«Die Kinder haben die Fahrt genossen, als die Sonne herauskam», erwiderte Judith mit einem Lächeln.

«Ich habe die meiste Zeit damit zugebracht, die Zeichnungen zu studieren, die Sie nach Islington geschickt haben», fügte Cooper hinzu. Ein Mann hatte sie gebracht, der angeblich Tapetenmuster lieferte.

«Gut – fein. Kommen Sie alle gleich mit. Eine Mietkutsche wartet, um uns rüber zu Mrs. Donley in die Oxford Street zu bringen. Nur ein provisorisches Quartier – ich weiß, Sie werden etwas Größeres und Passenderes wünschen.»

Mit leichter Drehung richtete er diese Bemerkung an Judith. Als Bulloch ihr zulächelte, fielen Cooper seine Augen auf. Sie waren ständig in Bewegung, seine Blicke streiften über Gesichter, Abteilfenster, suchten die müllübersäten Ecken der großen Halle ab. Das war kein Tölpel.

«Vielleicht gefällt Ihnen die Crosby-Gegend», fuhr Bulloch fort, während er Familie und Träger hinausgeleitete. Die Mains kletterten in die Kutsche, während Bulloch auf dem Bürgersteig stehenblieb und die Menschenmenge beobachtete. Schließlich sprang er herein, klopfte mit seinem Stock gegen die Wand, und sie fuhren los.

«Hier gibt's viel zu tun, Main, aber ich will Sie nicht hetzen. Ich weiß, Sie müssen sich erst mal einrichten –»

Cooper schüttelte den Kopf. «Die Wartezeit in London war schlimmer als zuviel Arbeit. Ich kann's kaum erwarten anzufangen.»

«Gut für Sie. Der erste Mann, den Sie kennenlernen werden, ist Prioleau. Er leitet Fraser & Trenholm am Rumford Place. Außerdem möchte ich Sie John Laird und dessem Bruder vorstellen. Bei diesem Zusammentreffen müssen wir allerdings vorsichtig sein. Mrs. Main, Sie sind über die Probleme informiert, mit denen wir es hier zu tun haben, nicht wahr?»

«Ich denke schon, Captain. Die Neutralitätsgesetze verbieten es, daß auf britischen Werften Kriegsschiffe gebaut und bewaffnet werden, falls diese Schiffe in den Dienst einer Macht gestellt werden sollen, mit der England in Frieden lebt.»

«Meine Güte, genau das ist es. Eine kluge Frau haben Sie da, alter Junge.» Cooper lächelte; Bulloch hatte sich schnell angepaßt. Energisch fuhr er fort. «Die Gesetze gelten natürlich in jeder Hinsicht. Auch die Yankees können keine Kriegsschiffe bauen – mit dem Unterschied, daß sie das auch nicht nötig haben, wir aber schon. Der Trick besteht darin, ein Schiff zu bauen und zu bewaffnen, ohne daß es auffällt oder die Regierung sich einmischt. Glücklicherweise gibt es eine Lücke in den Gesetzen – durch die wir glatt durchschlüpfen können, wenn wir den Nerv dazu haben. Ein örtlicher Anwalt, den ich angeheuert habe, hat das herausgefunden. Ich werde es zur rechten Zeit erklären.»

«Sind die lokalen Schiffsbauer bereit, die Neutralitätsgesetze zu verletzen?» fragte Judith.

«Auch Briten sind nur Menschen, Mrs. Main. Einige werden es tun, wenn damit genügend Profit zu machen ist. Tatsache ist, daß sie mehr Auftragsangebote haben, als sie bewältigen können. Es sind einige Gentlemen in der Stadt, die nichts mit unserer Marine zu tun haben, die aber Schiffe gebaut oder umgebaut haben wollen.»

«Blockadebrecher?» sagte Cooper.

«Ja. Übrigens, haben Sie den Mann getroffen, für den wir arbeiten?»

«Staatssekretär Mallory? Bis jetzt noch nicht. Alles ist brieflich geregelt worden.»

«Kluger Bursche, dieser Mallory. Allerdings ein bißchen ein Kompromißler.»

Coopers Charakter ließ eine Irreführung in einem derart wichtigen Punkt nicht zu. «Ich habe auch dahin tendiert, Captain.»

Zum erstenmal runzelte Bulloch die Stirn. «Wollen Sie damit sagen, Sie würden auch gern wieder die alte Union zusammengeflickt sehen?»

«Ich sprach in der Vergangenheitsform, Captain. Aber da wir eng zusammenarbeiten werden, will ich offen sein.» Er legte einen Arm um seine zappelnde Tochter. Die Kutsche schwankte. «Ich verabscheue diesen Krieg. Ganz besonders verabscheue ich die Narren auf beiden Seiten, die ihn verursacht haben. Aber mein Entschluß, auf der Seite des Südens zu bleiben, ist gefaßt. Meine persönlichen Überzeugungen werden mein Pflichtgefühl nicht beeinträchtigen, das verspreche ich.»

Bulloch räusperte sich. Sein Gesicht glättete sich. «Mehr kann man nicht verlangen.» Aber es war deutlich, daß er dieses gefährliche Thema verlassen wollte. Er gratulierte den Eltern zu ihren hübschen Kindern und zeigte dann stolz ein kleines, gerahmtes Foto seines neugeborenen Neffen Theodore. Die Mutter des Jungen, Bullochs Schwester, hatte in eine alteingesessene New Yorker Familie namens Roosevelt eingeheiratet.

«Zwar hat sie jetzt Grund, es zu bedauern», fügte er dieser Geschichte hinzu. «Ah, da sind wir schon bei Mrs. Doley.»

Sie hielten vor der Nummer 6; die Ziegelhäuser klebten aneinander und sahen alle gleich aus. Sie waren kaum ausgestiegen, da kam hinter der Kutsche eine altersschwache Gestalt in schmuddeligem Rock und geflicktem Sweater hervorgeschwankt.

Haare, die einem grauen Besen glichen, schauten unter einem Halstuch hervor. Die Frau umklammerte einen stinkenden Lumpenbeutel, den sie über der Schulter trug, und schielte Cooper mit einer Intensität an, die ebenso seltsam war wie ihr faltenloses Gesicht.

«'tschuldigung», murmelte sie und rempelte ihn im Vorbeihuschen an. Bulloch ließ seinen Stock vorschnellen und packte mit der anderen Hand die Lumpensammlerin an den Haaren. Die Bewegung geschah so abrupt, daß Marie-Louise aufschrie und an die Seite ihrer Mutter sprang. Bulloch zerrte; graue Haare und Halstuch lösten sich, und darunter kamen kurze, blonde Locken zum Vorschein.

«Das Haar hat dich verraten, Betsy. Sag Dudley, er soll das nächste Mal nicht so eine billige Perücke kaufen. Und jetzt verschwinde!»

Drohend schwenkte er seinen Stock. Die junge Frau wich zurück, Schmähungen ausstoßend – auf englisch, vermutete Cooper, obwohl er kein Wort verstand. Bulloch trat einen Schritt vor. Die Frau raffte ihre Röcke hoch, flitzte um die Ecke und war verschwunden.

«Wer zum Teufel war das?» rief Cooper.

«Betsy Cockburn, eine Hure, äh, eine Frau, die sich in einer Kneipe in der Nähe vom Rumford Place herumdrückt. Kam mir bekannt vor. Sie ist von Dudleys Spionen, denke ich.»

«Wer ist Dudley?»

«Der Yankee-Konsul in Liverpool.»

«Was war das für ein Kauderwelsch, mit dem sie uns überschüttet hat?» wollte Judith wissen.

«Scouse. Das Liverpooler Äquivalent zu Cockney. Ich hoffe, keiner von Ihnen hat sie verstanden.»

«Keine Silbe», beruhigte ihn Judith. «Aber ich kann kaum glauben, daß diese elende Kreatur eine Spionin sein soll.»

«Dudley stellt ein, was er kriegen kann. In erster Linie Abschaum vom Hafen. Sie werden nicht aufgrund ihrer Intelligenz angeheuert.» Staub von seinem Ärmel wedelnd, sagte er zu Cooper: «Es spielt keine Rolle, daß wir ihre lächerliche Verkleidung durchschaut haben. Das diente nur dem Zweck, Sie aus der Nähe zu sehen. Dudley hat irgendwie Wind von Ihrer Ankunft bekommen. Das hat mir gestern einer meiner Informanten berichtet. Aber ich hatte nicht erwartet, daß Sie so schnell bloßgestellt werden würden –»

Der Satz verlor sich in einem enttäuschten Seufzer. Dann: «Nun ja, das war gleich eine gute Lektion, wie es in Liverpool zugeht. Dudley ist kein Gegner, den man auf die leichte Schulter nehmen könnte. Diese Schlampe ist harmlos, was man von einigen seiner anderen Mietlinge nicht sagen kann.»

Judith warf ihrem Ehemann einen besorgten Blick zu. Coopers Mund war plötzlich unerklärlich trocken geworden. Der Sommertag ließ ihn auf einmal frösteln. «Sollten wir nicht hineingehen und unser Quartier ansehen?» Judah neben sich, ging er auf den Eingang zu. Er lächelte, aber seine Blicke suchten abwechselnd beide Seiten des Blocks ab.

13

Am gleichen Nachmittag fand in Washington Starkwethers Beerdigung statt. Es regnete. Die Örtlichkeit war ein kleiner, privater Friedhof in der Vorstadt von Georgetown, hinter Rock Creek, abseits der Tummelplätze politischer Karrieremacher.

Wasser tropfte von Elkanah Bents Hutkrempe und machte seinen dunkelblauen Waffenrock naß. Für gewöhnlich freute er sich, wenn er den Rock mit dem daran befestigten kurzen Umhang tragen konnte, der 1851 nach französischem Muster übernommen worden war; er glaubte, daß er darin weniger fett wirkte, sondern schneidiger und flotter. Aber an diesem dunklen, deprimierenden Tag konnte keine Freude aufkommen.

Ungefähr fünfzig Trauernde hatten sich versammelt. Bent war zu weit weg, um viele von ihnen identifizieren zu können – er hatte sein Pferd eine Viertelmeile entfernt angebunden und war bis zu seinem jetzigen Standort hinter einem großen Marmorkreuz marschiert –, aber die wenigen, die er erkannte, unterstrichen die Bedeutung seines Vaters. Ben Wade, Ohios mächtiger republikanischer Senator, war gekommen. Scott hatte einen hohen Stabsoffizier geschickt, und der niggerliebende Chase seine hübsche Tochter. Als Repräsentant des Präsidenten war Lamon erschienen, der langhaarige, schnurrbärtige Vertraute des Weißen Hauses.

Bents Laune war mehr von Abneigung als von Trauer bestimmt. Selbst im Tod ließ sein Vater keine Nähe zu. Er wollte sich zu den anderen Trauernden gesellen, wagte es aber nicht.

Am späten Vormittag, so hieß es in den Zeitungen, hatte für seinen Vater ein Trauergottesdienst in einer Washingtoner Kirche stattgefunden. Auch daran hatte Bent nicht teilnehmen können. All diese Arrangements waren zweifellos von Dills, dem kleinen alten Anwalt, der direkt neben dem Grab stand, veranlaßt worden.

Bent duckte sich neben dem Kreuz, halb so groß wie er, zusammen. Er verachtete Dills, wollte ihn aber nicht gegen sich einnehmen, indem er sich unbeabsichtigt zeigte. Durch Dills hatte Heyward Starkwether mit seinem illegitimen Sohn Verbindung gehalten und ihn mit Geld versorgt. Dills war es gewesen, an den sich Bent in Notfällen gewandt hatte. Nach ihrem ersten Gespräch nie mehr persönlich, nur schriftlich.

Der feierliche Geistliche hob die Hand. Der Sarg versank in der Erde. Bent hatte seinen Vater während seines Erwachsenenlebens zweimal sehen dürfen. Bei beiden Treffen war das Gespräch stockend und peinlich verlaufen, mit langen Pausen. Er erinnerte sich an Starkwether als einen gutaussehenden, reservierten Mann, offensichtlich intelligent. Niemals hatte er seinen Vater lächeln sehen.

Der Regen schien in Bents Augen zu laufen, als der Sarg verschwand. Die Trauergesellschaft bereitete sich zum Aufbruch vor. Warum hatte Starkwether nicht genug für ihn übrig gehabt, um ihn anzuerkennen? In diesen modernen Zeiten war ein unehelicher Sohn keine so große Sünde mehr. Warum also? Er haßte seinen Vater, um den er nun weinte, dafür, daß er diese und viele andere Fragen unbeantwortet gelassen hatte.

An erster Stelle: Wer war Bents Mutter? Keinesfalls Starkwethers längst verstorbene Frau; soviel hatte ihm Dills mitgeteilt, zusammen mit der Warnung, kein zweites Mal danach zu fragen. Wie konnte es der Anwalt wagen, ihn so zu behandeln? Wie konnte es Starkwether wagen, die Wahrheit zu unterdrücken?

Bei Bents einzigem Gespräch mit Dills hatte sich der Anwalt um eine Erklärung bemüht, weshalb eine enge Beziehung zu Starkwether unmöglich war. Jene, die Starkwether bezahlten, wünschten, daß er in vollkommener Zurückgezogenheit lebte und nie die Aufmerksamkeit der Öffentlichkeit erregte. Bent glaubte die glatte Geschichte nicht. Starkwether besaß keine legitimen Kinder. Wahrscheinlich gehörte er zu jenen egoistischen Karrieremachern, die für eine Vaterschaft keine Zeit hatten.

Bent atmete scharf ein. Hatte ihn jemand bemerkt? Dills? Nein, niemand kam, das Rattern der abfahrenden Kutschen ging weiter. Er holte tief Luft und stolperte zu dem Baum, an dem er sein Pferd angebunden hatte. Das Pferd wich zur Seite, als es Bents volles Gewicht zu spüren bekam.

Bald befand er sich in sicherer Entfernung, trabte eine schlammige Straße am Rande des College-Campus von Georgetown entlang, wo verlorene Wachen um die Zelte der Sixty-Ninth New York Militia auf Posten standen. Der Verlust schmerzte ihn weiterhin, wurde aber mehr und mehr von seiner wachsenden Wut verdrängt. Verflucht sei der Mann, gerade jetzt zu sterben. Irgend jemand mußte intervenieren, um zu verhindern, daß er nach Kentucky geschickt wurde.

Selbst ein gewaltiges Dinner mitten am Nachmittag bei Willard's besänftigte ihn heute nicht. Voller Groll sah er Starkwethers Bild vor sich. Er hatte Bent sogar seinen eigenen Namen verweigert und darauf bestanden, daß der Junge den Namen der Familie annahm, die ihn in Pflege bekommen hatte.

Die Bents waren abgekämpfte, kaum des Lesens und Schreibens mächtige Leute, die eine kleine Klitsche in der Nähe des gottverlassenen Weilers Felicity in Clermont Country, Ohio, betrieben. Fulmer Bent war siebenundvierzig gewesen, als man ihm Starkwethers Sohn übergeben hatte. Bent war noch sehr klein gewesen und konnte sich nicht mehr daran erinnern. Vielleicht hatte er es auch nur verdrängt; nur einige der schmerzlichsten Szenen waren ihm im Gedächtnis geblieben.

Mrs. Bent, die zahlreiche Verwandte auf der anderen Seite des Flusses in Kentucky besaß, war eine merkwürdige Frau mit einem Glasauge. Wenn sie ihn nicht zu Besuchen bei der Verwandtschaft schleppte, las sie ihm laut aus der Bibel vor oder unterwies ihn im Flüsterton, wie schmutzig der menschliche Leib und die menschlichen Begierden seien. Mit dreizehn erwischte sie ihn mit der Hand unter der Bettdecke und peitschte ihn mit einem Seil, bis er schrie und alle Laken blutig waren.

Die Jahre in Felicity waren die dunkelsten in Bents gesamtem Leben, nicht nur, weil er seine Stiefeltern haßte, sondern auch, weil er mit fünfzehn Jahren erfuhr, daß sein richtiger Vater in Washington lebte und ihn nicht anerkannte. Zuvor hatte er angenommen, sein Vater sei ein verstorbener Verwandter der Bents, der Schande über die Familie gebracht hatte; wann immer der Junge Fragen stellte, hatte er nur ausweichende Antworten erhalten.

Dills war es gewesen, der die lange Fahrt mit Kutsche und Schiff auf sich genommen hatte, um sich von Bents Wohlergehen zu überzeugen und ihm die Wahrheit zu sagen. Dills Ausführungen über Starkwether waren weitschweifig, die Sätze taktvoll, sogar sanft, aber er hatte keine Ahnung, wie tief er seinen Zuhörer verletzte. Seitdem schwang in Bents Liebe zu seinem Vater stets unterdrückte Wut und Gewalttätigkeit mit, ganz gleich, wie sehr ihn dieser mit Einfluß oder Geld unterstützte.

Bent war sechzehn – kurze Zeit später stellte Starkwether die Zulassung des Jungen zur Militärakademie sicher –, als Fulmer Bent Schweine zum Markt nach Cincinnati brachte und dort bei einer Schießerei in einem Haus mit üblem Ruf starb. Im gleichen Herbst weckte eine junge Angestellte vom Krämerladen in Felicity Bents sexuelle Begierde, aber erst zwei Jahre später hatte Bent seine erste Frau.

Lange bevor Starkwether jedoch die Akademie-Zulassung durchsetzte, hatte Elkanah Bent schon von einer Militärkarriere zu träumen begonnen. Der Traum nahm seinen Anfang in einem unordentlichen Buchladen in Cincinnati, in den der Junge eines Tages spazierte, während Fulmer Bent anderswo seinen Geschäften nachging. Für fünf Cent kaufte er ein zerfleddertes, wasserfleckiges Buch über Bonapartes Leben. Das war der Beginn.

Er sparte sich etwas von dem Taschengeld ab, das Dills ihm zweimal jährlich schickte. Er kaufte und las mehrmals die Biographien von Alexander, Caesar, Scipio Africanus. Aber es war Napoleon, zu dessen Erbe und amerikanischem Gegenstück er in seiner lebhaften Phantasie wurde.

Der Bonaparte von Kentucky? Mit größerer Wahrscheinlichkeit würde er als Leiche enden. Der Staat war umstrittenes Gebiet; die eine Hälfte der Männer hatte sich auf seiten der Union, die andere auf seiten der Konföderation geschlagen. Lincoln ließ die Finger von den Sklavenbesitzern, damit sie nicht die Sezession unterstützten. Niemals würde er an einen solchen Ort gehen.

Der Schweiß lief ihm über die Wangen, als er dem Kellner winkte. «Bringen Sie mir noch ein Stück Kuchen.» Er stopfte es in sich hinein und lehnte sich zurück. Ein drittes Stück führte ihn in Versuchung, aber sein Magen schmerzte, und so konzentrierte er sich auf sein Problem. Er glaubte immer noch an eine große militärische Zukunft für sich; allerdings durfte er in dem Fall nicht in Kentucky sterben.

Er wußte, daß jetzt nur noch ein Mann intervenieren konnte. Bent war davor gewarnt worden, mit ihm persönlichen Kontakt aufzunehmen, aber eine verzweifelte Lage rechtfertigte verzweifelte Maßnahmen.

Das Büro von Jasper Dills, Esquire, ging zur Seventh Street hinaus, dem Handelszentrum der Stadt. Der mit Büchern vollgestopfte Raum war klein und eng und deutete auf eine mißratene Kanzlei hin; kein Hinweis auf Reichtum und Status seines Inhabers.

Nervös senkte Bent sein Hinterteil in den Besucherstuhl, zu dem ihn der Angestellte geführt hatte. Er mußte sich reinquetschen, so eng war der Sitz. Er hatte seine Ausgehuniform angezogen, aber Dills Gesichtsausdruck besagte deutlich, daß die Mühe umsonst gewesen war.

«Ich dachte, Sie hätten begriffen, daß Sie hier nicht zu erscheinen haben, Colonel.»

«Es handelt sich um außergewöhnliche Umstände.»

Dills hob eine Augenbraue, was seinen verstörten Besucher beinahe völlig aus dem Gleichgewicht gebracht hätte.

«Ich brauche dringend Ihre Hilfe.»

Dills hielt seinen Schreibtisch sauber. In der Mitte lagen einige Notizblätter. Er tauchte eine Feder ein und begann, Sterne zu malen.

«Sie wissen doch, Ihr Vater kann Ihnen nicht mehr helfen.» Die Feder kratzte; ein weiterer Stern erschien. «Ich habe gesehen, wie Sie sich gestern auf dem Friedhof herumdrückten – Sie brauchen es gar nicht abzustreiten. Der Fehltritt ist verzeihlich.» *Kratz; kratz.* Mit den Sternen fertig, malte der Anwalt ein großes B. Dann warf er seinem Besucher einen scharfen Blick zu. «Dieser hier nicht.»

Bent wurde rot, gleichzeitig vor Furcht und vor Ärger. Wie konnte ihn dieser Mann derart einschüchtern? Jasper Dills war über siebzig und keine eins sechzig groß. Er hatte die Hände und Füße von einem Kind. Doch weder Größe noch Alter minderten die Kraft seiner Stimme oder die einschüchternde Art und Weise, in der er einen Mann anblicken konnte.

«Ich bitte –», er schluckte, «– ich bitte zu unterscheiden, Sir. Ich bin verzweifelt.» In ein paar herausgesprudelten Sätzen beschrieb er seine Situation. Dills malte weiter und ließ ihn am Ende seines Vortrags schweigend zehn Sekunden zappeln. «Aber ich begreife immer noch nicht, weshalb Sie zu mir gekommen sind. Ich besitze weder die Macht noch einen Grund, Ihnen zu helfen. Meine einzige Verpflichtung als Testamentsvollstrecker Ihres Vaters besteht darin, seinen mündlichen Instruktionen Folge zu leisten und dafür zu sorgen, daß Sie weiterhin Ihre großzügig bemessene jährliche Geldzuwendung erhalten.»

«Das verdammte Geld bedeutet mir gar nichts, wenn ich nach Kentucky geschleppt werde, um dort zu sterben!»

«Aber was kann ich dagegen tun?»

«Lassen Sie meinen Marschbefehl ändern. Sie haben es früher schon getan – Sie oder mein Vater. Oder taten das jene Männer, die ihn beschäftigten?» Das hatte gesessen; Dills versteifte sich sichtbar. Hier ließ sich der entscheidende Bluff ansetzen. «Oh ja, ich weiß einiges über sie. Ich hab' ein paar Namen gehört. Ich habe meinen Vater zweimal gesehen, vergessen Sie das nicht. Jedesmal einige Stunden. Ich hab' Namen gehört», wiederholte er.

«Colonel, Sie lügen.»

«Wirklich? Testen Sie mich doch. Verweigern Sie mir Ihre Hilfe. Ich werde mich sehr schnell mit gewissen Leuten unterhalten, die an den Namen der Auftraggeber meines Vaters interessiert sind. Oder meiner wahren Herkunft.»

Schweigen. Bent atmete laut. Er hatte gewonnen, davon war er überzeugt.

Dills seufzte. «Colonel Bent, Sie haben einen Fehler gemacht. Zwei, um genau zu sein. Ihr erster Fehler war, wie ich bereits erwähnte, Ihr Entschluß, mich aufzusuchen. Ihr zweiter ist Ihr Ultimatum.» Er legte seine Feder auf die hingekritzelten Sterne. «Ich möchte nicht melodramatisch werden, ich möchte lediglich einen Punkt so klar wie möglich machen. In dem Augenblick, in dem ich erfahre, daß Sie irgendeinen Versuch unternommen haben, Ihre Beziehung zu meinem verstorbenen Klienten an die Öffentlichkeit zu bringen, oder irgend etwas tun, was seinem Ruf schaden könnte – von dem Augenblick an sind Sie innerhalb von vierundzwanzig Stunden ein toter Mann.» Dills lächelte. «Guten Tag, Sir.»

Er erhob sich und ging zu seinen Bücherregalen. Bent schoß aus seinem Stuhl hoch, um den Schreibtisch herum. «Verdammt noch mal, wie können Sie es wagen, so mit Starkwethers eigenem –»

Dills wirbelte herum, schlug ein Buch mit einem Laut wie ein Gewehrschuß zusammen. «Ich sagte: guten Tag.»

Während Bent die lange Treppe zur Straße hinabstolperte, kreischte eine innere Stimme: *Er meint es ernst. Der Mann meint es ernst. Was soll ich nun tun?*

In seinem Büro stellte Dills das Buch wieder an seinen Platz und kehrte zum Schreibtisch zurück. Er bemerkte, daß seine gefleckten Hände zitterten. Die Reaktion ärgerte und beschämte ihn. Außerdem war sie unnötig.

Ganz sicher wünschten die Auftraggeber seines früheren Klienten, daß ihre Namen im dunkeln blieben. Doch Dills vertraute darauf, daß Bent ihre Identität nicht kannte. Abgesehen davon war Bent eindeutig ein Feigling und deshalb leicht einzuschüchtern. Natürlich konnte Dills über Starkwethers Verbindungen leicht dafür sorgen, daß Bent eine tödliche Kugel traf. In Kentucky ließ sich das sogar so arrangieren, daß es sich bei dem Killer scheinbar um einen Rebellen handelte. Aber solch ein Plan würde für den Anwalt lediglich finanzielle Nachteile mit sich bringen, was wiederum Bent nicht wußte.

Daß zwei Elternteile mit so positiven Charakterzügen einen derart schwächlichen Sohn wie Elkanah Bent hervorbringen konnten, störte Dills Ordnungssinn empfindlich. In der schlimmsten Armut des westlichen Hinterlandes geboren, hatte Starkwether Geschick und Ehrgeiz besessen. Bents Mutter war von erstklassiger, reicher Herkunft gewesen. Und jetzt brauchte man sich nur das traurige Ergebnis anzusehen.

Unfähig, die Gedanken von seinem Besucher abzuwenden, holte Dills einen kleinen Messingschlüssel aus seiner Weste. Er öffnete eine Schreibtischschublade, griff nach einem Ring mit neun größeren

Schlüsseln und schloß den Wandschrank des Büros auf. In der staubigen Dunkelheit öffnete ihm ein weiterer Schlüssel den Eisensafe. Er holte den Inhalt heraus. Eine einzige dünne Akte.

Er betrachtete den alten Brief, den er vor vierzehn Jahren zum erstenmal gelesen hatte. Der kränkelnde Starkwether hatte ihm den Brief im letzten Dezember auf Dauer übergeben. Beide Seiten des Briefblattes waren beschrieben. Sein Blick fiel auf die Unterschrift. Die Wirkung beim Lesen dieses sofort erkennbaren Namens war immer die gleiche: Dills war sprachlos, verblüfft, beeindruckt. In dem Brief hieß es auszugsweise:

Du hast mich benutzt, Heyward. Dann hast Du mich verlassen. Aber ich gebe zu, daß auch ich ein gewisses Vergnügen dabei empfunden habe; ich kann mich nicht dazu durchringen, das Resultat meines Fehltritts völlig im Stich zu lassen. Da ich weiß, was für eine Art Mann Du bist und was Dir am meisten bedeutet, bin ich bereit, Dir jährlich eine beträchtliche Summe auszuzahlen, vorausgesetzt, Du übernimmst die väterliche Verantwortung für das Kind – sorge für ihn, hilf ihm in vernünftigem Rahmen –, das Wichtigste aber, sorge unter allen Umständen dafür, daß er nichts unternimmt oder von anderen unternehmen läßt, was zur Entdeckung seiner Herkunft führen könnte. Muß ich hinzufügen, daß er niemals meine Identität von Dir erfahren darf? Sollte das, ganz gleich aus welchem Grund, je geschehen, so werden die Zahlungen sofort eingestellt.

Dills befeuchtete seine Lippen mit der Zunge. Wäre er dieser Frau doch nur einmal begegnet, und wenn es nur für eine Stunde gewesen wäre. Ein Bastard hätte ihren Namen in den Schmutz gezogen und ihr sämtliche Zukunftsmöglichkeiten verbaut, und sie war bereits mit achtzehn klug und erfahren genug gewesen, um das zu wissen. Sie hatte sich großartig verheiratet. Wieder wendete er das Blatt, um die Unterschrift zu betrachten. Der arme, rachsüchtige Bent würde höchstwahrscheinlich zusammenbrechen, wenn er diesen Namen sehen könnte.

Der letzte Absatz über dem Namen war für ihn von größtem Interesse:

Im Falle Deines Todes schließlich wird die gleiche Summe an jeden von Dir Bevollmächtigten weitergezahlt, solange der Junge lebt und die oben aufgeführten Bedingungen erfüllt werden.

An seinem Schreibtisch tauchte ein nachdenklicher Dills erneut seine Feder ein. Lebend bedeutete Starkwethers Sohn eine Menge Geld für ihn; tot war er gar nichts wert. Vielleicht sollte er, ohne zu direkt einzugreifen, dafür sorgen, daß Bent der gefährliche Dienst im Westen erspart blieb.

Ja, das war eindeutig eine gute Idee. Morgen würde er mit einem Kontaktmann im Kriegsministerium sprechen. Er machte sich eine Notiz und stopfte sie tief in seine Westentasche. Soweit Bent. Andere Pflichten riefen.

Starkwethers Auftraggeber waren die seinen geworden, und sie interessierten sich für die Möglichkeit, daß New York City von der Union abfiel. Es war ein atemberaubendes Konzept: ein separater Stadtstaat, der freien Handel mit beiden Seiten in einem Krieg betrieb, dessen Dauer die Gentlemen bis zu einem gewissen Grad kontrollieren konnten. Mächtige Politiker, Bürgermeister Fernando Wood eingeschlossen, hatten die Sezession bereits öffentlich gutgeheißen. Dills suchte Präzedenzfälle heraus und bereitete einen Bericht über die möglichen Konsequenzen vor. Er legte den Brief in den Safe zurück und kehrte nach drei Drehungen von drei Schlüsseln in drei Schlössern an seine Arbeit zurück.

14

«Was zum Teufel haben wir falsch gemacht?» sagte George und schleuderte seinen Zigarrenstummel weg. Er landete vor dem kleinen, schlichten Bürogebäude im Herzen des gewaltigen Komplexes des Hazard-Eisenwerks.

«Ich weiß es beim besten Willen nicht, George», erwiderte Christopher Wotherspoon mit düsterem Blick.

Hunderte von Männern, die die unbefestigte Straße in beiden Richtungen entlangströmten, konnten von Georges Gesicht deutlich seinen Zorn ablesen; die Frühschicht ging, die nächste Schicht kam. George kümmerte sich nicht darum, ob sie seinen Ärger sahen oder nicht. Die meisten hatten ohnehin die Detonation gehört, als der Prototyp auf dem Testgelände explodierte. Die große Acht-Inch-Kanone, nach Rodmanns Methode mit einem wassergekühlten Kern, hatte ihren groben Holzunterbau zerstört und Eisenfragmente, groß wie Dolche, in die dicken Planken getrieben, die zum Schutz der Testbeobachter aufgebaut worden waren.

«Ich weiß es einfach nicht», wiederholte Georges Werksinspektor. Es war der zweite Fehlschlag in dieser Woche.

«In Ordnung, wir passen die Temperatur an und probieren es erneut. Wir probieren es, bis die Hölle zufriert. Sie schreien nach Artillerie, um die Ostküste zu beschützen, und eines der ältesten Eisenwerke in Amerika ist nicht in der Lage, eine einzige funktionierende Kanone zu produzieren. Es ist unglaublich.»

Wotherspoon räusperte sich. «Nein, George, das sehen Sie falsch. Das ist Kriegsproduktion. Soweit mir bekannt ist, hat dieses Werk nie zuvor Kanonen hergestellt.»

«Aber, bei Gott, wir sollten doch in der Lage sein, die –»

«Wir werden in der Lage sein, George.» Er betonte das zweite Wort. «Wir werden den Liefertermin einhalten, wie er im Kontrakt steht, mit einwandfrei funktionierendem Material.» Er riskierte ein Lächeln. «Ich garantiere das, weil Mr. Stanley unsere Offerte unterstützt hat und ich keineswegs scharf darauf bin, ihn zu enttäuschen.»

«Ich wüßte nicht, warum», knurrte George. «Sie könnten ihn mit einem Schlag ausknocken.»

«Das ist wahr, aber man sollte mit seiner Zeit sparsam umgehen. Und das wäre Zeitverschwendung.»

Der trockene, steife Scherz verbesserte Georges Laune keineswegs. Immerhin erkannte er die Bemühungen des jungen Schotten an. Und er wußte, daß Wotherspoon den Grund für seine Ungeduld verstand. Er konnte Hazards nicht verlassen oder auch nur ernsthaft über Camerons Angebot nachdenken, solange er nicht sicher war, daß die Firma den Kontrakt erfüllen würde.

Er hegte keinen Zweifel, daß Hazards dazu in der Lage war. Wotherspoon arbeitete mehr als gründlich – das war einer der Gründe, weshalb George den Junggesellen so schnell befördert hatte. Wotherspoon war dreißig, ein schlanker, langsam sprechender Mann mit traurigen Augen und welligem, braunem Haar, hinter dessen tadellosen Manieren sich gnadenloser Ehrgeiz verbarg. Er hatte seine Lehre in einem sterbenden Eisenwerk absolviert, das von den Nachfolgern der großen Darbyfamilie in Coalbrookdale geleitet wurde, im gleichen Teil von England, aus dem der Gründer der Hazardfamilie Ende des siebzehnten Jahrhunderts geflohen war. Vor vier Jahren war Wotherspoon auf der Suche nach einem Job, einer Frau und einem Vermögen angekommen. Ersteres hatte er, hinter den beiden anderen war er noch her. Wenn er das Rätsel des fehlerhaft gegossenen Eisens löste, davon war George überzeugt, dann konnte er beruhigt die tagtägliche Kontrolle der Hazard-Werke in die Hände des Schotten legen.

Er war sich darüber im klaren, daß er Lehigh Station verlassen und dienen mußte; die simple Frage blieb lediglich: Wo? Wenn er einige seiner Verbindungen spielen ließ, konnte er sicherlich ein Kampfkommando bekommen, ein Regiment übernehmen. Aber nicht Furcht vor dem Kampf, den er haßte, ließ ihn davor zurückschrecken, sondern seine Überzeugung, daß er mit seiner Erfahrung im Rüstungsministerium von größtem Nutzen sein könnte; und das bedeutete Cameron und Stanley und Isabel. Was für eine elende Wahl.

Wotherspoon riß ihn aus seinen düsteren Betrachtungen. «Warum gehen Sie nicht nach Hause, George?» Bis vor einem Jahr hatte ihn der jüngere Mann mit Sir angeredet. Dann waren sie zum Vornamen übergegangen, auf Georges Aufforderung hin. «Ich werde noch mal die Rodman-Notizen durchsehen. Ich habe den Verdacht, daß der Fehler in irgendeiner Form bei uns liegt. Der Erfinder dieses Prozesses hat Ihre Schule absolviert.»

«Stimmt, die Klasse von 1841.»

«Dann wird er sich kaum täuschen, was?»

Diesmal lachte George. Er zündete sich die nächste Zigarre an und sagte: «Versuchen Sie diese Meinung nicht in Washington zu verkaufen. Die Hälfte der Politiker dort glaubt, West Point habe den Krieg verursacht. Stanley schreibt in seinem letzten Brief, daß Cameron West Point in einem Bericht, den er herausbringt, ans Kreuz nagaln will. Und ich denke daran, für ihn zu arbeiten. Ich muß verrückt sein.»

Wotherspoon preßte die Lippen zusammen, seine Version eines Lächeln. «Nein, nein – wir leben in einer unvollkommenen Welt, das ist alles. Sie sollten auch das berücksichtigen: Wahrscheinlich können Sie dort für West Point mehr tun als hier.»

«Das ist mir auch durch den Kopf gegangen. Gute Nacht, Christopher.»

«Gute Nacht.»

Er ging die staubige Straße entlang, durch die Menge der Männer. Über seinen Augen setzte heftiger Kopfschmerz ein. So viele Probleme in letzter Zeit. Die Fehlschläge bei den Kanonenrohren. Bretts unglückliche Verfassung. Die Möglichkeit eines Angriffs des Kriegsministeriums auf West Point…

Stanleys Brief, vordergründig informativ, war in Wirklichkeit als Irritation gedacht gewesen, und George wußte das. Die Akademie als «Keimzelle des Verrats» anführend, hatte Stanley geschrieben, der Minister habe sich auf lasche Disziplin und eine vage, aber unheilvolle «Südstaaten-Tendenz» als Erklärung für den Abfall so vieler regulärer Offiziere bezogen. Er sollte nicht mal im Traum daran denken, für solch einen Schmierfink zu arbeiten.

Der Anstieg nach Belvedere war in der feuchten, stickigen Luft des Spätnachmittags ermüdend. Auf dem staubigen Weg blieb er stehen, um zu den Bergen hochzublicken. Er erinnerte sich an die Lehren, die seine tote Mutter an ihn weiterzugeben versucht hatte. Das bedeutendste Emblem dafür sah er über sich auf den Gipfeln – den im Wind wehenden Berglorbeer.

Seine Mutter, Maude, hatte ihr eigenes mystisches Gefühl für den Lorbeer auf ihn übertragen. Die schlimmste Witterung konnte dem Lorbeer nichts anhaben. Den Hazards ebenfalls nicht, sagte sie. Lorbeer war aus Liebe geborene Stärke, sagte sie. Nur die Liebe konnte die Männer über die Niedrigkeit erheben, die in ihrer Natur lag.

Sie hatte über den Lorbeer gesprochen, als er sich fragte, ob es klug wäre, Constance nach Lehigh Station zu bringen, wo man die Katholiken verachtete. Er hatte ihre Worte wiederholt, als Billy verzweifelte, weil Orry Main anfänglich gegen seine Heirat mit Brett war.

Ausdauer und Liebe. Vielleicht würde sich das als ausreichend erweisen. Er betete darum.

Auf Belvederes langer, breiter Veranda verschnaufte er sich. Schweiß lief ihm den Nacken herab und tränkte sein Hemd. Er war früher als gewöhnlich zu Hause. Vielleicht konnte er den Grund für das Bersten des Kanonenrohres herausfinden. Leise ging er in die Bibliothek, um seine Notizen über das Rodman-Verfahren zu holen.

«George? Du bist früh dran. Was für eine Überraschung.»

Er wandte sich der Tür zu.

«Ich hörte dich hereinkommen», fuhr Constance fort, als sie eintrat. Sie wollte ihm einen Kuß geben, hielt aber inne. «Liebling, was ist passiert?»

«Die Hitze. Es ist höllisch heiß draußen.»

«Nein, es ist was anderes. Ah – der Test. Das ist es, nicht wahr?»

Betont lässig warf er seine Jacke über seine Schulter. «Ja. Wir hatten wieder einen Fehlschlag.»

«Oh, George, es tut mir so leid.»

Sie kam zu ihm, drückte sich fest an ihn. Ein kühler Arm schlang sich um seinen schweißfeuchten Nacken, während ihr süßer Mund ihn küßte. Erstaunlich, wie das half. Sie war der Lorbeer.

«Ich habe eine gute Nachricht», sagte sie anschließend. «Ich habe endlich was von Vater gehört.»

«Ein Brief?»

«Ja. Heute ist er gekommen.»

«Gut. Ich weiß, daß du dir Sorgen gemacht hast. Ist alles in Ordnung mit ihm?»

«Ich weiß nicht, was ich darauf antworten soll. Komm, trink einen kalten Apfelwein, und ich werd's dir erklären.»

Als George den Brief las, verstand er ihre rätselhafte Antwort. «Ich begreife seine Abscheu vor Texas, Patrick Flynn liebt viele Dinge des Südens, doch die Sklaverei gehört nicht dazu. Aber Kalifornien? Ist das die Antwort?»

«Meiner Meinung nach nicht. Stell dir vor, in seinem Alter eine neue Anwaltskanzlei aufzubauen.»

«Ich bezweifle, daß er damit Schwierigkeiten haben wird», sagte George und sah den frischen, rotwangigen Anwalt vor sich, der aus County Limerick an die Golfküste gekommen war. Er merkte, daß seine Antwort Constance nicht beruhigt hatte, und fügte hinzu: «Er ist ein zäher, anpassungsfähiger Bursche, dein Vater.»

«Aber er wird dieses Jahr sechzig. Und Kalifornien ist kein sicherer Ort. In der Morgenzeitung habe ich von einem Südstaatenplan gelesen, an der Pazifikküste eine Art zweite Konföderation zu errichten.»

«Das übliche Gerücht heutzutage. In der einen Woche ist es Kalifornien, in der nächsten Chicago.»

«Trotzdem bin ich der Meinung, daß die Reise zu lang und gefährlich ist. Vater ist alt und ganz allein.»

Er lächelte. «Nicht ganz. Er reist mit einem ungemein zuverlässigen Begleiter. Ich meine seinen Paterson-Colt, der Lauf einen Fuß lang. Nie hab ich ihn ohne den Colt gesehen. Weißt du noch, wie er ihn zu unserer Hochzeit trug? Außerdem versteht er es, ihn zu benützen.»

Constance wollte sich nicht besänftigen lassen. «Ich weiß einfach nicht, was ich tun soll.»

George trank seinen Apfelwein aus und sah erst in die blauen Augen, die er so liebte. «Verzeihen Sie meine Impertinenz, Mrs. Hazard, aber ich glaube, Sie können gar nichts tun. In dem Brief ist mir eine Bitte um Genehmigung nicht aufgefallen. Da steht lediglich, daß er aufbricht, und das war am 13. April. Ich nehme an, daß er mittlerweile die Sierras zur Hälfte durchquert hat.»

«Oh, guter Gott – das Datum. Ich war zu besorgt, um es zu bemerken.» Jetzt nahm er sie in die Arme, um ihr zu helfen, so wie sie ihm geholfen hatte. Sie verließen die Küche und gingen nach oben, wo er sich auszog, um ein Bad zu nehmen.

«Tut mir leid, daß ich schlecht gelaunt war», sagte sie, während er sich aus seiner verschwitzten Kleidung pellte. Nackt schlang er erneut die Arme um sie.

«Nicht schlecht gelaunt. Verständlicherweise besorgt. Ich fürchte, ich war sarkastisch. Ich bitte um Verzeihung.»

«Wir sind quitt.» Sie verschränkte die Hände hinter seinem Kopf und gab ihm einen Kuß. So blieben sie eine Weile regungslos stehen; Trost strömte von einem zum anderen. Nie war George dichter daran, die Natur der menschlichen Liebe zu erfassen, als in solchen Momenten.

Sein Körper begann zu reagieren. «Wenn wir so weitermachen, komme ich nicht zu meinem Bad.»

Sie schnüffelte. «Nötig hast du's.»

Mit gespielter Gewalt warf er sie aufs Bett und kitzelte sie, bis sie um Gnade flehte. Er ging ins Bad, drehte sich an der Tür noch mal um. «Aber wir haben auch Probleme, wo wir durchaus was tun können. Camerons Einladung, zum Beispiel.»

«Die Entscheidung liegt bei dir, George. Ich will Stanley und Isabel nicht näher sein als unbedingt notwendig. Aber ich weiß, daß es für dich wichtigere Dinge zu berücksichtigen gibt.»

«Ich wünschte, es wäre nicht so. Der Kongreßabgeordnete Thad Stevens meinte, Cameron würde auch einen rotglühenden Ofen klauen.»

«Ich mache dir einen Vorschlag. Warum fährst du nicht nach Washington und sprichst mit einigen Leuten von der Rüstung? Das könnte dir bei der Entscheidung behilflich sein.»

«Großartige Idee. Aber ich kann erst weg, wenn wir das Problem mit den Kanonenrohren gelöst haben.» Er dachte einen Augenblick nach. «Glaubst du, ich könnte es ertragen, in Stanleys Nähe zu arbeiten? Ich habe ihm die Führung der Hazard-Werke weggenommen, seine Frau aus diesem Haus gejagt – ich habe ihn sogar einmal geschlagen. Das hat er nicht vergessen. Und Isabel ist rachsüchtig.»

«Das weiß ich nur zu gut. Du mußt all das berücksichtigen. Aber wenn du annimmst, dann werde ich dir mit den Kindern so bald wie möglich folgen.»

Auch während des Abendessens ging die Diskussion über Camerons Angebot weiter. George, der in einem sauberen weißen Hemd erfrischt wirkte, erzählte Brett, daß Constance einen sehr praktischen Vorschlag gemacht habe. Er würde nach Washington fahren, bevor er seine endgültige Entscheidung traf.

«Würdest du mich mitnehmen?» rief Brett. «Ich könnte Billy sehen.»

«Ich kann nicht sofort los.» Er erklärte ihr den Grund und beobachtete, wie die hell lodernde Hoffnung in sich zusammenfiel. Schuldbewußt suchte er hastig nach einem Ausweg. Keine zehn Sekunden waren vergangen, als er fortfuhr: «Aber es gibt noch eine andere Möglichkeit. Zwei wichtige Verträge müßten dort zu meinem Anwalt. Ich nehme an, ich könnte im Büro einen vertrauenswürdigen älteren Mitarbeiter finden, der sie hinbringt. Du könntest ihn begleiten.»

«Du erlaubst mir immer noch nicht, alleine zu fahren?»

«Brett, dieses Thema haben wir bereits vor Wochen ausdiskutiert.»

«Nicht zu meiner Zufriedenheit.»

«Werde nicht ärgerlich. Du bist eine intelligente und tüchtige junge Frau. Aber Washington ist eine Jauchegrube. Allein hast du dort nichts verloren – selbst wenn wir mal deinen unverkennbaren Südstaatenakzent unberücksichtigt lassen, was dich zum Ziel von Feindseligkeiten aller Art machen würde. Nein, so ist es besser. Ich suche einen Mann aus, der in einigen Tagen reisefertig ist. Pack deinen Koffer, und halt dich bereit.»

«Oh, ich danke dir», sagte sie und eilte um den Tisch, warf die Arme um ihn. «Kannst du mir meine schlechte Laune verzeihen? Ihr wart beide so freundlich zu mir, aber ich habe so wenig von Billy gehabt, seit wir heirateten.»

«Ich verstehe das.» Er tätschelte ihre Hand. «Es gibt nichts zu verzeihen.»

Mit Tränen in den Augen dankte sie ihm nochmals. Für Constance war es eine der seltenen Gelegenheiten, George verlegen und leicht nervös zu erleben.

Später in ihrem Schlafzimmer sagte sie, bevor sie sich liebten: «Hast du wirklich Papiere, die nach Washington müssen?»

«Ich werd' schon welche finden.»

Sie lachte und küßte ihn und zog ihn voller Freude an ihre Brust.

15

«Diese Reisetasche ist schwerer als ein Sack voll Steine», stöhnte Billy, als er sie absetzte.

«Ich habe dir eine Menge Kleinigkeiten mitgebracht, von denen ich annahm, daß du sie brauchen kannst: Bücher, drei Mützenüberzüge, die ich selbst genäht habe, Socken, Unterhosen, eine neue Kasserolle, eines dieser kleinen Nähkästchen für Soldaten –»

«Bei der Armee nennt man sie Hausfrauen.» Er nahm seine Mütze ab und griff mit der anderen Hand nach hinten, um die Tür zu schließen.

Beide sprachen sie leise, als müßten sie vor Lauschern auf der Hut sein. Es war ein schwüler Nachmittag, so gegen drei, und sie waren allein in einem Pensionszimmer. Obwohl sie verheiratet waren, kam es Brett herrlich verrucht vor.

Der kleine Raum besaß nur ein mickriges Fenster, durch das der Lärm der unsichtbaren Straße drang. Aber Billy hatte Glück gehabt, daß er überhaupt etwas gefunden hatte, nachdem ihre telegraphische Nachricht angekommen war.

«Ich hab mich so nach dir gesehnt, Brett. Dich zu sehen, zu lieben.» Seine Stimme klang fremd; scheu, fast ängstlich. «Ich habe mich so danach gesehnt, daß es richtig schmerzt.»

«Oh, ich weiß, Liebling. Ich fühle genauso. Aber wir haben nie –»

«Was?»

Errötend wandte sie den Kopf ab. Er berührte ihr Kinn.

«Was, Brett?»

Sie wagte es nicht, ihm in die Augen zu sehen. Ihr Gesicht brannte. «Früher... Wir haben uns immer – im Dunkeln geliebt.»

«Ich kann nicht so lange warten.»

«Nein, ich – ich auch nicht.»

Er half ihr beim Ausziehen, schnell, aber ohne grob zu werden. Dann kam der schreckliche Moment, wo es nichts mehr zu verbergen gab; sie wußte, daß der Anblick ihres Körpers ihn abstoßen würde.

Ihre Furcht schmolz dahin, als er seine Hände ausstreckte. Er berührte ihre Schultern und ließ langsam seine Handflächen über ihre Arme gleiten, eine Liebkosung, die sie beide zart und erregend fanden. Sein liebevolles Lächeln wechselte langsam zu einem Ausdruck über, der fast schon an Verzückung grenzte. Ihr Lächeln wurde strahlend, und ihr freudig erregtes Lachen wurde von ebenso freudigen Tränen begleitet. Ihre Vereinigung, nur Augenblicke später, war um so süßer, da sie von beiden so heiß ersehnt worden war.

Captain Farmer hatte ihm über Nacht Urlaub gegeben. Am späten Nachmittag führte Billy seine Frau in die Gegend nahe beim Präsidentenpark. Die Menge der Soldaten in den Straßen verblüffte sie. Sie trugen Marine-Uniform, sie trugen Grau, und einige waren so buntgemischt ausgerüstet, daß sie den Hoftruppen irgendeines arabischen Prinzen ähnelten. Außerdem spazierten viele Neger herum.

Ungefähr eine Stunde vor Sonnenuntergang überquerten sie einen übelriechenden Kanal, in Richtung eines noch unvollendeten Parkes nahe der phantastischen roten Türme der Smithsonian Institution. Aus vornehmen Kutschen beobachteten gut gekleidete Bürger, wie ein Freiwilligen-Regiment, die First Rhode Island, exerzierte. Billy zeigte Brett den kommandierenden Offizier, Colonel Burnside, einen Mann mit herrlichem Backenbart.

Billy erklärte, daß militärische Schauspiele zum öffentlichen Leben der Stadt gehörten. «Aber sicherlich wird es bald zum Kampf kommen. Es heißt, Lincoln will ihn, und Davis anscheinend auch. Sein populärster General kommandiert die Alexandriafront.»

«Du meinst General Beauregard?»

Er nahm ihren Arm, während sie weiterschlenderten. «Ja. Es gab mal eine Zeit, da stand Old Bory bei dieser Armee in hohem Ansehen. Jetzt nennt ihn unsere Seite nur noch einen ängstlichen kleinen Gokkel.»

Unsere Seite. Durch Heirat war es auch ihre Seite geworden. Wann immer ihr das in den Sinn kam, empfand sie Verwirrung und ein vages Gefühl von Untreue. Heute war es nicht anders.

«Weiß Captain Farmer, wann der Kampf beginnen wird?»

«Nein. Manchmal frage ich mich, ob das überhaupt irgend jemand weiß – einschließlich unserer vorgesetzten Offiziere.»

«Du hast nicht viel für sie übrig?»

«Die meisten der Berufsoffiziere sind in Ordnung. Die Männer von der Akademie. Aber es gibt auch Generäle, die ihre Schulterstreifen durch politische Beziehungen bekommen haben. Die sind ziemlich übel. So arrogant es klingt, ich bin froh, daß ich nach West Point und zu den Pionieren gegangen bin. Das ist die beste Truppe.»

«Und die erste in der Schlacht.»

«Manchmal.»

«Das erschreckt mich zu Tode.»

Er wollte ihr gestehen, daß es auch ihn erschreckte, aber das hätte ihre Sorge nur verstärkt.

Die Stadt begann für Brett ihren Glanz zu verlieren, als sie zu dem Hotel spazierten, in dem sie zu Abend essen wollten. Sie kamen an zwei Soldaten vorbei, üblen Typen, und sie hörte die hämische Bemerkung, daß alle Offiziere Arschlöcher seien.

Billy versteifte sich, hielt aber weder an, noch drehte er sich um. «Beachte sowas gar nicht. Wenn ich bei solchen Bemerkungen jedesmal was unternehmen würde, hätte ich keine Minute Zeit für meine anderen Pflichten. Die Disziplin der Armee ist schrecklich – allerdings nicht in Lije Farmers Kompanie. Ich kann's kaum erwarten, daß du ihn kennenlernst.»

«Wann wird das sein?»

«Morgen. Ich bringe dich raus zum Camp und zeige dir die Befestigungen, die wir bauen. Den Plänen nach sollten es Ringe sein, vielleicht fünfzig bis sechzig Stück, die sich um die Stadt herumziehen.»

«Magst du deinen Captain?»

«Sehr. Er ist ein außergewöhnlich religiöser Mensch. Betet viel. Die Offiziere und Soldaten beten gemeinsam mit ihm.»

«Du? Beten? Billy, hast du –?» Sie wußte nicht, wie sie die Frage taktvoll beenden sollte.

Er ersparte es ihr. «Nein, ich bin immer noch der gleiche gottlose Kerl, den du geheiratet hast. Ich bete aus einem einzigen Grund. Man verweigert Lije Farmer nicht den Gehorsam. Fairerweise muß ich sagen, daß Männer mit diesem festen Glauben in der Armee durchaus nicht ungewöhnlich sind.»

Abrupt steuerte er sie vom Bürgersteig weg, wo zwei Weiße einen zerlumpten Neger zusammenschlugen. Billy ignorierte auch das.

Doch Brett konnte das nicht. «Wie ich sehe, ist Sklavenmißhandlung nicht allein auf den Süden beschränkt.»

«Wahrscheinlich ist er ein Freigelassener. Sklave oder frei, Neger sind hier nicht sonderlich beliebt.»

«Warum um alles in der Welt führt ihr dann ihretwegen einen Krieg?»

«Brett, darüber haben wir doch bereits diskutiert. Wir haben Krieg, weil ein paar Verrückte in deinem Heimatstaat das Land in zwei Hälften zerbrochen haben. Niemand kämpft für die Neger. Sklaverei ist falsch, davon bin ich überzeugt. Aber praktisch gesehen sollte man sie vielleicht nicht auf einen Schlag abschaffen. Der Präsident glaubt das auch, heißt es. Die meisten Soldaten ebenfalls.»

Er fühlte sich nicht wohl bei dem Versuch, seine Ansicht zu rechtfertigen. Von einer Minderheit in der Armee abgesehen glaubte niemand daran, daß sie wegen dieser speziellen Institution in den Krieg zogen. Sie hatten sich freiwillig gemeldet, um die Narren und Verräter zu bestrafen, die glaubten, die Union zerbrechen zu können.

In der hellen, betriebsamen Hotelhalle bemerkte er Bretts immer noch grübelnden Gesichtsausdruck. «Komm jetzt – keine Politik und keine düsteren Schatten. Du bist nur zwei Tage hier. Ich möchte, daß wir die Zeit genießen.»

«Müssen wir Stanley und seiner Frau einen Besuch abstatten?»

«Nur, wenn du mir einen Revolver vor die Nase hältst. Es ist eine Schande, aber ich habe sie nie gesehen, seit ich mich hier zum Dienst gemeldet habe. Lieber würde ich Old Borys gesamter Armee entgegentreten.»

Sie lachte; die Stimmung besserte sich wieder. Am Eingang zum Speisesaal sagte er: «Ich bin hungrig. Du auch?»

«Wie ein Wolf. Aber wir sollten mit dem Abendessen nicht zuviel Zeit verschwenden.»

Von der Seite warf sie ihm ein Lächeln zu, das er sofort verstand, und folgte dem Oberkellner. Billy eilte ihr nach, den Rücken kerzengerade, innerlich jubilierend:

«Auf gar keinen Fall.»

In der Nacht erwachte Brett, aufgeschreckt von einem fernen, rätselhaften Rumpeln. Billy bewegte sich, rollte zu ihr hinüber.

«Was ist los?»

«Was ist das für ein Lärm?»

«Armee-Fuhrwerke.»

«Vorher hab’ ich das nicht gehört.»

«Es ist dir bloß nicht aufgefallen. Wenn es in dieser Stadt oder diesem Krieg ein beherrschendes Geräusch gibt, dann die Wagen. Sie rollen Tag und Nacht. Komm – ich drücke mich an dich. Vielleicht schläfst du dann wieder ein.»

Sie schlief nicht ein. Über eine Stunde lag sie da und lauschte den schwerfälligen Hufen, den quietschenden Achsen, den knirschenden Rädern – der Donner jenseits des Horizonts als Warnung vor dem unvermeidlichen Sturm. Am Morgen fühlte sie sich erschöpft. Ein umfangreiches Frühstück munterte sie etwas auf. Billy hatte eine elegante Kutsche gemietet, in der sie über den Potomac fuhren. Der Himmel sah bedrohlich aus, und gelegentlich ertönte echter Donner.

Als sie über die Long Bridge fuhren, erzählte ihr Billy mehr von Farmer. Er stammte aus Indiana, war Junggeselle und hatte vor fünfunddreißig Jahren die Militärakademie absolviert. «Gerade als der Ort von einer gewaltigen religiösen Welle überschwemmt wurde. Der Captain und ein Klassenkamerad, Leonidas Polk, führten die Bewegung im Kadettencorps an. Drei Jahre nach der Abschlußprüfung nahm Farmer seinen Abschied, um ein berittener methodistischer Reiseprediger zu werden. Ich habe ihn mal gefragt, wo er all diese Jahre gelebt habe, und er sagte, auf einem Pferderücken. Tatsächlich ist eine kleine Stadt namens Greencastle sein Zuhause.»

«Ich glaube, ich habe von Polk gehört, ein Bischof der Episkopalkirche im Süden.»

«Das ist der Mann.»

«Warum ist Farmer wieder in die Armee eingetreten? Ist er dafür nicht zu alt?»

«Kein Mann, der Pionier-Erfahrung hat, ist zu alt. Und Old Mose haßt die Sklaverei.»

«Wie nanntest du ihn?»

«Mose – wie im Buch Moses. Der Captain bekam das Kommando über diese Freiwilligen-Kompanie, bis die regulären Pioniere aus Florida zurückkehren. Die Männer hielten Farmer für einen guten Führer, also tauften sie ihn Old Mose. Der Name paßt zu ihm. Er könnte direkt aus dem Alten Testament herausgetreten sein. Ich nenne ihn immer noch Lije – ah, da sind wir.» Er deutete mit einer Hand. «Das ist eines der großartigen Projekte, für das ich verantwortlich bin.»

«Die Dreckhaufen?»

«Erdarbeiten», korrigierte er amüsiert. «Da hinten sollen wir ein gezimmertes Pulvermagazin bauen.»

Sie fuhren weiter. Alexandria, eine kleine Stadt aus Backsteinhäusern und zahlreichen Handelsgebäuden, schien fast genauso überfüllt zu sein wie Washington. Billy zeigte Brett das Marshall House, wo Lincolns enger Freund Colonel Ellsworth erschossen worden war. «Es passierte an dem Tag, an dem die Armee die Stadt besetzte. Ellsworth versuchte eine Rebellenflagge herunterzuholen.»

Weiter fuhren sie, durch eine Landschaft aus Zelten, Pferden, Artillerieausrüstung, flatternden Fahnen zum Schlag von Trommeln und zum Gesang von Männern – alles war neu, verblüffend und festlich, wenn auch ein bißchen erschreckend angesichts der tieferen Bedeutung.

Sie kamen an einer unfertigen Redoute vorbei und hielten vor einem Zelt, das sich in nichts von den anderen unterschied. Billy geleitete sie hinein und salutierte. «Sir? Wenn ich nicht ungelegen komme, dürfte ich Ihnen dann meine Frau vorstellen? Mrs. William Hazard – Captain Farmer.»

Der weißhaarige Offizier erhob sich von dem gebrechlichen, mit Diagrammen von Befestigungen übersäten Tisch. «Eine Ehre, Mrs. Hazard. Eine Ehre und ein Privileg.»

Er nahm ihre Hand und schüttelte sie in langsamer Formalität. Der Druck seiner Hand war kräftig und fest. Billy hat recht, dachte sie entzückt. Auf der Bühne könnte er einen der Propheten verkörpern.

«Ich bin entzückt, Ihre Bekanntschaft zu machen, und mächtig erfreut, Ihren Gatten in meinem Kommando zu haben. Ich hoffe, an dieser glücklichen Konstellation wird sich nie etwas ändern», sagte der Captain. «Ah, wie unaufmerksam ich bin. Bitte setzen Sie sich doch – hier, auf meinen Hocker.» Er stellte ihn vor den Schreibtisch. «Ich bedaure zutiefst, daß meine Möbilierung der Gelegenheit nicht angemessen ist.»

Brett bemerkte die Wahrheit seiner Worte, als sie sich im Zelt umsah. Ein Tisch, ein Feldbett, fünf Kisten mit der Aufschrift «Amerikanische Bibelgesellschaft»; auf einer lag ein Paket mit Traktaten. In Charleston hatte sie ähnliche Flugblättchen gesehen. Dies hier trug die Überschrift «Warum fluchst du?»

Farmer bemerkte ihren Blick. «Wir müssen Brücken zum Himmel bauen, selbst wenn wir gleichzeitig Verteidigungsanlagen gegen die Gottlosen errichten.»

«Es ist traurig», teilte ihm Brett mit, «aber ich wurde unter den Gottlosen geboren.»

«Ja, dessen bin ich mir bewußt. Seien Sie versichert, ich meinte es nicht persönlich. Allerdings möchte ich Sie nicht täuschen. Es ist meine Überzeugung, daß der Allmächtige jene verachtet, die unsere schwarzen Brüder in Ketten halten.»

Seine Worte ärgerten sie; sie hätten jeden aus South Carolina geärgert. Und doch schien es paradox. Sie fand seine Stimme und seine Beredsamkeit unerwartet anrührend. Billy schaute unbehaglich drein, als würde er denken: *Meine* schwarzen Brüder sind sie nicht.

Brett sagte: «Ich respektiere Ihre Offenheit, Captain. Ich bedaure lediglich, daß die Angelegenheit durch einen Krieg gelöst werden muß. Billy und ich möchten unser Leben leben, eine Familie gründen. Statt dessen sehe ich nur Gefahren vor uns.»

Lije Farmer verschränkte die Hände hinter dem Rücken. «Wenn gefahrvolle Zeiten vor uns liegen, so wird unser Herr diesen jungen Mann sicher durch sie geleiten. Trotzdem werde auch ich ein Auge auf ihn haben. Wenn Sie wieder heimfahren, dann tragen Sie meine Versicherung in Ihrem Herzen. Ich werde alles tun, was in meiner Macht steht, damit William unverletzt und so bald wie möglich wieder bei Ihnen sein kann.»

In diesem Moment vergaß Brett sämtliche politischen Angelegenheiten und brachte Lije Farmer nichts weiter als aufrichtige Liebe entgegen.

16

Weit entfernt im Flachland von South Carolina lebte ein anderer Mann mit Racheträumen, die ebenso intensiv waren wie die von Elkanah Bent.

Justin LaMotte, Besitzer der Plantage Resolute und verarmter Sprößling einer der ältesten Familien des Staates, verzehrte sich danach, seine Frau Madeline zu bestrafen. Sie war auf die Main-Plantage geflohen, um den Plan zur Ermordung des Yankees, der Orry Mains Schwester geheiratet hatte, zu enthüllen.

Aber Justins Haß reichte viel weiter zurück. Seit Jahren hatte ihm Madeline mit ihrer Offenherzigkeit und ihrer Mißachtung allgemein anerkannten weiblichen Betragens Schande gemacht. Aber, so erinnerte er sich mit einiger Befriedigung, sie war auch unterwürfig, wenn schon nicht gerade aufregend gewesen, wenn er seine ehelichen Rechte in Anspruch nahm. Für eine Weile hatte er ihre herausfordernden Aktivitäten gedämpft, indem er ihrem Essen heimlich Laudanum beigemischt hatte. Jetzt lebte sie ganz offen mit ihrem Geliebten zusammen, um sich für vergangene Demütigungen zu rächen. Der gesamte Distrikt wußte, daß sie Orry in dem Augenblick zu heiraten gedachte, in dem sie die Scheidung bekam. Nie würde das der Fall sein. Aber das war noch längst nicht genug. Täglich brachte Justin Stunden damit zu, Pläne auszuhecken, wie Orry zu ruinieren wäre, oder sich an Phantasien zu ergötzen, in denen er Madeline mit Messern oder Feuer strafte.

Im Moment lag er untergetaucht in lauwarmem Wasser, das einer seiner Nigger in die schwere Zinkwanne in seinem Schlafzimmer gegossen hatte. An seinem Nacken lösten sich Spiralen dunkelbrauner Farbe von seinem feuchten Haar. Das Fehlen jeglichen grauen Haares lenkte eher die Aufmerksamkeit auf sein Alter, anstatt es zu verbergen; die eindeutig künstliche Farbe seines Haares verlieh ihm das Aussehen einer Wachsfigur, obwohl ihm das nicht bewußt war.

Justin versuchte die Anspannung loszuwerden, die ihm in letzter Zeit das Leben schwermachte. Seine Frau war nicht der einzige Grund dafür. Es gab auch Probleme mit den Ashley Guards, dem Regiment, das er und sein Bruder Francis aufzustellen versuchten, indem sie die territoriale Verteidigungseinheit vergrößerten, die sie während der kritischen Monate der Sumter-Konfrontation organisiert hatten.

Weiße Seide mit braunen Flecken, zu mehreren Schichten zusammengefaltet und senkrecht umgebunden, verbarg die linke Seite von Justins Gesicht. Als er Madeline hatte daran hindern wollen, Resolute zu verlassen, hatte sie einen Säbel, ein altes Familienerbstück, von der Wand gerissen und sich damit verteidigt. Ein Schlag mit der gekerbten Klinge riß eine rotklaffende Wunde von seiner linken Braue über seine Oberlippe bis zum Kinn. Die schlecht heilende Verletzung schmerzte emotional genauso wie physisch. Er hatte Grund, dieses Miststück zu hassen.

Es war später Nachmittag; drückend heiß. Unten auf dem Platz brüllte sein Bruder Drillkommandos. Für die Ausrüstung des Regiments hatte sein Bruder an nichts gespart, trotzdem hatten sämtliche Gentlemen des Distrikts bei anderen Einheiten angemustert. Justin kam die Galle hoch, wenn er daran dachte, daß nicht mehr weiße Männer den Wert dieser Uniform und die einmalige Chance, von LaMottes geführt zu werden, zu schätzen wußten. Der verdammte Wade Hampton hatte seine Truppe so eintönig wie Kuhhirten eingekleidet, und die Männer rannten einander über den Haufen, um sich bei ihm zu melden.

Justin haßte den Columbia-Pflanzer auch noch aus anderen Gründen. Die LaMottes waren Jahre vor dem ersten Hampton nach Carolina gekommen, doch heute war der Name Hampton viel angesehener. Justin lebte von der Hand in den Mund, während Hampton seinen Reichtum mühelos zu vermehren schien; jedermann sagte, er sei der reichste Mann im Staate.

Hampton hatte sich geweigert, bei der Sezessions-Versammlung anwesend zu sein – hatte sich sogar öffentlich dagegen ausgesprochen –, und jetzt war er ein Held. Er befand sich bereits in Virginia, mit mehreren Kompanien zu Fuß, mit Artillerie und Kavallerie, die ergeben hinter ihm her keuchten, während Justin daheim schmachtete, von seiner Frau Hörner aufgesetzt bekam und nicht in der Lage war, mehr als zwei Kompanien aufzustellen – und diese Männer waren nichts weiter als Raufbolde, die ständig soffen, sich prügelten oder gegenseitig mit Messern abstachen.

Gott, wie ihn all das deprimierte. Er sank noch ein Stückchen tiefer ins Wasser. Dann fiel ihm auf, daß Francis keine Befehle mehr bellte. Statt dessen drang von unten Geschrei hoch, vermischt mit Keuchen und Obszönitäten. «Zum Teufel mit ihnen.» Diese Tölpel prügelten sich schon wieder. Na ja, sollte Francis sich darum kümmern.

Er rechnete damit, daß der Lärm schnell ein Ende finden würde. Doch das Gelächter und die Anfeuerungsrufe wurden lauter, ebenso wie das Fluchen und das Klatschen der Schläge. Die Schlafzimmertür öffnete sich. Ein junger Neger namens Mem – Kurzform für Agamemnon – streckte den Kopf herein.

«Mr. Justin? Ihr Bruder sagen kommen, bitte. Viel Ärger.»

Wütend stemmte sich Justin aus dem Zuber. «Wie kannst du es wagen, ohne Erlaubnis einfach reinzukommen!» Mit geballter Faust versetzte er Mem einen harten Schlag.

Der Junge schrie auf. Seine Augen wurden weit, und einen Moment lang erkannte Justin darin solche Wut, daß er einen Angriff befürchtete. Ein neuer, ungesunder Geist war unter den Sklaven im Distrikt wach geworden, jetzt, wo die schwarzen republikanischen Yankees ihren Krieg begonnen hatten, um anständige Männer ihres Eigentums zu berauben. In letzter Zeit hatte die Anzahl der Niggerbeerdigungen unerklärlich stark zugenommen; einige behaupteten, die Särge, die da vergraben wurden, enthielten Waffen für einen Aufstand. Die alte weiße Furcht vor schwarzer Haut wehte durch das flache Land wie die Pestbrisen der Sommerzeit.

«Raus», brüllte Justin seinen Sklaven an. Mem rannte, jeden rebellischen Gedanken vergessend, hinaus und knallte die Tür hinter sich zu. Justin griff nach dem Korsett, das seinen Bauch formen sollte. Francis rief seinen Namen; er klang verängstigt.

Fluchend warf Justin das Korsett zur Seite und zerrte seine gelben engen Hosen hoch; sofort tauchten an Schenkeln, Schritt und Hinterteil feuchte Flecken auf. Er knöpfte sein Hosentürchen zu, während er die Haupttreppe hinunterrannte; unterwegs riß er nur noch schnell den alten Säbel vom Haken.

Er eilte hinaus ins Sonnenlicht, wo am Ende des baufälligen Hauses der Kampf tobte. Die Ashley Guards, ihre schönen Uniformen achtlos verdreckt, bildeten einen Kreis um zwei Männer, die um den Besitz eines uralten Hall-Hinterladers kämpften. Die Lemke-Cousins, hitzköpfige Kretins, die ganz in der Nähe eine florierende Farm betrieben.

Francis, ein verschrumpeltes Männchen, eilte zu seinem Bruder. «Besoffen wie die Schweine, alle beide. Hol besser ein paar von den Niggers – die Jungs haben zu viel Spaß dran, um einzugreifen.»

Zweifellos. Einige der Guards kicherten hämisch über Justins durchweichte Hosen und den darüber sichtbar werdenden Wanst. «Herr im Himmel, kannst du sie nicht disziplinieren?» flüsterte er Francis zu. «Muß ich immer alles machen?»

Diesmal würde er sich nicht opfern. Ein Lemke rammte seinen Kopf vor und biß den anderen so tief in die Schulter, daß Blut durch die Uniform sickerte. Nein danke, dachte Justin und entfernte sich; vier oder fünf Niggers sollten gefälligst das Risiko eingehen.

Ein Lemke änderte den Griff seiner Hände, während der andere den Lauf nach unten drückte. Die Männer in der Nähe der Mündung wichen zur Seite. Mit Rauch und Donner ging das Ding los.

Justin spürte einen schweren Schlag, der schon zu brennen begann, als er nach vorn zu Boden stürzte. Er schlug mit dem Kinn auf, und brüllte vor Schmerz und Wut. Eine große, rote Blume blühte auf den Feldern seines Hinterteils auf.

17

In Mont Royal, der großen Reisplantage am Westufer des Ashley River über Charleston, sah sich das gegenwärtige Oberhaupt der Mainfamilie einer ähnlichen Entscheidung wie sein Freund George Hazard gegenüber.

Von Kindheit an hatte Orry Main Soldat werden wollen. Er hatte mit der West-Point-Klasse von 1846 graduiert und an einigen der heißesten Gefechte des Mexikanischen Krieges teilgenommen. Bei Churubusco, außerhalb von Mexico City, hatte er seinen linken Arm verloren, teilweise wegen der Feigheit und Feindseligkeit von Elkanah Bent. Die Verwundung hatte Orry gezwungen, seinen Traum von einer militärischen Karriere aufzugeben.

Nach seiner Rückkehr nach South Carolina folgten schwierige Jahre. Er verliebte sich rettungslos in Justin LaMottes Frau, ebenso wie sie sich in ihn verliebte; Ehrgefühl beschränkte ihre Affäre auf gelegentliche heimliche Treffen, ohne die körperliche Vereinigung, die sie beide ersehnten.

Nun hatte der Wirrwarr der Ereignisse Madeline auf Dauer in sein Haus geführt. Ob sie legal heiraten konnten, war eine andere Frage. Das Scheidungsgesetz des Staates war komplex, und LaMotte würde alles in seiner Macht Stehende tun, um Madeline ihre Freiheit zu verweigern. Er tat das trotz eines Umstands, der die meisten Südstaatenmänner entgegengesetzt hätte handeln lassen. Madelines Mutter war eine wunderschöne Viertelnegerin aus New Orleans gewesen. Madeline war zu einem Achtel schwarz, was für Orry ohne Bedeutung war. Obwohl die Wahrheit eine mächtige Waffe gegen Justin gewesen wäre, mangelte es ihr an der nötigen Grausamkeit, sie auch einzusetzen. Aber oft genug hatte sie sich die Enthüllungsszene, vor allem seine Reaktion darauf, vorgestellt.

In dem kleinen Bürogebäude, von dem aus sein Vater und der Vater seines Vaters die Plantage geleitet hatten, saß Orry an dem alten, überladenen Schreibtisch und sah sich vor ein weiteres Problem gestellt: Papiere, die er unterzeichnen mußte, wollte er seine Loyalität beweisen und die neue Regierung der Konföderation mit einem Teil seines Einkommens unterstützen.

Dunstiger Sonnenschein lag an diesem schwülen Nachmittag über den Fenstern des Büros. Die Luft roch nach Veilchen und dem Duft der süßen Olive, ein Geruch, an den er sich stets erinnern konnte, egal, wie weit er von Mont Royal entfernt war. Irritiert über sich selbst schüttelte er den Kopf, aber seine Stimmung wollte sich nicht ändern. Melancholische Zeiten brachten melancholische Gefühle mit sich.

Gesprächsfetzen, gelegentliches Gelächter oder Singen erreichten ihn aus dem nahegelegenen Küchengebäude. Er nahm nichts von dem auf, was er hörte. Seine Gedanken wanderten von den Papieren zu dem Posten, der ihm angeboten worden war – Stabsdienst in Richmond im Büro von Bob Lee, dem verdienten Offizier, den die Loyalität zu seinem Geburtsstaat Virginia gezwungen hatte, die Bundesarmee zu verlassen. Lee war gegenwärtig der Sondermilitärberater von Jefferson Davis.

Die Aussicht auf einen Schreibtischposten versetzte Orry nicht gerade in Erregung, obwohl es vermutlich alles andere als realistisch war, ein Kampfkommando zu erwarten. Allerdings bestand ein Funken Hoffnung, falls Richmond dem Beispiel des Feindes folgte. Ein Offizier namens Phil Kearny, von dem Orry gehört hatte, dem er aber nie in Mexiko begegnet war, hatte ebenfalls dort seinen linken Arm verloren – und nun kommandierte er als Brigadier Unionsfreiwillige.

Trotz seines starken Pflichtgefühls zögerte er aus mehreren Gründen, das Angebot anzunehmen. Davis, so hieß es, war recht schwierig. Als tapferer Soldat – ein West-Point-Absolvent – war er dafür berüchtigt, daß er selbst Truppen führen oder jene, die das taten, unter strenger Kontrolle halten wollte.

Außerdem befanden sich Orrys Schwester Ashton und ihr Ehemann James Huntoon in Richmond, wo Huntoon irgendeinen Regierungsposten bekleidete. Als Orry hinter die üble Rolle gekommen war, die Ashton bei dem fast geglückten Mordversuch an Billy Hazard gespielt hatte, hatte er ihr und ihrem Mann befohlen, Mont Royal zu verlassen und niemals zurückzukehren. Der Gedanke, ihnen irgendwo nahe zu sein, stieß ihn ab.

Dazu kam noch, daß er keinen Aufseher hatte. Und vor allem ging es seiner Mutter gesundheitlich schlecht. Und er haßte es, Madeline allein zu lassen. Das war nicht nur selbstsüchtig gedacht. Wenn er weg war, könnte Justin versuchen, Rache zu nehmen.

Auch die Sklaven konnten sich zu einer Bedrohung auswachsen. Er hatte mit Madeline nicht darüber gesprochen – er wollte sie nicht unnötig aufregen –, aber in letzter Zeit hatte er im Benehmen einiger Neger verschiedene, wenn auch vage Veränderungen bemerkt. In der Vergangenheit war auf Mont Royal harte Disziplin selten notwendig gewesen; in der gegenwärtigen Situation war Cousin Charles' Jugendfreund Cuffey der auffälligste Rebell. Man mußte ein Auge auf ihn haben.

Widerstrebend richtete Orry seine Aufmerksamkeit wieder auf das umfangreiche, blaugebundene, mit einer Anzahl von Wachssiegeln verzierte Dokument. Unterschrieb er, so erklärte er sich damit einverstanden, einen beträchtlichen Teil seiner Reisprofite jährlich gegen Regierungsobligationen im gleichen Wert einzutauschen. Diese sogenannten Produktionsdarlehen waren ins Leben gerufen worden, um den Krieg finanzieren zu helfen, für den Orry genausowenig Begeisterung aufbrachte wie sein Freund George. Orry sah die Aussichtslosigkeit des militärischen Abenteuers der Südstaaten, weil ihm sein Bruder Cooper einige schlichte Zahlen vor Augen geführt hatte.

Ungefähr zweiundzwanzig Millionen lebten im Norden. Dort befand sich auch der größte Teil der Industrieunternehmen, der Telegraphenleitungen, der Bodenschätze und des Geldes der alten Union. Die elf Staaten der Konföderation besaßen eine Bevölkerung von ungefähr neun Millionen; ein Drittel davon, die Sklaven, brauchte man für den Krieg gar nicht mitzurechnen.

Zweifelhafte, um nicht zu sagen gefährliche Einstellungen zum Krieg waren jetzt überall zu finden. Narren wie die Brüder LaMotte lachten höhnisch über jede Andeutung, der Süden könnte angegriffen werden – oder, falls doch, daß dabei etwas anderes als ein glorreicher Südstaatensieg herauskommen könnte. Von den Aristokraten bis zu den freien Bauern besaßen die meisten Südstaatler einen stolzen Glauben an ihre eigenen Fähigkeiten, was sie zu der unrealistischen Überzeugung verleitete, ein guter Mann aus Dixie könnte zehn Yankeekrämer schlagen, jederzeit und überall auf der Welt. Amen.

In seinen seltenen chauvinistischen Momenten teilte Orry diese Überzeugung bis zu einem gewissen Grad. Sein jüngerer Cousin Charles konnte es mit jedem anderen Offizier aufnehmen. Den gleichen Mut sah er in Charles' Kommandanten, Wade Hampton. Und er fand ein wenig Wahrheit in der Maxime, die sich ihm in seinen jungen, hoffnungsvollen Jahren ins Gedächtnis gebrannt hatte. Im Krieg, sagte Bonaparte, sind Männer gar nichts; ein Mann ist alles.

Doch auch so war die Vorstellung, der Norden besitze keine Soldaten, die es mit den Soldaten des Süden aufnehmen könnten, pure Idiotie. Selbstmörderisch. Orry konnte sich an beliebig viele erstklassige Yankees von der Akademie erinnern, einschließlich eines Mannes, den er persönlich gekannt und sehr gern gehabt hatte. Wo mochte Sam Grant jetzt dienen?

Keine Antwort auf all die Fragen. Er zwang sich, seine Aufmerksamkeit wieder auf die gelegentlich verwirrenden juristischen Formulierungen der Anleihen zu konzentrieren. Je früher er mit seiner Tagesarbeit fertig war, desto eher würde er Madeline sehen.

Gegen vier kehrte Orry von seiner Aufsichtsrunde über die Felder zurück. Er trug Stiefel, Reithosen und ein loses weißes Hemd, dessen leerer, linker Ärmel mit einer glänzenden Nadel an der Schulter festgesteckt war. Mit fünfunddreißig war Orry so schlank wie mit fünfzehn Jahren und bewegte sich trotz seines Handicaps voller Selbstvertrauen und Anmut. Seine Augen und sein Haar waren braun, sein Gesicht eher lang. Madeline sagte, er sehe mit zunehmendem Alter immer besser aus, was er allerdings bezweifelte.

Er hatte den Anleihen-Vertrag unterschrieben. Sofort hörte er auf, sich Sorgen wegen der Rückzahlung zu machen. Eine von Patriotismus geleitete Entscheidung sollte keine Bedingungen beinhalten.

Er ging die halbe Meile hinunter zur Flußstraße. Bemooste Eichen schirmten das Tageslicht ab. Er bog um die Ecke des großen Hauses, vor dem ein sauberer Garten und die Mole des langsam dahinfließenden Ashleys lagen. Leichte Schritte ertönten auf der großen Veranda über seinem Kopf, verstummten aber, als er hervortrat. Über sich sah er eine kleine, rundliche Frau, Ende Sechzig, die zufrieden den wolkenlosen Himmel betrachtete.

«Guten Tag, Mutter.»

Auf seinen Ruf hin schaute Clarissa Gault Main nach unten und lächelte auf höfliche, verwirrte Weise. «Guten Tag. Wie geht es dir?»

«Großartig. Und dir?»

Das freundliche Lächeln verstärkte sich. «Oh, ausgezeichnet – besten Dank.» Sie wandte sich ab und ging hinein. Er schüttelte den Kopf. Er hatte sich ihr als ihr Sohn zu erkennen gegeben, aber das war verlorene Liebesmüh; sie kannte ihn nicht mehr. Glücklicherweise liebten die Schwarzen von Mont Royal Clarissa, von wenigen Ausnahmen abgesehen. Unauffällig wurde sie von allen überwacht und beschützt.

Wo war Madeline? Im Garten? Er fand sie im Wohnzimmer, wo sie gerade ein fast fünf Fuß langes, zylindrisches Paket untersuchte. Sie rannte mit ausgebreiteten Armen auf ihn zu.

«Vorsicht», sagte er und lachte. «Ich bin verstaubt und verschwitzt wie ein Maultier.»

«Verstaubt, verschwitzt – ich liebe dich in jedem Zustand.» Sie drückte einen langen, süßen Kuß auf seinen trockenen Mund, erfrischend wie Wasser aus einem Bergquell. Sie schloß ihre Hände hinter seinem Nacken, während sie sich umarmten, und er spürte ihren vollen, weichen Körper, der sich gegen ihn preßte. Obwohl ihnen eine legale Ehe noch verwehrt war, teilten sie die zwanglose physische Intimität eines bereits seit vielen Jahren verheirateten Paares, das sich immer noch liebte. Nachts schliefen sie nackt – Madelines freundliche, offene Art hatte ihm schnell jede Verlegenheit wegen seines Stumpfes genommen.

Sie lehnte sich zurück. «Wie ist der Tag gewesen?»

«Gut. Krieg hin, Krieg her, die vergangenen Wochen waren die glücklichsten meines Lebens.»

Sie seufzte eine gemurmelte Zustimmung und nahm seine Hand, während sie dastanden, die Köpfe aneinandergelehnt. Madeline war eine vollbusige Frau mit glänzenden, dunklen Augen und Haaren und weißer Haut. «Justin hat es in der Hand, mich noch ein kleines bißchen glücklicher zu machen, das muß ich gestehen.»

«Ich bin sicher, wir werden auch dieses Hindernis überwinden.» In Wirklichkeit war er keineswegs sicher, aber das gab er nie zu. Über ihre Schulter hinweg betrachtete er das Paket. «Was ist das?»

«Ich weiß nicht. Es ist an dich adressiert. Vor einer Stunde kam es vom Kai hoch.»

«Das ist richtig, das Flußboot war heute fällig –»

«Captain Asnip hat zusammen mit dem Paket eine Nachricht geschickt. Er sagt, es sei mit dem letzten Schiff vor Beginn der Blockade nach Charleston gelangt. Ich habe gesehen, daß es den Namen einer Schiffsgesellschaft in Nassau trägt. Weißt du, was es ist?»

«Vielleicht.»

«Dann hast du es also bestellt. Packen wir es aus.»

Unerwartete Panik wischte sein Lächeln weg. Wenn der Anblick des Inhalts sie verstörte? Er klemmte sich das Paket unter den rechten Arm. «Später. Ich zeig's dir beim Abendessen. Ich möchte es dir richtig vorführen.»

«Ein Geheimnis, ein Geheimnis.» Sie lachte, als er die Treppe hochstieg.

Es dämmerte bereits, als sie sich zum Abendessen niedersetzten.
«Riecht großartig», sagte Orry. «Krebse?»
«Gestern im Atlantik gefangen. Ich hab' zwei Faß auf Eis bestellt.
Sie sind mit dem Paketboot gekommen. Soviel zum gastronomischen
Teil, Mr. Main. Jetzt möchte ich das Paket sehen.» Es lag neben ihm
auf dem Boden, ohne die äußere Verpackung; Öltuch war sichtbar.

Er machte sich lustig über sie, pickte umständlich an den Krebsen
herum und sagte mit ernstem Gesicht und leiser Stimme: «Köstlich.»

«Orry Main, du bist unmöglich! Zeigst du's mir, wenn ich dir was
Neues über Justin erzähle?»

Plötzlich ernüchtert legte er die Gabel beiseite. «Gute Neuigkeiten?»

«Oh, nichts, was die Scheidung betrifft, fürchte ich. Eine Kleinigkeit
nur, ein bißchen komisch und ein bißchen traurig.» Sie berichtete, was
sie von einem der Küchenmädchen gehört hatte, das heute auf Resolute gewesen war.

«Ins Hinterteil», sinnierte Orry. «Ein direkter Treffer in den Sitz des
Familienprestiges der LaMottes, eh?»

Sie lachte. «Jetzt bist du dran.» Er löste zwei rote Wachssiegel und
die weitere Verpackung. Als sie sah, was das Öltuch bis jetzt verborgen
hatte, atmete sie scharf ein.

«Es ist wunderschön. Wo kommt das her?»

«Aus Deutschland. Ich hab's für Charles bestellt und hoffte, es
würde durchkommen.»

Er reichte ihr die Waffe in der Scheide. Mit großer Vorsicht faßte sie
den mit Messingdraht umwundenen Ledergriff. Sie zog das geschwungene Blatt heraus; die Augen des Fächerboys wurden groß, als er sah,
wie sich das Kerzenlicht in dem edlen Stahl spiegelte. Orry erklärte,
daß es sich hier um einen leichten Kavalleriesäbel handle, das genehmigte Modell von 1856, mit einer Länge von insgesamt einundvierzig
Inches.

Madeline neigte die Klinge, um die Gravur auf der Vorderseite zu
lesen: *Für Charles Main, in Liebe von seiner Familie, 1861.* Sie warf ihm
einen langen, liebevollen Blick zu, dann untersuchte sie die andere
Seite. «Ich kann das nicht lesen. Heißt es Cluberg?»

«Clauberg aus Solingen. Der Hersteller. Einer der besten in Europa.»

«Da sind viele winzige Blumen und Kurven eingraviert – sogar
Medaillons mit den Buchstaben C.S. darin.»

«Bei gewissen Versionen dieses Modells lauten die Buchstaben
U.S.», sagte er trocken und lächelte.

Den Säbel immer noch wie Glas behandelnd, steckte sie ihn wieder in die goldverzierte, blaumetallische Scheide zurück. Dann sagte sie, seinem Blick ausweichend: «Vielleicht hättest du auch für dich sowas bestellen sollen.»

«Falls ich das Angebot annehme?»

«Ja.»

«Oh, das ist aber ein Kavalleriesäbel. Ich könnte ihn nicht tragen, selbst wenn ich mich entschließen würde –»

«Orry», unterbrach sie, «du weichst aus. Du weichst mir aus, und du weichst einer Entscheidung aus.»

«In letzterem Fall bekenne ich mich schuldig», gab er mit schnell wechselndem Gesichtsausdruck zu, der doch alles verriet. Er verbarg etwas vor ihr – ein für ihn sehr ungewöhnliches Benehmen. «Ich kann jetzt noch nicht nach Richmond. Es gibt noch zu viele Hindernisse. Zuallererst deine Situation.»

«Ich kann ausgezeichnet auf mich aufpassen – wie du sehr wohl weißt.»

«Geh jetzt nur nicht auf mich los. Natürlich weiß ich das. Aber ich muß auch an Mutter denken.»

«Auch um sie kann ich mich kümmern.»

«Nun, ohne Aufseher kannst du die Plantage nicht leiten. Der *Mercury* hat wieder mein Stellenangebot gedruckt. Hat das Paketboot irgendwelche Antworten gebracht?»

«Ich fürchte nein.»

«Dann muß ich weiter suchen. Ich brauche dieses Jahr eine gute Ernte, wenn ich einen Beitrag zu den Regierungsbemühungen leisten will – wozu ich mich heute mit der Unterzeichnung dieser Papiere einverstanden erklärt habe. Ich werde nicht mal an Richmond denken, bis ich den richtigen Mann zur Übernahme gefunden habe.»

Später gingen sie in die Bibliothek. Aus den Regalen, die Tillet Main mit guter Literatur gefüllt hatte, wählten sie einen wunderschön gebundenen Band von *Das verlorene Paradies*. Während der Jahre ihrer heimlichen Treffen hatten sie häufig laut Gedichte gelesen; der Rhythmus der Verse wurde manchmal zu einem unzulänglichen Ersatz für körperliche Liebe. Seit sie zusammenlebten, hatten sie entdeckt, daß diese Lesungen ihnen immer noch Vergnügen bereiteten.

Sie setzten sich auf ein Sofa, das Orry nur zu diesem Zweck angeschafft hatte. Er saß stets links von Madeline, damit er eine Seite des Buches halten konnte. Madeline ließ das Buch in ihrem Schoß sinken, und Orry sagte: «Cooper behauptet, wir hätten deswegen Krieg, weil der Süden sich weigere, die Veränderungen, die in diesem Land stattfinden, anzuerkennen. Ich erinnere mich vor allem an seine Worte, daß wir weder mit der Notwendigkeit für Veränderungen noch mit ihrer Unvermeidlichkeit umgehen könnten.»

«Wird der Krieg wirklich etwas ändern? Wenn er vorbei ist, wird dann nicht fast alles beim alten sein?»

«Einige unserer Führer möchten das gerne glauben. Ich glaube es nicht.»

Aber er wollte den Abend nicht mit melancholischen Spekulationen verderben; er küßte ihre Wange und schlug vor, Gedichte zu lesen. Sie überraschte ihn damit, daß sie sein Gesicht zwischen ihre kühlen Handflächen nahm und ihn mit Augen anblickte, in denen glückliche Tränen glänzten.

«Dies hier wird sich nicht ändern. Ich liebe dich mehr als mein Leben.»

Ihr Mund preßte sich auf seinen, öffnete sich leicht; der Kuß war lang und voll süßer Gemeinsamkeit. Er fuhr mit der Hand hoch, zerzauste ihr Haar. Sie lehnte sich gegen seine Schulter und flüsterte: «Ich habe das Interesse an britischen Poeten verloren. Laß uns die Lichter löschen und nach oben gehen.»

Am nächsten Tag, als Orry auf den Feldern war, suchte Madeline nach einem Schal. Sie und Orry teilten sich einen großen, begehbaren Garderobenschrank, der an sein Schlafzimmer grenzte; dort suchte sie nach dem Schal.

Hinter einer Reihe von Gehröcken, die er nie trug, erspähte sie ein vertrautes Paket. Zuletzt hatte sie den Säbel unten in der Bibliothek gesehen. Warum um alles in der Welt hatte er ihn hinaufgebracht und hier versteckt?

Sie hielt den Atem an, griff dann hinter die Gehröcke und hob das Paket hervor. Die roten Wachssiegel waren unbeschädigt. Kein Wunder, daß es ihn nicht erheitert hatte, als sie ihn mit der Möglichkeit eines zweiten Säbels aufgezogen hatte.

Sorgfältig legte sie das Paket wieder an Ort und Stelle. Sie würde ihre Entdeckung für sich behalten; wenn er es für richtig erachtete, würde er mit ihr darüber sprechen. Doch was seine Absichten anbelangte, gab es keinen Zweifel mehr.

18

Der blutrote Schein der sinkenden Sonne ergoß sich am nächsten Abend durch die Bürofenster. Orry schwitzte an seinem Schreibtisch; er war müde, aber die Einkaufsliste für seinen Agenten in Charleston mußte fertig werden. Er war gezwungen gewesen, seine Geschäfte wieder von der Fraser-Company abwickeln zu lassen, die schon für seinen Vater tätig gewesen war, weil Cooper die eigene Schiffsfirma an die Marine übergeben hatte. Cooper hielt sämtliche CSC-Aktien und war deshalb durchaus dazu berechtigt. Aber es war verdammt umständlich, und Orry mußte sich auch dieser Situation erst anpassen.

Aus früheren Transaktionen war Fraser ihm noch eine Rückzahlung schuldig gewesen. Einen Teil der Summe hatten sie in neuen Konföderierten-Banknoten bezahlt, sehr hübsch gemacht mit Gravuren von einer Göttin der Landwirtschaft und fröhlichen, auf einem Baumwollfeld arbeitenden Negern. In winziger Schrift stand auf den Banknoten *Southern Bank Note Co.* Dazu in Frasers Brief der Kommentar: «Die Banknoten sind in N. Y. gedruckt – fragen Sie uns nicht warum.» Ein kluger Mann hätte das aus der beiliegenden Tausend-Dollar-Note schließen können. Die Porträts von John Calhoun und Andrew Jackson waren darauf zu sehen. Offensichtlich hatten die verdammten Yankees, von denen der Entwurf der Banknote stammte, keine Ahnung von Geschichte.

Auch Städte druckten Papiergeld. Orrys Repräsentant bei Fraser hatte ein Muster beigelegt – eine bizarre Banknote der Corporation von Richmond mit einem heroischen Porträt des Gouverneurs auf rosa Papier im Werte von fünfzig Cents. Wenige Sezessionisten hatten sich ihre Wirrköpfe über die praktischen Konsequenzen ihrer Tat zerbrochen.

«Orry –– oh, Orry –– solche Neuigkeiten!»

Madeline platzte ins Büro, raffte ihren krinolinverstärkten Rock und tanzte, für sie ganz untypisch, durch den Raum, während er sich von seiner Überraschung erholte. Sie kicherte – *kicherte!* – während sie herumhüpfte. Tränen strömten über ihr Gesicht und widerspiegelten das dunkelrote Licht.

«Ich sollte nicht glücklich sein – Gott wird mich strafen –, aber ich bin's. Ich bin's!»

«Madeline, was –?»

«Vielleicht wird Er mir dies eine Mal vergeben.» Sie preßte einen Zeigefinger unter ihre Nase, konnte aber nicht aufhören zu kichern.

«Hast du den Verstand verloren?»

«Ja!» Sie ergriff seine Hand, zog ihn hoch, schwenkte ihn herum. «Er ist tot!»

«Wer?»

«Justin! Ich weiß, es ist schändlich, so zu empfinden. Er», sie schüttelte sich, «war ein menschliches Wesen –»

Nur im weitesten Sinne des Wortes, dachte Orry. «Kein Irrtum möglich?»

«Nein, nein – einer der Hausangestellten sah Dr. Lonzo Sapp auf der Flußstraße. Dr. Sapp kam gerade von Resolute. Mein Ehemann», sie beruhigte sich etwas, wischte die Tränen fort, schluckte und sprach nun zusammenhängender weiter, «hat heute morgen seinen letzten Atemzug getan. Die Schußwunde löste irgendwie eine Infektion aus, die seinen ganzen Körper vergiftete. Ich bin ihn los.» Sie warf ihre Arme um Orrys Nacken, lehnte sich übersprudelnd vor Freude zurück. «Wir sind ihn los. Ich bin unerträglich glücklich, und ich schäme mich deswegen.»

«Das mußt du nicht. Francis wird um ihn trauern, sonst niemand.» Beschwingtheit stieg in ihm auf, der Drang zu lachen. «Gott wird auch mir vergeben müssen. Auf grimmige Art und Weise ist es komisch. Der kleine Gockel, von einem seiner eigenen Männer in den Arsch geschossen.»

«An Justin war nichts Komisches.» Ihr Rücken war dem Fenster zugewandt, und in dem Aufflammen des roten Abendlichts ließ sich ihr Gesicht kaum erkennen. «Er war ein böser Mann. Sie können mich in die Hölle stecken, ich werde trotzdem nicht zu seinem Begräbnis gehen.»

«Ich auch nicht.» Orry legte die Hand auf die Liste für Fraser; jetzt schien sie nicht mehr wichtig zu sein. «Wie bald können wir heiraten?»

«Sehr bald. Ich weigere mich zu warten und die trauernde Witwe zu spielen. Nach der Hochzeit können wir die Dinge organisieren, damit du deine Kommission annehmen kannst.»

«Ich bin immer noch entschlossen, einen Aufseher zu finden, ehe ich eine endgültige Entscheidung treffe.» Sie blickte zur Seite, als er fortfuhr: «Hier ist alles in Bewegung geraten. Geoffrey Bull kam heute nachmittag recht aufgeregt von seiner Plantage rüber. Zwei seiner Neger, seiner Meinung nach die loyalsten und vertrauenswürdigsten, sind gestern weggerannt.»

«Nach Norden?»

«Er vermutet es. Lies den *Mercury*, und du wirst feststellen, daß sowas ständig passiert. Zum Glück nicht bei uns.»

«Aber an Problemen mangelt es uns auch nicht. Bloß eines – der junge Mann, den du zum Vorarbeiter gemacht hast, als Rambo letzten Winter an Lungenentzündung starb.»

«Cuffey?»

Sie nickte. «Ich bin noch nicht lange hier, aber ich habe eine Veränderung bemerkt. Er ist nicht bloß frech; er ist wütend. Und er macht sich nicht die Mühe, es zu verbergen.»

«Ein Grund mehr, jede Entscheidung zurückzustellen, bis ich einen Aufseher gefunden habe.» Er zog sie an sich. «Geh'n wir ins Haus, schenken uns einen Schluck Wein ein und sprechen über die Hochzeit, ja?»

Madeline schlief längst schon in dieser Nacht, da lag Orry noch wach. Er hatte die Probleme mit den Sklaven heruntergespielt, weil er es haßte, zugeben zu müssen, daß eine so human geführte Plantage wie Mont Royal Schwierigkeiten haben könnte.

Orry spürte einen Wechsel in der Atmosphäre der Plantage. Einige Tage nach Beginn der Feindseligkeiten hatte es angefangen. Während er vom Pferd aus die Feldarbeiten beaufsichtigte, hörte er, wie ein Name gemurmelt wurde, und kam später zu dem Schluß, er sollte ihn auch hören. Der Name war Linkum.

Kurz nach Madelines Ankunft waren ernste Probleme aufgetreten, die ihre Wurzeln in einer Tragödie hatten. Im letzten November war Cuffey, Mitte Zwanzig und noch nicht zum Vorarbeiter ernannt, Vater von Zwillingsmädchen geworden. Cuffeys Frau Anne hatte eine schwere Entbindung; einer der Zwillinge lebte nur dreißig Minuten.

Das andere Mädchen, ein zartes, kleines Ding, nach Orrys Mutter auf den Namen Clarissa getauft, war am 3. Mai dieses Jahres beerdigt worden. Orry hatte davon erfahren, als er und Madeline von einem zweitägigen Aufenthalt in Charleston zurückkehrten, wo die Stimmungswogen hochschlugen und Läden und Restaurants überfüllt waren. Während eines heftigen Gewitters lenkte Orry ihre Kutsche zurück nach Mont Royal, über die fast unpassierbare, schlammige Uferstraße. Als sie bei Einbruch der Nacht ankamen, brannten im großen Haus überall Kerzen und Lampen, und Orrys Mutter wanderte mit einem verlorenen Gesichtsausdruck durch die Räume.

«Ich glaube, es hat einen Todesfall gegeben», sagte sie.

Nachdem er von einem Hausgehilfen die Einzelheiten erfahren

hatte, machte er sich auf den Weg zu der Sklavenansiedlung. In den weißgetünchten Hütten brannten Lichter, aber sonst war alles bemerkenswert still. Völlig durchnäßt kletterte er zu Cuffeys Hütte hoch und klopfte.

Die Tür ging auf. Orry war schockiert vom Schweigen des gutaussehenden jungen Sklaven und seinem mürrischen Starren. Im Hintergrund hörte er das leise Weinen einer Frau.

«Cuffey, ich habe gerade von deiner Tochter erfahren. Es tut mir schrecklich leid. Darf ich hereinkommen?»

Unglaublicherweise schüttelte Cuffey den Kopf. «Meine Anne fühlt sich jetzt nicht gut.»

Verärgert überlegte Orry, ob die Ursache dafür ihr Verlust oder etwas anderes war. Er hatte Gerüchte gehört, daß Cuffey seine Frau mißhandelte. Sich beherrschend sagte er: «Auch das tut mir leid. Auf jeden Fall möchte ich zum Ausdruck bringen, daß –»

«Rissa starb, weil Sie nicht da waren.»

«*Was?*»

«Keiner von diesen hochnäsigen Hausnegern wollte einen Doktor holen, und Ihre Momma konnte nich' begreifen, daß ich sie brauchte, um Ausweis zu schreiben, damit ich selber Doktor holen kann. Ich bettelte eine Stunde, aber sie schüttelte bloß Kopf wie Verrückte. Ich hab's versucht, bin zu Doktor gerannt, kein Ausweis, nichts. Wir kamen zurück, und es war zu spät; Rissa war tot. Der Doc schaute einmal, sagte Typhusfieber, und weg war er. Mußte sie ganz allein beerdigen. Kleine Rissa. Tot wie ihre Schwester. Sie wären hier gewesen, mein Baby würde leben.»

«Verdammt, Cuffey, du kannst mir nicht die Schuld geben –»

Cuffey knallte die Tür zu. Der Regen tropfte vom Verandadach. Die Nacht fiel herab, stickig und voller wachsamer Augen.

Irgendwo begann eine Altstimme kaum hörbar eine Hymne zu singen. Orry bedauerte, was er nun zu tun hatte, aber er konnte die Herausforderung nicht auf sich beruhen lassen, nicht bei so vielen Zuschauern. Er klopfte ein zweitesmal kräftig.

Keine Antwort.

Er hämmerte gegen die Tür. «Cuffey, mach auf!»

Quietschend öffnete sich die Tür einen Spalt. Mit seinem schlammbedeckten Stiefel trat Orry dagegen. Cuffey mußte zur Seite springen, um nicht getroffen zu werden.

«Hör mir zu», sagte Orry. «Es tut mir aufrichtig leid, daß deine Tochter gestorben ist, aber deswegen lasse ich nicht zu, daß du dich mir widersetzt. Jawohl, wäre ich hier gewesen, ich hätte augenblicklich den

Ausweis geschrieben oder selbst den Doktor geholt. Aber ich war nicht hier, und ich konnte von dem Notfall nichts wissen. Wenn du deines Postens nicht enthoben werden willst, halte deine Zunge im Zaum und knall mir nie wieder eine Tür vor der Nase zu.»

Schweigen, angefüllt mit dem Rauschen des Regens. Orry packte den Türrahmen. «Hast du mich verstanden?»

«Jawohl, Sir.»

Zwei leblose Worte. Im schwachen Schein der Hauslampe erkannte Orry die vor Wut funkelnden Augen Cuffeys. Er hegte den Verdacht, daß seine Warnung verschwendet war; er konnte nur hoffen, daß Cuffey bald wieder zur Vernunft kommen würde.

«Richte deiner Frau mein Beileid aus. Gute Nacht.» Er stampfte von der Veranda, traurig über den Tod des Kindes, ärgerlich über Cuffeys Auslegung, mit Schuldgefühlen beladen wegen seines Auftritts vor dem unsichtbaren Publikum. Die Rolle lag ihm nicht, aber er mußte sie spielen, um die Ordnung aufrechtzuerhalten. Cooper hatte einmal bemerkt, daß sowohl die Herren als auch Sklaven Opfer der gleichen seltsamen Institution seien. In dieser schrecklichen Nacht verstand Orry, wie er das gemeint hatte.

Und das war der Anfang, dachte er, den sanften Druck von Madelines Schenkel neben sich spürend. Damit wurde die erste Karte aus dem Kartenhaus gerissen. Das hat die anderen ins Rutschen gebracht.

Vier Tage nach der Konfrontation bei der Hütte kam Anne, Cuffeys Frau, in der Dämmerung in sein Büro. Unter einem Auge zeigte sich eine häßliche Schwellung, und die braune Haut darum herum färbte sich schwarz. Zögernd brachte sie ihre Bitte vor: «Bitte, Sir, verkaufen Sie mich.»

«Anne, du bist hier geboren. Ebenso deine Mutter und dein Vater. Ich weiß, der Verlust von Rissa hat –»

«Verkaufen Sie mich, Mr. Orry», unterbrach sie ihn aufweinend und ergriff sein rechtes Handgelenk. «Ich hab' solche Angst vor Cuffey, ich möcht' sterben.»

«Hat er dich geschlagen? Ich bin sicher, er ist nicht er selbst. Rissa–»

«Rissa hat nichts zu tun damit. Er schlägt mich immer. Macht er seit Heirat. Ich hab' Ihnen nicht gesagt, aber Leute wissen Bescheid. Letzte Nacht hat er mich mit Stock und Faust geschlagen, dann hat er mich mit Pfanne geschlagen.»

Knapp eins neunzig groß, so ragte der weiße Mann über dem zerbrechlichen schwarzen Mädchen auf und schien vor Ärger noch größer zu werden. «Ich bin weggerannt, hab' mich versteckt», sagte sie, immer noch weinend. «Er hätte mir Schädel eingeschlagen, so verrückt wütend war er. Ich hab' versucht zu ertragen wie eine gute Frau, aber ich hab' zuviel Angst. Ich möchte hier weg.»

Ihre Augen bettelten weiter, nachdem sie ihre traurige Geschichte beendet hatte. Sie war eine gute Arbeiterin, aber er konnte nicht zusehen, wie sie kaputtgemacht wurde. «Wenn das dein Wunsch ist, Anne, dann werde ich ihn erfüllen.»

Annes Gesicht leuchtete auf, als sie ausrief: «Sie schicken mich zum Markt nach Charleston?»

«Dich verkaufen? Auf keinen Fall. Aber ich kenne eine Familie in der Stadt, gute, freundliche Leute, die letzten Herbst ihr Hausmädchen verloren haben und sich kein anderes leisten können. Nächste oder übernächste Woche werde ich dich einfach zu ihnen bringen.»

«Morgen. Bitte!»

Ihre Furcht erschreckte ihn. «Also gut. Ich werde sofort einen Brief schreiben. Geh deine Sachen holen, und halt dich bereit.»

Sie klammerte sich an ihm fest, ihr Gesicht gegen sein Hemd gepreßt. «Ich kann nicht dorthin zurück. Er bringt mich um. Ich brauche nur dies Kleid, das ist alles. Machen Sie nicht, daß ich zurück muß, Mr. Orry. Nicht.»

Er hielt sie fest, glättete ihr Haar, beruhigte sie, so gut es ging. «Wenn du solche Angst hast, such Aristotle im Haus. Richte ihm von mir aus, er soll dir einen Platz für die Nacht geben.»

Diesmal weinte sie vor Glück, umarmte ihn, zuckte dann entsetzt zurück. «Oh, Mr. Orry, ich war – ich wollte nicht –»

«Ich weiß. Du hast nichts Unrechtes getan. Geh nun ins Haus.»

Das war das letzte Mal, daß er Anne sah, abgesehen von den fünf Minuten am nächsten Morgen, als er den Paß für den Sklaven ausschrieb, der sie zusammen mit dem Brief zu der Familie nach Charleston bringen sollte. Noch im Fortfahren dankte sie ihm überschwenglich und segnete seinen Namen.

An Nachmittag ritt Orry hinaus, um die Felder zu inspizieren, die für die Bepflanzung im Juni vorbereitet wurden. Als Cuffey das Pferd hörte, hob er im gleißenden Sommerlicht den Kopf und starrte seinen Besitzer lange und durchdringend an. Dann wandte er sich ab und ging auf einen Neger los, der nicht zu seiner Zufriedenheit arbeitete. Cuffey schlug den Sklaven, der zurücktaumelte.

«Das reicht», rief Orry. Der Vorarbeiter starrte ihn erneut an. Orry achtete darauf, nicht zu blinzeln. Nach zehn Sekunden riß er den Kopf seines Pferdes so hart herum, daß das Tier schnaubte. Der Blick zwischen Sklave und Herrn war sehr deutlich gewesen. Cuffey hatte jemanden getötet, und jeder von ihnen wußte, um wen es sich dabei handelte.

Orry erwähnte den Vorfall Madeline gegenüber nicht, aus dem gleichen Grund, aus dem er ihr Einzelheiten über Cuffeys herausforderndes Benehmen in jener regnerischen Nacht erspart hatte. Natürlich wußte Madeline, daß Anne auf eigene Bitte nach Charleston geschickt worden war. Sie war auch Augenzeugin, als die nächste Karte fiel.

Es geschah Anfang Juni. Cuffey war mit Arbeitstrupps draußen, um die Sommerpflanzung vorzunehmen, falls die Reisvögel oder salziges Flußwasser die Früherernte zerstörten.

Jedes kultivierte Feld war durch hohe Dämme von dem umliegenden Land getrennt. Hölzerne Kanäle ließen das Wasser des Ashley von Feld zu Feld fließen und bei Ebbe wieder abfließen, wenn die Kanalgatter gehoben wurden. Madeline ritt den Dämmen entlang und näherte sich dem Feld, wo die Sklaven schufteten. Der Tag war klar und angenehm, mit einer leichten Brise und einem intensiv blauen Himmel. Wie gewöhnlich bei ihren Ausritten trug sie Hosen und saß völlig undamenhaft im Männersitz im Sattel, aber spielte das noch eine Rolle? Schlechter konnte ihr Ruf im Distrikt kaum werden.

Vor sich sah sie Cuffey zwischen den gebeugten Rücken der Sklaven mit seinem Knüppel prahlen, den er als Zeichen seiner Autorität trug. Ein älterer Neger, der in der Nähe des Dammes arbeitete, erregte das Mißfallen des Vorarbeiters, als Madeline bereits dicht bei ihnen war.

«Unnützer Nigger», schimpfte Cuffey. Er schlug den grauhaarigen Neger mit seinem Knüppel, und der Mann sackte zusammen. Seine neben ihm arbeitende Frau schrie auf. Cuffey verlor die Beherrschung und sprang mit erhobenem Knüppel auf sie zu. Die plötzliche, heftige Bewegung erschreckte Madelines Pferd. Wiehernd brach der Wallach nach rechts aus und wäre vom Damm gestürzt, hätte ihn nicht ein anderer Neger, ungefähr in Cuffeys Alter, am Halfter erwischt.

Das Gewicht und die Kraft des Sklaven verhinderten, daß das Pferd ins nächste Feld stürzte. Schnell bekam Madeline das scheuende Tier wieder unter Kontrolle, doch Cuffey mißfiel die Rettungsaktion.

«Du, geh runter an deine Arbeit!»

Der Sklave ignorierte den Befehl. Er schaute Madeline eher besorgt als unterwürfig an. «Sie sind in Ordnung, Ma'am?»

«Ja, danke. Ich –»

«Du hörst mich, Nigger?» brüllte Cuffey. Er kletterte halb den Damm hoch und deutete mit seinem Knüppel auf den anderen Schwarzen, dessen große, leicht schräg stehende Augen zum erstenmal

Gefühl verrieten. Es war nicht schwer, sich vorzustellen, was er für den Vorarbeiter empfand.

«Sei still, wenn ich mich bei diesem Mann bedanke», sagte Madeline. «Du hast den Vorfall verursacht, nicht er.»

Cuffey schaute erst verblüfft, dann wütend drein. Hinter ihm erklang Kichern, und er wirbelte herum, doch die schwarzen Gesichter unter ihm waren leer und ausdruckslos. Lauter denn je tobend stampfte er den Damm hinunter.

Die Neger nahmen die Arbeit wieder auf, während Madeline zu ihrem Retter sagte: «Ich habe dich schon gesehen, aber ich weiß deinen Namen nicht.»

«Andy, Ma'am. Ich wurde nach Präsident Jackson genannt.»

«Bist du auf Mont Royal geboren?»

«Nein, Mr. Tillet kaufte mich im Frühling, bevor er starb.»

«Nun, Andy, ich danke dir für dein schnelles Eingreifen. Es hätte einen schlimmen Unfall geben können.»

«Bin froh, hat es keinen gegeben, Cuffey hatte keinen Grund, den Alten zu quälen –» Mit einem kleinen, scharfen Atemzug hielt er inne. Er hatte impulsiv gesprochen, und sowas stand ihm nicht zu.

Sie dankte ihm noch einmal. Mit einem schnellen Nicken sprang er vom Damm hinunter; das Lächeln und Murmeln einiger Leute zeigte, daß er bei ihnen genauso beliebt wie der Vorarbeiter unbeliebt war. Vor Wut kochend ließ Cuffey den Knüppel in seine andere Handfläche klatschen. Sein Blick war dabei starr auf Andy gerichtet.

Andy erwiderte das Starren. Cuffey schaute schließlich weg, wahrte aber das Gesicht, indem er gleichzeitig Befehle schrie. Eine üble Situation, dachte Madeline im Weiterreiten – und so erzählte sie es auch Orry. Bei Dunkelheit schickte er einen Boten zur Sklavenansiedlung. Kurz darauf klopfte es an der offenen Bürotür.

«Komm herein, Andy.»

Der barfüßige Sklave trat über die Schwelle. Seine Hosen waren so häufig gewaschen worden, daß sie weiß glänzten, ebenso wie sein geflicktes kurzärmeliges Hemd. Orry hatte ihn schon immer für einen gutaussehenden jungen Burschen gehalten, muskulös, höflich, ohne unterwürfig zu sein.

«Setz dich.» Orry deutete auf einen alten Schaukelstuhl neben dem Schreibtisch. «Ich möchte, daß du es bequem hast, während wir uns unterhalten.»

Diese unerwartete Behandlung entwaffnete und verwirrte den jungen Mann. Er setzte sich vorsichtig, angespannt; der Schaukelstuhl bewegte sich keinen Millimeter.

«Du hast Miss Madeline vor einer schweren Verletzung bewahrt. Ich weiß das zu schätzen. Ich möchte dir einige Fragen über die Ursache des Mißgeschicks stellen. Ich erwarte ehrliche Antworten. Du brauchst deswegen vor niemandem Angst zu haben.»

«Sie meinen den Vorarbeiter?» Andy schüttelte den Kopf. «Ich hab' keine Angst vor ihm oder irgendeinem Neger, der schlagen und fluchen muß, um seinen Willen zu bekommen.» Sein Ton und sein Blick zeigten, daß er auch keinen Weißen von dieser Sorte fürchtete. Orrys günstiger Eindruck verstärkte sich.

«Hinter wem war Cuffey her? Miss Madeline sagte, der Mann hatte graues Haar.»

«Es war Cicero.»

«Cicero! Er ist fast sechzig.»

«Jawohl, Sir. Er und Coffey – sie haben zuvor schon Ärger miteinander gehabt. Kaum war die Herrin weg, da schwor Cuffey, der alte Mann würde dafür büßen müssen.»

«Gibt es sonst noch etwas, was ich wissen sollte?» Andy schüttelte den Kopf. «In Ordnung. Ich möchte dir danken für das, was du getan hast. Besitzt du einen Garten? Baust du für dich selbst etwas an?»

«Ja, Sir. Dieses Jahr Gumbo und ein paar Erbsen. Und drei Hühner hab' ich.»

Orry zog eine Schreibtischschublade auf und holte drei Geldscheine heraus. «Für diese drei Dollar kannst du dir Saatgut und neues Werkzeug kaufen, wenn du welches brauchst. Sag mir, was du willst, und ich werde es in Charleston bestellen.»

«Danke, Sir. Ich denke darüber nach und sage es Ihnen.»

«Kannst du lesen und schreiben, Andy?»

«Ist gegen das Gesetz, daß Neger lesen oder schreiben. Ich kann ausgepeitscht werden, wenn ich ja sage!»

«Nicht hier. Beantworte die Frage.»

«Ich kann beides nicht.»

«Würdest du es lernen, wenn du die Möglichkeit hättest?»

Andy schätzte das Risiko ab, ehe er antwortete. «Ja, Sir, das würde ich. Lesen, schreiben – das hilft einem Mann, in der Welt voranzukommen.» Ein tiefer Atemzug, dann platzte er heraus: «Vielleicht bin ich eines Tages frei. Dann brauch' ich es noch viel mehr.»

Orry lächelte, um die Befürchtungen des schwarzen Mannes zu zerstreuen. «Das ist weise Voraussicht. Freut mich, daß wir uns unterhalten haben. Ich habe nicht viel von dir gewußt, aber ich glaube, du kannst für diese Plantage gute Dienste leisten. Du wirst vorankommen.»

«Ich danke Ihnen», sagte Andy und hielt das Geld hoch. «Auch dafür.»

Orry nickte und beobachtete, wie der kräftige junge Mann sich der Tür zuwandte. Mancher hätte Andy für seine Offenheit ausgepeitscht; Orry wünschte, er hätte ein weiteres Dutzend mit ähnlicher Bereitschaft zur Initiative.

Während ihres Gesprächs war die Nacht hereingebrochen. In der Ferne quakten die großen Frösche, während Orry beobachtete, wie der Sklave den Pfad hinabging; Andy war nicht groß, aber sein Gang und seine ganze Art ließen ihn wesentlich größer erscheinen.

Am nächsten Morgen ritt Orry zu der Stelle, wo gearbeitet wurde, auf der Suche nach Cicero. Er sah ihn nicht. Cuffey dämpfte sein Getobe, bis Orry vorbei war, dann verdoppelte er die Lautstärke. Orry ritt weiter zu den Sklavenhütten und stieg vor dem Häuschen ab, das Cicero und dessen Frau gehörte. Ein nackter fünfjähriger Junge mit einem lustigen Gesicht pinkelte gegen einen der Pfosten. Ciceros Frau scheuchte den Jungen weg und eilte hinaus, als sie Orry hörte.

«Wo ist dein Mann, Missy?»

«Drinnen, Mist' Orry. Er, äh, heut nicht arbeitet. Bloß bißchen krank.»

«Ich möchte ihn sehen.»

Ihre Reaktion – ein Ausbruch fast unverständlichen Gestammels, der fast an Weigerung grenzte – bestätigte ihm, daß etwas nicht stimmte. Er schob sie sanft beiseite und betrat die saubere, kahle Hütte, gerade als Cicero stöhnte.

Orry fluchte unterdrückt. Der alte Sklave lag auf einem Strohsack, Arme über dem Bauch verschränkt, das Gesicht verzerrt. Getrocknetes Blut war auf seinen geschlossenen, farblosen Augenlidern zu sehen. Seine Stirn trug ähnliche Spuren. Zweifellos hatte Cuffey seinen Knüppel benützt.

«Ich laß' den Arzt holen, damit er nach ihm sieht, Missy», sagte er, als er wieder zu ihr auf die Veranda heraustrat. «Ich werde diese Sache in Ordnung bringen, noch ehe der Tag vorbei ist.»

Sie griff nach seiner Hand und drückte sie. Ihre Tränen erstickten jedes Wort.

Am Nachmittag herrschte brütende Hitze. Trotzdem machte Orry ein Feuer in dem Eisenofen, bevor er Cuffey von den Feldern ins Büro kommen ließ. Als Cuffey eintrat, mit seinem Knüppel, wie Orry es erwartet hatte, gab es keine langen Umstände.

«Ich hätte dich statt Anne verkaufen sollen. Ich nehme dir das weg.»

Er entriß Cuffey den Knüppel, öffnete die Ofentür und warf den Stock ins Feuer.

«Du bist nicht länger Vorarbeiter. Du bist wieder einfacher Feldarbeiter. Ich sah, was du mit Cicero gemacht hast, Gott weiß, aus was für lächerlichen Gründen. Raus mit dir.»

Am nächsten Morgen, eine Stunde nach Sonnenaufgang, sprach Orry wieder mit Andy in seinem Büro.

«Ich mache dich zum Vorarbeiter.» Andy zeigte ein schnelles, zustimmendes Nicken. «Ich setze viel Vertrauen in dich, Andy. Ich kenne dich nicht besonders gut, und die Zeiten sind schwierig. Ich weiß, daß einige Leute den starken Drang haben, sich auf Yankeegebiet zu flüchten. Ich werde nicht nachsichtig sein, wenn jemand das versucht und ich ihn oder sie erwische – was ziemlich sicher der Fall sein wird. Ich habe nichts übrig für Grausamkeit, aber ich werde auch nicht nachsichtig sein. Klar?»

Wieder nickte Andy.

«Noch eines. Du erinnerst dich, daß euer früherer Vorarbeiter, Salem Jones, den ich beim Stehlen erwischt und rausgeworfen habe, einen Stock trug. Cuffey hat sich anscheinend von dem mittlerweile verstorbenen Mr. Jones beeindrucken lassen. Er hat die Idee übernommen. Ich hätte Cuffey gleich beim erstenmal seinen Knüppel wegnehmen sollen.»

Andys Augenlider zuckten kurz, während er aufmerksam lauschte. Orry schloß seine Ansprache: «Ein Mann, der einen Stock trägt, zeigt damit, daß er schwach ist, nicht stark. Ich möchte bei dir keinen Stock sehen.»

«Ich brauche keinen», sagte Andy, ihn offen anblickend.

Und so war das empfindliche Kartenhaus zusammengebrochen. Orry hatte mit dem Bau eines neuen Hauses begonnen, als er Cuffey durch Andy ersetzte.

Bald schon merkte er, daß die meisten Leute den Wechsel begrüßten. Auch Orry war zufrieden. Andy besaß nicht nur eine schnelle Auffassungsgabe, sondern auch das Talent, die anderen mehr zu führen, anstatt anzutreiben. Das Vertrauen, das Orry intuitiv in ihn gesetzt hatte, erzeugte eine stillschweigende Bindung zwischen den beiden Männern. Einige Male hatte Orry seinen Vater davon sprechen hören, daß er manche seiner Leute wie seine eigenen Kinder liebte. Zum erstenmal ahnte Orry, was Tillet Main damit gemeint haben mochte.

All dies ging Orry durch den Kopf, während er neben Madeline lag.

Zum Schluß aber tauchte das störende Bild von Cuffeys Gesicht auf. Zorn- und haßerfüllt – besonders nach dem Ende seiner kurzen Amtszeit als Vorarbeiter. Cuffey mußte nun im Auge behalten werden; Orry hätte ein halbes Dutzend Leute aufzählen können, die er mit seiner Unzufriedenheit hätte anstecken können.

Eine Woche später erhielt er einen überraschenden Brief.

Verehrter Herr,
Mein Cusin, der in Charleston, S.C., ist, zeigde mir Ihr Gesuch für Aufseher-Job. Ich habe die Ere, ihre Auf mergsamkeid auf mir zu lenken, Philemon Meek, Alter 64, aber sehr gesund und mit vil Erfarung –

«Na, einiges hat er ja richtig geschrieben.» Orry lachte, als er am Abend des Tages, an dem der Brief gekommen war, mit Madeline durch den Garten zum Fluß schlenderte.

«Könntest du es mit so einem ungebildeten Mann riskieren?»

«Ich könnte schon, wenn er über die richtige Erfahrung verfügt. Und der Rest des Briefes scheint darauf hinzudeuten. Er schreibt, ich würde noch einen Referenzbrief von seinem gegenwärtigen Arbeitgeber bekommen, einem älteren Witwer mit einer Tabakplantage in der Nähe von Raleigh, ohne Kinder und ohne Interesse, die Plantage weiterzuführen. Meek würde sie gerne kaufen, kann es sich aber nicht leisten. Die Plantage wird in kleine Farmen aufgeteilt.»

«Es gibt da nur ein Problem mit Mr. Meek», fuhr Orry fort und setzte sich auf ein altes Faß am Fluß. «Er ist erst irgendwann im Herbst abkömmlich. Er will seinen Arbeitgeber erst verlassen, wenn dieser ordentlich bei einer Schwester untergebracht ist.»

«Diese Einstellung spricht für ihn.»

«Eindeutig», stimmte Orry zu. «Ich glaube nicht, daß ich jemanden mit besseren Qualifikationen finden werde. Ich sollte ihm schreiben und mit den Gehaltsverhandlungen anfangen.»

«Ja, tu das. Besitzt er Frau oder Familie?»

«Weder noch.»

Ruhig, ihre Augen auf das Wasser gerichtet, sagte sie: «Ich wollte es dich die ganze Zeit über schon fragen – wie stehst du zu letzterem?»

«Ich möchte Kinder, Madeline.»

«Auch unter Berücksichtigung dessen, was du über meine Mutter weißt?»

«Es ist viel wichtiger, was ich über dich weiß.» Er küßte ihren Mund. «Ja, ich will Kinder.»

«Ich bin froh, daß du das sagst. Justin hielt mich für unfruchtbar, während ich immer annahm, daß der Fehler bei ihm lag. Wir sollten das bald herausfinden – ich kann mir keine zwei Menschen vorstellen, die an der Beantwortung dieser Frage härter gearbeitet haben als wir, oder?» Sie drückte seinen Arm, und sie lachten gemeinsam.

«Ich bin so froh, daß sich dieser Mr. Meek gemeldet hat», fuhr sie fort. «Selbst wenn du nicht vor Herbst weg kannst, so kannst du doch Richmond schreiben, daß du den Posten annimmst.»

«Ja, ich glaube, das könnte ich jetzt tun.»

«Also hast du dich entschlossen!»

«Nun –» So wie er das Wort aussprach, war es schon ein Eingeständnis.

«Die Mücken werden hier unten ein bißchen zu aufdringlich», sagte sie. «Gehen wir ins Haus, auf ein Glas Wein. Vielleicht entdecken wir noch eine zweite Möglichkeit, deine Entscheidung zu feiern.»

«Im Bett?»

«Oh, nein, das meinte ich nicht.» Madeline errötete und fügte dann hinzu: «Gleich jetzt.»

«Was denn?»

Sie konnte ihr Lächeln nicht länger verbergen. «Ich glaube, es ist an der Zeit, den Säbel auszupacken, den du so sorgfältig versteckt hast.»

19

«Unser Rom», so wurde es von langjährigen Einwohnern genannt. Als Mädchen hatte Mrs. James Huntoon zwar lieber junge Männer als alte Städte studiert, aber ein gewisser Grad an aufgezwungener klassischer Bildung versetzte sie doch in die Lage, den Vergleich als weiteres Beispiel für virginische Arroganz einzustufen. Auf der ersten Privatparty, zu der Ashton und ihr Mann eingeladen worden waren – um ihre Personen und ihren Stammbaum zu beschnüffeln, davon war sie überzeugt –, hörte eine weißhaarige Dame, eindeutig eine wichtige Persönlichkeit, zufällig Ashtons gereizte Bemerkung, daß sie das Temperament der Virginier einfach nicht verstehen könne.

Die Dame schenkte ihr ein Lächeln, in dem eine ganze Menge Hohn verborgen lag. «Das liegt daran, daß wir weder Yankees noch Südstaatler sind – der Süden ist hier eine Bezeichnung, die ganz allgemein für Staaten mit einer großen Anzahl von Baumwollpflanzeremporkömmlingen verwendet wird. Wir sind Virginier. Das ist das einzig passende Wort.»

Die Dame segelte davon. Ashton kochte vor Wut; der schlimmste Teil des Abends schien überstanden. Darin allerdings täuschte sie sich. James Chesnuts Frau Mary aus South Carolina, mit spitzer Zunge und einem sicheren Platz in Mrs. Davis' Zirkel, hatte sie mit Namen begrüßt, sie aber keiner Unterhaltung wert befunden. Ashton befürchtete, daß der Klatsch über ihre Verbindung zu Forbes LaMotte und den Versuch, Billy Hazard zu töten, den Huntoons bis nach Virginia gefolgt war.

In einer Nacht hatte sie zwei Tests nicht bestanden. Aber sie war fest entschlossen, in Zukunft zu triumphieren. Sie verachtete die Gentlemen bester Herkunft, die in der Regierung saßen, und deren Frauen, die die Gesellschaft beherrschten, aber sie verfügten über Macht. Für Ashton gab es kein stärkeres Aphrodisiakum.

Richmond, mit einer Bevölkerung von knapp über vierzigtausend, besaß wie Rom seinen Tiber – den James, der sich erst nach Süden schlängelte und dann nach Osten, dem Atlantik zu – aber sicherlich hatte es auf dem Kapitol nach besserem gerochen als nach Tabak. Richmond stank danach; die ganze Stadt roch wie ein großes Lagerhaus.

Montgomery war die erste Hauptstadt gewesen, wenn auch nur für anderthalb Monate. Dann hatte der Kongreß für den Umzug nach Virginia gestimmt. Jene, die seit langem in Richmond wohnten, sprachen voller Stolz von den schönen, alten Häusern und Kirchen, erwähnten aber mit keinem Wort die überschäumenden Kneipenbezirke. Sie prahlten mit erhabenen Ahnenreihen und unterschlugen die degenerierten Kreaturen beiderlei Geschlechts, die sich an den Nachmittagen auf den schattigen Gehwegen am Capitol Square herumdrückten und sich schweigend zum Kauf anboten. Es hieß, die Frauen, eine abgebrühte Truppe und selten jung, kämen von Baltimore, sogar von New York herbeigeeilt, um sich ein Stück von dem großen Kuchen abzuschneiden, den eine Hauptstadt in Kriegszeiten anzubieten hatte. Nur Gott allein mochte wissen, aus welcher Gosse ihre männlichen Gegenstücke gekrochen waren.

Das alte Rom – mit den Goten aus Carolina und den Vandalen aus Alabama bereits innerhalb der Stadtmauern. Selbst der provisorische Präsident – der seine einmalige sechsjährige Amtszeit offiziell noch nicht angetreten hatte – wurde als Primitiver vom Mississippi angesehen. Zusätzlich hatte er noch das Mißgeschick, in Kentucky geboren zu sein, dem gleichen Staat, der dieser Welt die Inkarnation der Vulgarität, Abe Lincoln, beschert hatte.

Obwohl Ashton froh darüber war, dem Zentrum der Macht nahe zu sein, war sie doch keineswegs glücklich. Ihr Mann, obwohl ein fähiger Anwalt und überzeugter Sezessionist, konnte keinen besseren Job finden als den eines Angestellten bei einem der ersten Sekretäre im Finanzministerium. Das paßte zu der Verachtung, die den Leuten aus South Carolina von der neuen Regierung entgegengebracht wurde. Sehr wenige aus dem Palmetto-Staat waren für hochgestellte Posten berücksichtigt worden; die meisten hielt man für zu radikal. Und die einzige Ausnahme, Finanzminister Memminger, war auch nicht in Carolina geboren worden.

Ashton und James Huntoon mußten sich in ein einziges großes Zimmer quetschen, in einer der Pensionen in der Nähe der Main Street; auch das mißfiel ihr. Irgendwann würden sie schon ein passendes Haus finden, aber die Wartezeit war schrecklich – vor allem, weil sie im gleichen Bett wie ihr Mann schlafen mußte. Bei den seltenen Gelegenheiten – von ihr in Szene gesetzt, wenn sie wollte, daß er etwas tat oder ihr etwas kaufte –, bei denen sie es zuließ, daß er mit seinem jämmerlichen, schlappen Schwänzchen in ihr herumstocherte, blieb sie stets unbefriedigt zurück.

Richmond mochte eine blinde Münze sein, aber es besaß auch positive Seiten. Es gab hier ein paar recht attraktive Männer, mit und ohne Uniform. Irgendwie würde sie all das zu ihrem Vorteil nutzen – und vielleicht heute abend damit anfangen. Sie und James besuchten ihren ersten offiziellen Empfang. Als sie mit dem Ankleiden fertig war, fühlte sie sich ganz schwach vor Aufregung.

Orrys Schwester war eine wunderschöne junge Frau mit einer üppigen Figur und einem untrüglichen Gespür, wie sie diese Attribute zu ihrem Vorteil einsetzen konnte. Sie hatte darauf bestanden, eine Kutsche zu mieten, um bei ihrer Ankunft gleich den richtigen Eindruck zu machen. James jammerte, sie könnten sich das nicht leisten; für drei Minuten gestand sie ihm eheliche Privilegien zu, und er änderte seine Meinung. Und wie froh war sie jetzt darüber, als er ihr vor dem Spotswood Hotel aus der Kutsche half und sie das anerkennende Gemurmel der Gaffer auf dem Gehsteig hörte.

Es war ein heißer Juliabend, aber Ashton trug all das, was die Mode einer eleganten Frau vorschrieb, angefangen von vier Stahlreifen, von vertikalen Bändern zusammengehalten, die ihre Unterröcke aufbauschten, bis zu dem feinsten Seidenkleid darüber. Modische Damen trugen viel Schmuck, aber das Einkommen ihres Mannes beschränkte sie auf ein Paar schwarze Onyxtränen, die an winzigen Golddrähten von ihren Ohrläppchen baumelten. Sie wollte durch Schlichtheit und ihr eigenes blendendes Aussehen die Blicke auf sich ziehen.

«Jetzt paß auf, Darling», sagte sie, als sie die Halle auf der Suche nach Salon 83 durchquerten. «Laß mir die Möglichkeit, heute abend alleine herumzuschlendern. Mach du es ebenso. Je mehr Leute wir kennenlernen, desto besser – und das sind doppelt so viele, wenn du mir nicht ständig am Rockzipfel hängst.»

«Oh, das werde ich nicht», sagte Huntoon mit jener Selbstgerechtigkeit, die ihn Freundschaften kostete und seiner Karriere schadete. James war sechs Jahre älter als seine Frau, ein blasser, starrsinniger Mann mit Bauch. «Hier – diesen Flur entlang. Ich wünschte, du würdest mich nicht wie einen dummen Jungen behandeln.»

Ihr Herz raste beim Anblick der offenen Türen von Salon 83, wo Präsident Davis regelmäßig diese Empfänge abhielt; er besaß noch keine offizielle Residenz. Ashton erhaschte einen Blick auf Frauen in langen Abendkleidern, die mit Gentlemen in Uniformen oder eleganten Anzügen plauderten. Sie legte ihr schönstes Lächeln auf und flüsterte: «Benimm dich wie ein Mann, und ich werd' dich nicht wie einen dummen Jungen behandeln. Ich bring' dich um, wenn du jetzt eine Szene anfängst – *Mrs. Johnston*!»

Die Frau, die vor ihnen gerade den Salon betreten wollte, wandte sich mit höflichem, aber verwirrten Gesichtsausdruck um. «Ja?»

«Ashton Huntoon – darf ich Ihnen meinen Gatten vorstellen, James? James, dies ist die Gattin unseres berühmten Generals, der die Alexandria-Front kommandiert. James ist im Finanzministerium tätig, Mrs. Johnston.»

«Eine äußerst wichtige Position. Erfreut, Sie beide kennenzulernen.» Und damit begab sie sich in den Salon.

«Ich glaube nicht, daß sie sich an dich erinnert», flüsterte Huntoon.

«Warum sollte sie? Wir haben uns nie getroffen.»

«Mein Gott, bist du verwegen.» Sein Keckern war sowohl bewundernd als auch mißbilligend.

Süßlich sagte sie: «Deine Trägheit erfordert es, Liebling – oh, Herr im Himmel, schau. Sie sind beide hier – Johnston und Bory.» Und auf einer Woge freudiger Überraschung schwebte Ashton in die Menge, nickte, murmelte Begrüßungsworte, lächelte Leuten zu, ganz gleich, ob sie ihr bekannt waren oder nicht. Auf der anderen Seite des überfüllten Raumes erspähte sie Präsident Davis und Varina Davis. Aber sie waren zu dicht umlagert.

Memminger begrüßte die Huntoons. Er brachte Ashton Champagnerpunsch und stellte sie dann, auf ihre Bitte hin, dem Offizier vor, den jeder kennenlernen wollte – einem drahtigen kleinen Kerl mit gelblicher Haut, melancholischen Augen und unverkennbar gallischen Zügen. Brigadegeneral Beauregard beugte sich über ihre behandschuhte Hand und küßte sie.

«Ihr Gatte hat einen Schatz entdeckt, Madam. *Vous êtes plus belle que le jour!* Ich fühle mich geehrt.»

Ihr Blick wies die Schmeichelei zurück und erkannte sie gleichzeitig als wahr an; zumindest in Koketterie kannten sich die Frauen aus Carolina aus. «Die Ehre liegt ganz auf meiner Seite, General. Unserem neuen Napoleon vorgestellt zu werden, dem Mann, der den ersten Schlag der Konföderation führen wird – für mich wird das der Höhepunkt des Abends sein.»

Geschmeichelt erwiderte er: «*Près de vous, j'ai passé les moments les plus exquis de ma vie.*» Mit einer Verbeugung entwischte der Kreolen-General; viele weitere Bewunderer warteten.

Inzwischen überflog Huntoon mit ängstlichen Blicken die Menge. Er fürchtete, jemand könnte Ashtons Worte gehört haben. War sie so dumm, daß sie nicht wußte, daß der Höhepunkt des Abends eine Vorstellung bei Präsident und Mrs. Davis zu sein hatte? James Huntoon verbrachte einen Großteil seines Lebens damit, sich über solche Kleinigkeiten zu entsetzen.

Huntoons Studie der Menge rief bald ein neues Gefühl hervor – Ärger. «Nichts als West-Point-Gockel und Ausländer. Oh, oh, dieser kleine Jude hat uns entdeckt. Hier lang, Ashton.»

Er nahm sie am Ellbogen. Sie riß sich los und schickte ihn dann mit einem funkelnden Blick und einer Kopfbewegung in die Menge. Dann begrüßte sie den kleinen, rundlichen Mann, der sich ihr näherte, mit aufrichtigem Lächeln und ausgestreckter Hand.

«Mrs. Huntoon, nicht wahr? Judah Benjamin. Ich habe Sie einige Male im Finanzministerium gesehen. Ich glaube, Ihr Mann arbeitet dort.»

«Das tut er, Mr. Benjamin. Allerdings kann ich kaum glauben, daß Sie mich bemerkt haben.»

«Es ist keine Treulosigkeit meiner Frau gegenüber, die momentan in Paris weilt, wenn ich sage, daß der Mann, der Sie nicht bemerkt hat, ein Mann ist, der Sie noch nie gesehen hat.»

«Wie nett Sie das gesagt haben. Aber ich habe schon gehört, der Justizminister ist berühmt für sowas.»

Benjamin lachte, und sie stellte fest, daß er ihr sympathisch war –

teilweise deswegen, weil James ihn nicht leiden konnte. Eine gewisse Opposition gegen den Präsidenten und seine Amtsführung hatte sich bereits formiert; Davis wurde vor allem deswegen angegriffen, weil er angeblich Ausländer und Juden in seiner Administration bevorzugte. Der Justizminister, der über ein nicht existierendes Gerichtssystem herrschte, war beides. Als Rechtsanwalt war er problemlos vom Senat der Vereinigten Staaten, wo er Louisiana repräsentierte, zur Konföderation übergewechselt. Seine Kritiker bezeichneten ihn als billigen und opportunistischen Politiker – unter anderem.

Benjamin geleitete sie zum Büfett und legte kleine Leckerbissen auf einen Teller, den er ihr reichte. Sie sah, daß James, im Begriff sich zum Präsidenten vorzukämpfen, ihr einen wütenden Blick zuwarf. Ganz reizend.

«Sie und Ihr Mann müssen mich einmal besuchen», bemerkte Benjamin. «Werden Sie kommen?»

«Selbstverständlich», log sie; James würde bestimmt nicht kommen.

Er bat sie um ihre Adresse, die sie ihm widerstrebend gab. Es war klar, daß er den Hotelbezirk erkannte, aber das schien seiner Freundlichkeit keinen Abbruch zu tun. Er versprach, bald eine Einladungskarte zu schicken, und machte sich dann auf, den General und Mrs. Johnston zu begrüßen. Sie standen ganz allein, was ihnen ebenso mißfiel wie die Menge, die sich um Old Bory drängte.

Ashton wollte Benjamin folgen, hielt aber inne, als sie Mrs. Davis auf den Justizminister und die Johnstons zugehen sah. Sie besaß nicht den Nerv, sich einer so ehrfurchtgebietenden Gruppe anzuschließen; noch nicht.

Sie studierte die First Lady. Varina, die zweite Gattin des Präsidenten, war eine gutaussehende Frau Mitte dreißig, die gerade ein weiteres Kind erwartete. Es hieß, sie sei ein Mensch ohne Arg, offen und ehrlich; über öffentliche Fragen äußerte sie ohne zu zögern ihre Meinung, was keineswegs traditionelles Benehmen für eine Südstaatenfrau war.

Ashton schob sich an drei Offizieren vorbei, die einen vierten begrüßten, einen lebhaft aussehenden Burschen mit herrlichem Schnurrbart und Lockenkopf; seine Pomade roch fast so stark wie ihr Parfüm. «Kalifornien ist ein ganzes Stück von hier entfernt, Colonel Pickett», sagte einer der anderen zu ihm. «Wir sind froh, daß Sie die Reise sicher hinter sich gebracht haben. Willkommen in Richmond, auf der Seite der Gerechten.»

Der so angesprochene Offizier bemerkte Ashton und schenkte ihr ein galantes, leicht flirtendes Lächeln. Dann runzelte er die Stirn, als

119

versuchte er sie einzuordnen. Einer von Orrys Klassenkameraden hatte Pickett geheißen. Könnte das der Mann sein? Hatte er vielleicht eine gewisse Ähnlichkeit entdeckt? Schnell ging sie weiter; sie verspürte nicht die geringste Lust, über einen Bruder zu sprechen, der sie aus ihrem Elternhaus verbannt hatte.

Sie suchte ein bekanntes Gesicht und entdeckte schließlich eines. Sie stürzte sich auf Mary Chesnut und erwischte sie allein, so daß sie ihr nicht entrinnen konnte. Mrs. Chesnut schien heute abend freundlicher und zu Klatsch aufgelegt.

«Jedermann ist völlig erschlagen, daß General und Mrs. Lee fehlen, ohne jede Erklärung. Ein häuslicher Zwist, meinen Sie nicht auch? Ich weiß, daß sie ein Paradepaar sind – es heißt, daß er niemals flucht oder die Beherrschung verliert. Aber gewiß erlebt selbst ein Mann mit seinem hochmoralischen Charakter einen Einbruch. Wäre er hier, wir könnten vielleicht ein Treffen alter Kameraden von West Point erleben. Armer alter Bob – die Yankeepresse hat ganz schön auf ihn eingeprügelt, als er seinen Abschied nahm und unserer Seite beitrat.»

«Ja, ich weiß.» Es hieß, die Frau führe ein Tagebuch und es sei angebracht, sich in ihrer Gegenwart vorsichtig zu äußern.

Ironisch lächelnd tippte Mrs. Chesnut mit ihrem Fächer auf Ashtons Handgelenk. «Man sollte meinen, das würde ihn bei den Truppen beliebt machen, nicht wahr?»

«Ist das nicht der Fall?»

«Kaum. Gemeine und Corporals aus den besten Familien nennen ihn Spatenkönig, weil sie aufgrund seiner Befehle graben und schwitzen mußten wie die gewöhnlichsten Feldarbeiter.»

Ashton folgte ihren Worten mit vorgetäuschtem Interesse, hatte aber nichtsdestoweniger den großen, gut gekleideten Gentleman in blauem Samt bemerkt, der sie vom Punschtisch aus beobachtete. Er ließ seinen Blick über die Seide gleiten, die sich straff zwischen ihren Brüsten spannte. Ashton wartete, bis sich ihre Blicke wieder trafen, dann wandte sie sich ab. Sie verließ Mary Chesnut und pirschte sich näher an ihren Mann heran, der es geschafft hatte, mit dem Präsidenten ins Gespräch zu kommen.

Jefferson Davis sah um einige Jahre jünger als einundfünfzig aus; seine militärische Haltung und seine schlanke Figur verhalfen ihm zu diesem Eindruck, ebenso sein volles Haar und sein kleiner Kinnbart, in denen fast kein Weiß zu sehen war.

«Aber Mr. Huntoon», sagte er, «ich bestehe darauf, daß eine Zentralregierung in Kriegszeiten gewisse Maßnahmen ergreifen muß. Einberufung, zum Beispiel.»

Sie waren in eine liebenswürdige philosophische Diskussion verstrickt; Huntoon, der leise sprechende Präsident und ein dritter Mann, Außenminister Toombs. Von Toombs hieß es, er sei ein Unruhestifter. Vor allem kritisierte er West Point, weil Davis, Angehöriger der Klasse von '28, großes Vertrauen in einige der Absolventen setzte.

«Sie meinen, Sie würden ein derartiges Gesetz erlassen?» forderte Huntoon ihn heraus. Er besaß starke Überzeugungen und genoß die Chance, sie allgemein bekannt zu machen.

«Falls notwendig, würde ich darauf drängen, jawohl.»

«Sie würden Männer aus den verschiedenen Staaten einberufen, so wie es dieser niggerliebende Pavian getan hat?»

Davis brachte es fertig, allein durch sein Seufzen Verärgerung auszudrücken. «Mr. Lincoln hat nach Freiwilligen gefragt, weiter nichts. Wir haben das gleiche getan. Zur Zeit stellt die Einberufung auf beiden Seiten einen rein theoretischen Fall dar.»

«Aber ich setzte voraus, Sir – bei allem Respekt vor Ihnen und Ihrem Amt –, daß es sich dabei um eine Theorie handelt, die nie erprobt werden darf. Es widerspricht der Doktrin der Oberhoheit der Staaten. Sollten sie diese Oberhoheit einer Zentralgewalt gegenüber aufgeben müssen, dann bekommen wir ein Duplikat vom Zirkus in Washington.»

Jetzt funkelten die grauen Augen; und das fast blinde linke Auge schaute genauso zornig drein wie das rechte. Huntoon hatte Gerüchte über das Temperament des Präsidenten gehört; schließlich arbeiteten sie im gleichen Gebäude. Es hieß, Davis fasse jeden abweichenden Standpunkt als persönlichen Angriff auf und verhalte sich auch dementsprechend.

«Wie dem auch sei, Mr. Huntoon, meine Verantwortlichkeit ist klar: Ich sehe mich der Herausforderung gegenüber, diese neue Nation lebensfähig und erfolgreich zu machen.»

Genauso hitzig sagte Huntoon: «Und wie weit wollen Sie dabei gehen? Ich habe gehört, daß gewisse Leute der West-Point-Clique vorgeschlagen haben, Schwarze auf unserer Seite kämpfen zu lassen. Wollen Sie das befürworten?»

Davis lachte über die Vorstellung, aber Toombs rief aus: «Niemals. An dem Tag, an dem die Konföderation einem Neger Zutritt zu den Reihen ihrer Armee gewährt, an dem Tag wird die Konföderation in Schande geraten und ruiniert sein.»

«Ich stimme zu», schnappte Huntoon. «Nun, was die allgemeine Wehrpflicht selbst anbelangt –»

«Reine Theorie», wiederholte Davis scharf. «Ich hoffe, diese Regierung wird ohne großes Blutvergießen anerkannt werden. Verfassungsmäßig gesehen sind wir vollkommen im Recht mit dem, was wir tun. Ich will keinen Krieg führen, als würden wir uns im Unrecht befinden. Nichtsdestoweniger muß eine Zentralregierung stärker sein als ihre einzelnen Teile, sonst –»

«Nein, Sir», unterbrach Huntoon. «Das werden die Staaten niemals tolerieren.»

Davis schien blaß zu werden, seine Konturen undeutlich; dann erst bemerkte Huntoon, daß seine Stahlrandbrille angelaufen war.

«In diesem Fall, Mr. Huntoon, wird die Konföderation kein Jahr überdauern. Sie können die Doktrin der Rechte der Staaten haben, oder Sie können ein neues Land haben. Beides zusammen geht nicht. Also wählen Sie.»

In seinem Ärger völlig unbesonnen platzte Huntoon heraus: «Meine Wahl ist, nicht Teil autokratischen Denkens zu sein, Herr Präsident. Außerdem –»

«Wenn Sie mich entschuldigen würden.» Farbflecken zeigten sich auf den Wangen des Präsidenten, als er herumwirbelte und davonging. Toombs folgte ihm.

Huntoon kochte vor Wut. Wenn der Präsident bei fundamentalen Prinzipien keinen Widerspruch duldete, dann zum Teufel mit ihm. Der Mann war hier eindeutig fehl am Platz. Bloß gut, daß er Davis die Meinung gesagt hatte –

«Du stümperhafter, minderbemittelter –»

«Ashton!»

«Ich kann einfach nicht glauben, was ich da eben gehört habe. Du hättest ihm schmeicheln müssen, und was tust du? Du verspritzt politisches Gewäsch.»

Mit puterrotem Gesicht packte er ihr Handgelenk; unter seinen schwitzigen Fingern gab das Samtband nach. «Die Leute behaupten, er benehme sich wie ein Diktator. Das wollte ich nur bestätigt haben. Und das hab' ich. Ich habe meine feste Überzeugung darüber zum Ausdruck gebracht, daß –»

Mittlerweile hatte sie sich dicht an ihn gedrängt, lächelte ihr süßestes Lächeln, hüllte ihn in ihren zarten Duft. «Scheiß auf deine festen Überzeugungen. Anstatt mich vorzustellen, damit ich dir helfen kann, dich durch eine kritische Situation bringen kann, hast du geschwätzt und gestritten und die Totenglocke für deine bereits beendete unbedeutende Karriere geläutet.»

Sie stürzte davon, stieß gegen andere Gäste; sie zog viele Blicke auf sich, als sie mit Tränen in den Augen zu den Erfrischungen stürmte.

Idiot! Mit beiden Händen umklammerte sie eine gekühlte Punschschale; ihre schweißgetränkten Handschuhe hatte sie ausgezogen. Dieser Idiot. Alles hatte er kaputtgemacht.

Schnell wich ihr Ärger einem Gefühl der Depression. Eine große gesellschaftliche Chance war dahin; ganze Gruppen von Leuten machten sich bereits zum Aufbruch fertig. Auf der Suche nach der Macht, die sie ersehnte, war sie nach Richmond gekommen, und mit einigen wenigen Sätzen hatte er dafür gesorgt, daß er diese Macht nie für sie erringen würde. Nun gut – sie würde einen anderen finden. Einen Mann, intelligenter und taktvoller als James; mehr dem Erfolg zugewandt und geschickter darin, ihn zu erringen.

Und so faßte Ashton in weniger als einer Minute im Salon 83 des Spotswood Hotel einen Entschluß. Huntoon hatte als Ehemann nie viel getaugt, deshalb würde er von nun an nur noch dem Namen nach ihr Mann sein. Vielleicht würde er nicht mal das sein, wenn sie den richtigen Ersatz für ihn finden konnte.

Sie hob die leere Schale. «Könnte ich richtigen Champagner haben?» Schon wieder fröhlich lächelnd, reichte sie dem Neger hinter dem Tisch die Schale. «Ich kann schal gewordenen Punsch nicht ausstehen.»

Der große Mann im blauen Samtgehrock löschte seine lange Zigarre in einer Sandurne. Nach ein paar gezielten Fragen schlenderte er durch die schwindende Menge auf sein Zielobjekt zu – den schwitzenden, brillenbewehrten Tölpel, der eben einen heftigen Streit mit seiner Frau gehabt hatte. Zuvor hatte der große Mann die Frau beim Betreten des Salons bemerkt, und in seinen engen braunen Hosen hatte sich sein Penis versteift. Solch eine schnelle Reaktion lösten nur wenige Frauen bei ihm aus.

Der große Mann war um die fünfunddreißig, muskulös gebaut, mit feingliedrigen Händen. Er bewegte sich leichtfüßig und trug seine elegante Kleidung mit einer gewissen Selbstverständlichkeit; und doch wirkte er ein bißchen derb, was vielleicht an den Pockennarben aus Kindertagen liegen mochte. Glattes, leicht pomadisiertes, dunkelbraunes, mit Grau vermischtes Haar hing ihm nach der Davis-Mode bis auf den Kragen. Er glitt dicht neben Huntoon. Verwirrt und aufgeregt stand der Anwalt und polierte immer wieder seine Brillengläser mit einem feuchten Taschentuch.

«Guten Abend, Mr. Huntoon.»

Die volltönende Stimme erschreckte Huntoon; der Mann hatte sich ihm von hinten genähert. «Guten Abend. Sie kennen mich, aber –»

«Ganz richtig. Man hat mich auf Sie aufmerksam gemacht. Ihre Familie zählt zu den ältesten und berühmtesten in unserem Teil der Welt, möchte ich sagen.»

Auf was ist der Bursche aus, fragte sich Huntoon. Wollte er ihm vielleicht irgendeine Investition abluchsen? Da hatte er Pech – Ashton kontrollierte den einzigen Geldbetrag, über den sie verfügten, die vierzigtausend Dollar, die sie als Mitgift bekommen hatte.

«Stammen Sie aus South Carolina, Mr. –?»

«Powell. Lamar Hugh Augustus Powell. Lamar für meine Freunde. Ich komme nicht aus Ihrem Staat, aber ganz aus der Nähe. Die Leute meiner Mutter stammen aus Georgia. Die Familie hat viel mit Baumwolle zu tun, nahe bei Valdosta. Mein Vater war Engländer. Nahm meine Mutter als Braut mit nach Nassau, wo ich aufwuchs. Er war als Rechtsanwalt tätig, bis er vor einigen Jahren starb.»

«Die Bahamas. Das ist eine Erklärung.» Huntoons Versuch zu lächeln und sich einzuschmeicheln kam Powell geschmacklos und komisch vor. Dieser kleine Dreckskerl würde kein Problem darstellen. Aber wo –?

Ah. Ohne sich umzudrehen, entdeckte Powell einen sich nähernden Schatten. «Eine Erklärung wofür, Sir?»

«Für Ihre Sprache. Ich dachte, ich hätte Charleston herausgehört – und doch nicht ganz.» Für ein paar Augenblicke fiel Huntoon keine weitere Bemerkung ein. Verzweifelt sagte er: «Großartige Party –»

«Ich habe Sie nicht angesprochen, um über die Party zu reden.» Huntoons Grinsen verzerrte sich unter der Zurückweisung. «Um offen zu sein, ich organisiere eine kleine Gruppe zur Finanzierung eines vertraulichen Unternehmens, das sich als unglaublich lukrativ erweisen könnte.»

Huntoon blinzelte. «Sie sprechen von einer Investition?»

«Einer maritimen Investition. Diese verdammte Blockade schafft phantastische Möglichkeiten für Männer, die den Willen und die nötigen Geldmittel haben, sie zu nutzen.»

Er beugte sich vor.

Nach all den entmutigenden Wendungen, die der Abend genommen hatte, fühlte sich Ashton zumindest ein bißchen durch den Anblick des attraktiven Fremden entschädigt, der mit ihrem Mann sprach. Wie jämmerlich James neben ihm aussah. War der Mann so wohlhabend, wie seine äußere Erscheinung andeutete? Und so männlich?

Sie eilte auf die beiden Männer zu. Nachdem er sie gestraft hatte, war James nun bereit, höflich zu sein.

«Meine Liebe, darf ich dir Mr. Lamar Powell aus Valdosta und den Bahamas vorstellen? Mr. Powell, meine Gattin Ashton.»

Mit dieser Vorstellung beging er einen der schlimmsten Fehler seines Lebens.

20

Charles band Ambrose Pells Braunen an die oberste Stange des Zauns. Leichter Regen fiel auf ihn, den Farmer mit der Glatze, und das enttäuschende Pferd, das zu sehen er zwölf Meilen geritten war. Die fernen Blue-Ridge-Berge verloren sich im Nebel, so trübe wie seine Stimmung.

«Ein Grauer?» fragte Charles. «Nur die Musiker reiten Graue.»

«Vermutlich hab ich ihn deswegen noch», erwiderte der Farmer. «Alle anderen hab' ich schnell verkauft – obwohl, wenn Sie's interessiert: Ich mach' nicht gern Geschäfte mit euch Buttermilchkavalleristen. Paar von denen sind erst letzte Woche hier durchgeritten, mit Papieren, auf denen stand, sie seien Männer von der Verpflegungsabteilung.»

«Wie viele Hühner haben sie Ihnen gestohlen?»

«Ah, Sie kennen die Jungs?»

«Nicht persönlich, aber ich weiß, wie einige von ihnen vorgehen.» Diese Diebstähle, offiziell «Fourage» genannt, trugen zu dem schlechten Ruf bei, den sich die Kavallerie bereits erworben hatte, ebenso wie der weitverbreitete Glaube, berittene Soldaten würden ihre Pferde lediglich dazu benützen, sich möglichst schnell vom Schlachtfeld zu entfernen.

«Das Pferd –»

«Preis hab' ich Ihnen bereits gesagt.»

«Der ist zu hoch. Aber ich zahle ihn, wenn der Graue was taugt.»

Was Charles bezweifelte. Der zweijährige Wallach war ein schlichtes, unauffälliges Tier; klein – ungefähr vierzehn Hand hoch – und bestimmt nicht mehr als tausend Pfund schwer. Er besaß die Schultern und die langen, abfallenden Fesseln eines guten Renners. Aber man begegnete selten einem grauen Sattelpferd. Was mochte mit diesem hier nicht stimmen?

«Sie lassen euch Jungs nicht reiten, wenn ihr nicht mit eigenen Pferden ankommt, so ist's doch, oder?» fragte der Farmer.

«Ja. Mir fehlt ein Pferd, seit zwei Wochen bin ich hinter einem Ersatz her. Gegenwärtig bin ich in Kompanie Q, wenn die Gerüchte stimmen.»

«Geben sie euch was zur Versorgung eurer eigenen Pferde?»

«Vierzig Cents pro Tag, Futter, Hufeisen und die Dienste eines Hufschmieds, wenn man einen finden kann, der nüchtern ist.» Es war eine dümmliche Regelung, zweifellos von irgendeinem Regierungsangestellten erfunden, der höchstens mal in Kindertagen auf einem Steckenpferd gesessen hatte. Je mehr Charles vom Armeeleben mitbekam, desto weniger konnte er entscheiden, ob die Konföderierten-Armee nun komisch oder tragisch war. Wahrscheinlich tragikomisch.

«Wie ist Ihr Pferd gestorben?»

Neugieriger alter Querkopf, was? «Drusenkrankheit.» Er hätte Dasher erschießen müssen, aber er hatte es nicht gekonnt. Er hatte sie sterben lassen und hinterher vor Kummer und Erleichterung geweint, ganz allein für sich.

«Hu», sagte der Farmer schaudernd. «Die Druse ist ein schlimmes Ende für ein gutes Tier.»

«Ich möchte lieber nicht drüber sprechen.» Charles mochte den Farmer nicht, und der Mann hatte eine Abneigung gegen ihn gefaßt. Er wollte das Geschäft hinter sich bringen. «Warum haben Sie den Grauen nicht verkauft? Zu teuer?»

«Nee, der andere Grund. Wie Sie sagen – nur die Jungs von der Musik wollen Graue.»

«Hören Sie, in der Ecke von Virginia stehen nicht mehr viel Pferde zum Verkauf. Also, was stimmt mit ihm nicht? Eingeritten ist er, oder?»

«Oh, klar doch, mein Cousin hat ihn einwandfrei eingeritten. Da hab' ich ihn her – von meinem Cousin. Ich will ehrlich zu Ihnen sein, Soldat –»

«Captain.»

Das gefiel dem Farmer nicht. «Er ist ein guter, schneller kleiner Kerl, aber er hat was an sich, was vielen nicht gefällt. Zwei andere Jungs haben ihn angesehen und fanden ihn ein bißchen simpel und, na ja, irgendwie unangenehm. Vielleicht ist das Floridablut.»

Augenblicklich wurde Charles aufmerksam. «Ist er zum Teil Chickasaw?»

«Gibt keinen Beweis dafür, aber mein Cousin behauptet es.»

Dann könnte der Graue eine Entdeckung sein. Die besten Carolina-

Rennpferde entstammten einer Kombination von englischem Vollblut und dem spanischen Pony aus Florida.

«Läßt er sich schwer reiten?»

«Einige waren der Meinung, jawohl, Sir.» Der Farmer bekam die Fragerei langsam satt. Charles mußte sich schnell entscheiden.

«Hat er einen Namen?»

«Cousin nannte ihn Sport. Wollen Sie ihn nun oder nicht?»

«Legen Sie ihm das Halfter an, und bringen Sie ihn rüber», erwiderte Charles und schnallte seine Sporen ab. Der Farmer ging auf die Weide, und Charles beobachtete, daß Sport seinen Besitzer zweimal zu beißen versuchte, während ihm dieser das Halfter anlegte. Aber dann folgte der Graue gehorsam, als ihn der Mann zum Zaun führte.

Charles ging zu Ambrose Pells Braunem und zog seine Schrotflinte aus dem Futteral. Schnell überprüfte er die Waffe. Aufgeschreckt sagte der Farmer: «Was zum Teufel haben Sie vor?»

«Ihn ein bißchen zu reiten.»

«Kein Sattel? Keine Decke? Wo haben Sie das gelernt?»

«Texas.» Der alte Mann hing ihm zum Hals raus, und Charles schenkte ihm ein bösartiges Grinsen. «Wenn ich beim Comanchen-Killen mal Pause machte.»

«Killen? Verstehe. In Ordnung. Aber die Schrotflinte –»

«Wenn er den Krach nicht verträgt, dann taugt er für mich nichts. Bringen Sie ihn dichter an den Zaun.»

Er bellte es wie einen Befehl; der Farmer wurde sofort weniger lästig. Charles kletterte auf den Zaun und glitt so sanft wie möglich auf den Wallach. Er wickelte das Seil um seine rechte Hand, spürte bereits den mutwilligen Widerstand des Grauen. Er richtete die Schrotflinte nach oben und feuerte beide Läufe ab. Der Graue bockte nicht, sondern raste los – schnurstracks auf den Zaun am anderen Ende der Weide zu.

Charles schluckte und spürte, wie ihm der Hut vom Kopf geweht wurde. Regentropfen klatschten ihm ins Gesicht. Der Zaun raste auf ihn zu. *Wenn er nicht springt, dann kann ich mir das Genick brechen.* Mit wehender Mähne über dem schönen, langen Bogen seines Nackens flog Sport in hohem, sauberem Sprung über den obersten Balken.

Charles lachte und gab Sport den Kopf frei. Und dann erlebte er mit dem Grauen einen der wildesten Galoppritte, die er je mitgemacht hatte. Über Stock und Stein, einen steilen Hügel hoch und hinunter in einen kalten Bach; was der Regen nicht geschafft hatte, erledigte das hoch aufspritzende Wasser. Charles hatte das Gefühl, daß nicht er den Grauen testete, sondern der Graue ihn.

127

Er lachte. Mit diesem unhandlichen kleinen Tier hatte er vielleicht gerade ein bemerkenswertes Kriegsroß entdeckt.

«Ich nehme ihn», sagte er, als er zum Zaun zurückkehrte. Er griff nach einem Bündel Banknoten. «Sie sagten hundert –»

«Während Sie noch mit ihm Ihren Spaß hatten, hab' ich beschlossen, ich kann ihn nicht für weniger als hundertfünfzig weggeben.»

«Als Preis nannten Sie hundert, und mehr kriegen Sie auch nicht.» Charles fingerte an der Schrotflinte herum. «Ich würde nicht feilschen – Sie kennen doch uns Buttermilchkavalleristen. Diebe und Killer.»

Das Geschäft wurde ohne weitere Verhandlungen abgeschlossen.

«Charlie, du hast dich übers Ohr hauen lassen», erklärte Ambrose, kaum daß Charles mit dem Grauen zurück ins Camp gekommen war. «Jeder Narr kann sehen, daß der Gaul nichts drauf hat.»

«Der erste Blick sagt nicht immer die Wahrheit, Ambrose.» Mit einer Hand fuhr er über Sports leicht gebogene Nase. Der Wallach stupfte ihn kräftig mit den Nüstern an. «Abgesehen davon glaub' ich, daß er mich mag.»

«Er hat die falsche Farbe. Jeder wird dich für einen verdammten Hornbläser halten anstatt für einen Gentleman.»

«Ich bin kein Gentleman. Mit sieben hab ich den Versuch aufgegeben, einer zu werden. Danke, daß du mir dein Pferd geliehen hast. Ich muß jetzt meins füttern und tränken.»

«Das kann auch mein Nigger für dich machen.»

«Toby ist dein Diener, nicht meiner. Außerdem hab' ich, seit ich auf der Akademie war, diese komische Einstellung, daß ein Kavallerist selber für sein Pferd sorgen sollte. Es ist sein zweites Ich, wie es so schön heißt.»

«Ich höre Mißbilligung heraus», murrte Ambrose. «Was soll falsch daran sein, einen Sklaven mit ins Camp zu bringen?»

«Nichts – bis der Kampf beginnt. Das nimmt dir keiner ab.»

Diese Bemerkung fand Ambrose überflüssig. Er schwieg einige Sekunden, ehe er murmelte: «Übrigens, Hampton will dich sehen.»

Charles runzelte die Stirn. «Weshalb?»

«Keine Ahnung. Der Colonel wollte sich mir nicht anvertrauen. Vielleicht bin ich ihm dafür nicht professionell genug. Zum Teufel, ich streit's ja gar nicht ab. Ich habe mich nur gemeldet, weil ich gern reite und die Yankees hasse. Und weil ich nicht will, daß man mir irgendwann nachts ein Bündel Petticoats vor die Türschwelle legt, damit jeder weiß, hier wohnt ein Drückeberger.» Er seufzte. «Denk dran, daß wir heute abend mit Old Princey-Prince speisen.»

«Danke, daß du mich daran erinnert hast. Ich hatte es vergessen.»

«Sag Hampton, er soll dich nicht zu lang aufhalten, weil Seine Hoheit Pünktlichkeit von uns erwartet.»

Charles lächelte, als er Sport wegführte. «Das ist richtig. In dieser Armee rangieren Dinnerparties vor der Pflicht. Ich werde auf keinen Fall vergessen, den Colonel darauf aufmerksam zu machen.»

Obwohl Camp Hampton das Biwak eines Eliteregiments war, hatte es doch unter den üblichen Mißständen zu leiden, wie Charles vierzig Minuten später auf seinem Weg ins Regimentshauptquartier bemerkte. Anstatt in den extra zu diesem Zweck ausgehobenen Gruben lag der Müll überall in der Gegend herum. Der Gestank war um so schlimmer, weil der Nachmittag windstill war.

Er sah zwei Soldaten, trunken vom billigsten Fusel, aus dem unvermeidlichen Zelt des unvermeidlichen Marketenders gestolpert kommen. Er sah drei grell gekleidete Ladies, die eindeutig keine Offiziersfrauen oder Wäscherinnen waren. Charles hatte seit Monaten mit keiner Frau mehr geschlafen, aber er war noch nicht soweit, daß er sich mit diesen Schönheiten eingelassen hätte; jetzt, wo im Lager soviel über Tripper gejammert wurde.

Er kam an zwei jungen Gentlemen vorbei, deren Gruß so kurz war, daß es fast schon an Beleidigung grenzte. Noch ehe Charles ebenfalls salutiert hatte, stritten die Männer bereits wieder über den Preis eines Ersatzmannes, wenn einem selbst eine Wache ungelegen kam. Fünfundzwanzig Cents pro Woche war der übliche Betrag.

Das nächste Ärgernis begegnete ihm, als er an einen großen Pavillon gelangte, dessen Seiten wegen der starken Hitze und der Feuchtigkeit nach dem Regen hochgeschlagen waren. Drinnen lagen jene, die der Krieg schon gefällt hatte, noch ehe ein Schuß gefallen war. Überall breiteten sich Krankheiten aus; schlechtes Wasser verursachte schlimme Magenkrämpfe; kleine Opiumklümpchen linderten die Schmerzen nur unwesentlich. Charles hatte die Ruhr in Texas überlebt, was ihn keineswegs davon abhielt, noch eine weitere Woche in Virginia darunter zu leiden. Nun gab es eine neue Epidemie in der Armee: die Masern.

Er wehrte sich gegen den Wunsch, daß endlich der Kampf losgehen möge, doch als er das Gelände des Hauptquartiers betrat, konnte er nicht leugnen, daß er das Lagerleben satt hatte. Vielleicht würde es gar nicht mehr lange dauern, bis sich sein Wunsch erfüllte. General Patterson hatte Joe Johnston und dessen Männer aus Harpers Ferry rausgeworfen, und das Gerücht ging um, daß McDowell demnächst mindestens dreißigtausend Mann zu der strategischen Eisenbahnkreuzung von Manassas Gap verlagern würde.

Barker, der Regimentsadjutant, hatte noch beim Colonel zu tun, und so mußte Charles warten. Plötzlich kratzte er sich. Mein Gott, er hatte sie, er hatte sie tatsächlich.

Gegen sechs kam der Captain heraus, und Charles meldete sich bei dem Colonel, den er ungemein bewunderte – Wade Hampton: ein Millionär, ein guter Führer und trotz seines Alters ein ausgezeichneter Kavallerist. «Rühren, Captain», sagte Hampton nach den Formalitäten. «Setzen Sie sich!»

Charles nahm den Hocker vor Hamptons ordentlichem Schreibtisch, dessen eine Ecke für ein kleines Samtkästchen mit geöffnetem Deckel reserviert war. In dem Kästchen stand ein kleiner Silberrahmen, der eine Miniatur von Hamptons zweiter Frau Mary enthielt.

Der Colonel stand auf und streckte sich. Er war eine imponierende Erscheinung, über eins achtzig groß, breitschultrig und offensichtlich mit gewaltigen Kräften ausgestattet. Obwohl ein blendender Reiter, hatte er nichts übrig für diese Art von Spielchen, wie sie bei der First Virginia an der Tagesordnung waren. Dort führte Beauty Stuart das Kommando, den Charles auf der Akademie kennengelernt und sympathisch gefunden hatte. Jeb besaß Schneid, Hampton eine kraftvolle Entschlossenheit. Keiner von ihnen bezweifelte den Mut des anderen, doch ihr persönlicher Stil war so unterschiedlich wie ihr Alter, und Charles hatte gehört, daß ihre wenigen Treffen in kühler Atmosphäre verlaufen waren.

«Bedaure, daß ich nicht anwesend war, als Sie nach mir schickten, Colonel. Captain Barker wußte Bescheid. Ich brauchte ein Pferd.»

«Haben Sie eins gefunden?»

«Zum Glück ja.»

«Sehr gut. Ich würde Sie ungern für längere Zeit bei der Kompanie Q missen.» Hampton zog ein Papier aus einem Stapel auf seinem Schreibtisch. «Ich wollte Sie wegen eines weiteren Verstoßes gegen die Disziplin sprechen. Heute hat sich einer Ihrer Männer ohne Erlaubnis von der Truppe entfernt. Beim Morgenappell war er anwesend, fehlte aber beim zweiten Appell eine halbe Stunde später. Durch puren Zufall wurde er zehn Meilen von hier aufgegriffen. Ein Offizier erkannte die Uniform, hielt ihn an und fragte ihn nach seinem Ziel. Der junge Idiot sagte die Wahrheit. Er erklärte, er sei unterwegs, um an einem Pferderennen teilzunehmen.»

Charles knirschte mit den Zähnen. «Womöglich mit einigen First-Virginia-Kavalleristen?»

«Genau.» Mit den Fingerknöcheln rieb Hampton seinen buschigen Backenbart, so dunkel wie sein gewelltes Haar; der Backenbart ging nahtlos in einen prächtigen Schnurrbart über. «Das Rennen soll morgen abgehalten werden, in Sichtweite der feindlichen Linien – vermutlich um die Würze der Gefahr hinzuzufügen.» Er gab sich keine Mühe, seine Verachtung zu verbergen. «Der Soldat wurde unter Aufsicht zurückgebracht. Als Sergeant Reynolds ihn fragte, weshalb er die Truppe verlassen hatte, erwiderte er», Hampton warf einen Blick auf das Papier, «‹ich wollte ein bißchen Spaß haben. Die First Virginia sind ein schneidiger Haufen mit guter Führerschaft. Sie wissen, die erste Pflicht eines Kavalleristen besteht darin, tapfer zu sterben.›» Kühle, graublaue Augen richteten sich auf Charles. «Ende des Zitats.»

«Ich ahne, von welchem Mann Sie sprechen, Sir.» Der gleiche Mann, der den Unions-Gefangenen hatte töten wollen, den sie vor einigen Wochen gemacht hatten. «Cramm?»

«Richtig. Kavallerist Custom Dawkins Cramm der Dritte. Ein junger Mann aus einer reichen und bedeutenden Familie.»

«Und außerdem, der Colonel möge mir verzeihen, ein aristokratischer Splitter im Arsch.»

«Wir haben reichlich davon. Tapfere Jungs, denke ich, aber als Soldaten ungeeignet. Bis jetzt.» Der Zusatz deutete seine Absicht an, das zu ändern. Der Handrücken seiner anderen Hand klatschte auf das Papier. «Diese närrische Dummheit! ‹Tapfer zu sterben›. Das mag Stuarts Stil sein, aber ich ziehe es vor, zu siegen und zu leben. Zurück zu Cramm – ich bin ermächtigt, ein spezielles Kriegsgericht einzuberufen. Er ist jedoch Ihr Mann. Sie verdienen das Recht, die Entscheidung zu treffen.»

«Berufen Sie», sagte Charles ohne Zögern. «Ich stelle mich zur Verfügung, wenn Sie erlauben.»

«Ich überlasse Ihnen den Vorsitz.»

«Wo ist Cramm jetzt, Sir?»

«In der Unterkunft. Er steht unter Arrest.»

«Ich denke, ich werde ihm die guten Nachrichten persönlich überbringen.»

«Tun Sie das bitte», sagte Hampton; seine Augen straften seinen emotionslosen Ton Lügen. «Dieser Mann ist mir zu häufig unangenehm aufgefallen. Ein Exempel muß statuiert werden. McDowell wird bald losschlagen, und wir können unsere Kräfte nicht konzentrieren und den Feind überwältigen, wenn jeder einzelne Soldat das tut, was er will und wann er es will.»

«Stimmt genau, Colonel.» Charles salutierte und begab sich auf kürzestem Weg zu Cramms Zelt. Ein Soldat stand davor Wache. Ganz in der Nähe polierte Cramms schwarzer Leibdiener, alt und krumm, die Messingbeschläge eines großen Koffers.

«Corporal», sagte Charles, «während der nächsten beiden Minuten hören und sehen Sie nichts!»

«Jawohl, Sir!»

Drinnen räkelte sich Kavallerist Custom Dawkins Cramm III. zwischen den vielen Büchern, die er mit ins Camp gebracht hatte. Er trug eine weitgeschnittene, weiße Seidenbluse – gegen die Vorschriften – und erhob sich nicht, als sein Vorgesetzter eintrat, sondern warf ihm lediglich einen verärgerten Blick zu.

«Stehen Sie auf!»

Cramm explodierte wie eine Bombe, schleuderte den teuren Band von Coleridge zu Boden. «Den Teufel werd' ich. Ich war ein Gentleman, bevor ich mich eurer verdammten Truppe anschloß, ich bin immer noch ein Gentleman, und ich will verflucht sein, wenn ich mich weiterhin von Ihnen wie irgendein Niggersklave behandeln lasse.»

Charles packte ihn bei der eleganten Bluse und zerriß sie, als er Cramm auf die Füße stellte. «Cramm, Colonel Hampton hat mir vor fünf Minuten den Vorsitz über ein Sonderkriegsgericht übertragen. Ich werde mein Bestes tun, Ihnen die Höchststrafe zu verpassen – einunddreißig Tage harte Arbeit. Sie werden jede Minute davon ableisten, außer wir ziehen vorher gegen die Yankees los; und die werden Ihnen den Schädel wegblasen, weil Sie zu dämlich sind, um Soldat zu sein. Aber wenigstens werden Sie tapfer sterben.»

Er stieß Cramm so hart zurück, daß der junge Mann gegen sein Bibliotheksschränkchen knallte und im Fallen die hintere Zeltstange umriß. Auf einem Knie, die Stange umklammernd, funkelte ihn Cramm an. «Wir hätten einen Gentleman zu unserem Captain wählen sollen. Beim nächsten Mal werden wir das nachholen.»

Mit rotem Gesicht marschierte Charles hinaus.

«Jetzt kommt's, Gentlemen. Herrliche heiße Austern, wunderbar zubereitet, genau das Richtige für Sie.»

Mit einer umwerfenden Höflichkeit, die fast schon an Spott grenzte, beugte sich Ambrose Pells Sklave Toby vor, um kleine Appetithäppchen auf einem Silbertablett anzubieten. Toby war geholt worden, um den angeheuerten Dienern des Gastgebers behilflich zu sein; er war ungefähr vierzig, und im Gegensatz zu seiner unterwürfigen Haltung schimmerte in seinen Augen eine Art verschlagene Abneigung. Zumindest hatte Charles diesen Eindruck.

Das große, gestreifte Zelt des Gastgebers war angefüllt mit Kerzenschein und Musik – Ambrose spielte irgendein Stück von Mozart auf der besseren seiner beiden Flöten. Er spielte gut. Charles, gebadet und in sauberer Kleidung, fühlte sich jetzt schon wesentlich wohler. Der Ärger mit Cramm hatte ihn in schlechte Laune versetzt, aber die Entdeckung eines Paketes von Mont Royal hatte sie wieder vertrieben. Die Inschrift des leichten Kavalleriesäbels berührte ihn. Die mit vergoldeten Beschlägen verzierte Scheide schlug nun leicht gegen sein linkes Bein. Obwohl der Säbel nicht so praktisch war wie das in Columbia hergestellte Exemplar von Hampton, schätzte Charles ihn doch viel höher ein.

Mit einer winzigen Silbergabel rückte er der Auster zu Leibe. Er aß ein Stückchen und spülte dann mit dem ausgezeichneten Whiskey ihres Gastgebers und neuen Freundes, Pierre Serbakovsky, nach. Er und Ambrose hatten den untersetzten, großstädtischen jungen Mann während einer Zechtour durch Richmonds bessere Saloons kennengelernt.

Serbakovsky besaß den Rang eines Captains, zog es aber vor, mit «Prinz» angeredet zu werden. Er gehörte zu einer Anzahl von europäischen Offizieren, die sich der Konföderation angeschlossen hatten. Der Prinz war Adjutant von Major Rob Wheat, Kommandant eines Zuavenregiments aus Louisiana mit dem Spitznamen «Die Tiger». Das Regiment bestand aus dem Abschaum der Straßen von New Orleans; es gab keine Einheit in Virginia, die berüchtigter für Raub und Gewalttätigkeit gewesen wäre.

«Ich glaube, das ist genug Whiskey», erklärte der Prinz Toby. «Frag Jules, ob der Mumm's kühl genug ist, und falls ja, serviere ihn auf der Stelle.»

Serbakovsky hatte gern das Kommando, doch seine Art war selbst für einen Sklaven zu hochmütig. Charles beobachtete, wie Toby zweimal schluckte und im Hinausgehen die Lippen zusammenpreßte.

Er trank mehr Whiskey, um seine Schuldgefühle zu unterdrücken. Er und Ambrose sollten nicht hier beim Abendessen sitzen, sondern ihren Unteroffizieren Unterricht erteilen, wie sie es fast jeden Abend taten, damit die Unteroffiziere diese Lektionen auf dem Exerzierplatz weitergeben konnten. Ach was, dachte er dann, zum Teufel mit den Schuldgefühlen für diesen einen Abend.

Abrupt riß Ambrose die Flöte von seinen Lippen und kratzte sich heftig unter dem rechten Arm. «Verdammt noch mal, ich habe sie schon wieder.» Sein Gesicht wurde so rot wie seine Locken. Er war ein heikler Mensch; das war demütigend.

Serbakovsky lehnte sich amüsiert in seinen Polsterstuhl zurück. «Erlaube mir ein Wort des Rates, *mon frère*», sagte er in stark akzentgefärbtem Englisch. «Bade. So häufig du kannst, egal wie übel die Seife, wie kalt der Fluß oder wie abstoßend das Gefühl ist, nackt vor seinen Untergebenen zu stehen.»

«Ich bade, Princey. Aber die verdammten Viecher kommen immer wieder.»

«In Wahrheit gehen sie erst gar nicht weg», sagte Charles, als Toby und der jüngere der beiden angeheuerten Diener, ein Belgier, mit einem Tablett eintraten, auf dem sich geriffelte Gläser, eine dunkle Flasche und ein Silbereimer mit gestoßenem Eis befanden, eine im Süden derart seltene Ware, daß sie gut und gern zehnmal soviel gekostet haben mochte wie der Champagner. «Sie stecken in deiner Uniform. Du mußt das Ungeziefer total loswerden.»

«Was denn, ich soll den Rock wegwerfen?»

«Und alles andere, was du trägst.»

«Und auf meine eigenen Kosten ersetzen? Verdammt will ich sein, wenn ich das tu, Charlie. Uniformen fallen unter die Zuständigkeit des Kommandanten und nicht der Gentlemen, die unter ihm dienen.»

Charles zuckte die Schultern. «Gib Geld aus oder kratz. Liegt bei dir.»

Der Prinz lachte, schnippte dann mit den Fingern. Der junge Belgier trat sofort vor, während Toby langsamer folgte. War Charles der einzige, der die Widerspenstigkeit des Sklaven bemerkte?

«Köstlich», sagte er nach seinem ersten Schluck Champagner. «Leben alle europäischen Offiziere so?»

«Nur wenn ihre Vorfahren Reichtümer angehäuft haben, mit Methoden, die man besser unerwähnt läßt.»

Charles mochte Serbakovsky, dessen Geschichte ihn faszinierte. Der Großvater des Prinzen väterlicherseits, ein Franzose, war als Oberst mit der Armee Bonapartes nach Rußland gezogen. Unterwegs begegnete er einer jungen russischen Aristokratin; politische Feindschaft wurde von physischer Anziehungskraft überwunden, und sie empfing ein Kind, das zur Welt kam, während der Oberst in dem grausamen Winterrückzug zugrunde ging.

Serbakovskys Großmutter hatte dem illegitimen Sohn ihren Nachnamen als Symbol für Familien- und Nationalstolz gegeben und nie geheiratet. Der junge Serbakovsky war seit seinem achtzehnten Geburtstag Soldat gewesen, zuerst im Lande seiner Mutter, dann in Übersee.

Vergeblich bemühte sich Ambrose, gleichzeitig zu trinken und sich zu kratzen. «Ich wünschte, wir würden endlich dieses verfluchte Camp verlassen und in den Kampf ziehen», sagte er.

«Wünsch dir nichts, wovon du keine Ahnung hast, mein guter Freund», sagte der Prinz, plötzlich ernst und düster; er war im Krimkrieg verwundet worden und hatte Charles von einigen der Greuel erzählt, die er dort erlebt hatte. «Es ist ohnehin ein müßiger Wunsch, glaube ich. Eure Konföderation – sie ist in der gleichen glücklichen Position wie mein Heimatland 1812.»

«Erklär das näher, Prinz», sagte Charles.

«Einfach genug. Das Land selbst wird den Krieg für euch gewinnen. Es ist von so gewaltiger Ausdehnung, daß der Feind bald verzweifeln und jeden Gedanken an eine Eroberung aufgeben wird. Wenige oder gar keine Kämpfe werden für einen Sieg nötig sein. Das ist meine professionelle Prophezeiung.»

«Hoffentlich ist sie falsch», sagte Charles. «Ich würde gern mal die Möglichkeit haben, das hier zu tragen, um die Kapitulation einiger Yankees entgegenzunehmen.» Er berührte die Säbelscheide. Die verschiedenen Drinks taten ihre Wirkung; sie ließen ihn vergessen, was Krieg wirklich war, und erzeugten ein angenehmes Gefühl der Unverwundbarkeit.

«Der Säbel ist ein Geschenk deines Cousins, sagtest du. Darf ich ihn mal betrachten?»

Charles zog den Säbel; die Reflexe der Kerzen liefen wie schnelle Blitze über die Klinge, als er Serbakovsky die Waffe reichte, der sie genau inspizierte. «Solingen. Sehr gut.» Er reichte die Waffe zurück. «Wunderschön. Ich würde ein wachsames Auge darauf haben. Bei diesen Louisiana-Ratten habe ich die Feststellung gemacht, daß die Soldaten in Amerika sich in nichts von den Soldaten überall in der Welt unterscheiden. Was immer gestohlen werden kann, das stehlen sie.»

In seinem Stadium der Trunkenheit schaffte es Charles, die Warnung sofort wieder zu vergessen. Auch das merkwürdige Geräusch aus dem Dunkel hinter dem Zelt nahm er kaum wahr; es konnte sich um einen Mann, vielleicht auch um mehrere Männer gehandelt haben.

21

Stanley entnahm dem auf dem schmutzigen Boden stehenden Koffer die Muster und stellte sie auf den Schreibtisch, der bis auf ein einziges Blatt Papier leer und sauber war. Die Fabrik produzierte nicht; sie war geschlossen. Ein Makler hatte die Hazards gleich nach ihrer Ankunft in der Stadt Lynn dorthin geschickt.

Der Mann hinter dem Schreibtisch war vorübergehend als eine Art Verwalter der Fabrik tätig. Er war ein kräftiger, derber Kerl, weißhaarig und ziemlich rundlich. Stanley schätzte ihn auf fünfundfünfzig. Mit einer Schnelligkeit, die verriet, daß er seinen untätigen Zustand haßte, nahm er mit je einer Hand ein Musterexemplar auf.

«Der Jefferson-Stil», sagte er und tippte mit einem freien Finger gegen den verhältnismäßig hohen Schaft des Schuhs. «Ausgegeben an die Kavallerie ebenso wie an die Infanterie.»

«Sie verstehen Ihr Geschäft, Mr. Pennyford», sagte Stanley mit kriecherischem Lächeln. Er traute Neuengländern nicht – Leute, die mit so komischem Akzent sprachen, konnten nicht normal sein –, aber er brauchte diesen Mann auf seiner Seite. «Ein Kontrakt für Stiefel dieser Art würde einen ausgedehnten, lukrativen Markt vorfinden. Könnten diese rostigen Maschinen da unten große Mengen dieses Stiefels produzieren? Und vor allem billig und schnell?»

«Schnell? Jaah – sobald ich einige Reparaturen habe machen lassen, die sich der jetzige Besitzer nicht leisten konnte. Billig?» Mit einem Finger schnippte er gegen eines der Muster. «Nichts könnte billiger als das hier sein. Zwei Ösen, Sohle und Oberteil nur angeheftet –» Ein Ruck seiner starken Hände trennte den rechten Schuh in zwei Hälften. «Eine Schande für alle Schuhmacher. Ich möchte nicht der arme Soldat sein, der sie bei Schlamm oder Schnee tragen muß. Wenn Washington bereit ist, solchen Schund an unsere tapferen Jungs auszugeben, dann pfui Teufel.»

«Verschonen Sie mich bitte mit Ihrer Moral», sagte Stanley und schien dabei zu schrumpfen. «Kann die Lashbrook-Schuhfabrik diese Art von Stiefel herstellen?»

Widerwillig: «Jaah.» Er beugte sich vor, und Stanley erschrak. «Aber wir können viel Besseres leisten. Da gibt's diesen Burschen Lyman Blake, dessen Erfindung der größte maschinelle Fortschritt ist, den ich je gesehen habe, und ich bin in der Branche, seit ich mit neun meine Lehre angefangen habe. Blakes Maschine näht Oberteil und Sohle zusammen, schnell – sauber – sicher. Ein anderer Mann wird bald die Maschine herstellen, Blake fehlte es an Kapital, und so hat er seine Erfindung verkauft, aber ich wette, daß seine Erfindung innerhalb eines Jahres diese Industrie und diesen Staat wieder zum Leben erweckt.»

«Nicht ganz, Mr. Pennyford», sagte Isabel vom Fenster her, mit einem Lächeln, das ihn an seinen Platz verweisen sollte. «Was den Wohlstand zurück nach Massachusetts und zur Schuhindustrie bringen wird, das sind ein langer Krieg und Kontrakte, die von Männern mit guten Beziehungen erreichbar sind, wie sie mein Gatte hat.»

Pennyfords Backen färbten sich dunkel wie reife Äpfel. Alarmiert sagte Stanley: «Mr. Pennyford versuchte lediglich, hilfreich zu sein, Isabel. Sie werden bleiben, nicht wahr, Dick? Und die Fabrik so weiterführen wie vor der Schließung?»

Pennyford schwieg eine ganze Weile. «Ich mache diese Art von Arbeit nicht gern, Mr. Hazard. Aber, offen gesagt, ich muß neun Kinder füttern, und in Lynn gibt es viele geschlossene Fabriken und wenige Jobs. Ich werde bleiben – unter einer Bedingung. Sie müssen mir erlauben, die Dinge so zu machen, wie ich es für richtig halte, ohne Einmischung, solange ich nur das vereinbarte Produkt in der vereinbarten Menge zum vereinbarten Zeitpunkt liefere.»

Stanley schlug auf den Schreibtisch. «Abgemacht!»

«Ich denke, der ganze Platz hier ist für ungefähr zweihunderttausend zu haben», fügte Pennyford hinzu. «Lashbrooks Witwe braucht verzweifelt Bargeld.»

«Wir werden die Repräsentanten dieses Besitzes sofort aufsuchen.»

Praktisch ohne jedes Gefeilsche wurde der Kauf gegen Mittag des nächsten Tages abgeschlossen. Mit einem euphorischen Gefühl half Stanley Isabel in den Zug Richtung Süden. Während er in dem überhitzten Speisewagen Schinken mit Ei genoß – Isabel beschimpfte ihn stets wegen seines plebejischen Eßgeschmacks –, konnte er seine Begeisterung nicht länger für sich behalten.

«In diesem Dick Pennyford haben wir einen Schatz gefunden. Wie wär's wenn wir nun einige dieser neuen Maschinen kaufen würden, von denen er gesprochen hat?»

«Wir sollten das sorgfältig abwägen.» Was bedeutete, daß sie das Wägen übernehmen würde. «Wir brauchen uns keine Sorgen darüber zu machen, daß unsere Schuhe haltbar sind, wir müssen lediglich genügend liefern, um Geld zu machen. Wenn die neuen Maschinen die Produktion beschleunigen – nun ja, dann vielleicht.»

«Wir werden Geld machen», rief Stanley, gerade als der Zug schwankend um eine Kurve fuhr. Der Sommersturm ließ den Regen gegen die Scheibe neben ihrem Tisch klatschen. «Ich bin da sehr zuversichtlich.» Er schaufelte Eier in den Mund und kaute heftig. Isabel blieb nachdenklich. Sie ließ ihren gekochten Fisch unberührt und saß da, die behandschuhten Hände unter dem Kinn, die Augen auf die vorbeiziehende, trostlose Landschaft gerichtet. «Wir dürfen nicht zu beschränkt planen, Stanley.»

«Wie meinst du das?»

«Bevor wir Washington verließen, habe ich faszinierende Gerüchte gehört. Gewisse Industrielle suchen angeblich nach Möglichkeiten, im Falle eines langen Krieges mit der Konföderation Handel zu treiben.»

Stanleys Gabel klirrte auf den Teller. Sein Unterkiefer fiel herunter. «Du willst doch nicht andeuten –»

«Stell dir ein Arrangement vor», fuhr sie mit leiser Stimme fort, «wo privat Militärschuhe gegen Baumwolle getauscht werden. Wie viele Schuhfabriken gibt es da unten im Süden? Sehr wenige oder gar keine, möchte ich wetten. Stell dir den Bedarf vor – und den Preis, den du hier oben beim Wiederverkauf für einen Ballen Baumwolle bekommen kannst. Denk an den gewaltigen Profit.»

Der Tisch drückte in Stanleys Bauch, als er sich vorbeugte und flüsterte: «Aber es wäre auch gefährlich, Isabel. Schlimmer als das, es wäre Verrat.»

«Es könnte auch eine Möglichkeit darstellen, nicht nur einen Profit, sondern ein Vermögen zu machen.» Sie tätschelte seine Hand wie eine Mutter dem etwas zurückgebliebenen Kind. «Tu es aber nicht vollkommen aus deinen Überlegungen streichen, mein Liebling.»

Das tat er nicht.

«Und iß deine Eier auf, bevor sie kalt werden.»

Das tat er.

22

Schwache Geräusche. Weit entfernt, dachte er in den ersten Sekunden, als er in die Dunkelheit hinein erwachte. Von der anderen Seite des Zeltes ertönte einer von Ambroses typischen Schnarchlauten.

Charles lag auf der rechten Seite. Seine Leinenunterwäsche war schweißgetränkt. Gerade als er Ambrose anstoßen und zum Schweigen bringen wollte, löste sich das Geräusch in identifizierbare Einzeltöne auf: Nachtinsekten und noch etwas anderes. Charles hielt den Atem an und rührte sich nicht.

Auch vom Feldbett aus konnte er den Zelteingang sehen. Offen. Ganz kurz tauchte eine Silhouette im Schein einer Wachlaterne auf. Er hörte den Eindringling atmen.

Er ist hinter dem Säbel her.

Dieser lag, in Wachstuch eingewickelt, oben auf dem kleinen Koffer am Fuße seines Bettes. *Hätte einen sicheren Platz suchen sollen.* Er unterdrückte das aufsteigende Furchtgefühl. Aus seiner Position war es schwer, plötzlich hochzuschnellen, aber es versuchte es. Als er auf die Füße kam, brüllte er los, in der Hoffnung, den Dieb zu verwirren und zu erschrecken.

Statt dessen weckte er Ambrose, der einen wilden Schrei ausstieß, als Charles sich auf den Schatten des Mannes stürzte, der gerade nach dem Säbel griff. «Gib her, verdammt noch mal.»

Der Dieb rammte Charles einen Ellbogen ins Gesicht. Blut spritzte aus seinem linken Nasenflügel. Er taumelte zurück, und der Dieb tauchte in der Straße der ordentlich aufgebauten Zelte unter, rannte dann nach links, weg von dem Zaunpfosten, wo die Laterne leuchtete; Charles, blutend und fluchend, hinter ihm her.

Ein bißchen was konnte er von dem Dieb erkennen. Er war schwer und trug weiße Gamaschen. Einer von Bob Wheats Tigern, bei Gott. Serbakovskys Warnung kam ihm in den Sinn. An dem Abend war er zu guter Stimmung gewesen, um die Warnung ernst zu nehmen.

Seine Arme und Beine pumpten. Blut lief über seine Oberlippe. Steine und Bodenunebenheiten schnitten schmerzhaft in seine nackten Füße, aber er kam näher. Der Dieb drehte sich um, sein Gesicht ein runder, verwaschener Fleck. Charles hörte Ambrose brüllen, gerade als er sich vorwarf und den Dieb an der Taille erwischte.

Der Mann fluchte; beide fielen sie zu Boden. Charles landete auf den Kniekehlen des Mannes. Der Dieb ließ den Säbel fallen, trat wild um sich und kämpfte sich unter Charles hervor. Ein Gamaschenstiefel stieß Charles' Kopf zurück. Der Tiger sprang auf.

Benommen packte Charles das linke Bein des Mannes und zog ihn wieder zu Boden – zusammen mit dem gewaltigen Bowiemesser, das der Mann aus der Gürtelscheide gerissen hatte. Charles warf den Kopf zur Seite, um dem Stich zu entgehen, der ihm die ganze Backe aufgerissen hätte.

Der Tiger stieß Charles zurück. Mit dem Schädel knallte er gegen einen Stein. «Wachunteroffizier! Wachunteroffizier!» bellte Ambrose. Charles konnte längst tot sein, bis Hilfe kam; er hatte einen Blick auf den Dieb werfen können, also wäre es für den Mann sicherer, ihn als Leiche zurückzulassen.

Zwei Knie bohrten sich in Charles' Brust. Der Dieb hatte ein rundes Gesicht, Knollennase, Schnurrbart. Er stank nach Zwiebeln und Dreck. «Verfluchter Carolina-Stutzer», grunzte er, das Bowiemesser mit beiden Händen umklammernd; langsam wurde die Spitze nach unten gedrückt, auf Charles' Kehle zu.

Verzweifelt stemmte sich Charles dagegen. Gott, war der Bastard stark! Er schob ein Knie in Charles' Leistengegend und verlagerte sein Gewicht. Von Schweiß und Schmerz geblendet, merkte Charles kaum, daß die Klinge sich seinem Kinn bis auf wenige Zentimeter genähert hatte.

Fünf Zentimeter.

Zwei –

«Jesus», stöhnte Charles; Tränen traten ihm in die Augen, weil das Knie seine Hoden quetschte. Noch eine Sekunde, und das Messer würde ihm die Kehle zerfetzen. Seine linke Hand bewegte sich. Die Messerspitze fuhr nach unten. Charles fand die Haare des Diebes und zerrte. Der Mann kreischte auf, sein Angriff geriet ins Wanken. Glitschige Finger ließen das Bowiemesser los. Im Fallen schrammte es leicht über Charles' linke Rippen. Als der Dieb aufzustehen versuchte, packte Charles das Messer und stieß es tief in dessen Oberschenkel.

Der Tiger schrie lauter. Er fiel nach hinten und landete in einem Gestrüpp, einige Yards hinter dem letzten Zelt; das Messer ragte aus seinen feinen, gestreiften Hosen.

«Alles in Ordnung, Captain Main?»

Im Aufstehen nickte Charles dem Unteroffizier zu, der als erster bei ihm angekommen war; andere Männer strömten herbei und umringten ihn. Der Dieb stöhnte und schlug um sich.

«Bringen Sie ihn zum Arzt, damit sein Bein versorgt wird. Und schauen Sie zu, daß er ans andere Bein eine Kette und eine Eisenkugel bekommt, damit er nicht verschwunden ist, wenn ihn das Kriegsgericht seines Regiments erwartet.»

Der Unteroffizier fragte: «Was hat er getan, Sir?»

Mit dem nackten Handgelenk wischte sich Charles das Blut von der Nase. «Hat versucht, meinen Paradesäbel zu stehlen.» Keine Ehre unter diesen Rekruten, dachte er bitter. Vielleicht bin ich ein Narr, daß ich auf einen Krieg nach Vorschriften hoffe.

Hellwach und aufgeregt wollte Ambrose über den Vorfall reden. Charles preßte sich einen Lumpen gegen die Nase, bis die Blutung aufhörte, dann bestand er darauf, daß sie schliefen. Er war erledigt.

23

Am 1. Juli, einem Montag, kam George in Washington an. Er trug sich in seinem Hotel ein und fuhr dann mit einer Mietkutsche in eine Gegend großer Häuser auf riesigen Grundstücken. Der Fahrer zeigte ihm die Residenz, die «der Kleine Riese» für so kurze Zeit bewohnt hatte. Stephen Douglas war im Juni gestorben; den Präsidenten, gegen den er im letzten Jahr noch als Gegenkandidat angetreten war, hatte er nach Kräften unterstützt.

Wohnraum war knapp in Washington. Stanley und Isabel hatten das Glück gehabt, von einer kränkelnden Witwe zu hören, die ihr Haus nicht länger halten konnte. Sie zog zu einer Verwandten, und Stanley unterschrieb einen Mietvertrag über ein Jahr. In einer Nachricht an George hatte er diese Information und die Adresse in so steifen Formulierungen mitgeteilt, daß George sicher war, daß Cameron aus Gründen der Harmonie innerhalb des Departments darauf bestanden hatte. Warum hatte der alte Bandit sich da eingemischt? dachte George irritiert. Die Nachricht hatte diese Reaktion erzwungen – er mußte einen Pflichtbesuch abstatten.

«Mächtig feines Plätzchen», rief der Kutscher, als sie vorfuhren. «Mächtig fein» war kaum die richtige Bezeichnung dafür. Stanleys Heim war ein Herrschaftshaus wie die anderen Häuser in der Nachbarschaft auch.

Ein Butler informierte ihn, daß sich Mr. und Mrs. Hazard in New England befänden. Der Diener wirkte verschlagen und herablassend. Vielleicht gab ihm Isabel Anschauungsunterricht, dachte George wohlgelaunt.

Drinnen erspähte er ungeöffnete Packkisten. Offensichtlich waren sie gerade erst eingezogen. George ließ seine Karte zurück und sprang lächelnd in die Kutsche. Kein Grund für einen zweiten Besuch; nicht bei dieser Reise.

Er aß allein im Speisesaal des Hotels. In seinem Zimmer versuchte

George die neueste Ausgabe des *Scientific American* zu lesen, konnte sich aber nicht darauf konzentrieren. Die für nächsten Morgen geplanten Gespräche beschäftigten ihn und machten ihn nervös.

Gegen halb zehn erreichte er das fünfstöckige Winder-Gebäude gegenüber von President's Park. Der ursprüngliche Backsteinbau war durch einen Mörtelanstrich und einen Eisenbalkon im zweiten Stock belebt worden. Er ging an den diensttuenden Wachen vorbei, die die wichtigen Regierungsoffiziellen in ihrem Hauptquartier zu beschützen hatten; einer davon war General Scott. Beim Betreten des Gebäudes hatte man das Gefühl, als würde man an einem sonnigen Tag ins Meer tauchen. Auf der düsteren Eisentreppe bemerkte er, in welch schlechtem Zustand die Holzverarbeitung war und daß überall Farbe abblätterte.

George hielt einen Captain an und wurde durch eine weitere Tür in ein entsetzlich unordentliches Büro mit Steinfußboden gewiesen. An Reihen von Schreibtischen stellten Angestellte Papiere aus oder wühlten darin herum. Zwei Lieutenants stritten sich über das Tonmodell einer Kanone.

George und Wotherspoon hatten endlich den Fehler beim Gußprozeß entdeckt, und die Organisation der Bank lief reibungslos, also hatte er wegen seines Besuches ein reines Gewissen – obwohl ihn im Moment nur ein wilder Fluchtdrang beseelte.

Ein Bedeutsamkeit ausstrahlender Offizier mittleren Alters näherte sich. «Hazard?» George bejahte. «Der Artilleriechef ist noch nicht hier. Ich bin Captain Maynadier. Vielleicht setzen Sie sich und warten – dort, neben Colonel Ripleys Schreibtisch. Ich bedaure, keine Zeit zum Plaudern zu haben. Ich bin seit fünfzehn Jahren in diesem Department und habe es noch nie geschafft, meinen Papierkram aufzuarbeiten. Papier ist der Fluch Washingtons.»

Er trottete davon und begann einige Papierberge auf seinem Schreibtisch zu inspizieren. Irgend jemand hatte George erzählt, daß Maynadier ein Mann der Akademie war. Obwohl alle Absolventen von West Point Brüder, Freunde sein sollten, war George durchaus bereit, in diesem Fall eine Ausnahme zu machen.

Er nahm Platz. Nach zwanzig Minuten hörte er Geschrei im Vorraum.

«Colonel Ripley!»

«Wenn ich nur eine Sekunde –»

«Dürfte ich Ihnen das zeigen –»

«Hab' keine Zeit.»

Die gereizte Stimme kündigte einen gleichfalls gereizten Lieutenant-

Colonel an, einen scharfgesichtigen alten Burschen aus Connecticut, Akademiejahrgang '14. Der Chef des Waffenamtes trug seine offiziellen Bürden und die Last seiner sechsundsechzig Jahre mit offensichtlichem Mißvergnügen.

«Hazard, nicht wahr?» bellte er, als George sich erhob. «Für Sie hab' ich auch nicht viel Zeit. Wollen Sie den Job oder nicht? Bringt den Rang eines Captain, bis wir einen höheren Titularrang für Sie haben. All meine Offiziere brauchen Titularränge. Cameron will Sie hier haben, also nehm' ich an, die Sache ist abgeschlossen, wenn Sie ja sagen.»

Hut und Handschuhe wurden dabei auf den Schreibtisch geklatscht. Seit Ripleys Eintritt hatte sich ein betontes Schweigen – Furcht? – über den Raum gesenkt.

«Setzen Sie sich, setzen Sie sich», sagte der Colonel. «Die Hazard-Werke haben einen Kontrakt von diesem Department hier, nicht wahr?»

«Jawohl, Sir. Wir werden termingemäß liefern.»

«Gut. Das ist mehr, als man von den meisten unserer Lieferanten sagen kann. Nun, stellen Sie mir Fragen. Reden Sie. In einer halben Stunde haben wir im Park zu sein. Der Minister will Sie sehen, und da er mir vor zwei Monaten den Job hier gegeben hat, denke ich, wir werden hingehen.»

«Ich habe tatsächlich eine wichtige Frage, Colonel Ripley. Wie Sie wissen, bin ich von Beruf Eisenproduzent. Wie könnte ich mich da nützlich machen? Was hätte ich zu tun?»

«Beispielsweise Artilleriekontrakte überwachen. Sie leiten außerdem ein gewaltiges Werk, was vermutlich organisatorische Fähigkeiten voraussetzt. So was können wir brauchen. Schauen Sie sich den Saustall an, den ich geerbt habe», rief er mit weit ausholender Armbewegung. «Ich würde Ihre Anwesenheit begrüßen, Hazard – solange Sie mich nicht mit neumodischem Firlefanz belästigen. Hab' keine Zeit für solche Sachen. Erprobte Waffen sind die besten Waffen.»

Ein weiterer Stanley. Fest und unerschütterlich gegen jeden Wandel eingestellt. Das war ein eindeutig negativer Punkt. George begann zu verstehen, weshalb seine Kritiker den Colonel Ripley van Winkle nannten.

Sie diskutierten Bezahlung und Dienstantritt – Details, die er als zweitrangig betrachtete. Seine Stimmung war ebenso schlecht wie die von Ripley, als der Colonel eine Taschenuhr zu Rate zog und feststellte, daß sie sich für ihr Treffen mit Cameron verspäten würden.

Im Eiltempo durchbrachen sie die Barrikaden aus menschlichen

Leibern. Verschiedene Kontraktsuchende folgten Ripley die Treppen hinab, schrill wie Möwen, die ein Fischerboot jagen.

«Erfinder», schäumte Ripley, als sie die Avenue überquerten. «Sollte jeden von ihnen in die Irrenhäuser zurückverfrachten lassen, aus denen sie entsprungen sind.»

Eine weitere Erfindung, die den Colonel zweifellos in Wut versetzte, schwebte über den Bäumen des Präsidentenparks. Seile hielten den leeren Beobachtungskorb am Boden fest. George erkannte die *Enterprise*, den Ballon, den sämtliche Illustrierten letzten Monat abgebildet hatten. Hier an Ort und Stelle war er erst vor wenigen Tagen vorgeführt worden, und es hieß, Lincoln hätte sich für seinen potentiellen Einsatz als Luftaufklärer interessiert.

Ripley paradierte durch die den Ballon angaffende Menschenmenge in einer Haltung, die deutlich zum Ausdruck brachte, daß er Autorität verkörperte. Sie entdeckten Simon Cameron, der sich mit einem dreißigjährigen Mann in langem Leinenrock unterhielt. Noch ehe die Vorstellung beendet war, schüttelte der junge Mann Georges Hand.

«Dr. Thaddeus Sobieski Constantine Lowe, Sir. Eine Ehre, Sie kennenzulernen! Obwohl ich von New Hampshire komme, kenne ich ihren Namen und Ihr hohes Ansehen in der Welt der Industrie. Darf ich Ihnen meinen Plan für ein Spionagenetz aus der Luft beschreiben? Ich hoffe auf Unterstützung interessierter Bürger, damit der kommandierende General überredet werden kann –»

«General Scott wird dem Plan seine Aufmerksamkeit schenken», unterbrach Cameron. «Sie brauchen sich nicht um weitere Vorführungen dieser Art zu kümmern.» Hinter dem Lächeln des alten Politikers steckte die Andeutung, daß sie auf Regierungsgelände auch gar nicht zugelassen würden. «Wenn Sie mich entschuldigen, Doktor, ich habe mit unserem Besucher Geschäftliches zu besprechen.»

Und damit zog er George beiseite, als wären sie schon immer politische Partner und nicht Gegner gewesen. Ripley trabte hinter ihnen her.

«Haben Sie sich mit dem Colonel angenehm unterhalten, George?»

«Das hab' ich, Herr Minister.»

«Simon. Wir sind doch alte Freunde. Hören Sie – ich weiß, daß Sie und Stanley nicht immer gut miteinander auskommen. Aber jetzt ist Krieg; persönliche Dinge müssen da im Hintergrund bleiben. Ich denke niemals an die Vergangenheit. Wer damals zu Hause für mich gearbeitet und mich gewählt hat und wer nicht –» Nach dieser listigen Einführung begann Cameron zu predigen. «Ripley benötigt dringend einen Mann für die Artilleriebeschaffung. Jemand, der die Männer der Eisenindustrie versteht, der ihre Sprache spricht.»

Er sah George an und kniff die Augen gegen das grelle Julilicht zusammen. «Wenn wir diese Nation nicht auseinanderbrechen sehen wollen, dann müssen wir alle einen Teil der Last tragen, um sie zu erhalten.»

Halt mir keine Moralpredigten, du verdammter Gauner, dachte George. Gleichzeitig reagierte er merkwürdigerweise auf den Appell.

Ripley mischte sich ein, räusperte sich. «Nun, Hazard? Irgendeine Entschuldigung?»

«Sie waren mit ihren Informationen sehr entgegenkommend, Sir. Aber ich würde mir gern alles noch mal durch den Kopf gehen lassen.»

«Das ist nur fair», stimmte Cameron zu. «Ich freue mich, bald von Ihnen zu hören, George. Ich weiß, Ihre Entscheidung wird eine gute Nachricht sein.» Noch einmal klopfte er seinem Besucher auf die Schulter, dann eilte er davon.

In Wirklichkeit hatte sich George bereits entschieden. Er würde nach Washington kommen, aber mit einer ganzen Menge Vorbehalte als Gepäck. Er fühlte sich nicht edel, lediglich albern und, folgerichtig, ein bißchen deprimiert.

Dann mietete sich George ein Pferd und ritt hinüber zur anderen Seite des Potomac, den Anweisungen folgend, die Brett ihm gegeben hatte. Captain Farmers Kompanie konnte er nicht finden. Da seine Geschäfte es erforderten, daß er den Zug um 7 Uhr abends nahm, kehrte er widerstrebend um. Überall um die Befestigungen herum sah er Zelte und exerzierende Männer. Es erinnerte ihn an Mexiko, mit einem Unterschied: Die Soldaten, die da so ungeschickt marschierten, waren sehr jung.

24

Mehrere Tage später nahm Isabel den Tee in dem Herrschaftshaus in der I-Street ein, in einem Raum, den sie gleich bei der ersten Hausinspektion für sich beansprucht hatte. Ab vier Uhr durfte sie eine Stunde lang von niemandem gestört werden, während sie ihren Tee schlürfte und die Zeitungen las.

Es war ein tägliches Ritual, das sie in diesem Stadtlabyrinth für lebenswichtig hielt, wenn man Erfolg haben wollte. Schnell von Begriff, kannte Isabel bereits gewisse Grundsätze des Überlebens. Man war besser ausweichend als aufrichtig. Enthülle niemals deine wahre Meinung; die falsche Person könnte es hören. Auch eine gewisse Sensibilität für wechselnde Machtverhältnisse war bedeutsam. Stanley besaß ungefähr die Sensibilität eines Käselaibes.

Heute entdeckte sie die gedruckte Rede des Präsidenten vor dem Kongreß zum Unabhängigkeitstag. Hauptsächlich Wiederholungen der Kriegsursachen. Natürlich schob Lincoln die ganze Schuld auf den Süden und stellte erneut fest, daß die Konföderation keinen strategischen Grund besessen hatte, Fort Sumter einzunehmen.

Isabel haßte den affenähnlichen Mann aus dem Westen, am meisten aber verabscheute sie ihn, als sie las, daß er nach legalen Mitteln suchte, um diesen Konflikt kurz und entscheidend auszutragen.

Legal, wo er gerade Scott befohlen hatte, die Habeas-Korpus-Akte in gewissen Militärbezirken zwischen Washington und New York außer Kraft zu setzen? Die Erklärungen des Mannes waren reines Geschwätz. Er benahm sich bereits wie ein absoluter Herrscher.

Zwei Absätze der Rede erfreuten sie. Obwohl Lincoln auf einen kurzen Krieg hoffte, hatte er den Kongreß gebeten, ihm vierhunderttausend Mann zur Verfügung zu stellen. Isabel sah achthunderttausend Jefferson-Stiefel vor sich.

Weiterhin sprang der Präsident nicht sehr sanft mit den Militärakademien um:

Es verdient auch Beachtung, daß in dieser Stunde der Bewährung eine große Anzahl von Männern, die in der Armee und der Marine zu Offizieren auserwählt worden waren, ihren Abschied genommen und die Hand weggestoßen haben, die sie großgezogen hat.

Großartig. Wenn ihr selbstgefälliger Schwager erschien, dann konnte sie vielleicht aus der wachsenden Anti-West-Point-Stimmung Kapital schlagen. Als sie und Stanley aus New England zurückkehrten, hatte sie die Nachricht erwartet, daß George in die Stadt kommen würde. George blieb ein West-Point-Loyalist, aber viele einflußreiche Leute wollten diese Institution abgeschafft sehen. Die meisten, die dieses Ziel verfolgten, gehörten zu einer sich neu formierenden Clique: einer Allianz aus Senatoren, Kongreßabgeordneten und Kabinettsoffizieren vom extremen Abolitionistenflügel der Republikanischen Partei. Kate Chases Vater gehörte dazu, so hieß es, ebenso das alte Wrack aus Isabels Heimatstaat, der Kongreßabgeordnete Thad Stevens. Ihr war noch nicht klar, wie sie diese Information gegen George einsetzen würde, aber tun würde sie es auf jeden Fall. Sie wußte bereits gewisse Fakten über diese neue radikale Gruppe; zu den wichtigsten Fakten gehörte, daß der verschlagene Mr. Cameron hier nicht viel zählte. Die Radikalen liebäugelten mit einem aggressiven Krieg und harten Bedingungen, sobald er gewonnen war. Lincoln hatte andere Ansichten, was Krieg und Sklaverei anbelangte. Er wollte nicht alle Neger befreit haben, damit sie herumwüteten und vergewaltigten und den Weißen die Stellen wegnahmen. Isabel wollte das genausowenig. Das aber hinderte sie nicht daran, die Frauen der Radikalen zu hofieren, falls ihr das einen Vorteil einbrachte.

Beim Abendessen sprach sie über Lincolns Rede. «Er sagt genau das gleiche, was wir von verschiedenen Kongreßabgeordneten gehört haben. West Point hat auf Kosten der Öffentlichkeit Verräter ausgebildet und sollte geschlossen werden. Diese Stimmung ließe sich vielleicht gegen deinen Bruder einsetzen.»

Stanleys ungewöhnlich gute Laune machte sie wütend – er hatte nicht aufgehört zu grinsen, seit er heimgekommen war –, und seine stumpfsinnige Antwort reizte sie noch mehr. «Warum sollte ich George jetzt etwas antun?»

«Hast du all seine Beleidigungen vergessen? Und die seiner Frau?»

«Nein, natürlich nicht, aber –»

«Angenommen, er kommt her und fängt an, sich breitzumachen, wie es seine Art ist?»

«Na und? Das Waffenamt ist dem Kriegsministerium unterstellt. Ich besitze einen höheren Rang als er. Und ich stehe Simon nahe, vergiß das nicht.»

Hielt der Narr das vielleicht für einen sicheren Platz? Bevor sie ihn anfahren konnte, sprach er weiter: «Genug von George. Ich habe mit der heutigen Post zwei gute Nachrichten erhalten. Diese Anwälte, die wir in Lynn beauftragt haben – absolute Scharlatane, aber sie haben den richtigen Leuten Geld zugesteckt. Der Besitztransfer wird schnell und reibungslos über die Bühne gehen. Auch von Pennyford hab' ich gehört. Noch in diesem Monat hat er die Fabrik für den Betrieb mit Doppelschicht bereit – und die Hilfskräfte sind gar kein Problem. Für jede Stelle gibt es zwei oder drei Bewerber. Kinder können wir sogar noch billiger anheuern.»

«Wie wunderbar», sagte sie höhnisch. «Wir haben alles, was wir brauchen. Bis auf einen Kontrakt.»

Seine Hand schoß in die Tasche. «Auch den haben wir.»

Isabel war selten sprachlos, aber jetzt war sie es. Stanley reichte ihr das von einem Band zusammengehaltene Dokument, als hätte er es in der Schlacht erbeutet. «Wie – sehr schön.» Sie sagte es schwach, weil sie es nicht so meinte; er hatte den Kontrakt aus eigener Kraft erhalten. Verwandelte diese Stadt oder diese Stelle ihn in etwas, was er nie zuvor gewesen war? In einen richtigen Mann? Allein die bloße Möglichkeit war sehr verwirrend.

25

Serbakovsky war tot.

In der ersten Juliwoche legten ihn Offizierskameraden in einen schlichten Piniensarg. Zwei bärtige Männer in reichlich mit Tressen besetzten Uniformen erschienen mit einem Wagen und einem Zivilkutscher. Zwei Russen, die nur sehr gebrochen englisch sprachen, trugen einen Geleitbrief bei sich, von der Union ebenso unterzeichnet wie von der Konföderation. Die Leichtigkeit, mit der sie aufgrund einer Kurierbotschaft von Washington aus angereist waren, bestätigte, was Charles bereits häufiger gehört hatte: Die feindlichen Linien zu überwinden, egal in welcher Richtung, war keineswegs schwierig.

Der fröhliche Prinz, der dem Tod schon auf vielen Schlachtfeldern ins Auge geschaut hatte, war von einer Kinderkrankheit dahingerafft worden. Die Soldaten starben daran in epidemischen Ausmaßen. Die Opfer standen zu früh auf, glaubten, die Masern überwunden zu haben, und wurden dann von tödlichem Fieber befallen. Die Ärzte schienen hilflos.

Der Wagen quietschte in der heißen Dämmerung davon, und Ambrose und Charles gingen zum Marketender, um sich zu besaufen.

Wieder bei ihrem Zelt, erwartete sie eine unangenehme Überraschung. Toby war verschwunden, zusammen mit den besten Stiefeln seines Herrn und vielen persönlichen Habseligkeiten. Wütend marschierte Ambrose zum Hauptquartier, während Charles rein auf Verdacht zum nicht weit entfernten Lager der Tiger ritt. Und natürlich war auch das Pavillonzelt des Prinzen mitsamt dessen Dienern verschwunden.

«Ich wette mit dir um meinen Jahreslohn, daß Toby und dieses Pärchen zusammen abgehauen sind», sagte er später zu Ambrose.

«Eindeutig. Die Belgier können so tun, als wäre Toby ihr Nigger, und ihn über den Potomac geradewegs in Old Abes Schoß schmuggeln. Der Colonel hat mir Erlaubnis gegeben, das Camp zu verlassen und mein Eigentum zurückzuholen. Aber er sagte, ich brauchte auch deine Erlaubnis.» Sein Gesichtsausdruck deutete an, daß Charles ihm die besser nicht vorenthalten sollte.

Charles sank auf sein Bett und knöpfte sein Hemd auf. Der Tod, die Diebstähle, das Warten – all das deprimierte ihn. Er glaubte nicht, daß Toby gefunden werden konnte, er war sich nicht mal sicher, ob man überhaupt den Versuch unternehmen sollte, aber er brauchte Tapetenwechsel.

«Verdammt, wenn es irgendwie geht, komm' ich mit dir.»

«Bei Gott, Charlie, du bist ein echter weißer Mann.»

«Gleich morgen früh spreche ich mit dem Colonel», versprach er, voller Sehnsucht nach Schlaf und Vergessen.

«Ich habe nichts dagegen, daß Sie Pell helfen», sagte der Colonel am nächsten Morgen, «vorausgesetzt, Ihr anderer Offizier und Ihr Erster Sergeant kommen mit der Ausbildung zurecht.»

«Problemlos, Sir – obwohl ich ungern fehlen würde, wenn wir in den Kampf ziehen.»

«Ich weiß nicht, wann und ob wir kämpfen werden», erwiderte Hampton ungewöhnlich zornig. «Niemand sagt mir irgendwas. Wenn Sie nach Norden reiten, dann sind Sie den Yankees näher als ich – vielleicht erleben Sie ein paar Aktionen. Lassen Sie sich von Captain Barker einen Paß ausstellen, und kommen Sie so schnell wie möglich zurück.»

Dunkle Ringe der Müdigkeit zeigten sich um Hamptons Augen. Tagsüber ein Regiment zu kommandieren und abends die Empfänge in Richmond zu besuchen forderte seinen Preis.

Er und Ambrose brachen um acht Uhr auf. Sport tänzelte durch den kühlen Morgen. Der Wallach war ausgeruht und gesund; dem Regiment stand Korn im Überfluß zur Verfügung, und in der Nähe des Lagers gab es reichlich Weiden.

Charles hatte sich nie für fähig gehalten, irgend jemanden oder irgend etwas tief und aufrichtig zu lieben, aber er empfand eine immer stärker werdende Zuneigung für den munteren kleinen Grauen. Er merkte es, als er für das Geld, das er normalerweise vertrank, Melasse kaufte, um sie in Sports Futter zu mischen; Melasse verlieh einem Pferd zusätzliche Energie. Er merkte es daran, daß er den Grauen eine Stunde lang mit dem weichsten Tuch abrieb, das er finden konnte;

fünfzehn Minuten wären ausreichend gewesen. Vor allem merkte er es, als ein achtloser Unteroffizier zur Fütterung Sport mit den braunen Stuten der Truppe zusammenbrachte. Ein Kampf brach aus, und Charles stürzte sich zwischen die schnaubenden Pferde, um den Grauen in Sicherheit zu bringen. Er erteilte dem Unteroffizier eine Lektion und machte ihm dann klar, daß zur Fütterung niemals Stuten und Wallache zusammenkommen dürften.

Heute wehte eine milde, sanfte Brise, die Luft war einfach zu herrlich, als daß irgendwo Krieg hätte sein können. Bei kleinen Farmen forschten sie nach den Flüchtlingen; es war leicht, der Spur zu folgen. Verschiedene Patrouillen wollten ihre Pässe sehen, und Charles bestand darauf, daß sie den Pferden häufig Wasser gaben; im Sommer brauchte ein Tier mindestens zwölf Gallonen täglich.

Und weiter ritten sie, die Blue-Ridge-Berge und den Sonnenuntergang zur Linken. Als Ambrose seine monotone Version von «Young Lochinvar» begann, stimmte Charles begeistert ein.

Am nächsten Morgen überschritten sie die Grenze zum Fairfax County, näherten sich Old Borys Basis bei Manassas Junction, einer kleinen Station ohne wirklichen Wert, aber von beträchtlicher strategischer Bedeutung; hier traf die vom Shenandoah kommende Manassas-Gap-Bahnlinie auf die Orange und Alexandria-Linie. Die Spur hatte sich einfach im Nichts verloren. Sie trafen niemanden, der zwei Weiße und einen Schwarzen entsprechend ihrer Beschreibung gesehen hatte. Hier oben in der Nähe von Linkumland gab es einfach zuviel winzige Sträßchen und Verstecke.

Gegen zwei sagte Charles: «Kein Sinn, weiterzureiten. Wir haben sie verloren.»

Ambrose seufzte. «Verdammt will ich sein, wenn ich es zugebe, aber ich glaube, du hast recht.» Er blinzelte in das grelle Licht. «Was hältst du von einem Halt bei dieser Farm an der Biegung? Meine Feldflasche ist leer.»

«In Ordnung, aber danach kehren wir um. Ich dachte, ich hätte vorhin eben auf diesem Kamm was Blaues aufblitzen sehen.» Er hatte keine Ahnung, wie nahe sie den Yankee-Linien waren. Zuverlässige Karten existierten nicht.

Sie ritten die letzte Viertelmeile auf das saubere, weiße Haus zu, mit dem grünen Wäldchen dahinter. Ordentliche Felder erstreckten sich nach Norden. Charles ließ Sport im Schritt gehen. «Halt scharf Ausschau, Ambrose. Da ist schon ein Besucher vor uns da.»

Er deutete mit dem Kopf zu Pferd und Buggy, die an einer Ulme angebunden waren. Als sie in den Hof einbogen und abstiegen, glaubte

Charles eine Bewegung des Fenstervorhangs wahrzunehmen. Sein Nacken begann zu jucken.

Er band Sport an und ging mit seiner Schrotflinte zur Veranda hoch; seine Sporen klingelten in der Stille des Sommers. Er klopfte. Wartete. Hörte drinnen Bewegung; gedämpfte Stimmen.

«Bleib auf der Seite, und halt deine Kanone bereit», flüsterte er. Ambrose glitt an die Wand, seine Schrotflinte schußbereit; Schweiß lief ihm übers Gesicht. Charles hämmerte gegen die Tür.

«Was zum Teufel soll das, solch einen Lärm zu machen?» sagte der ärmlich gekleidete Farmer, der schließlich öffnete. Er versperrte den Eingang, als wollte er verbergen, was immer sich im Schatten hinter ihm befand.

«Bitte um Entschuldigung, Sir», sagte Charles, sich beherrschend. «Captain Main, Wade Hampton Legion. First Lieutenant Pell und ich suchen einen flüchtenden Neger und zwei Weiße, Belgier, die möglicherweise auf ihrem Weg nach Washington hier durchgekommen sind.»

«Wie kommen Sie drauf? Die Straße führt nach Benning's Bridge, aber es gibt noch eine Menge andere ganz in der Nähe.»

Charles, nun noch mehr auf der Hut, sagte: «Ich begreife Ihre mangelnde Höflichkeit nicht, Sir. Auf welcher Seite stehen Sie?»

«Ihrer. Aber ich hab' zu tun.» Er trat zurück, um die Tür zu schließen.

Charles rammte seine Schulter dagegen. Der alte Mann taumelte zurück. Eine Frau stieß einen kleinen, spitzen Schrei aus, der überhaupt nicht zu ihrer Größe paßte. Eine ältere Person mit der Figur eines kleinen Walfisches verstopfte den Wohnzimmereingang, um Charles die Sicht zu verwehren, aber dafür war er zu groß.

Entsetzt sagte die Frau: «Wir sind entdeckt, Miz Barclay.»

«Wir hätten nicht versuchen sollen, ihn abzuwimmeln. Wenn er nicht gerade McDowell in Verkleidung ist, dann gehört er zu unseren Leuten.»

Die leisen, schnippischen Worte der zweiten Sprecherin verwirrten Charles für einen Moment. Sie klang, als käme sie aus Virginia, aber was er von der jungen Frau sehen konnte, wirkte eindeutig verdächtig. Ihr oberster Rock war hochgezogen, und darunter kam ein zweiter Rock zum Vorschein, krinolinversteift und in viele Taschen unterteilt, die sich alle leicht wölbten. Auf einem Stuhl sah er vier in Wachstuch gewickelte, verschnürte Päckchen. Auf einmal dämmerte es ihm, und er hätte beinahe aufgelacht. Er war noch nie einem Schmuggler begegnet, geschweige denn einem so attraktiven.

151

«Captain Charles Main, Ma'am. Von –»

«Der Wade Hampton Legion. Sie haben eine laute Stimme, Captain. Versuchen Sie uns die Yankees auf den Hals zu hetzen?»

Sie lächelte dabei, aber ohne Freundlichkeit. Er wußte nicht recht, was er von ihr halten sollte. Ihre Kleidung war nicht ärmlich, aber schlicht und von der Reise zerdrückt. Sie mochte ungefähr in seinem Alter sein, zehn Zentimeter kleiner, mit breiten Hüften, einem vollen Busen, blauen Augen und blonden Locken; eine junge Frau, die es fertigbrachte, gleichzeitig robust und verdammt hübsch auszusehen. Für wenige Sekunden fühlte er sich leichtherzig und beschwingt wie ein Junge. Dann erinnerte er sich an seine Pflichten.

«Ich stelle besser die Fragen, Ma'am. Darf ich Ihnen First Lieutenant Pell vorstellen?» Ambrose betrat das Wohnzimmer. Der alte Mann duckte sich neben seine Frau.

«Ich hab' gesehen, wie er sich im Flurspiegel bewundert hat. Ich hätte Sie für Jungs aus South Carolina gehalten, auch wenn Sie es nicht verkündet hätten.»

«Und wer sind Sie, wenn ich fragen darf?»

«Mrs. Augusta Barclay aus Spotsylvania County. Meine Farm liegt in der Nähe von Fredericksburg, falls Sie das was angeht.»

Er fing an: «Aber dies hier ist Fairfax –»

«Meine Güte. Ein Spezialist in Geographie, ebenso wie in schlechten Manieren.» Sie beugte sich vor, um weitere Pakete aus ihrem Unterrock zu zerren. «Ich kann keine Zeit mit Ihnen verschwenden, Captain. Ich fürchte, ein paar Reiter sind dicht hinter mir her. Yankees.» *Plop!* fiel das nächste Paket auf den Stuhl, und *plop!*

«Die Witwe Barclay war in Washington City», sagte die Frau des Farmers. «Ein geheimer Botengang der Wohltätigkeit für –»

«Psst, kein Wort mehr», unterbrach der alte Farmer.

«Oh, warum nicht?» fauchte die junge Frau und zerrte Päckchen heraus. «Wenn er weiß, was wir tun, dann hilft er uns vielleicht, anstatt hier wie eine prächtige Föhre herumzustehen, die darauf wartet, bewundert zu werden.»

Die blauen Augen schossen solch einen verächtlichen Blick auf Charles ab, daß er kein Wort mehr herausbrachte. An das alte Pärchen gewandt, fuhr die junge Witwe fort: «Es war ein Fehler von mir, das Rendezvous so nahe am Potomac zu arrangieren. Ich fürchtete schon, jemand wüßte Bescheid, als sie an der Brücke zehn Minuten lang meine Papiere untersuchten. Ein Sergeant bohrte mit seinen Blicken Löcher in meinen Rock – und so attraktiv bin ich auch nicht.»

«Ich möchte wissen, was in den Päckchen ist», sagte Charles.

«Chinin. In Washington massenhaft vorhanden, aber in Richmond knapp. Es wird verzweifelt benötigt werden, wenn erst mal die richtigen Kämpfe begonnen haben. Ich bin nicht die einzige Frau, die diese Arbeit verrichtet, Captain. Weit gefehlt.»

Langsam durchquerte Ambrose das Zimmer. Schönheit und Patriotismus der Witwe Barclay gefielen Charles, aber nicht ihre spitze Zunge. Sie erinnerte ihn an Billy Hazards Schwester Virgilia.

Er war ein bißchen rauh mit den beiden Alten umgesprungen. Zu der Frau sagte er: «Wenn Sie mögen, können Sie ihr natürlich helfen.» Die Frau kniete sich hinter Augusta Barclay und steckte ihren Kopf unter den oberen Rock der Witwe. Die Pakete tauchten nun doppelt so schnell auf.

An Charles gewandt, sagte die junge Frau mit dem gleichen Sarkasmus: «Wie großzügig von Ihnen. Ich meinte es ernst, als ich sagte, vielleicht werde ich verfolgt.»

«Ich will verdammt sein, wenn das nicht stimmt», rief Ambrose vom Nordfenster. Nervös winkte er Charles heran, der über seine Schulter spähte; hinter einem Hügel, ein oder zwei Meilen die Straße hinunter, stieg Staub auf.

«Müssen Yanks sein, wenn sie so schnell reiten.» Er ließ den Vorhang fallen. Zu den mit den Päckchen kämpfenden Frauen sagte er: «Ich bedaure meine scharfen Worte, Ladies.» Er hoffte, die Witwe Barclay verstand, daß dies an ihre Person gerichtet war; ein leichtes Neigen des Kopfes deutete ein Vielleicht an. «Ich möchte diese lobenswerte Arbeit nicht zunichte machen, aber sie ist hochgradig gefährdet, wenn wir uns nicht beeilen.»

«Nur noch ein paar», keuchte die dicke Frau. Päckchen flogen nach rechts und links.

Charles bedeutete dem Farmer, sie einzusammeln, und fragte: «Wo ist das sicherste Versteck dafür?»

«Dachstube.»

«Machen Sie das. Ambrose, geh raus, und fahr den Einspänner zwischen die Bäume. Schaffst du es nicht zurück, bevor die Reiter in Sichtweite kommen, dann bleib in Deckung. Sind Sie fertig, Mrs. Barclay?»

Sie glättete ihren obersten Rock. «Man braucht lediglich zwei Augen, um das zu beantworten, Captain.»

«Ersparen Sie mir Ihren Spott, und gehen Sie nach hinten in den Holzschuppen. Bleiben Sie drin, und geben Sie keine Silbe von sich. Falls das möglich ist.» Überraschenderweise lächelte sie über den Seitenhieb.

Der Farmer schwankte vollbeladen nach oben. Draußen quietschten Räder, als Ambrose den Einspänner fortfuhr. Augusta Barclay eilte hinaus.

Erneut rannte Charles zum Nordfenster. Er konnte nun die sich im Galopp nähernden Reiter deutlich erkennen. Ein halbes Dutzend Männer, alle dunkelblau gekleidet. Unter seiner grauen Jacke begann der Schweiß zu laufen.

Der Farmer kam wieder herunter. «Gibt es in der Küche Wasser?» fragte Charles die Frau.

«Ein Eimer und eine Schöpfkelle.»

«Füllen Sie die Schöpfkelle, und her damit. Dann verhaltet euch beide still.»

Augenblicke später schlenderte er hinaus auf die Veranda, Schrotflinte in der linken Armbeuge, Schöpfkelle in der rechten Hand. Die Reiter reagierten auf seinen Anblick, indem sie Säbel und Seitengewehre zogen. Der Lieutenant, der das Kommando führte, hielt die Hand hoch.

Der Moment, in dem Charles hätte erschossen werden können, ging so schnell vorüber, daß er es gar nicht richtig mitbekam. Er lehnte sich gegen einen der Verandapfosten; in seinen Ohren dröhnte das Hämmern seines Herzens.

26

Die Reiter drängten von der Straße heran; die leichte Brise wehte den aufgewirbelten Staub davon. Die Mündungen mehrerer Armeerevolver zeigten auf Charles' Brust.

In der Hitze rot wie ein Apfel, dirigierte der Lieutenant sein Pferd zur Veranda. Charles trank von der Schöpfkelle, ließ dann seine Hand fallen. Er preßte seinen rechten Ärmel gegen die Rippen, um ein Zittern zu verbergen. Er hatte den jungen Unionsoffizier zuvor schon gesehen.

«Guten Tag, Sir», sagte der Lieutenant. Seine Stimme kippte über, wurde hoch und schrill. Charles verkniff sich jedes Lachen oder Lächeln. Ein nervöser Mann – oder ein gedemütigter – reagiert oft unüberlegt.

«Guten Tag», erwiderte er mit freundlichem Nicken. Sein Blick wanderte von Gesicht zu Gesicht. Vier der Yanks waren kaum alt genug, um sich rasieren zu müssen. Zwei wichen seinem Blick aus; sie stellten keine Gefahr dar.

Charles wartete und zwang so den anderen zur Vorstellung. «Zweiter Lieutenant Prevo. Georgetown Berittene Dragoner, Department von Washington, zu Ihren Diensten.»

«Captain Main, Wade-Hampton-Legion. Ihr Diener.»

«Darf ich fragen, Sir, was ein Rebellenoffizier so nahe am Potomac zu suchen hat?»

«Ich lege keinen großen Wert auf die Bezeichnung Rebell, Sir, doch die Antwort auf Ihre Frage ist simpel. Mein Negersklave, den ich aus South Carolina mitgebracht hatte, ist mir vorgestern fortgelaufen – in Richtung der gesegneten Freiheit des Yankeeterritoriums, wie ich vermute. Ich bin gerade zu dem Schluß gelangt, daß ich ihn nicht mehr erwischen werde. Die Spur ist kalt geworden.»

Der Lieutenant deutete auf die beiden angebundenen Pferde. «Wie ich sehe, haben Sie sich nicht allein auf die Verfolgung gemacht.»

«Mein Erster Lieutenant ist drinnen und schläft.» Wo zum Teufel hatte er diesen grünen Jüngling schon mal getroffen?

«Sie sagen, Ihr Niggersklave ist weggerannt?»

«Diese Rebs genießen allen Luxus, was, Lieutenant?» sagte ein bissiger Corporal mit einer gewaltigen Dragonerpistole. Damit konnte er Charles in Stücke schießen. Ein übler Bursche. Er mußte ein Auge auf ihn haben.

Charles' Taktik bestand darin, den Corporal zu ignorieren, und so sagte er zu dem Offizier: «Ja, und ich bin verdammt ärgerlich deswegen.»

Der Corporal blieb hartnäckig. «Darum dreht sich doch der ganze Krieg, oder? Ihr Jungs wollt eure Schuhputzer nicht verlieren, oder diese Niggermädels, die Ihr jederzeit vögeln könnt.»

Der Lieutenant wollte den Unteroffizier zurechtweisen. Ehe er dazu kam, warf Charles die Schöpfkelle in den Dreck, «Lieutenant Prevo, lassen Sie Ihren Mann absteigen, dann werde ich ihm die Antwort auf seine Bemerkung geben, in einer Weise, die er versteht.» Er starrte den Corporal an, während seine Hand zum Säbelgriff fuhr. Es wäre dumm, wenn er sich in einen Kampf hineinmanövrieren würde, doch wenn sie Lunte rochen, abstiegen und überall herumschnüffelten, dann war Mrs. Barclay erledigt.

«Nicht notwendig, Sir», sagte Prevo. «Mein Corporal wird den Mund halten.» Der Unteroffizier starrte Charles murrend an.

Der Yank-Offizier entspannte sich etwas. «Ich gestehe, daß ich Ihren Gefühlen nicht verständnislos gegenüberstehe, Captain. Ich komme aus Maryland. Mein Bruder hat dort auf seiner Farm zwei Sklaven, die ebenfalls weggerannt sind. Als diese Einheit zusammengestellt wurde, weigerte sich ein Drittel der Jungs, den Eid abzulegen, und nahm den Abschied. Auch ich geriet in Versuchung. Da ich es nicht tat, habe ich meine Pflicht zu erfüllen.» Wieder wechselte seine Stimmung. «Aber ich kann mich des Gefühls nicht erwehren, daß wir uns schon mal begegnet sind.»

«Nicht in Maryland?» Plötzlich funkte es bei ihm. «West Point?»

«Bei Gott, das ist es. Sie waren –?»

«Jahrgang '57.»

«Ich fing kurz vor Ihrer Graduierung an.» Prevo machte eine Pause. «Mir hat es dort sehr gefallen. – Nun, das Geheimnis wäre geklärt. Wenn Sie uns nun entschuldigen, dann kümmern wir uns wieder um unsere Arbeit.»

«Sicher.»

«Wir verfolgen eine Schmugglerin. Wir glauben, sie hat Medizin aus dem Bezirk geschmuggelt und diesen Weg eingeschlagen. Entlang dieser Straße durchsuchen wir jede Farm.» Er machte sich daran, abzusteigen.

«Schmugglerin?» Charles hoffte, sein unterdrücktes Lachen klang überzeugend. «Sparen Sie sich die Mühe, Lieutenant. Ich bin seit einer Stunde hier, und ich gebe Ihnen mein Wort, daß keine solche Person im Haus ist.»

Prevo blieb im Sattel, zögerte. Die Mündungen der Gewehre blieben auf Charles gerichtet.

«Mein Wort als Offizier und Mann der Akademie», sagte Charles lässig und ungezwungen, was die sorgfältig eingeschränkte Wahrheit, wie er hoffte, überzeugend klingen ließ.

Sekunden vergingen. Prevo atmete tief durch. Es hatte nicht funktioniert. Was würden sie nun –?

«Captain Main, ich akzeptiere Ihr Wort und danke Ihnen für Ihre Kooperation, die Kooperation eines Gentleman. Wir haben noch viel vor uns, und Sie haben uns Zeit erspart.»

Er schob seinen Säbel in die Scheide, brüllte Befehle, und der Trupp donnerte zurück zur Straße und dann weiter nach Süden. Das enttäuschte Gesicht des Corporals tauchte im Staub unter. Charles hob die Schöpfkelle auf und lehnte sich gegen den Pfosten, vor Erleichterung ganz benommen.

27

Charles wartete zehn Minuten, für den Fall, daß die Soldaten zurückkehrten, dann rief er Augusta Barclay zu, sie könne aus ihrem Versteck kommen, und pfiff hinüber zum Wäldchen nach Ambrose. «Laß den Buggy dort. Diese Yankees könnten den gleichen Weg zurück nehmen.»

«Ich vermute, Ihre Beredsamkeit war sehr überzeugend, Captain», sagte Augusta, während sie Holzsplitter von ihrem Rock bürstete.

«Ich gab ihnen mein Wort, daß sich keine Schmugglerin im Haus befindet.» Er schätzte die Entfernung zwischen dem weißen Gebäude und dem Holzschuppen ab. «Einer direkten Lüge bin ich um ungefähr sieben Fuß entgangen.»

«Klug von Ihnen.»

«Dieses Kompliment verschönt mir den Tag, Ma'am.»

Er wollte nicht bissig klingen, aber es kam so heraus, als die Spannung der letzten halben Stunde in ihm nachließ. Er drehte sich um und beugte sich schnell über den Wassertrog, um sich das Gesicht zu waschen. Warum zum Teufel war es ihm nicht vollkommen egal, was sie sagte oder nicht sagte?

Eine Berührung an seiner Schulter. «Captain?»

«Ja?»

«Es steht Ihnen zu, ärgerlich zu sein. Ich habe mich zuvor mehrmals im Ton vergriffen. Sie waren tapfer und haben uns einen wertvollen Dienst erwiesen. Ich schulde Ihnen Dank und eine Entschuldigung.»

«Sie schulden mir weder das eine noch das andere, Mrs. Barclay. Es ist auch mein Krieg. Und jetzt würde ich vorschlagen, Sie gehen hinein und bleiben drinnen, bis es dunkel ist.» Sie reagierte mit einem leichten Nicken und hielt mit ihren blauen Augen seinen Blick fest. Tief in sich spürte er einen unvertrauten Widerhall, beunruhigend.

Gegen vier tränkte er Sport und Ambroses Braunen, als Lärm und Staub sich nähernde Reiter ankündigten. Prevos Trupp galoppierte Richtung Norden vorbei. Der Lieutenant winkte. Charles winkte zurück. Dann waren die blauen Reiter hinter dem Haus verschwunden.

Der Farmer und seine Frau luden die Kavalleristen zum Abendessen ein. Sie stimmten zu, um so bereitwilliger, als Augusta Barclay den Vorschlag unterstützte. Charles wusch sich, gerade als die Sonne versank und die Hitze des Tages nachließ. Eine erfrischende Brise wehte durchs Haus, als sie sich zu einem schlichten Mahl niedersetzten.

Der alte Farmer versuchte schüchtern, ein Gespräch in Gang zu bringen, und sagte zu Ambrose: «Ein schönes Pferd, das Sie da reiten.»

«Jawohl, Sir. Die Reitpferde aus South Carolina sind die besten der Welt.»

«Lassen Sie das keinen Virginier hören», meinte Augusta.

«Amen», sagte Charles. «Ich hab' langsam das Gefühl, gewisse Leute in diesem Teil des Landes glauben, Virginia hätte das Pferd erfunden.»

«Wir sind mächtig stolz auf Männer wie Turner Ashby und Colonel Stuart», sagte die Frau des Farmers und reichte die Bohnen herum. Es war ihre einzige Bemerkung während des Essens.

Ambrose ließ seine zweite Kartoffel verschwinden. «Da stimme ich mit Charlie überein. Die Leute aus Virginia bringen es leicht fertig, daß man sich wie ein Außenseiter vorkommt, da benötigen sie nicht mehr als ein Wort oder einen Blick dazu.»

Augusta lächelte. «Ich kenne den Typ. Aber wie der Dichter sagte, Lieutenant, Irren ist menschlich, Vergeben göttlich.»

«Sie mögen Shakespeare, nicht wahr?» fragte Charles.

«Das tue ich, aber ich habe eben Alexander Pope zitiert, den klassischen Satiriker. Er ist mein Lieblingsschriftsteller.»

«Oh.» Seine Dummheit bereuend, spießte Charles mit seiner Gabel schnell ein Stück Schinken auf. «Die beiden verwechsle ich immer. Ich fürchte, ich komme nicht dazu, viele Gedichte zu lesen.»

«Ich besitze fast alles, was Pope je geschrieben hat», sagte sie. «Er war unglaublich witzig und geistreich, aber in vieler Hinsicht auch sehr traurig. Er war nur knapp eins vierzig groß, mit einem deformierten Rückgrat. Er wußte über das Leben Bescheid, aber er konnte den Schmerz verdrängen, indem er sich darüber lustig machte.»

«Ich verstehe.» Die beiden gemurmelten Worte blieben in dem Schweigen hängen. Er kannte Pope nur dem Namen nach, aber nun glaubte er, die Frau besser zu kennen. Welcher Schmerz versteckte sich hinter ihrem Spott und ihren Sticheleien?

Der Farmer erkundigte sich bei Augusta, wann und wie das Chinin nach Richmond gebracht werden würde. «Morgen früh soll es von einem Mann geholt werden», erwiderte sie.

«Nun, im leerstehenden Zimmer ist Ihr Bett gemacht», rief die Frau aus der Küche. «Captain, bleiben Sie ebenfalls über Nacht hier? Ich kann Strohsäcke ins Wohnzimmer legen.»

Pflichtgefühl und persönliche Wünsche zogen ihn in verschiedene

Richtungen. Ambrose wartete einen Hinweis seines Vorgesetzten ab, aber da nichts kam, sagte er: «Gegen eine gute Nachtruhe hätte ich nichts einzuwenden. Vor allem, wenn Sie mir erlauben, dieses Melodium im Wohnzimmer auszuprobieren.»

«Aber natürlich», sagte der Farmer erfreut.

«Also gut», sagte Charles. «Wir bleiben.»

Augustas Lächeln blieb zurückhaltend. Aber es schien aufrichtig gemeint.

Die Farmersfrau brachte einen Steinkrug mit ausgezeichnetem Apfelschnaps. Charles trank davon, Augusta ebenfalls. Sie saßen sich auf Stühlen gegenüber, während Ambrose mit dem alten Instrument herumexperimentierte. Bald schon stimmte er eine lebhafte Melodie an.

«Sie spielen gut», sagte Augusta. «Ich mag diese Melodie, kenne sie aber nicht.»

«Sie heißt ‹Dixie's Land›.»

«Letzten Herbst, als Abe zur Wahl stand, haben sie es überall im Norden gespielt», ergänzte der Farmer. «Die Republikaner sind dazu marschiert.»

«Kann sein», stimmte Ambrose zu. «Aber die Yankees verlieren das Lied genauso schnell, wie sie den Krieg verlieren werden. In den Camps um Richmond singt und spielt das jeder.»

Die lebhafte Musik ging weiter. Augusta sagte: «Erzählen Sie mir ein bißchen was über sich, Captain Main.»

Er wählte seine Worte mit Bedacht, auf der Hut vor ihren lächelnden Sarkasmen. Er erwähnte West Point, faßte mit wenigen Sätzen seinen Dienst in Texas, seine Freundschaft mit Billy Hazard und seine Zweifel bezüglich der Sklaverei zusammen.

«Nun, ich habe auch nie an diese Institution geglaubt. Als mein Mann vor einem Jahr starb, da stellte ich Freibriefe für seine beiden Sklaven aus. Gott sei Dank blieben sie bei mir. Sonst wäre ich gezwungen gewesen, die Farm zu verkaufen.»

«Was bauen Sie an?»

«Hafer. Tabak. Ich erledige einen Teil der Feldarbeit; mein Mann hatte mir das stets verboten, weil es nicht weiblich sei.»

Wie blond und sanft sie im Schein der Lampe aussah. Nicht weiblich? Hatte sie einen Verrückten geheiratet?

«Ihr Mann war Farmer, nehme ich an?»

«Ja. Er hat sein ganzes Leben auf dem gleichen Besitz verbracht – wie sein Vater vor ihm. Er war ein anständiger Mann, freundlich mit mir, obwohl er Büchern, Poesie, Musik sehr mißtrauisch gegenüberstand.» Nach einer kurzen Pause fuhr sie fort: «Sieben Monate, nachdem seine Frau gestorben war, nahm ich seinen Antrag an. Er starb auf die gleiche Weise wie sie. Influenza. Er war dreiundzwanzig Jahre älter als ich.»

«Aber auch so müssen Sie ihn geliebt haben.»

«Ich mochte ihn; geliebt hab' ich ihn nicht.»

«Wie konnten Sie ihn dann heiraten?»

«Ah – ein weiterer Jünger des romantischen Sir Walter. Die Virginier beten ihn kaum weniger an als den Herrn und George Washington.» Schnell leerte sie ihr Glas. Das kämpferische Funkeln kehrte in ihre Augen zurück. *Er hatte ein deformiertes Rückgrat. Er konnte den Schmerz verdrängen, indem er sich darüber lustig machte.*

«Die Antwort auf Ihre Frage ist schlicht und unromantisch, Captain. Mein Vater und meine Mutter waren tot, und mein einziger Bruder ebenfalls. Ein Jagdunfall kostete ihn das Leben, als er sechzehn und ich zwölf war. Als Barclay mit seinem Antrag kam, dachte ich eine Stunde darüber nach und sagte dann ja.» Sie starrte in ihr leeres Glas. «Ich dachte, kein anderer würde je um meine Hand anhalten.»

«Wieso, natürlich würde jemand», sagte er sogleich. «Sie sind eine hübsche Frau.»

Sie sah ihn an. Wie Blitze funkelten die Gefühle zwischen ihnen auf.

Ihr kleiner Mund kräuselte sich, ein Lächeln der Verteidigung, dann erhob sie sich abrupt. Ihre großen Brüste spannten den Stoff ihres Kleides. «Das ist sehr galant von Ihnen, Captain. Ich weiß, daß ich nicht hübsch bin, aber ich habe es mir immer gewünscht. Und jetzt bin ich müde. Gute Nacht.»

Er stand auf. «Gute Nacht.» Als sie außer Sicht war, sagte er zu Ambrose: «Die tollste Frau, der ich je begegnet bin.»

Ambrose legte das Akkordeon beiseite und grinste. «Laß dich nicht hinreißen, Charlie. Der Colonel wünscht, daß du dich um die Geschäfte kümmerst.»

«Sei kein Idiot», sagte er, wie er hoffte, voller Überzeugung.

Charles schlief gut und erwachte bei Anbruch der Morgendämmerung, voll ungewohnter Energien. Seit Monaten hatte er sich nicht mehr so gut gefühlt. Augusta half der Farmersfrau in der Küche, Eier und Schinken zu braten. «Guten Morgen, Captain Main.» Ihr Lächeln schien herzlich und aufrichtig. Er antwortete ebenso.

Bald saßen sie alle beim Frühstück. Ambrose reichte Charles einen noch warmen Laib Brot, als sie einen Reiter im Hof hörten. In seiner Hast stieß Charles seinen Stuhl um. Augusta, die zu seiner Rechten saß, berührte sein Handgelenk.

«Ich nehme an, es ist der Mann aus Richmond. Kein Grund zur Besorgnis.»

Ihre Finger, schnell zurückgezogen, ließen ihn innerlich erbeben. Ich benehme mich wie ein verdammter Schuljunge, dachte er, als der Farmer den Besucher einließ. Augusta starrte mit geröteten Wangen auf ihren Teller, als könnte er jeden Moment wegfliegen.

Der Mann aus Richmond kannte ihren Namen, nannte aber seinen eigenen nicht. Er war ein schlanker Mann in braunem Anzug, der wie ein Angestellter in mittleren Jahren wirkte. Er nahm die Einladung des Farmers an und zog sich einen Stuhl an den Tisch. «Das Chinin ist also hier? In Sicherheit?»

«Im Dachgeschoß», sagte Augusta. «In Sicherheit dank der schnellen Reaktion von Captain Main und Lieutenant Pell.» Sie schilderte die gestrigen Ereignisse. Der Mann aus Richmond stattete seinen Dank ab und machte sich dann über sein Essen her. Er aß für sechs und sagte kein weiteres Wort mehr.

Charles und die Witwe unterhielten sich nun unverkrampfter als am Abend zuvor. Ihre Fragen in bezug auf Billy beantwortete er, indem er das Unglück der Hazards und Mains beschrieb, als sie sich plötzlich auf gegnerischen Seiten wiederfanden. «Unsere Familien stehen sich seit langem nahe.»

Ein sanftes Neigen ihres Kopfes. «Meine Familie ist ebenfalls durch den Krieg geteilt.»

«Ich dachte, Sie sagten, Sie hätten keine Familie mehr.»

«Keine in Spotsylvania County. Ich habe einen Onkel, den Bruder meiner Mutter, in der Armee der Union, Brigadier Jack Duncan. Er hat West Point besucht. Er graduierte 1840, wenn ich mich recht entsinne.»

«George Thomas war in dieser Klasse», rief Charles. «Ich diente unter ihm bei der Zweiten Kavallerie. Er ist ein Virginier –»

«Der auf Seiten der Union geblieben ist.»

«Das stimmt. Mal sehen, wer ist da noch? Bill Sherman. Ein guter Freund von Thomas namens Dick Ewell – er ist auf unserer Seite General. Er hat gerade den Befehl über eine der Brigaden bei Manassas Junction erhalten.»

Ambroses Hand schoß vor und schnappte dem Kurier aus Richmond die letzte Scheibe Schinken weg. Nachdem alle fertig waren, fuhr Ambrose den Einspänner von Augusta vor, während Charles ihren Reisekoffer auf die Veranda trug.

«Werden Sie so ganz allein den restlichen Weg sicher sein?» fragte er.

«In der Tasche, die sie gerade eingeladen haben, steckt eine Pistole. Ich reise nie ohne sie.»

Nur zu gern ergriff er die Chance, ihre Hand zu nehmen und ihr auf den Sitz zu helfen. «Nun, Captain, ich möchte noch einmal meine Dankbarkeit zum Ausdruck bringen. Wenn Ihre Pflichten Sie mal nach Fredericksburg führen, bitte besuchen Sie mich. Barclays Farm liegt nur wenige Meilen außerhalb der Stadt.» Ihr fiel etwas ein. «Die Einladung gilt natürlich auch für Sie, Lieutenant Pell.»

«Oh, gewiß – ich habe es auch so aufgefaßt», sagte er mit einem verschlagenen Seitenblick zu seinem Freund.

«Auf Wiedersehen, Captain Main.»

«Es kommt ein bißchen spät, aber sagen Sie bitte Charles zu mir.»

«Dann müssen Sie mich Augusta nennen.»

Er grinste. «Das ist ziemlich formell. In West Point hatten wir Spitznamen. Wie wär's mit Gus?»

Er hatte es einfach so dahingesagt. Sie richtete sich auf, als hätte man sie mit einem heißen Eisen berührt.

«Rein zufällig hat mein Bruder diesen Namen benutzt. Ich habe ihn verabscheut.»

«Warum denn? Er paßt zu Ihnen. Gus würde auf ihren eigenen Feldern arbeiten, was ich bei Augusta bezweifle.»

«Auf Wiedersehen, Captain.»

«Warten Sie», rief er, aber die Chance zur Entschuldigung verschwand so schnell wie ihr Buggy. Sie schoß aus dem Hof und bog nach Süden ab. Ambrose näherte sich mit gespielter Betrübnis.

«Charlie, diesmal bist du aber bis zum Hals ins Fettnäpfchen getreten. War ganz schön aufgebracht, die kleine Witwe. Natürlich halte ich ein Mädel auch nicht für sehr weiblich, das eine spitze Zunge hat oder Gus heißt, was das anbelangt.»

«Halt bloß die Klappe, Ambrose. Ich sehe sie ohnehin nie wieder, also was soll's? Zum Teufel mit ihr.»

Er sattelte Sport, grüßte die Farmersleute und galoppierte Richtung Süden davon. Ambrose mußte seinem Braunen die Sporen geben, bloß um ihn nicht aus den Augen zu verlieren.

Nach ungefähr fünf Meilen beruhigte sich Charles allmählich und verlangsamte sein Tempo. Trotz allem, er wünschte, er könnte sie wiedersehen, die Dinge in Ordnung bringen. Aber das stand außer Frage, nicht jetzt, wo eine Schlacht sich abzeichnete. Vielleicht ließ sich die ganze Angelegenheit mit einem einzigen, gewaltigen Schlag bereinigen (die Handlungsweise von Lieutenant Prevo hatte seinen Glauben an die Möglichkeit eines Krieges unter Gentlemen wieder hergestellt),

und dann konnte er die junge Witwe aufsuchen, an die er unseliger-
weise nur in Verbindung mit dem Namen Gus denken konnte.

28

Der 13. Juli fiel auf einen Samstag. Einen Tag blieb Constance noch,
um mit dem Packen für die Reise nach Washington fertig zu werden.

Mit offensichtlichem Widerstreben war George bereits Anfang der
Woche gefahren. Die Nacht vor seiner Abfahrt hatte er rast- und
ruhelos verbracht; schließlich war er aufgesprungen und zehn Minuten
weggeblieben. Mit mehreren Lorbeerzweigen von den Hügeln hinter
Belvedere war er zurückgekehrt. Er schob den Lorbeer in einen Koffer,
ohne jede Erklärung, aber Constance benötigte auch keine.

Brett würde den Haushalt leiten, Wotherspoon die Eisenwerke, und
Georges lokaler Anwalt, Jupiter Smith, würde die Organisation der
Bank vorantreiben. Alle drei hatten den Auftrag, in Notfällen sofort
zu telegraphieren, also konnte Constance beruhigt fortfahren.

Doch an diesem sonnigen Samstag war sie schlecht gelaunt. Es gab
zuviel zu packen, und ihre beiden besten Partykleider, die sie seit einem
Monat nicht mehr angehabt hatte, paßten nicht mehr. Sie hatte es
nicht bemerkt, aber in ihrer Zufriedenheit hatte sie trotz des Krieges
das Leben in letzter Zeit zu sehr genossen. George hatte kein Wort
darüber verloren. Doch die Beweise – das kleine Bäuchlein, die neue
Fülle ihrer Schenkel – sah sie im Spiegel deutlich vor sich.

Spätmorgens betrat Bridgit zögernd das mit Gepäck übersäte
Schlafzimmer. «Mrs. Hazard? Da ist», das normalerweise offene Mäd-
chen flüsterte und war merkwürdig blaß, «ein Besuch in der Küche, der
Sie sprechen will.»

«Um Himmels willen, Bridgit, belästige mich nicht mit irgendeinem
Händler, wenn ich so beschäftigt bin.»

«Ma'am, bitte. Es – es ist kein Händler.»

«Wer dann? Du benimmst dich, als hättest du Beelzebub persönlich
gesehen.»

Gedämpft: «Es ist Mr. Hazards Schwester.»

Nur der plötzliche Tod von George oder einem der Kinder hätte Constance härter treffen können. Während sie mit fliegendem rotem Haar die Treppe hinabstürzte, zerbrach ihre gewohnte Ruhe. Sie war verblüfft, verwirrt, empört. Es war nicht zu fassen, daß Virgilia Hazard es wagte, nach Belvedere zurückzukehren.

Virgilia war schon immer sehr auf ihre Unabhängigkeit bedacht gewesen. Sie hatte sich der Abolitionistenbewegung angeschlossen und war langsam auf den extremsten Flügel abgetrieben. Sie hatte sich in aller Öffentlichkeit mit Negern gezeigt, die nicht bloß Verbündete oder Freunde, sondern ihre Liebhaber gewesen waren.

Bei einem Besuch auf Mont Royal hatte sie die Gastfreundschaft der Main-Familie verraten, indem sie einem Sklaven zur Flucht verholfen hatte. Später hatte sie mit diesem Grady in Armut in den Slums von Philadelphia zusammengelebt. Sie hatte ihrem Mann geholfen, an dem Überfall auf Harpers Ferry teilzunehmen, unter dem Kommando des berüchtigten John Brown, dessen Ansichten genauso extrem und gewalttätig waren wie ihre eigenen.

Virgilia haßte alles, was aus dem Süden kam. Bei Orrys Besuch hatte sie den Pöbel nach Belvedere geholt, und nur George und ein Revolver hatten den Mob zurückhalten können. Noch in der gleichen Nacht hatte George seiner Schwester für immer das Haus verboten. Und jetzt war sie unglaublicherweise zurückgekommen. Sie verdiente –

Stop, dachte Constance, immer noch vor der geschlossenen Küchentür stehend. Kontrolle. Mitgefühl. *Versuch es.* Sie glättete ihre Haarsträhnen, atmete tief durch, betete lautlos, bekreuzigte sich dann und öffnete die Tür.

Virgilias Kleid war fast so schmutzig wie ihre Reisetasche. Der Schal um ihre Schultern war durchlöchert. Wie kannst du es wagen, dachte Constance und verlor vorübergehend wieder die Fassung.

Virgilia, siebenunddreißig Jahre alt, besaß ein viereckiges Gesicht, mit einigen wenigen, aus der Kindheit zurückgebliebenen Pockennarben. In der Vergangenheit stramm und kräftig, wirkte sie nun dünn, fast abgezehrt. Ihre Haut war gelblich, und ihre Augen lagen tief in den dunklen Höhlen. Sie roch nach Schweiß und anderen abscheulichen Dingen. Constance war froh, daß Brett mit der Köchin in Lehigh Station beim Einkaufen war. Sie hätte Virgilia möglicherweise in Stücke gerissen. Constance war ebenfalls danach zumute.

«Was tust du hier?»

«Darf ich auf George warten? Ich muß ihn sehen.»

Wie jämmerlich ihre Stimme klang. Die ständige Arroganz, an die sich Constance voller Abscheu erinnerte, war daraus verschwunden. Sie erkannte den Schmerz und die Wunden in Virgilias Augen. Freude züngelte in ihrem Inneren wie eine Flamme hoch, ehe Scham und ihr besseres Ich sie zum Verlöschen brachten.

«Dein Bruder ist nach Washington gegangen, um für die Regierung zu arbeiten.»

«Oh.» Für einen Moment schloß sie die Augen.

«Wieso bist du hier, Virgilia?»

«Darf ich mich auf den Hocker setzen? Ich fühle mich nicht sonderlich gut.»

«Ja, gut, setz dich», sagte Constance nach kurzem Zögern. Unwillkürlich ging sie zu dem großen Holzblock und legte ihre Hand auf das Hackmesser. Mit der Langsamkeit einer viel älteren Person sank Virgilia auf den Hocker. Mit Schrecken erkannte Constance, was sie berührte, und zog ihre Hand zurück. Draußen im Hof jubelte William auf und rannte zum Ziel, um drei Pfeile aus dem Zentrum der Zielscheibe zu ziehen.

Constance deutete auf die Reisetasche. «Hast du die im April mitgenommen? Nachdem du mein bestes Tafelsilber hineingetan hattest? Du hast der Familie in jeder nur denkbaren Weise Schande gemacht, und dann ist dir noch eine weitere Möglichkeit eingefallen. Du hast gestohlen.»

Virgilia faltete die Hände im Schoß. Wieviel Gewicht mochte sie verloren haben? Vierzig Pfund? Fünfzig? «Ich mußte leben», sagte sie.

«Das mag ein Grund sein, eine Rechtfertigung ist es nicht. Wo bist du seitdem gewesen?»

«An Orten, über die zu reden ich mich schäme.»

«Und doch erdreistest du dich, zurückzukommen.»

Glitzernde Tränen tauchten in Virgilias Augen auf. Unmöglich, dachte Constance. Bis auf ihren schwarzen Geliebten hatte sie nie um etwas geweint.

«Ich bin krank», flüsterte Virgilia. «Mir ist so heiß und schwindelig, daß ich mich kaum auf den Beinen halten kann. Den Weg von der Station den Hügel hoch dachte ich, ich werde ohnmächtig.» Sie schluckte, dann folgte die Erklärung für alles. «Ich weiß nicht, wo ich sonst hin könnte.»

«Wollen deine sauberen Abolitionistenfreunde dich nicht aufnehmen?»

Die hämische Bemerkung kam unbewußt, sofort gefolgt von noch mehr Scham. Virgilia war eine geschlagene Kreatur.

Nach langer Pause antwortete sie: «Nein. Nicht mehr.»

«Was willst du hier?»

«Ich will bleiben. Mich erholen. Ich wollte George bitten –»

«Ich sagte dir bereits, er hat einen Posten der Armee in Washington angenommen.»

«Dann bitte ich dich, wenn es das ist, was du willst, Constance.»

«Sei still!» Constance wirbelte herum und bedeckte die Augen. Sie war ernst, aber gefaßt, als sie sich nach einer Minute wieder zu Virgilia umdrehte. «Du kannst nur kurz bleiben.»

«Gut.»

«Höchstens ein paar Monate.»

«Ja. Ich danke dir.»

«Und George darf es nicht erfahren. Hat William dich gesehen, als du ankamst?»

«Ich glaube nicht. Ich war vorsichtig, und er war mit seinem Bogen beschäftigt.»

«Ich fahre morgen zu George und nehme die Kinder mit. Sie dürfen dich nicht sehen. Also wirst du in einem Zimmer der Dienerschaft bleiben, bis wir weg sind. Dann muß lediglich ich lügen.»

Virgilia schauderte; die Worte kamen schneidend scharf. Auch wenn sie sich Mühe gab, konnte Constance nicht alles unter Kontrolle halten. Sie fügte hinzu: «Wenn George dich hier entdecken sollte, würde er dich hinauswerfen.»

«Ja, ich glaube schon.»

«Brett wohnt auch hier. Während Billy in der Armee ist.»

«Ich erinnere mich. Ich bin froh, daß Billy kämpft. Und auch, daß George seinen Teil leistet. Der Süden muß vollkommen –»

Constance packte das Hackmesser und knallte die Flachseite auf den Block. «Virgilia, wenn du auch nur ein Wort von diesem ideologischen Müll von dir gibst, den du seit Jahren auf uns gekippt hast, dann werfe ich dich auf der Stelle eigenhändig raus. Andere mögen das moralische Recht haben, über Sklaverei und Sklavenbesitzer zu sprechen, aber du nicht. Du bist nicht die Richtige, um auch nur über ein einziges menschliches Wesen zu Gericht zu sitzen.»

«Tut mir leid. Ich habe gesprochen, ohne zu überlegen. Es tut mir leid. Ich werde nicht –»

«Das ist richtig, du wirst nicht. Ich werde Schwierigkeiten genug haben, Brett zu überreden, dich auf Belvedere bleiben zu lassen, während ich weg bin und sie das Haus führt. Aber wenn du meine Bedingungen in Frage stellst…»

«Nein, das tu ich nicht.»

Mit der Handfläche schlug sie auf den Block. «Du mußt jede einzelne akzeptieren.»

«Ja.»

«Oder du fliegst auf dem gleichen Weg raus, auf dem du reingekommen bist. Habe ich mich klar und verständlich ausgedrückt?»

«Ja. Ja.» Virgilia senkte den Kopf. «Ja.»

Wieder bedeckte Constance ihre Augen, immer noch verwirrt, immer noch zornig. Virgilias Schultern begannen zu beben. Sie weinte, zuerst fast lautlos, dann lauter. Es war eine Art Wimmern; wie ein Tier. Auch Constance fühlte sich benommen und schwindelig, als sie zur Hintertür eilte, um sich zu vergewissern, daß sie fest verschlossen war und ihr Sohn nichts hörte.

29

«Fordere ich euch beide auf, so wie ihr Zeugnis ablegen werdet am Tage des Jüngsten Gerichts –»

Die Stimme von Reverend Mr. Saxton, Pfarrer der Episkopalgemeinde, wurde plötzlich von anderen Stimmen übertönt. Orry, der in seinem besten und vor allem wärmsten Anzug neben Madeline stand, blickte schnell zu den offenen Fenstern hinüber.

Madeline trug ein schlichtes, aber elegantes Sommerkleid aus weißem Batist. Die Sklaven hatten einen Tag frei bekommen und waren eingeladen worden, der Zeremonie von der Piazza aus beizuwohnen. Ungefähr vierzig Neger und Negerinnen hatten sich im Sonnenschein versammelt. Das Hauspersonal, das sich als höhere Kaste betrachtete und auch dementsprechend behandelt werden wollte, war im Vorraum zugelassen, obwohl dort im Moment nur noch eine einzige Person saß: Clarissa.

«– wenn einer von euch einen Hindernisgrund weiß, warum ihr nicht rechtmäßig in den heiligen Bund der Ehe –»

Der Streit draußen wurde lauter. Jemand schrie.

«– dann leget jetzt Zeugnis ab. Denn seid versichert –»

Der Pfarrer zögerte, verlor den Faden, hustete zweimal, wobei er eine Duftfahne des Sherrys verbreitete, den er zuvor in Gesellschaft der nervösen Braut und des Bräutigams getrunken hatte. Kurz vor ihrer Ankunft hier hatte Orry noch scherzend zu Madeline gesagt, daß vielleicht Francis LaMotte auftauchen könnte, um Einspruch gegen ihre Eheschließung so kurz nach Justins Beerdigung einzulegen.

«Denn seid versichert –», fuhr der Reverend Mr. Saxton fort, als das Geschrei noch stärker wurde. Ein Mann begann zu fluchen. Orry erkannte die Stimme. Mit dunkelrotem Gesicht beugte er sich zu dem Pfarrer vor.

«Entschuldigen Sie mich einen Moment.»

Seine Mutter schenkte ihm ein strahlendes Lächeln, als er vorbeimarschierte, hinaus in den grellen Sonnenschein. Ein Halbkreis aus schwarzen Gesichtern umgab die Kämpfenden. Orry hörte Andy.

«Laß ihn in Ruhe, Cuffey. Er hat dir nichts getan –»

«Pfoten weg, Nigger. Er hat mich gestoßen.»

«Du hast gestoßen», erwiderte ein Sklave namens Percival schwach.

Unbemerkt von den Zuschauern hatte sich Orry genähert und brüllte: «Schluß jetzt!»

Die Menge wich zurück, und er sah Cuffey, zerlumpt und mürrisch, breitbeinig über Percivals Beinen stehend. Der zierliche Sklave war gegen ein Wagenrad gefallen oder gestoßen worden. Andy stand einen Meter hinter Cuffey. Er trug saubere Kleidung, wie alle anderen auch. Für Mont Royal war es ein besonderer Tag. Orry ging geradewegs auf Cuffey zu.

«Heute ist mein Hochzeitstag, und ich dulde keine Störungen. Was ist hier passiert?»

«Dieser Nigger hat Schuld», erklärte Percival und zeigte auf Cuffey. Andy half ihm noch. «Kam rein, da hatte der Prediger schon angefangen, und wir hörten alle zu. Er kam zu spät, aber er wollte besser sehen, da stieß und schob er mich.»

Cuffey saß in der Falle, was ihn noch wütender machte. Haß leuchtete in seinen Augen auf, bevor er den Blick abwandte. «Hab’ nich’ gestoßen. Hab’ mich nich’ gut gefühlt – so schwindelig. Bin bloß gestolpert, hab’ ihn umgestoßen. Hab’ mich nich’ gut gefühlt», wiederholte er lahm.

Über die spöttischen Zurufe der anderen hinweg sagte Percival: «Hat schon Gefühle, bloß gemein und bösartig, wie an jedem anderen Tag. Sonst ist alles in Ordnung mit ihm.» Wie es das Protokoll verlangte, blickte Orry seinen Vorarbeiter an.

«Percival hat recht», sagte Andy.

«Cuffey, schau mich an.» Als er es tat, fuhr Orry fort: «Doppelte Arbeit eine Woche lang. Die nächste Woche das Anderthalbfache. Sorg dafür, daß er es macht, Andy.»

«Werd’ ich, Mr. Orry.»

Cuffey kochte vor Wut, wagte aber nichts zu sagen. Orry wirbelte herum und stampfte zurück ins Haus.

Kurz darauf reichten er und Madeline sich die Hände, während der Pfarrer sagte: «Möget ihr in diesem Leben so zusammenleben, auf daß euch in der kommenden Welt das ewige Leben geschenkt werde. Amen.»

In ihrem Schlafzimmer griff Madeline durch die Dunkelheit nach ihm. «Meine Güte, man könnte glauben, der Bräutigam sei noch nie zuvor mit der Braut zusammengewesen.»

«Als Ehemann ist er das auch noch nicht», sagte Orry neben ihr; seine behaarten Beine berührten ihre weichen, glatten Schenkel. Die Spitzen ihrer Brüste waren so dunkel wie ihr Haar und ihre Augen; ihr restlicher Körper war wie aus Marmor.

Sie legte beide Arme um ihn und küßte ihn. «Oh Gott, ich liebe dich so.»

«Ich liebe Sie, Mrs. Main.»

«Es ist Wirklichkeit, nicht wahr? Ich hätte nie gedacht –» Sie lachte leise. «Mrs. Main. Wie großartig das klingt.»

Ein weiterer, glühender Kuß, seine Hand an ihrer Brust.

«Tut mir leid, was heute während der Trauung passiert ist. Ich sollte Cuffey verkaufen, damit er keinen Ärger macht, wenn ich in Richmond bin.»

«Dann wird Mr. Meek da sein. Er wird schon mit ihm fertig werden.»

«Ich weiß, aber –»

«Liebling, mach dir doch nicht solche Sorgen.» Sie berührte ihn mit ihrer Hüfte; ihr Mund murmelte dicht an seinem Gesicht: «Nicht heute nacht. Ein Ehemann hat gewisse Pflichten, weißt du.»

Hinterher, schon fast im Halbschlaf, riß sie ein wilder, rauher Ton draußen in der Nacht hoch.

«Guter Gott, was war das?»

Wieder ertönte der Schrei, rollte als Echo davon. Unten rief ein Hausmädchen eine ängstliche Frage. Der Schrei wiederholte sich nicht.

Madeline schauderte. «Klang wie irgendein wildes Tier.»

«Es ist Panthergebrüll. Das heißt, die Imitation davon. Gelegentlich machen das die Neger, um die Weißen zu erschrecken.»

«Hier gibt es niemanden, der sowas machen würde –»

Sie hielt inne und preßte sich, erneut schaudernd, gegen seinen Rükken.

30

Erregung erfüllte Washington an diesem Abend. Das Knirschen und Rumpeln von Wagen schallte durch die Stadt, der Klang donnernder Hufe, die gebrüllten Lieder der Regimenter, die zu den Virginia-Brükken marschierten. Es war Montag, der 15. Juli.

George hatte den Tag damit zugebracht, hundert persönliche Kleinigkeiten zu regeln, die zur Vorbereitung der Ankunft von Constance und den Kindern nötig schienen. Gegen halb zehn betrat er den Hauptspeisesaal bei Willard's. Sein Bruder winkte von einem ziemlich in der Mitte stehenden Tisch.

George kam sich steif und lächerlich vor in dem Aufzug, der für Generalstabsoffiziere vorgesehen war: Goldstreifen, zusätzliche Tressen, Messingadler, schwarze Kokarde. Er hatte den billigsten vorschriftsmäßigen Säbel gekauft, eine Blechwaffe, nur gut zu Dekorationszwecken. Das machte nichts, er würde ihn ohnehin so selten wie möglich tragen; genau wie den verdammten Hut.

Es schien merkwürdig, wieder in Uniform zu stecken. Und noch merkwürdiger, seinen eigenen Bruder in Kriegszeiten in einem Hotel zu begrüßen. George hatte eine Nachricht hinüber nach Alexandria geschickt, und sie war tatsächlich durchgekommen.

«Gott bewahre – welche Eleganz!» sagte Billy, als George sich setzte. «Und wie ich sehe, besitzen Sie einen höheren Rang als ich, Captain.»

«Kein Wort mehr davon, oder ich bringe dich zur Meldung», knurrte George gutgelaunt. «Nächsten Monat werde ich wahrscheinlich schon Major sein. Jeder im Ministerium soll um ein oder zwei Ränge befördert werden.»

«Wie gefällt's dir bis jetzt im Waffenamt?»

«Gar nicht.»

«Warum um alles in der Welt –?»

«Wir alle müssen gelegentlich Dinge tun, die uns nicht gefallen. Ich glaube, ich kann mich im Ministerium nützlich machen. Sonst wär' ich nicht dort.»

Sie gaben ihre Bestellung auf, und dann sagte Billy: «Vielleicht, George, bekommst du gar nicht erst die Chance, irgendwas im Ministerium zu tun. Ein schneller Schlag gegen Richmond, und alles könnte vorbei sein. McDowell marschiert heute nacht.»

George nickte: «Man müßte taub und blind sein, um das nicht zu merken. Ich bekam von Stanley eine Vorwarnung. Wir haben heute mittag zusammen gespeist.»

Billy schaute schuldbewußt drein. «Hätten wir ihn heute abend einladen sollen?»

«Ja, aber ich bin froh, daß wir es nicht getan haben. Davon abgesehen würde ihn Isabel wahrscheinlich gar nicht aus dem Haus lassen.»

George paffte an seiner Zigarre.

«Mit wie vielen Männern marschiert McDowell in Virginia ein?» fragte Billy.

«Ich hörte was von dreißigtausend.» Wieder paffte er. «Ich bin sicher, die genaue Zahl wird morgen in den Zeitungen stehen. Wir können Old Bory um Bestätigung anschreiben. Man sagte mir, er bekomme die Lokalzeitungen täglich per Kurier geliefert.»

Der Kellner brachte dampfende Schüsseln mit großen Austern in einer milchigen Brühe.

«Ich sag' dir was», fuhr George fort, während er seine Zigarre beiseite legte und zu löffeln begann. «Um den Krieg schneller zu beenden, würde ich sämtliche Schwarzen bewaffnen, die vom Süden hereinströmen.»

«Du würdest ehemalige Negersklaven bewaffnen?»

Billys Empörung überraschte George. Er zuckte die Schultern. «Warum nicht? Ich denke, sie würden härter kämpfen als mancher der weißen Gentlemen, die sich hier in der Stadt herumdrücken.»

«Aber sie sind keine Bürger. Der Fall Dred Scott hat das klargestellt.»

«Stimmt – wenn du diese Entscheidung für richtig hältst. Ich tue das nicht.» Er beugte sich über den Tisch. «Billy, Sezession war das Pulver, das hochging und diesen Krieg auslöste, aber die Zündschnur dazu war die Sklaverei. Sollte es den Schwarzen nicht erlaubt sein, für ihre eigene Sache zu kämpfen?»

«Vielleicht. Ich meine, du magst politisch recht haben, aber ich kenne die Armee. Es würde zu Gewalttaten kommen, wenn du Negertruppen einführst. Der Wechsel wäre zu drastisch.»

«Du meinst, weiße Soldaten hätten kein Vertrauen zu farbigen Soldaten?»

«Ja.»

«Du eingeschlossen?»

Seine Verlegenheit hinter leichtem Trotz verbergend, erwiderte Billy: «Ja. Es mag falsch sein, aber so empfinde ich eben.»

«Dann wechseln wir vielleicht besser das Thema.»

Die restliche Mahlzeit verlief erfreulich. Hinterher gingen sie hinaus auf die Avenue, um ein vorbeimarschierendes Regiment zu beobachten.

«Paß auf dich auf, Billy», sagte George ruhig. «Die große Schlacht kommt – vielleicht schon in der Woche.»

«Mir passiert schon nichts. Ich bin sowieso nicht sicher, ob unsere Einheit zusammen mit den anderen nach Richmond geschickt wird.»

«Wieso ist jedermann so sicher, daß wir Richmond erreichen? Die Leute benehmen sich, als würden die Rebs nur aus Narren und Stutzern bestehen. Ich kenne einige der Männer von West Point, die sich dem Süden angeschlossen haben. Die besten. Und was die Mannschaften anbelangt, die Südstaatenjungs sind an das rauhe Leben im Freien gewöhnt. Also unterschätze sie nicht. Und hör auf meinen Rat. Sei vorsichtig, um Bretts willen, wenn schon nicht aus einem anderen Grund.»

«Ich werde vorsichtig sein», versprach Billy.

George breitete die Arme aus. Sie umarmten sich, und Billy verschwand in der Dunkelheit, dem Glitzern der Bajonette und dem Dröhnen unsichtbarer Trommeln folgend.

Constance und die Kinder kamen gut an. Sie brachten haufenweise Gepäck mit und ein Eßpaket und Lesestoff von Brett für Billy.

Patricia war ganz aufgeregt beim Anblick der Stadt; der Gedanke, im Herbst hier die Schule zu besuchen, versetzte sie in beschwingte Stimmung. Ihr Bruder, um genau zehn Monate älter, teilte ihre Begeisterung, streckte ihr aber nichtsdestoweniger die Zunge heraus, was ihm einen Klaps von seiner Mutter einbrachte.

George meinte, im Herbst könnten sie vielleicht alle schon wieder zu Hause sein. Die kommende Schlacht würde jedenfalls einen Hinweis darauf geben. Die Mietpreise für Pferde und Wagen waren in den letzten Tagen in die Höhe geschossen; Hunderte von Leuten wollten nach Virginia fahren, um die aufregenden Ereignisse von einem sicheren Aussichtspunkt aus zu genießen. Obwohl George die wahre Natur des Krieges kannte, war auch er dieser Sucht erlegen; falls sie davon Gebrauch machen wollten, hatten sie eine Kutsche zur Verfügung.

«Wenn ich dir den Preis dafür sagen würde, Constance, dann hältst du mich vielleicht für verrückt.»

Am Mittwochabend kehrte George in die Hotel-Suite zurück, nachdem er stundenlang das Chaos in Ripleys Abteilung zu bewältigen versucht hatte. Mit grimmiger Miene reichte ihm Constance eine Visitenkarte.

«Das hat jemand abgegeben, als ich beim Einkaufen war. Ich dachte, wir hätten vielleicht das Glück, von Stanley und Isabel geschnitten zu werden.»

Voller Widerwillen las er auf der Rückseite der Karte in Isabels Handschrift die Einladung zum Dinner am nächsten Abend. «Gehen wir dies eine Mal hin, damit wir's hinter uns haben. Ansonsten laden sie uns weiterhin ein, und wir schieben das wie eine Verabredung beim Zahnarzt vor uns her.»

Constance seufzte. «Wenn du's ertragen kannst, dann kann ich's auch.»

George kratzte sich am Kinn. «Möchte mal wissen, womit sie diesmal angeben will?»

Mit einer ganzen Liste, wie sich herausstellte. Als Appetitanreger diente das gemietete Haus in der I-Street. Fünfzehn Minuten lang mußten sie es besichtigen. Isabel lenkte ihre Aufmerksamkeit auf die wertvolle Einrichtung und sagte mitfühlend: «Ich bedaure euch wirklich, so eng, wie ihr's im Willard habt. Wir hatten solch ein Glück, dem National zu entrinnen und dieses Haus hier zu bekommen, nicht wahr?»

«Oh, ja.» Constance befleißigte sich einer makellosen Höflichkeit. «Es war nett von dir, uns einzuladen, Isabel.»

«Vergangenes sollte vergangen bleiben – vor allem in Zeiten wie diesen.» Isabel warf den Brocken George zu, der ihn jedoch nicht schlucken mochte. Plötzlich fühlte er sich müde, künstlich und herausgeputzt – ein Spielzeugsoldat.

Beim Dinner kamen dann langsam die gewetzten Messer zum Vorschein. Stanley und Isabel ließen die Namen wichtiger Persönlichkeiten in ihr Gespräch einfließen, taten so, als wären sie mit allen sehr vertraut – Chase, Stevens, Welles, General McDowell und natürlich Cameron.

«Hast du seinen letzten Monatsbericht gesehen, George?»

«Ich bin nicht in der Position, den Bericht zu sehen. Ich lese darüber, Stanley.»

«Die Bemerkungen über die Akademie?»

«Ja.» Allein das zuzugeben erforderte Beherrschung.

«Was genau hat er denn gesagt, Lieber?» fragte Isabel.

George hörte eine Phantomtür zuknallen; er saß in ihrer Falle. «Nun, er sagte lediglich, daß die Rebellion nicht möglich gewesen wäre – zumindest nicht in diesem Ausmaß –, ohne den Verrat von Offizieren, die in West Point auf Kosten der Öffentlichkeit ausgebildet worden waren.»

Kosten der Öffentlichkeit. Verrat. «Geschwätz», sagte er, sich nach einem kräftigeren Ausdruck sehnend.

«Erlaube mir zu widersprechen, George», sagte Isabel. «Die gleiche Ansicht hab' ich von vielen Frauen von Kongreß- und Kabinettsmitgliedern gehört. Selbst der Präsident brachte es in seiner Botschaft am 4. Juli zum Ausdruck.»

Stanley täuschte eine bekümmerte Miene vor, schüttelte den Kopf. «Ich fürchte, deiner Schule stehen harte Zeiten bevor.»

Über die Terrine mit Schildkrötensuppe hinweg schoß George seiner Frau einen funkelnden Blick zu. Ihre Augen spiegelten seine Empfindungen, baten aber um Geduld.

Das nächste Messer wurde gezückt, als die Diener Platten mit gekochtem Fisch und Wildbret anboten. Lächelnd sagte Isabel: «Wir haben noch eine gute Nachricht. Erzähl ihnen von der Fabrik, Stanley.»

Stanley tat es, wie ein Schuljunge, der eine auswendig gelernte Lektion aufsagt.

George sagte: «Armeestiefel, ja? Ich nehme an, ihr habt bereits einen Kontrakt?»

«Das haben wir», sagte Isabel. «Profit ist jedoch nicht der Hauptgrund, weshalb wir Lashbrook's gekauft haben. Wir wollten unseren Teil zu den Kriegsanstrengungen leisten. Außerdem ist Stanley damit nicht mehr ausschließlich auf Hazard angewiesen, um den Hungerlohn, den das Kriegsministerium zahlt, aufzubessern. Er wird nun auf eigenen Füßen stehen.»

Mit größerer Wahrscheinlichkeit wird er in Boß Camerons Tasche stecken.

Isabel fuhr lächelnd fort: «Natürlich erwarten wir, daß Stanleys Gewinnanteil an Hazards weiterhin ausbezahlt wird.»

«Du brauchst keine Angst zu haben, daß dich irgend jemand betrügen will, Isabel.» Constance hörte das Grollen in der Stimme ihres Mannes und berührte sein Handgelenk.

«Wir dürfen nicht solange bleiben. Du sagtest, morgen wird ein anstrengender Tag.»

Falsche Höflichkeit legte sich wieder über die Tafel. Isabel war bester Stimmung, als hätte sie einen oder mehrere Trümpfe ausgespielt und gewonnen.

In der Mietkutsche, auf dem Rückweg zum Hotel, brach es aus George heraus: «Durch Stanleys Schuhkontrakt komme ich mir ebenfalls wie ein verdammter Profitgeier vor. Wir verkaufen Blech an die Navy und an das Kriegsministerium, für das ich arbeite.»

Constance tätschelte seine Hand. «Oh, ich glaube, da gibt es Unterschiede.»

Zweifelnd schüttelte George den Kopf. «Ich weiß nicht recht. Eines allerdings weiß ich mit Sicherheit. Unsere Kanonen sind ein ganzes Stück besser als Stanleys Schuhe.»

Constance lachte und umarmte ihn. «Das ist der Grund, weshalb sich Stanley möglicherweise in einen Profitgeier verwandelt, aber du wirst – immer und ewig – George Hazard bleiben.» Sie küßte ihn auf die Wange. «Wofür ich sehr dankbar bin.»

Im Hotel stellte sie mit Erleichterung fest, daß ihr Sohn sicher aus den Lagern drüben in Virginia zurückgekehrt war.

«McDowell ist auf dem Marsch», erzählte er ihnen voller Begeisterung. «Onkel Billy sagt, wahrscheinlich werden wir Samstag oder Sonntag gegen die Rebs kämpfen.»

Stanley hatte angekündigt, hinauszufahren, um das Spektakel anzusehen. Während sie sich auszogen, besprachen George und Constance die möglichen Risiken eines solchen Ausflugs. Sie wollte fahren und hatte, sein Einverständnis voraussetzend, einen Lunchkorb bei Gautier's bestellt.

«Also gut», sagte er. «Wir fahren.»

In dieser Nacht schrieb Billy in sein Journal:

Heute kam mein Neffe und Namensvetter aus der Stadt herüber. Ich holte die Erlaubnis des Captains ein und nahm ihn mit zum Fairfax Courthouse, um den Anmarsch zu beobachten. Es war ein großartiger Anblick, wehende Fahnen, funkelnde Bajonette, dröhnende Trommeln. Unsere Kompanie bleibt zurück, zusammen mit den Distrikt-Truppen, was mich enttäuscht. Gleichzeitig muß ich ein gewisses Maß an Erleichterung eingestehen. Auf Schusters Rappen – diesmal fanden wir keinen Versorgungswagen – kehrten wir zum Lager zurück und kamen an Captain F.'s Zelt vorbei. Capt. F. lud William ein, unserer Messe beizuwohnen, und behandelte ihn sehr herzlich, machte ihm wegen seiner intelligenten Fragen Komplimente. William blieb, bis die Wachfeuer in der Landschaft aufleuchteten, dann bestieg er sein Mietpferd und ritt nach Washington zurück, wo, wie ich hörte, ebenfalls große Aufregung herrscht. Während ich schreibe, kann ich immer noch in der Ferne die Armee hören – Wagen, Kavallerie, singende Freiwillige und all das. Obwohl ich noch nicht in der Schlacht war und sicherlich Angst hätte, wünsch' ich mir nun, wir wären auch dabei.

31

Brett vermißte Constance. Dieses Gefühl wurde noch dadurch verstärkt, daß eine andere Frau sie auf Belvedere ersetzt hatte. Eine Frau, die Brett verabscheute.

In den Tagen seit Constances Abfahrt hatte Brett mehrfach versucht, ihre Schwägerin in ein höfliches Gespräch zu verwickeln. Jedesmal reagierte Virgilia einsilbig. Sie benahm sich weder selbstgerecht noch verärgert, wie es vor dem Krieg stets der Fall gewesen war, hatte jedoch eine neue Methode gefunden, grob und unhöflich zu sein.

Trotzdem spürte die jüngere Frau die Verpflichtung, freundlich zu sein. Virgilia war nicht nur eine Verwandte; sie war eine verwundete Kreatur. Brett beschloß, eine neue Annäherung zu wagen.

Sie konnte sie nicht finden. Auf ihre Frage hin erwiderte eines der Hausmädchen mit offensichtlicher Abneigung: «Ich sah sie in den Turm gehen, mit der Zeitung, Mum.»

Brett kletterte die eiserne Wendeltreppe hoch, die George selbst entworfen und im Hazard-Werk hergestellt hatte. Sie trat auf den schmalen Balkon hinaus, der sich um den Turm zog. Unter ihr lagen die Lichter von Lehigh Station. «Virgilia?»

«Oh. Guten Abend.»

Sie wandte sich nicht um. Haarsträhnen flatterten in der Brise; im verblassenden Tageslicht hätte man sie für Medusa halten können. Brett sah, daß sie unterm Arm ein Exemplar vom *Lehigh Station Ledger* hatte, der sich nun aus patriotischen Gründen in *Ledger-Union* umgetauft hatte.

«Gibt es irgendwelche wichtigen Nachrichten?»

«Es heißt, in wenigen Tagen wird in Virginia eine Schlacht geschlagen.»

«Vielleicht wird uns das einen schnellen Frieden bringen.»

«Vielleicht.» Sie klang gleichgültig.

«Kommst Du zum Abendessen?»

«Ich glaube nicht.»

«Virgilia, erweise mir die Höflichkeit und schau mich an.»

Langsam gehorchte Billys Schwester; das Licht des Himmels fing sich in ihren Augen, und Brett glaubte etwas von der alten Virgilia aufblitzen zu sehen – märtyrerhaft, wütend. Dann wurden die Augen stumpf. Brett zwang sich zu einer Sanftmut, die sie nicht empfand.

«Man sieht dir an, daß du einige schreckliche Erfahrungen gemacht hast.»

«Ich liebte Grady», sagte Virgilia. «Jedermann haßt mich, weil er ein Farbiger war. Aber ich liebte ihn.»

«Ich kann verstehen, wie verloren du dir ohne ihn vorkommen mußt.» Es war eine Lüge; es ging über ihren Horizont, wie eine weiße Frau einen Neger lieben konnte.

Virgilia versank in Selbstmitleid. «Dies hier ist mein Zuhause, und niemand will mich.»

«Du irrst dich. Constance hat dich aufgenommen. Und ich würde dir auch gern helfen.»

Endlich, die alte Virgilia, ätzend: «Wie?»

«Nun –» Verzweifelt griff Brett nach einem Strohhalm. «Als erstes müssen wir mal was mit deinem Kleid tun. Das steht dir nicht. Um genau zu sein, es ist gräßlich.»

«Warum sollte ich mir die Mühe machen? Kein Mann wird mich ansehen wollen.»

«Niemand versucht dich vor den Altar oder zu Gesellschaftsempfängen zu schleppen», der leichte Ton brachte ihr einen weiteren harten Blick ein, «aber du fühlst dich vielleicht selbst besser, wenn du das Kleid ablegst, ein ausgiebiges Bad nimmst und dein Haar richtest. Warum soll ich dir nach dem Essen nicht bei deiner Frisur behilflich sein?»

«Weil es darauf nicht ankommt.»

Wie närrisch zu glauben, sie würde Hilfe annehmen, dachte Brett. Sie ist so verdammt undankbar wie –

Der Gedanke blieb unvollendet, als Brett die Frau betrachtete. Virgilias Haare wehten nach allen Richtungen, und ihre Schultern waren wieder runder geworden. Obwohl sie viel Gewicht verloren hatte, besaß sie immer noch einen vollen Busen. Aber er hing nach unten, wie bei einem alten Weib. Wieder fingen ihre Augen das Licht des schwindenden Tages ein. Schmerz. So viel Schmerz.

«Komm – versuchen wir's.» Wie eine Mutter ihr Kind nahm sie Virgilia am Handgelenk. Da sie keinen Widerstand spürte, zog sie sanft.

«Es ist mir egal», sagte Virgilia schulterzuckend. Aber sie ließ sich von der Jüngeren hineinbringen und die Eisentreppe hinabführen.

Nach dem Essen ließ Brett von zwei Mädchen heißes Wasser in einen Zuber füllen. Dann schob sie Virgilia, schlaff und widerstandslos, ins Badezimmer. «Wirf all deine Kleidung hinaus. Alles. Ich such' dir was Neues heraus.»

Sie saß in dem düsteren Schlafzimmer – Virgilia hatte sämtliche Vorhänge zugezogen – und ließ fünf Minuten verstreichen. Nach zehn Minuten war sie nicht mehr nur irritiert, sondern alarmiert. Hatte diese Irre sich umgebracht?

Sie preßte ein Ohr gegen die Tür. «Virgilia?»

Ihr Herz hämmerte. Endlich hörte sie Geräusche. Sie trat zurück, als sich die Tür öffnete. Eine Hand hielt einen Packen Kleidung heraus, den Brett am liebsten gar nicht angefaßt hätte. Mit ausgestreckten Armen trug sie ihn hinunter.

«Verbrennt das», sagte sie zu einem der Mädchen.

Oben legte sie ein Nachthemd aufs Bett und reichte einen Morgenrock durch die Badezimmertür. Sie drehte alle Gaslichter hoch, so daß es im Schlafzimmer hell war, als Virgilia schließlich fast scheu heraustrat, den Morgenrock fest um sich gewickelt. Haut und Haare waren feucht, aber sie war sauber.

«Du siehst großartig aus! Komm, setz dich her.»

Virgilia setzte sich auf den Stuhl, den Brett vor den großen, ovalen Spiegel gestellt hatte. Mit einem frischen Handtuch trocknete Brett Virgilias Haare – tatsächlich wie bei einem Kind – und begann dann mit einer Bürste hindurchzufahren. Sie bürstete und bürstete, während eine Uhr auf dem Kaminsims tickte. Virgilia blieb steif sitzen, starrte in den Spiegel, hatte Gott weiß welche Visionen.

Als sie mit dem Bürsten fertig war, teilte sie Virgilias Haar nach der gegenwärtigen Mode, dann wickelte sie eine Strähne um ihren Finger und drückte sie über Virgilias linkem Ohr fest. Die Prozedur wiederholte sie auf der anderen Seite. Sie hob den Rest an. Virgilia besaß wunderschöne, dichte Haarflechten. «Den Rest binden wir am Morgen mit einem Netz zusammen. Du wirst sehr modisch sein.»

Im Spiegel sah sie ihr eigenes lächelndes Gesicht über Virgilias leblosem Gesicht. Sie versuchte ihre Entmutigung zu verbergen.

«Auf dem Bett liegt ein Nachthemd. Gleich morgen früh fahren wir in die Stadt und kaufen dir neue Kleidung.»

«Ich hab' nichts anzuziehen.»

«Wir borgen uns ein Kleid für dich.»

«Ich habe überhaupt kein Geld.»

«Macht nichts. Ich hab' welches. Betrachte es als Geschenk.»

«Du brauchst nicht –»

«Doch, doch. Und jetzt sei still. Ich möchte, daß du dich besser fühlst. Du bist eine attraktive Frau.»

Das brachte schließlich ein Lächeln hervor – voll von verächtlichem Zweifel. Ärgerlich wandte sich Brett ab. «Schlaf gut. Bis morgen.»

Virgilia blieb regungslos sitzen, wie eine Gartenstatue. Brett kam zu dem Schluß, daß sie umsonst einen Abend geopfert hatte.

Noch lange nachdem sich die Tür geschlossen hatte, saß Virgilia mit im Schoß gefalteten Händen da. Nie hatte jemand das Wort *attraktiv* auf sie angewendet. Niemand hatte sie je als hübsch bezeichnet. Sie war weder das eine noch das andere, und sie wußte es. Und doch, wie sie so ihr vom Gaslicht erhelltes Bild anstarrte, sah sie eine neue, wunderbare Frau vor sich. Ein Klumpen formte sich in ihrer Kehle.

Als Brett sagte, sie wolle ihr helfen, da war Virgilias erste Reaktion Mißtrauen, dann nur noch erschöpfte Gleichgültigkeit gewesen. Nun, vor dem Spiegel, rührte sich etwas tief in ihr. Kein Glücksgefühl; dazu war sie selten fähig und jetzt schon gar nicht. Man hätte es Interesse nennen können. Neugier. Egal, was für einen Namen man dafür benutzte, es war eine kleine Knospe des Lebens, die unerwartet durch harten Boden brach.

Sie erhob sich, öffnete den Morgenrock, um sich zu betrachten.

Mit einem Korsett wären ihre Brüste gar nicht übel. Die schlimme Hungerszeit, die sie nach dem Verkauf des letzten Stücks von dem gestohlenen Tafelsilber hatte erdulden müssen, hatte sie schlank gemacht.

Sie ließ den Morgenrock fallen. Ganz plötzlich überwältigt machte sie einen kleinen Schritt nach vorn. Eine zitternde Hand kam hoch, streckte sich, berührte das wunderbare Spiegelbild. Ihre Augen füllten sich mit Tränen.

In dieser Nacht fand sie nur schwer Schlaf. Gegen Mitternacht zog sie die Vorhänge auf, damit das Morgenlicht sie wecken würde. Mit Nachthemd und Morgenrock bekleidet saß sie wartend im Speisezimmer, als Brett erschien.

32

Am Sonntagmorgen erwachte George um fünf. Er schlüpfte aus dem Bett – nicht unbedingt leise. Seine Aktivitäten weckten bald schon Constance und die Kinder. «Du bist aufgeregt wie ein Junge», sagte Constance, während sie sich in ihre Kleider kämpfte.

«Ich möchte die Schlacht sehen. Die halbe Stadt rechnet damit, daß es die erste und letzte dieses Krieges ist.»

«Du auch, Pa?» fragte sein Sohn, genauso aufgekratzt und aufgeregt wie sein Vater.

«Ich würde keine Prognose wagen.» Er schnallte sich den alten Armeewaffengurt um und überprüfte, ob der Colt, Modell 1847, sicher im Halfter steckte.

«William, hol meine Reiseflasche Whiskey, und paß auf sie auf. Patricia, hilf deiner Mutter mit dem Lunchkorb. Ich hole die Kutsche.»

Patricia zog ein Gesicht. «Ich möchte lieber bleiben und lesen und die Kühe auf der Promenade füttern.»

«Komm, komm», sagte Constance. «Dein Vater hat alle Vorbereitungen getroffen. Wir fahren.»

Und mit ihnen, wie es schien, der größte Teil der Bevölkerung von Washington. Selbst zu dieser frühen Stunde wartete eine lange Schlange von Reitern und Fahrzeugen am Stadtrand von Long Bridge, während die Wachen die Pässe kontrollierten. Endlich waren die Hazards ganz vorn angekommen. George zeigte seinen Paß vom Kriegsministerium. «Ganz schöner Verkehr heute morgen.»

«Und noch mehr vor Ihnen, Captain. Seit Stunden kommen sie schon durch.» Der Wachtposten salutierte und winkte ihre Kutsche weiter.

Sie überquerten den Fluß; George ging geschickt mit den beiden Gäulen um, die zu dem Mietwagen gehörten, der ihn unverschämte dreißig Dollar pro Tag kostete. Er hatte ohne zu protestieren bezahlt und konnte sich noch glücklich schätzen; auf der schlechten Straße waren noch viel schlimmere Vehikel unterwegs.

Der Weg war nicht gerade kurz; sie mußten ungefähr fünfundzwanzig Meilen Richtung Südwest zurücklegen, um die Armeen zu entdecken. Nach zwei bis drei Stunden Fahrt kamen sie an Maisfeldern, kleinen Farmen und baufälligen Hütten vorbei. Weiße und Schwarze beobachteten die Kavalkade gleichermaßen erstaunt.

McDowells Marsch hatte die Straße aufgerissen. Constance und die Kinder schwankten und hüpften; Patricia jammerte laut über die Unbequemlichkeit und den weiten Weg.

Ein Reiter galoppierte an der linken Seite der Kutsche vorbei. George erkannte einen Senator. Er hatte bereits drei bekannte Senatsangehörige gesehen. Sie waren immer noch einige Meilen von Fairfax entfernt, als William aufgeregt an Georges Ärmel zupfte. «Pa, hör doch!»

Inmitten all des Lärms hatte George das ferne Grollen überhört. «Das ist Artillerie.» Constance legte ihren Arm um Patricia. Georges Rückgrat kribbelte, und er erinnerte sich an Mexiko. Berstende Geschosse. Stürzende Männer. Die durchdringenden Schreie der Verwundeten; die verlorenen Schreie der Sterbenden. Er erinnerte sich an die Granate, die die Hütte an der Churubusco Road wegfegte – und den Arm seines Freundes Orry. Er schloß die Augen, um die Erinnerungen auszulöschen.

Weiter vorne schien es irgendwelche Schwierigkeiten zu geben, die Kolonne staute sich. Riesige Staubwolken wogten. «Guter Gott, was ist das?» sagte er, als Unionstruppen in Richtung Washington anmarschiert kamen und Fahrzeuge, einschließlich der Kutsche, an den Straßenrand drängten.

«Wer seid ihr?» brüllte George einem Corporal zu, der einen hochaufgetürmten Gepäckkarren fuhr.

«Fourth Pennsylvania.»

«Ist die Schlacht vorbei?»

«Keine Ahnung, aber wir gehen heim. Unsere Verpflichtungszeit ist gestern abgelaufen.»

Der Corporal fuhr weiter, gefolgt von Haufen von daherschlendernden Freiwilligen, die viel lachten und ihre Waffen wie Spielzeuge behandelten. In mehr als einer Mündung steckten Feldblumen.

Hinter Fairfax hielten die Picknicker aus Washington auf einen dünnen blauen Dunst zu, der über der noch Meilen entfernten Kammlinie dahintrieb. Das Donnern der Artillerie wurde lauter. Gegen Mittag begann George auch das Krachen von Gewehren zu hören.

Sie fuhren durch Centreville und den Warrenton Turnpike hinunter, bis sie auf viele andere Kutschen und Pferde trafen. Ein Armeekurier galoppierte vorbei und brüllte, sie sollten besser nicht weiterfahren.

«Ich kann nichts sehen, Pa», beschwerte sich William, als George die Pferde nach links zog, auf der Suche nach einem freien Plätzchen. Er sah so viele ausländische Uniformen und hörte so viele Fremdsprachen, daß es leicht für einen Diplomatenball gereicht hätte. Immer noch erkannte er viele Washingtoner, einschließlich Senator Trumball aus Illinois, der in großer Gesellschaft anwesend war.

Er seufzte auf, als er an einer bekannten Gruppe vorbeikam. «Guten Morgen, Stanley», rief er und fuhr weiter. Er war dankbar, daß auf keiner Seite von Stanleys Wagen Platz war.

«Ich kann immer noch nichts sehen», protestierte William.

«Das mag sein, aber näher gehen wir nicht heran», sagte George. «Hier ist ein Plätzchen.» Müde und erhitzt bog er am Ende der Fahrzeugreihe ein. Auf seiner Uhr war es zehn nach eins. Ihr Ausblick auf die Schlacht bestand aus einem Panorama ferner, dichter Rauchwolken.

«Sie schießen nicht mehr.» Constance klang erleichtert, als sie die Decke ausbreitete. Konnte es schon vorbei sein? George sagte, er versuche, einige Informationen einzuholen. Zu Fuß machte er sich auf den Weg.

Er erreichte die Straße und hielt Ausschau nach jemandem, der halbwegs vertrauenswürdig aussah. Nach ein paar Minuten kam ein leichter Zweiradwagen von der Brücke über den Cub Run den Hügel hochgerattert.

Der Wagen hielt an der gegenüberliegenden Straßenseite. Ein stattlicher, gutgekleideter Zivilist setzte seinen an einer Kette hängenden Kneifer auf. Unter dem Sitz holte er Schreibblock und Bleistift hervor. George überquerte die Straße.

«Sind Sie Reporter?»

«Das ist richtig, Sir.» Der korrekte britische Akzent verblüffte George. «Russell ist mein Name.» Er wartete auf eine Reaktion und fügte dann kühler hinzu: «Von der *Times* in London.»

«Ja, natürlich – ich habe Ihre Berichte gelesen. Sind Sie vorn gewesen?»

«Soweit es Vorsicht und Klugheit zugelassen haben.»

«Wie ist die Lage?»

«Läßt sich unmöglich mit Sicherheit feststellen, aber die Unionstruppen scheinen die Oberhand zu behalten. Ein Konföderiertengeneral hat sich in einem heißen Gefecht um ein Farmhaus nahe der Sudley Road ausgezeichnet. Ein Kavallerieposten der Union hat mir Einzelheiten mitgeteilt; der Bursche heißt –», er blätterte zwei Seiten zurück, «– Jackson.»

«Thomas Jackson? Stammt er aus Virginia?»

«Kann ich nicht sagen, alter Junge. Wirklich – ich muß weitermachen. Beide Seiten sammeln sich gerade. Bald wird es weitergehen, kein Zweifel.»

George war überzeugt davon, daß es sich bei dem Helden im Kampf um das Farmhaus um seinen alten Freund und Klassenkameraden von West Point handeln mußte; diesen seltsamen, besessenen Virginier, mit dem ihn gemeinsame Studienzeiten und viele Gespräche in sonnigen Cantinas nach dem Fall von Mexico City verbanden. Vor dem Krieg hatte Jackson an irgendeiner Militärschule gelehrt. Selbst damals auf der Akademie hatte es zwei eindeutige Meinungen über Tom Jackson gegeben: er sei brillant und er sei verrückt.

George marschierte zu seiner Familie zurück. Gegen zwei, während sie gerade aßen, begann eine Kanonade, die den Boden erbeben ließ und William begeisterte und Patricia entsetzte. Hunderte von Zuschauern spähten durch Ferngläser, aber bis auf gelegentliche blaue Schlierenwolken gab es wenig zu sehen. Eine Stunde verging. Noch eine. Das Bellen der Handfeuerwaffen hörte nie auf. Da selbst der beste Soldat einen Vorderlader nicht öfter als viermal pro Minute abfeuern konnte, wußte George, daß hier eine große Anzahl von Männern Salven abgaben.

Plötzlich brachen aus dem Dunst, der über der Straße hing, Pferde hervor; ein Wagen tauchte auf, gefolgt von zwei weiteren. Alle rasten auf die Cub Run Brücke zu – viel zu schnell. Bei jedem Rütteln hörten die Zuschauer unsichtbare Verwundete aufschreien.

Constance beugte sich zu ihm. «George, das alles ist irgendwie nichtswürdig. Müssen wir bleiben?»

«Auf keinen Fall. Wir haben genug gesehen.»

Das fand seine Bestätigung, als eine Wagenladung Offiziere mit Pferdeschweifen an den kunstvoll verzierten Helmen sich aus der Reihe löste und auf die Straße zuhielt. Ein Offizier schwankte trunken und fiel hinaus. Der Wagen stoppte. Als seine Kameraden ihm wieder hereinhalfen, kotzte er sie voll.

«Ja, das ist eindeutig nicht –»

Ein Aufruhr unterbrach George. Ein Soldat in blauer Uniform rannte die Straße hinunter, auf die Brücke zu. Dann noch einer. Dann mehr als ein Dutzend. George hörte den ersten Mann etwas Unverständliches brüllen. Die hinter ihm warfen ihre Mützen, Tornister – Allmächtiger –, sogar ihre Musketen weg.

Dann verstand George den Schrei des Jungen auf der Brücke.

«Wir sind geschlagen. Wir sind geschlagen!»

Georges Magen verkrampfte sich. «Constance, in die Kutsche. Kinder, ihr auch. Laßt das Essen liegen.» Etwas Schreckliches lag in der pulvergeschwängerten Luft. Er schob seinen Sohn und seine Tochter hinein. «Beeilt euch.»

Sein Ton alarmierte sie. Weiter unten schwangen sich zwei Reiter in den Sattel, aber ansonsten reagierte niemand besorgt. George manövrierte die Kutsche auf die Straße zu; er sah, daß jenseits von Cub Run immer mehr Soldaten aus den rauchigen Wäldern geströmt kamen. Ein Junge in Blau brüllte: «Black Horse Cavalry! Black Horse Cavalry direkt hinter uns!»

George hatte von dem gefürchteten Regiment aus Fauquier County gehört. Er schüttelte die Zügel, um die Stallgäule anzutreiben; Stanley und Isabel, an denen er gerade vorbeikam, schienen von seiner Hast verblüfft. «Ich würde mich ranhalten, wenn ihr nicht mittendrin erwischt –»

Das Jaulen einer Granate übertönte den Rest der Warnung. Sich den Hals verrenkend beobachtete George, wie eine weitere Ambulanz die Hängebrücke erreichte, kurz bevor die Granate explodierte. Die Pferde bäumten sich auf, der Wagen kippte um – die Brücke war blockiert.

Die Unionsfreiwilligen befanden sich auf der Flucht; die Brücke war unpassierbar; Ambulanzen und Versorgungswagen stauten sich in dem rauchigen Tal dahinter; und schnell wie Buschfeuer breitete sich Panik unter den Zuschauern aus.

Ein Zivilist sprang auf die Kutsche und versuchte die Zügel zu packen. Seine Fingernägel rissen Georges Handrücken blutig. George trat den Mann in die Leisten. Er fiel zu Boden.

«Black Horse, Black Horse!» schrien die rennenden Soldaten, von denen die Landstraße nun übersät war. Constance weinte leise und umklammerte die Kinder, als eine Granate rechts von ihnen im Feld explodierte. Erde regnete auf sie herab.

George zog seinen Colt, nahm ihn in die Linke und zerrte die nervösen Tiere lediglich mit der rechten Hand herum. Er hielt sich von der Landstraße fern; zu viele flüchtende Männer machten ein schnelles Vorwärtskommen unmöglich. Uniformen vermischten sich, das normale Blau mit der grellen Zuavenausrüstung – die gesamte Streitmacht der Union mußte zusammengebrochen sein.

«Festhalten», brüllte er, während er das Gespann über ein Stoppelfeld südlich der Straße jagte. George war außer sich über die wilde Flucht, die rennenden Soldaten und die Zuschauer. Jenseits der Landstraße sah er, wie drei Frauen von zwei Zivilisten von ihrem Buggy geworfen wurden. Er hob den Colt, um auf sie zu feuern, erkannte dann die Sinnlosigkeit und ließ es bleiben.

Das grobe Geholper über die Felder fuhr ihm in schmerzhaften Stößen durch den Körper. Der Rauch ließ seine Augen tränen; Granaten explodierten dicht hinter ihnen. Er überquerte einen weiteren kleinen Fluß, und die Hinterräder der Kutsche versanken im Schlamm der Uferbank. George befahl seiner Familie auszusteigen und beorderte William ans Hinterrad. In dem Moment sah er Stanleys Gespann vorbeirasen, genau in der Mitte der Landstraße. Soldaten mußten aus dem Weg springen. Isabel erspähte die Kutsche, aber ihr angstverzerrtes Gesicht brachte deutlich zum Ausdruck, daß sie nichts und niemanden erkannte.

Ein Sergeant und zwei einfache Soldaten planschten auf das festhängende Fahrzeug zu. George bemerkte den glasigen Blick des Sergeants und war auf der Hut. Bis zu den Oberschenkeln im schlammigen Wasser stehend, spannte George den Colt.

«Helft uns schieben, oder geht zum Teufel, aber schnell!»

Der Sergeant belegte ihn mit einem Schimpfnamen und winkte seine Männer weiter. Von Schweiß fast blind stemmte sich George mit der Schulter gegen das Rad und rief seinem Sohn zu: «Stoß!»

Sie mühten sich und spannten alle Kräfte an; Constance zerrte vorn am Zaumzeug des einen Pferdes. Endlich schob sich die Kutsche aus dem Schlamm. Verdreckt, verärgert und sehr besorgt nahm George die Fahrt nach Washington wieder auf; er fragte sich, ob sie die Stadt je wiedersehen würden.

Männer und Wagen, Wagen und Männer. Das Sommerlicht wurde schwächer, und der Rauch schränkte die Sichtweite ein. Der Gestank wurde unerträglich: uringetränkte Wolle, blutende Tiere, die Eingeweide eines toten Jungen, der mit offenem Mund in einem Graben lag.

Die Wälder vor ihnen sahen unpassierbar aus; George brachte die Kutsche zurück auf die Straße. Er hörte Weinen. «Die Black Horse Cavalry hat uns in Stücke gerissen!» Wiederholt versuchten Soldaten in die Kutsche zu klettern. George gab den Colt an Constance weiter und bewaffnete sich mit der Peitsche.

Mitten auf der Straße lag ein sterbendes Pferd. Ein junger Soldat in Zuavenuniform hob plötzlich seinen Vorderlader und ließ den Kolben auf den Kopf des Pferdes krachen. Wieder und wieder. George sprang von der Kutsche. Während das Tier um sich schlug und Georges empörter Schrei ungehört verhallte, hob der Soldat seine Muskete zu einem weiteren Schlag. Tränen strömten über die tiefe Wunde an seiner Wange.

George brüllte: «Ich gebe dir den Befehl, zu –»

Der Rest ging in den geschluchzten Obszönitäten des Jungen unter. George rannte zu dem Pferd, warf einen zufälligen Blick auf den Schädel; beinahe hätte er erbrochen. Er riß den Vorderlader aus den Händen des wahnsinnigen Jungen und bedrohte ihn damit.

«Los, verschwinde. Verschwinde!»

Der Junge warf George einen leeren Blick zu, stolperte dann in den Graben hinunter und wandte sich Richtung Washington. Schnell überprüfte George die Muskete, stellte fest, daß sie geladen war, und beendete mit einem Schuß die Agonie des Pferdes.

Schwer atmend, den Geschmack von Erbrochenem im Mund, suchte er nach der Kutsche. Er erspähte Constance, am Straßenrand stehend, einen Arm um jedes Kind geschlungen und in der rechten Hand den Colt. George sah die Kutsche, vollgepackt mit Männern in blauer Uniform, auf Centreville zufahren.

«Sie haben sie genommen, George. Ich konnte nicht auf unsere eigenen Soldaten schießen.»

«Natürlich nicht. Es ist meine Schuld, ich hätte euch nicht allein lassen dürfen – Patricia, weinen hilft uns jetzt auch nicht weiter. Wir kommen schon durch. Alles wird gut werden. Gib mir den Colt. Und jetzt marschieren wir.»

In Mexiko hatte George gelernt, daß eine Schlacht unvermeidlich größer war als das Blickfeld eines einzelnen Soldaten; selbst Generale überblickten manchmal nicht das Gesamtmuster. Georges Wissen von der Schlacht bei Bull Run beschränkte sich auf das, was er als Zuschauer mitbekommen hatte. Für ihn würde Bull Run für immer aus einer endlosen Straße von Wagenwracks und weggeworfener Ausrüstung bestehen, das Bett eines blauen Sturzbachs, der nach beiden Seiten über die Ufer trat.

Constance zupfte ihn am Ärmel seiner Uniform. «George, schau dort, vor uns.»

Stanleys Kutsche lag umgekippt auf der Seite. Die Pferde waren verschwunden; wahrscheinlich gestohlen. Isabel und die Zwillinge drängten sich um Georges Bruder, der auf einem Stein saß; die gelöste Krawatte baumelte zwischen seinen Beinen. Die Hände hatte er vors Gesicht gepreßt. George kannte den Grund; vor Jahren hatte er einen ähnlichen Moment erlebt.

«Herr im Himmel, muß ich mich wieder um ihn kümmern?»

«Ich weiß, wie dir zumute ist. Aber wir können sie nicht hierlassen.»

«Warum nicht?» sagte Patricia. «Laban und Levi sind abscheulich. Sollen die Rebs sie kriegen.» Constance schlug sie, wurde rot, umarmte sie und entschuldigte sich.

George schaute Isabel nicht an, als er vor seinen Bruder trat. «Steh auf, Stanley!» Stanleys Schultern hoben und senkten sich. George packte Stanleys rechte Hand und riß sie nach unten. «Auf die Füße. Deine Familie braucht dich.»

«Er ist einfach – zusammengebrochen, nachdem die Kutsche umkippte», sagte Isabel. George beachtete sie nicht; er zerrte seinen Bruder hoch und stieß ihn in die richtige Richtung. Stanley begann zu laufen.

Stanleys Zusammenbruch versetzte seine Frau in Wut, aber merkwürdigerweise konzentrierte sich ihr Ärger auf George. Die Zwillinge jammerten und machten verächtliche Bemerkungen über George, bis die halbe Dunkelheit sie von den anderen im Feld trennte. Nach fünf Minuten verzweifelten Gebrülls fanden die Zwillinge die Erwachsenen wieder. Von da an marschierten sie schweigend dicht hinter George her.

Der Schutt der Niederlage war überall zu sehen: Feldflaschen, Hörner und Trommeln, Bajonette. Die Dunkelheit fiel herab, und die unheimlichen Schreie der Verwundeten und Sterbenden ließen George an ein Vogelhaus in der Hölle denken. Aus der vorbeiströmenden Woge der Schatten drangen Stimmen:

«– verfluchte Captain rannte. *Rannte* – während wir die Stellung hielten –»

«– meine Füße bluten. Kannst du nicht –»

«– Black Horse. Das waren mindestens tausend –»

«– Shermans Brigade zerbrach, als Hamptons *Voltigeurs* angriffen –»

Hampton? George griff den Namen aus dem Stimmengemurmel heraus, dem Quietschen der Räder, dem Gejammer der Kinder. Ritt nicht Charles Main mit Hamptons Legion? Hatte er heute gekämpft? Hatte er überlebt?

In Centreville sahen sie endlich wieder Lichter – und überall Verwundete. Einige New Yorker Freiwillige mit einem Versorgungswagen bemerkten die Kinder und anerboten sich, sie bis nach Fairfax Courthouse mitzunehmen. Für die Erwachsenen hatten sie keinen Platz. George sprach ernsthaft mit William, dem er vertrauen konnte, und als er sich vergewissert hatte, daß sein Sohn den Treffpunkt kannte, halfen er und Constance den Kindern in den Wagen. Isabel erhob Einwände; Stanley starrte den verwaschenen Mond an.

Der Wagen verschwand. Die Erwachsenen setzten ihren Marsch fort. Auf der Straße hinter Centreville trafen sie auf weitere Opfer. Der Anblick der verwundeten Gesichter, der blutigen Gliedmaßen, der mondhellen Augen von viel zu jungen Burschen erinnerten George ständig an Mexiko und an das brennende Haus in Lehigh Station.

«Stanley? Bleib nicht zurück!» Die Augen des Schäfers, der seine Herde zusammenhalten mußte, begannen vor Staub und Müdigkeit zu tränen. Der Mond schmolz, und Streifen davon tropften vom Himmel herab. Statt der Straße sah er den jungen Soldaten vor sich, der auf das gestürzte Pferd eingeschlagen hatte. Ein unglaublicher Akt. Ein Wandel, den er nicht begreifen konnte, hatte seinen Anfang genommen. Irgendein schrecklicher Wandel.

«Isabel? Alles in Ordnung? Komm schon. Du mußt dran bleiben.»

Zweites Buch

Der Weg nach unten

Niemand, kein Mensch, kann dieses Land retten. Unsere Männer sind keine guten Soldaten. Sie prahlen, aber sie leisten nichts, sie jammern, wenn sie nicht all das kriegen, was sie wollen, und ein Marsch über wenige Meilen erschöpft sie. Es wird lange dauern, bis das überwunden ist; ich weiß nicht, was die Zukunft uns bringen wird.

COL. WILLIAM T. SHERMAN, nach der ersten Schlacht bei Bull Run, 1861

33

Die ganze Nacht über schwirrten Gerüchte durch die Stadt. Elkanah Bent konnte, wie Tausend andere auch, nicht schlafen. Er drückte sich in Bars oder auf den Straßen herum, wo schweigende Mengen auf neue Nachrichten warteten. Er betete darum, daß ein Sieg gemeldet werden würde. Nichts anderes konnte ihn retten.

Gegen drei Uhr gaben er und Elmsdale, der Colonel aus New Hampshire, die Nachtwache auf und kehrten in ihre Pension zurück. Bent döste mehr vor sich hin als daß er schlief; vor Tagesanbruch hörte er das Klatschen des einsetzenden Regens. Dann hörte er Männer auf den Straßen. Schnell kleidete er sich an, ging hinaus auf die Veranda und sah auf einer freien Fläche nebenan acht oder zehn Soldaten im Unkraut liegen. Drei andere, sichtlich verdreckt, rissen einen Bretterzaun ab, um ein Feuer zu machen.

Gähnend schloß sich ihm Elmsdale mit einem Vorrat an Zigarren an. «Schaut übel aus, was?» sagte er. Bent spürte, wie Hysterie in ihm aufstieg.

Die beiden Colonels eilten zur Pennsylvania Avenue. Bent versuchte, sein Zittern zu beherrschen. Auf der Avenue sahen sie Ambulanzen, herumlaufende Männer, denen die Niederlage ins Gesicht geschrieben stand. Dutzende lagen schlafend im President's Park. Bent sah blutige Gesichter, Arme und Beine.

«Nun», Elmsdale zündete sich unter seiner Hutkrempe eine Zigarre an, «das ist ein Vorgeschmack von dem, was uns im Westen erwartet.»

Bent war noch nie religiös veranlagt gewesen, aber gestern hatte er Gott um einen Sieg der Union angefleht. Er und Elmsdale besaßen bereits ihre Fahrkarten nach Kentucky. Jetzt würde er auch fahren müssen. Der Krieg konnte Monate dauern. Vielleicht würde er in Kentucky umkommen, sein Genie verschwendet...

Er wollte diesem Schicksal entrinnen, wußte aber nicht wie. An Dills wagte er sich nicht noch einmal zu wenden; der Anwalt mochte seine Drohung wahr machen. Von Fahnenflucht abgesehen, was seine Träume von militärischem Ruhm zu einem abrupten Ende bringen würde, sah er keine Alternative.

Am Tag nach Manassas lagerten Charles und seine Truppe mit der Legion nicht weit vom Konföderierten-Hauptquartier, ziemlich nahe dem Schlachtzentrum und weniger als eine Meile von Bull Run entfernt, wo rötlich verfärbtes Wasser immer noch Leichen von beiden Seiten mit sich führte.

Als das Licht verblaßte, machte sich Charles daran, Sport abzureiben. Er freute sich über den Sieg, ärgerte sich aber über die Umstände, die ihn um die Teilnahme gebracht hatten. Nach seiner Rückkehr aus Fairfax County war die Legion am Freitag von Ashland zur Verstärkung von Beauregard abkommandiert worden. Doch die Richmond-, Fredericksburg- und Potomac-Bahnlinie hatte lediglich genügend Waggons für Hampton und seine sechshundert Mann Fußtruppen. Für die vier Kompanien Kavallerie und die Artillerie-Batterie war kein Platz mehr vorhanden.

Nach zahlreichen Verzögerungen kam Hampton am Morgen der Schlacht in Manassas an; seine Kavallerie mühte sich da immer noch über hundertdreißig Meilen sich dahinschlängelnder Straße; viele Flüsse und Flüßchen waren zu überwinden. Charles sprühte auf diesem langen Ritt geradezu vor Zuversicht. Er glaubte, daß sich seine Männer im Kampf bewähren würden; trotz ihrer Disziplinlosigkeit ritten sie als Einheit gut zusammen.

Charles bekam keine Chance, dieses neue Gefühl auf seinen Wahrheitsgehalt zu überprüfen; die Kavalleristen erreichten den Schauplatz, nachdem der Sieg errungen worden war. Sie erfuhren, daß der Colonel sich ausgezeichnet und eine leichte Kopfwunde empfangen hatte, als er seine Infanterie gegen die zerbröckelnde Front der Bundesregimenter geführt hatte.

Präsident Davis war persönlich von Richmond gekommen, um den verschiedenen Kommandanten zu gratulieren, zu denen auch Hampton zählte, den Davis und Old Bory in seinem Zelt aufsuchten. Gegen Montagabend jedoch hörten Charles und viele andere, daß sich gewisse Regierungsmitglieder beklagt hätten; Beauregard habe seinen Vorteil nicht genutzt und Washington nicht erobert.

Charles behielt seine Meinung für sich. Woher sollten fettärschige Bürokraten wissen, daß eine Schlacht harte Arbeit war und daß selbst der größte Mut, der festeste Wille und das stärkste Herz sich der alles überwältigenden Erschöpfung beugen mußten.

Aber von diesen Klagen abgesehen war Manassas zu einem Triumph geworden, ein Beweis für den unerschütterlichen Glauben, daß Gentlemen jederzeit den Pöbel schlagen konnten.

Die Verluste waren gering gewesen. Der Stellvertreter des Kommandanten der Legion, Lieutenant Colonel Johnson aus Charleston, war von der ersten feindlichen Salve getötet worden. Barnard Bee, einer von Cousin Orrys Freunden von der Akademie, war tödlich getroffen worden, kurz nachdem er die Männer zu den Fahnen des verrückten Professors vom Virginia Military Institute, dem Narren Tom Jackson, geführt hatte. Jackson stand wie ein Steinwall nahe des Henry-Hauses, und es schien so, als würde «Tom der Narr» ab sofort einen höflicheren Spitznamen erhalten.

Während Charles Sports Hufe vom Dreck säuberte, näherte sich Calbraith Butler, ein weiterer Truppenkommandant. Butler war ein gutaussehender Bursche mit angenehmen Manieren in Charles' Alter. Er war mit der Tochter von Gouverneur Pickens verheiratet und hatte eine lukrative Anwaltspraxis aufgegeben, um die Edgefield-Husaren aufzustellen, eine der Einheiten, die Hampton zu seiner Legion zusammengefaßt hatte. Obwohl Butler über keine militärische Erfahrung verfügte, vermutete Charles, daß er sich im Kampf gut schlagen würde; er mochte Butler.

«Du solltest einen Neger für sowas haben», riet Butler.

«Wenn ich so reich wie ihr Anwälte wäre, dann vielleicht.» Butler lachte. «Wie geht's dem Colonel?» fuhr Charles fort.

«Guter Laune, angesichts des Todes von Johnson und der Verluste, die wir hinnehmen mußten.»

«Wie hoch?»

«Steht noch nicht genau fest. Ich hörte was von zwanzig Prozent.»

«Zwanzig», wiederholte Charles mit einem leichten Nicken, um seine Befriedigung auszudrücken. Am besten dachte man an die Toten und Verwundeten nicht als Menschen, sondern berechnete sie in Prozenten; man schlief nachts besser.

Butler kauerte sich hin. «Wie ich höre, sind die Yankees nicht nur vor unseren Black Horses davongerannt, sondern allein schon beim bloßen Gedanken an sie. Sie rannten vor Braunen, Grauen, Rotschimmeln – jeder nur denkbaren Farbe. Hielten sie alle für Black Horse. Ich bedaure wirklich, daß wir das verpaßt haben. Aber wenigstens werden wir von den Früchten des Sieges kosten dürfen, so ungefähr in einer Woche.»

Er berichtete, daß dankbare Bürger in Richmond bereits einen Galaball angekündigt hatten, zu dem bevorzugte Offiziere von Manassas eingeladen waren. «Und weißt du was, Charlie, Kavallerieoffiziere sind die bevorzugtesten. Wir müssen den Ladies ja nicht erzählen, daß wir meilenweit von der Schlacht entfernt waren. Das heißt, bei mir fällt das ja flach. Meiner Frau zuliebe werde ich wohl nicht hingehen.»

«Warum nicht? Beauty Stuart ist verheiratet, und ich möchte wetten, er ist dabei.»

«Verdammte Virginier. Müssen überall in vorderster Front sein.» Während der Schlacht hatte Stuart einen vieldiskutierten Angriff die Sudley Road entlang geführt, was seinen Ruf, ein tapferer Mann zu sein – oder ein tollkühner Mann, je nachdem, wer die Geschichte erzählte –, weiter festigte.

«Ein Ball. Das klingt tatsächlich recht verlockend.» Charles gab sich Mühe, die Ambulanzen, die langsam vor der flammenden Scheibe der Sonne vorbeizogen, nicht zu beachten.

«Charmante weibliche Gäste aus der ganzen Gegend sind eingeladen. Die Gastgeber möchten nicht, daß es unseren tapferen Jungs an Tanzpartnerinnen mangelt.»

Nachdenklich sagte Charles: «Ich werde vielleicht gehen, wenn ich eine Einladung erbeuten kann.»

«Na also! Endlich ein Hauch von Leben in dem müden Kämpfer. Gut für dich.» Butler schlenderte davon; Charles nahm seine Arbeit wieder auf, und Sport stupfte zärtlich seinen Arm. Er überraschte sich selbst dabei, daß er vor sich hinpfiff, nachdem ihm klar geworden war, daß er mit etwas Glück Augusta Barclay auf dem Ball finden konnte.

34

Gegen sieben Uhr morgens waren sie in der Hauptstadt angekommen, durchnäßt und kurz vor dem Umfallen. George, Constance und die Kinder gingen direkt zum Willard-Hotel, Stanley, Isabel und die Zwillinge zu ihrem Herrschaftshaus; wortlos, grußlos.

George wusch und rasierte sich, wobei er sich zweimal schnitt, trank einen kräftigen Schluck Whiskey und meldete sich noch ganz benommen im Winder-Gebäude. Die Verzweiflung über die Niederlage war so groß, daß an diesem Morgen nichts erledigt wurde; gegen halb zwölf schloß Ripley das Büro. George hörte, der Präsident habe wieder einen seiner Depressionszustände. Kein Wunder, dachte George, als er sich zum Hotel zurückkämpfte.

Er fiel in einen tiefen Schlaf der Betäubung, aus dem er gegen neun Uhr abends sanft wachgerüttelt wurde. Constance meinte, er müsse etwas essen. Im Speisesaal des Hotels, der vollbesetzt war, in dem aber eine unnatürliche Stille herrschte, erkundigte sich George nach dem Stand der Dinge; die Antworten ließen ihn zusammenzucken. Am nächsten Tag stellte er weitere Fragen. Ausmaß und Konsequenzen der Tragödie bei Bull Run zeichneten sich langsam ab.

Die Verlustquoten waren noch vage, obwohl einige Zahlen bereits feststanden; Simon Camerons Bruder, Kommandant eines Highlander-Regiments, der Seventy-Ninth New York, war getötet worden. Scott und McDowell standen als Schuldige fest. Während George den größten Teil des Montags verschlief, war McDowell seines Postens enthoben worden; Georges alter Klassenkamerad McClellan war aus dem westlichen Virginia herbeigeordert worden und hatte den Oberbefehl über die Armee erhalten, um sie zu einer Einheit zu formen, die diesen Namen auch verdiente.

Am Dienstag wurde die Büroarbeit wieder aufgenommen. George erhielt einen kurzfristigen Reisebefehl, um sich mit der Produktion der Cold-Spring-Gießerei, am Fluß gegenüber von West Point gelegen, vertraut zu machen. Sein Vater hatte die Gießerei während Georges Kadettenjahren besichtigt. Die Gießerei produzierte jetzt großartige, von Robert Parker Parrott entworfene Artilleriewaffen. Der Verbindungsoffizier des Waffen-Departments war ein Captain Stephen V. Benet.

Dienstagnacht, nachdem George gepackt hatte, unterhielten er und Constance sich vor dem Einschlafen über den Wechsel im Oberkommando. «Lincoln und das Kabinett und der Kongreß, sie alle haben McDowell angetrieben. Sie zwangen ihn, schlecht ausgebildete Amateure in die Schlacht zu schicken. Die Freiwilligen kämpften natürlich nicht wie Berufssoldaten, und McDowell bekommt dafür die Schuld in die Schuhe geschoben – von Lincoln und dem Kabinett und dem Kongreß.»

«Ah», murmelte sie. «Das erste Mädchen auf der Tanzkarte des Präsidenten hat sich als ungeschickt erwiesen, also Partnertausch.»

«Partnertausch. Das drückt es richtig aus.» Er schob sein Nachthemd hoch, um sich am Oberschenkel zu kratzen. «Ich möchte wissen, wie oft er das noch tun wird, bis der Ball vorbei ist?»

George war froh, die hoffnungslose Washingtoner Atmosphäre gegen die Schönheit des Hudson-Tales eintauschen zu können; das herrlich sonnige Wetter machte alles nur noch schöner. Old Parrott, Absolvent von 1824, leitete die Fabrik, und er bestand darauf, seinem Besucher alles persönlich vorzuführen. In Hitze und Licht der Gießerei zu baden, war eine Art freudige Heimkehr. George war fasziniert von der Präzision, mit der die Arbeiter die Kanonenrohre ausbohrten, Vierzehn-Inch-Eisenbarren erhitzten und zu den Bändern hämmerten, die das Markenzeichen von Parrott-Kanonen waren.

Parrott schien es zu begrüßen, daß jemand im Waffenamt tätig war, der etwas von seinen Problemen als Hersteller und Manager verstand. George mochte den älteren Mann, aber die wirkliche Entdeckung, sowohl persönlich als auch beruflich, war Captain Stephen V. Benet, an den sich George als Angehörigen der Klasse von 1849 erinnerte.

Benet, in Florida geboren und so dunkel, daß man ihn für einen Spanier hätte halten können, teilte seine Zeit zwischen der Gießerei und West Point, wo er Waffentheorie und Geschützwesen lehrte. Gemeinsam überquerten die beiden Männer eines Nachmittags den Fluß, um auf alten Spuren zu wandeln. Sie redeten über alles, von ihren alten Klassen angefangen bis zu den immer heftiger werdenden Angriffen auf die Institution.

Beim Abendessen im Post-Hotel sagte Benet: «Ich bewundere den Patriotismus, der Sie zur Annahme Ihres Postens bewegt hat. In Ripleys Department tätig zu sein – das verlangt nach Beileidsbezeugungen.»

«Die ganze Abteilung ist ein furchtbares Chaos», bestätigte George. «Verrückte Erfinder in jeder Spalte, Papierstöße, ein Jahr alt, keine Standardisierung. Ich versuche, eine Liste der verschiedenen Typen von Artilleriemunition aufzustellen, die wir verwenden. Es ist ein echter Kampf.»

Benet lachte. «Das kann ich mir vorstellen. Müßten mindestens fünfhundert sein.»

«Vielleicht schlagen wir uns selbst und ersparen den Rebs die Arbeit.»

«Für Ripley zu arbeiten muß jeden entmutigen. Er sucht nur nach Gründen, um neue Ideen abzulehnen. Er sucht nach Schwachstellen. Ich würde nach Positivem suchen, nach Gründen, um ja sagen zu können.» Benet warf seinem Besucher einen forschenden Blick zu und beschloß, ihm zu vertrauen. «Vielleicht schickt der Präsident deswegen Prototypen direkt zur Beurteilung hierher. Wußten Sie davon – daß Ripley umgangen wird?»

«Nein, aber es überrascht mich nicht. Andererseits muß ich Ihnen gestehen, daß Lincoln im Kriegsministerium gerade wegen seiner ständigen Einmischungen sehr unpopulär ist.»

«Verständlich, aber», wieder dieser Blick, «wie sollen wir ohne das die Ripleys ausschalten?»

Mit dieser pessimistischen Frage im Gepäck kehrte George in die Stadt zurück.

Der heiße Juli tröpfelte dahin, und George saß bis spät abends an seinem Schreibtisch. Stanley sah er selten, Lincoln dagegen recht häufig. Der storchähnliche, leicht komisch wirkende Präsident eilte ständig von einem Regierungsbüro zum anderen, mit Bündeln von Plänen und Papieren und Memoranden und einigen gelegentlich recht obszönen Scherzen.

Obwohl der Leerlauf im Department überwog, konnte man Ripley nicht nur Schlechtes nachsagen. George entdeckte, daß der alte Mann den Kauf von hunderttausend europäischen Gewehren gefordert hatte, um die antiquierten Vorräte in den Lagerhäusern der Union zu ergänzen. Cameron hatte darauf bestanden, daß die Armee nur in Amerika hergestellte Waffen benützte, was George auf die zynische Vermutung brachte, daß einige Freunde des Ministers Waffenkontrakte besitzen mußten. Nach dem Manassas-Debakel sammelten sich noch mehr dunkle Wolken über Camerons Haupt, und sein Einkauf wurde nun als Fehlentscheidung angeprangert. Der Krieg würde nicht mit dem Sommer enden, und es waren nicht genügend Gewehre vorhanden, um die Rekruten zu bewaffnen und zu instruieren, die sich bereits in den Ausbildungslagern von der Ostküste bis zum Mississippi gemeldet hatten.

George wurde von der Arbeit am Entwurf für einen Mörser-Kontrakt abgezogen und damit beauftragt, ein neues Ripley-Angebot über den Ankauf von hunderttausend ausländischen Waffen zu erstellen. Das Angebot ging ans Kriegsministerium, mit einem halben Dutzend Unterschriften versehen, wobei Georges Unterschrift gleich nach der von Ripley kam. Nach drei Tagen des Schweigens ging er persönlich hinüber, um sich nach dem Schicksal des Angebots zu erkundigen.

«Ich hab' es auf irgendeinem Schreibtisch entdeckt», berichtete er bei seiner Rückkehr. «Mit der Bemerkung: abgelehnt.»

Ohne mit seinem ewigen Papiergewühle aufzuhören, schnappte Maynadier: «Aus welchen Gründen?»

«Der Minister wünscht das Angebot auf die Hälfte reduziert.»

Ripley horchte auf. «Was? Nur fünfzigtausend Stück?» Er brach in eine Schimpfkanonade aus, vor der seine sonstigen Wutanfälle verblaßten.

George berichtete an diesem Abend Constance: «Cameron genehmigte die Ablehnung, aber Stanley hat unterzeichnet. Ich bin sicher, er tat es mit dem größten Vergnügen.»

Ripley setzte George und einige andere davon in Kenntnis, daß sie alle im August befördert werden würden; Ripley selbst zum Brigadier. George würde dann drei Schleifen aus schwarzer Seide an seinem Waffenrock tragen und den Goldstern eines Majors. Aber die Sünden des Departments, die sich täglich wie die Blütenblätter einer Rose entfalteten, entmutigten ihn zu sehr, als daß er sich darüber hätte freuen können.

Seine Pflichten führten George häufig zum Washingtoner Arsenal in Greenleaf's Point, einer sumpfigen Ebene am Zusammenfluß von Potomac und Anacostia, im Süden der Stadt. Dort standen zwischen den alten Gebäuden, sauber aufgereiht unter den Bäumen, Geschütze aller Art. George entdeckte, während er auf der Suche nach Munition in den Lagerräumen des Arsenals herumstöberte, eine merkwürdige Waffe mit einer seitlichen Kurbel und einem Trichter obendrauf. Er fragte Colonel Ramsay, den Kommandanten des Arsenals, danach.

«Drei Erfinder haben es Anfang des Jahres gebracht. Der offizielle Name in unseren Büchern lautet .58-Kaliber-Union-Repetiergewehr. Der Präsident taufte es Kaffeemühle. Es feuert sehr schnell – die Munition wird mit diesem Trichter nachgeladen –, und nach den ersten Tests wollte Mr. Lincoln die Waffe nehmen. Man sagte mir, er habe ein Memorandum an Ihren kommandierenden Offizier geschickt», endete Ramsay mit deutlicher Betonung.

«Mit welchem Ergebnis?»

«Ohne Ergebnis.»

«Keine weiteren Tests?»

«Meines Wissens nicht.»

«Warum nicht?» George ahnte die Antwort bereits, die Ramsay prompt in böser Imitation des neuen Brigadegenerals lieferte:

«Hab' keine Zeit!»

Zu Constance sagte George später: «So eine vielversprechende Waffe vermodert, während wir unsere Zeit mit idiotischen Plänen verschwenden.»

Die nächsten schlechten Nachrichten für Ripleys Büro ließen nicht lange auf sich warten. Camerons Entscheidung gegen ausländische Waffen hatte den Agenten der Konföderation neunzig Tage Zeit gelassen, um die besten Waffen in England und auf dem Kontinent aufzukaufen. Als einige Musterexemplare vom verfügbaren Rest im Winder-Gebäude eintrafen, sank die Stimmung augenblicklich auf den Nullpunkt.

In der dunstigen Dämmerung nahm George ein Muster mit hinunter zum Arsenal. Bei der Waffe handelte es sich um ein .54-Kaliber-

Gewehr mit Zündhütchen der österreichischen Jägerbataillone, entwickelt nach dem Lorenzmodell von 1854; die Waffe war häßlich, sperrig und besaß einen brutalen Rückschlag. Nach drei Schüssen fühlte sich seine Schulter an, als hätte ihn ein Maultier getreten.

Er hörte, wie sich eine Kutsche näherte. Er befand sich gerade am Ende eines Piers, und so marschierte er zurück, um zu sehen, wer da kam. Die Kutsche war nicht genau zu erkennen, bis sie sich der Mole genähert hatte. George kannte den Fahrer, William Stoddard, einen von Lincolns Sekretären. In dessen Büro stapelten sich die Muster von Waffen, die von Erfindern in der Hoffnung, Ripley umgehen zu können, direkt an den Präsidenten geschickt wurden.

Mit einem Gewehr in der Hand stieg der Präsident aus der Kutsche, während Stoddard das Gespann an einem Pflock anband. In der Dämmerung wirkte Lincoln noch blasser als gewöhnlich, aber er schien guter Laune zu sein. Er ließ seinen Zylinder zu Boden fallen und nickte George zu, der salutierte.

«Guten Abend, Herr Präsident.»

«Abend, Major – bitte um Entschuldigung, aber ich kenne leider Ihren Namen nicht.»

«Aber ich», sagte Stoddard. «Major George Hazard. Sein Bruder Stanley arbeitet für Cameron.» Lincoln blinzelte und schien sich leicht zu versteifen; anscheinend tat Georges Beziehung zu diesen Männern nichts für seinen Ruf.

Nichtsdestoweniger blieb Lincoln freundlich. «Es ist meine Gewohnheit, im Treasury Park zu schießen, obwohl die Polizei den Lärm haßt. Heute abend konnte ich nicht, weil dort ein Baseballspiel stattfindet.» Er spähte zu der Waffe, mit der George geschossen hatte. «Was haben wir da?»

«Eines der Jägergewehre, die wir vielleicht von der österreichischen Regierung kaufen werden, Sir.»

«Zufriedenstellend?»

«Kaum, obwohl ich kein Experte für Handfeuerwaffen bin. Allerdings befürchte ich, daß wir kaum was Besseres kriegen werden.»

«Ja, Mr. Cameron hat sich ein bißchen spät dem Tanz zugesellt, nicht wahr? Wir könnten diese Waffe als Ersatz nehmen», Lincolns große, knochige Hand hob das Gewehr, das er mitgebracht hatte, als wäre es federleicht, «aber Ihr Chef hat für Hinterlader nichts übrig, ganz abgesehen davon, daß ein verängstigter Rekrut in der Hitze des Gefechts ordentliche Probleme mit einem Vorderlader kriegen kann. Vielleicht stopft er versehentlich die Kugel vor dem Pulver hinein. Oder er vergißt den Ladestock, und die Kugel fliegt wie ein Speer los.»

Seine freie Hand beschrieb einen Bogen. George studierte den Hinterlader. Auf der rechten Verschlußplatte konnte er gerade noch den Namen des Herstellers entziffern: C. Sharps.

«Mir ist auch klar, daß *neu* ein verpöntes Wort im Vokabular des Brigadiers darstellt», fuhr Lincoln lächelnd fort. «Aber Hinterlader sind ja nicht gerade brandneu, oder? Ich persönlich bevorzuge einschüssige Hinterlader, und die Armee wird einige davon kriegen.»

Stoddard fragte George: «Sind in Europa welche bestellt worden?»

«Ich glaube nicht.»

«Keine», unterbrach Lincoln, mehr melancholisch als gereizt klingend. Dann ging die Bombe hoch: «Deshalb habe ich kürzlich meinen eigenen Einkäufer mit zwei Millionen Dollar und unbeschränkter Vollmacht hinübergeschickt. Wenn ich nichts Befriedigendes von Cameron & Co. bekommen kann, dann muß ich es mir anderweitig besorgen, denke ich.»

Peinliches Schweigen. Stoddard räusperte sich. «Sir, es wird bald dunkel.»

«Dunkel. Ja. Die Stunde zum Träumen – ich beeile mich wohl besser mit dem Schießen.»

«Wenn Sie mich entschuldigen würden, Herr Präsident –» George befürchtete, daß seine Stimme seltsam klang; die schlechte Nachricht hatte seinen Mund ausgetrocknet.

«Gewiß doch, Major Hazard. Hat mich gefreut, Sie hier unten zu treffen. Ich bewundere Männer, die so viel wie möglich zu lernen versuchen. Ich gebe mir auch Mühe.»

Mit dem österreichischen Gewehr unterm Arm zog sich George in die hereinbrechende Nacht zurück. Er fühlte sich, als hätte er einen Schlag auf den Kopf bekommen. Cameron & Co. steckte in größeren Schwierigkeiten, als er sich vorgestellt hatte. Und er arbeitete für Cameron & Co.

Es hatte Stanley Freude bereitet, das von seinem Bruder ausgearbeitete Angebot zurückzuweisen. Stanley besaß einige wenige klare Erinnerungen an den langen, schrecklichen Rückmarsch von Manassas – daß er am Straßenrand geweint hatte, wußte er nicht, lediglich Isabel erinnerte ihn häufig genug daran –, und dazu gehörte, daß George ihn gestoßen und angetrieben hatte wie irgendeinen Plantagennigger. Nun hatte er noch einen weiteren Grund, um George seine Arbeit so schwer wie möglich zu machen.

Stanley sorgte sich wegen seiner Position als Camerons Trabant. Kneipengerüchte besagten, daß Camerons Stern bereits im Sinken war. Doch im Ministerium schien sich nichts verändert zu haben. Der Minister war aus Trauer um seinen Bruder für einige Tage seinem Schreibtisch ferngeblieben, aber danach gingen die Geschäfte und das Durcheinander wie gewöhnlich weiter.

Wichtige Kongreßabgeordnete hatten sich mündlich, brieflich und mittels Presseverlautbarungen nach den Einkaufsmethoden des Kriegsministeriums erkundigt. Daß Lincoln seinen eigenen Mann zu Waffenkäufen nach Europa gesandt hatte, zeigte kein großes Vertrauen zu ihnen, um es gelinde auszudrücken. Die Ausbildungslager klagten ständig über Mangel an Kleidung, Handfeuerwaffen und Ausrüstung. Mit zunehmender Offenheit wurde darüber gesprochen, daß Cameron eine Mißwirtschaft führte und daß der Armee nur die Hälfte von dem zur Verfügung stand, was sie benötigte.

Mit Ausnahme von Stiefeln, konnte Stanley sich selbst beglückwünschen. Pennyford produzierte in großen Mengen und termingemäß. Lashbrooks Profite, aufs Jahresende hochgerechnet, machten Stanley fassungslos und entzückten Isabel, die behauptete, mit dieser Goldgrube gerechnet zu haben.

Bedauerlicherweise konnte Stanleys persönlicher Erfolg ihm nicht bei der Krise im Ministerium helfen. Schriftliche und mündliche Anfragen waren nun von schneidender Schärfe. *Skandalöser Mangel. Unregelmäßigkeiten festgestellt.* War eine Unkorrektheit tatsächlich nachgewiesen worden, so leugnete Cameron sie nicht. Er nahm sie nicht mal zur Kenntnis. Eines Tages hörte Stanley zufällig, wie sich zwei Angestellte über diese Technik unterhielten.

«Heute morgen ist wieder ein sehr scharfer Brief gekommen. Diesmal vom Finanzministerium. Man muß die Art bewundern, wie der Boß damit umgeht. Steht schweigend wie ein Steinwall da – so wie der verrückte Jackson bei Bull Run.»

«Ich dachte, die Schlacht wäre bei Manassas geschlagen worden», sagte der zweite Angestellte.

«Wenn's nach den Rebs geht, schon. Wenn's nach uns geht, bei Bull Run.»

Der andere stöhnte. «Wenn die anfangen, die Schlachten nach den Orten zu benennen und wir nach den Flüssen, wie zum Teufel sollen die Schuljungs in fünfzig Jahren damit klarkommen?»

«Wen kümmert das? Mir macht das Heute Sorgen. Selbst der Boß kann seinen Steinwall nicht ewig aufrechterhalten. Mein Rat ist, spar dein Gehalt und –» Er bemerkte Stanley, der sich mit einem Band von Kontrakten beschäftigte. Er stieß seinen Kollegen an, und sie gingen gemeinsam weg.

Stanley kehrte an seinen Schreibtisch zurück, konnte sich aber nicht auf seine Arbeit konzentrieren. Er mußte eine gewisse Distanz zwischen sich und seinen alten Mentor legen. Wie? Ihm fiel nichts ein. Er mußte das Problem mit Isabel besprechen. Sie würde wissen, was er zu tun hatte.

Doch an diesem Abend war sie nicht in der Laune dafür. Er fand sie beim Zeitungslesen, kochend vor Wut.

«Was ärgert dich so, mein Liebes?»

«Unsere süße, durchtriebene Schwägerin. Sie schmeichelt sich genau bei den Leuten ein, mit denen wir Umgang pflegen sollten.»

«Stevens und dieses Volk?»

Isabel nickte heftig.

«Was hat Constance getan?»

«Sie hat wieder mit ihrem Abolitionistenwerk begonnen. Sie und Kate Chase fungieren als Gastgeberinnen bei einem Empfang für Martin Delany.» Der Name sagte ihm nichts, was seine Frau nur noch wütender machte. «Oh, sei doch nicht so schwerfällig, Stanley. Delany ist der Niggerdoktor, der diesen Roman schrieb, der vor ein paar Jahren jedermann so in Begeisterung versetzte. *Blake*; so hieß der Roman. Er rennt in afrikanischer Kleidung herum und hält Vorlesungen.»

Jetzt erinnerte sich Stanley. Vor dem Krieg hatte Delany die Idee eines neuen afrikanischen Staates vertreten, in den seiner Meinung nach die amerikanischen Neger emigrieren sollten. Delanys Plan rief die Schwarzen dazu auf, in Afrika Baumwolle anzupflanzen und dann im freien Marktwettbewerb den Süden in den Bankrott zu treiben.

Stanley griff nach der Zeitung, fand die Ankündigung des Empfangs und las die Gästeliste. Seine feuchten, dunklen Augen reflektierten das helle Gaslicht, als er vorsichtige sagte: «Ich weiß, daß du die Farbigen und ihre Förderer nicht ausstehen kannst. Aber du hast recht, wir sollten vielleicht den wichtigen Pro-Abolitionisten, die diese Party besuchen, mehr Aufmerksamkeit schenken. Mit Simon geht es bergab. Wenn wir nicht aufpassen, dann reißt er uns mit hinunter.» Eine ungewohnte Kraft lag in seiner Stimme, als er fortfuhr: «Wir müssen etwas tun, und wir müssen es bald tun.»

35

Die dunstige Hitze des Augusts senkte sich über die Alexandriafront. Nördlich von Centreville lagernd, wartete die Legion auf Ersatz und auf die Enfields, die der Colonel aus eigener Tasche bezahlt hatte. Die Gewehre sollten von einem Blockadebrecher von England gebracht werden. Die Legion wurde aufgrund der Verluste bei Manassas umorganisiert. Calbraith Butler, zum Major befördert, übernahm das Kommando über die vier Kavalleriezüge. Charles reagierte auf den Wechsel mit anfänglichem Groll, den er vernünftigerweise für sich behielt. Wenn er darüber nachdachte, kam die Wahl nicht überraschend. Butler war ein Gentleman-Freiwilliger, ohne den Anstrich des Berufssoldaten, der Charles charakterisierte. Und mit der Tochter des Gouverneurs verheiratet zu sein, war auch nicht gerade ein Nachteil.

Außerdem wußte Charles, daß er sich mit seinem hartnäckigen Beharren auf Disziplin nicht beliebt gemacht hatte. Er besaß ein weniger hitziges Temperament als viele andere Akademie-Absolventen – ein Yankee-Heißsporn namens Phil Sheridan kam ihm in den Sinn –, aber er brüllte immer noch im allgemein üblichen Stil von West Point.

Zum Teufel damit. Er hatte sich gemeldet, um den Krieg zu gewinnen, nicht um befördert zu werden. Butler war ein ausgezeichneter Reiter und ein instinktiv guter Offizier; er führte seine Männer, indem er ihnen mit gutem Beispiel voranging. Charles gratulierte seinem neuen Vorgesetzten mit ehrlich gemeinter Aufrichtigkeit.

«Anständig von dir, Charles», sagte der neue Major. «Von der Erfahrung her hättest du es mehr verdient als ich.» Er lächelte. «Ich sage dir was. Mit all diesen neuen Verantwortungen und noch dazu fest verheiratet, wie ich nun mal bin, wirst wohl du nach Richmond müssen, um mich dort auf dem Ball zu vertreten. Nimm Pell mit, wenn du magst.»

Charles benötigte keine weitere Einladung. Er möbelte seine Uniform auf und erledigte schnell seine Aufgaben. Er wurde gerade rechtzeitig zum Abendappell fertig. Bei der Zeremonie nahm der Colonel offiziell die neueste Kriegsflagge des Regiments entgegen, von den Damen zu Hause genäht. Ein Palmenkranz und die Worte *Hampton's Legion* zierten die scharlachrote Seide.

Anschließend traf Charles die letzten Vorbereitungen für Richmond. Er wurde von einem Kavalleristen namens Nelson Gervais gestört, der einen langen Brief von seinem Mädchen zu Hause in Rock Hill bekommen hatte. Der neunzehnjährige Farmer trat von einem Bein auf das andere und raschelte mit dem Briefpapier, während er eine Erklärung abgab.

«Ich habe drei Jahre um Miss Sally Mills geworben, Captain. Ohne Erfolg. Und jetzt ganz plötzlich», das Papier raschelte, «sagt sie, wo ich nun zur Armee bin und nicht mehr zu Hause, da sei ihr klar geworden, was sie für mich fühlt. Sie sagt hier, daß sie einen Heiratsantrag annehmen würde.»

«Gratuliere, Gervais.» Vor lauter eigener Ungeduld bekam Charles den flehenden Blick des Kavalleristen nicht mit. «Ich glaube nicht, daß Sie in nächster Zeit Urlaub bekommen, aber das sollte Sie nicht daran hindern, das Mädchen um ihre Hand zu bitten.»

«Jawohl, Sir, das hab' ich auch vor.»

«Sie brauchen dazu nicht meine Einwilligung.»

«Ich brauche Ihre Hilfe, Sir. Miss Sally Mills schreibt richtig schön, aber», sein Gesicht färbte sich so rot wie die neue Fahne, «ich kann's nicht.»

«Überhaupt nicht?»

«Nein, Sir.» Lange Pause. «Lesen kann ich auch nicht.» Rascheln. «Einer meiner Kameraden hat mir das vorgelesen. Wo Sally geschrieben hat, sie liebt mich und all das –»

Charles begriff; er klopfte leicht auf den Schreibtisch. «Lassen Sie das hier, und wenn ich von Richmond zurück bin, werd' ich einen Brief mit einem Antrag verfassen, und den gehen wir dann gemeinsam durch, bis Sie damit einverstanden sind.»

«Danke, Sir! Ich danke Ihnen. Ich kann Ihnen kaum genug danken.»

Die Nachtfahrt in den Waggons der Orange & Alexandria wurde durch unvorhergesehene Verzögerungen recht beschwerlich. Charles döste auf dem harten Sitz vor sich hin und gab sich Mühe, Ambroses Gesprächsversuche zu ignorieren. Sein Freund war darüber verärgert, daß sie von Hampton und anderen Senior-Offizieren im Waggon vor ihnen getrennt waren.

Charles fühlte sich erschöpft und dreckig, als sie spät am nächsten Morgen in Richmond ankamen. Bei einer Mississippi-Einheit war für sie Unterkunft vorbereitet worden, so daß er schnell in eine Zinkwanne springen konnte; dann warf er sich auf einen Strohsack und versuchte, eine Stunde zu schlafen. Die Aufregung machte das unmöglich.

Der Spotswood Ballsaal glänzte und glitzerte vor Tressen und Juwelen und Lichtern, die Unmengen von Konföderiertenflaggen beleuchteten. Hunderte drängten sich in den Saal und die angrenzenden Salons und Flure. Charles war gerade eingetreten, da entdeckte er auf der anderen Seite der Tanzfläche seine Cousine Ashton. Sie und ihr blasser Wurm von einem Ehemann lauerten in der Nähe von Präsident Davis. Charles würde sich Mühe geben, nicht in ihre Nähe zu geraten.

Junge Frauen in langen Abendkleidern, die meisten von ihnen schön und lebhaft, lachten und tanzten mit den Offizieren, die sie an Zahl um das Dreifache übertrafen. Charles war nicht begierig auf irgendeine beliebige Gesellschaft; er suchte die richtige Person, konnte sie aber nirgendwo entdecken. Seine Hoffnungen waren albern gewesen. Fredericksburg war viele Meilen entfernt.

Doch es gab unerwartete Ablenkungen. Ein stämmiger Erster Lieutenant löste sich aus einer Gruppe um Joe Johnston und umarmte Charles heftig.

«Bison! Dacht' mir's doch, daß du auch hier bist.»

«Fitz, du schaust großartig aus. Ich hörte, du bist in General Johnstons Stab.»

Fitzhugh Lee, Neffe von Robert E., war ihm in West Point und Texas ein guter Freund gewesen. «Nicht so großartig wie du, Captain.» Er betonte das letzte Wort mit übertriebener Ehrerbietung. Charles lachte.

«Hör bloß auf damit. Ich weiß, wer hier den höheren Rang hat. Du gehörst zur regulären Armee. Wir sind bloß Staatstruppen.»

«Nicht mehr lang, da bin ich sicher. Oh-oh – da ist noch eine Visage, die du erkennen solltest. Und genau dort, wo man mit ihr rechnet – inmitten eines Schwarms bewundernder Damen.»

Charles schaute hin, und sein Herz schlug höher beim Anblick eines alten Freundes, der eigentlich der Rivale seines Colonels war. Jeb Stuarts rostbrauner Bart war voll und glänzend. Eine gelbe Rose schmückte sein Knopfloch. Seine blauen Augen blitzten, während er mit den Damen, die sich um ihn drängten, flirtete.

Der Kommandant der First Virginia Kavallerie war Student im ersten Semester gewesen, als Charles zur Akademie kam. Stuart hatte dem unerfahrenen Neuling einen Haarschnitt verpaßt – genauer gesagt einen halben Haarschnitt –, den Charles nie vergessen würde. Gemeinsam bahnten er und Fitz sich einen Weg zu Stuart. Er erspähte sie und entschuldigte sich bei den enttäuschten Damen, gerade als Charles einen Major der First Virginia entdeckte, der eine vollbusige Blondine in blaßblauer Seide zum Tanz aufforderte. Es war Augusta.

Abseits der Menge wurden Stuarts Stiefel sichtbar; da waren die Goldsporen, über die jedermann redete. «Bison Main! Jetzt ist die Party perfekt!»

Charles Begrüßung war zurückhaltend und korrekt. «Colonel!»

«Komm, komm – du wirst doch deinen alten Barbier nicht so begrüßen.»

«Also gut, Beauty. Großartig, dich zu treffen. Du und General Beauregard, ihr seid die Helden der Stunde.»

«Wie ich gehört hab', denken diese Yankees, wir reiten alle schwarze Hengste, aus deren Nüstern Feuer und Schwefel faucht. Gut! Wir schlagen sie um so eher, je mehr sie die Hosen voll haben. Komm mit und trink einen Whiskey.»

Die drei gingen zur Erfrischungsbar, wo Schwarze ehrerbietig den Bestellungen nachkamen.

Charles' Blick kehrte immer wieder zu Augusta zurück. Sie tanzte immer noch mit dem gleichen Major, der in Charles' eifersüchtiger Phantasie zum Musterbeispiel eines pompösen Langeweilers geworden war.

Er schreckte zusammen, als Fitz sagte: «Hübscher kleiner Leckerbissen.»

«Kennst du sie?»

«Natürlich. Sie ist eine reiche Frau – jedenfalls ziemlich reich, dank ihres verstorbenen Mannes. Die Verwandten ihrer Mutter, die Duncans, zählen zu den ältesten und besten Familien am Rappahannock.»

«Bis auf ihren verräterischen Onkel», sagte Stuart. «Der hat sich an die Afrikanergruppe verkauft, genau wie mein Schwiegervater.»

«Aber du hast deinen Sohn nach Old Cooke benannt», sagte Fitz.

«Ich hab' darauf bestanden, daß Flora den Namen des Jungen ändert. Er heißt nicht mehr Philip; er heißt James – jetzt und für immer.» Eisstücke lagen in Stuarts Lächeln, und seine Augen leuchteten fanatisch. Es beunruhigte Charles.

Andere Bewunderer warteten auf Stuart. Sie trennten sich in bestem Einvernehmen, und doch blieb bei Charles das Gefühl zurück, daß Rivalitäten in Rang und Status sie nun trennten. Er verfiel in leichte Melancholie, die sich steigerte, als das Orchester ein neues Stück spielte und der Major erneut Augusta zum Tanz aufforderte.

«Wenn du hinter ihr her bist, dann nichts wie los», flüsterte Fitz.

«Er ist ranghöher als ich.»

«Kein Südstaatler mit einem Schuß Selbstachtung würde das für einen Hinderungsgrund halten. Außerdem», die Stimme von Fitz wurde noch leiser, «kenne ich den Mann. Er ist ein Narr.»

Er klopfte Charles auf die Schulter. «Los, Bison, oder die Nacht ist vorbei, und du hast nichts davon gehabt.»

Zögernd manövrierte sich Charles an den Rand der Tanzfläche, wo die Paare herumwirbelten. Er merkte, daß Augusta ihn beobachtete, freudig und erleichtert, falls er sich das nicht einbildete. Schnell plante er seine Strategie und stürzte dann auf sie zu, als die Musik endete.

«Cousine Augusta! Major, entschuldigen Sie die Störung, ich hatte ja keine Ahnung, daß ich meine Verwandte heute abend hier sehen würde.»

«Ihre Verwandte?» wiederholte der First Virginia Offizier mit einer Stimme, die aus der Tiefe eines Fasses zu kommen schien. «Sie erwähnten nichts von Verwandten in South Carolina, Mrs. Barclay.»

«Hab' ich nicht? Die Duncans haben einen ganzen Schwarm davon. Und ich habe den lieben Charles sei zwei – nein, seit drei Jahren nicht mehr gesehen. Major Beesley – Captain Main. Wenn Sie uns entschuldigen würden, Major?» Sie lächelte, nahm Charles' Arm und zog ihn von dem finster blickenden Virginier fort.

«Beastly, sagten Sie?» flüsterte er. Vom Whiskey brannte er innerlich und reagierte auf den Druck ihrer Brust gegen seinen Arm.

«So müßte er heißen. Federn im Gehirn und Blei in den Füßen. Ich dachte schon, mein Schicksal sei für den restlichen Abend besiegelt.»

«Federn und Blei – das stammt nicht von Mr. Pope, nicht wahr?»

«Nein, aber Sie haben jedenfalls ein gutes Gedächtnis.»

«Gut genug, um mich daran zu erinnern, daß ich Sie auf keinen Fall Gus nennen darf.»

Mit ihrem Fächer versetzte sie ihm einen leichten Schlag auf die Hand. «Seien Sie vorsichtig, oder ich gehe zurück zu Beastly.»

«Das würde ich niemals zulassen.» Er warf einen Blick über die Schulter. «Er belauert uns. Holen wir uns was zu essen.»

Charles reichte Augusta einen Becher mit Punsch und begann dann zwei kleine Teller zu beladen. Er trug sie hinaus auf einen Balkon, von wo aus man die belebte Straße überblicken konnte. Augusta seufzte. «Eigentlich gehöre ich gar nicht auf diese Party. Die Reise ist zu weit, und die Gesellschaft ist größtenteils unerträglich.» Sie nahm eine kleine Scheibe Toast vom Teller; der Kaviar glänzte. «Größtenteils», wiederholte sie und blickte zu ihm auf.

«Warum sind Sie dann gekommen?»

«Es hieß, sie benötigten mehr Frauen. Ich kam zu dem Schluß», sie legte eine Pause ein, «daß es meine patriotische Pflicht sei, der Party beizuwohnen. Einer meiner freigelassenen Neger machte die Reise mit. Natürlich hätte ich auch alleine fahren können – warum lächeln Sie?»

«Weil Sie so verdammt – äh, verflucht –»

«Schon gut, ich hab das Wort ‹verdammt› auch schon gehört.»

«So selbstbewußt sind. Sie haben mehr Schneid als Jeb Stuart.»

«Und das ziemt sich nicht für eine Frau?»

«Das habe ich nicht gesagt, oder?»

«Weshalb erwähnen Sie es dann extra?»

«Nun, es ist – überraschend.»

«Ist das alles – überraschend? Wie denken Sie wirklich darüber, Captain?»

«Gehen Sie nicht gleich wieder auf mich los. Wenn Sie es unbedingt wissen wollen, es gefällt mir.»

Sie errötete, was ihn verblüffte. «Ich wollte nicht auf Sie losgehen. Das ist eine schlechte Angewohnheit von mir. Wie ich Ihnen schon beim erstenmal erzählte, war ich nie eine Schönheit und benehme mich nicht immer so, wie es sich gehört.»

«Nichtsdestoweniger, es gefällt mir von ganzem Herzen.»

«Besten Dank, verehrter Sir.» Die Barriere war wieder da. Hatte er sie mit seiner Aufmerksamkeit beunruhigt? Ihn beunruhigte es mit Sicherheit, wie sehr er sich von dieser hübschen, aber unkonventionellen Witwe angezogen fühlte.

Das Orchester setzte wieder ein. «Würden Sie mit mir tanzen, Augusta?»

Sie lag genau richtig in seinen Armen, weich und sanft. Er war so lange ohne Frau gewesen, daß er ganz bewußt Abstand halten mußte, sonst hätte sie gespürt, wie es um ihn stand. Sie tanzten zu Walzerklängen, immer weiter und weiter; Augusta lachte und preßte sich für einen Moment gegen ihn.

Nur zu bereitwillig blieb sie für den Rest des Abends seine Tanzpartnerin, dann begleitete er sie zu der Pension, in der sie ein Zimmer bekommen hatte. Charles war froh, mit ihr noch etwas allein sein zu können. Sein Zug fuhr um drei; bis dahin war es fast noch eine ganze Stunde.

«Ich muß Ihnen die Wahrheit sagen, Charles», erklärte sie, als sie vor der dunklen Veranda der Pension ankamen. Sie trat auf die unterste Stufe, ihre Augen nun auf gleicher Höhe mit den seinen. «Heute abend haben wir uns über alles unterhalten, angefangen von meiner Ernte bis zu General Lees Charakter, nur das eine Thema, über das wir sprechen sollten, haben wir ausgelassen.»

«Und das wäre?»

«Den wirklichen Grund, weshalb ich so weit gereist bin. Ich bin eine Patriotin, aber so sehr nun auch wieder nicht.» Sie atmete tief durch, als bereite sie sich auf einen Sprung ins kalte Wasser vor. «Ich hoffte, Sie seien hier.»

«Ich –» *Verstrick dich nicht in irgendwas.* Er ignorierte die innere Warnung. «Ich hoffte das gleiche von Ihnen.»

«Ich bin ziemlich offen und direkt, nicht wahr?»

«Ich bin froh darüber. Ich hätte es nicht als erster sagen können.»

«Sie haben nicht gerade einen schüchternen Eindruck auf mich gemacht, Captain.»

«Im Umgang mit Männern wie Beastly, nein. Aber bei Ihnen –»

Von einem fernen Kirchturm schlug die Glocke die Viertelstunde. Die Nacht war immer noch warm, und ihm war heiß. Ihre rechte Hand schloß sich fest um seine Linke.

«Werden Sie mich auf der Farm besuchen kommen, wenn Sie es ermöglichen können?»

«Selbst wenn ich mich vergesse und Sie Gus nenne?»

Sie schaute ihn an, beugte sich ihm entgegen. Blonde Locken streichelten sanft sein Gesicht. «Selbst dann.» Sie küßte ihn auf die Wange und rannte hinein.

Pfeifend machte er sich zur Bahnstation auf. Die innere Stimme blieb hartnäckig. *Sei vorsichtig, Kavalleristen reisen mit leichtem Gepäck.* Er wußte, er sollte auf diese innere Stimme hören, aber er fühlte sich riesengroß und stark, und so tat er es nicht.

36

Im Finanzministerium kam James Huntoon aus einer Notsitzung, die der Minister einberufen hatte, um das Fälschungsproblem zu besprechen. Huntoon trat an seinen vom Herbstlicht überfluteten Schreibtisch und legte eine Zehn-Dollar-Banknote darauf, die echt aussah, es aber nicht war. Er hatte den Auftrag bekommen, sie Pollard, dem Herausgeber vom *Examiner*, zu zeigen, damit die Zeitung ihre Leser vor allen im Umlauf befindlichen Fälschungen warnen konnte – Banknoten, die besser gedruckt waren als jene von Hoyer und Ludwig, der offiziellen Regierungsdruckerei.

Pollard würde Gefallen an der Story finden, und Huntoon genoß den Gedanken, sie ihm zu berichten; er teilte die Abneigung des Herausgebers gegen den Präsidenten, seine Politik und überhaupt gegen die gesamte Regierung. Im Augenblick hatte es die Zeitung auf Colonel Northrop abgesehen, den Generalkommissar der Armee, der im Begriff stand, aufgrund seiner falschen Nahrungsbeschaffung und -verteilung schnell zum bestgehaßten Mann der Konföderation aufzusteigen. Pollards Anti-Northrop-Leitartikel vergaßen nie zu erwähnen, daß Davis wieder mal mit einem West-Point-Kumpel gemeinsame Sache machte. Der einzige Akademie-Absolvent, den der *Examiner* unterstützte, war Joe Johnston; und zwar deswegen, weil der Präsident und der General sich heftig wegen des Ranges in den Haaren lagen, zu dem sich Johnston berechtigt fühlte.

In Privatgesprächen äußerte sich Herausgeber Pollard sogar noch bösartiger. Er bezeichnete Davis als «einen Mississippi-Parvenu». Beschuldigte ihn, von seiner Frau Befehle entgegenzunehmen, «er ist Wachs in ihren Händen». Erinnerte Zuhörer daran, daß Davis gegen die Kongreßentscheidung, die Hauptstadt nach Richmond zu verlegen, sein Veto eingelegt hatte – «Zeigt das nicht überdeutlich, was er für unsere geliebte Stadt übrig hat?» – und daß er «vor Kummer wie betäubt gewesen war», nach Aussage seiner Frau, als er erfahren hatte, daß er zum Präsidenten gewählt worden war.

Pollard stellte keinen Einzelfall dar. Ein Zyklon der Feindseligkeit stieg im Süden auf. Stephens, der ältliche Vizepräsident, bezeichnete seinen Vorgesetzten ganz offen mit Worten wie *Tyrann* und *Despot*. Viele forderten Davis' Rücktritt – doch die Wahl, mit der seine vorläufige Präsidentschaft bestätigt werden sollte, würde erst im November abgehalten werden.

Huntoons Unzufriedenheit mit der Regierung war ein Grund für seinen deprimierten Zustand. Ashton war ein weiterer. Sie brachte ihre gesamte Zeit damit zu, sich auf der sozialen Leiter höher zu manövrieren. Zweimal hatte sie ihn zum Besuch von Dinnerparties gezwungen, die dieser verschlagene kleine Jude Benjamin gegeben hatte. Die beiden hatten viel gemeinsam. Immer auf der Hut, versuchten sie es allen recht zu machen und niemandem auf die Füße zu treten – denn wer konnte wissen, aus welcher Richtung der Zyklon nächste Woche blasen würde?

Ein offener, heftiger Streit hatte Huntoon den Sommer verdorben. Zwei Wochen nach dem Empfang im Spotswood hatte der elegante Gentleman mit Verbindungen nach Valdosta und den Bahamas seine Aufwartung in der Residenz gemacht, in die Huntoon und Ashton vor wenigen Tagen eingezogen waren. Der Gentleman bot Huntoon einen Anteil an seiner Maritim-Gesellschaft zum Kauf an. In Liverpool, so sagte er, habe er ein schnelles Dampfschiff entdeckt, die *Water Witch*, die zu vernünftigen Preisen zum Blockadebrecher zwischen Nassau und der Konföderiertenküste umgerüstet werden konnte.

«Und was soll sie befördern?» fragte Huntoon. «Gewehre, Munition, Sachen dieser Art?»

«Oh nein», erwiderte Mr. Lamar H. A. Powell. «Luxusgüter. Damit läßt sich wesentlich mehr Geld verdienen. Die Risiken für das Schiff sind beträchtlich, wie Sie wissen. Deshalb planen wir eher kurzfristig als langfristig. Meine Berechnungen besagen, daß bei sorgfältig ausgewählter Fracht allein mit zwei erfolgreichen Fahrten ein Profit von fünfhundert Prozent erzielt werden kann – Minimum. Danach können die Yankees das Schiff versenken, wann es ihnen paßt. Macht die *Water Witch* noch mehr Fahrten, dann steigt der potentielle Gewinn der Anteilhaber ins Astronomische.»

In dem Augenblick bemerkte Huntoon, daß seine Frau den Besucher intensiv musterte. Huntoon fürchtete gutaussehende Männer, weil er selbst keiner war, aber er konnte nicht entscheiden, ob der gewagte Plan des Fremden oder dessen gutes Aussehen Ashton reizte. Wie auch immer, er jedenfalls wollte nichts mit Mr. L. H. A. Powell zu tun haben, mit dessen Vergangenheit er sich ein wenig beschäftigt hatte, nachdem Powell in einer Nachricht um ein Treffen gebeten hatte.

Es hieß, Powell sei Söldner in Europa und später Freibeuter in Südamerika gewesen. Regierungsberichte zeigten, daß er Befreiung von jeglichem Militärdienst beantragt hatte, aufgrund eines Gesetzes, wonach Besitzer von mehr als zwanzig Sklaven freigestellt wurden; in Powells Erklärung war die Rede von fünfundsiebzig Sklaven auf der Familienplantage in der Nähe von Valdosta. Huntoon erhielt auf Anfrage von Atlanta die telegraphische Nachricht, daß die «Plantage» aus einem heruntergekommenen Farmhäuschen und einigen Schuppen bestand, bewohnt von drei Leuten namens Powell: ein Mann und eine Frau, beide über siebzig, und ein vierzigjähriger Koloß mit dem Gehirn eines Kindes. Ein dritter Bruder war in den Westen auf und davon.

«Ich möchte mit solch' einem Plan nichts zu tun haben, Mr. Powell.»

«Dürfte ich den Grund erfahren?»

«Es gibt mehrere, aber der Hauptgrund dürfte genügen. Es ist unpatriotisch.»

«Ich verstehe. Sie sind lieber ein armer als ein reicher Patriot, nicht wahr?»

«Parfüm und Seide und Sherry für Minister Benjamin zu importie-
ren deckt sich nicht mit meiner Vorstellung von Patriotismus.»

«Aber James, Liebling», fing seine Frau an.

Geleitet von einer nicht genau definierten, aber deutlich empfunde-
nen Bedrohung, die der elegante Gentleman für ihn darstellte, unterbrach er sie. «Die Antwort lautet nein, Ashton.»

Nachdem Powell gegangen war, brüllten sie sich bis spät in die
Nacht hinein an.

Huntoon: «Natürlich meinte ich, was ich sagte. Mit einem derartigen prinzipienlosen Opportunismus will ich nichts zu tun haben. Wie
ich dem Kerl schon sagte, habe ich genügend Gründe dafür.»

Mit geballten Fäusten preßte Ashton hervor: «Dann sag sie.»

«Nun – da ist einmal das persönliche Risiko. Stell dir die Folgen
einer Entlarvung vor.»

«Du bist ein Feigling.»

Er wurde rot. «Gott, wie ich dich manchmal hasse.» Aber er hatte
sich abgewandt, bevor er es sagte.

Später dann, wieder Ashton, wilder als zuvor: «Es ist mein Geld,
von dem wir leben, vergiß das nicht. Du verdienst ja kaum soviel wie
baumwollpflückende Nigger. Ich kontrolliere unsere Mittel –»

«Mit meiner Erlaubnis.»

«Das glaubst du! Ich kann das Geld ausgeben, wie ich will!»

«Möchtest du das vor Gericht feststellen lassen? Das Gesetz besagt,
daß diese Mittel in dem Moment, in dem wir heirateten, in meinen
Besitz übergingen.»

«Immer der selbstgefällige kleine Anwalt, was?» Sie riß Decken von
ihrem Bett, öffnete die Tür, und warf das Bündel in den Flur. «Schlaf
auf dem Sofa, du Bastard – wenn du dafür nicht zu fett bist.»

Sie stieß ihn hinaus. Besänftigend hob er die Hand; hinter den
Brillengläsern tränten seine Augen. «Ashton!» Die zuknallende Tür
schlug gegen seine Handfläche. Er lehnte sich gegen die Wand und
schloß die Augen.

Am nächsten Tag hatten sie wieder Frieden geschlossen – das taten
sie stets –, obwohl sie ihm zwei Wochen lang jeden körperlichen Kontakt verweigerte. Danach besserte sich ihre Laune beträchtlich. Sie war
so fröhlich, als würden Powell und sein Plan gar nicht existieren.

Doch die Erinnerung an diesen Streit wollte nicht von ihm weichen;
eine weitere dunkle Wolke am Horizont. Mit der gefälschten Banknote
saß Huntoon an seinem Schreibtisch, die Augen leer, mit unglückli-
chem Gesichtsausdruck. Ein Angestellter mußte ihn recht deutlich auffordern, endlich zur Zeitung zu gehen.

An den meisten Wochentagen kam James erst nach halb acht nach Hause, der üblichen Stunde für ein leichtes Abendessen. Auch an diesem Herbstnachmittag rechnete Ashton mit ihm erst am frühen Abend. Eine ganze Stunde brachte sie damit zu, sich attraktiv herzurichten; um zwei Uhr war sie bereit, aufzubrechen, und Homer fuhr die Kutsche vor.

Der Tag war mild, aber Ashton war heiß. Sie ging ein enormes Risiko ein. Würde sie die Sache allein durchstehen? Allein eine Woche hatte es sie gekostet, die Adresse des Mannes aufzuspüren, eine weitere, um eine entsprechende Nachricht zu formulieren, mit der sie ihm Tag und Zeitpunkt ihres Besuches mitteilte, «um eine kommerzielle Angelegenheit von beidseitigem Interesse» zu besprechen. Sie konnte sich das amüsierte Aufleuchten seiner Augen vorstellen, wenn er das las.

Wenn er das las. Sie hatte keine Antwort erhalten. Falls er nun nicht in der Stadt war?

In das Pfeifen eines Zuges an der Broad Street Station hinein rief Homer: «Hier ist die Ecke, wo Sie hinwollten, Miz Huntoon. Soll ich Sie in einer Stunde abholen?»

«Nein. Ich weiß nicht, wie lange ich mit Einkäufen zu tun habe. Wenn ich fertig bin, nehme ich eine Mietkutsche, oder ich schaue bei Mr. Huntoon vorbei und komme mit ihm heim.»

«Sehr wohl, Ma'am.» Schnell betrat Ashton den nächsten Laden und kam wenige Minuten später mit zwei überflüssigen Garnrollen heraus. Sie vergewisserte sich, daß Homer verschwunden war, dann winkte sie die erstbeste Kutsche heran.

Schwitzend, mit klopfendem Herzen, stieg sie vor einem der hübschen Häuser mit hoher Veranda auf Church Hill aus. Es lag an der Franklin Street. Aus Furcht, sie könnte jemanden sehen, der sie beobachtete, stieg sie, ohne nach rechts und links zu blicken, die Stufen hoch und läutete. Würden Diener da sein?

Lamar Powell öffnete persönlich. Vor lauter Erregung wäre sie beinahe in Ohnmacht gefallen.

Er trat zurück in den Schatten. «Bitte, kommen Sie herein, Mrs. Huntoon.»

Im Foyer war es kühl. Durch die offenstehenden Türen zu jeder Seite wurden andere Zimmer sichtbar, Zimmer mit verschwenderischen Holzarbeiten, üppiger Möblierung und passenden Lüstern. Vor kurzem hatte James erneut Powells Namen erwähnt und gesagt, er habe Nachforschungen über ihn angestellt. «Scheint so, als ob der Kerl von Unverschämtheit, Eigenreklame und Kredit lebt.» Falls die hämische Bemerkung auch nur teilweise stimmte, dann mußte Powells Kredit gewaltig sein.

Er lächelte ihr zu. «Ich gestehe, daß mich Ihre Nachricht überrascht hat. Ich war mir nicht sicher, ob Sie die Verabredung einhalten würden. Allein auf die Möglichkeit hin hab' ich meinen Hausdiener zum Fischen geschickt und bin zu Hause geblieben. Wir sind ganz allein.» Er machte eine Geste mit seinen schlanken, merkwürdig sinnlichen Händen. «Sie brauchen also nicht zu befürchten, kompromittiert zu werden.»

Ashton fühlte sich so verlegen wie ein Kind. Er war groß – so groß – und machte in seinen dunklen Hosen und dem weiten Baumwollhemd einen vollkommen entspannten Eindruck. Er war barfuß. «Es ist ein wunderbares Haus», rief sie. «Wieviele Zimmer bewohnen Sie?»

Amüsiert von ihrer Nervosität sagte er: «Alle, Mrs. Huntoon.» Sanft griff er nach ihrem Arm. «Als wir im Spotswood einander vorgestellt wurden, wußte ich, daß Sie irgendwann zu mir kommen würden. Sie sehen wunderbar aus in diesem Kleid. Ich vermute, ohne das Kleid würden Sie noch wunderbarer aussehen.»

Ohne zu zögern nahm er ihre Hand und führte sie zur Treppe.

Schweigend stiegen sie die Stufen hoch. In einem Zimmer, in dem eine Jalousie Lichtstreifen auf das Bett warf – sie bemerkte, daß die Bettdecke bereits zurückgeschlagen war –, zogen sie sich aus; er ruhig, sie mit hektischen, nervösen Bewegungen. Nie zuvor hatte ein Mann sie in solch einen Zustand versetzt.

Das Schweigen dehnte sich. Er half ihr mit den Miederknöpfen, küßte sie sehr sanft auf die linke Wange. Dann küßte er ihren Mund, fuhr langsam mit seiner Zunge über ihre Unterlippe. Sie hatte das Gefühl, in einem Freudenfeuer zu versinken.

Er schob die Spitzenbänder von ihren Schultern, entblößte sie bis zur Taille. Vorsichtig, zart hob er erst die eine Brust heraus, dann die andere, preßte sanft seinen Daumen gegen ihre Brustwarzen. Er beugte sich vor, immer noch auf seine merkwürdig entrückte Weise lächelnd. Sie warf den Kopf zurück, mit geschlossenen Augen, feuchten Schenkeln, erwartete, seine Zunge zu spüren.

Mit der Handfläche schlug er gegen ihren Kopf und warf sie aufs Bett. Sie war zu entsetzt, um zu schreien. Lächelnd stand er über ihr.

«Warum –?»

«Damit es keinen Zweifel gibt, wer in dieser Liaison das Kommando führt, Mrs. Huntoon. Ich wußte nach dem ersten Blick, daß Sie eine starke Frau sind. Reservieren Sie diese Eigenschaft für andere.»

214

Dann bückte er sich und begann sie vollständig zu entkleiden.

Ihr Entsetzen verwandelte sich in eine so intensive Erregung, daß es an Wahnsinn grenzte. Sie war so feucht wie ein Fluß, als er seine Baumwollunterhosen herunterzog. Er war seltsam geformt, kleiner, als sie es aufgrund seiner Statur erwartet hatte. Er spreizte ihre Beine und bohrte sich in sie, ohne die Augen zu schließen.

Sie konnte nicht glauben, was mit ihr geschah. Sie hämmerte auf die zerwühlten feuchten Laken, bis zum Wahnsinn erregt von seinem Schlag. Sie begann zu schreien, als er sein Tempo steigerte; bei anderen Liebhabern war ihr das nie passiert. Tränen strömten über ihre Wangen, und als er ihr den letzten rammenden Stoß versetzte, schluchzte sie auf, stöhnte und fiel in Ohnmacht.

Als sie erwachte, lag er lächelnd da, auf einen Ellbogen gestützt. Sie war verschwitzt, erschöpft, erschreckt von ihrem Ohnmachtsanfall. «Ich war weg –»

«*La petite mort.* Der kleine Tod. Du meinst, es ist das erste Mal –?»

Sie schluckte. «Noch nie.»

«Nun, es wird nicht das letzte Mal gewesen sein. Du hast fast fünfundzwanzig Minuten geschlafen. Genug Zeit für einen Mann, sich zu erholen.» Er machte eine entschiedene Geste. «Los, mach's mit dem Mund.»

«Aber ich habe noch nie – bei niemandem –»

Er packte sie an den Haaren. «Hast du gehört, was ich gesagt hab'? Tu es.»

Sie gehorchte.

Viel später fanden sie ein erneut Erfüllung. Wieder schlief sie, und bei ihrem zweiten Erwachen spürte sie nichts mehr von dem früheren Entsetzen.

Die Lichtstreifen änderten sich, wurden dunkler. Der Nachmittag ging zu Ende. Es war ihr egal. Was heute in diesem Zimmer geschehen war, die geheimen Dinge, hatte sie emotional verändert. Sie hatte schon genügend Liebhaber gehabt, das bewies ihre Sammlung an Souvenirs, aber Lamar Powell hatte sie gelehrt, daß sie eine Novizin, ein Kind war.

Allmählich jedoch fiel ihr der zweite Grund ihres Besuches wieder ein. «Mr. Powell –»

Sein Lachen dröhnte auf. «Man sollte meinen, wir kennen uns gut genug, um uns beim Vornamen zu nennen.»

«Ja, das stimmt.» Mit rotem Gesicht schob sie eine feuchte,

schwarze Haarsträhne aus der Stirn. In seinem Humor lag eine gehörige Portion Grausamkeit. «Ich wollte mit dir übers Geschäft sprechen. In unserem Haushalt kontrolliere ich das Geld. Ist in deinem Maritim-Syndikat noch Platz für einen weiteren Kapitalanleger?»

«Schon möglich.» Augen wie undurchsichtiges Glas verbargen seine Gedanken. «Wieviel kannst du anlegen?»

«Fünfunddreißigtausend Dollar.» Bei einer Investition in dieser Höhe würden nur noch wenige Tausender übrigbleiben, falls der Plan fehlschlug.

«Diese Summe wird dir einen ordentlichen Anteil an dem Schiff sichern», sagte er. «Und am Profit. Bedeutet deine Entscheidung, daß dein Mann seine Meinung geändert hat?»

«James weiß nichts davon, und er wird auch nichts davon erfahren, bis ich es für richtig halte. Er wird auch nichts von meinem heutigen Besuch hier erfahren – oder von zukünftigen Besuchen.»

«Falls es zukünftige Besuche geben wird.» Sie sollte sich ruhig ein bißchen krümmen.

«Das wird es, falls du das Geld willst.»

Lächelnd lehnte er sich zurück. «Ich brauche es. Sobald ich es habe, kann es losgehen.»

«Bei unserem nächsten Treffen bringe ich einen Wechsel mit.»

«Abgemacht. Bei Gott, du bist eine Entdeckung. Es gibt verdammt wenige Männer in der Stadt mit deinen Nerven. Wir passen gut zusammen», sagte er, rollte sich zu ihr und küßte ihren nackten Bauch. Diesmal war er es, der hinterher einschlief.

Ashton besaß ein Kästchen, das ihr Mann noch nie zu Gesicht bekommen hatte. Darin bewahrte sie Erinnerungsstücke an romantische Affären auf, die einen Monat oder eine Woche oder eine Nacht gedauert hatten. Das aus Japan stammende Kästchen war aus lackiertem Holz, mit kleinen Perlensplittern besetzt. Den Deckel zierte ein Tee schlürfendes Pärchen. Die Innenseite des Deckels zeigte das gleiche Paar, doch hier hatten sie ihre Kimonos hochgerafft und kopulierten mit breitem Lächeln. Der Künstler hatte sein Werk so dargestellt, daß die Genitalien beider Partner deutlich zu sehen waren. Der gewaltige Penis des Mannes ließ Ashton den glücklichen Gesichtsausdruck der Frau nachfühlen.

Die Souvenirs, die sie in diesem Kästchen aufbewahrte, bestanden aus Hosenknöpfen. Lange vor dem Krieg hatte sie mit ihrer Sammlung begonnen, nach einem Besuch bei Cousin Charles, als dieser noch Kadett in West Point war. Zu der Zeit war es Sitte, daß ein Mädchen dem Kadetten in ihrer Begleitung ein kleines Geschenk machte – für gewöhnlich irgendwelche Süßigkeiten – als Gegenleistung für einen Knopf von seinem Waffenrock. Ashton unterhielt an einem einzigen Abend nicht einen, sondern sieben Kadetten in der muffigen Finsternis des Pulvermagazins. Von jedem verlangte sie ein unkonventionelles Souvenir: einen Knopf von seinem Hosentürchen.

Jetzt, während Powell schlief, kroch sie leise aus dem Bett, suchte seine Hosen, die er auf den Boden geworfen hatte, und zerrte, bis sich ein Knopf löste. Dann legte sie sich zufrieden wieder ins Bett. War der Knopf erst sicher in ihrem Kästchen untergebracht, dann würde sich ihre Sammlung auf achtundzwanzig Knöpfe belaufen – einen für jeden Mann, der ihre Gunst genossen hatte. Unberücksichtigt blieben dabei der Junge, der sie als Mädchen entjungfert hatte, und ein Matrose mit viel Erfahrung, mit dem sie Beziehungen unterhalten hatte, bevor der West-Point-Besuch sie zu ihrer Sammlung anregte. Der einzige durch keinen Knopf repräsentierte Partner war ihr Ehemann.

37

Washington war in diesem Herbst auf der Suche nach Sündenböcken. Auf McDowell wurde weiterhin eingeprügelt, aber auch Scott bekam nun einen Teil der Schuld an Bull Run in die Schuhe geschoben. Und fast jeden Abend kehrte Stanley mit neuen Horrorstories über Cameron heim. Der Boß wurde generell von Bürokraten, der Presse und der Öffentlichkeit gegeißelt.

«Selbst Lincoln hat sich der Claque angeschlossen. Unser Spion hat ein paar Notizen seines Sekretärs Nicolay entdeckt.» Er zog einen Zettel hervor, auf den er die alarmierenden Zitate gekritzelt hatte: *Präsident sagt, Cameron sei vollkommen unwissend. Selbstsüchtig. Verhaßt im ganzen Land. Unfähig, irgend etwas zu organisieren oder allgemeine Pläne auszuführen.* Er gab ihr den Zettel. «Gibt noch mehr davon.»

Sie studierte das Papier, dann sagte sie: «Wir haben zu lange gewartet, Stanley. Du mußt dich von Cameron trennen, bevor sie ihm den Kopf abschlagen.»

«Nur zu gern. Ich weiß bloß nicht, wie.»

«Ich habe lange darüber nachgedacht. Es existiert eine eindeutige Spaltung, und wir müssen darauf setzen, daß eine der Seiten gewinnt.»

Verblüfft schüttelte Stanley den Kopf. «Aber welche?» sagte er, den Mund vollgestopft mit Hummer.

«Das kann ich dir am besten beantworten, wenn ich dir erzähle, wer mich heute nachmittag besucht hat. Caroline Wade.»

«Die Frau des Senators? Isabel, du erstaunst mich immer wieder. Ich wußte gar nicht, daß du mit ihr bekannt bist.»

«Bis vor einem Monat war ich das auch nicht. Ich habe dafür gesorgt, daß wir einander vorgestellt wurden. Heute war sie recht herzlich, und ich glaube, ich habe sie davon überzeugen können, daß ich ein Anhänger ihres Mannes und seiner Clique bin – Chandler, Grimes und all die anderen. Außerdem deutete ich an, wie unglücklich du über Simons Management des Kriegsministeriums seiest, aus Loyalitätsgründen aber nichts dagegen unternehmen könntest.»

Er wurde augenblicklich blaß und sagte: «Du hast doch nicht Lashbrook erwähnt?»

«Stanley, du machst die Fehler, nicht ich. Mrs. Wade hat es nicht ausdrücklich betont, aber jedenfalls vermittelte sie mir den Eindruck, daß der Senator einen neuen Kongreßausschuß bilden möchte, der die diktatorische Macht des Präsidenten beschneidet und die Kriegsführung beaufsichtigt. Solch ein Ausschuß würde sicherlich als erstes Simon seines Postens entheben.»

«Glaubst du? Ben Wade ist einer von Simons engsten Freunden.»

«War, mein Lieber. War. Alte Allianzen sind in Bewegung geraten.» Sie beugte sich zu ihm. «Ist Simon immer noch verreist?»

Er nickte; der Minister besuchte den Westen.

«Dann ist es eine einmalige Gelegenheit. Du wirst nicht so genau beobachtet werden. Besuche Wade, und ich schicke die Einladungen zu einem Empfang ab, den ich für seine Frau und den Senator und ihren Kreis plane. Vielleicht lade ich, um den Schein zu wahren, auch George und Constance ein. Einen Abend werde ich ihre Arroganz schon ertragen können.»

«Schön und gut, aber was soll ich dem Senator sagen?»

«Sei still, und hör zu; ich werd's dir erklären.»

Das Essen war vergessen; er saß lauschend da, bis ins Mark erschreckt von dem Gedanken, dem gefährlichsten der Radikalen gegenüberzutreten. Doch je länger Isabel sprach, desto überzeugter wurde er, daß Wade für sie ein Mittel zum Überleben werden konnte.

Am nächsten Tag traf er die Verabredung, allerdings erst zum Wochenende. Die Verzögerung brachte seine Verdauung durcheinander und ruinierte seinen Schlaf.

Am Freitag endlich saß Stanley auf einer Bank in Senator Benjamin Franklin Wades Vorzimmer. Sein Magen schmerzte. Die verabredete Stunde des Treffens, elf Uhr, verstrich. Gegen viertel nach elf schwitzte Stanley heftig. Um halb zwölf war er fluchtbereit. In diesem Augenblick öffnete sich Wades Bürotür. Ein untersetzter Mann mit Brille und herrlichem Bart kam herausmarschiert. Vor lauter Entsetzen war Stanley zu keiner Bewegung fähig.

«Morgen, Mr. Hazard. Sind Sie in ministeriellen Angelegenheiten hier?»

Sag was! Geh in Deckung! Er war überzeugt davon, daß sein schlechtes Gewissen deutlich erkennbar war. «Es ist – eigentlich ist es mehr persönlich, Mr. Stanton.» Der kleine, aber einschüchternd wirkende Mann stammte wie Wade aus Ohio; ein Demokrat, seit langem einer der besten und teuersten Anwälte Washingtons und eine Zeitlang Buck Buchanans Justizminister. Außerdem war er Simon Camerons persönlicher Anwalt.

«Bei mir ebenfalls», sagte Edwin Stanton. «Ich bedaure, daß mein Termin sich mit dem Ihren überschnitten hat. Wie geht es meinem Klienten? Schon wieder aus dem Westen zurück?»

«Nein, aber ich erwarte ihn bald.»

«Wenn er zurückkehrt, richten Sie ihm meine Grüße aus. Ich stehe ihm für die Abfassung seines Jahresberichts zur Verfügung.» Und damit verschwand Stanton in den Fluren des Kapitols.

«Gehen Sie bitte hinein», forderte ihn Wades Verwaltungsassistent von seinem Schreibtisch aus auf.

«Was? Oh, ja – danke.»

Stanley stolperte auf den großen Walnußschreibtisch des Senators zu; Wades verächtlich hängende Oberlippe und das Glitzern der kleinen, schwarzen Augen schüchterten ihn ein. Wade, einst Staatsanwalt im nordöstlichen Ohio, war mindestens sechzig, strahlte aber eine Energie aus, die ihn jugendlich wirken ließ.

«Setzen Sie sich, Mr. Hazard.»

«Jawohl, Sir.»

«Ich erinnere mich, wir haben uns schon mal bei einem Empfang für Mr. Cameron getroffen. Was kann ich für Sie tun?» Er feuerte die Worte wie Kugeln ab.

«Senator, es ist schwierig, einen Anfang zu finden.»

«Fangen Sie an, oder lassen Sie es bleiben, Mr. Hazard. Ich bin ein vielbeschäftigter Mann.»

Falls Isabel sich täuscht –

Wade verschränkte seine Hände auf dem Schreibtisch und funkelte ihn an. «Mr. Hazard?»

Sich wie ein Selbstmörder fühlend, stürzte sich Stanley kopfüber hinein. «Sir, ich bin hier, weil ich Ihren Wunsch nach einer wirkungsvollen Kriegsführung und angemessener Bestrafung des Feindes vorbehaltlos unterstütze.»

«Die einzig angemessene Bestrafung hat gnadenlos und total zu sein. Fahren Sie fort.»

«Ich –» Zu spät für einen Rückzug; die Worte überstürzten sich. «Ich glaube nicht, daß der Krieg richtig geführt wird. Weder von der Exekutive», Wades Augen erwärmten sich leicht, «noch von meinem Ministerium.» Sofort verdeckte eine Maske die Wärme. «Im ersteren Fall kann ich nichts tun.»

«Der Kongreß kann und wird. Fahren Sie fort.»

«Im letzteren Fall würde ich gern tun, was in meinen Kräften steht. Es gibt», mit schmerzendem Magen zwang er sich, Wades schwarzem Blick standzuhalten, «Unregelmäßigkeiten bei der Versorgung, von denen Sie sicherlich gehört haben, und –»

«Einen Moment. Ich dachte, Sie seien einer der Auserwählten?»

Verwirrt schüttelte Stanley den Kopf. «Sir? Ich –»

«Einer aus dem Pennsylvania-Haufen, den unser gemeinsamer Freund mit nach Washington brachte, weil sie ihm bei der Finanzierung seiner Wahlkampagnen geholfen hatten. Ich hatte den Eindruck, daß Sie zu dem Rudel gehören – Sie und Ihr Bruder, der für Ripley arbeitet.»

Kein Wunder, daß Wade so mächtig und gefährlich war. Er wußte alles. «Ich kann nicht für meinen Bruder sprechen, Senator. Ja, es stimmt, ich kam hierher, um unseren, äh, gemeinsamen Freund zu unterstützen. Aber Menschen verändern sich.» Ein schwaches Grinsen. «Der Minister war einst ein Demokrat –»

«Er wird von Zweckmäßigkeit geleitet, Mr. Hazard.» Der mitleidlose Mund zuckte – Wades Version eines Lächelns. «Wie wir alle in dieser Branche. Was haben Sie anzubieten? Wollen Sie ihn verkaufen?»

Stanley erbleichte. «Sir, diese Ausdrucksweise ist –»

«Grob, aber korrekt. Hab' ich recht.» Der verängstigte Besucher blickte zur Seite. «Natürlich hab' ich recht. Also, dann lassen Sie mal Ihr Angebot hören. Gewisse Kongreßmitglieder könnten daran interessiert sein… Vor zwei Jahren waren Simon, Zach Chandler und ich unzertrennlich, aber die Zeiten ändern sich.»

Stanley leckte sich die Lippen und überlegte, ob sich der Senator über ihn lustig machte.

Wade fuhr fort: «Die Kriegsanstrengungen sind mangelhaft, das weiß jeder. Präsident Lincoln ist mit Simon unzufrieden. Auch das weiß jeder. Falls Lincoln nicht handelt, werden es andere tun.» Eine kurze Pause. «Was könnten Sie ihnen anbieten, Mr. Hazard?»

«Informationen über unrechtmäßig vergebene Kontrakte», flüsterte Stanley. «Namen. Daten. Alles. Mündlich. Kein schriftliches Wort.»

«Und was würden Sie als Gegenleistung für diese Hilfe verlangen? Eine Immunitätsgarantie für Sie?» Stanley nickte.

Wade lehnte sich zurück; sein Blick nagelte seinen Besucher fest, drückte Verachtung aus. Stanley wußte, er war erledigt. Cameron würde bei seiner Rückkehr alles erfahren. Zum Teufel mit seinem dämlichen Weib.

«Ich bin interessiert. Aber Sie müssen mich davon überzeugen, daß Sie keine Fälschungen anzubieten haben.» Der Staatsanwalt beugte sich dem Zeugen entgegen. «Geben Sie mir zwei Beispiele. Mit allen Details.»

Stanley wühlte in seinen Taschen nach Notizen, die er auf Isabels Vorschlag hin vorbereitet hatte. Nachdem er Wade einige kleine Geheimnisse serviert hatte, verhielt sich der Senator erkennbar herzlicher. Wade forderte ihn auf, sich draußen vom Assistenten den Termin für ein neues Treffen an sicherem Ort geben zu lassen. Ganz benommen erkannte Stanley, daß alles vorüber war.

An der Tür schüttelte ihm Wade kräftig die Hand. «Ich erinnere mich, daß meine Frau einen Empfang in Ihrem Hause erwähnte. Ich freue mich darauf.»

Sich wie ein schlachterprobter Held fühlend, schwankte Stanley hinaus. Gesegnet sei Isabel. Sie hatte schließlich doch recht behalten. Es gab eine Verschwörung, um den Boß seines Postens zu entheben. Gehörte Stanton vielleicht auch zu den Eingeweihten?

Egal. Was zählte, war seine Abmachung mit dem alten Gauner aus Ohio. Wie Daniel hatte er sich unter die Löwen gewagt und überlebt. Am späten Nachmittag war er davon überzeugt, daß alles sein Werk war und Isabel nur eine zufällige Nebenrolle gespielt hatte.

38

Sein Name war Arthur Scipio Brown. Er war siebenundzwanzig, ein Mann mit breiten Schultern, einer Taille wie ein Mädchen, Händen gewaltig wie Waffen und einer bernsteinfarbenen Haut. Doch seine Stimme war sanft und leise, mit dem leicht nasalen Klang von New England. Er war in Roxbury geboren, außerhalb von Boston, von einer schwarzen Mutter, deren weißer Geliebter sie verlassen hatte.

Zu Beginn seiner Bekanntschaft mit Constance Hazard sagte Brown, seine Mutter habe sich geschworen, nicht dem Mann nachzutrauern, der versprochen hatte, sie ewig zu lieben, und der sie dann verlassen hatte. Mit ihrem Verstand und ihrer Energie – mit ihrem ganzen Leben, sagte er – hatte sie ihrer Rasse gedient. Sechs Tage in der Woche hatte sie die Kinder von freien schwarzen Männern und Frauen in einem Schuppen unterrichtet; jeden Sonntag hatte sie Schülern einer Negergemeinde Unterricht erteilt. Vor einem Jahr war sie gestorben, schwer krebskrank, aber die Hand ihres Jungen haltend und mit klarem Blick; bis zum Schluß hatte sie sich geweigert, Laudanum zu nehmen.

«Sie war zweiundvierzig. Hat nie viel vom Leben gehabt», sagte Brown. Es war eine Feststellung, keine Bitte um Mitleid.

Constance traf Scipio Brown bei dem Empfang für Dr. Delany, den Pan-Afrikaner. Delany hatte den jungen Brown mitgebracht. Im Gespräch mit Brown waren George und Constance von seinem Benehmen ebenso fasziniert wie von seiner Geschichte und seinen Ansichten.

Als Brown sagte, er sei ein Jünger von Martin Delany, fragte Constance: «Sie meinen, Sie würden das Land verlassen und nach Liberia oder einen ähnlichen Ort gehen, wenn Sie die Chance bekämen?»

Brown trank einen Schluck Tee. «Vor einem Jahr hätte ich auf der Stelle ja gesagt. Heute bin ich mir nicht mehr so sicher. Amerika ist aufs schärfste gegen Neger eingestellt, und ich denke, so wird es auch noch für einige Generationen bleiben. Aber ich rechne trotzdem mit Verbesserungen.»

George sagte: «Ich gebe zu, daß Ihre Rasse unsägliche Leiden erdulden mußte. Aber würden Sie nicht auch meinen, daß Sie persönlich Glück gehabt haben? Sie wuchsen in Freiheit auf, und Sie haben Ihr ganzes Leben so verbracht.»

Überraschenderweise verriet Browns Miene Ärger. «Glauben Sie ehrlich, das macht irgendeinen Unterschied, Major Hazard? Jeder Farbige in diesem Land wird von den Ängsten der Weißen versklavt und der Art und Weise, wie diese Ängste das Verhalten der Weißen beeinflussen. Ich bin ein schwarzer Mann. Dieser Kampf ist mein Kampf.»

Leicht gereizt sagte George: «Wenn Ihnen dieses Land so übel erscheint, was hält Sie dann davon ab, es zu verlassen?»

«Ich dachte, das hätte ich Ihnen gesagt. Die Hoffnung auf Veränderung.»

«Also die Hoffnung auf Veränderung hält Sie hier», fing Constance an.

«Das und meine Verantwortung. Hauptsächlich die Kinder halten mich hier fest.»

«Ah, Sie sind verheiratet.»

«Nein, das bin ich nicht.»

«Aber wessen −?»

Ein Ruf von Kate Chase unterbrach den Satz. Dr. Delany hatte sich bereiterklärt, kurz zu sprechen. Die attraktive Tochter des Ministers äußerte den Wunsch, die Gäste möchten ihre Tassen und Teller füllen und sich einen Platz suchen.

Am Serviertisch, wo ein junges schwarzes Dienstmädchen Brown einen bewundernden Blick zuwarf, sagte George: «Ich würde gern mehr von Ihren Ansichten hören. Wir wohnen im Willard.»

«Ich weiß.»

«Würden Sie dort abends mal mit uns zusammen speisen?»

«Besten Dank, Major, aber ich glaube, die Geschäftsleitung würde das gar nicht gern sehen. Die Willardbrüder sind anständige Männer, aber schließlich bin ich einer ihrer Angestellten.»

«Sie sind was?»

«Ich bin Portier im Willard-Hotel. Der beste Job, den ich hier finden konnte.»

«Willard's», murmelte George. «Ich bin sprachlos. Sind wir uns mal in der Halle oder in den Fluren begegnet?»

Brown führte sie zu den Stühlen. «Dutzende von Malen. Sie mögen mich anschauen, aber Sie sehen mich nie. Das ist ein Privileg der Farbe. Mrs. Hazard, möchten Sie hier Platz nehmen?»

Zu weiterer Unterhaltung fanden sie keine Gelegenheit. Aber seine Anspielung auf die Kinder hatte Constances Neugier geweckt. Am nächsten Nachmittag suchte sie ihn im Hotel; sie fand ihn, wie er die Sandurnen von Abfall und Zigarrenstummeln reinigte. Die starrenden Leute in der Hotelhalle ignorierend, bat sie Brown um eine Erklärung.

«Die Kinder sind Flüchtlinge, das, was dieser schieläugige General Butler als Konterbande bezeichnet. Zur Zeit ergießt sich ein schwarzer Strom aus dem Süden. Manchmal flüchten Kinder zusammen mit ihren Eltern, und dann gehen die Eltern verloren. Manchmal gehören die Kinder zu niemandem, sondern sind einfach nur mit irgendwelchen Erwachsenen geflüchtet. Möchten Sie einige der Kinder sehen, Mrs. Hazard?»

Seine Augen hielten ihren Blick fest. «Wo?» konterte sie.

«Draußen, wo ich wohne, auf der nördlichen Tenth Street.»

«Negro Hill?» Ihr kurzes Atemholen vor der Frage verriet sie. Er reagierte darauf nicht ärgerlich.

«Kein Grund zur Angst, bloß weil es sich um eine schwarze Gemeinde handelt. Auch wir haben unseren Anteil an Übeltätern, genau wie hier unten – nein, ich nehme es zurück, hier gibt es mehr.» Er grinste. «Sie haben ja auch die Politiker. Ich arbeite am Dienstag nicht. Wir könnten während des Tages gehen.»

«Einverstanden», sagte Constance, in der Hoffnung, daß George zustimmen würde, was er überraschenderweise auch tat.

Am Dienstag ratterten sie im Wagen durch die Hitze des Herbstes hoch nach Negro Hill, einer deprimierenden Enklave winziger Häuschen, die meisten ungestrichen, und elender, aus Lattenkisten und Segeltuch zusammengenagelter Schuppen. Constance sah Hühnerställe, Gemüsebeete, Blumentöpfe.

Die Schwarzen, an denen sie vorbeifuhren, warfen ihnen neugierige, gelegentlich mißtrauische Blicke zu. Bald schon bog Brown in einen ausgefahrenen Weg ein. Am Ende stand eine frisch gestrichene Hütte, so gelb wie Sonnenblumen.

Das leuchtende kleine Haus roch herrlich nach Holz und Rauch und im Inneren nach Seife. Es gab zwei Räume; im vorderen Zimmer saß eine kräftige schwarze Frau auf einem Hocker, die Bibel in der Hand; zu ihren Füßen hatten sich zwölf ärmlich gekleidete Kinder in allen Schattierungen versammelt. Das jüngste Kind mochte vier oder fünf sein, das älteste zehn oder elf. Durch den Türbogen konnte Constance genau ausgerichtete Reihen von Strohsäcken sehen.

Ein wunderschönes kupferfarbenes Mädchen rannte auf den großen Mann zu. «Onkel Scipio, Onkel Scipio!»

«Rosalie.» Er hob sie hoch und drückte sie an sich. Andere Kinder umklammerten seine Beine. Er tätschelte Köpfe, Gesichter, Schultern, fand für jedes Kind die richtigen aufmunternden Worte.

Constance aß mit Brown, den herrenlosen Kindern und der schwarzen Frau, Agatha, die sich um die Kinder kümmerte, während Brown seinem Job nachging. Die meisten Kinder lachten und kicherten und stupften einander, aber zwei waren dabei, die traurig und ernst dasaßen, kein Wort sagten und lediglich in der erschöpften Manier der Alten ihre Suppe schlürften. Constance mußte den Blick abwenden, um nicht in Tränen auszubrechen.

Trotzdem fühlte sie sich von dem Ort und den Kindern fasziniert. Es fiel ihr schwer, sich von ihnen zu trennen. Auf dem Rückweg zu Willard's fragte sie: «Was haben Sie für Pläne mit den Kindern?»

«Zuerst mal muß ich sie füttern, damit sie nicht verhungern. Die Politiker tun nichts für sie, das weiß ich nur zu gut.»

«Sie haben eine starke Abneigung gegen Politiker, Mr. Brown.»

«Warum sagen Sie nicht Scipio? Es wäre schön, wenn wir Freunde sein könnten. Ja, ich verachte diese Brut.»

Die Kutsche holperte eine Weile weiter. Dann sagte sie: «Vom Überleben abgesehen, haben Sie noch weitergehende Pläne für die Kinder?»

«Von der Notwendigkeit zum Ideal. Wenn ich noch einen passenden Ort finden könnte, dann wäre es möglich, weitere zwölf aufzunehmen. Aber bei meinem Gehalt ist das unmöglich. Es ließe sich nur mit Hilfe eines Gönners einrichten.»

«Haben Sie mich deswegen nach Negro Hill gebracht?»

«Weil ich Hoffnungen hegte?» Er lächelte sie an. «Selbstverständlich.»

«Und selbstverständlich wußten Sie, daß ich ja sagen würde – obwohl mir die Einzelheiten noch nicht klar sind.»

«Tun Sie es nicht, wenn Sie bloß Ihre weißen Schuldgefühle besänftigen wollen.»

«Zum Teufel mit Ihrer Impertinenz, Brown – meine Gründe, weshalb ich das tue, suche ich mir selbst. Ich habe mein Herz an diese Waisen verloren.»

«Gut», sagte er.

Constance wußte nicht, wie George auf ihren Wunsch, Brown zu helfen, reagieren würde. Zu ihrem Entzücken ging er weit über bloße Zustimmung hinaus. «Wenn er einen Platz für die Kinder braucht, warum besorgen wir den nicht? Und Nahrung, Kleidung, Bücher – das wird uns nicht gerade arm machen. Und die Sache scheint es mehr als wert zu sein.»

Er blinzelte durch den Rauch seiner Zigarre. Sein Gesichtsausdruck verbarg wirkungsvoll einen sentimentalen Zug, den Constance vor Jahren bei ihm entdeckt und seitdem geliebt hatte. «Ja, ich bin eindeutig der Meinung, du solltest Brown einladen, sein Werk bei uns zu Hause fortzusetzen.»

«Wo genau?»

«Wie wär's mit dem Schuppen oberhalb von Hazards? Das alte Flüchtlingsdepot?»

«Die Lage ist gut, aber das Gebäude ist zu klein.»

«Wir vergrößern es. Ein paar zusätzliche Schlafräume, ein Klassenzimmer, ein Speisesaal. Die Werksschreiner können die Arbeit machen.»

Die Realität drängte sich in seine Begeisterung, als sie sagte: «Werden sie es tun?»

«Sie arbeiten für mich – ich möchte es ihnen geraten haben.» Er überlegte stirnrunzelnd. «Ich verstehe nicht, wieso du fragst.»

«Die Kinder sind schwarz, George.»

«Glaubst du, das spielt eine Rolle?»

«Bei den meisten Einwohnern von Lehigh Station würde ich meinen, ja, sehr sogar.»

«Mmm. Ist mir nie in den Sinn gekommen.» Er marschierte zum Kamin, drehte die Zigarre in den Fingern, wie so oft, wenn er an einem Problem arbeitete. «Trotzdem – die Idee ist gut. Wir machen es.»

Begeistert klatschte sie in die Hände. «Vielleicht könnten Mr. Brown und ich heimfahren, um die Dinge in Gang zu bringen. Möglicherweise nehmen wir ein paar Kinder mit.»

«Ich könnte Kurzurlaub nehmen und mitkommen.»

Hell wie eine Warnleuchte der Eisenbahn in der Nacht leuchtete vor ihr ein Name auf: Virgilia.

«Das ist sehr nett von dir, aber du hast zuviel zu tun. Mr. Brown und ich werden es schon schaffen.»

«Fein.» Seine Worte und sein Achselzucken erleichterten sie. «Ich werde Christopher einen Brief schreiben, daß alle deine Wünsche zu befolgen seien. Übrigens, da wir gerade bei Briefen sind, hast du das gesehen?» Vom Kaminsims nahm er ein verknittertes, versiegeltes Schreiben.

«Von Vater», rief sie, als sie die Handschrift sah. «Er hat Houston erreicht, ständig eine Hand am Revolver, wie er schreibt. Oh, ich hoffe so sehr, er schafft den Rest der Reise auch noch.»

George ging zu ihr, legte ihr sanft eine Hand auf die Schulter.

Constance und Brown verließen wenige Tage später Washington. Brown hatte drei Kinder für die Reise ausgewählt: Leander, einen stämmigen Elfjährigen mit herausforderndem Benehmen; Margaret, ein scheues, kohlschwarzes Kind; und Rosalie, die hübsche Kleine, die mit ihrer Fröhlichkeit das Schweigen der anderen überspielte.

Die Furcht, die sie George gegenüber zum Ausdruck gebracht hatte, war nicht unbegründet, wie sie bald schon entdeckte. Ein Schaffner am Bahnhof von Washington bestand darauf, daß Brown und die Kinder in der für Farbige reservierten zweiten Klasse fuhren. Browns Augen zeigten seine Erbitterung, aber er machte keine Szene. Die Kinder den Gang entlangführend, sagte er: «Ich sehe Sie später, Mrs. Hazard.»

Als sie den Wagen verlassen hatten, sagte der Schaffner: «Ist der Nigger Ihr Diener, Ma'am?»

«Dieser Mann ist mein Freund.»

Kopfschüttelnd entfernte sich der Schaffner.

In Baltimore stiegen sie um und fuhren durch die goldene Landschaft weiter nach Philadelphia. Das Lehigh-Tal, von den roten und gelben Farben des Herbstes bemalt, wirkte erfrischend friedlich auf die müden Reisenden. Constance hatte ihre Ankunft telegraphiert. Ein Stallknecht wartete mit einer Kutsche auf sie. Der schnelle Wechsel in seinem Gesichtsausdruck, als er bemerkte, daß Brown und die Kinder ihre Begleitung darstellten, entging ihr keineswegs.

Die Kutsche ratterte die Straße entlang. Die beiden kleinen Mädchen quietschten und umarmten Brown, als der Wind ihnen durch Haar und Kleidung fuhr. Pinckney Herbert winkte von seiner Ladentür aus, aber die Gesichter einiger anderer Bürger zeigten Feindseligkeit, vor allem das eines gefeuerten Hazardarbeiters namens Lute Fessenden.

Brett wartete auf der Veranda des Herrschaftshauses, zusammen mit einer Frau, die Constance erst in der Einfahrt erkannte. Die Kutsche stoppte; Constance rannte die Stufen hoch. «Virgilia? Wie hübsch du aussiehst! Ich traue meinen Augen nicht.»

«Das ist das Werk unserer Schwägerin», sagte Virgilia, in Richtung Brett nickend. Sie sprach so, als wäre ihre Verwandlung ohne jede Bedeutung, aber ihr lebhafter Gesichtsausdruck verriet sie.

Constance staunte voller Bewunderung. Virgilias Kleid aus rostfarbener Seide schmeichelte ihrer Figur. Ihr Haar, ordentlich zu einem Knoten zusammengebunden, glänzte so sauber, wie Constance es bei ihr noch nie gesehen hatte. Virgilias Wangen besaßen Farbe, aber Rouge und Puder waren dezent und geschickt aufgetragen worden.

«Ich vernachlässige meine Pflichten», sagte Constance. Sie stellte die Leute vor und erklärte mit wenigen Sätzen, weshalb sie Scipio und die Kinder nach Belvedere gebracht hatte.

Brett war Brown gegenüber höflich, aber kühl; auch ihm war ihr Akzent nicht entgangen. Constance beobachtete, wie Virgilias Blick von Browns Gesicht über seine Brust wanderte. Schnell beschäftigte er sich mit den Kindern. Brown verlegen zu sehen stellte eine neue Erfahrung für Constance dar. Sie erinnerte sich an Virgilias Vorliebe für Schwarze; in gewissen grundsätzlichen Dingen schien sich Georges Schwester nicht verändert zu haben.

Die Besucher wurden ins Haus geführt, verköstigt und für die Nacht untergebracht. Am nächsten Morgen, während Virgilia nach den Kindern sah, fuhren Constance und Brown zu dem Schuppen hoch.

Brown besichtigte alles. «Nach einigen Reparaturen wird das genau das Richtige sein.» Sie besprachen Einzelheiten, während sie zum Haupttor zurückfuhren. Die Arbeiter machten der Kutsche respektvoll Platz, ihre Augen verrieten aber Mißbilligung darüber, daß sich die Frau des Besitzers öffentlich mit einem Schwarzen zeigte.

Gegen Mittag hatten sie mit Wotherspoon gesprochen; er stellte Männer ab, die eine Wand des Schuppens abbrachen und die anderen weiß tünchten. Der Vorarbeiter der Maler, ein Bursche namens Abraham Fouts, war seit fünfzehn Jahren bei Hazard beschäftigt. Sonst stets freundlich, nickte er an diesem Nachmittag Constance lediglich grußlos zu. Am Abend, während die Erwachsenen und die Kinder aßen, warf jemand einen Stein durch das vordere Fenster.

Frühmorgens fuhr Constance allein zum Schuppen; sie kam gleichzeitig mit Abraham Fouts und seinen vier Männern an. Beim Anblick der großen, groben Buchstaben, die jemand mit schwarzer Farbe über eine Schuppenwand geschmiert hatte, unterdrückten Fouts und ein zweiter Mann ein Grinsen: WIR SIND FÜR DEN KRIEG, ABER WIR SIND NICHT FÜR DIE NIGGER.

Traurig und wütend zugleich wischte Constance über die letzten Buchstaben. Sie waren trocken. «Mr. Fouts, übermalen Sie bitte diese Gemeinheit. Wenn sowas noch mal passiert, dann tun Sie es wieder, so lange, bis das aufhört oder dieses Gebäude unter hundert Anstrichen zusammenbricht.»

Der blasse Mann zupfte nervös an seiner Unterlippe. «Gibt viel Gerede über den Ort hier bei den Männern, Miz Hazard. Sie sagen, das wird so 'ne Art Zuhause für Niggerbabys. Gefällt ihnen gar nicht.»

«Was ihnen gefällt, ist mir völlig egal. Das hier gehört meinem Mann, und ich werde damit tun, was ich für richtig halte.»

Fouts bohrte einen Zeh in den Dreck, aber ein anderer Mann war kühner. «Wir sind nicht gewöhnt, Befehle von einer Frau zu empfangen, selbst wenn sie die Frau vom Boß ist.»

228

«Gut.» Verärgerung und Unsicherheit wallten in Constance auf, aber sie wagte es nicht zu zeigen. «Ich bin sicher, es gibt eine Menge Fabriken, wo es nicht nötig ist. Holen Sie sich Ihren Lohn bei Mr. Wotherspoon ab.»

Der verblüffte Mann hob eine Hand. «Warten Sie, ich –»

«Sie sind fertig hier.» Sie deutete auf ein paar Farbflecken an der Hand des Mannes. «Wie ich sehe, haben Sie letzte Nacht schwarze Farbe benützt. Wie mutig von Ihnen, Ihre Meinung unter dem Schutzmantel der Dunkelheit zu äußern.» Ihre Stimme brach, als sie schnell vortrat. «Verschwinden Sie, und holen Sie Ihren Lohn ab.»

Der Mann rannte.

«Ich bedaure diesen Vorfall, Mr. Fouts, aber mein Entschluß steht fest. Wollen Sie weitermachen oder kündigen?»

«Ich arbeite», murrte Fouts. «Aber für einen Haufen Nigger? Ist nicht richtig.»

«Abscheulich», sagte Virgilia, als Constance ihr von der Schmiererei berichtete. «Wenn wir in Washington einen richtigen Führer hätten, dann stünden die Dinge anders. Ich glaube, das wird auch bald der Fall sein.»

«Weshalb?» fragte Brett über den mit gewaltigen Schüsseln beladenen Tisch hinweg. Rosalie, Margaret und Leander aßen nicht; sie schlangen in sich hinein, was nur hineinging. Selbst Brown schien nicht genug kriegen zu können.

«Der Präsident ist ein Schwächling.» Virgilia gab die Erklärung im gleichen herablassenden Tonfall ab, der schon in der Vergangenheit so viel Ärger verursacht hatte. «Aber Thad Stevens und einige andere werden ihn schon auf Trab bringen. Wenn die richtigen Republikaner die Macht haben, dann wird Lincoln das kriegen, was er so reichlich verdient. Ebenso wie die Rebs.»

«Bitte entschuldigt mich», sagte Brett und verließ den Raum.

39

Gegen Ende Oktober war Mrs. Burdetta Halloran aus Richmond eine Frau in Not und Bedrängnis. Sie war dreiunddreißig, seit zwei Jahren kinderlose Witwe, besaß eine üppige Figur, herrliches kastanienbraunes Haar, ein umwerfendes Hinterteil und die dazu passenden Brüste. Das hatte ausgereicht, um den Weinhändler zu kapern, der sie geheiratet hatte, als sie einundzwanzig war. Sechzehn Jahre älter als sie, war Halloran im Kampf, ihren starken sexuellen Appetit zu befriedigen, an Herzversagen gestorben.

Armer Kerl, sie hatte ihn gern gehabt, auch wenn es ihm an Stehvermögen gefehlt hatte, um sie physisch glücklich zu machen. Er hatte sie jedoch gut behandelt, und sie hatte ihm lediglich zweimal Hörner aufgesetzt: Das erste Verhältnis hatte vier Tage gedauert, das zweite eine einzige Nacht. Sein Dahinscheiden hatte sie in guten Verhältnissen zurückgelassen – zumindest hatte sie das geglaubt, bis dieser elende Krieg ausgebrochen war.

Wenn sich jetzt der Rest der Stadt über einen Sieg beim Potomac begeisterte, dann mußte sie sich über die steigenden Preise aufregen. Ihr Pfund Schinken hatte fünfzig Cent gekostet, ihr Pfund Kaffee empörende anderthalb Dollar. Bei einer derartigen Inflation würde sie nicht mehr lange im gewohnten Stil weiterleben können.

Eine geborene Soames – ihr Stammbaum ging über vier Generationen zurück –, beklagte sie jeden Wandel in ihrer Stadt, ihrem Staat und in der gesellschaftlichen Rangordnung. Die Stadt platzte aus allen Nähten. Huren und Spekulanten strömten aus jedem ankommenden Zug. Horden von Niggern, viele zweifellos Flüchtlinge, ließen den Pöbelhaufen der Nichtstuer in den Straßen anschwellen. Gefangene Yankees füllten die improvisierten Gefängnisse. Ihre unvergleichliche Arroganz und ihre Verachtung allen Dingen des Südens gegenüber empörte aufrechte Bürger wie Burdetta Halloran, die jede freie Minute damit zubrachte, Socken und immer noch mehr Socken für die Truppen zu stricken.

Vor zwei Wochen hatte sie mit dem Stricken aufgehört, als ihr Kummer die Ausmaße einer echten Krise angenommen hatte. Heute nachmittag war sie mit einer Kutsche zum Church Hill unterwegs. Seit Tagen hatte sie diesen Besuch erwogen. Schlaflosigkeit und wachsende Verzweiflung hatten sie schließlich dazu getrieben.

Die Kutsche verlangsamte das Tempo. Schnell nahm sie noch einen verstohlenen Schluck von dem Whiskey in ihrer Reiseflasche. «Soll ich warten?» fragte der Fahrer, nachdem er Ecke Twentyforth gehalten hatte. Eine unangenehme Vorahnung ließ Mrs. Halloran nicken.

Ihr Herz schlug schmerzhaft. Das schräg einfallende Oktoberlicht kündigte den Winter an – Trauer und Einsamkeit. Oh Gott, war er nicht da? Wieder klopfte sie, diesmal fester und ausdauernder.

Die Tür öffnete sich ein paar Zentimeter. Vor Erleichterung wäre sie beinahe in Ohnmacht gefallen. Dann betrachtete sie ihren Geliebten genauer. Ungekämmte Haare, Morgenrock zu dieser Stunde?

Zuerst dachte sie, er sei krank. Dann erkannte sie die Wahrheit und das ganze Ausmaß ihrer Dummheit.

«Burdetta.» In dem Wort lag weder Überraschung noch Willkommen, noch machte er die Tür weiter auf.

«Lamar, du hast keinen einzigen meiner Briefe beantwortet.»

«Ich dachte, du würdest die Bedeutung meines Schweigens verstehen.»

«Guter Gott, du willst damit doch nicht sagen – du würdest mich nicht einfach hinauswerfen – nicht nach sechs Monaten unglaublicher –»

«Das wird peinlich», sagte er, seine Stimme so laut und so hart wie sein Penis, wenn er sie auf die verschiedensten Weisen nahm, bis sie schließlich nach vier oder fünf Stunden vollkommen befriedigt war. «Für uns beide.»

«Wen hast du jetzt? Irgendeine junge Schlampe? Ist sie drinnen?» Sie schnüffelte. «Mein Gott, tatsächlich. Du mußt ja in ihrem Parfüm gebadet haben.» Tränen füllten ihre Augen. Sie streckte die Hand durch die Öffnung. «Darling, laß mich wenigstens rein. Reden wir darüber. Sollte ich dich irgendwie gekränkt haben –»

«Nimm die Hand raus, Burdetta», sagte er lächelnd. «Sonst tust du dir weh. Ich mach' jetzt die Tür zu.»

«Du unglaublicher Bastard.» Ihr Flüstern blieb ohne Wirkung; langsam begann sich die Tür zu schließen. Er hätte ihr das Handgelenk oder die Finger gebrochen, hätte sie nicht schnell die Hand zurückgezogen. Die Tür fiel ins Schloß. Sechs Monate lang hatte sie ihren guten Ruf aufs Spiel gesetzt, hatte alles für ihn getan, und das sollte nun das Ende sein? Voller Gleichgültigkeit? Abserviert, wie ein Mann eine Hure abservieren würde?

Burdetta Soames Halloran war im Stil der Südstaaten erzogen worden; sie brauchte weniger als zehn Sekunden, um sich zu fassen. Als sie sich umdrehte und vorsichtig die erste Stufe hinabstieg, ihren Reifrock in der behandschuhten Hand gerafft, lächelte sie.

«Fertig?» fragte der Kutscher überflüssigerweise, da sie darauf wartete, daß er abspringen und ihr die Tür öffnen würde.

«Ja, das bin ich. Es hat nur einen Augenblick in Anspruch genommen, um die Angelegenheit zu erledigen.»

In Wirklichkeit hatte sie erst begonnen.

40

Aufruhr überflutete die Küste von Carolina in diesem Herbst. Am 7. November dampfte Commodore Du Ponts Flottille in den Port Royal Sound und eröffnete das Feuer auf Hilton Head Island. Das Bombardement von Du Ponts Kanonenbooten zwang die kleine Konföderierten-Garnison noch vor Sonnenuntergang zum Rückzug aufs Festland. Zwei Tage später fiel der historische kleine Hafen von Beaufort. Gerüchten zufolge wurden die Häuser der Weißen von raubgierigen Yankee-Soldaten und rachsüchtigen Schwarzen geplündert und gebrandschatzt.

Jeder neue Tag brachte neue Gerüchte. Charleston würde bald niedergebrannt und an seiner Stelle eine neue Stadt für schwarze Flüchtlinge aufgebaut; Harriet Tubman befand sich im Staat oder würde in den Staat kommen oder dachte daran, den Staat zu besuchen, um die Sklaven zur Revolte oder zur Flucht zu drängen; wegen seiner Mißerfolge im westlichen Virginia war Lee strafversetzt worden und hatte das Kommando über das neue Department von South Carolina, Georgia und East Florida übertragen bekommen.

Letzteres erwies sich als richtig. Völlig überraschend erschienen der berühmte Militär und drei seiner Stabsoffiziere zu Pferd auf dem Weg nach Mont Royal. Eine Stunde saßen sie mit Orry in dessen Wohnzimmer zusammen.

Lee brachte das Gespräch auf die Ursache seines Besuchs. Er wollte, daß Orry den Posten in Richmond annahm, auch wenn er selbst dort nicht länger sein Hauptquartier haben würde und Orry ihm nicht direkt unterstellt wäre. «Sie können dem Kriegsministerium jedoch von großem Nutzen sein. Es stimmt nicht, daß sich Präsident Davis ständig einmischt oder daß in Wirklichkeit er das Ministerium leitet.» Lee machte eine Pause. «Zumindest stimmt es nicht ganz, möchte ich sagen.»

«Ich werde so bald wie möglich kommen, General. Ich warte lediglich auf die Ankunft eines neuen Aufsehers, der die Plantage leitet. Er müßte jeden Tag kommen.»

«Gute Nachrichten. Ausgezeichnet! West-Point-Männer wie Sie sind für die Armee von unschätzbarem Wert. Nur die Macht der Waffen wird uns die Unabhängigkeit bringen. Die Männer der Akademie verstehen diesen Krieg und werden ihn so führen, wie er geführt werden muß, falls wir nicht vorhaben, aufzugeben oder uns mit der Niederlage abzufinden.»

«Kämpfen», grollte einer der Stabsoffiziere. Orry nickte zustimmend.

«Das ist der richtige Geist», sagte Lee, sich erhebend. Er schüttelte Orry die Hand, sprach auf der Piazza ein paar verbindliche Worte mit Madeline, dann ritt er los, den Pflichten seines obskuren Kommandos entgegen. Orry zog seine Frau an sich. Die Trennung war nun unvermeidlich. Allein der Gedanke schmerzte.

Am nächsten Tag kam der Aufseher aus North Carolina, Philemon Meek, auf dem Rücken eines Maultiers. Orrys erste Reaktion war Enttäuschung. Er hatte wohl mit einem Mann in den Sechzigern gerechnet, aber nicht mit jemandem, der wie ein alternder Schullehrer wirkte. Vorn auf seiner Nasenspitze saß sogar eine Brille mit halben Gläsern.

Orry unterhielt sich mit Meek eine Stunde lang in der Bibliothek, und der erste Eindruck begann sich zu ändern. Meek beantwortete die Fragen seines neuen Arbeitgebers knapp, aber ehrlich. Wenn er etwas nicht wußte oder verstand, dann sagte er das auch. Er erzählte Orry, daß er kein Anhänger übertrieben scharfer Disziplin und religiös eingestellt sei. Er besaß und las nur ein Buch, die Heilige Schrift.

«Ich bin mir über ihn noch nicht ganz im klaren», sagte Orry abends zu Madeline. In der nächsten Woche wurde seine Einstellung positiver. Trotz des Alters war Meek physisch stark und ließ sich von niemandem auf der Nase herumtanzen. Andy schien Meek nicht sonderlich zu mögen, kam aber mit ihm aus. Also packte Orry seine Koffer und holte endlich seinen Solingen-Säbel hervor.

Am Tag vor Abfahrt des Zuges machten er und Madeline einen Spaziergang.

«Du kannst es kaum erwarten, nicht wahr?» sagte Madeline.

Orry blinzelte in das Sonnenlicht. «Ich bin nicht begierig darauf, dich zu verlassen, obwohl mir jetzt, wo Meek hier ist, wohler zumute ist.»

«Das ist keine Antwort auf meine Frage, Sir.»

«Ja, ich kann es kaum erwarten. Den Grund wirst du nie erraten. Es ist mein alter Freund Tom Jackson. In sechs Monaten ist er zum Nationalhelden geworden.»

«Du überraschst mich. Ich hätte nie gedacht, daß dein Ehrgeiz in diese Richtung geht.»

«Oh, nein. Jedenfalls nicht mehr seit Mexiko. Bei Jackson ist die Sache die, daß wir Klassenkameraden waren. Er ist sofort zu den

Fahnen geeilt, um seine Pflicht zu tun, während ich ein halbes Jahr gezögert habe. Nicht ohne guten Grund – aber trotzdem habe ich ein schlechtes Gewissen.»

Sie schlang die Arme um ihn. «Das mußt du nicht. Deine Wartezeit ist vorbei. Und in einigen Wochen, wenn Meek sich eingelebt hat, komme ich nach Richmond.»

«Gut.» Orry betastete sein Kinn. «Letzte Woche habe ich eine Lithographie von Tom gesehen. Er trägt einen schönen Vollbart. Alle Offiziere scheinen einen zu haben. Möchtest du, daß ich mir auch einen wachsen lasse?»

«Das kann ich nicht sagen, bevor ich nicht weiß, wie schlimm das kratzt, wenn wir –»

Sie hielt inne. Der Hausdiener, Aristotle, winkte eindringlich von einem Seiteneingang her; sie eilten zu ihm.

«Haben zwei Besucher, Mr. Orry. Hochnäsiges Niggerpaar. Wollen nur Ihnen oder Miss Madeline sagen, was sie wollen. Hab' sie in der Küche warten lassen.»

Orry fragte: «Sind es Männer von einer anderen Plantage?»

Der verwirrte Sklave murmelte: «Es sind zwei Frauen.»

Orry und Madeline gingen ins Küchengebäude. Eine ältere Negerin saß auf einem Hocker neben der Tür; ihr rechtes Bein, grob mit Stökken und Lumpen verbunden, ruhte auf einer leeren Nagelkiste.

«Tante Belle», rief Madeline, während Orry sich über die Identität ihrer Begleiterin Gedanken machte, ein erstaunlich attraktives junges Mädchen im heiratsfähigen Alter, dunkel wie Mahagoni.

Madeline umarmte die zerbrechliche alte Frau. «Wie geht's dir? Was ist mit deinem Bein passiert? Ist es gebrochen?» Seit einer Generation hatte Tante Belle Nin, freigelassen und alleine lebend, als Hebamme im Distrikt gearbeitet.

«Viele Fragen auf einmal», sagte Tante Belle und verzog das Gesicht. «Ja, es ist gebrochen, zweimal oder dreimal. Kein Segen in meinem Alter. Wollte gestern abend in unseren Wagen klettern und bin gefallen.» Helle, tiefliegende Augen studierten Orry, als wäre er ein Ausstellungsstück. «Sehe, Sie haben sich einen anderen Mann gesucht.»

«Ja, Tante Belle, das ist Orry Main.»

«Ich weiß, wer er ist. Ganzes Stück besser als der andere. Das hübsche Ding hier ist meine Nichte Jane. Gehörte der Witwe Milsom, aber die alte Dame starb letzten Winter an Lungenentzündung. In ihrem Testament schenkte sie Jane die Freiheit. Seitdem hat sie bei mir gelebt.»

«Erfreut, Sie kennenzulernen», sagte Jane ohne jede Ehrerbietung. Orry fragte sich, ob er Tante Belle glauben sollte; genausogut konnte das Mädchen ein Flüchtling sein.

«Tante Belles Gesundheit ist in letzter Zeit nicht gut gewesen», sagte Jane nach einer Pause. «Aber sie wollte ihr Haus nicht aufgeben, bis ich sie überzeugt hatte, daß es einen besseren Ort gibt.»

«Sie meinen doch nicht hier?» fragte Orry.

«Nein, Mr. Main. Virginia. Dann der Norden.»

«Das ist eine lange, gefährliche Reise, vor allem für Frauen in Kriegszeiten.» Beinahe hätte er schwarze Frauen gesagt.

«Was uns erwartet, lohnt das Risiko. Wir wollten gerade aufbrechen, als Tante Belle sich das Bein brach. Sie braucht Pflege und einen Ort, wo sie sich ausruhen kann.»

Tante Belle sagte zu Madeline: «Ich hab' Jane erzählt, daß Sie eine gute Christin seien. Ich dachte, Sie würden uns für eine Weile aufnehmen.»

Orry und Madeline warfen sich gegenseitig fragende Blicke zu. Da Orry abreiste, lag die Entscheidung bei Madeline. «Natürlich helfen wir. Liebling, würdest du Andy suchen, damit er sie zu den Hütten bringen kann?» Orry, der zu verstehen schien, daß sie noch eine andere Absicht verfolgte, nickte und entfernte sich.

«Tante Belle, mein Mann geht morgen nach Richmond zur Armee. Ich führe hier das Kommando, bis ich ihm nachfahre. Ich gebe dir nur zu gern Unterkunft, mit einer Einschränkung. Richtig oder falsch, die Leute auf Mont Royal haben keine Erlaubnis, nach Norden zu gehen, wie ihr es plant. Es könnte für mich oder für euch Ärger geben.»

«Ma'am?» sagte Jane, um Madelines Aufmerksamkeit zu erregen. «An der Sklaverei gibt es nichts Richtiges, nur Falsches.»

Madelines Antwort klang scharf. «Selbst wenn ich in dem Punkt mit dir übereinstimmen würde, die praktische Lösung ist eine andere Sache.»

Jane dachte mit sichtbarem Trotz, den Madeline zwar bewunderte, aber nicht tolerieren konnte, darüber nach. Schließlich stieß Jane eine kleinen Seufzer aus. «Ich glaube nicht, daß wir bleiben können, Tante Belle.»

«Denk noch mal drüber nach. Diese Lady hier ist anständig. Sei du es auch. Benimm dich nicht wie ein Ziegenbock.»

Jane zögerte. Tante Belle funkelte sie an. Das junge Mädchen sagte: «Könnten wir uns so einigen, Mrs. Main? Ich arbeite für Sie, um unseren Unterhalt zu verdienen. Ich erzähle niemandem, wohin wir gehen. Sobald Tante Belle reisen kann, packen wir unsere Sachen.»

«Das ist fair», sagte Madeline.

«Jane hält ihr Wort», sagte Tante Belle.

«Ja, den Eindruck hab' ich auch.» Madeline nickte, den Blick auf das Mädchen gerichtet. Keine der beiden Frauen lächelte, aber in diesem Augenblick begannen sie, einander sympathisch zu finden. «Unser neuer Verwalter wird vielleicht für diese Vereinbarung nicht viel übrig haben, aber ich glaube, er akzeptiert –»

Stimmen in der Dunkelheit unterbrachen sie. Orry und der Vorarbeiter traten in den orangen Schein der Laterne neben der Küchentür. «Ich habe Andy die Sache erklärt», sagte Orry. «Eine leerstehende Hütte wäre verfügbar. Das heißt –» Eine fragende Pause.

«Ja, wir haben die Einzelheiten besprochen», erklärte ihm Madeline. «Andy, das ist Tante Belle Nin und ihre Nichte Jane.» Sie schilderte kurz die getroffene Abmachung.

«In Ordnung», sagte Andy. «Mr. Orry meint, ihr habt einen Wagen. Ich fahr euch zur Hütte.»

«Nimm ein bißchen Barbecue aus der Küche mit», sagte Orry. «Die beiden werden wahrscheinlich hungrig sein.»

«Ausgehungert», sagte die winzige Alte. «Ich kenne Sie nicht, Mr. Main, aber Sie hören sich auch wie ein guter Christ an.»

Als der Wagen sich langsam der Sklavensiedlung näherte, warf Andy einen schüchternen Blick über die Schulter in Richtung Jane. Noch nie hatte er ein schöneres Mädchen gesehen.

Er sammelte genügend Mut und brachte dann heraus: «Du sprichst mächtig gut, Miss Jane. Kannst du lesen?»

«Und schreiben», erwiderte sie. «Rechnen kann ich auch. Mrs. Milsom wußte ein Jahr, bevor sie starb, daß es bald mit ihr zu Ende gehen würde, und begann mich zu unterrichten.»

«Das war gegen das Gesetz.»

«Sie sagte, zum Teufel mit dem Gesetz. Sie war eine mutige alte Dame. Sie sagte, ich müsse bereit sein, meinen Weg allein zu machen.» Das Maultier trottete dahin. «Kannst du lesen und schreiben?»

«Nein.» Dann, verzweifelt bemüht, einen guten Eindruck zu machen, platzte er heraus: «Aber ich würd's gern können. Ein Mann kann sich nicht verbessern, wenn er nichts lernt.»

«Ein Mann kann sich nie verbessern, wenn er das Besitztum von –» Tante Belle schlug ihrer Nichte aufs Handgelenk. «Ich würde dir gern Unterricht geben, aber ich muß erst Mrs. Main um Erlaubnis fragen.»

«Ausgezeichnet», sagte Andy jubilierend.

Mit Hut, Gehrock und Krawatte, passend zu einer Beerdigung, küßte Orry am nächsten Morgen seine vage lächelnde Mutter. «Dank für Ihren Besuch, Sir. Besuchen Sie uns bald wieder, ja?» sagte sie.

Als er seine Frau küßte, klammerte sie sich an ihn und flüsterte: «Behüt dich Gott, Liebster. Als ich noch klein war, da kam eines Tages plötzlich der Moment, wo ich die Bedeutung des Wortes *Tod* verstand. Ich fing an zu weinen und rannte zu meinem Vater. Er nahm mich in die Arme und sagte, ich solle mich davon nicht zu sehr ängstigen lassen, weil wir alle von diesem Problem betroffen seien. Er sagte, der Gedanke, daß wir alle sterblich sind, besänftige Herz und Geist. Ich hab' Jahre gebraucht, um ihn zu verstehen und ihm zu glauben. Ich tu es jetzt, aber – ich möchte nicht, daß es dir früher als unbedingt notwendig zustößt. Das Leben ist so wunderschön geworden.»

«Mach dir keine Sorgen», beruhigte er sie. «Bald sind wir wieder vereint. Und ich glaube nicht, daß jemand auf Offiziere feuert, die hinter Schreibtischen sitzen.»

Er küßte und umarmte sie noch einmal, und dann rollte er, mit Aristotle auf dem Kutschbock, die Straße hinunter.

41

Gewisse amerikanische Bürger erinnerten sich, daß Dreck und Krankheit der britischen Armee im Krimkrieg am meisten zugesetzt hatten. Kurz nach dem Fall von Sumter beschlossen diese Leute, nach Möglichkeit eine Wiederholung dieser Fehler in den Lagern der Union zu verhindern.

Nach Bekanntwerden dieses Plans begannen die Armeeärzte bald schon zu spotten und die Zivilisten als Amateure zu bezeichnen, die sich bloß einmischen wollten; die meisten Regierungsbeamten teilten diese Meinung. Die Zivilisten blieben hartnäckig und gründeten die United States Sanitary Commission, die Hygiene-Kommission. Im Hochsommer hatte die Organisation einen Direktor, Frederick Law Olmsted; dieser Mann hatte 1856 den Central Park in New York entworfen und in einem viel gelesenen Reisebericht die Sklaverei mit äußerst unfreundlichen Bezeichnungen bedacht.

Lincoln und das Kriegsministerium wollten die Kommission nicht anerkennen, waren aber schließlich dazu gezwungen, weil wichtige Leute damit in Verbindung standen, einschließlich Mr. Bache, ein Enkel von Ben Franklin, und Samuel Gridley Howe, der berühmte Arzt und Humanist aus Boston.

Die Kommission scharte Unmengen von Frauen im ganzen Norden um sich; die in den ersten Kriegswochen größtenteils individuell geleistete freiwillige Hilfe verlief nun konzentrierter und zielgerichteter. Wie anderswo auch organisierten die Damen den ersten von vielen Gesundheitsmärkten, um Geld und Güter für die Organisation zu sammeln.

Während Scipio Brown seine restlichen Waisenkinder zu dem neu ausgebauten Gebäude brachte und sie der Obhut eines zur Beaufsichtigung angestellten ungarischen Paars anvertraute, war Constance damit beschäftigt, einen Gesundheitsmarkt für den zweiten Freitag und Samstag im November zu planen, unten in Hazards Lagerhaus bei den Eisenbahnschienen neben dem Kanal.

Wotherspoon ließ Arbeitstrupps zwei Tage und Nächte schuften, um eine gewaltige Schiffsladung Eisenblech aus dem Gebäude auf eine Reihe von Spezialzügen zu verladen. Virgilia half als Kommissionsmitglied, ebenso wie Brett, die das vor sich selbst aus zwei Gründen rechtfertigte: Ihr Ehemann war ein Unionsoffizier, und abgesehen davon überwog in jedem Fall das humanitäre Anliegen. Die Kommission wollte letzten Endes nichts weiter als Leben retten. Bretts wirkliches Problem in Verbindung mit dem Markt war die Zusammenarbeit mit Virgilia; sie gestaltete sich schwierig.

Ihre Tätigkeit erregte Virgilia; sie führte einen kleinen, aber sinnvollen Schlag gegen den Süden. Außerdem war sie mit ihrem äußeren Erscheinungsbild recht zufrieden. Constance hatte ihr einen Schal geliehen und Brett eine Ansteckbrosche für ihr dunkelbraunes Kleid. Ein Seidennetz hielt ihr Haar zusammen. Wegen ihrer Redegewandtheit, bei Auftritten an Abolitionistenversammlungen erworben, war sie das beste Zugpferd in der Halle. Sie bekam ein Kompliment von ihrem Sektionsvorsitzenden und ein noch bedeutsameres von einem Mann, den sie nicht kannte.

Es handelte sich dabei um einen Major von der Fortyseventh. Während Virgilia als Demonstration den schlechten Uniformstoff buchstäblich und verbal zerriß, beobachtete er sie über den Gang hinweg, von dem Parfümstand aus; die Soldaten bettelten geradezu um Duftwässerchen, um sich vor dem Gestank der Camplatrinen zu schützen.

Der Offizier betrachtete Virgilia während ihrer Vorführung genau. Sie verlor den Faden, als sein Blick von ihrem Gesicht zu ihren Brüsten und zurück wanderte. Dann ging er, am Arm einer Frau, möglicherweise seiner Ehefrau, aber diese wenigen Momente, in denen er Virgilia angeblickt hatte, waren für sie von ungeheurer Wichtigkeit.

Nach dem letzten Tag des Marktes sank Virgilias Stimmung abrupt. Sie streifte durch Haus und Stadt, wohl wissend, daß ihre Zeit hier abgelaufen war, aber ohne sich zu einem Entschluß durchringen zu können. Die Tage vergingen, und nichts änderte sich.

Fast zwei Wochen nach dem Markt kam Constance mit einem Brief an den Abendbrottisch. «Er ist von Dr. Howe, von der Gesundheitskommission. Ein alter Freund.»

«Ist er das? Von wo kommt er?» fragte Virgilia.

«Newport. Er und seine Frau haben dort zur gleichen Zeit wie wir den Sommer verbracht. Erinnerst du dich nicht?» Virgilia schüttelte den Kopf und beugte sich über ihren Teller; sie hatte diese Jahre fast vollkommen verdrängt.

Brett sagt: «Erwähnt der Doktor unseren Markt?»

«Das tut er. Er schreibt, unserer sei bis jetzt einer der erfolgreichsten gewesen. Bei einer Dinnerparty habe er das Miss Dix persönlich berichtet – hier, lies selbst.»

Brett überflog den Brief und murmelte dann: «Miss Dix, ist das die Frau aus New England, von der ich gelesen habe? Die so schwer um die Reform der Asyle gekämpft hat?»

Constance nickte. «Du hast wahrscheinlich den langen Artikel über sie in *Leslie's* gelesen. Es heißt da, Florence Nightingale habe sie dazu inspiriert, bei Kriegsausbruch nach Washington zu gehen. Seit dem Sommer hat sie Oberaufsicht über die Armeekrankenschwestern.»

Virgilia blickte auf. «Sie verwenden Frauen als Pflegepersonal?»

«Mindestens hundert», erwiderte Brett. «Billy hat's mir erzählt. Die Frauen bekommen ein Gehalt, Kostgeld, freien Transport – und das Privileg, Soldaten baden zu dürfen, worüber die meist gar nicht begeistert sind, wie mir Billy sagte.»

Constance war Virgilias plötzliche Aufmerksamkeit nicht entgangen. «Würde dich die Arbeit einer Krankenschwester interessieren?»

«Ich glaube schon – obwohl ich wahrscheinlich nicht über die nötigen Qualifikationen verfüge.»

Constance erschien es gnädiger, Virgilia gewisse Details des Artikels in *Leslie's* vorzuenthalten. Miss Dix verlangte weder medizinische noch wissenschaftliche Ausbildung; die Bewerberinnen sollten lediglich über dreißig und nicht attraktiv sein. Also konnte Constance wahrheitsgemäß sagen: «Da bin ich anderer Meinung. Soll ich Dr. Howe um ein Empfehlungsschreiben bitten?»

«Ja.» Dann entschlossener: «Ja, bitte!»

In dieser Nacht konnte Virgilia vor Erregung nicht schlafen. Als sie schließlich doch die Augen schloß, überfielen sie gespenstische Träume. Gradys Grab öffnete sich; er streckte seine Hand aus, flehte daß ihn jemand rächen möge. Das Bild verschwamm, dann tauchte eine lange Reihe von Männern in grauer Uniform auf; sie beobachtete wie jeder von ihnen erschossen wurde, dann noch einmal, dann ein drittes und viertes Mal. Blutspritzer tränkten den Stoff, während ein einzelner Mann im Blau der Union endlos feuerte. Sie kannte den Mörder. Sie hatte ihn in einem Feldlazarett gepflegt, bis er wieder seinen Dienst verrichten konnte.

Schweißgebadet wachte sie auf.

Seinem Empfehlungsschreiben legte Dr. Howe zwei Ratschläge bei Virgilia sollte sich zu einem Gespräch mit Miss Dix nicht zu sehr herausputzen, und obwohl die Leiterin der Krankenschwestern plumpe Schmeichelei schnell durchschauen würde, konnte ein kleines Lob für *Gespräche über allgemeine Dinge* nicht schaden. Miss Dix kleiner Haushaltsratgeber hatte sich seit seiner Publikation im Jahre 1824 stetig verkauft und war jetzt in der sechzehnten Auflage. Die Autorin war stolz auf ihr Kind.

Anfang Dezember, gerade während eines Wärmeeinbruchs, kam Virgilia in Washington an. Als sie auf den sonnenhellen Bahnsteig trat rümpfte sie die Nase über den Gestank, der von den acht Pinienkisten im Gepäckwagen aufstieg. Sie fragte den Gepäckmann, was die Kisten enthielten.

«Soldaten. Bei solchem Wetter hält sich das Eis nicht.»

«Hat es eine Schlacht gegeben?»

«Nichts Großes, soviel ich weiß. Diese Jungs sind wahrscheinlich an der Ruhr oder Ähnlichem gestorben. Wenn Sie länger hier sind, sehen Sie Hunderte von diesen Kisten.»

Am nächsten Morgen betrat sie um zehn Uhr das Büro von Dorothea Dix. Miss Dix, eine sechzigjährige Jungfer, war in Kleidung Gesten und Sprache sauber und ordentlich. «Eine Freude, Sie zu sehen, Miss Hazard. Sie haben einen Bruder in Minister Camerons Amt, nicht wahr?»

«Genaugenommen zwei. Der zweite arbeitet für General Ripley Und mein jüngster Bruder ist bei den Pionieren in Virginia. Seine Frau hat mir Ihr Buch empfohlen, das ich sehr genossen habe.» Sie betete Miss Dix möge keine Fragen über den Inhalt stellen, da sie sich nicht die Mühe gemacht hatte, ein Exemplar zu kaufen.

«Freut mich zu hören. Werden Sie Ihre Brüder während Ihres Aufenthalts in der Stadt sehen?»

«Oh, selbstverständlich, wir stehen uns sehr nah.» Klang das zu übertrieben? «Allerdings hoffe ich, daß mein Aufenthalt hier von Dauer sein wird. Ich würde gern als Krankenschwester arbeiten, obwohl ich keine offizielle Ausbildung besitze.»

«Jede intelligente Frau kann die technischen Aspekte schnell lernen. Was sie nicht erwerben kann, falls sie es nicht bereits besitzt, ist ein Charakterzug, den ich für unverzichtbar erachte.»

Miss Dix faltete die Hände und betrachtete Virgilia aus graublauen Augen.

«Ja?» sagte Virgilia.

«Seelenstärke. Die Frauen in meinem Schwesterncorps werden mit Dreck, Blut, Verderbtheit konfrontiert und einer Rohheit, die zu beschreiben mir die gute Erziehung verbietet. Meine Schwestern sind das Ziel von Feindseligkeiten, sowohl von Seiten der Patienten als auch der Ärzte, die zumindest in der Theorie unserer Verbündeten sein müßten. Das sind die Herausforderungen, denen wir uns gegenübersehen. Wenn Sie sich uns anschließen, Miss Hazard, dann werden Sie nicht nur einen Blick in die Hölle werfen, Sie werden mitten hindurch marschieren.»

Leicht zischend atmete Virgilia ein, versuchte die sinnliche Erregung zu verbergen, die sie erneut erfaßte. Eine blendende Vision tauchte auf, von jungen Männern in Kadettengrau, die blutend und schreiend stürzten. Grady grinste zu dem Spektakel, die schönen künstlichen Zähne zeigend, die sie ihm gekauft hatte, um jene zu ersetzen, die man ihm gezogen hatte, um ihn als Sklaven zu markieren.

«Miss Hazard?»

«Tut mir leid. Bitte verzeihen Sie. Eine vorübergehende Benommenheit.»

Stirnrunzeln. «Haben Sie das öfters?»

«Oh nein – nein! Es ist die Hitze.»

«Ja, außergewöhnlich für Dezember. Was halten Sie von dem, was ich Ihnen gesagt habe?»

Virgilia betupfte ihre Oberlippe mit dem Taschentuch. «Ich war in der Abolitionistenbewegung aktiv, Miss Dix. Als Folge davon sah ich häufig», sie zwang mehr Festigkeit in ihre Stimme, «die verstümmelten Leichen geflüchteter Sklaven, die von ihren Herren ausgepeitscht worden waren. Ich sah Narben, gräßliche Verstümmelungen. Ich hab' es ertragen. Ich kann auch die Härten der Krankenpflege ertragen.»

Endlich lächelte die Frau aus Boston ihrer Besucherin zu. «Ich bewundere Ihre Sicherheit. Das ist ein gutes Zeichen. Ihr Erscheinungsbild ist passend und Dr. Howes Empfehlung enthusiastisch. Sollen wir uns den Einzelheiten Ihres Gehalts und Ihrer Lebensumstände zuwenden?»

42

Lieutenant Colonel Orry Mains Ankunft und seine ersten achtundvierzig Stunden in Richmond waren voller Hektik. Er fand eine Unterkunft in einer Pension, unterschrieb verschiedene Papiere, leistete den Eid, kaufte seine Uniformen und meldete sich bei Colonel Bledsoe, der in den Büros des Kriegsministeriums das Kommando führte, in der Ninth Street neben dem Capitol Square.

Ein Angestellter namens Jones aus Maryland mit mürrischem, geheimnistuerischem Benehmen zeigte Orry seinen Schreibtisch hinter einer der dünnen Trennwände, die das Büro unterteilten. Am nächsten Tag empfing ihn Minister Benjamin. Der rundliche, kleine Mann hatte Walker abgelöst, den offenen, direkten Anwalt aus Alabama, dem man angelastet hatte, nicht mehr Kapital aus dem Sieg von Manassas geschlagen zu haben.

«Entzückt, Sie endlich bei uns zu sehen, Colonel Main.» Der Minister strahlte, von seinen unlesbaren Augen abgesehen, Kameraderie aus. «Wenn ich recht informiert bin, speisen wir Samstagabend zusammen.»

Orry drückte Überraschung aus. Benjamin sagte: «Die Einladung ist möglicherweise jetzt erst in Ihrer Unterkunft abgegeben worden. Angela Mallory führt eine ausgezeichnete Tafel, und die Eisdrinks des Ministers sind berühmt. Mr. Mallory ist voll des Lobes über die Arbeit, die Ihr Bruder und Bulloch in Liverpool leisten – ah, aber ich kann mir vorstellen, Sie sind mehr daran interessiert, etwas über Ihre eigenen Pflichten zu erfahren.»

«Jawohl, Sir.»

«Der Platz, den Sie auszufüllen haben, ist viel zu lange unbesetzt gewesen. Der Job ist sowohl notwendig als auch, wie ich eingestehen muß, schwierig, denn er erfordert Kontakt mit einer recht verhaßten Person. Sagt Ihnen der Name Winder etwas?»

Orry dachte kurz nach. «In West Point wurde über General William Winder geredet. Er verlor die Schlacht von Bladensburg im Jahre – 1814, ja?» Benjamin nickte. «Jetzt erinnere ich mich. Winder kämpfte aus überlegener Stellung mit überlegenen Kräften, aber die Briten schlugen ihn trotzdem, marschierten dann unbehelligt nach Washington und brannten es nieder. Später, beim Wiederaufbau der Stadt, wurde ein Gebäude nach ihm benannt.»

«Ich spreche von Winders Sohn. Er war eine gewisse Zeit taktischer Offizier in West Point.»

«Das wußte ich nicht.»

Sorgfältig die Worte wählend, fuhr Benjamin fort: «Tatsächlich war er dort Ausbilder, als Präsident Davis diese Institution besuchte. Deshalb hatte ihn der Präsident in guter Erinnerung, als Major Winder zu Beginn des Jahres hier ankam. Er ernannte ihn zum Brigadegeneral und Kommandeur der Militärpolizei. Seine Büros liegen ganz in der Nähe. Im Grunde ist er ein besserer Polizist – was an sich kein Problem darstellen würde, wenn ihn sein zunehmendes Alter nicht so unflexibel gemacht hätte. Und schließlich ist er bedauerlicherweise auch noch ein Leuteschinder. Aber trotz allem genießt er die Gunst des Präsidenten.» Benjamin sah Orry direkt in die Augen. «Jedenfalls zur Zeit.»

Benjamin erklärte ihm, daß der Kommandeur der Militärpolizei eine Anzahl von Männern angeheuert hatte, die in seinen Dienstlisten als professionelle Detektive geführt wurden. «Ich würde sie eher als Totschläger bezeichnen. Importierte auch noch. Yankeeabschaum, die keine Ahnung vom Süden haben. Sie scheinen besser geeignet zu sein, Rowdies aus Kneipen rauszuwerfen als ordentliche Detektivarbeit zu leisten. Aber wie ich schon sagte, sie sind verantwortlich für die Aufklärung von militärischen wie von zivilen Vergehen und Verbrechen. Aufgrund des, äh, Charakters des Generals neigen sie dazu, die Grenzen ihrer Autorität zu überschreiten. Ich kann nicht zulassen, daß sie die Befugnisse dieses Amtes beschneiden. Wenn sie es versuchen,dann müssen wir ihnen auf die Finger schlagen. Der letzte Mann, der dafür verantwortlich war, zeigte sich der Aufgabe nicht gewachsen. Daher meine Freude über Ihre Ankunft.»

Wieder dieser direkte, starre Blick. Benjamins weitere Worte lösten einen kleinen Schock bei Orry aus.

«Außerdem beansprucht Winder die Aufsicht über die lokalen Gefängnisse. Wenn er bei der Behandlung der Gefangenen nicht wenigstens ein Minimum an Humanität einführt, dann kann uns das auf diplomatischer Ebene Schaden zufügen, vor allem, weil die europäische Anerkennung immer noch zweifelhaft ist. Kurz gesagt, Colonel,

es gibt viele Möglichkeiten, wie der General der Konföderation scha
den kann; wir müssen ihn daran hindern.»

«Der Herr Minister wird mir die Bemerkung gestatten, daß Genera
Winder ranghöher ist als ich.»

«Das ist er – außer er stellt eine direkte Bedrohung des Wohlerge
hens dieses Ministeriums dar. Dann werden wir sehen, wessen Rang
höher ist.» Benjamin schob seinen Stuhl vor und warf Orry einen Blick
zu, der das Eisen unter der Seide enthüllte. «Ich hoffe zuversichtlich
daß Sie Ihren Aufgaben mit Takt und Können nachkommen werden
Colonel.»

Das war keine Hoffnung; das war ein Befehl.

Am nächsten Morgen stattete Orry dem Militärpolizeikommandeu
einen Höflichkeitsbesuch ab; das Büro war in einem häßlichen Ge
bäude in der Broad Street nahe Capitol Square untergebracht. Schor
bei seinem Eintritt begannen sich die ersten negativen Eindrücke anzu
sammeln. Ein paar von Winders Rowdies, Zivilisten mit schlammige
Stiefeln und gewaltigen Revolvern, lümmelten auf Bänken herum und
starrten ihn an, als er zu den Büroangestellten hinüberging.

Brigadegeneral John Henry Winder ließ ihn eine Stunde warten. Al
Orry schließlich eintreten durfte, sah er einen stämmigen Offizier vo
sich, der wesentlich älter als sechzig wirkte. Strähnenweise stand ihn
das weiße Haar, das anscheinend schon längere Zeit nicht mehr ge
kämmt, geschnitten und gewaschen worden war, vom Kopf ab. Win
ders Haut schuppte sich, so trocken war sie, und sein ständig zu einem
auf den Kopf gestellten U verzogener Mund deutete darauf hin, daß
Lächeln nicht zu seinen Angewohnheiten zählte.

Orry wollte sich freundlich vorstellen und seiner Hoffnung auf gut
Zusammenarbeit Ausdruck verleihen. Der Kommandeur war dara
nicht interessiert.

«Ich weiß, Ihr Boß ist ein Freund von Davis, aber das bin ich auch
Wir werden gut miteinander auskommen, wenn Sie zwei Regeln befol
gen: Kommen Sie mir nicht in die Quere, und stellen Sie meine Autori
tät nicht in Frage.»

Weniger freundlich sagte Orry: «Ich glaube, der Minister hat eben
falls Regeln, General. In Dingen, die in irgendeiner Form die Arme
betreffen, bin ich angewiesen, dafür zu sorgen, daß die Vorschriften –:

«Zum Teufel mit den Vorschriften. Wir haben Krieg. Ganz Rich
mond steckt voller Feinde.» Uralte Schildkrötenaugen fixierten Orry
«Mit und ohne Uniform. Ich werde sie ausrotten und mich dabei de
Teufel um *Vorschriften* scheren. Ich habe zu tun. Sie sind entlassen.»

«Zu Ihren Diensten, General.» Er salutierte, aber Winder hatte sich bereits über seine Akte gebeugt und erwiderte den Gruß nicht. Mit rotem Gesicht marschierte Orry hinaus.

Nur noch wenige Angestellte hielten sich in den Büros des Ministeriums auf, unter ihnen Jones. Orry beschrieb sein Zusammentreffen, und Jones lachte höhnisch. «Typisches Benehmen. In der ganzen Regierung gibt es keinen Mann, den ich mehr verachte. Sie werden bald ebenso empfinden.»

«Ich will verdammt sein, wenn das nicht bereits der Fall ist.»

Jones kicherte und machte sich wieder daran, in eine Art Journal zu schreiben. Später sah Orry, wie Jones das Journal in eine untere Schreibtischschublade zurücklegte und dabei verstohlen um sich blickte. Führte er ein Tagebuch? Man hütete wohl besser seine Zunge in Gegenwart dieses Burschen.

Bei der Dinnerparty im Hause des Marineministers Stephen Mallory am Samstagabend herrschte eine bessere Atmosphäre. Mallory, in Florida geboren, Eltern Yankees, hatte das große Glück – oder Pech, je nach Perspektive –, ein Ministerium zu leiten, das von Jefferson Davis fast vollkommen ignoriert wurde. Schnell machte der Minister seinen Gast mit seiner Einstellung bekannt.

«Ich habe die Sezession immer nur als Synonym für Revolution betrachtet. Aber jetzt, da wir kämpfen, will ich nicht das Zugeständnis des Feindes gewinnen, daß wir als Nation existieren dürfen, sondern ich will ihn schlagen. In diesem und in vielen anderen Punkten haben der Präsident und ich unterschiedliche Ansichten. Noch einen Julep, Colonel?»

In Orrys Kopf wirbelte es bereits, vom ersten Drink und vom Glanz der Versammlung. Das strahlendste Schmuckstück war Mallorys spanische Gattin Angela, eine anmutige, schöne Frau. Sie lobte Cooper und stellte Orry ihren kleinen Töchtern vor, ehe sie sie zu Bett brachte.

Während des ausgezeichneten Mahles wurden viele Toasts auf die Konföderation und vor allem auf ihre gefangenen Repräsentanten, Mason und Slidell, ausgebracht, beide Favoriten der Erzsezessionisten. Auch Benjamin zählte dazu, obwohl Orry die Ernsthaftigkeit des glatten, kleinen Mannes bezweifelte; auf Orry machte er nicht den Eindruck eines Eiferers, sondern eher eines Mannes, der es vorzieht zu überleben. Trotzdem brachte der Minister Witz und Fröhlichkeit in die Runde. Der Tisch war dermaßen überladen mit Köstlichkeiten, daß Orry Mühe hatte, sich daran zu erinnern, daß sie sich im Krieg befanden. Für eine kurze Weile vergaß er sogar, wie sehr er Madeline vermißte.

Als die Party ihrem Ende zuging, lud Benjamin ihn zu einem seiner Lieblingsplätze ein. «Johnny Worsham's. Ich möchte gegen seine Faro-Bank gewinnen. Johnny hat da eine feine Sache am Laufen. Man trifft die richtigen Leute, ebenso wie die richtigen Damen, aber man kann sich auch der Diskretion des Hauses sicher sein und wird nicht betrogen.»

Benjamin liebte abendliche Spaziergänge, und Orry erhob keine Einwände. Als sie am Spotswood vorbeikamen, wo gerade eine lärmende Menge von einer anderen Party aufbrach, rannte jemand zufällig gegen Orry.

«Ashton!»

Die Überraschung ließ ihn freundlicher als beabsichtigt klingen. Seine Schwester hing am Arm ihres Ehemannes; sie schenkte ihm ein Lächeln, so warm und herzlich wie ein Januartag. «Lieber Orry! Ich hörte, daß du hier bist – und auch noch verheiratet. Ist Madeline ebenfalls hier?»

«Nein, aber sie wird bald kommen.»

«Wie großartig du in Uniform aussiehst.» Ashtons Lächeln für den Minister war erkennbar herzlicher. «Arbeitet er für Sie, Judah?»

«Ich bin froh, das bejahen zu können.»

«Welches Glück. Orry, mein Lieber, sobald wir die Zeit finden, müssen wir einmal zusammen essen. James und ich werden ja vollkommen von gesellschaftlichen Verpflichtungen aufgefressen. In manchen Wochen haben wir kaum fünf Minuten für uns.»

«Ganz richtig», sagte Huntoon. Seine Brillengläser beschlugen in der Kälte. Ashton winkte und warf Benjamin flirtende Blicke zu, während ihr Mann ihr in die Kutsche half.

«Attraktive junge Frau», murmelte Benjamin im Weitergehen. «Angenehm für Sie, eine Schwester in Richmond zu haben.»

Sinnlos, etwas zu verschweigen, das ohnehin bald allgemein bekannt sein dürfte. «Wir stehen nicht auf gutem Fuß miteinander, fürchte ich.»

«Ein Jammer», sagte Benjamin mit einem kleinen, perfekten und leeren Beileidslächeln. Ich segle mit einem Meisternavigator der politischen Gewässer, dachte Orry. Er wußte, daß er von Ashton nichts mehr wegen des Essens hören würde. Das paßte ihm ausgezeichnet.

«Ashton?»

«Nein.»

Sie wandte sich von seiner Hand und seinem bettelnden Gejammer ab und schob ihr Kopfkissen so weit wie möglich an den Rand des Bettes. Gerade als sich köstliche Gedanken an Powell in ihrem Kopf zu formen begannen, belästigte er sie erneut.

«Ziemliche Überraschung, deinen Bruder zu sehen.»

«Eine unangenehme Überraschung.»

«Hast du wirklich vor, für uns drei ein Essen zu geben?»

«Nachdem er mich aus dem Haus geworfen hat, in dem ich aufgewachsen bin?» Ein verächtlicher Laut beantwortete die Frage. «Ich wollte, du wärst still. Ich bin erschöpft.»

Ashton sah Powell mindestens einmal die Woche, sogar zweimal, wenn Huntoons Arbeitszeit günstig war. Sie trafen sich auf Church Hill. Natürlich war es für sie immer noch ein Risiko, aber im Grunde liebte sie die Gefahr, bei Tageslicht in die Franklin Street zu kommen; einmal im Inneren des Hauses, befand sie sich in vollkommener Sicherheit, was in irgendeiner Absteige nicht der Fall gewesen wäre.

Powell brachte Ashton nicht nur Erfüllung mit seinen gelegentlich grausamen Liebesspielen, er faszinierte sie auch als Mensch. Er war ein hitziger Patriot, gleichzeitig aber skrupellos auf seinen eigenen Vorteil bedacht. Das war kein Widerspruch. Er liebte die Konföderation, haßte aber «King Jeff». Er beabsichtigte, den schicksalhaften Krieg zu überleben und dabei reich zu werden.

«Dafür bleibt mir ungefähr ein Jahr. Davis wird noch für eine Weile seine unkontrollierten Stümpereien begehen. Wir kämpfen für eine gerechte Sache – wir sollten und wir könnten gewinnen. Wenn uns der richtige Mann führt, dann könnte ich zum Prinzen eines neuen Königreiches werden. Unter den gegenwärtigen Umständen und dem gegenwärtigen Diktator kann ich, so fürchte ich, lediglich reich werden.»

Ein Patriot, ein Spekulant, ein unvergleichlicher Liebhaber – nie zuvor hatte sie einen solch vielschichtigen Mann gekannt. Im Vergleich schnitt Huntoon noch schlechter ab, als er es in der Vergangenheit ohnehin schon getan hatte.

Ihre Gewißheit, daß sie Powell liebte, wurde immer stärker. Ashton bezweifelte, daß Powell sie liebte. Sie hielt ihn für unfähig, jemand anders als sich selbst zu lieben. Es störte sie nicht. Was sie zu geben hatte, würde für beide reichen –

«Ashton?»

Ihr Rücken war immer noch ihrem Mann zugewandt. Sie knurrte ein Schimpfwort und schlug mit der Faust auf das Kissen. Warum konnte er sie nicht in Ruhe lassen? «Was ist?»

Eine schlaffe, widerliche Hand kroch über ihre Schulter. «Warum bist du so kalt zu mir? Es ist schon Wochen her, seit du mir das letzte Mal meine ehelichen Rechte zugestanden hast.»

Gott, selbst wenn er nach Liebe jammerte, hörte er sich wie ein Anwalt an. Er würde dafür bezahlen, daß er sie gestört hatte. Sie rollte sich zur Seite, suchte ein Streichholz, zündete es an, riß den Schirm von der Lampe und steckte den Docht an. Auf die Ellbogen gestützt, zerrte sie ihr Nachthemd über die Hüften hoch.

«Also gut, dann mach.»

«W-Was?»

«Zieh dieses stinkende Nachthemd aus, und nimm dir, was du willst, solange du es noch kriegen kannst.» Die Lampe entzündete kleine Feuer in ihren Augen. Sie beugte die Knie, öffnete die Schenkel, biß die Zähne zusammen. «Komm schon.»

Er kämpfte mit dem langen Flanellnachthemd. «Ich bin mir nicht sicher, ob ich auf Kommando kann.» Er entblößte seinen weißen Körper, und sie sah, daß er nur zu recht hatte. Huntoon schien jeden Moment in Tränen auszubrechen. Ashton lachte ihn aus.

«Du kannst ja nie. Selbst wenn dieses kümmerliche kleine Ding ein bißchen Leben zeigt, dann spüre ich nicht mehr als einen Fingerhut in mir. Wie konntest du je erwarten, eine Frau zu befriedigen? Du bist lächerlich.»

Und damit klappte sie ihre Beine zusammen, zerrte ihr Nachthemd herunter, ergriff die Lampe und verließ das Schlafzimmer.

Huntoon lauschte ihren Schritten, die nach unten führten. «Du gemeine Hündin», brüllte er. Doch sein Ärger schmolz so schnell dahin wie die leichte Versteifung seines Gliedes, die er zustandegebracht hatte, als sie ihn anschrie. Ihre Grausamkeit tat mehr, als ihn nur zu verletzen. Sie bestätigte einen Verdacht, den er schon seit einigen Tagen hegte. Es gab einen anderen Mann.

Huntoon warf sich aufs Bett. Eine Stunde lang blieb er so liegen und stellte sie sich nackt mit einem anderen Mann vor. Irgendein Offizier vielleicht? Dieser verschlagene kleine Jude mit seinem Kabinettsposten und seinen feinen Manieren? Oder konnte es ein Mann wie dieser glatte, hinterlistige Powell aus Georgia sein? Mit trockenem Mund stellte sich Huntoon vor, wie seine Frau sich verschiedenen Verdächtigen hingab. Er konnte sie zur Rede stellen, konnte verlangen, daß sie ihm den Namen –

Er konnte es nicht; das Wissen würde ihn wahrscheinlich umbringen.

Nach zwei Stunden raffte er sich aus dem Bett hoch, zog einen Morgenrock an und ging nach unten.

«Ashton? Ich wollte mich entschuldigen –»

Der Satz verlor sich. Er schnitt eine Grimasse. Fest schlafend lag sie zusammengerollt in einem großen Ledersessel; sie atmete leicht und gleichmäßig. Auf ihrem Gesicht lag ein sinnliches, zufriedenes Traumlächeln.

Er drehte sich um und stolperte die Treppe hoch; dieses Lächeln brannte sich wie Säure in sein Gedächtnis. Die Tränen kamen ihm. Er haßte sie, wußte aber, daß er machtlos war, etwas gegen sie zu unternehmen. Wie ein alter Mann stieg er die Stufen hoch; die Uhr im Flur schlug drei.

43

Auf Belvedere setzte Brett ihren täglichen Kampf gegen die Einsamkeit fort.

Ein Trost: Billys Briefe klangen fröhlicher. Seine alte Einheit, die Pionierkompanie A, war nach Washington zurückgekehrt und hatte auf dem Gelände des Bundesarsenals Quartier bezogen, zusammen mit zwei der drei neuen Freiwilligenkompanien, die der Kongreß im August bewilligt hatte – B aus Maine und C aus Massachusetts.

Das neugegründete Pionierbataillon gehörte nun zu McClellans Potomac-Armee und wurde von Captain James Duane kommandiert, einem Offizier, den Billy respektierte. Um bei dem Bataillon bleiben zu können, hatte Billys Freund Lije Farmer als Captain der Freiwilligen zurücktreten und ein Patent der regulären Armee als Erster Lieutenant annehmen müssen. Der älteste in der Potomac-Armee, behauptete er, aber Billy war zufrieden und froh, daß er bei ihnen war.

Brett fragte sich, ob es eine Hoffnung auf Urlaub für ihn gab. Sie vermißte ihn so sehr; es gab viele Nächte, in denen sie nur wenige Stunden schlief. Sie half im Haus soviel sie konnte, aber trotzdem blieben ihr noch viele leere Stunden. Constance war wieder zu George nach Washington zurückgekehrt. Dieser seltsame, hitzige Farbige, Brown, war ebenfalls dort und sammelte weitere verirrte Schäfchen ein. Virgilia hatte eine Stelle bei Miss Dix' Krankenschwestern bekommen und würde nicht zurückkehren. Brett war ganz allein, in düsterer Stimmung und einsam.

An einem stahlgrauen Dezembertag spazierte sie zum Tor von Hazards, dann den Hügel zum Brown-Gebäude hoch. Sie entdeckte zwei der Kinder, einen Jungen und ein Mädchen, die mit Mr. Czorna, dem Ungarn, an einer Tafel lernten. Seine Frau rührte die Suppe am Ofen. Brett grüßte beide.

«Morgen, Madam», erwiderte die grauhaarige Frau, ehrerbietig, aber nicht besonders freundlich. Jede von ihnen sprach mit Akzent: Mrs. mit deutlich europäischem, Brett mit deutlich südstaatlichem. Brett wußte, daß ihr das Paar kein Vertrauen entgegenbrachte – nicht gerade neu in Lehigh Station.

Sie wollte etwas sagen, bemerkte dann aber ein Kind im angrenzenden Raum. Auf einem Strohsack sitzend, starrte das kleine, kupferfarbene Mädchen mit gesenktem Kopf auf seine Hände.

«Ist das Kind krank, Mrs. Czorna?»

«Nicht krank, nicht diese Art von Krankheit. Vor seiner Abreise hat Mr. Brown ihr eine Schildkröte gekauft. Vor zwei Nächten, als wir den Schnee hatten, kroch die Schildkröte aus dem Fenster und erfror. Sie will nicht, daß ich das Tier beerdige. Sie will nicht essen, nicht sprechen oder lachen – ich vermisse ihr Lachen. Ich weiß nicht, was ich tun soll.»

Gerührt vom Anblick der hoffnungslosen Gestalt im anderen Raum, sagte Brett impulsiv: «Darf ich einen Versuch machen?»

«Nur zu.»

«Ihr Name ist Rosalie, nicht wahr?»

«Ja, das stimmt.»

Brett ging in den Schlafsaal und setzte sich neben das kleine Mädchen, das sich nicht bewegte. In der offenen Handfläche des Kindes lag die tote Schildkröte – nicht sonderlich gut riechend.

«Rosalie? Darf ich deine Schildkröte nehmen und ihr ein warmes Plätzchen geben?»

Das Kind starrte Brett mit leeren Augen an. Es schüttelte den Kopf.

«Bitte, Rosalie. Sie verdient es, warm und gemütlich zu liegen, während sie schläft. Hier drinnen ist es kalt. Kannst du es nicht spüren? Komm, hilf mir draußen. Danach gehen wir zu mir, zu Kuchen und Kakao. Du kannst die große Mamakatze sehen, die letzte Woche Junge gekriegt hat.»

Sie faltete die Hände, wartete. Das Kind starrte sie an. Langsam griff Brett nach der Schildkröte. Das Kind schaute hinunter, sagte aber nichts. Brett bat Mrs. Czorna um einen großen Löffel, dann gingen sie zusammen hinter das weißgetünchte Gebäude. Mit dem Löffel grub Brett ein Loch in den winterlichen Boden. Sie wickelte die Schildkröte in ein sauberes Tuch, legte sie hinein und häufte vorsichtig Erde darüber. Als sie aufblickte, sah sie Rosalie weinen.

«Oh, armes Kind. Komm her.»

Sie breitete die Arme aus. Das kleine Mädchen rannte auf sie zu. Während der kalte Wind pfiff, hielt Brett das zitternde Körperchen. In diesem Augenblick, an diesem grauen Morgen, wurde ihr etwas bewußt. Rosalie fühlte sich nicht anders an als jedes andere verletzte Kind auch.

Brett schloß sie fest in die Arme, spürte, wie die Hände des kleinen Mädchens um ihren Nacken glitten, und dann fühlte sie die feuchte Kälte seiner Wange, die sich wärmesuchend gegen die ihre preßte.

44

Tante Belle Nin starb am 10. Oktober. Seit Tagen war es mit ihr langsam zu Ende gegangen, Opfer einer Blutvergiftung, wie es der Arzt der Mains bezeichnete. Sie war bis zuletzt bei klarem Bewußtsein, rauchte eine Maiskolbenpfeife, die Jane ihr gestopft hatte, und gab Kommentare zu Träumen ab, die ihr Szenen aus dem Leben nach dem Tod gezeigt hatten. «Es macht mir nichts aus zu gehen, abgesehen von einem Detail», sagte sie durch die Rauchwolken hindurch. «Wahrscheinlich werd' ich meine beiden Ehemänner auf der anderen Seite treffen, und darauf könnt' ich gut verzichten.»

Tante Belle paffte einige kräftige Züge, lächelte ihrer Nichte zu, reichte ihr die Pfeife und schloß die Augen.

Madeline war sofort damit einverstanden, daß Tante Belle am nächsten Tag auf Mont Royal begraben wurde – der gleiche Tag, an dem ein Feuersturm durch Charleston raste. Viele Häuserblöcke weit verbrannte Erde, sechshundert zerstörte Gebäude, Besitz im Wert von Millionen Dollars vernichtet. Schwarze Brandstifter sollten dafür verantwortlich sein. Die Neuigkeiten erreichten Mont Royal am Abend nach der Beerdigung; ein Kurier, unterwegs zur Ashley-Plantage, warnte vor einem möglichen Aufstand.

Während der Kurier sich mit Madeline und Meek unterhielt, schlenderte Jane allein durch das kühle Mondlicht am Fluß entlang. Ein Knirschen von Planken ganz vorn am Dock erschreckte sie. Cuffey beobachtete sie jetzt ständig, und als sie sich umwandte und die drohende Silhouette eines Mannes sah, dachte sie, er sei ihr gefolgt.

«Ich bin's bloß, Miss Jane.»

«Oh, Andy. Hallo!» Sie entspannte sich, zog an ihrem Schal. Der Wintermond erhellte sein Gesicht, als er sich ihr scheu näherte.

«Wollte dir nur sagen, wie sehr der Tod deiner Tante mich bekümmert hat. Dachte, bei der Beerdigung ist nicht der richtige Ort dafür.»

«Ich danke dir, Andy.» Zu ihrer eigenen Überraschung stellte sie fest, daß sie ihn länger als nötig ansah.

«Möchtest du dich einen Moment hinsetzen?» fragte er. «Hab' nicht viel Möglichkeiten, dich zu sehen, den ganzen Tag die Arbeit und –»

«Ist dir nicht kalt? Du hast nur dieses Hemd an.»

«Oh, das ist schon in Ordnung.» Er lächelte. «Warte, ich helfe dir –»

Er nahm ihre Hand, damit sie nicht fiel, als sie sich an den Rand des Docks setzte, und ließ sie dann fast erschrocken wieder los. Im Grunde genommen war Jane genauso nervös wie er. In Rock Hill hatte sie nie viel mit Männern zu tun gehabt. Sie war noch Jungfrau, und die Witwe Milsom hatte ihr den eindringlichen Rat gegeben, das auch zu bleiben, bis sie einen Mann gefunden hatte, den sie liebte und heiraten wollte.

«Schrecklich, dieses Feuer in Charleston.»

«Schrecklich», stimmte sie zu, obwohl sie nichts für die weißen Besitzer übrig hatte. Sie wünschte sich keine Toten, hätte aber nichts dagegen gehabt, wenn jede Plantage im Staat niedergebrannt wäre.

«Ich denk', du wirst jetzt bald nach Norden aufbrechen.»

«Ja, ich glaub' schon. Nun, wo Tante Belle beerdigt ist, bin ich –» Sie hielt inne, verbiß sich das Wort «frei», falls es ihn verletzen würde. Es war ein mächtiges Wort, *frei*. «– kann ich tun, was ich will.»

Er studierte seine Finger; schließlich brach es aus ihm heraus. «Hoffentlich stört es dich nicht, wenn ich noch was sag'.»

«Kann ich erst wissen, wenn du's gesagt hast, oder?»

Er lachte, nun etwas lockerer. «Ich wollt', du würdest bleiben, Miss Jane.»

«Du mußt mich nicht dauernd Miss nennen.»

«Scheint angebracht. Du bist eine feine, hübsche Frau – klüger, als ich's je sein werde.»

«Du bist klug, Andy. Ich kann das beurteilen. Und es wird noch besser, wenn du lesen und schreiben gelernt hast.»

«Das ist ein Teil von dem, was ich meine, Mi- Jane. Wenn du weg bist, wird niemand mehr hier sein, der mich unterrichtet. Niemand, der irgendeinen von uns unterrichten könnte.» Er beugte sich vor. «Die Soldaten von Lincoln kommen immer näher. Aber so wie ich jetzt bin, komme ich in der Welt der Weißen nicht zurecht. Weiße schreiben Briefe, Rechnungen, machen Geschäfte. Ich bin nicht besser auf die Freiheit vorbereitet als irgendein alter Hund, der den ganzen Tag in der Sonne liegt.»

Sie fühlte einen Schuß Ärger. «Du meinst, ich soll mich schämen, weil ich nicht bleibe und unterrichte. Das ist nicht meine Aufgabe. Das ist nicht meine Pflicht.»

«Bitte sei nicht böse. Das ist nicht alles.»

«Was meinst du, das ist nicht alles? Ich versteh' nicht.»

Er schluckte. «Nun – Miss Madeline geht bald zu Mr. Orry. Meek ist kein bösartiger Verwalter, aber er ist hart. Die Leute brauchen jetzt eine andere stützende Hand, eine Freundin wie Miss Madeline.»

«Und du glaubst, ich könnte sie ersetzen?»

«Du bist – bist keine Weiße, aber du bist frei. Ist das Nächstbeste.»

Woher kam so plötzlich diese Woge der Enttäuschung? Sie wußte es nicht. «Tut mir leid, daß ich dich falsch verstanden hab'. Und danke für dein Vertrauen, aber –» Sie stieß einen kleinen Schrei aus, als er ihre Hand packte.

«Ich will nicht, daß du gehst, weil ich dich mag.»

Er sprudelte den Satz so schnell heraus, daß er wie ein einziges Wort klang. Kaum fertig, klappte er den Mund zu und schaute drein, als würde er im nächsten Moment vor Scham in den Boden versinken. Er war fast nicht zu hören, als er hinzufügte: «Ich entschuldige mich.»

«Nein, das brauchst du nicht. Was du sagtest, war –», wie schwer, sowas auszusprechen, «– lieb.» Sie neigte den Kopf, und ihre Lippen streiften seine Wangen. Noch nie war sie so kühn gewesen; sie war nun ebenso verlegen wie Andy. «Es ist kalt. Wir sollten gehen.»

«Darf ich dich begleiten?»

«Gern.»

Schweigend legten sie die dreiviertel Meilen zu den Hütten zurück. Mit merkwürdig erstickter Stimme sagte Andy: «Gute Nacht, Miss Jane.» Ohne anzuhalten, steuerte er auf seine eigene Hütte zu. Ein letzter Satz trieb zu ihr herüber. «Hoffentlich hab' ich dich nicht zu wütend gemacht.»

Nein, aber er hatte sie aus dem Gleichgewicht gebracht. Mächtig sogar. Still und heimlich hatte sie ein romantisches Interesse an Andy entwickelt. Mein Gott, nach den vergossenen Tränen bei der Beerdigung war sie sich ihres nächsten Schrittes ganz sicher gewesen. Jetzt war sie vollkommen durcheinander und –

«Bloß der Nigger vom Boß ist wohl gut genug für dich, huh?»

«Wer ist da?»

Erschreckt von der Stimme aus der Dunkelheit schaute sie sich suchend um; eine Gestalt löste sich von einer dunklen Veranda zu ihrer Linken. Cuffey kam auf sie zugeschlendert. «Wirst schon wissen, wer.» Er stieß einen angsteinflößenden kleinen Zischlaut aus. «Ich war mal Vorarbeiter. Bin ich damit gut genug für 'nen Mondscheinspaziergang? Ich weiß, wie man 'nem Mädel was Gutes tut. Hab's gelernt, seit ich neun oder zehn war.»

Sie machte einen Bogen um ihn. Er umklammerte ihren Unterarm so fest, daß es schmerzte. «Hab' dich was gefragt. Bin ich gut genug für dich oder nicht?»

Jane bemühte sich, ihre Furcht zu verbergen. «Nichts auf dieser Welt könnte dich gut genug machen. Du läßt mich jetzt los, oder ich kratz dir die Augen aus, und dabei kann ich auch gleich nach Mr. Meek rufen.»

«Meek wird sterben.» Cuffey schob sein Gesicht dicht an das ihre. «Er und all die Weißen, die uns unser Leben lang getreten und geschlagen und rumkommandiert haben. Ihre Niggerlieblinge werden auch sterben. Also, du Hündin, überleg dir, auf welche Seite du –»

«Laß los, du ignoranter, stinkender Wilder. Ein Mann wie du verdient die Freiheit nicht. Auf dich kann man nur spucken, zu was anderem taugst du nicht.»

Auf dunklen Veranden saßen Zuhörer. Eine Frau kicherte, ein Mann lachte laut heraus. Cuffey wirbelte nach links herum, dann nach rechts, auf der Suche nach den unsichtbaren Spöttern. Jane riß sich los, rannte in ihre Hütte und blieb keuchend mit dem Rücken gegen die Tür stehen.

Sie beschloß, die Lampe brennen zu lassen. In der Flamme sah sie die Gesichter zweier Männer. Sie würde so bald wie möglich von hier fortgehen.

Morgen.

Das Krähen der Hähne weckte sie am nächsten Morgen nach einer Nacht voller unruhiger Träume. Tante Belle hatte den Träumen immer Bedeutung zugemessen, obwohl man hart arbeiten mußte, um sie wirklich zu durchschauen. Jane machte sich ans Werk und hatte nach einer Stunde einen Entschluß gefaßt.

Zu bleiben würde schwerer werden als wegzugehen. Aber trotz Cuffey: Sie würde auch ihren Lohn empfangen; sie konnte ihre eigenen Leute auf den Tag der Befreiung vorbereiten, an die sie so sicher glaubte.

Und dann war da noch Andy. Doch auch ohne ihn mußte sie dem

Ruf ihres Gewissens folgen. Sie zog sich an, richtete ihr Haar und eilte, auf der Suche nach Madeline, zu dem großen Haus.

Orrys Frau frühstückte gerade. «Setz dich, Jane. Magst du etwas Biskuit und Marmelade? Tee?»

Die Einladung, mit der weißen Herrin den Tisch zu teilen, machte sie sprachlos. Sie dankte Madeline, setzte sich ihr gegenüber, aß aber nichts. Sie fing den empörten Blick des Hausmädchens auf, das in die Küche zurückkkehrte.

«Ich wollte über meine Abreise reden, Miss Madeline.»

«Ja, das dacht' ich mir. Wird es bald sein? Wann immer du gehst, ich werde dich vermissen. Viele andere auch.»

«Darüber wollte ich mit Ihnen sprechen. Ich hab' mir's anders überlegt. Ich würde gerne noch eine Weile in Mont Royal bleiben.»

«Oh, Jane – das würde mich sehr glücklich machen. Du bist eine intelligente junge Frau. Ich hoffe, Ende des Monats nach Richmond aufbrechen zu können. Dann könntest du Mr. Meek eine große Hilfe sein.»

«Ich möchte meinen eigenen Leuten helfen. Sie müssen bereit sein, wenn die Befreiung kommt.»

Madelines Lächeln verschwand. «Du glaubst, der Süden wird verlieren?»

«Ja.»

Madeline warf einen vorsichtigen Blick zur Küchentür. «Ich gestehe, ich befürchte das auch, obwohl ich es nicht zuzugeben wage, weil es Meeks Autorität zerstören würde. Und Gott allein weiß, wie mein Mann die Plantage hier leiten will, ohne –»

Sie brach ab, suchte Janes Blick. «Ich habe zuviel gesagt. Ich muß dir vertrauen, daß du nichts davon weitererzählst.»

«Das werd' ich nicht.»

«Wie, glaubst du, könntest du deinen Leuten helfen?»

Es war zu früh, von Unterricht zu sprechen; ein erstes Zugeständnis mußte erreicht werden. «Ich bin mir nicht sicher, aber ich kenn' einen Ort, wo ich nach der Antwort suchen könnte. Ihre Bibliothek. Ich hätte gern Ihre Erlaubnis, mir dort Bücher auszuleihen.»

Mit einem winzigen Löffel tippte Madeline gegen den Goldrand ihrer Teetasse. «Du weißt, daß das gegen das Gesetz verstößt?»

«Ja.»

«Was hoffst du, in Büchern zu finden?»

«Ideen – Möglichkeiten, den Leuten auf dieser Plantage zu helfen.»

«Jane, wenn ich dir die Erlaubnis dazu geben und irgend jemand, weiß oder schwarz, kommt dadurch zu Schaden, dann bekommst du es nicht mit Mr. Meek zu tun. Das erledige ich dann mit meinen eigenen Händen. Ich dulde nicht, daß Unruhe oder Gewalt gesät wird.»

«Das würde ich nicht tun.» Ihren restlichen Gedankengang behielt Jane für sich: *aber ein anderer vielleicht schon.*

Madeline blickte sie fest an. «Ich nehme das als weiteres Versprechen.»

«Das können Sie. Und das erste gilt auch noch. Ich werde keinen der Leute ermutigen, wegzurennen.»

«Du bist eine sehr offene junge Frau», sagte Madeline; es war alles andere als eine Verurteilung. Sie erhob sich. «Komm mit.»

Jane folgte ihr zum sonnenbeschienenen Foyer. Madeline griff nach den Klinken der Bibliothekstüren. «Dafür könnte ich ausgepeitscht und aus diesem Staat gejagt werden.» Aber es schien sie mit Stolz zu erfüllen, die Türen aufzustoßen und zur Seite zu treten.

Langsam ging Jane hinein. Madeline folgte ihr und schloß lautlos die Türen.

«Ideen haben mir nie Angst eingejagt, Jane. Sie sind die Erlösung und Rettung dieses Planeten. Lies von all dem soviel, wie du willst.»

Lederner Duft stieg von den Regalen auf, in denen keine einzige freie Stelle zu finden war. Jane hatte das Gefühl, in einer Kathedrale zu sein. Sie blieb weiter schweigend stehen, wie ein Bittsteller. Dann legte sie den Kopf etwas zurück und hob den Blick zu den Büchern, zu all den Büchern; ein inneres Leuchten ließ ihr Gesicht erstrahlen.

45

«George, du darfst nicht so toben. Du wirst noch einen Schlaganfall kriegen.»

«Aber – aber –»

«Rauch eine Zigarre. Ich gieße dir einen Whiskey ein. Es ist jeden Abend dasselbe. Du kommst wütend heim. Die Kinder haben es auch schon bemerkt.»

«Nur eine Statue könnte in diesem Saustall ruhig bleiben.» Er riß sich den Uniformkragen auf und stampfte zum Fenster, wo die Schneeflocken an der Scheibe schmolzen. «Weißt du, womit ich den

Nachmittag verbracht habe? Ich hab' diesem Schwachkopf aus Maine zugesehen, wie er seinen Wassertreter vorführte: unter je einen Schuh ein kleines Kanu. Genau das Richtige für die Infanterie! Über die Flüsse von Virginia im Stil der Bibel!»

Constance hielt sich eine Hand vor den Mund. George drohte ihr mit dem Finger. «Wage nicht zu lachen. Was noch schlimmer ist, im letzten Monat hatte ich es mit *vier* Erfindern von Wassertretern zu tun.»

Er raufte sich das Haar und starrte hinaus in den Dezemberschnee, ohne ihn wirklich zu sehen. Dunkelheit und Mutlosigkeit lagen über der Stadt.

«Bestimmt tauchen gelegentlich auch mal intelligente Erfinder auf», fing Constance an.

«Natürlich. Mr. Sharps – dessen Hinterladergewehre Ripley nicht haben will, obwohl Colonel Berdans Sonderregiment die kleinen Extrakosten aus eigener Tasche bezahlen wollte. Die Sharps ist neumodisch, sagt Ripley. Vor elf Jahren hat ein Armeeausschuß das Gewehr getestet und für gut befunden, aber es ist neumodisch.» Er trat so heftig gegen ein Hockerbein, daß er sich die Zehe verstauchte und losfluchte.

«Kann Ripley nicht überstimmt werden? Kann denn nicht Cameron eingreifen?»

«Der hat mit seinen eigenen Problemen genug zu tun. Ich glaube nicht, daß er den Monat übersteht. Aber selbstverständlich kann man was unternehmen. Das wurde bereits im Oktober getan. Allerdings nicht von uns. Lincoln hat fünfundzwanzigtausend Hinterlader bestellt.»

«Er hat über den Kopf des Ministeriums hinweg gehandelt?»

«Kann man ihn deswegen tadeln?» George ließ sich aufs Sofa sinken. «Ein anderes Beispiel. Es gibt da einen jungen Burschen aus Connecticut namens Christopher Spencer. War unter anderem bei Colt's in Hartford. Er hat sich ein raffiniertes Schnellfeuergewehr patentieren lassen, bei dem man ein Magazin mit sieben Patronen in den Schaft führt. Weißt du, was Ripley dagegen einzuwenden hatte?» Sie schüttelte den Kopf. «Unsere Jungs würden zu schnell feuern und Munition verschwenden.»

«George, es fällt einem schwer, das zu glauben.»

Seine Hand schoß hoch, zum Eid bereit. «Die reine Wahrheit. Wir wagen es nicht, die Infanterie mit Gewehren auszurüsten, die vielleicht den Krieg verkürzen würden. Bei den Hinterladern mußte Ripley nachgeben, aber bei den Repetiergewehren bleibt er steinhart. Also erledigt weiterhin der Präsident unsere Arbeit. Heute nachmittag erzählte mir Bill Stoddard, vom Regierungsbüro seien zehntausend Spencers geordert worden. Gegen Weihnachten können Hiram Berdans Scharfschützen sie ausprobieren.»

George stürmte wieder hoch, den Rauch einer neuen Zigarre hinter sich herziehend. Vor dem Fenster blieb er stehen, den Kopf gesenkt. Oft genug hatte Constance die Temperamentsausbrüche ihres Mannes erlebt, aber diese Art von Verzweiflung noch nicht. Von hinten legte sie die Arme um ihn, drückte ihre Brust gegen seinen Rücken.

«Ich versteh schon, daß du dich elend fühlst.» Sie lehnte ihre Wange gegen seine Schulter. «Ich hab' auch eine Neuigkeit. Eigentlich zwei. Vater hat das Territorium von New Mexico erreicht und versucht dort, den Armeen von Union und Konföderation aus dem Weg zu gehen. Er ist zuversichtlich, gegen Ende des Winters in Kalifornien zu sein.

«Gut.» Die Antwort klang teilnahmslos. «Was noch?»

«Wir sind zu einem Empfang bei deinem alten Freund, dem Oberbefehlshaber der Armee, eingeladen.»

«Little Mac? Jetzt, wo er der Mann an der Spitze ist, wird er möglicherweise gar nicht mehr mit mir reden.» McClellan war am 1. November ernannt worden; Scott war am Ende.

«George, George —» Sie drehte ihn zu sich und blickte ihm in die Augen. «Das ist nicht der Mann, den ich kenne. Mein Ehemann. Du bist so bitter.»

«Es war eine Katastrophe, herzukommen. Ich verschwende nichts als meine Zeit. Ich sollte zurücktreten und mit dir und den Kindern heimfahren.»

«Halt noch eine Weile durch. Ich glaube, es ist deine Pflicht. Krieg ist nie leicht, für niemanden. Das hab' ich gelernt, als ich jede Nacht wach lag und Angst um dich hatte, als du in Mexiko warst.»

Sie küßte ihn, nur eine hauchzarte Berührung von Mund zu Mund. Ein Teil seiner Anspannung verflüchtigte sich.

«Was würde ich ohne dich anfangen, Constance? Ich hätte keine Chance zu überleben.»

«Oh doch. Du bist stark. Aber ich bin froh, daß du mich brauchst.»

Er zog sie fest an sich. «Mehr denn je. Also gut, ich werde noch bleiben. Aber du mußt versprechen, mir einen guten Anwalt zu besorgen, falls ich die Nerven verliere und Ripley ermorde.»

Der Dezember wurde zu einem Monat, in dem verschiedene Ströme verborgener, aber aufrichtiger Verzweiflung in der Regierung zusammenliefen. Sie bedrohten Stanleys Unternehmen, dessen Wert in weniger als sechs Monaten um fünfzig Prozent gewachsen war. Zusätzlich trieb ihn seine steigende Panik zu extremen Maßnahmen. Spätabends knackte er die Schubladen bestimmter Schreibtische, las die vertraulichen Berichte und kopierte Schlüsselsätze. Häufig traf er sich in Parks und Saloons mit einem Mann aus Wades Stab und übergab ihm eine Unzahl von Informationen, ohne wirklich zu wissen, ob er damit seiner Sache tatsächlich half. Er setzte alles auf eine Karte: auf Camerons Sturz.

Selbst Lincoln wurde von der Militanz von Wade und dessen Leuten bedroht. Das neue Kongreßkomitee sollte bald ins Leben gerufen werden. Von den wahren Gläubigen unter den Republikanern beherrscht, würde es die Unabhängigkeit des Präsidenten beschneiden und den Krieg so führen, wie ihn die Radikalen geführt haben wollten.

Aus all diesen Gründen war die Atmosphäre im Kriegsministerium gespannt. So war Stanley an diesem Montagmorgen, nachdem ihn gerade eine weitere schlechte Nachricht erschreckt hatte, nur zu froh, das Haus verlassen zu können. Er eilte durch den leichten Schneefall zur 352 Pennsylvania, wo über einer Bank und einem Drogisten das erste Porträt-Studio der Stadt und der Nation ansässig war, Brady's Photographic Gallery of Art. Stanleys Uhr zeigte, daß er sich zu dem Termin um fast eine halbe Stunde verspätet hatte.

Die Empfangsdame sagte ihm, daß Isabel und die Zwillinge bereits im Studio seien. «Danke», keuchte Stanley und eilte die Stufen hoch, wegen seines zunehmenden Gewichts schnell außer Atem. Noch ehe er das oberste Stockwerk erreicht hatte, hörte er schon, wie sich seine Söhne stritten.

Das Studio war ein großzügiger, von Oberlichtern beherrschter Raum. Isabel begrüßte ihn, indem sie ihn anfauchte: «Die Verabredung war für Mittag.»

«Amtsgeschäfte haben mich aufgehalten. Wir haben Krieg, falls dir das noch nicht bekannt ist.» Er klang noch bösartiger als seine Frau, was sie überraschte.

«Mr. Brady, ich bitte um Entschuldigung. Laban, Levi – hört sofort damit auf.» Stanley versetzte erst dem einen, dann dem anderen Zwilling einen Schlag. Die Jünglinge erstarrten, von dem ungewohnten Ausbruch ihres Vaters völlig überrascht.

«Bei jemandem in Ihrer Position muß man mit Verzögerungen rechnen», sagte Brady geschmeidig. Er war nicht dadurch erfolgreich und wohlhabend geworden, daß er wichtige Kunden beleidigte. Er war ein schlanker, bärtiger Mann nahe der Vierzig mit Brille.

«Das Licht ist heute gerade an der Grenze», bemerkte Brady. «Ohne Sonne mach' ich ungern Porträts. Die Belichtungszeiten sind zu lang. Aber da es für Weihnachten sein soll, werden wir es versuchen. Chad?» Er schnippte mit den Fingern. «Ein bißchen nach links.» Der Assistent sprang, um das Dreibein mit der weißen Reflektortafel etwas zu verschieben.

Die Sitzung dauerte eine dreiviertel Stunde. Wiederholt tauchte Brady unter die schwarze Haube oder flüsterte seinem Assistenten Anweisungen zu. Zum Schluß dankte ihnen Brady und schlug vor, sie sollten mit der Empfangsdame über die Lieferung des Porträts sprechen, das die ganze Familie in schöner Eintracht zeigte. Dann eilte er hinaus. «Offensichtlich sind wir nicht wichtig genug, um ihn mehr als einmal zu Gesicht zu bekommen», beklagte sich Isabel im Hinausgehen.

«Mein Gott, kannst du dir nicht mal um was anderes Sorgen machen als um deinen Status?»

Mehr überrascht als verärgert sagte sie: «Stanley, du hast heute morgen eine furchtbare Laune. Was ist los?»

«Etwas Schreckliches ist geschehen. Schicken wir die Jungs in einer Mietkutsche heim, und ich erklär's dir beim Essen im Willard's.»

Die Seezunge mit Mandeln war wunderbar zubereitet, aber Stanley war nur darauf bedacht, seine Besorgnisse loszuwerden. «Ich hab' die Kopie eines Entwurfs von Simons Jahresbericht über die Aktivitäten des Ministeriums in die Hände bekommen. Darin heißt es unter anderem – angeblich von Stanton verfaßt –, daß die Regierung das Recht und möglicherweise die Pflicht hat, Feuerwaffen an Konterbande auszugeben und sie in den Kampf gegen ihre früheren Herrn zu schicken.»

«Simon schlägt vor, geflüchtete Sklaven zu bewaffnen? Das ist bizarr. Wer soll denn glauben, daß sich der alte Gauner plötzlich in einen moralischen Kreuzfahrer verwandelt hat?»

«Er ist anscheinend davon überzeugt, daß es schon jemand glauben wird.»

«Er hat den Verstand verloren.»

Stanley warf vorsichtige Blicke auf die umliegenden Tische; niemand achtete auf sie. «Das Schreckliche kommt erst noch. Der ganze Bericht ist zum Regierungsdrucker gegangen – aber nicht zu Lincoln.»

«Liest der Präsident für gewöhnlich solche Berichte?»

«Er liest sie und gibt die Genehmigung zur Veröffentlichung.»

«Warum dann –?»

«Weil Simon weiß, daß der Präsident diesen Bericht ablehnen würde. Simon will seine Äußerungen unbedingt gedruckt sehen. Verstehst du nicht, Isabel? Er ertrinkt und glaubt, die Radikalen seien die einzigen, die ihm eine Rettungsleine zuwerfen könnten. Ich glaube aber nicht, daß sie es tun werden, Simons Taktik ist zu durchsichtig.»

«Du hast Wade geholfen – wird dir das nicht helfen, wenn Simon untergeht?»

Mit der Faust schlug er in die Handfläche. «Ich weiß es nicht!»

Sie ignorierte seinen Ausbruch und überlegte. Nach wenigen Augenblicken murmelte sie: «Was immer auch geschieht, laß dich bloß nicht einwickeln, diese widersprüchliche Passage zu unterstützen.»

«Um Himmels willen, warum denn nicht? Ganz sicher wird Wade die Sache gutheißen. Und Stephens und was weiß ich wieviele andere ebenfalls.»

«Das glaube ich nicht. Simon ist ein Opportunist, und das weiß die ganze Stadt. Im Mantel des Moralisten wirkt er lächerlich. Niemals wird man ihm erlauben, ihn zu tragen.»

Sie behielt recht. Kaum hatte der Präsident von dem Bericht erfahren, da ordnete er die Entfernung der umstrittenen Passage an. An dem Tag, an dem das geschah, brüllte Cameron nur noch im Ministerium herum. Um halb zehn schickte er einen Boten zu den Büros von Mr. Stanton. Kurz nach Mittag schickte er den Jungen noch mal los und gegen drei erneut. Man benötigte keine große Intelligenz, um zu merken, daß Camerons Anwalt, nun als Verfasser dieser Passage bekannt, seinem Klienten nicht helfen wollte.

«Der Schaden ist angerichtet», sagte Stanley am nächsten Abend zu Isabel. Mit bleichem Gesicht reichte er ihr ein Exemplar von Mr. Wallachs *Evening Star*, die eindeutig demokratische – manche behaupteten pro-südstaatliche – Zeitung der Stadt. «Irgendwie haben sie von dem Bericht erfahren.»

«Du hast mir erzählt, die Passage sei entfernt worden.»

«Sie haben die Originalversion in die Hand bekommen.»

«Wie?»

«Keine Ahnung. Fehlt nur noch, daß man mir das in die Schuhe schiebt.»

Isabel ignorierte seine Befürchtungen. «Wir hätten selber den Bericht an die Zeitungen weitergeben können. Netter Einfall. Ich wollte, ich hätte daran gedacht.»

«Wie kannst du da lächeln, Isabel? Wenn der Boß untergeht, dann zieht er mich vielleicht mit. Ich weiß nicht, ob meine Informationen für Wade nützlich oder ausreichend waren. Ich hab' ihn seit der Party hier nicht mehr gesehen. Nichts ist gesichert!» Mit der Faust schlug er auf den Eßtisch; seine Stimme wurde hoch und schrill. «Nichts!»

Ihre Fingernägel preßten sich in sein Handgelenk. «Das Schiff befindet sich in einem Sturm, Stanley. Wenn ein Schiff im Sturm ist, dann bindet sich der Kapitän ans Ruder und hält durch. Er versteckt sich nicht wimmernd unter Deck.»

Ihre Verachtung demütigte ihn. Aber sie nahm ihm nicht seine Furcht. Unruhig wälzte er sich im Bett; richtigen Schlaf fand er kaum.

Am nächsten Morgen schreckte er auf seinem Stuhl zusammen, als Cameron mit einer Akte – Kontrakte über Schuhe und Bekleidung, die er eben erst abgesegnet hatte – ins Büro geschossen kam. Der hagere Minister erledigte das Geschäftliche in wenigen Sätzen, dann fragte er: «Haben Sie Mr. Stanton irgendwo in der Stadt gesehen, mein Junge?»

Stanleys Herz hämmerte. Merkte man es ihm an? «Nein, Simon. Es wäre auch unwahrscheinlich. Wir bewegen uns nicht in den gleichen Kreisen.»

«Oh?» Cameron warf seinem Schüler einen merkwürdigen Blick zu. «Na ja, ich erwische ihn nirgends, und auf Botschaften antwortet er nicht. Seltsam. Der Kerl, der genau die Worte geschrieben hat, die mir zum Verhängnis geworden sind, will kein verdammtes Wort zu ihrer Verteidigung sagen. Oder zu meiner. Ich habe gezeigt, daß ich auf der Seite von Wades Bande bin, aber sie wollen mich nicht. Stanton benimmt sich, als wäre er auf seiten des Präsidenten, aber letzte Woche hörte ich, wie er Abe als den Urgroßvater aller Gorillas bezeichnete. Little Mac hat ganz schön darüber gelacht. Ich versuche immer noch herauszufinden, wie der Bericht zum *Star* kommen konnte.» Wieder fixierte sein Blick Stanley. Er weiß es. *Er weiß es.*

Cameron schüttelte den Kopf. Irgendwie wirkte er nun traurig, weniger selbstsicher. Nur ein Sterblicher, und ein müder noch dazu. Ein bitteres Lächeln erschien auf seinem Gesicht. «Ich würde das alles als äußerst merkwürdige Angelegenheit bezeichnen, wenn ich nicht den richtigen Namen dafür wüßte. Politik. Übrigens – haben Sie und Isabel eine Einladung zum Präsidentenempfang für McClellan bekommen?»

«J-ja, Sir, ich glaube, Isabel sagte sowas.»

«Hmm. Meine ist nicht gekommen. Fehler bei der Postzustellung, meinen Sie nicht auch?» Mit einem Gesicht, als hätte er Alaun im Mund, schoß er einen weiteren Blick auf seinen Untergebenen ab. «Sie müssen mich entschuldigen, Stanley. Hab' noch eine Menge zu tun, bevor ich mein Portefeuille zurückgebe. Von jetzt an ist jeden Tag damit zu rechnen, daß man meinen Rücktritt fordert.»

Flotten Schrittes marschierte er hinaus. Stanley preßte seine Handflächen gegen den Schreibtisch und schloß benommen die Augen. Hatte er es geschafft? Hatte Isabel es geschafft?

46

Ich bin ein zu verdammter Zyniker, dachte George.

Keineswegs, argumentierte eine zweite Stimme in ihm. Du bist lediglich in kürzester Zeit ein Washingtoner geworden.

Die Hinterräder der Kutsche rumpelten in ein Schlammloch. Noch ein paar Häuserblocks, und er war wieder im Willard's, wo ein kleines Dinner zu Ehren des Besuchers aus Braintree gegeben wurde.

Es schneite leicht. George kam gerade vom Arsenal, wo Billy mit seinem Bataillon lagerte. Billy schien recht zufrieden zu sein, wenn er auch beim geringsten Anlaß in die Luft ging, aber George wußte, daß dieses Symptom bei Winterquartieren weitverbreitet war. Constance war gestern von einem Kurzausflug nach Lehigh Station zurückgekehrt; Brown war mit ihr gefahren und plante einige Tage zu bleiben, um weitere Kinder einzugewöhnen. Brett hatte Constance einige Weihnachtspakete mitgegeben. Billys Paket hatte er als Vorwand für seine Fahrt zum Arsenal benützt.

Die Brüder hatten über den Besucher aus Braintree diskutiert. Billy hatte von der Privatparty gehört, war aber nicht eingeladen worden. In dem Versuch, ihn darüber hinwegzutrösten, sagte George: «Zum Teufel, ich werd' wahrscheinlich dort der unterste Dienstrang sein. Man hat mich gewarnt, daß die Hälfte von Little Macs Stab anwesend ist, wenn auch nicht der General persönlich.»

«Bist du je dem Ehrengast begegnet?»

«Einmal, nach der Graduierung. Könnte nicht behaupten, daß ich ihn kenne.»

Im Hotel eilte George in die Suite, küßte seine Frau, umarmte die Kinder, bürstete Haar und Schnurrbart und rannte wieder runter; mit Verspätung kam er zu dem Empfang, der dem Dinner für Superintendent Emeritus Sylvanus Thayer vorausging. Sechsundsiebzig Jahre alt und längst schon im Ruhestand, war Thayer von Massachusetts heruntergekommen, um dem Empfang für McClellan beizuwohnen.

Sechzig oder siebzig Offiziere, die meisten von ihnen Colonels oder

Brigadiers, füllten den Salon. Eine große Menge drängte sich um den schlanken, ungemein gesund aussehenden Thayer. George unterhielt sich mit einem anderen Major und einem Colonel, die er beide von Mexiko her kannte. Die Hälfte der regulären Armeeoffiziere hatte dort gedient.

Zwei Brigadiers schlossen sich der Gruppe an, Männer, die George kannte, da sie einen Jahrgang vor ihm auf der Akademie gewesen waren. Baldy Smith und Fitz-John Porter führten beide Divisionen. Bourbon entspannte die Männer; bald schon schwelgten sie wie Gleichrangige in Erinnerungen. Thayer kam auf die Gruppe zu und begrüßte jeden einzelnen Offizier herzlich. Er besaß ein phänomenales Gedächtnis; ein umfangreiches Verzeichnis von Namen und Karrieren.

«Hazard – ja, natürlich», sagte Thayer. «Wo sind Sie jetzt?» George erzählte es ihm. «Ein Jammer. Auf der Akademie besaßen Sie einen ausgezeichneten Ruf. Sie gehören ins Feld.»

George, der den Gast nicht kränken wollte, antwortete mit Vorsicht. «Ich hatte nie das Gefühl, Talent fürs Militärische zu haben, Sir.» Womit er meinte, daß es nicht nach seinem Geschmack war.

Baldy Smith schnaubte. «Was wir in Virginny tun, hat nichts mit militärischen Dingen zu tun; das ist Viehtreiberei.»

Ins Schlachthaus? dachte George; Bull Run bereitete ihm immer noch Alpträume. Er lächelte und zuckte mit den Schultern. «Ich bin dorthin gegangen, wo man mich haben wollte.»

«Das klingt nicht gerade sehr überzeugt.» Direktheit gehörte zu Thayers Eigenschaften.

«Ich glaube nicht, daß ich dazu einen Kommentar abgeben sollte, Sir.»

«Diese Antwort zeigt, daß Sie das Zeug zum General haben», sagte ein weiterer Brigadier, ein jovialer Pennsylvanier namens Winfield Hancock. Bald saßen sie alle um einen großen Tisch und verzehrten ein gewaltiges Mahl; Whiskey und Port und verschiedene Tafelweine flossen in Strömen. Thayers Stimme klang dünn, aber er sprach voller Leidenschaft. Er bat jeden Mann, persönlich für West Point einzutreten, da der Kongreß, wie er befürchtete, die Schule zu zerstören versuchte, indem er ihr die Zulassung entzog.

«Ich bin erfreut», sagte Thayer, «daß so viele von Ihnen der Nation dienen, die sie ausgebildet und Ihnen einen stolzen Beruf gegeben hat. Ich weiß, daß Sie das nötige Durchhaltevermögen besitzen. Es dauert drei Jahre, um eine schlagkräftige Armee aufzubauen. Und selbst dann muß eine solche Armee zu großen Opfern bereit sein, um zu siegen. Der Krieg ist kein Sommerpicknick. Diejenigen unter Ihnen, die in Mexiko oder im Westen gekämpft haben, werden sich daran erinnern. Krieg fordert einen gewaltigen Zoll an menschlichem Leben und menschlichem Kummer. Vergeßt das nie. Seid stark. Seid geduldig. Aber seid euch eurer Sache auch gewiß. Ihr werdet euch durchsetzen.»

Als er sich wieder setzte, ertönte ohrenbetäubendes Stampfen und Brüllen. Sie sangen «Benny Haven's, Oh!» und selbst George, der Zyniker, bekam beim letzten Vers feuchte Augen.

Während das Jahr in einer konstanten Atmosphäre von Zweifeln und verborgenen Kämpfen seinem Ende entgegenging, fand der große Empfang für Generalmajor George Brinton McClellan statt. Das Regierungsgebäude erstrahlte im hellen Lichterglanz; ein Streicherensemble spielte, als die hohen Gäste ankamen. George versprach, Constance seinem alten Klassenkameraden vorzustellen, allerdings erst, nachdem er die Lage aus der Ferne abgeschätzt hatte.

McClellan sah kaum älter aus als zu der Zeit, als er und George zusammen für das Examen gebüffelt hatten. Er hatte sich einen mächtigen, kastanienbraunen Schnurrbart wachsen lassen, war aber ansonsten immer noch der gleiche untersetzte, selbstsichere Bursche, an den sich George aus der Klasse von 1846 erinnerte. Alles an ihm, von der kühnen Nase bis zu den breiten Schultern, schien nur eines ausdrücken zu wollen: hier ist Stärke, hier ist Kompetenz. Er war aus dem Eisenbahngeschäft in Illinois wieder zur Armee zurückgekehrt, und sein brillanter Aufstieg erzeugte bei George mehr als nur ein leichtes Unterlegenheitsgefühl.

Brillant war das einzig passende Wort. Eine Aura der Berühmtheit umgab die McClellans, als sie sich durch die Menge bewegten. Dicht hinter dem General trotteten zwei seiner zahlreichen europäischen Adjutanten, die fröhlichen jungen Franzosen, der Comte de Paris und der Duc de Chartres, beide im Exil. Alberne Gastgeberinnen hatten sie in Captain Parry und Captain Chatters umgetauft.

Alle lauschten angespannt, als McClellan und seine Frau den Präsidenten und Mrs. Lincoln in ein Gespräch verwickelten. McClellan hatte noch nie den geringsten Zweifel daran gelassen, wer wichtiger war, der Präsident oder der kommandierende General. Ein Vorfall im November war immer noch Stadtgespräch. Eines Abends waren Lincoln und einer seiner Sekretäre, der junge John Hay, in Regierungsgeschäften zur H Street gegangen – McClellans Wohnsitz, den er dem Leben im Camp vorzog. Der General war noch nicht zu Hause. Eine

Stunde später kam er heim. Er ging, ohne seine Besucher zu sehen, schnurstracks nach oben, wurde informiert, daß der Präsident wartete, und ging zu Bett. Es hieß, Lincoln sei wütend gewesen, aber er neigte dazu, solche Emotionen mit einem gewissen Humor zu überspielen. Anders als bei McClellan gehörte Arroganz nicht zu seinen Eigenschaften.

«Massenhaft Politiker hier», raunte George. «Da ist Wade – er soll das neue Komitee leiten. Dort ist Thad Stevens.»

«Seine Perücke ist verrutscht. Sie ist immer verrutscht.»

«Spielst du heute abend Isabel?»

Sie gab seinem tressenbesetzten Ärmel einen Schlag mit ihrem Fächer. «Du bist schrecklich.»

«Weil wir gerade bei schrecklich sind – ich sehe die Lady höchstpersönlich. Und meinen Bruder.»

Stanley und Isabel hatten George und Constance noch nicht bemerkt. Ihre ganze Aufmerksamkeit war auf Wade gerichtet, dann auf Cameron, der alleine gekommen war und sich nun mit einer Miene durch die Menge schob, die Stanley nur als verschwörerisch bezeichnen konnte. Wie war er zu einer Einladung gekommen? Cameron sah sie, ging ihnen aber aus dem Wege. Was hatte das zu bedeuten?

Stanton sprach vertraulich mit Wade, ohne die Anwesenheit seines Klienten überhaupt zur Kenntnis zu nehmen. Stanley kam sich weniger wie ein Judas vor; wie es schien, hatten auch andere verkauft. Aber was? An wen? Zu welchem Zweck?

«Ich möchte wetten, Stanton will Simons Job», sagte Isabel hinter ihrem Fächer hervor. «Das würde erklären, weshalb du ihn um Wades Büro hast herumschleichen sehen und weshalb er den ursprünglichen Bericht weder verteidigt noch die Verantwortung dafür übernommen hat.»

Diese völlig neue Perspektive machte Stanley sprachlos.

«Mach den Mund zu. Du schaust wie ein Kretin aus.»

Er gehorchte und sagte: «Meine Liebe, du verblüffst mich immer wieder. Ich glaube, du könntest recht haben.»

Sie zog ihn in eine Ecke, wo sie ungestörter waren. «Angenommen, ich habe recht. Was für eine Art Mann ist Stanton?»

«Er stammt ebenfalls aus Ohio. Brillanter Anwalt. Entschiedener Abolitionist.» Stanleys Augen huschten hin und her. Er beugte sich noch näher. «Eigensinnig, heißt es. Auch verschlagen. Man muß sehr auf der Hut vor ihm sein.»

Sie griff nach seinem Arm. «Ihre Unterhaltung ist zu Ende. Du mußt mit Wade sprechen. Versuch herauszufinden, wo du stehst.»

«Isabel, ich kann nicht einfach auf ihn zugehen und ihn fragen –»

«Wir werden ihn begrüßen. Wir beide. Jetzt.»

Es gab keine Widerrede. Ihre Hand umklammerte seine, und sie zerrte ihn mit. Als sie Ben Wade erreichten, fürchtete Stanley, seine Blase nicht mehr kontrollieren zu können. Isabel lächelte in ihrer besten Imitation einer Bühnenkokette. «Ich bin entzückt über das Wiedersehen, Senator. Wo ist Ihre charmante Gattin?»

«Irgendwo hier in der Gegend. Ich muß sie suchen.»

«Ich nehme an, mit dem neuen Komitee, von dem wir so viel hören, steht alles zum besten?»

Isabels Frage war eine unwiderstehliche Versuchung. «Ja, das kann man sagen. Bald schon werden wir die Kriegsbemühungen auf eine solidere Grundlage stellen. Einen klareren Kurs steuern.»

Der Seitenhieb auf Lincoln war offensichtlich, und so sagte sie schnell: «Eine Absicht, die ich und mein Mann voll unterstützen.»

«Oh, ja.» Wade lächelte; Stanley spürte, daß darin Verachtung lag, gegen ihn gerichtete Verachtung. «Die Loyalität Ihres Mannes und seine hingebungsvollen Dienste sind vielen Komiteemitgliedern bekannt. Wir hoffen, Ihr kooperativer Geist wird weiterhin anhalten, Stanley.»

«Mit absoluter Sicherheit, Senator.»

«Freut mich zu hören. Guten Abend.»

Wade ging davon, und Stanley fühlte sich einer Ohnmacht nahe. Er hatte die Säuberungsaktion überlebt. «Isabel, ich glaube, ich werde mich heute abend betrinken. Mit oder ohne deine Erlaubnis.»

Das unvermeidliche Aufeinandertreffen der beiden Brüder und ihrer Frauen fand wenige Minuten später in der Nähe der glitzernden Punschschalen statt. Auf beiden Seiten war die Begrüßung höflich, aber nichts weiter.

«Unseren jungen Napoleon schon getroffen?» Stanleys Frage kam undeutlich; er konsumierte reichlich Rumpunsch, wie George feststellte.

«Bis jetzt hab ich noch nicht mit ihm gesprochen, aber ich werd's noch tun. Ich kenne ihn von Mexiko und West Point.»

«Oh, tatsächlich?» Isabels Gesicht ließ flüchtig erkennen, daß sie in irgendeinem Spiel einen Punkt verloren hatte.

«Wie ist er? Persönlich, meine ich», fragte Stanley. «Soviel ich weiß, stammt er aus erstklassiger Familie. Aber er ist ein Demokrat. Komische Wahl, die der Präsident da getroffen hat, findest du nicht?»

«Weshalb? Sollen politische Differenzen in Krisenzeiten nicht an zweiter Stelle kommen?»

Isabel rümpfte die Nase. «Wenn du das wirklich glaubst, dann bist du naiv, George.»

Er sah, daß sich die Wangen seiner Frau rosa färbten. Er nahm ihre Hand und drückte sie, bis er spürte, daß sie sich wieder entkrampfte. «Um deine Frage zu beantworten – McClellan ist ungemein intelligent. Hat unsere Klasse als zweitbester absolviert. In Mexiko ist er dreimal wegen Tapferkeit befördert worden. Billy erzählte mir, die Truppen liebten ihn. Wir brauchen einen Mann, dem das Fußvolk vertraut, und ich würde sagen, wir haben einen gefunden. Meiner Meinung nach hat der Präsident eine intelligente Wahl getroffen, keine politische.»

«Der Präsident selbst hätte es nicht besser ausdrücken können.»

Isabel sah aus, als wäre sie beim Anblick des Sprechers hinter George am liebsten in den Boden versunken. Lincolns langer Arm hob sich; seine Hand legte sich auf Georges Schulter. «Wie geht's Ihnen, Major Hazard? Ist diese attraktive Lady Ihre Frau? Sie müssen mich vorstellen.»

«Mit Vergnügen, Herr Präsident.» George stellte Constance vor und erkundigte sich dann, ob der Präsident seinen Bruder und Isabel kenne. Der große Mann mit dem Aussehen einer Vogelscheuche bejahte das höflich, aber ohne jede Begeisterung.

Constance benahm sich dem Regierungschef gegenüber angemessen ehrerbietig, blieb aber ruhig und entspannt. «Mein Mann erzählte mir, er habe Sie eines Abends beim Arsenal getroffen, Herr Präsident.»

«Das stimmt. Der Major und ich haben über Gewehre gesprochen.»

George sagte: «Ich hoffe, ich verhalte mich meinem Amt gegenüber nicht illoyal, wenn ich Ihnen sage, daß es mich gefreut hat, vom Kauf einiger Spencers und Sharps-Repetierer zu hören.»

«Ihr Chef wollte sie nicht kaufen, da mußte es halt jemand anders tun. Aber wir dürfen die Damen heute abend nicht mit blutrünstigem Gerede langweilen. Erzählen Sie mir ein bißchen was von sich, Mrs. Hazard.» Das tat sie; eine Weile plauderten sie über Texas. Dann kam eine aufgetakelte, dickliche Frau angestürmt und riß ihn mit sich fort. Das war für Isabel die Chance, ebenfalls zu gehen. Stanley folgte ohne Anweisung.

«George, das war eines meiner aufregendsten Erlebnisse», sagte Constance. «Aber es ist schrecklich – ich habe zuviel zugenommen. Es macht mich häßlich.»

Er tätschelte ihre Hand. «Ein oder zwei Pfund mögen es tatsächlich sein, aber der Rest existiert lediglich in deinem Kopf. Hast du gesehen, wie aufmerksam Lincoln jedem deiner Worte folgte? Er hat einen Blick für hübsche Damen – deshalb ist seine Frau auch so über uns hereingebrochen. Ah, dort ist Thayer. Gehen wir zu ihm.»

Constance bezauberte auch den pensionierten Direktor. Das Trio näherte sich McClellan, der im Augenblick gerade von keiner Menschenmenge umringt war. «Ein alter Klassenkamerad von –» fing Thayer an.

«Stumpf Hazard! Vorhin hab' ich dich aus einiger Entfernung gesehen – hab' dich sofort erkannt.» McClellans Begrüßung war herzlich, aber George glaubte eine gewisse Künstlichkeit zu entdecken. Es konnte aber auch nur an ihm und seiner Phantasie liegen. McClellan war eine nationale Persönlichkeit geworden; die Leute betrachteten ihn jetzt mit anderen Augen, das wußte George. Seine eigene Reaktion zeigte das nur zu deutlich.

«Guten Abend, General.»

«Nicht doch, nicht doch – immer noch Mac. Sag mal, was ist aus diesem Burschen geworden, mit dem wir durch dick und dünn gegangen sind? Südstaatler, nicht wahr?»

«Ja. Orry Main. Ich weiß nicht, was aus ihm geworden ist. Das letzte Mal sah ich ihn im April.»

McClellans Frau Nell schloß sich ihnen an, und sie unterhielten sich über Washington und den Krieg. McClellan wurde ernst. «Die Union ist in Nöten, und der Präsident scheint machtlos. Die Rolle des Erretters ist mir zugefallen. Ich werde sie nach bestem Wissen und Gewissen ausfüllen.»

Nicht einmal die Andeutung eines leichten Untertones schwang in dieser Aussage mit. George spürte, wie sich die Hand seiner Frau um seinen Ärmel krampfte; reagierte sie ähnlich wie er? Kurz darauf entschuldigten sich die McClellans und gesellten sich zu General und Mrs. Meade. Constance wartete, bis sie außer Hörweite waren.

«Sowas hab' ich noch nie gehört. Mit einem Mann, der sich selbst als Retter bezeichnet, stimmt irgendwas nicht.»

«Nun ja, Mac war noch nie ein Durchschnittstyp. Wir sollten mit unserem Urteil nicht zu voreilig sein. Die Aufgabe, die sie ihm übertragen haben, ist weiß Gott schrecklich.»

«Ich behaupte trotzdem, daß mit ihm was nicht stimmt.»

Insgeheim mußte George zugeben, daß McClellan bei ihm den gleichen Eindruck hinterlassen hatte.

Die Party ging weiter, und George und Constance fanden sich in einem Kreis mit Thad Stevens, dem Anwalt aus Pennsylvania, der das mächtigste Mitglied in Wades Aufsichtskomitee sein würde.

«Ich stimme mit dem Präsidenten nicht in allen Punkten überein, aber in einem schon. Wie er sagt, ist die Union kein auf freier Liebe basierender Zusammenschluß, den jeder Staat nach eigenem Gutdünken aufkündigen kann. Die Rebellen sind keine fehlgeleiteten Schwestern, sondern Feinde, bösartige Feinde des Tempels der Freiheit, der unser Land ist. Für bösartige Feinde darf es nur eine Bestrafung geben: Wir sollten jeden Sklaven befreien, jeden Verräter niedermetzeln, jedes Rebellenhaus niederbrennen. Wenn den Leuten in der Regierung der Mumm für diesen Job fehlt, unserem Komitee fehlt er nicht.» Seine Augen blitzten fanatisch. «Ich gebe Ihnen das feierliche Versprechen, meine Damen und Herren – dem Komitee fehlt er nicht.» Mit seinem Klumpfuß hinkte er davon.

«Constance», sagte George, «laß uns heimgehen.»

Madeline und Hettie, das Hausmädchen, wischten eine vom Mehltau befallene große Truhe aus, als Schritte die Mansardentreppe hochgepoltert kamen. «Miss Madeline? Sie kommen besser schnell.»

Augenblicklich ließ sie den feuchten Lappen fallen. «Was gibt's, Aristotle?»

«Miss Clarissa. Sie machte nach dem Frühstück ihren Spaziergang. Haben sie im Garten gefunden.»

Furcht krallte sich in ihr fest, so scharf wie die Luft des Wintermorgens. Sie rannten hinunter zum Garten, wo Clarissa zwischen zwei Azaleenbüschen auf dem Rücken lag. Clarissa starrte Madeline und den Sklaven mit glitzernden Augen an.

Ihre linke Hand streckte sich ihnen entgegen. Die rechte Hand lag unnatürlich schlaff da.

«Es ist ein Schlaganfall», sagte Madeline zu dem erschrockenen Schwarzen. Am liebsten wäre sie in Tränen ausgebrochen; vor Neujahr würde sie jetzt doch nicht wegkommen. Sie konnte nicht fort, ehe sich Clarissa erholt hatte.

Um halb zwölf kam der Doktor aus Clarissas Schlafzimmer. Äußerlich ruhig und gefaßt nahm Madeline die Nachricht entgegen, daß die rechte Seite fast vollständig gelähmt war; die Genesung würde möglicherweise das ganze nächste Jahr dauern.

47

Der Heilige Abend fiel auf einen Dienstag. George konnte die düstere Stimmung nicht abschütteln, die ihn seit dem Empfang für McClellan gefangenhielt. Der Krieg, die Stadt, selbst die Jahreszeit deprimierten ihn, er wußte selbst eigentlich nicht, warum.

Ein Feuer im Herd wärmte das Wohnzimmer nach dem Abendessen. Patricia schlug ein Buch mit Chorälen auf, setzte sich an das Harmonium, das George gekauft hatte, und begann zu spielen. Constance kam mit drei großen Geschenken aus dem Schlafzimmer.

«Sing mit mir, Papa», sagte seine Tochter. Er schüttelte den Kopf und blieb auf seinem Stuhl sitzen. Constance ging zum Harmonium und sang zusammen mit ihrer Tochter. Gelegentlich warf sie einen Blick auf ihren Mann. Seine Mutlosigkeit beunruhigte sie. «Willst du nicht, George?» fragte sie schließlich.

«Nein.»

William kam herein und sang mit; die Pubertät ließ seine Stimme umkippen, und Patricia kicherte so heftig, daß Constance sie ermahnen mußte. Nach dem Choral sagte William: «Pa, kann nicht heute abend jeder von uns ein Geschenk aufmachen?»

«Nein. Du bist mir damit schon den ganzen Abend auf die Nerven gegangen, und ich hab's satt.»

«Entschuldige, George», sagte Constance. «Er hat lediglich einmal davon gesprochen.»

«Einmal oder hundertmal, die Antwort ist nein.» Er wandte sich an seinen Sohn. «Morgen früh werden wir in die Kirche gehen, und danach gibt's die Geschenke.»

«Nach der Kirche?» rief William. «So lange warten, das ist nicht fair. Warum nicht nach dem Frühstück?»

«Die Entscheidung liegt bei deinem Vater», sagte Constance sanft. Ihr leichtes Stirnrunzeln beachtete George nicht.

William wollte sich nicht besänftigen lassen. «Das ist nicht fair!»

«Ich werde dir schon zeigen, was fair ist, du impertinenter –»

«*George!*» Er war schon fast bei seinem Sohn, als Constance dazwischentrat. «Denk dran, es ist Heiligabend. Wir sind deine Familie, und du tust, als wären wir deine Feinde. Was ist los mit Dir?»

«Nichts – ich weiß nicht – wo sind meine Zigarren?» Er lehnte sich an den Kaminsims, mit dem Rücken zu den anderen. Sein Blick fiel auf den Lorbeerzweig, den er von Lehigh Station mitgebracht hatte. Der Zweig war verdorrt und braun. Er packte ihn und schleuderte ihn ins Feuer.

«Ich geh' zu Bett.»

Der Lorbeer rauchte, rollte sich zusammen und war verschwunden.

Er hatte keine Ahnung, wann Constance ins Schlafzimmer kam, so tief war er in seinen Alpträumen gefangen. Sie strich ihm das Haar aus der schweißfeuchten Stirn, küßte ihn. Wie warm sie sich anfühlte. Seine Hände umfaßten sie und hielten sie fest; er schämte sich seiner Schwäche, war aber dankbar für ihren Trost. «Was hast du geträumt? Es muß ja schrecklich gewesen sein.»

«Mexiko – nein, Bull Run. Tut mir leid, daß ich mich heute abend so scheußlich benommen habe. Ich werde gleich morgen früh mit den Kindern sprechen. Wir machen die Geschenke auf. Sie sollen wissen, daß es mir leid tut.»

«Sie wissen, daß du ein guter Vater bist. Sie lieben dich und wollen dich glücklich sehen, vor allem an Weihnachten.»

«Der Krieg macht Weihnachten zu einem schlechten Witz.» Er preßte sein Gesicht gegen das ihre.

«Ist es der Krieg, der dir solche Sorgen bereitet?»

«Wahrscheinlich. So ein kleines Wort, *Krieg*, und wieviel Elend verbirgt sich dahinter. Ich ertrage die Unehrlichkeit in dieser Stadt nicht mehr. Die Gier hinter den fahnenschwenkenden Sprüchen. Weißt du was? In dem Tempo, in dem Stanley Stiefel an die Infanterie verkauft, wird er innerhalb eines Jahres einen gewaltigen Profit gemacht haben. Praktisch ein kleines Vermögen. Und weißt du auch, daß die Schuhe, die er liefert, nach einer Woche auseinanderfallen?»

«Von solchen Dingen weiß ich lieber nichts.»

«Was mich am meisten beunruhigt, ist etwas, was Thayer während des Essens sagte. Man baut keine schlagkräftige Armee in neunzig Tagen auf. Dazu braucht man zwei oder drei Jahre.»

«Du meinst, er hält es für möglich, daß der Krieg so lange dauert?»

«Ja. Der Frühlingskrieg – kurz und sauber – war eine grausame Illusion. Krieg ist nicht so, niemals. Jetzt ändert sich alles. Andere Männer übernehmen das Kommando, Männer wie Stevens, die auf Gemetzel aus sind. Kann Billy das überleben? Was ist mit Orry und Charles? Wenn ich Orry je wiedersehe, wird er dann noch mit mir sprechen? Lange Kriege erzeugen endlosen Haß. Ein langer Krieg wird die Menschen verändern, Constance. Die Verzweiflung wird sie umbringen, wenn sie nicht schon vorher sterben. All dem hab' ich schließlich ins Auge gesehen – und schau dir an, was es bei mir bewirkt hat.»

Sie drückte ihn an ihre Brust. Ihr Schweigen besagte, daß sie seine Ängste verstand und teilte und keine Antworten auf seine Fragen hatte. Schließlich erhob er sich und schloß das Fenster. Draußen hatte es wieder zu schneien begonnen.

48

Während des Herbstes hatte Charles seine Schrotflinte nur dreimal gegen den Feind abgefeuert. Jedesmal hatte er dabei einen Spähtrupp angeführt; jedesmal hatte er auf fliehende Yanks zu Pferd geschossen. Einen hatte er verwundet, die anderen hatte er verfehlt.

Das war typisch für die Monate nach Manassas: ereignislos, mit Ausnahme des aufmunternden Sieges bei Ball's Bluff Ende Oktober. Shanks Evans aus South Carolina, der in Texas bei Pferderennen gegen Charles geritten war, hatte sich bei Ball's Bluff ausgezeichnet, so wie er es bereits bei Manassas getan hatte. Seine Beförderung war allerdings zweifelhaft; er trank zuviel und war zu unbeherrscht.

Die Ernennung des Colonels andererseits zum Brigadier schien sicher zu sein. Er verstand sich gut mit Johnston, dem man nach Ball's Bluff das ganze Department Virginia zur Umorganisation gegeben hatte. Old Bory war weiterhin in Ungnade und kommandierte nun den Potomac-Distrikt, der zu dem Department gehörte. In der Praxis trug Hampton seit November die Verantwortung eines Brigadiers, nachdem ihm drei weitere Infanterieregimenter unterstellt worden waren. Calbraith Butler kommandierte die Kavallerie.

Während des Herbstes hatte Charles lediglich zwei freie Tage gefunden, in denen er das Spotsylvania County besuchen konnte. Nach einem schnellen, ermüdenden Ritt hatte er Barclays Farm problemlos gefunden, um feststellen zu müssen, daß die Besitzerin abwesend war. Der ältere ihrer beiden freigelassenen Sklaven, Washington, sagte, sie sei mit dem jüngeren, Boz, nach Richmond gefahren, um den Rest ihrer Maisernte und einige Kürbisse, Eier und Käse zu verkaufen. Charles ritt in bitterer Stimmung zurück, die durch den heftigen Regen auch nicht besser wurde.

Die Legion hatte ihr Winterquartier in der Nähe von Dumfries gemacht. Heute, am Heiligen Abend, befand sich Charles allein in der

Hütte, die er und Ambrose mit Äxten, Schweiß und ohne Negerhilfe zusammengezimmert hatten. Bis auf einige Unentwegte hatten die meisten Kavalleristen ihre Sklaven nach Hause geschickt.

Vor einer halben Stunde war zum Zapfenstreich geblasen worden. Ambrose hatte Patrouillendienst gezogen, routinemäßige Beobachtung der Unionstruppen in Richtung Fairfax Courthouse. Ein kleines Feuer brannte in der Feuerstelle der Hütte und verbreitete Gemütlichkeit, aber trotzdem war Charles' Laune nicht die beste. Das Abendessen war ungenießbar gewesen. Für Weihnachten war ihnen Truthahn, süße Kartoffeln und frisches Maisbrot versprochen worden. Charles glaubte erst an ein Festmahl, wenn er es vor sich stehen hatte. Seine Männer haßten das Verpflegungsamt. Sie verfluchten den Leiter, Northrop, ebenso blumig wie Old Abe – manchmal sogar noch heftiger. Das Rindfleisch, wie Colonel Hampton letzte Woche bemerkt hatte, wurde allmählich so zäh, daß er daran dachte, einige Feilen zum Schärfen der Zähne anzufordern.

Päckchen von zu Hause trösteten ein bißchen über die in letzter Zeit deutlich schlechter gewordene Qualität der Rationen hinweg. Charles hatte solch ein Päckchen, oder besser die Reste davon, vor sich auf dem Tisch liegen. Es war heute nachmittag aus Richmond gekommen, mit einem Begleitbrief von Orry, der berichtete, daß er es mittlerweile im Kriegsministerium zum Lieutenant Colonel gebracht und einen Job bekommen hatte, den er verabscheute.

Charles zog seine Taschenuhr hervor. Halb neun. Er hatte heute abend Pflichten zu erfüllen, einige offizieller Natur, andere nicht; er konnte genausogut jetzt schon damit beginnen. Er kratzte seinen Bart, den er sich wachsen lassen durfte, da er das Gesicht warm hielt. Er war schon ein paar Zentimeter lang, die ideale Heimstatt für Ungeziefer aller Art, aber bis jetzt hatte er eine ernsthafte Verseuchung vermeiden können. Anders als seine Kavalleristen wusch er sich so häufig wie möglich. Er haßte es, sich schmutzig zu fühlen, und abgesehen davon wollte er, falls er je das Glück haben sollte, mit Gus Barclay allein zu sein und sie für einen Annäherungsversuch empfänglich war, keine Läuse in seinen intimen Körpersphären nisten haben. Das würde jeder Romanze den Todesstoß versetzen.

Zur Zeit sah er ihr Gesicht oft vor sich. Heute abend wirkte es besonders lebendig. Er fühlte sich einsam und wünschte, er wäre auf Barclays Farm. Energisch schüttelte er den Kopf. Er durfte sich seinen Zustand nicht anmerken lassen; anderen, die ihm anvertraut waren, erging es sicherlich ebenso oder noch schlimmer. Es war seine Pflicht, sich um sie zu kümmern.

Er erhob sich und stülpte sich seinen Hut auf den Kopf, als ganz in der Nähe eine Tenorstimme «Sweet Hour of Prayer» zu singen begann. Er mochte die Melodie und summte sie mit, während er den Revolver umschnallte und nach seinen Handschuhen griff. Sein Atem wurde sichtbar, als er geduckt aus der Tür trat; es hatte leicht zu schneien begonnen. Ambrose wollte gegen Mitternacht zurückkehren; anschließend hatten sie vor, eine Flasche zu öffnen. Vielleicht sollten sie zuvor eine Schneeballschlacht organisieren; vor lauter Inaktivität wurden die Männer streitsüchtig.

Charles ging die Reihe der winterfesten Zelte entlang. Aus einem schmalen Weg zwischen den Zelten drang ein vertrauter, blubbernder Laut. Ärgerlich folgte er ihm. Und natürlich saß da der Übeltäter, Hose und Unterhose um die Knöchel und das Hinterteil hinausgereckt.

«Verdammt noch mal, Pickens, ich hab's Ihnen oft genug gesagt – benützen Sie die Latrinen. Männer wie Sie bringen die Krankheiten ins Lager.»

Der erschrockene Junge sagte: «Ich weiß, Cap'n, aber ich hab'n schrecklich'n Durchfall.»

«Die Latrinen», sagte Charles mitleidlos. «Ab mit Ihnen.»

Der Kavallerist zerrte ungeschickt seine Kleidung hoch und hinkte in einer Art seitlichem Krebsgang davon. Charles kehrte zur Straße zurück und marschierte auf den Lagereingang zu, zwei kunstvolle Säulen und ein Bogen aus ineinander verflochtenen, geschälten jungen Bäumchen. Direkt ein Kunstwerk, dieses Tor. Bis zum Frühling würde es stehenbleiben; dann würden sie bestimmt gegen McClellan ins Feld ziehen.

Charles kam an Wache stehenden Männern vorbei und erwiderte ihren Gruß, ohne sie wirklich wahrzunehmen. Gus Barclays Gesicht verdeckte alles andere. Vor einer Hütte, doppelt so groß wie seine eigene, sagte er zu dem diensttuenden Corporal: «Was ist mit dem Arrestanten?»

«Hat eine halbe Stunde lang geflucht, Captain. Hielt dann die Klappe, als ich ihn nicht beachtete.»

«Lassen wir ihn frei. Niemand sollte am Heiligen Abend unter Strafe stehen.»

Der Corporal nickte, wischte sich die Schneeflocken aus den Augenbrauen und duckte sich in die Hütte. Charles folgte ihm. Ein gewisses Widerstreben regte sich jedoch gegen seine menschenfreundlichen Impulse; bei dem Mann, der kurz vor dem Abendappell hier eingesperrt worden war, handelte es sich um den ewig renitenten Kavalleristen

Cramm. First Sergeant Reynolds hatte wieder mal einen Befehl gegeben, der Cramm nicht paßte, und als der Sergeant davonging, spuckte Cramm lautstark aus. Charles hatte angeordnet, ihn für die Nacht zu fesseln und zu knebeln. Manchmal wünschte er, Cramm wäre ein Yankee; dann könnte er ihn wenigstens erschießen.

Cramm saß auf dem Erdboden der Wachhütte, einem kahlen, von einer Lampe schwach erhellten Raum. Mürrische Augen über dem zugebundenen Mund starrten Charles an. Cramms Handgelenke waren vor den hochgezogenen Knien zusammengebunden worden; ein kräftiger Pinienstock war zwischen Knie und Unterarme gesteckt worden.

«Verdient haben Sie es nicht, Cramm, aber ich lasse Sie raus, weil Weihnachten ist.» Der Wachposten kniete nieder und löste den Knebel. «Bringen Sie ihn zu seinem Zelt, Corporal. Sie bleiben dort bis zur Reveille, Cramm. Verstanden?»

«Jawohl, Sir.» Cramm schnitt übertriebene Grimassen und verdrehte den Kopf, als wäre er schlimm verletzt. Sein Gesicht zeigte keine Spur von Dankbarkeit, lediglich seine ständige Verachtung. Charles spürte, wie der Ärger in ihm hochstieg, und ging schnell hinaus.

Vor einem der winterlichen Zelte stoppte er; aus dem Inneren drang eine jugendliche Stimme: «Oh Gott. Oh Gott. Oh, oh.»

Charles erkannte die Stimme; sie gehörte Reuven Sapp, dem neunzehnjährigen Neffen des Arztes, der Madeline LaMotte so lange mit Laudanum betäubt hatte. Der Junge hatte das Zeug zu einem guten Kavalleristen, wenn er aufhörte, sich von seinen lauteren, aber weniger kompetenten Kameraden einschüchtern zu lassen.

«Oh Gott – oh.» Charles klopfte an die Tür und trat ein, ohne eine Aufforderung abzuwarten. Der Kopf des strohhaarigen Jungen, der auf einer der vier Schlafkojen saß, fuhr nach oben. Ein Brief flatterte zu Boden. «Captain! Ich wußte nicht, daß jemand in der Nähe –»

«Ich wäre nicht reingekommen, aber ich hörte eine Stimme, die ziemlich angeknackst klang.» Charles nahm seinen Hut ab, schüttelte den Schnee herunter und stieg die drei aus Bohlen gebauten Stufen nach unten. Der Herd war dunkel, im Zelt war es eiskalt. «Wo sind Ihre Kameraden?»

«Die schauen draußen, ob sie vielleicht ein paar Hasen erschlagen können.» Sapp bemühte sich, ganz normal zu klingen, aber seine Augen verrieten ihn. «Das Essen heute abend war ganz schön mies.»

«Beschissen. Darf ich mich setzen?»

«Oh, selbstverständlich, Captain. Tut mir leid –» Er sprang auf, als

Charles sich einen Stuhl nahm. Er winkte Sapp wieder auf seine Koje und wartete, in der Annahme, daß der Junge ihm schon erzählen würde, weshalb er sich so elend fühlte. Er hatte recht. Sapp hob den Brief auf und begann zögernd zu sprechen.

«Letzten August hab ich allen Mut zusammengenommen und einem Mädchen geschrieben, das ich wirklich gern mag. Ich fragte sie, ob ich um sie werben dürfe. Sie hat mir einen Weihnachtsgruß geschickt.» Er deutete auf den Brief. «Sie schreibt, es tue ihr leid, aber das gehe nicht, weil ich nicht ehrbar sei. Ich gehe nicht in die Kirche.»

«Da wären wir schon zu zweit. Es ist ein Jammer, daß Sie die Nachricht ausgerechnet zu Weihnachten bekommen haben. Ich wünschte, ich könnte was tun.»

Hervorschießende Tränen unterbrachen ihn. «Oh, Captain, ich hab' solches Heimweh, ich schäme mich so, aber ich kann's nicht ändern. Ich hasse diesen verdammten Krieg.» Er knickte nach vorn ab, verbarg sein Gesicht in den Händen. Charles atmete tief durch, ging zu der Koje und faßte die Schulter des weinenden Jungen.

«Hör zu, mir geht's oft genug ebenso. In der Beziehung unterscheidest du dich in nichts von anderen Soldaten, Reuven. Also geh nicht so hart mit dir ins Gericht.» Würgend und schluckend hob der Junge sein nasses, rotes Gesicht. «Ich würde sagen, wir vergessen das Ganze und vergessen auch die Vorschrift, daß Mannschaftsdienstgrade nicht mit Offizieren trinken dürfen. Komm nachher bei meiner Hütte vorbei, und ich schenke dir was ein, um dich aufzumuntern.»

«Ich trinke keinen Alkohol, aber – trotzdem vielen Dank, Sir. Danke.»

Charles nickte und ging hinaus, in der Hoffnung, ein bißchen geholfen zu haben.

Er ging weiter auf die Unterstände zu, die die Pferde vor dem schlimmsten Wetter schützen sollten. Er hörte die Tiere, bevor er sie sah. Sie benahmen sich nervös. Sein Magen verkrampfte sich, als er einen Mann erspähte, der sich dicht neben Sport zusammenduckte. Der Mann griff nach etwas.

Mit drei langen Schritten war Charles über ihm. Er erwischte den Mann am Kragen, erkannte ihn; ein Adjutant von Calbraith Butler.

«Das ist mein Eigentum, das Sie hier zu stehlen versuchen, Sergeant. Ich habe diese Bretter besorgt, damit mein Pferd nicht den ganzen Winter durch auf feuchtem Untergrund stehen muß. Suchen Sie anderswo nach Brennholz für Major Butler – und danken Sie Gott, daß ich Sie bei ihm nicht zur Meldung bringe.»

Charles packte den Dieb mit beiden Händen am Kragen, riß ihn von den nervösen Pferden weg und gab ihm dann noch einen gezielten Tritt ins Hinterteil mit auf den Weg. Der Unteroffizier verschwand im Schneegestöber, ohne sich umzublicken.

Sport erkannte ihn. Charles zog seine Handschuhe aus, glättete die schwere, graue Decke und kniete sich in den Dreck, um sich zu vergewissern, daß die Hufe des Wallachs auch sicher auf den Brettern standen. Liebevoll rieb Charles über Sports Fell. Er nahm eine Laterne vom Nagel, entzündete sie und ging langsam an den Pferden vorbei. Jetzt, wo der Störenfried verschwunden war, wurden sie allmählich wieder ruhig. Er hielt nach Anzeichen von Krankheiten Ausschau, konnte aber nichts Beunruhigendes entdecken. Ein kleines Wunder.

Was für eine Ansammlung von Kleppern die Truppe doch jetzt ritt. Noch vor dem Sommer war die gute Absicht, die Farben aufeinander abzustimmen, zusammengebrochen. Die meisten der Braunen von jenem ersten Frühlingsscharmützel waren dahin; Krankheiten, mangelnde Pflege und, in vier Fällen, feindliches Feuer waren die Ursachen dafür. Sie waren durch alle möglichen Tiere ersetzt worden, aber die Yanks lebten immer noch in ständiger Furcht vor der satanischen, größtenteils nicht mehr existierenden schwarzen Kavallerie. Komisch.

Er inspizierte die restlichen Unterstände; in die Lücken gehörten die Pferde der Männer, die mit Ambrose auf Patrouille waren. Die Pferde hatten alle Farben, ein Beweis für das, was in letzter Zeit so häufig behauptet wurde: In Virginia war ein Kavalleriepferd gut für sechs Monate.

«Wir werden ihnen das Gegenteil beweisen, was?» sagte er auf dem Rückweg zu Sport. Er streichelte den Kopf des Wallachs. «Bei Gott, das werden wir. Ich würde meinen großartigen Säbel und alles andere wegwerfen, bevor ich dich aufgebe, mein Freund.»

Eine vorbeikommende Wache hielt an. «Wer da?»

«Captain Main.»

«Sehr wohl, Sir. Entschuldigung.» Die Schritte entfernten sich. Der Schnee fiel, lautlos und wunderschön gegen die Lichter des Lagers.

Charles trottete zurück zu seiner Hütte und holte die Flasche Schnaps hervor. Elf Uhr. Er wickelte sich, immer noch angekleidet, in Decken, überzeugt davon, daß Ambrose bald zurück sein würde. Für ein kurzes Nickerchen legte er sich in seine Koje und träumte von Gus. Er erwachte, fuhr ruckartig hoch, rieb sich die Augen und zog seine Uhr hervor.

Viertel nach drei.

«Ambrose?»

Schweigen.

Steif vor Kälte rollte er sich hinaus. Er wußte, daß die andere Koje leer war, noch bevor er einen Blick hingeworfen hatte. Der Schnaps stand dort, wo er ihn hingestellt hatte.

Er konnte nicht mehr schlafen, und so machte er eine Runde, um die Wachen zu kontrollieren. Er fand einen Jungen schlafend, ein Vergehen, das mit Erschießen geahndet werden konnte. Aber es war der Weihnachtsmorgen. Er stieß den Jungen an, ermahnte ihn und ging weiter. Wie eine Krankheit fraß sich die Sorge in ihn.

Vorn am Torbogen fragte er einen Wachposten, ob was von Leutnant Pells Trupp zu sehen gewesen sei.

«Nichts, Sir. Sie sind spät dran, nicht wahr?»

«Ich bin sicher, sie werden bald da sein.» Ein tiefsitzender Instinkt in ihm sagte, daß dies nicht stimmte.

Er überprüfte die Pferdeunterstände, machte eine zweite Wachrunde. Es hatte aufgehört zu schneien; eine dichte Schneedecke lag über der Landschaft. Er wartete und schaute sich die Augen aus, bis er einen ersten Schimmer des eisig orangen Tageslichts sah. Der Weg vom Tor, der sich in blassen Fernen verlor, blieb leer, nichts rührte sich. Ambrose würde nicht zurückkommen. Keiner von ihnen würde zurückkommen.

Wer sollte zur Beförderung empfohlen werden? Ihm fiel ein, daß Nelson Gervais bei Ambrose gewesen war. Zusammen mit den Briefen an die Familien der Männer mußte noch ein weiterer Brief geschrieben werden, an Miss Sally Mills.

Die Dinge veränderten sich so unvermeidlich wie die Jahreszeiten. Old Scott war beiseitegeschoben worden. McClellan wartete. Bevor er sich umsah, würde einer seiner Kavalleristen zur Q-Kompanie gehen und mit einem Maultier zurückkommen. Ihm war elend zumute.

In seiner Hütte, vor Beobachtern geschützt, senkte er den Kopf, schluckte ein paarmal, richtete sich dann wieder auf. Er ging zum Sims, starrte eine Weile auf das Foto, das ihn und seinen fröhlichen Lieutenant zeigte; beide schauten sie vor der großartigen, stolzen Fahne sehr zuversichtlich drein. Er legte das Foto mit dem Gesicht nach unten hin.

Ohne den Handschuh auszuziehen, griff er nach der Flasche Schnaps, zog den Korken mit den Zähnen heraus. Noch vor Reveille leerte er die Flasche.

Drittes Buch

Ein Ort, schlimmer als die Hölle

Die Leute sind ungeduldig; Chase hat kein Geld; der kommandierende General hat Typhus. Das Faß hat keinen Boden. Was soll ich tun?

ABRAHAM LINCOLN zu Quartiermeister General Montgomery Meigs, 1862

49

«Reiter voraus, Sir.»

Charles, der unter einem tropfenden Baum auf Sport saß, atmete scharf ein. Sie hatten hier angehalten, um den Bericht des Scouts abzuwarten. Sie waren zu sechst, auf dem Rückweg von Stuarts Hauptquartier an diesem dritten Tag im Jahre 1862: Charles; der Lieutenant, der Ambrose ersetzt hatte; der Junior Lieutenant, der farblose Julius Wanderly; zwei Unteroffiziere; und der Scout, Lieutenant Abner Woolner, der gerade aus dem weißlichen Dunst geritten gekommen war, um diese drei Worte auszustoßen, die ein brennendes Gefühl in Charles' Magen auslösten.

Er zog das Tuch herunter, das er um seine untere Gesichtshälfte gebunden hatte. Der Winter in Virginia zeigte sich grausam – Schnee, Wind, eiskalter Regen. Obwohl die Temperaturen an diesem Morgen über dem Gefrierpunkt lagen, biß die Kälte durch sämtliche Kleidungsschichten. Es war kurz nach sieben. Die Sichtweite war auf wenige Meter beschränkt. Die Welt bestand aus schlammigem Boden, den schwarzen Säulen dreier Bäume und dem Nebel.

«Wieviele, Ab?» fragte Charles.

«Konnt' ich in der Suppe nicht sehen, Cap, aber bestimmt ein ganzer Trupp.» Der Scout, ein schlaksiger dreißigjähriger Mann, trug schlammbespritzte Kordhosen, einen Farmerrock und einen zerknautschten Filzhut. Er wischte sich die tropfende Nase, ehe er fortfuhr: «Sind schnell und leise unterwegs, direkt auf der anderen Seite der Schienen.»

Die Orange & Alexandria. Charles' Trupp mußte sie auf dem Rückweg von Camp Qui Vive überqueren. «In welche Richtung?»

«Richtung Potomac.»

Die Hoffnung stürzte in sich zusammen. Die Richtung ließ mit einiger Sicherheit auf Yanks schließen. Vielleicht waren sie durch die Linien geschlüpft, um während der Nacht Schienen aufzureißen. Die Möglichkeit eines Scharmützels deprimierte ihn, vielleicht weil er damit am wenigsten gerechnet hatte.

Calbraith Butler hatte den Trupp aus drei Gründen in Stuarts Camp geschickt. Zwei waren militärischer, einer persönlicher Natur. Der Kavallerie ging allmählich der Mais aus, und der Major wollte eine Anleihe machen; er vermutete, daß eine direkte Bitte von einem alten Freund des Brigadiers – Stuart hatte seine Beförderung bekommen, während Hampton noch auf seine wartete – mehr Aufmerksamkeit finden würde als ein Kurierbrief.

Der Trupp war zwei Nächte geblieben, und Beauty, der in der Atmosphäre des Krieges geradezu aufzublühen schien, bewirtete Charles in seinem kleinen Haus in Warrenton, wo er seine Frau Flora und seinen Sohn und seine Tochter untergebracht hatte. Natürlich konnte er ein bißchen Mais für Kavalleriekameraden in Not erübrigen; er hatte im Herbst einen ganzen Waggonzug mit Futter von Dranesville gebracht, allerdings nicht, ohne einen Preis dafür zahlen zu müssen. Pennsylvania-Infanterie hatte ihm einen Hinterhalt gelegt und ihm eine zweistündige Schlacht geliefert, in deren Verlauf der Zug beinahe verloren gegangen wäre.

Calbraith Butlers zweiter Grund betraf den Ersatz für Ambrose Pell. Der neue Mann war zwei Tage vor Neujahr von Richmond gekommen, nachdem er sechzig Tage auf seine Frontversetzung gewartet hatte, wie er sagte. Butler wollte wissen, wie er sich im Feld benehmen würde. Am Tag nach seiner Ankunft sprach Butler privat mit Charles.

«Er ist uns angedreht worden, weil er irgendwie mit Old Pete oder dessen Familie in Verbindung steht», Old Pete war Generalmajor Longstreet, in South Carolina geboren, «und nachdem ich Pell als vermißt gemeldet hatte, tauchte er so schnell auf, daß ich den Verdacht hege, irgend jemand hat bloß auf eine Gelegenheit gewartet, ihn loszuwerden. Ich habe mit dem Neuen keine halbe Stunde geredet, aber eines ist mir dabei klar geworden. Er ist ein Dummkopf und ein Intrigant. Eine üble Kombination, Charles. Hab ein Auge auf ihn.»

First Lieutenant Reinhard von Helm kam aus Charleston, ein Deutscher, ungefähr acht oder neun Jahre älter als Charles. Er war ein kleiner, schlanker Mann, kahl bis auf einen dunklen Haarkranz. Seine künstlichen Zähne paßten schlecht. Zweimal bereits hatte ihn Charles dabei ertappt, wie er ganz allein dastand und in irgendeine private Hölle starrte. Jedesmal hatte er sich für eine halbe Minute nicht von der Stelle gerührt, dann war er wie ein erschrecktes Kaninchen davongeschossen.

Von Helm sagte, er habe eine Anwaltspraxis aufgegeben, um dem Ruf zu den Waffen zu folgen. Das, zusammen mit den Namen bekannter Leute aus Charleston, die er gelegentlich fallenließ, beeindruckte Wanderly ungemein. Der junge Lieutenant und von Helm wurden vom ersten Tag an ein Freundespaar.

Am Neujahrstag hatte ein Offizier einer anderen Truppe, Chester Moore aus Charleston, Charles auf einen Schluck in seine Hütte eingeladen und seine Befürchtungen über Lieutenant von Helm bestätigt.

«Er war tatsächlich Anwalt, aber er machte nicht viel her. Sein Vater besaß eine florierende Kanzlei, zusammen mit drei Partnern. Er zwang sie, das Söhnchen in die Kanzlei aufzunehmen. Böser Fehler. All das geerbte Geld und das gute Leben ruinierten ihn. Wenn er einen Brief schreiben oder einen unwichtigen Fall übernehmen durfte, war er für gewöhnlich betrunken. Als sein Vater zu Grabe getragen wurde, wiesen die Partner dem Sohn die Tür. Keine andere Firma wollte ihn. Er taugt nichts, Charles. Schlimmer noch, er weiß es selber. Versagertypen sind oft bösartig. Sei vorsichtig.»

Der persönliche Grund für die Mission war Charles' eigene Geistesverfassung; seit Weihnachten hatte ihn Schwermut befallen, und Calbraith Butler war das nicht entgangen. Doch die berühmten Festlichkeiten in Stuarts Lager hatten diese Stimmung kaum verscheuchen können, obwohl der Brigadier sich persönlich um Charles gekümmert hatte.

Das andere Geschlecht war zu jeder Stunde zahlreich im Camp vertreten; Stuarts häufige Parties und sein Ruf für Frohsinn zogen sie an. Charles wurde einer Miss Belle Ames aus Front Royal vorgestellt. Er war ausgehungert nach einer Frau, und so arrangierte er im nahegelegenen Landgasthaus, wo Miss Ames übernachtete, ein Rendezvous.

Sie schliefen zweimal miteinander, ungestüm, aber irgendwie blieb alles leer und unbefriedigend. Nie hätte Miss Ames geahnt, daß ihr Geliebter sich mitten in der Hitze der Ereignisse durch eine Vision von Gus Barclay gestört fühlte.

«Sir?» sagte der Scout. «Soll ich zurückreiten und sie mir mal näher anschauen?»

«Wozu?» sagte von Helm. «Können ja bloß unsere Jungs sein.»

Charles fühlte sich müde; ihm war kälter denn je. «Sind Sie sich da ganz sicher, Lieutenant?»

Von Helms seltsam leere Augen richteten sich auf einen Punkt irgendwo hinter ihm. «Natürlich. Sie nicht?» Die Frage unterstellte Charles eine gehörige Portion Dummheit. «Am besten rufen wir sie an, damit sie nicht irrtümlich auf uns feuern. Ich mach' das schon.»

«Einen Moment», sagte Charles, aber von Helm galoppierte bereits in den Nebel hinein.

Wanderly strahlte voller Bewunderung. «Hat einen Schuß von dem Stuart-Mumm, was?»

Charles bekam keine Chance, eine andere, nicht ganz so wohlwollende Meinung zu vertreten. Von Helms Stimme drang durch den weißen Dunst, der die Schienen verbarg. Andere Stimmen, keine davon mit einem Südstaatenklang, antworteten.

«Wer ist da, ein Reb?»

«Aber sicher ein Reb. Hörst du das nicht?»

«He, wieviele Niggerweiber hast du?»

Und dann Gewehrfeuer. Charles riß seine Schrotflinte hoch, ohne sich den Luxus eines einzigen Fluches zu gönnen. «Trab – Marsch.»

Hinter ihm ließ Wanderly einen langen, jaulenden Schrei der Erregung los. Eine Kugel traf einen Zweig, der Charles ins Auge peitschte, was seine Sicht noch weiter beeinträchtigte. Vor ihm dröhnte von Helms Gewehr. Angesichts des Nebels und des Geländes ging Charles ein gewaltiges Risiko ein, fühlte sich aber dazu verpflichtet, um diesen Trottel von einem Lieutenant zu retten.

«Galopp – *haaaa*!»

Er duckte sich unter den über ihn hinwegpeitschenden Zweigen hindurch, hörte Explosionen, deren Schnelligkeit unglaublich war. Falls sie nicht auf wesentlich mehr Männer gestoßen waren, als Woolner geschätzt hatte, mußte irgendein Yank fast ohne Pause schießen.

Einen Moment hatte er nicht aufgepaßt und den gewaltigen Stamm einer gestürzten Ulme direkt vor sich übersehen. Zum Wenden war es zu spät. Der Scout galoppierte hinter ihm, Zügel zwischen den Zähnen, in jeder Hand einen Revolver. «Woolner, nach links!» brüllte er. «Da liegt ein Baum.»

Das Hindernis war fast schon vor ihm; er mußte sich auf den Instinkt des Grauen verlassen.

Jesus, der Stamm war gute fünf Fuß hoch –

Charles lehnte sich vor, als Sport zum Sprung ansetzte. Er hob sein Hinterteil aus dem Sattel und plötzlich, weg vom Boden und hoch, segelten Mann und Tier durch den milchigen Nebel. Am höchsten Punkt des Sprunges ging ihm vor lauter Liebe fast das Herz über. Er besaß das stärkste, tapferste Pferd auf Gottes Erde.

Zwischen Sports zurückgelegten Ohren sah Charles die Yanks auftauchen. Sie waren abgesessen, drei oder vier Mann, und feuerten hinter dem Bahndamm hervor. Von Helm, ebenfalls abgestiegen, lag in Deckung und schoß abwechselnd mit Gewehr und Revolver.

Wer immer die Yankees kommandierte, gab plötzlich Befehl zum Aufsitzen und zum Rückzug. Eine Kugel pfiff an Charles' Ohr vorbei;

ein ihm folgender Unteroffizier schrie auf, umklammerte seinen Arm und wäre beinahe vom Pferd gefallen, ehe er die Zügel wieder erwischte. Der Verwundete hing auf seinem Pferd, das nach links davongaloppierte.

Charles suchte die Reihe der feindlichen Soldaten nach der Quelle der schnell aufeinanderfolgenden Schüsse ab. Er entdeckte sie; der einzelne Schütze befand sich innerhalb seiner Schußweite. Er zügelte Sport, zielte sorgfältig mit der Schrotflinte und feuerte beide Läufe ab. Der Yank wurde nach hinten geschleudert. Woolner erledigte zwei weitere Yanks und von Helm einen dritten. Der Rest, ihre Gesamtzahl immer noch ein Rätsel, verschwand im Nebel.

Als die Hufschläge verklangen, stampfte von Helm auf die Schienen zu, schwang sein Gewehr und brüllte: «Erzählt dem Gorilla, wir vergessen unsere Niggerweiber, wenn wir Yanks verprügeln können!»

«Whoo-ee!» schrie der Corporal anerkennend. Offensichtlich war er vom Mut des Deutschen beeindruckt, obwohl dessen Unbesonnenheit sie alle hätte umbringen können.

Charles glitt aus dem Sattel. Er sollte sich um seinen verwundeten Kavalleristen kümmern, aber der Gedanke an die Waffe, die mit solcher Geschwindigkeit gefeuert hatte, lenkte ihn ab; von Helm lenkte ihn ab, der ihm den Rücken zuwandte und eine kippende Bewegung machte, wie ein trinkender Vogel. Charles sah etwas Silbernes aufblitzen und wieder in einer Seitentasche verschwinden.

Charles ritt nach hinten und brüllte in den Nebel: «Was ist mit Loomis?»

«Bloß ein Kratzer, Sir. Ich verbinde ihn.»

Charles ging auf den Damm zu. Der Nebel lichtete sich, je höher die Sonne stieg. «Ein Glück, daß wir nicht wirklich einem ganzen Trupp gegenüberstanden, obwohl es sich so anhörte», sagte er zu von Helm.

«Haben wir aber nicht.» Der Deutsche klang herausfordernd.

Sie fanden drei tote Kavalleristen der Union und einen stöhnenden Sergeant mit einer blutenden Bauchwunde. Sie würden ihn zur Behandlung mitnehmen müssen, aber er würde nicht lange durchhalten; Bauchwunden waren in der Regel tödlich.

Charles trat auf die Eisenbahnschwellen. Ein Kavallerist kniete auf der Brust eines Toten und durchsuchte emsig sämtliche Taschen. Er fand nichts bis auf etwas Tabak und eine Pfeife und sagte: «Scheiße.» Im gleichen Augenblick entdeckte Charles das, was er suchte, in dem abgestorbenen gelblichen Unkraut jenseits des Bahndamms. Von Helm sah es ebenfalls und versuchte, an seinem Captain vorbeizukommen. Charles wirbelte herum.

«Das gehört mir», sagte er. «Und noch eins. Das nächstemal warten Sie meine Befehle ab, oder Sie sind dran.»

Von Helm preßte seine künstlichen Zähne zusammen und wandte sich ab; seine Alkoholfahne hatte Charles bereits gerochen. All die Warnungen waren berechtigt gewesen. Er hatte ein faules Ei erwischt.

«Beweist nur, was sie immer sagen», beklagte sich der Kavallerist und beugte sich über die Füße des toten Soldaten. «Diese verdammten Yanks sind nicht mehr wert als ein Paar Schuhe.» Er zog den rechten Schuh runter und fluchte, als er die gelöste Sohle sah. Er spähte hinein. «Lashbrook von Lynn. Was heißt das?»

Niemand machte sich die Mühe, ihm zu antworten. Charles glitt den Damm hinunter und holte die Waffe aus dem Unkraut. Sie sah vollkommen neu aus, ungefähr vier Fuß lang, mit einer merkwürdigen Öffnung am Kolben. Oben war der Herstellername eingeprägt.

Spencer Repeating-Rifle Co.

Boston, Mass.

Pat'D. March 6, 1860

In Charles' Gedächtnis klickte es; ein Absatz einer der vielen Washingtoner Zeitungen, die man hinter den Südstaaten-Linien las, tauchte vor seinem inneren Auge auf. Ein spezielles Scharfschützenregiment, geführt von irgendeinem berühmten New Yorker Scharfschützen, hatte das neue Modell eines schnell repetierenden Gewehrs empfangen. Konnte es sein, daß er ein Exemplar davon in Händen hielt – vielleicht ein gestohlenes? Soweit er wußte, befanden sich die Scharfschützen immer noch in Washington.

Charles suchte den Mann, der mit dem Gewehr geschossen hatte; ohne die dazugehörige Munition würde er hier nicht verschwinden. Woolner hatte dem Mann bereits die Taschen geleert und die Schuhe ausgezogen, aber drei merkwürdig röhrenförmige Magazine hatte er zurückgelassen. Charles öffnete eines und entdeckte sieben Randfeuerkupferpatronen, eine hinter der anderen. Jetzt begriff er die Funktion der Öffnung im Kolben.

Woolner tauchte auf. «Hat dieses Ding da so schnell geschossen? Noch nie sowas gesehen.»

«Hoffen wir, daß wir nicht mehr viele davon zu sehen bekommen. Ich habe Munition gefunden. Ich will damit schießen.»

Die Sonne brach in langen, leuchtenden Streifen durch den Nebel. Sie banden den verwundeten Yank hinter Loomis auf dessen Pferd und ritten, die Toten zurücklassend, auf das Camp zu. Der Yank blutete das ganze Pferd voll. Als sie im Lager ankamen, griff Loomis hinter sich und berührte den Mann. «He, Yank, wach auf.» Er hatte einen Toten berührt. Loomis wurde urplötzlich bleich, verlor das Bewußtsein und fiel von seinem Pferd.

Erschöpft und immer noch ein bißchen zittrig entließ Charles die Männer und kümmerte sich dann um Sport. Von Helm war mit seinem Gaul in einem Drittel der Zeit fertig.

Charles tätschelte den Grauen und ging los, um seinen knurrenden Magen zu füllen. Von Helm war zu dem Quartier gegangen, das er nun mit Charles teilte. Ihre ersten paar gemeinsamen Tage als Hüttengenossen hatten lediglich einige höfliche oder notwendige Bemerkungen hervorgebracht. Wenn es nach Charles ging, würden es jetzt noch weniger werden.

Es war schon spät am Tag, als er endlich Calbraith Butler fand, um ihm Bericht von dem Scharmützel zu erstatten. «Meiner Meinung nach eine völlig sinnlose Aktion, die wir hätten vermeiden müssen.»

Butler lehnte sich in seinem Campstuhl zurück. «Du hast mir noch nicht alles erzählt. Woolner ist vorhin vorbeigekommen. Er teilt deine Meinung, aber er hat mir auch berichtet, wie der Trupp in dieses Schlamassel geraten ist. Der Deutsche hat dich reingezogen.»

«Zum ersten und zum letzten Mal», versprach Charles.

«Ich hab' dich gewarnt», sagte Butler, nicht vorwurfsvoll, sondern mitfühlend. «Vielleicht kann ich dir die kleine Ratte erneut versetzen lassen.»

«Ich werd' mit Lieutenant von Helm schon fertig», sagte Charles mit gekünstelter Zuversicht. «Ist vom Hauptquartier noch irgendwas über Ambrose gekommen?»

«Nein, nichts. Ich bin überzeugt davon, daß wir nie erfahren werden, was passiert ist.»

Charles nickte zustimmend und sehr ernst. Dann beschrieb er die Waffe, die er konfisziert hatte. «Ich möchte sie morgen auf den Exerzierplatz mitnehmen und testen. Später nutzt sie mir sowieso nichts – außer den drei Magazinen hab' ich keine Munition. Einundzwanzig Schuß.»

«Ich wäre beim Test ganz gern dabei.»

«Ich geb' dir Bescheid.»

Da er immer noch keine Lust verspürte, zu von Helm in die Hütte zu gehen, marschierte Charles zurück zu den Pferdeunterständen, um sich zu vergewissern, daß Sport ordentlich auf seinen Planken stand und nicht auf dem schlammigen Boden. Langsam ließ er seine Hand über den warmen Hals des Grauen gleiten. Er fühlte sich miserabel, besorgt und wütend zugleich.

Der Knall dröhnte über das Gelände. Die an einen Baum geheftete Papierzielscheibe zuckte im blassen Licht des Nachmittags, genau in der Mitte getroffen.

Charles zog den Hebel nach unten und warf die verbrauchte Patrone aus. Durchladen, zielen, feuern. Durchladen, zielen, feuern. Ein halbes Dutzend Männer schauten zu. Nach jedem Schuß klappten ihre Unterkiefer etwas weiter herunter. Ab Woolner zerrte an seiner Hose und murmelte: «Guter Gott.»

Dichter werdender Rauch kräuselte sich hoch. Calbraith Butler hatte im Takt mit seiner Reitpeitsche gegen sein Bein geschlagen. Als die letzte Explosion verhallte, flatterte der untere Teil der Zielscheibe zu Boden. Butler blickte Charles an.

«Ich hab' sieben Schuß in ungefähr dreizehn Sekunden gezählt.»

Einige Zuschauer hoben die leeren Kupferpatronen als Souvenirs auf. Charles nickte düster. Der Scout sprach das aus, was sie alle dachten: «Hoffen wir, daß die Yanks nicht viele solche Gewehre haben. Sie könnten sie am Montag laden, und den Rest der Woche könnten sie uns damit abschießen.»

Charles trottete zu seiner Hütte zurück und legte das Repetiergewehr ins Regal. Von Helm war nicht da – angesichts der düsteren Stimmung nach dem Test um so besser. Charles verstaute die ihm verbliebenen beiden Magazine in der Feldtruhe, wobei ihm Cousin Coopers Warnungen über die industrielle Überlegenheit des Nordens einfielen. War dieses neue Gewehr nicht ein weiterer Beweis für diese Überlegenheit? Warum hatte niemand darauf gehört?

Oder war nur er aus dem Takt geraten, war er zum Pessimisten geworden. War er der Zyniker, der sich dem allgemeinen Glauben in der Armee nicht anschließen konnte – daß Mut und geistige Einstellung zahlenmäßige Überlegenheit und bessere Waffen überwinden konnten? Das mochte gelegentlich zutreffen. Aber jedesmal?

Ermutigende Gerüchte hatten das Lager auch aus Norfolk erreicht. Irgendein furchterregendes neues Schlachtschiff stand kurz vor der Fertigstellung. Die *Virginia* war ein umgebautes Schiff der Union, die *Merrimack*, die die Yanks versenkt hatten, als sie den Hafen aufgaben. Sie war gehoben und mit einer Panzerung ausgerüstet worden; jetzt bezeichnete man sie als Panzerschiff. Die Leute sprachen von ihr, als könnte sie den Krieg dadurch beenden, daß sie ein paar Salven abschoß. Der Skeptiker in Charles' sah das ein bißchen anders.

Am nächsten Tag brachte die Post eine angenehme Überraschung, ein Ende November in Fredericksburg aufgegebenes Päckchen. Darin fand Charles ein schmales, ledergebundenes Buch: *An Essay on Man*

von Alexander Pope. Auf das Deckblatt hatte die Absenderin geschrieben:

Für Captain Charles Main
= = An der Front = =
Weihnachten, 1861

Sie hatte mit *A. Barclay* unterschrieben und zusätzlich noch eine Karte
hineingesteckt, auf der stand: *Tut mir sehr leid, daß ich Deinen Besuch
verpaßt habe; hoffentlich kommst Du bald wieder.* In den Linien und
Schlaufen ihrer graziösen Schrift sah er sie deutlich vor sich.

Viele Soldaten trugen kleine Bibeln in ihren Rocktaschen bei sich.
Das brachte Charles auf eine Idee. Er suchte sich ein Stück weiches
Leder und nähte daraus einen kleinen Beutel mit einem Riemen dran.
Er tat den kleinen Band in den Beutel und streifte ihn über den Kopf.
Er trug ihn unter dem Hemd auf seiner Brust. Es fühlte sich da gut
an.

Das Geschenk munterte ihn einige Tage lang auf, trotz der Gegenwart von Lieutenant von Helm. Der Deutsche sagte kaum ein Wort,
verlor aber nur selten diesen irren Glanz in seinen Augen. Eines
Abends, als Charles Magenschmerzen hatte und keine Lust verspürte,
einer Vorstellung von *Box and Cox* beizuwohnen, dargeboten von
einigen Schauspielern des Camps, schaute überraschend sein Erster
Sergeant bei ihm vorbei.

«Was führt Sie her, Reynolds?»

«Sir, es ist», der Mann errötete, «ich glaube, es ist meine Pflicht, mit
Ihnen zu sprechen.»

«Nur zu.»

«Es handelt sich um Lieutenant Wanderly und Private Cramm, Sir.
Die beiden geben eine Menge von ihrem eigenen Geld beim Marketender aus und halten die anderen Jungs frei. Sie, äh, machen Wahl-
kampf.»

«Für was?»

Der Sergeant antwortete mit einem gewaltigen Würgen. «Für Lieutenant von Helm.»

Charles, von Magenschmerzen gepeinigt, war müde und gereizt.
«Ich verstehe immer noch nicht. Verdammt noch mal, Mann, reden Sie
offen.»

Peterkin Reynolds warf ihm einen unglücklichen Blick zu. «Sie wollen ihn zum Captain wählen, Sir.»

Eine Stunde später kehrte von Helm mit einer Bourbonfahne zurück.
«Heute abend haben Sie eine feine Show verpaßt. Die Schauspieler –»

Seine braunen Augen wurden leer, zeigten dann Überraschung, als er
den Zustand der Hütte wahrnahm. «Was ist hier passiert? Wo sind
meine Sachen?»

«Ich hab' sie fortschaffen lassen.» Charles lag in seiner Koje und
sprach mit einem Zigarrenstummel zwischen den Zähnen. «Zur Hütte
Ihres Wahlhelfers.»

«Mein –?» Von Helm zwinkerte. «Oh.» Charles' Blicke schienen ihn
nicht einzuschüchtern; vielleicht war er dafür zu betrunken. Seine
Mundwinkel gingen nach oben, als hätte man wie bei einer Puppe an
einer Schnur gezogen. «Sehr wohl. Guten Abend, Captain.» Er ging.

Charles riß die Zigarre aus dem Mund und gab sich einer Schimpfkanonade hin, deren Inbrunst seine deprimierte Erschöpfung verbarg.
Er war noch in den Zwanzigern und fühlte sich doppelt so alt. Zumindest waren jetzt die Fronten geklärt. Captain Main gegen diesen posie-
renden Intriganten aus Charleston.

50

Stanley klopfte und betrat mit vibrierenden Nerven das Büro des
Ministers. Er war überzeugt davon, daß man ihn angeschwärzt hatte
und daß er degradiert oder entlassen werden würde.

Er war erstaunt, einen gutgelaunten Boß vorzufinden, der in seinem
Büro Kisten und Kästen inspizierte, die mit persönlichen Akten angefüllt waren. Camerons Wangen hatten einen rosigen Schein von frischer Rasur; er roch nach Lavendel. Sein Schreibtisch war leer, ein bis
jetzt noch nie dagewesenes Ereignis.

«Stanley, mein Junge, setzen Sie sich. Ich verschwinde hier so
schnell wie möglich, aber ich wollte noch ein bißchen mit Ihnen plaudern, bevor ich gehe.» Mit einer Handbewegung bot er dem Jüngeren
einen Platz an, während er sich wie gewohnt hinter seinen Schreibtisch
setzte.

Zitternd ließ Stanley seinen schweren Körper auf den Stuhl sinken.
«Ich war erschüttert, als ich letzten Samstag von Ihrem Rücktritt
hörte, Sir.»

«Von mir aus wieder Simon – oder Boß. Ich bin da nicht wählerisch.
Nur Herr Minister paßt nicht mehr.»

«Ein tragischer Verlust für die Kriegsanstrengungen, Sir.»

Die letzte Bemerkung erzeugte bei Cameron ein schmales Lächeln. «Oh ja, eine ganze Menge von Kontraktpartnern wird durchaus dieser Meinung sein. Doch ein loyaler Bursche geht dorthin, wo ihn seine Vorgesetzten haben wollen. Rußland ist ein ganzes Stück von zu Hause weg, aber um Ihnen die Wahrheit zu sagen, Stanley – ich werde die Unruhe und die ganze niederträchtige Bissigkeit dieser Stadt nicht vermissen.»

Eine Lüge, dachte Stanley; der Boß hatte mit am besten zugebissen. Doch all die ministeriellen Unregelmäßigkeiten hatten Lincoln schließlich zum Handeln gezwungen, auch wenn man Cameron erlaubt hatte, das Gesicht zu wahren; der Posten als Gesandter der Vereinigten Staaten in Rußland galt als Beförderung.

«Ich nehme an, Sie werden mit dem neuen Mann zurechtkommen», fuhr Cameron entspannt fort. «So locker wie ich wird er es allerdings nicht angehen lassen. Er ist ein Favorit der Farbigen und springt ganz schön hart mit denen um, die seinen Erwartungen nicht entsprechen. Sie werden sich auf den nächsten Inhaber dieses Büros einstellen müssen.»

Stanley nagte an seiner Unterlippe. «Sir, ich tappe im dunkeln. Ich kenne nicht mal den Namen des neuen Ministers.»

«Oh, tatsächlich?» Die weißen Brauen schnellten nach oben. «Ich dachte, Senator Wade hätte es Ihnen anvertraut. Wenn nicht, dann werden Sie wohl auf die öffentliche Bekanntmachung warten müssen.»

Dabei beließ er es, und Stanley zappelte an dem Haken, den Cameron ausgeworfen hatte. Überraschenderweise lachte der ältere Herr, ehe er fortfuhr: «Ich trage Ihnen nichts nach, Stanley. An Ihrer Stelle hätte ich es genauso gemacht. Sie haben sich als gelehriger Schüler erwiesen. Sie haben gelernt, jede Lektion anzuwenden, die ich Ihnen beigebracht habe. Obwohl, wenn ich es jetzt im Nachhinein überdenke, hab' ich Ihnen vielleicht eine Lektion zuviel beigebracht.»

Das Lächeln wurde breiter, vermischte sich mit fröhlicher Bosheit. «Nun, mein Junge, lassen Sie mich Ihnen einen letzten Rat erteilen, bevor wir uns zum Abschied die Hände schütteln. Verkaufen Sie soviele Schuhe, wie Sie können, so teuer wie möglich und so lange wie möglich. Und sparen Sie das Geld. Sie werden es brauchen, denn in dieser Stadt liegt immer jemand auf der Lauer. Jemand, der Sie verkaufen will. Jemand, der Sie verkaufen *wird*.»

Stanley stand kurz vor einem Herzanfall. Cameron eilte um seinen Schreibtisch, umklammerte Stanleys Hand so fest, daß es schmerzte, und sagte: «Sie müssen mich jetzt entschuldigen.» Damit wandte er ihm den Rücken zu. Als Stanley ging, wühlte er schon wieder fröhlich in den zusammengepackten Ruinen seines Reiches.

Am nächsten Abend kehrte George mit Neuigkeiten für Constance heim. «Es ist Stanton.»

«Aber er ist doch Demokrat!»

«Er ist außerdem ein Fanatiker nach dem Herzen der Radikalen. Die für ihn sind, bezeichnen ihn als Patrioten. Die Gegenseite benützt Bezeichnungen wie dogmatisch und verschlagen. Er will seine Ziele um jeden Preis erreichen. Lincoln mag ihn ernannt haben, aber er ist das Produkt von Wade und dessen Bande.» Sein amüsiertes Lächeln lockerte den Ernst auf. «Wußtest du, daß Stanton mal mit einem Fall zu tun hatte, in dem es um McCormicks Mähmaschine ging und Lincoln als Junior-Anwalt beteiligt war? Stanton nannte ihn dabei einen Tölpel. Unglaublich, wie die Leute sich ändern. Diese verrückte Welt –»

«Nicht du und ich», sagte sie und küßte ihn sanft.

General McClellan erholte sich von seinem schweren Typhusanfall, blieb aber weiterhin das Opfer einer anderen Krankheit, wegen der ihn bis auf seine treuesten Anhänger alle heftig kritisierten. Lincoln bezeichnete die Krankheit als Schwerfälligkeit. Unter zunehmendem Druck erließ der Präsident am 31. Januar den Kriegssonderbefehl Nr. 1. Darin wurde dem Kommandierenden General befohlen, die Armee bis spätestens 22. Februar vom Potomac in Richtung Manassas in Bewegung zu setzen.

Die Februarausgabe des *Atlantic* druckte neue Verse für «John Brown's Body», geschrieben von Mrs. Howe; George und seine Frau und sein Sohn sangen die aufrührende «Battle Hymn», während Patricia spielte. Das Lied paßte zu der neuen, aggressiveren Stimmung in der Hauptstadt. Stanton, klein und grimmig, ließ sich ständig in den Gebäuden um den President's Park sehen. George bemerkte ihn mehrfach im Waffenamt, sah aber keinen Grund, ihn anzusprechen.

Aus dem Westen drangen so glorreiche Nachrichten, daß sich vor den Zeitungsgebäuden, wo die letzten telegraphischen Neuigkeiten aushingen, eine jubelnde, trunkene Menge versammelte. Fort Henry, eine Schlüsselbastion der Rebellen am Tennessee, knapp unterhalb der Grenze zu Kentucky, hatte sich einer kombinierten Offensive von Land und Fluß her ergeben.

Zehn Tage später fiel Fort Donelson. Theoretisch waren beide Siege das Werk des Department-Kommandeurs General Halleck. Aber der Mann, dem die Korrespondenten den Siegerkranz aufsetzten, war ein

Akademie-Absolvent, der schon seit langem aus Georges Gedanken verschwunden war. Zu Beginn hatte Sam Grant in West Point Orrys Rolle übernommen, als er von Elkanah Bent schikaniert wurde.

Sam Grant. Erstaunlich. Nach dem Feldzug gegen Mexiko City hatten er und George zusammen in den Cantinas getrunken. Ein sympathischer Offizier und durchaus tapfer. Aber ihm fehlte die Brillanz, die beispielsweise Tom Jackson besaß. Das letzte, was George über ihn gehört hatte, war, daß er in der Armee im Westen versagt und aufgrund von Alkoholproblemen seinen Abschied genommen habe.

Und hier war er, frisch befördert vom Brigadier zum Generalmajor der Freiwilligen und mit dem Spitznamen «Bedingungslose Kapitulation» ausgestattet, weil er auf eine Anfrage nach den Übergabebedingungen des Kommandanten von Donelson geantwortet hatte, er würde nichts anderes akzeptieren. Und dann befreite er das westliche Kentucky aus dem Griff der Konföderierten, das westliche Tennessee und den oberen Teil von Mississippi. Der Süden taumelte, der Norden jubelte, und Grants Name wurde für jeden Schuljungen, dessen Eltern eine Zeitung lasen, zu einem Begriff.

Nichtsdestoweniger drangen aus dem Regierungsgebäude schlimme Gerüchte. Der Präsident sollte an derart starken Depressionen leiden, daß es schon an Wahnsinn grenzte. Nachts streifte er schlaflos herum oder lag stundenlang bewegungslos da; dann erhob er sich und erzählte merkwürdig prophetische Träume. Die Washingtoner Klatschtanten hatten eine Menge anzubieten. Lincoln wurde wegen der Union verrückt. Mary Lincoln, die eingestandenerweise eine Menge Verwandte in Kentucky und der Konföderiertenarmee besaß, war eine Spionin. Der zwölfjährige William Lincoln hatte Typhus. Das stellte sich als wahr heraus; der Junge starb zwei Tage, bevor McClellan Manassas hätte einnehmen sollen.

McClellan nahm Manassas nicht ein; die Armee rührte sich nicht vom Fleck. Und Lincoln tauchte auf keiner der offiziellen Feierlichkeiten zu Ehren von Washingtons Geburtstag auf, obwohl die Armeen auf beiden Seiten den Tag feierten, wie es vor dem Krieg Brauch gewesen war.

Eines Abends machte Billy einen Überraschungsbesuch. Noch vor dem Essen tauschten die Brüder über einem Glas Whiskey Klagen aus.

Billy: «Was zum Teufel ist mit Mac los? Er sollte doch die Union retten – vorletzte Woche, oder?»

George: «Woher soll ich wissen, was los ist? Ich bin nichts weiter als ein besserer Angestellter. Ich höre nur den Straßentratsch. Du solltest mehr wissen als ich; er ist dein Kommandeur.»

«Er ist dein Klassenkamerad.»

«Also gut», sagte George, «ich hab' lediglich gehört, daß Little Mac dem Feind zahlenmäßig um das Zwei- bis Dreifache überlegen ist, aber trotzdem fordert er weiterhin Aufschub und Verstärkung. Sonst, so sagt er, könne er den Erfolg nicht garantieren – der, so fährt er mit dem nächsten Atemzug fort, garantiert sei, sobald er erst mal losmarschiere. Gott weiß, was in seinem Kopf vor sich geht. Erzähl mir von deinen neuen Männern.»

«Sie haben fast sieben Trainingswochen hinter sich, aber natürlich sind gute Trainingsleistungen kein Gradmesser für ihr Verhalten im Kampf. Letzte Woche haben wir –»

Beide blickten auf, als Constance mit blassem Gesicht hereinkam.

«An der Tür ist eine Ordonnanz von deinem Bataillon.»

Billy eilte aus dem Raum. George schritt auf und ab, versuchte etwas von den gedämpften Stimmen zu verstehen. Sein Bruder kehrte zurück, seine Mütze aufsetzend. «Wir werden ins Camp zurückbefohlen, um unsere Abreise in Waggons vorzubereiten.»

«Wohin fahrt ihr?»

«Keine Ahnung.»

Hastig umarmten sie sich. «Paß auf dich auf, Billy.»

«Das werd' ich. Vielleicht schlägt Mac endlich los.»

Und damit ging Billy in die Dunkelheit hinaus.

51

Charles wußte, daß es nichts Gutes zu bedeuten hatte, als Calbraith Butler ihn nach dem Zapfenstreich zu sich befahl, wo ihn der Colonel und der Major erwarteten.

«Sie können sich setzen, Charles», sagte Hampton, nachdem Charles militärisch gegrüßt hatte.

«Nein danke, Sir.»

Hampton fuhr fort: «Ich bin hergeritten, weil ich mit Ihnen persönlich sprechen wollte. Ich sehe mich einer heiklen Situation in Major Butlers Kommando gegenüber.»

Butler sagte: «Sir, ich würde das Wort übel vorziehen.»

Hampton seufzte: «Das mag durchaus zutreffen.»

Bewundernd dachte Charles, wie fit der Colonel wirkte, in einem Winter, der die Gesundheit wesentlich jüngerer Männer ruinierte. Er bemerkte den Säbel des Colonels – schmaler als der sonst bei ihm übliche. War das der Säbel, den Joe Johnston ihm als Zeichen der Freundschaft gegeben hatte – bis er tatsächlich den Rang eines Brigadiers verliehen bekam?

«Wir brauchen keine Worte zu verschwenden, Charles. Major Butler hat eine Petition von Männern Ihrer Truppe erhalten. Sie fordern eine neue Offizierswahl.»

Ganz plötzlich wurden seine Wangen taub. «Von wievielen Männern unterzeichnet, Sir?» fragte Charles.

Beunruhigt sagte Butler: «Von über der Hälfte der Truppe.»

«Herr im Himmel.» Charles brachte ein Lachen zustande. «Mir war klar, daß ich nicht gerade heiß und innig geliebt werde, aber damit lauf' ich ja einem Yankee den Rang ab. Ich hatte keine Ahnung –»

«Sie sind ein ungewöhnlich guter Offizier», begann Hampton.

«Genau meine Meinung», sagte Butler.

«Aber das hat nichts mit Beliebtheit zu tun. Wie Sie wissen, Charles, sind die Männer erst zu Neuwahlen berechtigt, wenn ihre einjährige Verpflichtung zur Verlängerung ansteht. Ich dachte jedoch, ich sollte Sie davon in Kenntnis setzen, wie die Dinge stehen, und fragen –»

Diesmal unterbrach er Hampton. «Lassen Sie ihnen ihren Willen. Morgen – mir ist es egal.» Es war ihm nicht egal, aber er verbarg es.

Stirnrunzelnd fragte Butler: «Und wenn Sie verlieren?»

«Pardon, Major – warum drücken Sie es so aus? Sie wissen, daß ich verlieren werde. Die Anzahl der Unterschriften auf der Petition garantiert dafür. Ich sage trotzdem, sie sollen ihre Wahl haben. Ich werde eine andere Möglichkeit finden zu dienen.»

Die beiden höheren Offiziere tauschten einen Blick. Charles erkannte, daß hier schon mit einiger Sorgfalt vorausgeplant worden war.

Ruhig sagte Hampton: «Ich schätze den Geist, in dem Sie das gesagt haben, Charles. Ich schätze all die Qualitäten, die Sie zu einem guten Offizier machen. Ihre Tapferkeit steht außer Frage. Sie sorgen wie ein Vater für Ihre Männer. Ich vermute, Ihre Vorstellung von Disziplin hat diese Situation herbeigeführt, da sich viele in dieser Legion lieber für Carolina-Gentlemen halten als für Soldaten, die dem Angriff von General McClellan trotzen müssen. Außerdem hat möglicherweise Ihre Akademie-Ausbildung gegen Sie gearbeitet.»

Gegen Stuart oder Jackson oder eine ganze Menge andere hat sie nicht gearbeitet, dachte Charles voller Bitterkeit. Aber es war dumm, anderen die Schuld für die eigenen Fehler in die Schuhe zu schieben.

Hamptons Stimme wurde laut und betont. «Ich will Sie unter diesem Kommando nicht verlieren, genausowenig wie Major Butler. Wenn Sie also nicht gegen Ihren, äh, Gegner antreten wollen –»

«Ich würde keine Minute auf diesen dämlichen Deutschen verschwenden!» Charles stockte. «Tut mir leid, Sir.» Hampton wedelte die Entschuldigung beiseite.

«Wir haben einen anderen Vorschlag», sagte Butler. «Sie sind ein Einzelgänger, Charles, aber das kann sich als wertvoll erweisen. Würden Sie es in Erwägung ziehen, Abner Woolner und einige meiner besten Männer in einer Scoutstruppe zu führen?»

Hampton beugte sich vor, sein Gesicht halb in der Dunkelheit verborgen. «Im gesamten berittenen Dienst ist das die wichtigste und gefährlichste Aufgabe. Der Scout ist ständig in Gefahr. Nur die Besten können damit fertig werden.»

Charles überlegte, aber nicht lange. «Ich akzeptiere unter einer Bedingung. Bevor ich anfange, hätte ich gern einen kurzen Urlaub.»

Ein weiteres Stirnrunzeln des Majors. «Aber die ganze Armee setzt sich bald in Bewegung.»

«Nach hinten, wie ich hörte. Zum Rapidan und Rappahannock. Die Lady lebt nahe des Rappahannock. Fredericksburg. Falls notwendig, bin ich sofort wieder bei der Legion.»

Hampton lächelte. «Die Bitte sei gewährt. Einverstanden, Major Butler?»

«Jawohl, Sir.»

«Dann», sagte Charles, «nehme ich den Posten als Scout an. Mit Vergnügen.»

Obwohl ihn die Ablehnung seiner Truppe schmerzte, fühlte er sich gleichzeitig befreit. Empfand ein freigelassener Schwarzer ähnlich? fragte er sich, als er pfeifend zu seiner Hütte zurückging.

Während er Meile um Meile nach Spotsylvania County zurücklegte, durch Regenstürme mit anschließendem Kälteeinbruch, der die toten Felder und kahlen Bäume mit einem weißen Anstrich versah, wuchs seine Begierde, Barclays Farm zu erreichen, zusammen mit der Furcht, Augusta wieder nicht anzutreffen. Endlich sah er das wuchtige Steinhaus und die hölzernen Schuppen und Nebengebäude auftauchen.

«Und Rauch kommt aus dem Kamin», brüllte er dem Wallach zu.

Es war eine saubere Farm, trotz des Krieges gut geführt. Ihre Felder erstreckten sich anscheinend auf beiden Seiten der Straße. Das Haupthaus vermittelte den Eindruck von Alter und Stärke, festungsgleich hinter zwei gewaltigen Roteichen verborgen, deren dicke Äste sich bis über das Holzdach reckten. Wundervolle Bäume, zum Klettern wie geschaffen, die in ihm den Wunsch wach werden ließen, wieder ein Junge zu sein.

Im Hof zog er die Zügel. Zu seiner Rechten sah er im dunklen Inneren eines Nebengebäudes etwas aufblitzen. Er stieg ab, und die Pedale des Schleifsteins hörten auf zu quietschen. Ein ungefähr zwanzigjähriger Neger tauchte aus dem Gebäude auf. Er trug schwere Akkerschuhe, alte Hosen, ein gestopftes Hemd. In beiden Händen hielt er die geschwungene Sense, die er gerade geschärft hatte.

«Können wir was für Sie tun, Sir?»

«Der Mann ist in Ordnung, Boz.»

Die neue Stimme gehörte dem anderen Schwarzen, älter, mondgesichtig, mit wenigen Zähnen; er kam hinter dem Haus hervor, einen Sack mit Hühnerfutter über der Schulter. Charles hatte ihn am Ballabend in Richmond getroffen.

«Wie geht's Ihnen, Captain?» fragte der ältere Schwarze. «Seh'n aus, als wär'n Sie durch'n Haufen Schlamm geritten.»

«Das bin ich. Ist sie zu Hause, Washington?»

Er ließ ein keckerndes Lachen hören. «Das ist sie. Bißchen früh für Besuch, aber sie ist immer vor Tagesanbruch auf. Macht wahrscheinlich grad unseren Morgenschinken.» Washingtons Kopf ruckte nach rechts. «Hintertür ist schneller.»

Charles ging mit klingelnden Sporen an ihm vorbei, hatte nichts anderes mehr im Sinn, als an diese Tür zu klopfen; hoffentlich sah er nicht zu verdreckt aus oder roch zu unangenehm. Er konnte selbst kaum glauben, wie aufgeregt er war.

Die Tür öffnete sich. Gus schnappte nach Luft, und eine mehlweiße Hand flog zu ihrem Kinn. «Charles Main. Bist du's wirklich?»

«So steht's in meinem Paß.»

«Im ersten Moment hast du mich ganz verwirrt. Der neue Bart –»

«Steht er mir?»

«Ich werd' mich dran gewöhnen.»

Er grinste. «Nun, er hält wenigstens warm.»

«Bist du irgendwohin unterwegs?»

«Mir war gar nicht klar, daß der Bart dermaßen abstoßend wirkt.»

«Antworte mir.» Seine schlagfertige Erwiderung hatte ihr gefallen.

«Ma'am, das hier ist meine Reaktion auf Ihre freundliche Einladung. Darf ich eintreten?»

«Ja, ja – natürlich. Ich bitte um Verzeihung, daß ich dich hab' in der Kälte stehen lassen.»

Ihr altes Baumwollkleid, so oft gewaschen, daß es fast farblos wirkte, stand ihr gut. Sie sah noch ein bißchen schläfrig aus, doch gleichzeitig erfreut und aufgeregt. Über der Rundung ihrer Brüste bemerkte er einen fehlenden Knopf; in einer Falte sah er kurz nacktes Fleisch aufblitzen.

Sie hatte gerade Teig angerührt. Sie legte den Löffel beiseite und stemmte die Fäuste in die Hüften. «Eine Frage, bevor wir mit dem Besuch ernst machen. Hast du vor, mich mit diesem elenden Namen anzureden?»

«Höchstwahrscheinlich. Die Kriegszeiten. Wir alle müssen uns mit einigen Unannehmlichkeiten abfinden.»

«Dann werde ich meinen patriotischen Beitrag leisten. Das Frühstück ist gleich fertig. Wenn du dich vorher waschen willst, mache ich Wasser warm.»

«Wär' wohl besser, sonst sieht dein Haus wie ein Schlammloch aus.»

Sie überraschte ihn damit, daß sie ihn am linken Ärmel festhielt. «Laß dich anschauen. Geht's dir gut? Wie ich höre, soll es bald zu schweren Kämpfen kommen. Bis jetzt hast du den Winter überlebt – eine große Anzahl anderer Männer hat das nicht, so heißt es.» Sie schüttelte verärgert den Kopf. «Lachst du über mich?»

«Nein, Ma'am. Aber eben sind ein halbes Dutzend Feststellungen und Fragen an mir vorbeigepfiffen. Worauf soll ich zuerst eingehen?»

Sie errötete, zumindest kam es ihm so vor.

«Zuerst?» wiederholte sie, die Schinkenstücke in der schwarzen Eisenpfanne wendend. «Wie's dir geht. Ich habe nichts von dir gehört. Ich habe mir Sorgen gemacht.»

«Hab' ich dir nie erzählt, daß ich ein schlechter Briefeschreiber bin? Außerdem – die Armeepost ist so langsam wie eine Schnecke. Dein Geschenk kam mit Verspätung an. Ich danke dir, daß du an mich gedacht hast.»

«Wie könnte ich nicht?» Dann hastig, mit abgewandtem Gesicht: «Zu Weihnachten.»

«Das Buch ist hübsch.»

«Aber du hast es nicht gelesen.»

«Hatte noch keine Zeit.»

«Wenn das keine Ausrede ist. Wie lange kannst du bleiben?»

«Bis morgen früh, falls ich dich damit nicht kompromittiere. Ich kann im Stall bei meinem Pferd schlafen.»

Wieder eine Hand in der Hüfte: «Vor wem sollte es mich kompromittieren? Washington? Bosworth? Sie sind beide diskrete, tolerante Männer. Ich habe ein Ersatzzimmer mit einem Bett, und kein Nachbar ist weniger als eine Meile entfernt.»

«Schon gut, aber ich muß mir trotzdem Sorgen um dich machen. Hier wird's wahrscheinlich zu Kämpfen kommen, und du bist –»

Ein sanftes Klatschen. Ein Schlammklumpen hatte sich von seiner Hose gelöst und lag nun auf dem Boden. Ungeschickt und verlegen bückte er sich danach. Sie wedelte mit dem Löffel.

«Runter mit dem Zeug, danach essen und reden wir. Geh in mein Zimmer. Ich schicke dir einen der Männer mit Wasser für die Wanne und einem Nachthemd von Barclay. Laß die Uniform im Flur, ich bürste sie dir dann aus.»

Gus Barclays bloße Anwesenheit lockte ihn aus den dunklen Höhlen seines Inneren, wo er in letzter Zeit gehaust hatte. Er sank in das heiße Wasser der Zinkwanne und schrubbte sich mit selbstgemachter Seife ab. Dann zog er das Nachthemd an und kehrte in die Küche zurück, wo sie ihm ein schlichtes, herzhaftes Essen vorsetzte. Auch die befreiten Sklaven aßen hier. Charles erkannte schnell, daß die beiden und Gus eine Familie bildeten; eine Familie, in der er auf der Stelle willkommen geheißen wurde.

Nachdem er seine gesäuberte Kleidung wieder angezogen hatte, machten sie einen gemütlichen Spaziergang, und sie zeigte ihm ihre Felder und Gebäude. Eis und Schnee schmolzen, die Temperaturen stiegen, und ein Hauch von Frühling lag in der Luft. Sie sprachen über viele Dinge. Von Richmond, wo sie im Herbst zweimal Produkte ihrer Farm verkauft hatte. «Ich hatte den Eindruck, daß in der Stadt alle damit beschäftigt sind, sich gegenseitig in irgendeiner Form übers Ohr zu hauen.»

Über seine verlorenen Illusionen bei der Armee. «Stabsoffiziere sind ganz schön beschäftigt. Ich schätze, sie verbringen fünfzig Prozent ihrer Zeit mit politischen Machenschaften, fünfzig Prozent mit Papierkrieg und fünfzig Prozent mit Kämpfen.»

«Das sind hundertfünfzig Prozent.»

«Eben. Deshalb ist auch nicht viel gekämpft worden.»

Über ihren Onkel, Brigadier Jack Duncan. Sie hätte gern gewußt, wo er sich aufhielt, damit sie ihm schreiben konnte. Inoffizielle Kuriere – Schmuggler – konnten fast alles über die Grenzen zwischen Konföderation und Union befördern.

Dann sprach sie, übergangslos, von vergangenen Dingen. «Ich wollte ein Kind, Barclay ebenfalls. Aber ich wurde nur einmal schwanger, unter größten Schwierigkeiten.»

Sie schlenderten an einem kleinen Baumgarten entlang. Sie blickte ihn nicht an, während sie über das Kinderkriegen sprach, aber ansonsten war ihr keine Spur von Verlegenheit anzumerken, ebensowenig wie ihm.

«Während der ersten viereinhalb Monate war mir fast ständig schlecht. Eines Nachts verlor ich dann ganz plötzlich das Kind. Ich mag Pope zitieren können, aber in einfachen Dingen bin ich nicht so gut wie die alte Kuh im Stall, die uns mit Milch und Kälbern versorgt.»

Sie machte einen Witz daraus, aber ihr Kopf blieb gesenkt.

Zum Abendessen bereitete sie Roastbeef. Washington sagte, er und Boz hätten zu tun und könnten nicht am Essen teilnehmen. Gus akzeptierte das Märchen, ohne nachzufragen. Sie und Charles aßen im Scheine des Küchenherdes – eine der besten Mahlzeiten, die er je gekostet hatte.

Sie brachte einen Krug mit Rum auf den Tisch und schenkte Charles und sich einen Becher ein.

Jeder von ihnen spürte, wie einsam das Haus gelegen war, spürte die aufquellenden Emotionen des anderen. Charles schlug unter dem Tisch die Beine übereinander. Sie begann mit Tellern, Gabeln, Löffeln herumzuhantieren, machte sauber. «Du mußt müde sein – und du hast morgen einen weiten Ritt vor dir, nicht wahr?»

«Zweimal ja.» Er wollte zu ihr gehen, sie in die Arme nehmen, wollte die Nacht in ihrem Schlafzimmer verbringen. Es war nicht der Sinn für Anstand, der ihn daran hinderte, oder die Furcht, sie könnte nein sagen, obwohl das durchaus der Fall sein mochte. Es war eine innere Warnung, die er früher schon vernommen hatte; eine Warnung bezüglich der Zeit und des Ortes und der Umstände, die sie zusammengeführt hatten.

Er schob sich vom Tisch weg. «Ich leg' mich wohl besser hin.» Er fühlte sich angenehm müde. «Es ist ein wunderbarer Tag gewesen.»

«Ja, für mich auch. Gute Nacht, Charles.»

Er beugte sich zu ihr hinunter und küßte sie zart auf die Stirn. «Gute Nacht.» Er drehte sich um und ging in das leerstehende Zimmer.

Eine Stunde lang lag er unter der Decke und beschimpfte sich: *Ich hätte sie in die Arme nehmen sollen. Sie wollte es. Ich hab' es in ihren Augen gesehen.* Er schleuderte die Decke beiseite, tappte zur Tür. Lauschte auf nächtliche Geräusche im Haus. Griff nach der Tür. Hielt inne, die Fingerspitzen nur einige Zentimeter entfernt. Fluchte und ging zurück zum Bett.

Mit klopfendem Herzen erwachte er, ganz plötzlich auf der Hut. Er hörte Geräusche im Flur, untypische Geräusche. Licht drang unter der

Tür herein. Barfuß, im geborgten Nachthemd, riß er die Tür auf. Augusta Barclay stand lauschend an der Treppe. Sie trug einen leichten Morgenmantel aus Baumwolle, oben offen; ihr blondes Haar hatte sie zu Zöpfen geflochten.

«Was ist los?» sagte er.

Sie eilte den Flur entlang, in einer Hand ein altes Gewehr, in der anderen eine Lampe, die schräge Schatten warf. «Ich hab' draußen was gehört.» Dicht vor ihm blieb sie stehen. Deutlich sah er, wie ihre Brustwarzen unter dem weichen Stoff hart wurden. Jegliche Vernunft und Beherrschung ließen ihn im Stich. Er legte seine rechte Hand auf ihre Brust, beugte sich zu ihr, atmete tief die Nachtwärme ihrer Haut und ihres Haares ein.

Sie preßte sich gegen ihn, mit geschlossenen Augen und geöffneten Lippen. Ihre Zunge berührte die seine. In dem Moment klopfte es.

Sie wich zurück. «Was hast du aus mir gemacht, Charles Main?»

Das Klopfen wurde lauter, dazu kam noch Washingtons drängende Stimme. Charles holte seinen Revolver aus dem Schlafzimmer und rannte ihr nach zur Hintertür, wo die beiden aufgeregten Freigelassenen standen.

«Tut mir mächtig leid, mitten in der Nacht, Miz Barclay», sagte Washington. «Aber da ist mächtig viel Aufruhr auf der Straße.» Jetzt hörte Charles es auch: quietschende Achsen, klappernde Hufe, fluchende Männer.

Gus winkte mit dem Gewehr. «Komm rein und schließ die Tür.» Sie stellte die Lampe ab.

Charles eilte ins Wohnzimmer, duckte sich neben das dunkle Fenster und kam bald darauf beruhigt zurück. «Ich sah die Buchstaben CSA auf zwei Wagenplanen. Sie bewegen sich in Richtung Fredericksburg. Ich glaube nicht, daß wir belästigt werden.»

Wieder im Wohnzimmer standen Charles und Gus nebeneinander am Fenster, sorgfältig darauf bedacht, einander nicht zu berühren, und beobachteten die im hellen Mondlicht vorüberziehenden Fahrzeuge. Als sie schließlich verschwanden, sah Charles das erste Aufblitzen des Tageslichts. Nun war keine Zeit mehr, ins Bett zurückzukehren, aus welchem Grund auch immer.

Gus begann Kaffee aufzubrühen. Und so endete die Nacht und der Besuch. Nach dem Frühstück brach er auf. Sie begleitete ihn bis zur Straße. Sport, gut ausgeruht, tänzelte, konnte es kaum erwarten.

Sie berührte seine behandschuhte Hand, dort, wo sie auf seinem linken Bein ruhte. «Wirst du wiederkommen?»

«Wenn ich kann. Ich möchte es.»

303

«Bald?»

«General McClellan wird da ein gehöriges Wörtchen mitzusprechen haben.»

«Charles, sei vorsichtig.»

«Du auch.»

Sie hob seine Hand und preßte sie gegen ihre Lippen, dann trat sie zurück. «Du mußt kommen. Ich bin seit Jahren nicht mehr so glücklich gewesen.»

«Ich auch nicht», sagte er und trieb Sport auf die Straße, in die die Wagen tiefe Furchen gepflügt hatten.

Er winkte, starrte über die Schulter zu der kleiner werdenden Gestalt. Unmöglich, seine Gefühle länger zu verleugnen.

Du versuchst es besser. In Kriegszeiten konnte kein Mann einer Frau ein Versprechen geben und sicher sein, es auch halten zu können.

Er erinnerte sich an die Wärme ihres Busens, ihres Mundes, er dachte an ihr Haar, an die köstliche Berührung ihrer Zungen, bevor Washington geklopft hatte.

Er durfte sich in nichts verstricken.

Er *hatte* sich bereits verstrickt.

Er stand nicht im Begriff, sich zu verlieben.

Das war bereits geschehen.

Was zum Teufel sollte er nun tun?

52

Am ersten Samstag im April war die Stimmung in James Bullochs Liverpooler Büro so beschwingt wie die Frühlingsluft. Captain Bulloch war erst kürzlich von einer schnellen, aber ereignislosen Blitzfahrt durch die Blockade zurückgekehrt; in Savannah hatte er mit einigen von Mallorys Männern konferiert, obwohl er Cooper darüber keine Einzelheiten mitgeteilt hatte.

Das Büro sonnte sich immer noch im Erfolg des ersten Projekts. Am 22. März hatte der Schraubendampfer *Oreto* von den Toxteth-Docks abgelegt, ohne daß die Krone eingegriffen hätte; lediglich zwei von Konsul Dudleys Detektiven hatten vom Dock aus fluchend zugeschaut, aber das war auch schon alles gewesen.

Bulloch hatte den Namen *Oreto* erfunden, um die Behörden zu verwirren. Während sie bei William Miller gebaut wurde, hatte die Werft sie in ihren Büchern als Mittelmeer-Handelsschiff geführt, bestimmt für Palermo. Tatsächlich war ihr erstes Ziel Nassau. Der für die Atlantiküberquerung angeheuerte britische Kapitän würde dort das Kommando an Captain Maffitt von der Marine der Konföderierten übergeben. Die Bewaffnung, einem Kanonenboot entsprechend, folgte getrennt auf Bark *Bahama*.

Niemand wußte, wie lange diese Methode, die britischen Gesetze zu umgehen, funktionieren würde. Hoffentlich lange genug, daß ihr zweites Schiff noch zu Wasser gelassen werden konnte. Die Fertigstellung des zweiten Kanonenbootes mußte mit allen Mitteln vorangetrieben werden, da aus Lincolns lächerlicher, nur auf dem Papier bestehender Blockade sehr schnell eine echte, großen Schaden anrichtende wurde, je mehr Yankee-Kriegsschiffe Stellung bezogen. Die *Florida* – so würde die *Oreto* nach ihrer Indienststellung heißen – hatte eine genau definierte Mission: Sie sollte Handelsschiffe des Nordens kapern oder versenken und damit die Kosten der Schiffahrtsversicherungen in schwindelnde Höhen treiben. Als nächstes, so die Annahme der Konföderation, würden die Besitzer von Handelsschiffen Lincoln mit ihrem Gejammer in den Ohren liegen und Schutz verlangen. Lincoln wäre gezwungen, dafür Schiffe von der Blockade abzuziehen.

Ein zweites Schiff, schnell und gut bewaffnet, konnte den Druck verstärken. Dieses Schiff ging drüben bei Lairds seiner Vollendung entgegen. Bullochs Codename dafür lautete *Enrica*. Und die Arbeiten an der *Enrica* mußten beschleunigt werden; diese Botschaft hatte Cooper an diesem Frühlingssamstag weiterzugeben. Das war nicht so einfach, wie es sich anhörte, denn weder er noch Bulloch noch sonst jemand vom Büro wagte es, Laird-Gelände zu betreten. Dudley hatte überall seine Spione. Entdeckten sie Südstaatler auf der Werft oder im Gespräch mit einem der Eigentümer, dann würde der Yankee-Gesandte eine Untersuchung fordern, und die ganze Sache würde auffliegen. Aus diesem Grund war der Vertrag für die *Enrica* in geheimen Treffen in Number 1 Hamilton Square, Birkenhead, der Residenz von John Laird junior, ausgehandelt worden.

Cooper warf einen Blick auf seine Taschenuhr, sammelte seine Sachen zusammen und ging auf die Treppe zu. Bulloch tauchte aus der abgeteilten Ecke auf, die sein winziges Büro bildete.

«Richten Sie Judith meine besten Grüße aus.»

«Und grüßen Sie Harriott von mir.»

«Ich nehme an, Sie werden einen erholsamen Sabbat verbringen.»

«Das werde ich, nach dem Kirchgang.»

«Haben Sie unsere Spende dabei?»

«Ja.» Cooper tippte an seinen hohen Hut. Hinter Blicken und halben Lächeln hatten sie weitere Fragen, Antworten, versteckte Bedeutungen verborgen. Es gab zwei neue Angestellte im Büro; man konnte sich ihrer Loyalität noch nicht ganz sicher sein.

Im Hinabgehen grüßte er Prioleau, den Manager von Fraser & Trenholm, der gerade zum Gebäude zurückkehrte. Draußen wandte er sich nach links, gerade als die Glocken der Kirche von St. Nicholas die Viertelstunde schlugen. Die 4-Uhr-Fähre würde er leicht schaffen.

An der Ecke blickte er sich unauffällig nach allen Seiten um, konnte aber im Frühlingssonnenschein keine verdächtige Person entdecken. Er ging nach rechts auf den Mersey zu. Ein auslaufender Frachter fuhr vorbei. Er hörte das schwache Läuten der Schiffsglocke.

Cooper vermißte gelegentlich South Carolina. Er war keineswegs überzeugt davon, daß die Konföderation überleben würde. Die Anerkennung durch die beiden wichtigsten europäischen Nationen, England und Frankreich, war immer noch nichts weiter als eine Hoffnung, und militärisch schien sich auch nicht viel zu ereignen. Ein kluger Mann, ein Mann, der sich seine geistige Gesundheit bewahren wollte, tat, was er nun tat: sich auf die vor ihm liegende Aufgabe zu konzentrieren, nicht auf die bedrohlichen Hintergründe.

Der warme Sonnenschein tat ihm gut; entspannt lehnte er sich an die Reling der Fähre und dachte an seine Frau und andere erfreuliche Dinge. Die Fähre, vollgepackt mit Familien, Einkaufenden und Angestellten, deren Büros am Samstag schon frühzeitig schlossen, legte eine Minute nach vier vom City-Kai ab und hielt auf den Woodside-Kai zu, auf der anderen Seite des Merseys.

Cooper liebte den Betrieb im Hafen. Er liebte Liverpools dunkle, viereckige Gebäude, so solide wie die freundlichen Menschen, die sie bewohnten. Er liebte das bequeme Stadthaus, das er und Judith gefunden hatten, direkt gegenüber von Prioleaus Haus, nur durch den Abercromby Square getrennt. Er hatte sogar gelernt, schwarzen Pudding zu essen, eine einheimische Spezialität, die er allerdings ganz sicher niemals lieben würde.

Abends schlenderte Cooper gern an den Toxteth-Docks entlang, schaute sich die Sterne über dem Mersey und den Wirralbergen an und sagte sich, daß es eine gute Zeit, ein guter Ort war, wenn auch weit weg von zu Hause.

Während seine Gedanken wanderten und sein Blick über das Panorama der Docks am Liverpoolufer streifte, überfiel ihn plötzlich ein unangenehmes Gefühl. Er drehte sich um und sah den Mann zum erstenmal.

Ungefähr fünfzig, schätzte Cooper. Knollennase. Schnurrbart von gewaltigen Ausmaßen. Billiger Anzug, für das Wetter zu warm. Papiersack in einer Hand. Der Mann hielt hartnäckig das Ende einer Bank belegt, die bereits mit einer mageren Frau und ihren fünf Kindern überladen war. Aus dem Sack zog der Mann einen Porree. Mit großem Genuß biß er in die weiße Knolle.

Kauend warf der Mann Cooper einen Blick zu – nicht unfreundlich, bloß neugierig. Aber Cooper besaß mittlerweile Erfahrung im Aufspüren von Leuten, die zu Dudleys Rowdies gehören konnten. Gut möglich, daß es sich hier um einen neuen Mann handelte.

Er war nervös, als die alten, rußgeschwärzten Gebäude von Birkenhead vor ihm aufragten. Die Fähre schlug an, und Cooper ging als einer der ersten von Bord, schnell, aber nicht panikartig. Er drängte sich durch die Reihen der wartenden Kutscher und kletterte die gepflasterte Straße hoch, die zu einem Weg hinter dem Hamilton Square führte. Er flitzte hinein und drehte sich auf halber Strecke um. Keine Spur von dem Mann, der Porree aß.

Erleichtert betrat er das Wirtshaus *Pig and Whistle*, wo der Weg als Sackgasse endete.

Zu dieser Stunde hielten sich hier wie üblich nur ein paar Matrosen und Dockarbeiter auf. Cooper setzte sich an einen kleinen, runden Tisch, und die grauhaarige Frau des Besitzers brachte ihm einen Krug Bier, ohne eine Bestellung abzuwarten. «Tag, Mr. Main. Evensong kommt zwei Stunden später.»

«So spät?» Er konnte seine Besorgnis nicht unterdrücken. «Warum?»

«Keine Ahnung, Sir.»

«Schon gut, Maggie. Danke.»

Verdammt. Zwei Stunden Zeit, die er totschlagen mußte. Der Mann auf der Fähre und jetzt das – gab es Ärger? Hatte Charles Francis Adam die Krone irgendwie überredet, die *Enrica*, Konstruktionsnummer 209, zu beschlagnahmen? Ein Schwarm alarmierender Phantasien wirbelte ihm im Kopf herum. Er zuckte zusammen, als die Glocke über der Tür bimmelte. Eine bullige Gestalt füllte das helle Rechteck.

Der Mann mit dem Porreesack kam schnurstracks auf seinen Tisch zu. «Mr. Cooper Main, wenn ich richtig informiert bin?» Ein schmieriges Lächeln; eine fleischige Hand wurde ausgestreckt. «Marcellus Dorking. Agent für private Nachforschungen.» Er zog seine Hand zurück. «Kann ich kurz mit Ihnen sprechen?»

Was zum Teufel sollte das? Matt Maguire, Broderick – keiner von Dudleys anderen Detektiven operierte derart kühn. Mit klopfendem Herzen sagte Cooper: «Ich kenne Sie nicht.»

Dorking glitt auf die lange Bank unter dem Fenster. Er legte den Sack auf den Tisch, rief nach einem Gin, holte einen Porree aus dem Sack und begann damit zu spielen, ein breites Lächeln auf dem Gesicht.

«Aber wir kennen Sie, Sir. Bullochs Bursche – richtig, eh? Kein Problem. Wir bewundern einen Mann mit Gewissen.»

«Wer ist wir?»

«Nun, wir, das sind die Parteien, die mich baten, mit Ihnen Kontakt aufzunehmen, Sir.» Er biß den Porree mittendurch und kaute lautstark. Mit vollem Mund sagte er: «Parteien, die sich durch Captain Bullochs Interpretation des Auslandsanwerbungsgesetzes gestört fühlen.»

Cooper spürte, daß er sich in Schwierigkeiten befand. Würde er durchsucht werden? Würde die Nachricht in seinem Hut entdeckt werden? Unklug, so was schriftlich festzuhalten, erkannte er mit einiger Verspätung, aber keiner in Bullochs Büro war ein berufsmäßiger Spion.

Würde er verhaftet werden? Eingesperrt? Wie konnte er Judith benachrichtigen?

Dorking griff nach dem nächsten Porree. «Sie steh'n auf der falschen Seite, Sir. Dieses Niggersklavenzeugs – meine Frau ist sehr dagegen. Ich übrigens auch.»

«Entspringt Ihre Überzeugung Ihrem Gewissen oder Ihrem Geldbeutel, Dorking?»

Der Mann machte ein finsteres Gesicht. «Ich würd' keine Witze reißen, Sir. Sie sind Ausländer, in schwere Gesetzesübertretungen verwickelt. Oh, ich kenn' den Trick, Sir – Werften dürfen für kriegführende Länder, mit denen Großbritannien sich im Frieden befindet, keine Kriegsschiffe bewaffnen und ausrüsten. Aber nichts in dem Gesetz besagt, es sei illegal, ein Schiff *hier* zu bauen», er wedelte mit dem grünen Stengel vor Coopers Nase herum, «und Kanonen und Pulver und Granaten *dort* zu kaufen», der Porree flog davon, als er den Arm ausstreckte, «um sie dann drei oder mehr Seemeilen von unserer Küste entfernt zusammenzubringen.»

Cooper schwieg. Dorking beugte sich drohend vor. «In Ihrem Fall könnte man jedoch darüberwegseh'n – vielleicht sogar ein kleines Sümmchen zahlen –, wenn meine Klienten einige kurze Berichte über Ziel und Zweck eines Schiffes, das als 209 oder auch *Enrica* identifiziert wurde, erhalten würden. Wir sind doch immer noch auf gleichem Kurs, nicht wahr, Sir?»

Trotz seiner Furcht bleich vor Wut sagte Cooper: «Sie bieten mir Bestechungsgeld an, ja, Mr. Dorking?»

«Nein, nein! Lediglich etwas mehr finanzielle Sicherheit, Sir. Nur einige hilfreiche Fakten – zum Beispiel eine Erklärung für das merkwürdige Benehmen einiger Matrosen, die kürzlich in der Canning Street gesehen wurden. Sie marschierten mit Pfeifen und Trommeln und spielten eine Melodie namens ‹Dixie's Land›. Die gleichen Jungs waren kurz zuvor bei John Lairds gesichtet worden. Innerhalb des Tores. Hab' ich mich klar ausgedrückt? Na, was hat das für Sie zu bedeuten, Mr. Main?»

«Für mich bedeutet das, den Jungs gefällt die Melodie von ‹Dixie's Land›, Mr. Dorking. Und für Sie?»

«Daß Laird vielleicht eine Mannschaft anheuert, Sir. Für den Probelauf des neuen Kriegsschiffs der Konföderation, könnte das nicht sein?» Der Agent für Nachforschungen warf den halben Porree auf den Tisch und brüllte zu Maggie hinüber: «Wo bleibt mein verdammter Gin, Frau?» Er gab Cooper Gelegenheit, seine schmalen Augen und seine zusammengebissenen Zähne zu bewundern, ehe er sagte: «Ich will offen zu Ihnen sein, Sir. Wenn Sie uns helfen, dann ist mehr als nur ein kleines Honorar für Sie drin. Sie haben auch noch die Gewißheit, daß Ihre Frau und die Kleinen in Sicherheit sind.»

Maggie war am Tisch angekommen. Cooper riß ihr das Glas aus der Hand und schüttete Dorking den Gin ins Gesicht. Der Mann fluchte; mit der linken Hand packte ihn Cooper an der Kehle.

«Wenn ihr meine Frau oder Kinder anrührt, dann find' ich dich und bring' dich persönlich um.»

«Ich hole Percy», sagte Maggie und ging schon los. «Meinen Mann. Der wiegt zwei Zentner.»

Als Dorking das hörte, schoß er zur Tür, hielt dort nur lange genug, um zurückzurufen: «Niggerprügelnder Bastard. Wir werden dich aufhalten.» Er schüttelte den Papiersack. «Verlaß dich drauf!» Die Glocke bimmelte noch lange, nachdem die Tür zugefallen war.

«Alles in Ordnung, Sir?» fragte Maggie.

«Ja.» Cooper schluckte; der Schock setzte ein. Er konnte es nicht fassen, daß er gegen Dudleys Mann so gewalttätig vorgegangen war. Die Drohung gegen seine Familie hatte das provoziert.

Der Vorfall hatte ihn erschüttert. Er trank sein Bier aus und anschließend noch ein zweites, blieb aber stocknüchtern; hier war keine Erleichterung zu finden. Die Schatten auf dem Weg wurden länger und länger, und schließlich war es an der Zeit, zur Kirche von St. Mary, Birkenhead, aufzubrechen. Die Kirche lag nahe am Mersey, praktisch direkt neben Lairds und dem Schiff, das er noch nie gesehen hatte.

Innerlich angespannt, aber ohne Zwischenfall erreichte er die Kirche. Ein unauffälliger Mann löste sich von der Seite des Gebäudes. Er entschuldigte sich und lieferte eine kurze Erklärung für die Verspätung. Dann, nachdem beide die Umgebung nach möglichen Beobachtern abgesucht hatten, setzte Cooper seinen Hut ab und übergab dem Mann die zusammengefaltete Botschaft, der sich damit schnell entfernte. Das war alles.

Cooper rannte den größten Teil des Weges zur Anlegestelle der Fähre, verpaßte sie aber um drei Minuten und mußte eine Stunde auf die nächste warten. Wieder lehnte Cooper an der Reling, ohne allerdings das Wasser oder die Stadt wahrzunehmen; er sah nur Augen und Schnurrbart und malmende Zähne von Marcellus Dorking vor sich.

Wir werden dich aufhalten.

In seinem Kopf formte sich eine Frage, die ihn noch vor einer Woche in schallendes Gelächter hätte ausbrechen lassen. Aber nun –

«Sir?»

«Was ist?» Er erschrak, wurde dann verlegen; der Mann, der sich von hinten angeschlichen hatte, gehörte zur Mannschaft der Fähre.

«Wir haben angelegt, Sir. Alle anderen sind schon von Bord.»

«Oh. Danke.»

Stirnrunzelnd ging er in die Abenddämmerung des Frühlingstages hinein; lautlos die Frage wiederholend, die nichts Lächerliches mehr an sich hatte: Soll ich mir eine Waffe besorgen?

53

«Übernehmen Sie das Regiment, Colonel Bent!»

Wieder und wieder hallte das Kommando in seinem Kopf nach. Er hörte es trotz des Krachens der Artillerie in der kühlen Sonntagsluft. Hörte es trotz des Knatterns der Gewehre, hörte es trotz der erschreckten Schreie der untrainierten Männer aus Ohio, mit denen er die Stellung halten sollte. Hörte es trotz des Höllenlärms dieses Aprilmorgens.

«Übernehmen Sie das Regiment, Colonel Bent!»

Der Blick des Divisionskommandeurs war im Stabshauptquartier nahe des kleinen Shiloh-Versammlungshauses auf ihn gefallen, eine Stunde nach den ersten leichten Gefechten, nachdem die Spähtrupps düstere Gewißheit gebracht hatten. Da draußen im Südwesten lag Albert Sidney Johnstons Armee, und sie hatten sich von ihr überraschen lassen.

Bent war in dieser Klemme, weil ihn der Divisionskommandeur nicht leiden konnte. Der Kommandeur hätte einen Junior-Offizier mit der Führung des Ohio-Regiments beauftragen können, nachdem der Colonel, der Lieutenant Colonel und der Adjutant als gefallen gemeldet worden waren. Statt dessen schickte er einen Colonel vom Stab – einen, dem gegenüber er sich seit ihrer ersten Begegnung schroff und unfreundlich benommen hatte.

Hatte je ein Offizier unter schlimmeren Bedingungen dienen müssen? Der General war ein versoffener Narr, der Divisionskommandeur ein kleiner Leuteschinder, der aus lauter Angst vor Albert Sidney Johnston im letzten Herbst einen Nervenzusammenbruch erlitten hatte. Bent war überzeugt davon, daß es sich bei William Tecumseh Sherman um einen Irren handelte. Und rachsüchtig war er auch noch.

«Übernehmen Sie das Regiment, Colonel Bent!»

Dann sagte Sherman etwas, wofür ihn Bent mehr haßte als je einen anderen Menschen zuvor, mit Ausnahme von Orry Main und George Hazard: «Und lassen Sie sich nicht von mir erwischen, daß Sie mit ausgestreckter Hand hinter einem Baum stehen und sich freiwillig für einen Urlaub melden. Ich kenne Sie und Ihre Washingtoner Verbindungen.»

Diese Verbindungen hatten Elkanah Bent gerettet; zumindest hatte er das bis zu diesem Morgen angenommen. An dem Tag, an dem er zusammen mit Elmsdale in den Zug nach Westen gestiegen war, hatte er einen höflichen, entschuldigenden Brief – einen letzten Bittappell – an Rechtsanwalt Dills geschrieben und abgesandt. Als er in Kentucky ankam, lagen neue Befehle vor; eine Versetzung vom Frontdienst zum Stabsdienst bei Anderson.

Dann wechselten die Kommandos, wie es ständig der Fall war. Anderson wurde durch Sherman ersetzt, dessen Bruder ein einflußreicher Ohio-Senator war. Hatte der kleine Irre irgendwie Wind davon bekommen, daß hinter den Kulissen an den Fäden gezogen worden war? Bent wußte es nicht; er wußte lediglich, daß der Kommandeur auf eine Gelegenheit gewartet hatte, ihn zu bestrafen.

Gegen den Rauch blinzelnd sah Bent jetzt seine schlimmsten Befürchtungen bestätigt: eine neue Angriffswelle formierte sich dort in den Wäldern. Hardees Männer, ein dreckiger Haufen in schäbigen Uniformen. Auf der Anhöhe des sanften Hanges, den die Rebellen erstürmen wollten, lagen Bents unerfahrene Ohio-Männer hinter Bäumen und Sträuchern. Die Bundestruppen waren an ihren Frühstücksfeuern überrascht worden; sie hatten nicht geschanzt, weil General Grant das nicht für nötig befunden hatte. Halleck hatte guten Grund, Grant zu mißtrauen.

Zitternd sah Bent dem Ansturm der Rebellen entgegen. «Haltet die Stellung, Jungs», rief er und zwang sich, hinter einer dicken Eiche hervorzutreten und sein Fernglas anzusetzen. Viel lieber hätte er sich hinter dem Baum zusammengeduckt und den Kopf eingezogen.

Die erste graue Welle begann zu feuern. Bent jaulte auf und sprang in den Schutz des Baumes zurück. Der Südstaatenabschaum stieß wilde Schreie aus, diese Schreie, die zu einem Markenzeichen bei Konföderiertenangriffen geworden waren. Für Bent hörte es sich wie das Geheul wahnsinniger Hunde an.

Überall hörte er die Kugeln pfeifen. Links von ihm zuckte ein Soldat plötzlich hoch, als wäre er angehoben worden. Ein Stück seines Gesichts flog davon, dann kippte er nach hinten weg, als die Kugel sein Gehirn traf.

Die Rebs waren bis auf fünfzig Yards herangekommen, zimtfarben und grau; Bärte und Lumpen; riesige brennende Augen und riesige aufgerissene Münder. Granateinschläge befleckten den blauen Himmel; Rauch wehte aus den Baumwipfeln; die Erde bebte, und Bent hörte einen noch viel lauteren Schrei.

«Oh nein, mein Gott – nein.»

Die ersten Rebs erreichten die Männer aus Ohio, die noch nie in einer Schlacht gestanden hatten. Ungeschickt versuchten sie die zustechenden Bajonette der Angreifer abzuwehren. Bent sah, wie Stahl in einen blauen Waffenrock drang und auf der anderen Seite rotgefärbt herauskam. Wieder ertönte der Schrei.

«Oh, Gott, nein!»

Mit seinem Säbel schlug er auf den Rücken eines Ohio-Soldaten ein. Wild rudernd stolperte er durch das hohe Gras, direkt auf den Fersen des Soldaten. Die Rebs stürmten den Hügel, die Männer aus Ohio flüchteten, gaben ihre Stellung auf. Bent schlug auf den blauen Rock vor sich ein, bis der Mann stolperte und hinfiel. Bent raste vorbei, schnell trotz seiner Massigkeit.

Er warf seinen Feldstecher und seinen Säbel fort. Hunderte rannten zwischen den Bäumen durch, auf Pittsburg Landing am Tennessee

River zu. Ein Regiment nach dem anderen geriet ins Wanken und löste sich auf. Er mußte sich selbst retten, auch wenn dabei jeder andere Soldat unter seinem Kommando draufging; er war mehr wert als sie alle zusammen.

Die vor ihm Fliehenden hatten bereits einen Pfad getrampelt. Ein kleiner, hinkender Soldat, der den Rand einer Trommel umklammerte, blockierte seinen Weg. Bent packte die schmalen Schultern des Trommlers und schleuderte ihn zur Seite; der Blick des Jungen traf ihn, verängstigt und vernichtend zugleich. Dann verlor der Junge die Balance und fiel neben dem Pfad zu Boden. Bent rannte weiter.

Seine Panik wuchs noch, als er sich durch einen Bach kämpfen mußte. Er hörte das Jaulen einer Granate, warf seine Arme um einen Baum, schloß die Augen und verbarg sein Gesicht. Kurz vor dem Moment, in dem die ganze Welt in die Luft flog, erkannte er, wer «Oh Gott, nein» geschrien hatte.

Er selbst hatte geschrien.

Er erwachte im prasselnden Regen. In den ersten verständnislosen Augenblicken glaubte er, tot zu sein. Dann hörte er die Schreie in der Dunkelheit. Stöhnen. Plötzliches Aufbrüllen. Schnüffelnd tastete er sich von den Knöcheln über den Unterleib bis zur Kehle nach Verletzungen ab. Er war durchnäßt, steif, alles tat ihm fürchterlich weh. Aber er war unverletzt. *Unverletzt.* Herr im Himmel. Er hatte den Tag überlebt.

Ein Blitz zuckte über den Ästen auf. Als der Donner folgte, begann er zu kriechen. Er glaubte Wasser zu riechen, kroch schneller.

Wieder ein Blitz; Donner; und dazu der unaufhörliche Chor der Verwundeten. Tausende mußten in den Wiesen und Wäldern um das Shiloh-Versammlungshaus liegen. Wer hatte die Schlacht gewonnen? Er wußte es nicht und kümmerte sich auch nicht darum.

Seine Hände versanken im Schlamm. Er streckte sie aus, klatschte ins Wasser. Sein Mund war ausgedörrt. Mit beiden Händen schöpfte er, trank und hätte sich beinahe übergeben. Was war mit dem Wasser los?

Ein Blitz erhellte treibende Körper. Rote Flüssigkeit tropfte aus seinen Handschalen. Er krümmte sich zusammen und würgte. Nichts kam hoch. Er war verwirrt, hatte die Orientierung verloren. *Ich bin in Mexiko. Das ist Mexiko.*

Er durchquerte den Bach, taumelte gegen Bäume, stolperte über einen Felsen, stürzte keuchend zu Boden. Seine Hand berührte etwas, tastete den Gegenstand ab. Ein Bajonett. Ein grellweißer Blitz tauchte alles in blendende Helligkeit. Das Bajonett steckte im Genick eines weiteren Trommlers, hatte ihn am Boden festgespießt. Bent schrie, bis er keine Kraft mehr hatte.

Er taumelte weiter. Die rasch aufeinanderfolgenden Schocks begannen eine unerwünschte Wirkung auszuüben: Sein Verstand wurde klar, begann wieder zu funktionieren. Er wehrte sich dagegen, aber es half ihm nichts; er war gezwungen, die Realitäten zur Kenntnis zu nehmen.

Obwohl er sich genau so wie die anderen benommen hatte, war sein Verbrechen schlimmer, weil er das Kommando gehabt hatte. Außerdem war er als einer der ersten geflohen. Er wußte, die Männer aus Ohio würden die Geschichte verbreiten. Dieses Schandmal würde ihn ruinieren. Das durfte nicht geschehen.

Schluchzend kehrte er um, tränkte seine Hosen mit seinem eigenen Urin; es war ihm egal. Er suchte so lange, bis er den kleinen Trommler gefunden hatte.

Ich kann es nicht, dachte er.

Nur so kannst du dich retten.

Schwitzend und keuchend packte er das Bajonett und zog sanft, drehte sanft, befreite es sanft vom Fleisch des Jungen. Dann stemmte er sich mit dem Rücken gegen einen Baumstamm und sammelte Mut.

Noch einmal drehte er den Kopf zur Seite und schloß die Augen. Rein nach Gefühl richtete er die Spitze des Bajonetts gegen seinen linken Oberschenkel.

Dann stieß er zu.

Beide Seiten beanspruchten den Sieg bei Shiloh für sich. Doch Grant hatte am zweiten Tag die Offensive geführt, und die konföderierte Armee hatte sich nach Corinth zurückgezogen; einer ihrer großen Helden, Albert Sidney Johnston, war in der Schlacht gefallen. Diese Tatsachen drückten mehr aus als die von beiden Seiten abgegebenen Erklärungen.

Im Hospital erfuhr Elkanah Bent, daß die Ohio-Männer kein Einzelfall gewesen waren. Tausende waren geflohen. Versprengte Regimenter waren überall am Ufer des Tennessee gefunden worden, wo sie in Sicherheit dem Schlachtgetöse am Sonntag lauschten; diese Schlacht ging verloren, bis die Union am Montag den Spieß umdrehte und einen Sieg an ihre Fahnen heften konnte.

Damit war die Bedrohung, der sich Bent gegenübersah, jedoch nicht aus der Welt geschafft. Sein Verhalten war bald schon Gegenstand einer Untersuchung. Er wurde ein Experte darin, seine Geschichte wieder und wieder zu erzählen. «Ich bin tatsächlich gerannt, Sir. Um meine Männer aufzuhalten. Um die Flucht zu stoppen.»

Auf die Frage nach dem Ort, wo er bewußtlos aufgefunden worden war – am Owl Creek, fast eine Meile von der Stellung seines Regiments entfernt –, erwiderte er: «Der Reb, gegen den ich kämpfte – der mir den Bajonettstich zufügte –, erwischte mich in der Nähe unserer ursprünglichen Front. Die Lage meiner Wunde beweist das. Meine Erinnerung an das, was nach dem Stich geschah, ist sehr lückenhaft; ich weiß nur noch, daß ich den Reb niedermachte und dann losrannte, um die allgemeine Flucht zu stoppen.»

Die Untersuchung landete schließlich bei Sherman, zu dem er sagte: «Ich rannte, um meine Männer aufzuhalten. Um die Flucht zu stoppen.»

«Laut einigen Zeugen», sagte der General kalt, «gehörten Sie zu den ersten, die flüchteten.»

«Ich bin nicht geflüchtet, Sir. Ich versuchte die Flüchtenden aufzuhalten. Das werde ich vor jedem Kriegsgericht wiederholen – und vor jedem Zeugen, der mich zu beschuldigen versucht. Das Regiment, das Sie mir zuteilten, bestand aus Männern, die noch nie in einer Schlacht gewesen waren. Wie so viele andere bei Shiloh rannten sie. Ich rannte ihnen nach, um sie zu stoppen. Um die Flucht zu stoppen.»

«Herr im Himmel, könnten Sie mir das vielleicht ersparen?» sagte Sherman und spuckte auf den Boden neben seinem Feldschreibtisch. «Ich will Sie nicht länger unter meinem Kommando haben.»

«Bedeutet das, Sie beabsichtigen –»

«Sie werden herausfinden, was es bedeutet, wenn ich es für richtig halte. Abtreten!»

Bent salutierte und hoppelte mit seiner Krücke hinaus.

Seine Nerven waren in schlimmerem Zustand als seine Wunde. Was würde dieser kleine Wahnsinnige tun, um ihn zu bestrafen?

Auf der Halbinsel südöstlich von Richmond führte McClellan ein paar folgenlose Scheingefechte mit Joe Johnston auf. Am Shenandoah schlug Stonewall Jackson die Yankees mit brillanten Manövern und tilgte damit einen Teil der Schmach von Shiloh. Unten am Mississippi dampfte Admiral Farragut an den Batterien der Konföderierten vorbei nach New Orleans. Die praktisch schutzlose Stadt ergab sich ihm am 25. April. Fast einen Monat nach seinem ungemütlichen Zusammentreffen mit Sherman bekam Bent einen neuen Posten zugewiesen.

«Stabsdienst bei der Golf-Armee?» sagte Elmsdale, als Bent ihm bei einer zufälligen Begegnung davon erzählte. «Das ist im Grunde eine Besatzungsarmee. Ein sicherer Posten, aber nicht gerade ein Gewinn für Ihre Karriere.»

«Das hier auch nicht», grollte Bent und deutete auf sein Hosenbein. Der Stoff war von der Wundabsonderung durch den Verband hindurch feucht geworden.

Elmsdale schüttelte ihm die Hand und wünschte ihm alles Gute, aber Bent entdeckte eine gewisse Selbstzufriedenheit in den Augen des Colonels. In einem Schlachtfeldabschnitt, der auf den Namen Hornet's Nest getauft worden war, hatte Elmsdale eine Schulterwunde empfangen; er war dafür öffentlich geehrt worden. Bent hatte sich mit Schimpf und Schande bedeckt, wofür er andere verantwortlich machte, angefangen von Sherman bis zu dem betrunkenen Baumeister des Shiloh-Sieges, Grant.

Elkanah Bent spürte, daß sein Stern im Sinken war, und er konnte wenig dagegen tun.

54

«Bringt die Wagen hoch», brüllte Billy. «Wir brauchen Boote!»

Bis zur halben Stiefelhöhe im Schlamm stehend, stieß Lije Farmer den jüngeren Mann am Arm an. «Nicht so laut, mein Junge. Auf der anderen Seite könnten feindliche Posten stehen.»

«Die können mich nicht besser sehen, als ich sie sehen kann. Wie breit ist dieser verdammte dunkle Fluß überhaupt?»

«Das Oberkommando läßt uns derartige Informationen nicht zukommen und gibt keine topographischen Karten aus. Lediglich Befehle. Wir sollen den Black Creek überbrücken.»

«Verdammt passender Name», sagte Billy finster.

Der Brückenzug – Pontonwagen, Balken- und Schienenwagen, Werkzeugwagen und die fahrbare Schmiede – hatte sich über schmierige Straßen gequält, nachdem es nachts zu regnen begonnen hatte. Für eine Weile hatte der Regen nachgelassen, aber jetzt goß es wieder in Strömen, und der Wind hatte aufgefrischt. Im Schein von drei Laternen, die an in den Schlamm gesteckten Stangen schwankten, betrachtete Billy die unvollendete Brücke. Es war riskant, auf diese

Weise ihre Position zu verraten, aber sie brauchten unbedingt Licht; der Fluß war tief, das Wasser ging hoch, und die Strömung war schnell.

Niemand antwortete auf Billys Ruf, und er konnte keine weiteren Bootswagen in der Dunkelheit erkennen. «Ich vermute, die sind im Schlamm steckengeblieben», sagte Farmer. «Vielleicht schau'n Sie mal nach. Ich erledige das hier schon.» Er ließ seine alte Flinte in die Beuge seines linken Ellbogens gleiten. Die für diesen Dienst abgestellten Infanteristen hatten zwar die Aufgabe, das Baugelände abzuschirmen und zu bewachen, aber die Pioniere der Potomac-Armee hatten zu sich selbst größeres Vertrauen als zu diesen Greenhorns und arbeiteten selten ohne Waffen. Auch an Billys Hüfte lag ein Revolver.

Schlammbedeckt kämpfte er sich das Ufer zum Werkzeugwagen hoch. Er war sich nicht mal sicher, welches Datum sie schrieben; vielleicht den 10. April. General McClellans gewaltige Armee, angeblich doppelt so groß wie die kombinierten Konföderiertenstreitkräfte von Joe Johnston und Prince John Magruder, war per Schiff nach Fort Monroe gekommen, an der flachen Spitze der Halbinsel zwischen den Flüssen York und James. Die Einschiffung begann am 17. März, sieben Tage, nachdem Little Mac seiner Pflichten als Oberbefehlshaber enthoben worden war. Als Grund dafür wurde seine Weigerung, gegen Manassas zu ziehen, angesehen. Andere erwähnten lediglich den Namen Stanton; die Generale erstatteten ihm jetzt direkt Bericht.

Obwohl McClellans Kommando auf die Potomac-Armee reduziert worden war, kämpfte er weiter um das, was er wollte: mehr Artillerie, mehr Munition, McDowells Corps, das zur Verteidigung von Washington zurückgehalten wurde. Als die Regierung die meisten seiner Forderungen ablehnte, beschloß McClellan, Magruder zu belagern, anstatt ihn anzugreifen, eine Entscheidung, mit der viele, einschließlich Lije Farmer, nicht einverstanden gewesen waren.

«Was ist los mit ihm? Es heißt, er nimmt die Anzahl der Feindtruppen, die seine Pinkertonspione durchgeben, und verdoppelt sie – aber selbst dann sind unsere Streitkräfte noch überlegen. Wovor hat er solche Angst?»

«Davor, seinen Ruf zu verlieren? Oder vielleicht die nächsten Präsidentenwahlen?» Es war kein reiner Scherz, wie Billy das sagte.

Der Feldzug gegen Yorktown begann am 4. April. Die Aufgabe des Pionierbataillons bestand darin, Knüppeldämme zu bauen und Brücken über Flüsse zu schlagen, damit Männer und Artillerie gegen Magruders Linien vorrücken konnten, die sich über fast dreizehn Meilen zwischen Yorktown und dem Warwick River erstreckten. Scouts berichteten von zahlreichen großen Geschützen in den feindlichen Stellungen.

Er erreichte die Reihe der Pontonwagen, eine gute halbe Meile oberhalb der Brücke. Wie sie vermutet hatten, war es der Schlamm: Der erste Wagen steckte bis zu den Achsen drin.

Da war nichts zu machen; der Wagen blockierte die anderen. Eine Ausweichmöglichkeit bestand nicht. «Okay, Fahrer – ich schicke euch ein paar Männer, und wir tragen die Boote zum Wasserplatz. Wir sind spät dran.»

Irgendwo in der Finsternis brüllte eine Phantomstimme: «Wer hat den Mist gebaut?»

Ein anderer klagte: «Tragen? Vom letzten Wagen kommt das einer Meile verdammt nahe.»

«Mir egal, und wenn's fünfzig sind», sagte Billy und stürmte zurück zu Lije Farmer.

An der unvollendeten Brücke trödelten die erschöpften Infanteristen herum. Es gab nichts zu tun, bis das nächste Boot zu Wasser gelassen und an die Spitze geschoben worden war. «Ich brauche Männer, um die Boote zu tragen, Lije. Ich habe versucht, den Wagen herauszuholen, aber der hängt fest. Niemand kommt vorbei.»

Ein Gewehr blitzte in den Wäldern jenseits des Flusses auf. Auf der Brücke schrie ein Soldat und griff sich ans Bein. Langsam kippte er nach vorn, aber die anderen zerrten ihn zurück, ehe er ins Wasser fallen konnte. Gleichzeitig packte Farmer seine Flinte am Lauf und schlug die nächste Laterne vom Pfosten. Mit einem Satz war Billy bei der anderen Laterne, während Schüsse und Geschrei aus der Dunkelheit drangen. Nachdem sie sämtliche Laternen gelöscht hatten, zogen sie sich ans Ufer zurück und erwiderten das Feuer. Nach fünfzehn Minuten hörten die Hinterhaltsschüsse der Rebellen auf. Nach weiteren fünfzehn Minuten zündeten Billy und Lije die Laternen wieder an, und die Arbeit ging weiter.

Gegen halb drei hatten sie genügend Boote im Wasser und genügend Bohlen und Planken gelegt, um das andere Ufer zu erreichen. Billy schrieb eine kurze Meldung, daß die Brücke fertig sei und schickte sie mit einem Kurier zum Hauptquartier zurück. Lije ordnete eine Pause an. Die Männer schliefen im Freien, in bestmöglicher Deckung für sich selbst und ihr Schießpulver. Billy nieste zum vierten Mal, während ihm beunruhigende Gedanken durch den Kopf gingen.

«Lije? Haben Sie das von den Shiloh-Gefallenen gehört, bevor wir gestern abend loszogen?»

«Ja», kam die Antwort von der anderen Seite des Baumes, an dem

318

illy lehnte. «Es heißt, jede Armee habe ein Viertel ihrer Männer erloren.»

«Es ist unglaublich. Der Krieg verändert sich, Lije.»

«Und wird das auch weiterhin tun.»

«Und wohin führt das?»

«Zum endgültigen Sieg der gerechten Sache.»

Da bin ich mir gar nicht sicher, ob wir das alle erleben werden, achte Billy und schloß die Augen. Seine Zähne klapperten, und er ing an zu zittern. Trotzdem schlief er, im Regen sitzend, irgendwie ein.

Am frühen Morgen befestigten die Pioniere die letzten Kabel an der rücke und suchten die Wälder auf der anderen Seite nach Rebellen b; als sie keine finden konnten, machten sie Pause und warteten ab. ald genug schon würden sie woandershin geschickt werden.

n einem nächtlichen Biwak in der Nähe von Yorktown sagte Charles u Abner Woolner: «Wir reiten nun schon seit ein paar Wochen zu-ammen, aber ich weiß kaum was von dir.»

«Gibt nicht viel, Charlie. Ich kann nicht gut lesen, noch schlechter chreiben, und rechnen gar nicht. Bin nicht verheiratet. War mal, aber ie starb. Sie und das Baby.» Es nötigte Charles Bewunderung ab, wie r das so geradeheraus sagte, ohne jedes Selbstmitleid.

«Hab' eine Farm in der Nähe der North Carolina Front», fuhr der cout fort. «Kleine Klitsche.»

«Was hältst du von diesem Krieg?»

Ab schob seine Zunge hin und her. «Könnte deine Gefühle verlet-en, wenn ich's sag'.»

Charles lachte. «Warum?»

«Weil ich euch Plantagennabobs und euer gottloses, verschwenderi-ches Leben da unten an der Küste nicht ausstehen kann. Ihr habt uns n dieses Schlamassel gezogen. Ein paar von euch hier sind ganz in rdnung, aber nicht viele.»

«Besitzt du Sklaven, Ab?»

«Nein, Sir. Hab' nie welche gehabt und würd' nie welche haben. önnt' nicht sagen, daß ich besonders viel für die Schwarzen übrig ab', aber ich würd' schon meinen, daß niemand gegen seinen Willen etten tragen soll. Ich weiß, was für Leute ich mag. Dich. Major utler. Hampton – ich hab' gemerkt, als ich mich bei ihm meldete, daß h für den Gentleman nicht groß genug war, um in seiner regulären ruppe zu dienen, aber er hat's mit keinem Wort erwähnt. Ich zieh' ihn iesem tollen Jeb Stuart jederzeit vor.»

«Ich auch. Beauty ist ein alter Klassenkamerad von mir, aus West

Point, aber ich hab' nicht mehr die Achtung vor ihm, die ich eins
hatte. Ich teile deine Gefühle über Hampton. Über die meisten Planta‹
genbesitzer übrigens auch.»

Ab Woolner lächelte. «Ich wußte, daß es einen Grund gibt, weshal›
ich dich mag, Charlie.»

In sein Journal schrieb Billy:

> *Der General ist ein Paradoxon. Er verlangt von uns, seine Belage‹*
> *rungsartillerie, alle zweiundsiebzig Geschütze, in Stellung zu brin‹*
> *gen, um eine Feindstellung zu beschießen, die man, wie viele glau‹*
> *ben, mit einem einzigen kompakten Angriff einnehmen könnte. Ei‹*
> *Laie würde glauben, hier werde eine mindestens einjährige Belage‹*
> *rung vorbereitet.*
>
> *Fragen werden gestellt. Warum wird das alles so gehandhabt‹*
> *Warum ist Richmond das Ziel und nicht die konföderierte Arme‹*
> *deren Vernichtung zweifellos die vollständige Kapitulation nac›*
> *sich ziehen würde? Aber solche Fragen, obwohl weit herum in de‹*
> *Luft, werden keineswegs in Hörweite der ultraloyalen Offizier‹*
> *gestellt, die der General um sich geschart hat.*
>
> *Das Paradoxon, von dem ich schrieb, besteht darin, daß de‹*
> *General wenig tut, jedoch ungemein geliebt wird. Die Männer, di‹*
> *von seiner Hand zur besten Kampftruppe, die es auf diesem Plane‹*
> *ten gibt, geschmiedet wurden, warten müßig – und jubeln ihm zu‹*
> *sobald er sich bei ihnen blicken läßt. Bejubeln sie ihn, weil er sie vo‹*
> *den Risiken des Kampfes bewahrt?*
>
> *Brett, ich werde allmählich bitter. Aber in dieser Armee herrsch‹*
> *nun mal Vetternwirtschaft. Einige nennen den General «McNapo‹*
> *leon». Es ist nicht als Lob gedacht.*

Als sich die Konföderierten Anfang Mai aus Yorktown zurückzoge‹
gehörten die Pioniere zu den ersten, die die verlassenen Befestigunge‹
stürmten. Billy rannte zu einer Geschützstellung, nur um bei dieser
Anblick in lautes Fluchen auszubrechen. Das große, schwarze, in di‹
Luft ragende Feldgeschütz war nichts weiter als ein angestrichene‹
Baumstamm. Die Stellung enthielt fünf weitere Attrappen.

«Geschützattrappen», sagte er angewidert.

Lije Farmers weißer, lang gewordener Bart wehte in der Maibris‹
«Du hast mich getäuscht, und ich wurde getäuscht. Dem tägliche‹
Spott bin ich preisgegeben – ein jeder macht sich lustig über mich.»

«Prince John ist ein Meisterartillerist. Amateurtheater liebt er auc‹

noch. Eine tödliche Kombination. Ich frage mich, ob es noch mehr von den Dingern gibt?»

Es gab. Um die Demütigung zu vollenden, berichtete ein Deserteur, Magruder hätte in Yorktown ein paar Einheiten auf und ab marschieren lassen, um dem Feind zu suggerieren, er würde die Stellung mit wesentlich mehr als den dreizehntausend Mann halten, die er nun zurückgezogen hatte. Während Magruder den Feind mit Tricks und guten Nerven hingehalten hatte, war der Großteil der Rebellenarmee weiter oben auf der Halbinsel in Stellung gegangen, eine heimlich vorbereitete und leichter zu verteidigende Position. Little Macs Zögern hatte Johnston einen weiteren Vorteil verschafft – zusätzliche Zeit, um Verstärkungen aus dem westlichen Teil des Staates heranzuholen.

«Dieser verdammte Krieg mag sich eine ganze Weile hinzieh'n», sagte Billy. «Unsere Seite mag mehr Fabriken haben, aber ich werde das Gefühl nicht los, die andere Seite hat mehr Hirn.»

Darauf hatte Lije keinen Bibelspruch parat.

Die Maiwälder rochen nach Regen. Charles, Ab und ein dritter Scout namens Doan saßen, zwischen den Bäumen versteckt, bewegungslos auf ihren Pferden und beobachteten den Trupp auf der Landstraße: zwölf Yankees in Zweierreihe, die von Tunstall's Station in Richtung Bottom's Bridge am Chickahominy ritten. Johnston hatte sich auf die andere Seite des Flusses zurückgezogen. Pessimisten stellten fest, daß diese Demarkationslinie an manchen Stellen nicht mehr als zehn Meilen von Richmond entfernt war.

Die drei Scouts waren zwei Tage lang auf der Yankeeseite des Chickahominy gewesen, ohne greifbare Ergebnisse. Sie hatten die Richmond & York-Bahnlinie auf Anzeichen von Verkehr hin kontrolliert, hatten nichts entdecken können und waren auf eigener Fährte zurückgeritten, auf das flache Flußland zu, als sie die Yanks gehört hatten. Sofort versteckten sich die Scouts im Wald.

Charles hatte seinen .44 Colt gezogen, seine Schrotflinte war griffbereit. Er war nicht scharf auf einen Kampf; viel lieber hätte er die Identität dieser Yanks gekannt und gewußt, was sie auf dieser Straße zu suchen hatten.

«Berittene Schützen?» flüsterte er, nachdem er die orangefarbenen Quasten an den Hüten der beiden Offiziere entdeckt hatte.

«Unwahrscheinlich, bis auf die zwei Schulterstreifen», erwiderte Ab. «Wenn einer der anderen Jungs in seinem Leben mehr als zwei Stunden auf 'nem Pferd gesessen hat, bin ich Varina Davis.»

Doan beugte sich näher heran. «Wer zum Teufel sind sie dann? Ihre

Uniformen sind so verdammt dreckig, man kann ja gar nichts erkennen.»

Charles strich seinen Bart. Er brachte Schlamm mit Flußbänken in Verbindung, und Flußbänke mit seinem Freund Billy. «Möcht' wetten, das sind Pioniere.»

«Könnte sein», sagte Ab. «Aber was tun sie? Die Sümpfe erkunden?»

«Ja. Für Brücken. Suchen Stellen zum Überqueren. Das kann das erste Anzeichen vom Vormarsch sein.»

Sport scheute. Charles beruhigte den Grauen mit den Knien, während ein Teil seines Gehirns ein seltsam flüsterndes Geräusch am Boden registrierte. Er verfolgte das nicht weiter, weil Doan sprach.

«Können wir sie nicht ein bißchen abschießen, Cap?»

«Nichts dagegen einzuwenden, aber ich halte es für klüger, wenn wir zur nächsten Straße weiterreiten. Je eher wir mit dieser Meldung überm Fluß sind, desto besser.»

«Klapperschlange», flüsterte Ab. Die Schlange glitt zwischen den Vorderbeinen seines Pferdes hindurch. Das Pferd tänzelte zurück und wieherte lang und laut.

«Das wär's», sagte Charles. Rufe auf der Straße, jemand bellte Befehle. Die erschreckte Schlange verschwand. «Los, weg von hier.»

Ab hatte Schwierigkeiten mit seinem Pferd. «Komm schon, Cyclone, verdammt noch mal!» An Gewehrfeuer, aber nicht an Reptilien gewöhnt, bäumte sich das Pferd auf und hätte beinahe seinen Reiter abgeworfen. Charles packte es vorn am Halfter, die Vorderhufe knallten auf den Boden, und Ab blieb im Sattel. Aber wertvolle Sekunden waren verloren gegangen; das scheuende Pferd war dabei in einen Lichtstreifen zwischen den Bäumen geraten. Zwei Yankees am Ende der Kolonne entdeckten Ab und brachten ihre Gewehre in Anschlag.

Charles zog seine Schrotflinte, feuerte beide Läufe ab, schoß dann noch dreimal mit dem Revolver. Die Yanks rutschten aus dem Sattel, brüllten: «Deckung.»

«Los, Jungs», schrie Charles, sich an die Spitze setzend. Die Yanks würden wahrscheinlich in den Straßengräben Deckung suchen; die Scouts konnten so einen Vorsprung gewinnen.

Nach einem kurzen, scharfen Ritt galoppierte Charles auf die Straße zu, dicht gefolgt von Ab und Doan. Ein Blick zurück zeigte ihm zwei auf der Straße stehende Yanks. Der Rest lag in Deckung.

Beide Yanks feuerten auf die Scouts. Eine Kugel streifte die seitliche Krempe von Charles' Hut. Nach einigen Sekunden waren sie außer Schußweite. Charles schob seinen Revolver ins Halfter und konzentrierte sich auf den Ritt. Die Straße schlängelte sich durch Wälder, in denen sumpfige Tümpel glitzerten.

Hinter ihnen brach die Straße auf, ein Ausbruch von Feuer mit einem Schrapnellschauer. Ab war so entnervt, daß er beinahe in einen der Tümpel galoppiert wäre. Charles zerrte an den Zügeln, wendete, sah einen rauchenden Krater vor sich und Doan, der sich unter seinem gestürzten Pferd hervorwühlte.

Doan gab erstickte Laute von sich. Das Pferd war erledigt. Die vergrabene Granate, ausgelöst durch eine Friktionszündvorrichtung, hatte tödliche Fragmente in Schulter und Brust des Tieres geschleudert.

Doan befreite sich aus dem linken Steigbügel. Das Pferd glitt mit dem Schwanz voran in das Loch. Wie ein verwirrtes Kind marschierte Doan im Kreis herum. Hinter den Biegungen der Straße verborgen konnte man die Yanks hören, die sich im Galopp näherten.

Charles begann zu schwitzen. Er trieb Sport an den Rand des Loches, doch der Graue scheute vor dem sterbenden Pferd zurück. «Steig auf», sagte Charles und klatschte hinter sich auf Sports Rumpf. Doans Verwirrung hielt an. Ab feuerte einen Schuß die Straße runter, obwohl noch kein Yank in Sicht war.

Plötzlich begann Doan zu weinen. «Ich kann ihn nicht verlassen.»

«Er ist erledigt, und die Kompanie Q ist ein besserer Platz als irgendein Yankee-Lager.» Der erste blaugekleidete Reiter kam um die Biegung. Charles packte Doan am Kragen. «Steig auf, verdammt, oder wir werden alle geschnappt.»

Doan schaffte es, auf den Grauen zu klettern und sich an Charles' Taille festzuklammern. Charles zog Sports Kopf herum, und sie galoppierten auf den Chickahominy zu. Ab drückte sein Pferd beiseite, um den Grauen vorbeizulassen, und feuerte seine Waffe auf die anstürmenden Reiter ab. Seine Chance zu treffen war gering, aber er bremste die Verfolger.

Selbst mit dem doppelten Gewicht benahm sich Sport großartig. Charles fühlte, wie Doan hinter ihm zitterte. Plötzlich brüllte der Scout: «Verfluchte Wilde.»

«Wer?»

«Die Yanks, die dieses verdammte Ding in der Straße vergraben haben.»

«Du mußt Brigadier Rains oder sonst jemandem von unserer Seite die Schuld geben. Bevor wir aus Yorktown abzogen, pflanzte Rains diese Minen überall in Straßen und Docks. Wie sieht's aus, Ab?» rief er dem aufschließenden Scout zu.

«Wir sind diesen Krämerseelen ein gutes Stück voraus. Schaut dort drüben – die Brücke.»

Als sie auf die Bottom's Bridge zudonnerten, wurde Charles schlagartig klar, daß es genausogut Sport hätte treffen können. Eine vergrabene Bombe wählt sich ihr Opfer nicht aus.

Eifersucht hatte dabei eine ebenso große Rolle gespielt wie Politik, entschied Billy später. Es war einfach fällig gewesen, als er an diesem Abend Ende Mai in das Marketenderzelt marschierte.

Seit Tagen waren die Armeen auf der Halbinsel von angespannter Nervosität ergriffen. Die Rebs hatten sich hinter dem Chickahominy verschanzt, bereit, für Richmond zu sterben. Auf Unionsseite herrschte Unsicherheit statt der Erwartung, mit einem gewaltigen Schlag alles beenden zu können. Gerüchte vermischten sich mit Fakten zu einem widerwärtigen Gebräu. Jackson demütigte die Union in Shenandoah. Little Mac bestand weiterhin darauf, über nicht genügend Männer zu verfügen, obwohl er mehr als hunderttausend hatte. Außerdem beharrte er darauf, daß die Hunde von Washington ihn zerfleischen wollten, angeführt von diesem tollwütigen Stanton.

An dem Abend, an dem er den Marketender besuchte, war ein Junior-Offizier anwesend, den er zwar nicht persönlich kannte, aber trotzdem nicht ausstehen konnte. Der junge Mann, ein weiterer Akademie-Absolvent, gehörte zum Stab; Billy hatte ihn zu Pferd hinter Little Mac hertraben sehen. Der Offizier war blaß wie ein Mädchen und trug die lässige Arroganz eines Clubmitglieds zur Schau. Selbst die Uniform des Burschen irritierte Billy. Mitten in der Schlammsaison war sie so makellos wie die blitzenden Schuhe. Mit den langen, hellen Locken und dem roten Halstuch ähnelte er mehr einem Zirkusartisten als einem Soldaten.

Was Billy, der mit einem dreckigen Glas am Tresen stand, am meisten ärgerte, war die Haltung des Offiziers. Er war drei oder vier Jahre jünger als Billy und hatte aufgrund seines Junior-Ranges noch keine Schulterstreifen. Aber er benahm sich wie ein Senior. Und ein sehr lautstarker noch dazu.

«Der General würde im Handumdreh'n siegen, wenn nicht diese Abolitionistenschufte in Washington wären. Ich verstehe nicht, weshalb er sie toleriert. Selbst unser verehrter Präsident demütigt ihn. Letzte Woche wagte er es, den General einen Verräter zu nennen. Ins Gesicht!»

Billy trank; es war sein zweites Glas. Der Marketender behauptete fromm, daß er lediglich Apfelwein ausschenken würde. Aber dieser

Apfelwein hatte es in sich. Er tat auch nicht sonderlich gut, wenn man seit Mittag nichts mehr gegessen hatte. Irgendwie war Billy zu beschäftigt gewesen, um zu einer Mahlzeit zu kommen.

Der Offizier machte eine Pause, um einen doppelten Apfelwein zu kippen. Seine kleine Gefolgschaft, fünf Captains und Lieutenants, warteten mit gespannter Aufmerksamkeit darauf, daß er fortfuhr.

«Habt ihr die letzte Schändlichkeit gehört? Der ehrenwerte Stanton greift die Ehre des Generals an und stellt seinen Mut in Frage – selbstverständlich hinter seinem Rücken –, während er gleichzeitig den Original-Gorilla beeinflußt, die Männer zurückzuhalten, die wir so verzweifelt benötigen.»

«Hört sich wie eine Verschwörung an», murmelte ein anderer Lieutenant.

«Genau. Sie kennen den Grund dafür, nicht wahr? Der General mag und respektiert die Leute aus dem Süden. Das tun viele in dieser Armee. Ich ebenfalls. Der ehrenwerte Stanton bevorzugt jedoch nur eine gewisse Klasse von Südstaatlern – solche mit dunkler Hautfarbe. Er ist wie alle anderen Republikaner.»

Billy knallte sein Glas auf den Tresen. «Aber er ist ein Demokrat.»

Der langhaarige Lieutenant teilte seine Gruppe, wie Moses die See teilte. «Haben Sie eine Bemerkung an mich gerichtet, Sir?»

Halt die Klappe, sagte Billy zu sich. Aber aus irgendeinem Grund konnte er es nicht. «Das tat ich. Ich sagte, Mr. Stanton ist Demokrat, kein Republikaner.»

Ein kaltes Lächeln von dem Junior-Offizier. «Da hier kein öffentlicher Versammlungsort ist, dürfte ich das Vergnügen haben zu erfahren, wer diese wertvolle Information anbietet?»

«Erster Lieutenant Hazard. Gegenwärtig bei der B-Kompanie, Pionierbataillon.»

«Zweiter Lieutenant Custer, Stabshauptquartier, zu Ihren Diensten.» Davon war seiner Stimme allerdings nichts anzumerken, nur eitle Selbstüberschätzung und Verachtung. «Dann müssen Sie von der Akademie sein. Allerdings einige Jahre vor meiner Zeit. Ich war bei der Bande, die vergangenen Juni graduierte. Der Letzte unter den Letzten – sechsunddreißigster unter sechsunddreißig.» Er schien es zu genießen. Seine Kumpel kicherten pflichtschuldig. «Was Ihre Aussage anbelangt, so ist sie nur bedingt korrekt. Soll ich Ihnen sagen, was Stanton wirklich ist?»

Der junge Offizier kam auf Billy zu. Sein Haar roch nach Zimtöl. Ein Dutzend Offiziere an den wackeligen Tischen hielten in ihrer Unterhaltung inne, um Custer zu lauschen.

«Stanton ist ein derartig bösartiger Mann, ein so verkommener Heuchler, daß – hätte er zur Zeit des Erlösers gelebt – im Vergleich zu ihm Judas ein anständiger Mann gewesen wäre.»

Einige der zuhörenden Offiziere reagierten ärgerlich. Einer wollte sich erheben, aber sein Gefährte hielt ihn zurück. Lediglich Billy, in dessen leerem Magen der Alkohol brodelte, war genügend gereizt, um zu antworten.

«Diese Art von Gerede gehört nicht in die Armee. Es wird schon viel zuviel politisiert.»

«Zuviel? Nicht genug!» Seine Clique reagierte mit Nicken und Klopfen.

Billy blieb hartnäckig. «Nein, Lieutenant Custer, wir sollten uns um den Sieg Sorgen machen, nicht ob –», ein Beispiel blitzte in seinem Kopf auf, «– eine Singgruppe in einem unserer Lager auftreten kann oder nicht.»

«Oh, Sie meinen diese verdammte Hutchinsonfamilie?»

«Richtig. Mein Bruder ist im Kriegsministerium; er schrieb mir, daß es eine schlechte Entscheidung war. Erstens war es trivial, und zweitens verärgerte es einige wichtige Kabinettsmitglieder und Kongreßabgeordnete.»

Über Custers Schulter hinweg prahlte ein Captain: «Ihr Bruder sitzt hinter einem Schreibtisch, was? Tapferer Bursche.»

Billys Selbstbeherrschung schwand. «Er ist Major im Waffenamt. Seine Arbeit ist verdammt wichtig.»

«Was für eine Arbeit?» fragte Custer feixend. «Stantons Stiefel putzen? Stantons schwarzen Besuchern Erfrischungen servieren?»

Der Captain sagte: «Auf Befehl das Hinterteil des Ministers küssen?»

«Zum Teufel mit dir», sagte Billy und ging auf ihn los.

Selbst Custer reagierte angewidert. «Captain Rawlins, das geht ein bißchen zu weit.» Billy stieß Custer beiseite und schlug mit der Faust nach dem einen Kopf größeren Captain. Die Faust rutschte am Kinn des Mannes ab. Andere im Zelt sprangen auf und brüllten wie die Zuschauer bei einem Hahnenkampf.

«Macht dem Gentlemen Platz!»

«Nicht hier», protestierte der Marketender. Niemand beachtete ihn. Der Captain löste seinen Kragen, während ein breites Grinsen seine Backen aufplusterte. Dumm von mir, sagte sich Billy, während seine Hände sich zu Fäusten ballten. Schlicht und einfach dämlich.

Jemand betrat das Zelt und rief seinen Namen. Aber seine Aufmerksamkeit konzentrierte sich auf den Captain, der sich näher schob.

«Dir zeig ich's, du kleines republikanisches Dreckstück.» Seine Faust schoß vor und landete mitten in Billys Gesicht, während dieser noch die Hände hob.

Er taumelte zurück und fiel über den Tresen; aus jedem Nasenloch tröpfelten Blutfäden. Der größere Mann holte zum nächsten Schlag aus. Billy kämpfte sich hoch und schlug mit verschränkten Händen den Unterarm seines Gegners zur Seite, so dem Schlag ausweichend. Der Captain stieß ein Knie in Billys Leiste, und Billy fiel nach hinten auf den Rücken. Grinsend hob der Captain seinen Stiefel über Billys Gesicht.

«Da bist du», sagte die vertraute Stimme hinter den sich drängelnden Männern.

Custer rief: «Das reicht, Rawlins. Er mag ein Niggerrepublikaner sein, aber er verdient faire Behandlung.»

«Zum Teufel damit.» Runter kam der Stiefel. Billy versuchte sich wegzurollen, wußte aber, daß er zu langsam war.

Plötzlich, unerklärlich, kippte Rawlins nach hinten. Der Stiefel, der auf Billys Gesicht abzielte, beschrieb eine komische, ruckartige Bewegung mitten in der Luft. Billy stemmte sich mit den Ellbogen aus dem Dreck, zwinkerte und sah den Grund dafür. Lije Farmer hielt den Captain an den Schultern fest, das Gesicht voller Zorn. Er schleuderte Billys Gegner zurück. Captain Rawlins knallte so hart zu Boden, daß er aufschrie.

Lije zog Billy auf die Beine. «Mach dich fort aus dieser frevelhaften Gesellschaft.» Niemand lächelte. In Anbetracht von Lijes Größe und der Art und Weise, wie seine Blicke über den Kreis der McClellan-Anhänger schweiften, hatte keiner den Mut dazu. Zu Rawlins sagte er: «Es wäre albern, in dieser Angelegenheit den Dienstgrad ins Spiel zu bringen. Wenn Sie es versuchen, werde ich gegen Sie aussagen.»

Billy nahm seine Mütze vom Tresen und ging hinaus. Sein verschrammtes, blutiges Gesicht fühlte sich heiß an. Lije berührte seinen Ärmel. «Wer dich auf die rechte Backe schlägt, dem wende die linke zu.»

«Tut mir leid, Lije, ich konnte es nicht. Er hat einen Tiefschlag gelandet und versuchte dann, mir das Gesicht zu zertreten. Na ja, vielleicht hätte sich mein Aussehen dadurch verbessert – was meinst du?»

Farmer blieb ernst und stumm. Ernüchtert sagte Billy: «Ich weiß, ich war ein Narr, so in die Luft zu gehen. Aber sie machten Bemerkungen über meinen Bruder George, die ich nicht hinnehmen konnte. Danke, daß du mir den Captain vom Hals gehalten hast. Etwas später, und von meinem Gesicht wäre nicht viel übrig geblieben. Dein Zeitgefühl ist beachtlich.»

«Kein reiner Zufall. Ich habe dich gesucht. Wir haben Befehl, vor Tagesanbruch aufzubrechen. Sollen die anderen die politischen Kriege ausfechten. Wir haben mit unserem mehr als genug zu tun.»

«Ja. Trotzdem danke ich dir, Lije», sagte Billy von ganzem Herzen. Er empfand für Farmer den gleichen liebevollen Respekt, den er für seinen verstorbenen Vater empfunden hatte. Der ältere Mann gab ihm einen Klaps auf den Rücken und begann dann, «Amazing Grace» zu summen.

Kein Wunder, daß die Atmosphäre auf der Halbinsel so vergiftet war, dachte Billy bei sich. Sie standen praktisch vor der Tür der Hauptstadt der Konföderierten, die von unterlegenen Kräften verteidigt wurde, doch der Feldzug zog sich hin, unentschlossen und kostspielig. Billy fürchtete, noch viele Männer würden, bevor der Feldzug zu Ende war, dem Ehrgeiz und Verfolgungswahn des Generals sinnlos geopfert werden. Er legte keinen großen Wert darauf, einer von ihnen zu sein.

55

In der letzten Maiwoche schien das Ende nah. Jeden Morgen, wenn Orry aufstand und das üble Gebräu trank, das in der Pension statt Kaffee serviert wurde, sah er sich mit dieser Tatsache konfrontiert. Seit dem Fall von New Orleans gab es nicht einmal Zucker zum Süßen.

Wie jedermann in Richmond lauschte Orry, während er seiner täglichen Arbeit nachging, dem schweren Artilleriefeuer, das die Fensterscheiben in der ganzen Stadt erzittern ließ. Er war froh, daß es Madeline noch nicht möglich gewesen war, zu ihm zu kommen; die Genesung seiner Mutter machte nur langsame Fortschritte. Die Nachricht von ihrem Schlaganfall hatte ihn hart getroffen.

Nach dem Fall der Forts Henry und Donelson war Orrys Freund und Vorgesetzter, Benjamin, ins Außenministerium abgeschoben worden, weil man irgend jemandem schließlich die Schuld in die Schuhe schieben mußte. Benjamin war nur ganz knapp davongekommen.

George Randolph ersetzte ihn: ein ernster Mann, ein Virginier von untadeliger Herkunft, hervorragendem Ruf und mit erst kürzlich erworbener Militärerfahrung – unter Magruder hatte er die Artillerie kommandiert. Er trug die Würde des Kriegsministers, konnte aber wenig damit anfangen. Mittlerweile wußte jeder, daß der wahre Kriegsminister im Präsidentenhaus saß.

Insel Nr. 10 war letzten Monat verlorengegangen und damit die Kontrolle über den unteren Mississippi. Und Norfolk hatten die Yankees auch; in ihrer Verzweiflung hatte die Marine die bereits legendäre *Virginia* versenkt, um sie nicht in die Hände des Feindes fallen zu lassen.

Der April machte die Zwangslage der Konföderation noch deutlicher. Davis billigte ein Gesetz, mit dem alle Männer weißer Rasse im Alter zwischen achtzehn und fünfunddreißig für drei Jahre einberufen wurden. Orry wußte, daß es sich um eine notwendige Maßnahme handelte und wurde ärgerlich, als der Präsident von Landstreichern ebenso wie von Staatsgouverneuren verflucht wurde. Zwei Gouverneure sagten, sie würden so viele Männer zur Eigenverteidigung zurückbehalten, wie sie für richtig hielten, Gesetz hin oder her.

McClellan stand nun dicht vor der Stadt. Obwohl sein strategischer Plan unklar blieb, stürzte seine bloße Anwesenheit Richmond in eine Zeit der Prüfung. Davis hatte seine Familie bereits nach Raleigh fortgeschafft. Flüchtlinge strömten in die Stadt, zu Fuß und in jedem nur denkbaren Transportmittel. Sie schliefen auf dem Capitol Square oder brachen in die Heime jener ein, die bereits geflüchtet waren. Orry hörte, daß Ashton zu denen gehörte, die sich weigerten, die Stadt zu verlassen. Das dämpfte seine Abneigung gegen sie ein bißchen, aber nicht sehr.

Auch Soldaten ließen die Bevölkerungszahl anwachsen. Verwundete, zurückgeschickt von den Chickahominy-Linien; Deserteure, die sich selbst eine Schuß- oder Stichwunde beigebracht hatten – wer sollte sie auseinanderhalten? Tag und Nacht rumpelten die Wagen und Karren hinein und hinaus, die Fensterscheiben klirrten und knallten, und jeder Schlaf wurde unmöglich.

Orry machte weitere schlechte Erfahrungen in dem Gebäude, in dem General Winder mit seinen Männern residierte. Diesmal kam er auf Bitte von Minister Randolph, der eine große Familienfarm in der Nähe von Richmond betrieb. Randolph hatte einen Freund, ebenfalls Farmer, der sich geweigert hatte, seine Produkte zu dem niedrigen, vom Kommandeur der Militärpolizei festgesetzten Preis zu verkaufen. In einem polemischen Brief an den *Richmond Whig* nannte der Farmer

Winder eine schlimmere Bedrohung für die Bevölkerung als McClellan. Nachdem er diese Meinung zum Ausdruck gebracht hatte, wurde er eines Abends direkt aus einer Bar geschleift. Und ab ging's in die üble Fabrik in der Cary Street, wo Winder jene einsperrte, deren Äußerungen ihm aufrührerisch erschienen.

Orry ging in das Holzgebäude, um die Freilassung des Gefangenen zu fordern. Er nannte seinen Namen, aber der General wollte ihn nicht empfangen. Statt dessen mußte er mit einem der Zivilangestellten sprechen, einem großen, schlaksigen, vollkommen schwarz gekleideten Mann.

Der Name des Mannes war Israel Quincy. Er sah eher aus wie ein Geistlicher aus Massachusetts denn wie ein Eisenbahndetektiv aus Maryland; offensichtlich genoß er es, in seinem schäbigen kleinen Kasten einen Bittsteller von Orrys Rang zu haben. Seine Antwort kam schnell.

«Von hier aus wird keine Entlassungsanweisung ergehen. Dieser Mann hat General Winder verärgert.»

«Der General hat Minister Randolph verärgert, Mr. Quincy, so wie er die meisten Leute von Richmond mit seinen absurden Tarifen verärgert hat. Die Stadt benötigt verzweifelt Nahrungsmittel von den umliegenden Farmen, aber niemand wird zu den von diesem Büro festgesetzten Preisen verkaufen.» Orry atmete tief durch. «Ihre Antwort ist nein?»

Quincy lächelte seinem Besucher freundlich zu. Dann schien das Lächeln zu zersplittern, und das darunterliegende Gift kam zum Vorschein. «Eindeutig nein, Colonel. Der Freund des Ministers wird in Castle Thunder bleiben.»

Orry erhob sich. «Nein, das wird er nicht. Der Minister besitzt die Autorität, über den Kopf des Generals hinweg zu handeln, und genau das wird er auch tun. Er zog es vor, dem Protokoll zu folgen, aber Sie haben das unmöglich gemacht. Innerhalb einer Stunde hab' ich den Gefangenen aus diesem Pestloch heraus.»

Im Hinausgehen wurde er von Quincys scharfer, harter Stimme gestoppt. «Colonel. Überlegen Sie es sich noch mal, bevor Sie das tun.»

Ungläubig drehte sich Orry um und sah die Arroganz im Gesicht des Mannes. Er kochte über. «Wer glaubt ihr eigentlich, wer ihr seid, freie Bürger zu terrorisieren und jede Meinung zu unterdrücken, die von eurer abweicht? Bei Gott, wir lassen keine verdammten Pinkertons in der Konföderation herumschnüffeln.»

Mit leiser Stimme sagte Quincy: «Ich warne Sie noch mal, Colonel.

Mißachten Sie die Autorität dieses Amtes nicht. Irgendwann brauchen Sie vielleicht mal eine Gefälligkeit von uns.»

«Drohen Sie mir, Mr. Quincy, und ich schlage Sie mit dieser einen Hand in den Boden.»

Fünfundvierzig Minuten später verlor Castle Thunder einen Insassen. Aber da gab es noch viele andere, für die er nichts tun konnte. An die Warnung dieser machttrunkenen Dreckschleuder im schwarzen Anzug verschwendete er keinen zweiten Gedanken.

Im Kriegsministerium überwachte Orry, wie Bücher, Akten und Aufzeichnungen in Kisten verpackt wurden, als der Mai sich mit der Schlacht von Fair Oaks, praktisch an der Hausschwelle der Stadt, seinem schrecklichen Ende zuneigte. McClellan wehrte den Angriff der Konföderierten ungeschickt ab, wobei Joe Johnston schwer verwundet wurde und innerhalb von vierundzwanzig Stunden durch den früheren militärischen Berater des Präsidenten, aus dem Exil zurückgekehrt, ersetzt wurde.

Granny Lee übernahm zum ersten Mal das Kommando über die Armee von Nordvirginia. Das Vertrauen in ihn war nicht groß. Kisten wurden in noch größerer Hast gepackt, und ein Sonderzug blieb rund um die Uhr unter Dampf, um sofort das Gold des Schatzamtes abzutransportieren, falls Lees Linien durchbrochen wurden. Orry schwitzte und packte weitere Kisten und lauschte einem Gerücht, daß in Winders Amt ein Plan gegen ihn ausgebrütet wurde. Quincys vergessene Drohung kam ihm in den Sinn und verstärkte die Anspannung, unter der er stand. Er dankte dem Allmächtigen, daß Madeline nicht hier war und nicht unter diesem ganzen Wahnsinn zu leiden hatte.

Wieder donnerte es. An diesem schwülen Abend waren im oberen Stock sämtliche Fenster geöffnet. Powell ruhte auf seinen Ellbogen; Ashton bemühte sich, ihm eine gewaltige Erektion zu verschaffen, auf die Art und Weise, wie er es gern hatte. Dann drang er wie ein Bulle in sie ein. Sie rissen das Bettzeug los, verstreuten es in dem heftigen Getümmel in der ganzen Gegend. Er war großartig, er riß sie mit, wie er es immer tat, ließ eine Ekstase in ihr aufsteigen, die sie nur durch Schreie abreagieren konnte.

Von Erfüllung und Erschöpfung überwältigt schlief sie ein. Nachdem sie wieder erwacht war, sprach Powell nachdenklich, mehr zu sich, wie er es gern tat, nachdem sie sich geliebt hatten.

«Gestern hab' ich das allgemeine Wehrpflichtgesetz mit einigen anderen Gentlemen diskutiert. Wir waren uns alle darüber einig, daß es einfach empörend ist. Sind wir Affen im Käfig, die auf Jeffs Befehl jederzeit zu springen haben? Wenigstens gibt es Möglichkeiten, das Gesetz zu umgehen.»

Ashton legte ihre Wange auf sein krauses Brusthaar und fuhr mit dem Fingernagel um eine seiner Brustwarzen. «Was für Möglichkeiten?»

«Zum Beispiel die Befreiung, wenn man hundertzwanzig Sklaven besitzt. Ich bezweifle, daß King Jeff sich Richtung Valdosta in Bewegung setzt, um festzustellen, daß von meinen Sklaven hundertachtzehn reine Phantasie sind.» Er lachte leise.

«Ich liebe dich», flüsterte Ashton, «aber manchmal versteh' ich dich wirklich nicht.»

«Wieso?»

«Du schimpfst auf die Wehrpflicht und King Jeff, wie du ihn nennst, aber du bist in Richmond geblieben, während die meisten ständigen Bewohner längst um ihr Leben gerannt sind.»

«Ich möchte das schützen, was mir gehört. Was dich einschließt, liebste Partnerin.»

«Und erfolgreiche Partnerin, möchte ich hinzufügen.»

«Sehr erfolgreich.»

«Du bist der Grund, weshalb ich geblieben bin, Lamar.» Das stimmte, wenn auch nur teilweise. Manchmal ängstigte sie das Artilleriefeuer zu Tode, und am liebsten wäre sie auf den nächsten Zug gesprungen, der die Stadt verließ. Sie tat es nicht, weil sie glaubte, Powell würde sie beim geringsten Anzeichen von Schwäche fallenlassen.

Dazu brauchte sie ihn zu sehr. In Lamar Powell hatte sie endlich einen Mann gefunden, der es in der Welt zu etwas bringen würde. Sie weigerte sich, das Risiko einer Trennung einzugehen.

Sie drückte einen zarten Kuß auf seine Brust. «Du haßt Davis wirklich, nicht wahr, Lamar?»

«Sei so nett und tu nicht so, als wäre das was Merkwürdiges. Ja, ich hasse ihn – und es gibt genügend Männer, die meine Meinung teilen. Wenn er stark wäre, sogar ein Diktator, ich würde ihn unterstützen. Aber er ist schwach. Ein Versager. Ist die Gegenwart von General McClellan, weniger als ein Dutzend Meilen von diesem Bett entfernt, nicht Beweis genug dafür? King Jeff wird sich beim Begräbnis des Südens hervortun, wenn man ihn nicht stoppt.»

«Stoppt?»

«Genau das sagte ich.» Eine schwüle Dunkelheit hatte sich ins Schlafzimmer geschlichen, eine Dunkelheit, die nach Garten roch. Trotz seiner leidenschaftlichen Gefühle blieb Powells Stimme kontrolliert. «Und mit Beredsamkeit wird niemand die Konföderation retten und der stümperhaften Karriere von Mr. Davis ein Ende bereiten. Dazu wird schon etwas Entschiedeneres notwendig sein. Endgültigeres.»

Ashton drängte ihren nackten Leib gegen den seinen; wie eine plötzliche Vision tauchte der Revolver vor ihrem geistigen Auge auf, mit dem er häufig hantierte. Sicherlich meinte er nichts in dieser Art.

Sicherlich nicht.

James Huntoon haßte den Mann, von dessen Existenz er etwas ahnte, dessen Namen er aber nicht kannte, und genauso haßte er den Präsidenten der konföderierten Staaten von Amerika. Er hätte ihn gern seines Amtes enthoben, am liebsten aber tot gesehen. Nach den Ereignissen dieses Junis zu urteilen, mochten die Yankees bald beides erreicht haben.

Auch im Finanzministerium waren die Kisten gepackt. Huntoon mußte wie ein Sklave schuften, was ihn ärgerte. Die Spekulationen über Ashtons häufige Abwesenheit machten sein Unglück voll. Diese Abwesenheiten wurden jetzt immer häufiger, dauerten immer länger und blieben ohne jede Erklärung.

Huntoon wünschte verzweifelt, dieser Stadt zu entrinnen. Er hatte zwei Eisenbahnfahrkarten gekauft – nach langen Bemühungen hatte er einen Mann sogar für das Privileg bestechen müssen, den dreifachen Preis bezahlen zu dürfen –, aber Ashton weigerte sich glatt, die Stadt zu verlassen. Allein weil er die Fahrkarten besaß, unterstellte sie ihm, er sei ein Feigling. Glaubte sie das wirklich, oder war das nur eine Ausflucht? Woher stammte dieser neue Mut, dieser Patriotismus, den er nie zuvor an ihr bemerkt hatte? Von ihrem Liebhaber?

Eines frühen Abends, als sie noch nicht zu Hause war, ging er ganz unschuldig an ihren Schreibtisch. Auf der Suche nach einem Ersatz für seine abgebrochene Feder fand er einen Packen Kontoauszüge und Briefe.

«Was ist das für ein Bankkonto in Nassau?» In Hemdsärmeln, mit nassen Ringen unter den Achseln, hielt er ihr das Päckchen eine Stunde später unter die Nase. «Wir haben kein Bankkonto in Nassau.»

Sie entriß ihm das Päckchen. «Wie kannst du es wagen, in meinem Schreibtisch herumzuschnüffeln?»

Er zuckte zusammen. «Ich – ich hab' nicht herumgeschnüffelt. Ich brauchte eine Feder – verdammt noch mal, habe ich dir eine Erklärung abzugeben oder du mir?» schrie er mit ungewohntem Mut. «Du betrügst mich doch. Was haben diese Papiere zu bedeuten? Ich verlange eine Erklärung.»

«James, beruhige dich.» Sie merkte, daß sie zu weit gegangen war. Das mußte geschickt gehandhabt werden, sonst würde es ihre Liaison mit Powell bedrohen. «Bitte setz dich. Ich werde es dir erklären.»

Er fiel in einen Stuhl, der protestierend aufquietschte. Draußen an den offenen Fenstern strich Homers Schatten vorbei. Der Sklave machte sie mit seiner Flinte nervös.

«Hast du die Kontoauszüge durchgelesen? Die Summen studiert?» Von Hitze und Anspannung gerötet, entnahm sie dem Päckchen ein Blatt Papier und reichte es ihm. «Das ist unser Kontostand vom letzten Monat.»

Die zierliche Handschrift verschwamm vor seinen Augen. *Unser* Konto, hatte sie gesagt. Trotzdem war er verwirrt. «Das sind Pfund Sterling –»

«Ganz richtig. Beim momentanen Umtauschkurs besitzen wir eine Viertelmillion Dollars – gesunde Yankeedollars, kein bedrucktes Konföderiertenpapier.» Mit raschelnden Röcken eilte sie auf ihn zu und kniete nieder – demütigend, aber vielleicht lenkte es ihn ab, wenn sie zur heikelsten Stelle kam. «Wir haben einen Profit von annähernd siebenhundert Prozent gemacht, bei nur zwei Fahrten zwischen Nassau und Wilmington.»

«Fahrten?» Er glotzte. «Wovon in Gottes Namen redest du?»

«Von dem Schiff, Liebling. Mr. Lamar Powell wollte doch, daß du in den schnellen, kleinen Dampfer investierst, erinnerst du dich nicht? Du hast dich geweigert, aber ich bin das Risiko eingegangen. Er wurde letzten Herbst in Liverpool umgebaut und hat uns bereits ein Vermögen eingebracht. Wenn er morgen auf den Grund des Meeres geschickt wird, dann haben wir unsere Investition schon mehrfach hereingeholt.»

«Powell – dieser nichtswürdige Abenteurer?»

«Ein kluger Geschäftsmann, Liebster.»

Hinter der Drahtbrille blinzelten seine winzigen Augen. «Siehst du ihn?»

«Oh nein. Die Profitauszahlung erfolgt in Nassau, und wir erhalten diese Berichte mit der Post, die von Blockadebrechern gebracht wird. Die *Water Witch* hat sich so gut gehalten, weil sie kein Kriegsgut befördert. Sie bringt Kaffee, Spitzen, hübsche Sachen, die selten und wahnsinnig teuer sind, und beim Auslaufen ist sie mit Baumwolle beladen. Jetzt habe ich dir alles erklärt, nicht wahr? Du kannst nun beruhigt schlafen und von deinem neuen Vermögen –»

«Du hast mich hintergangen, Ashton», unterbrach er sie und fuchtelte mit dem Papier vor ihr herum. «Ich sagte nein zu Powell, und heimlich, hinter meinem Rücken, nahmst du unseren Spargroschen –» Ihr süßes Lächeln verschwand; es hatte nicht funktioniert. «Das Geld, vergiß das nicht, hat mir gehört.»

«Juristisch war es meins. Ich bin dein Ehemann.»

«James», sagte sie, «was ist los mit dir? Ich habe unser Vermögen vermehrt –»

«Illegal», schrie er. «Unpatriotisch. Was hast du sonst noch Unmoralisches getan?»

Ihr Instinkt sagte ihr, daß sie schnell zum Angriff übergehen mußte, sonst würde er Verdacht schöpfen. «Was meinst du mit dieser beleidigenden Bemerkung?»

«Ni –» Er schob sich das Haar aus der fettigen Stirn. «Nichts.» Er wandte sich ab.

Ashton riß ihn herum. «Ich verlange eine bessere Antwort.»

«Ich», er wich ihrem Blick aus, «ich habe mich bloß gefragt – ist Powell in Richmond?»

«Ich glaube schon. Beschwören könnte ich's nicht. Ich sagte dir doch, ich sehe ihn nicht. Ich habe die ursprüngliche Investitionssumme einem Anwalt übergeben, der das alles erledigt. Powell war ebenfalls dort, aber seitdem habe ich ihn nicht mehr gesehen.»

Ihre Brust schmerzte, so heftig schlug ihr Herz. Aber sie hatte schon vor langer Zeit gelernt, daß man, um erfolgreich betrügen zu können, starke Nerven, einen kontrollierten Gesichtsausdruck und einen durchdringenden Blick brauchte. Sie wußte, daß sie gewonnen hatte, als Huntoons Schultern wie gewohnt nach vorn sackten. Sein Anfall von Männlichkeit war kurz und erfolglos gewesen.

«Ich glaube dir», sagte Huntoon. «Aber ist dir auch klar, in was für einen Ruf du dich gebracht hast? Du bist jetzt eine Spekulantin. Eine verachtete Spezies. Einige sagen, man sollte sie alle einsperren, verurteilen und aufhängen.»

«Zu spät, sich darüber Sorgen zu machen, mein Lieber. Ich würde deshalb vorschlagen, du bewahrst ebenfalls Diskretion über das Thema *Water Witch*. Außerdem könntest du froh sein, daß ich die Voraussicht aufbrachte, die dir fehlte.»

Das rutschte ihr sehr scharf heraus, aber sie hatte es satt, sich mit einem Kind abgeben zu müssen. Dieses Kind brauchte Schläge, keine Zärtlichkeit.

«Aber Ashton – ich weiß nicht, ob ich Geld annehmen kann, das von –»

«Du kannst. Und du wirst.» Sie deutete auf das Päckchen. «Du hast es bereits.»

Plötzlich preßte er die Augenlider zusammen und umklammerte den Sims des hohen Fensters, als draußen die letzte Ambulanz wegrollte. Selbstvergessen flüsterte Huntoon: «Jesus, du bist so hart.» Tränen sickerten aus seinen Augenwinkeln. «So hart – du läßt mir nichts. Ich fühle mich wie ein Mann, der diesen Namen nicht verdient.»

Wie kurzsichtig und pathetisch er war. Erneut wurde sie wütend, hatte den Wunsch, ihn zu verletzen.

«*Kastriert*, ist das das Wort, das du suchst, Liebling?»

Zitternd beobachtete er, wie sie sich ihre eigene Frage mit einem kleinen Nicken bestätigte. Geschäftsmäßig fuhr sie fort: «In dieser Sache und in einigen anderen, die wir beide kennen, bist du genau das. Wir wissen das ja schon seit Jahren, nicht wahr?»

Rote Blitze; feuernde Kanonen. «Du Hündin.»

Ashton lachte ihn aus.

Huntoons Gesicht wechselte von rot zu annähernd purpurfarben. Er zwinkerte unaufhörlich, als er auf sie zueilte, ihre Hand packte und sie streichelte. «Es tut mir leid. Es tut mir so leid, mein Schatz. Kannst du mir verzeihen? Ich bin sicher, daß du eine intelligente Entscheidung getroffen hast. Was immer du tust, es ist mir recht. Gott, ich liebe dich. Bitte, sag, daß du mir verzeihst, ja?»

Sie tat es, nachdem sie ihn noch einige Augenblicke hatte zappeln lassen. Sie duldete es sogar, daß er mit ihr zu schlafen versuchte, als sie zu Bett gingen. Sie war erleichtert, als er nicht in der Lage war, es zu Ende zu bringen, und sich schlaff zurückzog, wobei er ihr versicherte, wie glücklich er war, daß sie ihm verziehen hatte.

Dummkopf, dachte sie, in die Dunkelheit hineinlächelnd.

56

«Noch nie habe ich so einen seltsamen Unabhängigkeitstag erlebt», sagte George zu Constance.

William ragte aus dem Wohnzimmerfenster und holte Flaggen ein, die er und Patricia am Abend zuvor hinausgehängt hatten. «Warum, Pa?»

«Weil», sagte George, während er den dreifarbigen Stoff zusammenlegte und in einer Kiste verstaute, «die Reden so tapfer und voller Hoffnung waren», am Nachmittag hatten sie an einer endlosen öffentlichen Feier teilgenommen, «und unten auf der Halbinsel werden wir geschlagen.»

«Ist es wirklich vorbei?» fragte Constance.

«Fast. Der telegraphischen Meldung zufolge zieht sich die Armee an den James zurück. McClellan hatte Richmond fast schon in der Hand und konnte es nicht nehmen.»

«Weil Lee es schaffte, Stonewall zu Hilfe zu holen», sagte William. George nickte düster. Sein Sohn klang wie ein Bewunderer von Old Jack.

Im Winder-Gebäude gab es davon keine. Wie oft hatte George anhören müssen, wie sich die Trottel im Ministerium über Jackson lustig machten. Aber Tom Jackson war klug und gnadenlos wie Josua. Seine Infanteristen waren in Eilmärschen den ganzen Weg aus dem Tal hochgekommen und hatten Richmond gerettet.

Trotz Fehlern und kleineren Erfolgen auf beiden Seiten stand nach sieben Tagen der Verteidigungsring um Richmond immer noch, den Bob Lee in einem Monat errichtet und verstärkt hatte. Old Bob hatte Little Mac und seine Kommandeure mit jedem Zug überlistet. In den ersten Kriegsmonaten hatte er Fehler gemacht und dafür gebüßt, doch diese sieben Tage löschten das alles aus. George fürchtete um das Schicksal der Union, wenn Lee das Kommando übernahm.

Ein Hindernis stellte sich dem Aufbau der Bank von Lehigh Station in den Weg. Rechtsanwalt Jupiter Smith eilte nach Washington, um zu berichten, daß die Legislative respektvoll vorgeschlagen habe, der Staat solle doch an den Bankprofiten, falls vorhanden, partizipieren. «Sie schlagen vor, George, daß wir dem Staat Aktien im Wert von vierzigtausend Dollar geben und eine zehnjährige Option, die gleiche Menge noch mal zum Nennwert zu kaufen.»

George bellte: «Oh, ist das alles?»

«Nein, noch nicht. Eine Spende in Höhe von zwanzigtausend Dollar für den Straßen- und Brückenfonds würde begrüßt werden. Aber ich wiederhole – die Vorschläge wurden äußerst respektvoll gemacht, George. Die Legislatoren erkennen, daß du ein bedeutender Mann bist.»

«Ich bin ein Mann, der einen großen Knüppel über den Schädel kriegt. Verdammt, Jupe, es ist Bestechung.»

Der Anwalt zuckte die Achseln. «Ich bezeichne es lieber als Gefälligkeit. Oder die übliche Praxis. Die Banken in Philadelphia und Pittsburgh mußten ähnliche Vereinbarungen treffen, um ihre Zulassunger zu bekommen. Mich stört es nicht, wenn du nein sagst. Ich kann danr einen gewaltigen Papierberg zu den Akten legen.»

«Und ein gewaltiges Honorar.»

Smith schaute gekränkt drein.

George kaute an seiner Zigarre. «Ich bezeichne es trotzdem als Bestechung.» Er kaute heftiger. «Sag ihnen zu.»

George erwies sich als schlechter Prophet in Militärangelegenheiten McClellan blieb auf seinem Posten, da für ihn anscheinend kein kompetenter Ersatz zu finden war. Die einzigen erfolgreichen West-Point Offiziere hatten sich auf die Seite des Südens geschlagen, was der Angriffen gegen die Akademie wieder Auftrieb gab. Mitte Juli erhielt George einen Brief mit der Bitte, dem Aufsichtskomitee von West Point als Ersatz für ein plötzlich verstorbenes Mitglied beizutreten. Die immer heftiger werdenden Angriffe bewogen ihn, anzunehmen, allerdings erst nach einer Unterredung mit Stanton. Der Minister erteilte ihm die Erlaubnis dazu, solange es nicht mit seinen momentanen Pflichten kollidierte.

George steckte bis zum Hals in Arbeit, aber er versicherte Stanton, daß es keine Probleme geben würde. Dem kurzen Gespräch konnte er nicht den leisesten Hinweis auf die Einstellung des Ministers zur Akademie entnehmen. Stanton war wie eine kreisförmige Festung konstruiert – sicher vor Angriffen aus jeder Richtung.

Obwohl die Berufung ins Aufsichtskomitee mehr Druck bedeutete, war George dankbar dafür. Sein Job war dermaßen frustrierend geworden, daß er morgens nur noch äußerst ungern die Augen aufschlug. Seine Arbeit an den Artilleriekontrakten wurde ständig durch zahllose andere Termine unterbrochen. Sollte das Ministerium die Einführung von Gewehrkugeln empfehlen – Patronen mit Zeitzündern, die erst nach dem Abschuß explodierten? Sollte das Amt Chlorgranaten testen, die beim Aufschlag ein schweres, tödliches Gas verströmten? George hatte außerdem weiterhin mit den Erfindern schwachsinniger Waffen zu tun.

Nur eines half ihm, im Winder-Gebäude zu überleben. Für Ripley war es unmöglich, sich in alles einzumischen, und mittlerweile schien er bereit zu sein, sich aus dem Artillerieprogramm herauszuhalten. Trotzdem fühlte sich George wie ein Mann, der an einer Klippe baumelte. Wie lange seine Hände sich noch festklammern konnten, wußte er nicht.

Von Billy kamen keine Briefe – ein weiterer Grund zur Sorge. Oft genug lag George, nachdem er sich lange den Kopf über Ripley und die Armee zerbrochen hatte, nachts wach und sorgte sich um seinen jüngeren Bruder oder seinen alten Freund Orry.

Bis auf Brett, die weiterhin in Lehigh Station wohnte, waren die Bande zwischen den Hazards und den Mains zerschnitten. Wo war Orry? Wo Charles? Ein Briefschmuggler würde es nicht leicht haben, einen von ihnen zu finden, obwohl es, falls unbedingt notwendig, wahrscheinlich zu schaffen war. Doch wichtiger noch als Briefe war, daß sie alle diese dunklen Zeiten unverletzt überstanden.

Wegen Stanley machte er sich niemals Sorgen. Sein älterer Bruder kleidete sich gut und lebte üppig. Er und Isabel standen mit den mächtigsten Männern Washingtons auf vertrautem Fuße und wurden bei den wichtigsten gesellschaftlichen Veranstaltungen der Stadt gesehen. George begriff nicht, wie ein derart unfähiger Mann es so weit bringen konnte.

«Es gibt wechselnde Zeiten, George», sagte Constance. «Zyklen für alle Dinge – das steht in der Bibel. Stanley stand lange Zeit in deinem Schatten.»

«Und jetzt steh ich in seinem?»

«Nein, damit wollte ich nicht sagen –»

«Es ist die Wahrheit. Und es macht mich wütend.»

«Ich bin selbst ein bißchen eifersüchtig, wenn du es unbedingt wissen willst. Andererseits bin ich überzeugt davon, daß hauptsächlich Isabel für den Erfolg verantwortlich ist, und ich würde mich lieber aufhängen, als mit ihr zu tauschen.»

George paffte seine Zigarre. «Weißt du, ich kann nicht vergessen, daß ich Stanley geschlagen habe. Vielleicht ist das nur die ausgleichende Gerechtigkeit. Vielleicht ist das meine Strafe.»

«Hast du bemerkt, wie freundlich der Minister war?» sagte Stanley eines späten Abends im Juli. Nach einer Shakespeare-Aufführung in Leonard Grovers neuem Theater fuhren sie in ihrer Kutsche nach Hause. «Hast du das bemerkt, Isabel?»

«Warum sollte Stanton nicht freundlich sein? Du bist einer seiner besten Angestellten. Er weiß, daß er dir vertrauen kann.»

Stanley strahlte. Konnte es wahr sein? Lediglich einige wenige Aspekte in seiner Rolle als überzeugter Republikaner behagten ihm nicht so ganz. Einen davon erwähnte er Isabel gegenüber, als sie zu Bett gingen.

«Das Konfiszierungsgesetz soll diese Woche verabschiedet werden.

Die Sklaven der eroberten Gebiete werden befreit, und der Einsat farbiger Truppen wird gebilligt. Aber das ist noch nicht alles. Stantor hat es mir in der zweiten Pause erzählt, als du auf der Toilette warst.»

«Ich wäre dir dankbar, wenn du dieses Wort in meiner Gegenwar nicht benützen würdest. Sag mir, was du von Stanton erfahren hast.»

«Der Präsident arbeitet an einem Regierungserlaß.» Stanley legt eine Kunstpause ein, um die Wirkung zu steigern. «Er will alle Sklave freisetzen.»

«Mein Gott. Bist du sicher?»

«Nun, zumindest alle Sklaven der Konföderation. Ich glaube nicht daß er sich an die Sklaverei in Kentucky oder den beiden andere Grenzstaaten wagt.»

«Ah. Für so einen großen Idealisten hätte ich ihn nicht gehalten. E wird sich dabei nicht um eine humanitäre Maßnahme, sondern un eine Strafmaßnahme handeln.» Widerstrebend fuhr sie fort: «Lincolr hat den Charme eines Schweines, aber eins muß man ihm lassen: Er is ein schlauer Politiker.»

«Wie kannst du sowas sagen, Isabel? Willst du, daß ganze Horder befreiter Nigger in den Norden schwärmen? Denk an die Unruhe, ar all die Jobs, die anständige weiße Männer verlieren werden. Die ganz Idee ist ein einziger Skandal.»

«Du behältst diese Meinung besser für dich, wenn du dir die Freundschaft von Stanton und Ben Wade bewahren willst.»

«Aber –»

«Stop, Stanley. Wenn du im Hause des Teufels speist, dann kanns du nicht das Menü bestimmen. Spiel deine Rolle. Den loyalen Republi- kaner.»

Er tat es, obwohl ihm häufig bei all dem plötzlichen Gerede übe Emanzipation, das durch die Büros und Flure, durch die Salons und Kneipen des offiziellen und inoffiziellen Washingtons schwirrte, die Galle überlief. Lincolns radikaler Vorschlag stieß viele Weiße vor der Kopf, die davon Wind bekamen; ganz sicher würde bei Inkrafttreter eines solchen Gesetzes ein sozialer Aufruhr die Folge sein. Stanley gehorchte jedoch seiner Frau und behielt seine Ansichten für sich.

Mit einer Ausnahme. Er lud seinen Bruder zu Willard's zum Esser ein, damit er seinen Triumph auskosten konnte.

«Ich würde diesem Aufsichtskomitee nicht zuviel Zeit widmen, George. Wenn es nach Ben Wade und einigen anderen geht, dann besteht West Point nächstes Jahr um diese Zeit aus ein paar verlasse- nen Gebäuden und Erinnerungen.»

«Wovon zum Teufel sprichst du?»

«Es werden keine Mittel mehr für diese Institution bereitgestellt. Man hat dort für kostenlose Ausbildung von Verrätern gesorgt, aber was hat unsere Seite davon? Ein General, bei Shiloh erwiesenermaßen stockbesoffen, ein anderer so unfähig, daß er nicht mal gegen eine halb so große Armee wie seine eigene siegen kann. Ich könnte außerdem – noch – anführen –»

Der Satz verlor sich in Gemurmel; George hatte seine Gabel niedergelegt und funkelte ihn an.

«Du sagtest was von einem freundschaftlichen Treffen. Keine Politik. Ich hätte es besser wissen müssen.»

Er ging hinaus, ließ Stanley mit der Rechnung sitzen.

Stanley störte es nicht. Er fühlte sich großartig an diesem Tag. Gerade eben hatte er einen hübschen kleinen Triumph errungen. Die kostbare Institution seines hochmütigen Bruders war dem Untergang geweiht, und er hatte nicht den Hauch einer Chance, etwas dagegen zu unternehmen.

Sie war schwarz und wunderschön. Kupferbeschlagene Eiche, Länge von Bugspriet bis Heck über zweihundert Fuß. Ein einziger flacher Schornstein mittschiffs betonte noch ihr schnittiges Aussehen.

Cooper kannte sie in- und auswendig und liebte sie ohne jede Einschränkung. Sie war eine Schonerbark, tausendundfünfzig Tonnen, mit zwei Maschinen von dreihundertfünfzig Pferdestärken, die eine einzige Schraube antrieben. Diese konnte aus dem Wasser gehoben werden, um den Widerstand zu verringern. Ihre drei Masten faßten eine Menge Segeltuch. An diesem 29. Juli lag sie ausgerüstet und vollbemannt im Mersey.

Aus zahlreichen Kutschen stiegen die Fahrgäste auf das Pierpflaster. Bulloch begrüßte jeden örtlichen Geschäftsmann und Amtsinhaber mit Namen; alle waren sie überstürzt zu einer Nachmittagsfahrt auf Nummer 209 eingeladen worden.

Captain Butcher, ehemaliger Zweiter Offizier auf dem Postschiff Ihrer Majestät, der *Arabia*, hatte die Kessel unter Dampf und wartete auf die letzten Gäste. Vielleicht kamen sie noch vor dem Befehl an Bord, der laut Bullochs Spionen von Whitehall unterwegs war: Das Schiff sollte am Auslaufen gehindert werden, da seine endgültige Bestimmung gegen britisches Gesetz verstieß.

Ein neben Bulloch stehender Angestellter zeigte ihm eine Liste. «Bis auf diese beiden Gentlemen sind alle da, Sir.»

«Wir fahren ohne sie.»

Damit ging er die Gangway hoch, vorbei an den für die erste Fahrt von Cunard und anderen Linien angeheuerten Seeleuten. Plötzlich sa Cooper hinter den Dockarbeitern eine Kutsche durch die Cannin Street auf das Schiff zugerast kommen. Vom Fuße der Gangway au rief er: «Vielleicht kommen da unsere letzten Gäste, James.»

Schnell trat Bulloch ans Ruder und sprach zu dem jungen Captai Butcher, dessen heller Schnurrbart in der Merseybrise wehte. Die Kut sche ratterte den Pier entlang. Noch bevor sie hielt, sprang ein Man heraus. Coopers Magen verkrampfte sich, als er Maguire erkannte Hinter ihm tauchte Marcellus Dorking auf.

Der Anblick des Mannes machte Cooper wütend. Seit jenem Nach mittag waren ihm häufig Spione gefolgt, die alle zweifellos für Ton Dudley arbeiteten. Von Dorking hatte er jedoch nichts mehr gesehen Die Drohung gegen Coopers Familie war nichts als heiße Luft gewe sen. Damit sank Dorking noch tiefer in Coopers Achtung.

Maguire und Dorking kamen auf Cooper zugestürzt, der die Gang way versperrte. Dorkings rechte Hand verschwand in seiner Jackenta sche. «Kleine Vergnügungsfahrt, Sir?» fragte er mit seinem gewohnten schmierigen Lächeln.

«Richtig. Wie Sie sehen können, haben wir lokale Würdenträger a Bord.»

«Das mag sein, aber wir müssen Sie trotzdem auffordern, Ihre Ab fahrt hinauszuschieben. Gerade jetzt müßte ein Zug in der Lime Stree einfahren, mit einem Gentleman, der mit dem Captain über gewiss Unregelmäßigkeiten zu sprechen wünscht.»

«Sie müssen mich entschuldigen», unterbrach Cooper. Er begann die Gangway hochzugehen.

«Einen Moment.» Dorking packte Cooper an der Schulter und drehte ihn grob herum. Ein paar Matrosen riefen Butcher Warnungen zu. Unter den geladenen Gästen erhob sich Gemurmel.

Bulloch wollte Cooper zu Hilfe kommen, aber es war bereits zu spät Marcellus Dorking holte eine kleine, silberbeschlagene Pistole hervo und rammte sie Cooper in den Magen.

«Beiseite, während wir mit dem Herrn dieses Schiffes sprechen.»

Cooper war noch nie so direkt mit dem Tode bedroht worden. Noch nie hatte er soviel Angst gehabt, doch irgendwie schien das nicht so wichtig zu sein; die Nummer 209 ihrer Bestimmung zu übergeben wa viel wichtiger. Dorking merkte, daß seine Pistole von den an Deck Stehenden gesehen werden konnte, und versuchte sie zu verbergen. Als sich die Mündung senkte, stampfte Cooper auf Dorkings Schuh.

«Oh, verdammt», schrie Dorking auf und taumelte. Maguire schlug nach Cooper, der ihm einen Stoß gab, dann Dorking ein Knie in die

Leiste rammte. Konsul Dudleys Agenten purzelten auf die Pflastersteine wie schlecht trainierte Akrobaten.

Cooper sprang die Gangway hoch, brüllte zu Dorking und Maguire hinunter: «Bei dieser Fahrt sind nur geladene Gäste zugelassen, Gentlemen.»

Captain Butcher bellte Befehle. Die Dockarbeiter, die dem Streit mit verblüffter Erheiterung gefolgt waren, machten die Leinen los. Unter den Gästen herrschte Bestürzung.

Braunes Wasser tauchte zwischen Schiffsrumpf und Pier auf. Der Fluß glänzte wie Gold; die Luft war salzig und nicht zu heiß; ein perfekter Nachmittag. Bulloch versprach, sofort alle Fragen zu beantworten, aber zuerst sollten sich die Gäste mit dem französischen Champagner und den Delikatessen bedienen, die er bereitgestellt hatte, um die Illusion eines unschuldigen Vergnügungsausflugs zu stützen. Als wieder einigermaßen Ruhe eingekehrt war, bat er höflich um Aufmerksamkeit.

«Wir hoffen, daß Sie alle die kleine Kreuzfahrt auf diesem Schiff, das bis jetzt in Liverpool und Birkenhead unter dem Namen *Enrica* oder *Laird's 209* bekannt war, genießen werden. Bald schon wird sie ihren richtigen Namen tragen. Machen Sie sich einen angenehmen Nachmittag. Essen und trinken Sie, soviel Sie wollen, und lassen Sie sich von diesem kleinen Zwischenfall am Pier nicht beunruhigen. Ich will ehrlich sein und Ihnen gestehen, daß Sie an Bord eines Schleppers zurückkehren werden, der unten an der Küste bei Anglesey auf uns wartet.»

«Was soll das?»

«Verdammt, Bulloch, was für Ausflüchte haben Sie –?»

«Ein verfluchter Trick, das ist es, was –»

«Eine bedauerliche Notwendigkeit, Gentlemen», sagte Bulloch, mit seiner tiefen Stimme die Proteste übertönend. «Sonntags wurden wir gewarnt, daß dieses Schiff beschlagnahmt werden würde, wenn es noch weitere achtundvierzig Stunden auf dem Mersey bliebe. Für uns und unsere Sache verloren. Sie werden keine Schwierigkeiten mit den Behörden bekommen, wenn Sie einfach die Wahrheit sagen.»

«Die Gerüchte entsprechen also der Wahrheit? Dieses Schiff wurde illegal gebaut?»

«Sie wurde unter peinlichster Einhaltung der britischen Gesetze gebaut, Sir.»

«Das ist keine Antwort», sagte ein anderer. «Was ist ihr Bestimmungsort?»

«Sie fährt durch den irischen Kanal und steuert dann einen Hafen an, dessen Namen zu nennen ich nicht befugt bin. Schließlich wird sie mit anderer Mannschaft in amerikanischen Gewässern kreuzen.»

Cooper fühlte eine merkwürdige Erregung sein Rückgrat hochkriechen. Welch erstaunliche, kaum bemerkte Veränderung war doch seit jenen Tagen mit ihm vorgegangen, als er mit jedem über die Dummheit der Sezession und des Krieges debattiert hatte. Er war stolz auf dieses Schiff und auf seinen Anteil daran. Er war stolz auf ihren Namen, den Bulloch ihm anvertraut hatte. Sie würde *Alabama* heißen. Er war stolz darauf, auf dem brandneuen Deck zu stehen, während sie ihrer Bestimmung entgegenfuhr, die Bulloch den verblüfften Gästen verkündete.

«Sie zieht in den Krieg.»

Während das Konföderiertenschiff die Isle of Anglesey ansteuerte, war George nach Massachusetts unterwegs, nach einem anderthalbtägigen Zwischenaufenthalt in Lehigh Station. Er hatte mit Jupe Smith konferiert, der ihn davon in Kenntnis setzte, daß die Legislative ihrem Antrag auf Bankzulassung nun sehr positiv gegenüberstand. «Welch eine Überraschung», murmelte George. Anschließend war er mit Wotherspoon sieben Stunden lang die Bücher durchgegangen, hatte den Betrieb inspiziert und Hazards gegenwärtige Produktion überprüft. Bevor er abreiste, besuchte er das ungarische Paar und ihre schwarzen Zöglinge – mittlerweile fünfzehn. Um ihrer Einsamkeit zu entgehen, sagte Brett, helfe sie manchmal Mr. und Mrs. Ozorna und kümmere sich um die Kinder. Das war das einzige Mal, daß George bei seinem Besuch eine Spur von Lebhaftigkeit bei seiner Schwägerin entdecken konnte.

Nachdem er im Zug keinen Schlaf hatte finden können, kam George erschöpft in Braintree an. Old Sylvanus Thayer gestand ihm drei Stunden in einem bequemen Bett zu, weckte ihn dann und servierte ihm ein üppiges Frühstück. George, für gewöhnlich ein spartanischer Esser, verdrückte an diesem heißen Sommernachmittag sechs Spiegeleier, vier Scheiben Schinken und sechs Biskuits. Während er aß, redete Thayer.

«Sündenböcke, George. Man braucht sie am nötigsten, wenn die Dinge außer Kontrolle geraten. Im Krieg gab man der Armee die ganze Schuld, und zwar gerechterweise.» Für Thayer existierte stets nur ein Krieg: der letzte, der Kampf gegen England. «Jetzt jedoch fließt die Strömung in die andere Richtung. Ich nehme die Warnung Ihres Bruders ernst.»

George trank seinen Kaffee aus und zündete sich eine Zigarre an.

«Die ständige Behauptung, wir hätten den Feind ausgebildet, hängt mir langsam zum Halse raus.»

«Ich weiß, ich weiß.» Thayers Hände, so weiß wie das feine Tischtuch, ballten sich. Dunkelblaue Adern traten am Handrücken hervor. «Wir haben auch viele Offiziere ausgebildet, die loyal geblieben sind. Trotz all seiner ernsthaften Bemühungen kann der Präsident sie anscheinend nicht nutzbar einsetzen. Vielleicht mischt er sich zu sehr ein, was auch von Davis behauptet wird. Das ist eine Beobachtung, keine Entschuldigung für mangelnde Aktion. Wir können dem Unvermeidlichen nicht entgehen, George. West Point befindet sich im Krieg.»

Er nahm die Zigarre aus dem Mund. «Was soll das heißen, Sir?»

«Im Krieg. Diejenigen unter uns, die diese Institution lieben, müssen kämpfen, als würden wir einem übermächtigen Feind gegenüberstehen – was auch der Fall ist.» Eine Hand fuhr klatschend auf einen Stapel Zeitungen. «Wir müssen mit Intelligenz, Energie, mit unserer ganzen Seele kämpfen – und dürfen uns niemals auch nur die leiseste Möglichkeit einer Niederlage eingestehen. Wir dürfen nicht passiv darauf warten, bis unsere Stellungen überrannt werden. Wir werden zur Offensive übergehen.»

«Ich stimme dieser Strategie zu, Colonel. Aber mit welcher Taktik?»

Die Augen des alten Mannes funkelten. «Wir stellen unser Licht nicht unter den Scheffel. Wir machen mit unserer Vergangenheit Reklame – unseren Leistungen für die Republik in Mexiko und an der Grenze. Mit Trompetenstößen verkünden wir unseren Fall. Wir flüstern in einflußreiche Ohren. Wir brechen die Arme, die sich gegen uns erheben, wir schlagen ihnen die widerspenstigen Schädel ein. Wir greifen an, George –»

Donnernd krachte die Faust auf den Tisch.

«Angriff! Angriff! Angriff!»

Sie redeten bis in die Nacht. Absolventen und Freunde mußten dazu gebracht werden, für West Point einzutreten. Spontan entschloß sich George, auf dem Heimweg die Akademie zu besuchen. Erst gegen halb vier sank er ins Bett, doch Thayer war bereits eine Stunde vor ihm wieder auf, um halb sieben, und begleitete ihn zum Bahnhof. Selbst auf dem lärmerfüllten Bahnsteig arbeitete Thayers Verstand auf Hochtouren.

«Was für einflußreiche Verbündete haben wir im Kongreß? Haben wir überhaupt welche?»

«In erster Linie fällt mir da nur Wades Senatorkollege aus Ohio ein – Sherman's Bruder John. Er und Wade mögen sich nicht besonders.»

«Kümmern Sie sich um Senator Sherman», drängte Thayer, während er George die Hand schüttelte. George kam es vor, als hätte er seine Marschbefehle erhalten.

Nach einem kurzen Halt in Cold Spring und gemeinsamen Klagen mit Benent überquerte George den Hudson und begann anschließend seinen Feldzug. Professor Mahan versprach, seine Schriften über die Institution rasch herauszubringen. Captain Edward Boynton, ein Klassenkamerad von George und Orry, der als Adjutant zurückgekehrt war, sagte, er werde sein Manuskript über die Geschichte West Points so schnell wie möglich vollenden und dabei die lau gewordenen Kritiken im endgültigen Text widerlegen. Als George dann in dem überfüllten, rauchigen Zug nach Washington saß, fühlte er sich ein bißchen besser; die Offensive war gestartet.

Er hoffte, sie sei nicht zu spät in Gang gebracht worden. Anfang nächsten Jahres würde der Bewilligungsantrag dem Kongreß vorliegen. Ihnen blieben weniger als sechs Monate, um ihren kleinen Krieg zu gewinnen, während der große Krieg eine düstere Straße entlangrumpelte, deren Ende niemand absehen konnte.

Zu seinem Dienst zurückgekehrt, mußte George feststellen, daß die Kritik an der Armee heftiger denn je geworden war. Old Brains Halleck war aus dem Westen geholt worden, um den Oberbefehl zu übernehmen. McClellan führte immer noch die Potomac-Armee, die mittlerweile in erster Linie zur Verteidigung von Washington diente, und John Pope hatte die Armee von Northern Virginia nach seinem Erfolg bei Insel Nr. 10 übernommen. Pope stieß gleich zu Beginn die meisten seiner Männer mit der Bemerkung vor den Kopf, daß die Soldaten des westlichen Kriegsschauplatzes zäher waren und härter kämpften.

Lincolns Negerpolitik verursachte Schlägereien in Saloons und Armeelagern. Lediglich der Abschnitt des Konfiszierungsgesetzes, in dem die freigesetzten Sklaven zur Emigration in ein nicht näher bestimmtes tropisches Land ermutigt wurden, fand allgemeinen Beifall. «All dieses Gerede von Emanzipation, auf die wir noch gar nicht vorbereitet sind», sagte George zu seiner Frau. «Niemand glaubt daran.»

«Das sollte man aber.»

«Ja, natürlich. Aber du kennst die Realitäten, Constance. Die meisten Nordstaatler scheren sich den Teufel um den Neger, und ganz sicher glauben sie nicht, daß er die gleichen Rechte haben sollte wie ein Weißer. Wenn die Emanzipation kommt, dann hab' ich Angst vor den Konsequenzen.»

Ende August wurde die zweite große Schlacht in der Nähe von Bull Run geschlagen, mit ähnlichem Ausgang wie die erste. Geschlagene Einheiten der Union zogen sich nach Washington zurück, wo sich die Furcht vor einem direkten Angriff wie ein Präriebrand ausbreitete. Kriegsgegner forderten sofortige Friedensverhandlungen.

An einem stürmischen Tag Anfang September rief der Minister Stanley in sein Büro. Stanton hatte die Kontrolle über die Armee an Halleck übergeben, aber still und heimlich sammelte er die Fäden der Macht auf anderen Gebieten in seinen Händen. Einst hatte er Lincoln mit Verachtung betrachtet, aber mittlerweile hatte er sich beim Präsidenten eingeschmeichelt und war zu einem vertrauenswürdigen Ratgeber und erklärten Freund geworden. Edwin McMasters Stanton, noch keine fünfzig, mit runder Brille, parfümiertem Bart und Buddhagesicht, hatte sich, wie es hieß, zum zweitmächtigsten Mann im Lande entwickelt.

Er hatte sehr entschiedene Ansichten über die wachsende Unzufriedenheit:

«Wir müssen das ausrotten. Wir müssen diese Friedensdemokraten hart an die Kandare nehmen und ihnen klar machen, daß sie ins Gefängnis wandern, ja selbst Hochverratsprozesse zu fürchten haben, wenn sie weiterhin die Regierung und die Regierungsmaßnahmen angreifen.»

Regen klatschte gegen die Bürofenster; zu Mittag schien es bereits zu dämmern. An die emsige Produktion bei Lashbrooks denkend, nickte Stanley heftig. «Ich stimme voll mit Ihnen überein, Sir.»

«Minister Seward war früher für die Sicherheit der Regierung verantwortlich.» Es war Legende, wie Seward diesen Pflichten nachgekommen war; er prahlte damit, daß er nur mit der kleinen Handglocke auf seinem Schreibtisch zu läuten brauchte, um jeden Mann jederzeit für beliebig lange hinter Gittern verschwinden zu lassen. «Aber ich führe nun das Kommando.»

Stanley überlegte, weshalb der Minister derartige Selbstverständlichkeiten von sich gab. Stanley verschränkte seine plumpen Hände auf dem Schreibtisch. «Ich brauche einen Stellvertreter, dem ich vertrauen kann. Einer, der mit ganzer Kraft meine Politik vertritt und meine speziellen Befehle schnell und ohne zu zögern ausführt.»

Stanley umklammerte den Besucherstuhl, um sich zu beruhigen. Die Machtmöglichkeiten, die Stanton da mit einem Satz vor ihm ausgebreitet hatte, waren überwältigend.

«Wir müssen den Sicherheitsbereich vollkommen umorganisieren und streng gegen die Feinde in unserem eigenen Lager vorgehen.»

347

«Zweifellos, Sir. Aber ich frage mich, wie leicht dieses Ziel erreicht werden kann. Die Habeas-Corpus-Sache hat einen Sturm der Entrüstung wegen Verletzung der Verfassungsrechte erzeugt.»

Stantons Mundwinkel schnellten nach oben, ein Hohnlächeln. Stanleys Knie zitterten. Er hatte den Minister verärgert anstatt wie erhofft bewiesen, daß er die Situation erfaßt hatte.

«Ist das Land für die Verfassung erschaffen worden, Stanley? Ich glaube nicht. Eher wohl das Gegenteil. Ich kenne jedoch die verdrehten Ansichten unserer Feinde. Wenn das Land in Schutt und Asche sinkt, dann werden sie es sicherlich ungemein tröstlich finden, daß die Verfassung unangetastet geblieben ist.»

Schnell beugte sich Stanley vor. «Solche Leute sind nicht nur fehlgeleitet, sie sind gefährlich. Mehr wollte ich damit nicht zum Ausdruck bringen, Sir.»

Stanton lehnte sich, seinen Bart streichend, zurück. «Gut. Einen Moment lang glaubte ich, ich hätte sie falsch eingeschätzt. Sie haben mir loyal gedient, und absolute Loyalität ist eine Voraussetzung für den Job, den ich anzubieten habe. Ich benötige einen Mann, der diskret, aber unerbittlich unsere Feinde zum Schweigen bringt – und dafür sorgt, daß dieses Amt nicht damit belastet wird.»

«Das kann ich einrichten, Sir. Ich kann alles tun, was Sie verlangen, und ich werde es auch tun.»

«Ausgezeichnet», murmelte Stanton. Dann blinzelte er verschlagen über seine runde Brille. «Ich würde meinen, Sie verfügen immer noch über genügend Zeit, Fußbekleidung an die Armee zu verkaufen, wenn Sie Ihren neuen Pflichten wirkungsvoll nachgehen.»

Stanley saß still, wagte nicht zu antworten.

Das Gemurmel des Ministers dauerte noch weitere fünfzehn Minuten, dann übergab er Stanley eine Mappe mit seinem vertraulichen Plan, wie der Polizeiarm des Kriegsministeriums zu stärken sei. Auf Stantons Anregung hin blätterte Stanley das halbe Dutzend Seiten durch, wobei er der philosophischen Einleitung besondere Aufmerksamkeit widmete.

«Diese Aussage zu Beginn ist genau richtig, Sir. Wir müssen die Zügel straffen. Das wird sogar noch bedeutsamer werden, wenn der Präsident seinen Plan durchführt, die Nig – die Schwarzen in den Rebellenstaaten zu befreien.»

Stanleys Hand schloß sich um die Mappe – sein Schlüssel zu erweiterter Autorität und Macht. Der Minister hatte es sehr deutlich gemacht. Er wünschte keinen brillanten Denker, sondern einen gehorsamen Soldaten.

Nachdem sie die Gegend um Frederick, Maryland, ausgekundschaftet hatten, kehrten Charles und Ab zurück nach White's Ford am Potomac. Es war der 4. September; der Herbst stand vor der Tür.

Die Scouts, beide wie Farmer gekleidet, trabten langsam eine von Fahrrillen durchzogene Straße zwischen steilen, baumbestandenen Hügeln entlang. Die Blätter waren noch grün, aber Charles war bereits von der Melancholie der kommenden Jahreszeit angesteckt. Trotz seiner Aversion gegen das Schreiben hatte er in den letzten Monaten drei Briefe nach Barclays Farm geschickt und keine Antwort erhalten. Er hoffte, daß dies nur ein weiteres Beispiel für die Unzuverlässigkeit der Armeepost war und kein Anzeichen dafür, daß Gus ihn vergessen hatte.

Gestern hatten sie sich direkt nach Frederick hineingewagt – zwei unangenehme Stunden für Charles, da er wegen seines Akzentes stumm bleiben und Ab das Reden überlassen mußte. Eine Weile trieb er sich auf eigene Faust in der Stadt herum; er sprach mit niemandem und erregte so auch keinen Verdacht. Ab besuchte einen Saloon und kam mit beunruhigenden Nachrichten zurück.

«Charlie, sie sind verflucht noch mal kein bißchen daran interessiert, befreit zu werden. Glaubst du, Bob Lee hat falsche Informationen bekommen? Mir hat man gesagt, wir könnten mit einem großen Aufstand der Einheimischen rechnen, die uns zu Hilfe kommen würden, wenn wir in diesen Staat einmarschieren.»

«Mir hat man das gleiche gesagt.»

«Na ja, die meisten Kerle in dieser Kneipe taten so, als wär's ihnen vollkommen egal, ob ich aus der Hölle oder aus Huntsville komme. Ich wurde ein bißchen angestarrt, bekam eine Einladung zum Kartenspiel, kaufte mir selber ein Glas Whiskey und konnte 'ne Menge Rücken betrachten. Die Leute hier, die werden sich einen Furz um uns scheren.»

Charles runzelte die Stirn. Hatte sich die Armee wieder mal verschätzt? Wenn ja, dann war es bereits zu spät; der Vormarsch war schon im Gang. Mr. Davis und die Generale schienen sich über den Status von Maryland nicht einig zu sein. Der Präsident beharrte darauf, daß der Staat zum Süden gehöre und sie als Befreier kommen würden – eine Beurteilung, der Abs Report widersprach.

Wie immer auch die richtige Antwort lauten mochte, sie hatten jedenfalls ihre Mission beendet. Sie hatten hinter Frederick in einem abgelegenen Wäldchen übernachtet, mit ihren Schrotflinten überm Bauch und um die Handgelenke gewickelten Leinen.

Jetzt sagte Ab: «Kann ich dich was fragen, Charlie?»

«Nur zu.»

«Hast du ein Mädchen? Bin neugierig, weil du nie was sagst.»

Er dachte an Private Gervais und Miss Sally Mills. «Das ist die falsche Zeit und der falsche Ort, um ein Mädchen zu haben.»

Der andere Scout lachte. «Das stimmt weiß Gott, aber es beantwortet meine Frage nicht. Hast du eins?»

Charles schob seinen dreckigen Filzhut in die Stirn und beobachtete die Straße. «Nein.»

Es war eine ehrliche Antwort. Er hatte kein Mädchen, außer in seiner Phantasie. Wenn man ein Mädchen hat, dann schreibt sie einem auch. Gus hatte ihn geküßt, aber was bedeutete das? Eine Menge Frauen verschenkten ihre Küsse wie selbstgebackenen Kuchen.

Die Gegend veränderte sich schnell. Die Hügel wurden höher, steiler. In den wenigen Lichtungen tauchten keine Hütten mehr auf. Charles vermutete, daß sie nahe am Fluß waren, und hörte kurz darauf zur Bestätigung die fernen Geräusche – der Lärm einer Armee von fünfundfünfzigtausend Männern, die Virginia auf dem Weg durch die Furt verließen. Wenn Little Mac von der Invasion Wind bekam, dann würden die Yanks sich aus Washington herauswagen und kämpfen.

Sie erreichten den Fluß rechtzeitig, um die sich nähernde Kavallerie beobachten zu können – fünftausend Pferde, behauptete Ab, einschließlich neuer Brigaden mit alten Kameraden. Sein alter Freund Beauty Stuart war Generalmajor der Division – und noch keine dreißig. Hampton war sein Senior-Brigadier, Fitz Lee sein Junior. Charles' alter Freund hatte schnell Karriere gemacht; in fünfzehn Monaten vom Lieutenant zum General.

Ab stieß einen Schrei aus, als er Hamptons Männer auf der Virginiaseite erspähte. Zu der Brigade gehörte die neu aufgestellte Second South Carolina Kavallerie, die mit den vier ursprünglichen Truppen der Legion als Kern gebildet worden war. Calbraith Butler war Colonel des Regiments. Er sah die beiden Scouts auf ihren im Flachwasser stehenden Pferden hocken und grüßte sie mit einem Winken seiner silberbeschlagenen Peitsche. Neben Butler ritt sein Stellvertreter, Hamptons jüngerer Bruder Frank.

Charles kam sich wie der Klassentrottel vor. Er war immer noch Captain, und dies war einer der Momente, wo es schmerzte. Andererseits konnte er nicht leugnen, daß er das gefährliche, aber unabhängigere Leben eines Scouts vorzog.

Er machte Ab darauf aufmerksam, daß sie sich auf die Suche nach Stuarts Hauptquartier machen und Bericht erstatten sollten. Ganz plötzlich trieb Hampton sein Pferd vom Virginiaufer aus in den Potomac. Er erspähte die Scouts und kam auf sie zugeritten. Er beantwortete ihren Gruß mit einem herzlichen Lächeln und schüttelte beiden die Hand.

«Ich habe gehört, Ihnen macht das Spaß, was Sie gerade tun, Captain Main.»

«Ich bin dafür besser geeignet als zum Führen einer Truppe, General. Es gefällt mir ausgezeichnet.»

«Freut mich zu hören.»

«Sie sehen gesund aus, Sir. Es ist schön, daß Sie sich so schnell erholt haben.» Hampton war zu Pferd, während er die Infanterie bei Seven Pines kommandierte, von einer Feindeskugel am Fuß getroffen worden.

«Gut, daß Sie mir zufällig über den Weg laufen», sagte der General. «Da kann ich Ihnen gleich zwei kleine Neuigkeiten überbringen, die Sie als nachträgliche Rechtfertigung betrachten können.» Verständnislos wartete Charles, daß er fortfuhr. «Bei dem Versuch, seine Männer zu drillen, fiel Captain von Helm vor kurzem vom Pferd und brach sich das Genick. Er war betrunken. Weiterhin ist Ihr spezieller Liebling, Private Cramm, ohne Erlaubnis verschwunden.»

«Wahrscheinlich hängt er mit einigen Hundert anderen zwanzig Meilen zurück.»

«Cramm ist kein Nachzügler. Er ist desertiert. Er ließ uns eine Nachricht zurück, daß er sich gemeldet habe, um Grund und Boden des Südens zu verteidigen, nicht um einen Feldzug gegen den Norden zu unternehmen.»

«Herr im Himmel. Ich bin überrascht, daß er zur Abfassung dieser Erklärung keinen Anwalt angeheuert hat.» Charles hatte ebenso wie Ab Mühe, ein Lachen zu unterdrücken.

«Ich dachte, die Nachrichten sind ein kleiner Trost für Sie.»

«Ich sollte es nicht zugeben, General, aber das sind sie.»

«Das ist keine Schande. Die Schande bestand darin, daß ein guter Führer wie Sie diese Wahl verlor. Hätten wir nur Cramms und von Helms, dann wären wir erledigt. Viel Erfolg, Captain. Ich bin sicher, ich werde bald schon Ihre und Lieutenant Woolners Dienste in Anspruch nehmen.» Er galoppierte los, um sich wieder seinem Stab anzuschließen.

Nachdem sie Bericht erstattet hatten, verbrachten Charles und Ab den Abend damit, auf neue Befehle zu warten. Es kamen keine. Sie aßen, versorgten ihre Pferde, versuchten zu schlafen und schauten morgens zu, wie Old Jack seine Männer nach Maryland führte.

Abner schenkte Jackson eine gewisse Aufmerksamkeit, interessierte

sich aber mehr für die lange Infanteriekolonne, die ihm folgte. Jack
sons Männer sahen aus, als hätten sie jahrelang in ihren Kleiden
geschlafen und gekämpft, ohne sie je zu waschen. Bis auf ihre Waffe
hatten sie fast nichts dabei. Verschwunden waren die prallen Torniste
und Rucksäcke von 1861.

Das waren die legendären Soldaten, bekannt als Jacksons Fußka
vallerie, weil sie innerhalb von zwei Tagen sechzig Meilen marschiere
konnten. Charles starrte verblüfft auf die Reihen der wilden Bärte, irr
glitzernden Augen und von der Sonne furchtbar verbrannten Wangen
und Stirnen.

«Mein Gott, Ab, eine ganze Menge von ihnen hat nicht ma
Schuhe.»

Es stimmte. Die Überbleibsel des Schuhwerks waren zerrissen ode
in Fetzen zusammengebunden. Charles beobachtete, wie die Kolonne
vorbeimarschierte; schätzungsweise fünfzig Prozent von Jackson
Männern marschierten mit nackten, zerschnittenen, blutverschmierten
Füßen. Bei warmem Wetter mochte das noch erträglich sein, abe
wenn der Winter kam?

Charles studierte einen Soldaten mit zerknittertem Gesicht, de
durch das Flachwasser schlurfte; er schätzte ihn auf vierzig, erkannte
dann, daß er sich getäuscht hatte. «Sie sehen wie alte Männer aus.»

«Wir auch», sagte Ab, über Cyclones Nacken hängend. «Hast du in
letzter Zeit das Grau in deinem Bart bemerkt? Es heißt, Bob Lee se
fast weiß. Eine Menge Sachen haben sich in einem Jahr geändert
Charlie. Und es ist noch nicht das Ende.»

Plötzlich und unerwartet lief Charles ein Schauder über den Rücken
Er beobachtete die dreckigen Füße, die hinüber nach Maryland mar
schierten, und fragte sich, wieviele davon zurückkehren würden.

57

9. September. Der heiße Dunst des Spätsommers hing über dem hüge
ligen Land. Das Grün wurde nun gelb, vertrocknete und verdorrte
Zeit, die Ernte einzubringen.

Die Kavallerie zog sich über eine Länge von fast zwanzig Meilen
hin. Dahinter kamen Lees Divisionen, bereit, in Pennsylvania einzufal

len, wie manche behaupteten. Hinter der Linie, jenseits der dunstigen Hügel – McClellan, der mit seiner gesamten Streitmacht aus Washington anmarschierte. Langsam wie immer, aber er kam.

Hampton lagerte bei Hyattstown, einige Meilen südlich von Urbana. Charles packte nur das Notwendigste in seine Feldkiste, aus der er seinen grauen Waffenrock im Range eines Captains herausholte. Man brauchte nicht viel Phantasie, um zu ahnen, daß die Invasion zu schweren Kämpfen führen würde, und er wollte sichergehen, daß seine eigene Seite ihn identifizieren konnte. Er beobachtete, wie seine Kiste in einen der Gepäckwagen gehoben wurde, als sähe er sie zum letztenmal.

Am Abend beschwerte sich Ab. «Hier gibt's wohl niemanden, der uns was zu futtern besorgt. Für die Zweibeiner wie für die Vierbeiner das gleiche Futter, Charlie, mein Junge.»

Charles sagte nichts, kontrollierte lediglich seine Patronen, damit er noch ein bißchen schlafen konnte. Bald schon würden sie sich vielleicht nach einem bißchen Schlaf sehnen, würden sie darum beten.

10. September. Nach Anbruch der Nacht gingen Charles und acht andere Scouts auf Kundschaft. Um ein Haar wären sie mitten in die Blauröcke geritten. Auf der Straße griffen sie an und hörten keine Schreie: *Black Horse, Black Horse!*

Gewehrfeuer. Ein Scout aus dem Sattel geschossen – und der glücklose Doan verlor einen weiteren Gaul. Mit zwei Verwundeten galoppierten die Scouts los. Charles hatte Doan bei sich. Waren sie auf Pleasontons Männer gestoßen? Diese Kavalleristen hatten genauer geschossen und waren besser geritten als alle Yankees, die er bis jetzt gesehen hatte. Vielleicht lernten die Schuhverkäufer und die Maschinisten allmählich, wie man zu Pferd kämpfte.

In Urbana begab sich eine ganze Schar Hampton-Reiter in der Akademie oben auf dem Hügel in Behandlung, wo General Stuart ein Fest gab. Einen gottverdammten Ball, wovon der prahlerische Virginier anscheinend nicht genug bekommen konnte. Der Anblick der blutenden Männer verdarb die Festlichkeit ein bißchen. Die meisten der Mädchen gingen heim; einige wenige blieben, um zu helfen. Aber auch ihre hübschen, runden Augen glänzten im Kerzenschein, voller Angst vor dem Dreck und dem Geruch der fremden, wilden Männer, die hier angeritten gekommen waren und gemeldet hatten, jenseits des nächtlichen Horizonts marschiere eine große Streitmacht.

Neunzigtausend waren es, obwohl sie schnell einen hohen Blutzoll zahlen mußten. Bob Lee kannte die Stärke seines Gegners noch nicht.

Und diese Armee bewegte sich zur Abwechslung mal nicht mit der bei McClellan üblichen Langsamkeit. Sie stürmte nicht gerade voran, aber sie schlief auch nicht unterwegs ein. Auch das wußte Old Bob nicht.

12. September. Auf dem Weg nach Westen teilte Lee, kühn, ja geradezu verrückt, seine Armee – soviel erfuhr Charles; den Rest mußte er erraten. Old Bob wollte seine Nachschublinien runter nach Winchester gesichert sehen, bevor er gegen Hagerstown losschlug; Teufel auch, vielleicht sogar gegen Philadelphia. Das hieß Neutralisierung der Garnison in Harpers Ferry. Das hieß Teilung seiner Kräfte. Der Befehl war am 9. September erlassen worden, aber das wußte Charles nicht.

Old Bob war allgemein als höflicher Mensch bekannt, der nur schwer zu ärgern war – und wer hatte ihn je fluchen hören oder hätte ihn einer Tat bezichtigen können, die eines Gentlemans nicht würdig war? Aber der Klang der Kanonen brachte sein Blut in Wallung, und wenn er militärische Risiken einging, dann setzte er manchmal alle Chips, die er besaß, wie ein Spieler auf einem Mississippiboot. Charles und Ab kamen zu dem Schluß, daß er es erneut getan hatte.

An diesem Morgen marschierte Stuart in westlicher Richtung aus Frederick, hinter Lee her. Charles und Ab und Hamptons Kavalleristen hingen zurück, sicherten nach hinten ab und hielten Ausschau nach den Männern in Blau – und bei Gott, da kamen sie, in unglaublichem Tempo marschierend. Was war mit Macs Langsamkeit passiert?

Für eine Antwort blieb jetzt keine Zeit. Die Nachhut wich über die Catoctin Ridge aus; Charles litt bereits unter der Müdigkeit, die, wie er wußte, in den kommenden Tagen, möglicherweise Wochen, immer schlimmer werden würde.

Die Bedrohung, das Gefühl sich sammelnder Mächte, stieg wie die Temperatur. Irgend etwas stimmte nicht, aber was?

Die Befreier wurden keineswegs übermäßig freudig begrüßt. In der Nähe von Burkittsville, während deutlich sichtbare blaue Reiter hinter ihnen herjagten, fegte Charles an einem winzig kleinen Mädchen mit blonden Zöpfen vorbei, das von einem Farmzaun aus mit einer kleinen Konföderiertenfahne winkte, aber das war auch schon der einzige Ausbruch patriotischer Begeisterung, den er miterlebte. Doan, der sich das Pferd eines Toten angeeignet hatte, brüllte dem Mädchen zu, es solle bloß diesen verfluchten Blaubäuchen aus dem Weg gehen, die da über den nächsten Hügel kamen. Das Kind schwenkte weiterhin sein winziges Fähnchen.

13. September. Old Bobs Männer bewegten sich schnell durch die

Schluchten der herrlichen Berge der nördlichen Blue Ridge, die die Einheimischen South Mountains nannten. Jetzt war die Armee wirklich geteilt; Jackson ging über den Potomac und schlug dann einen Haken, und seine Dämonen marschierten mit verschorften Füßen, um Harpers Ferry von Südwesten her zu belagern, während McLaws Division direkt auf die Anhöhen von Maryland abzielte und Walkers auf Loudoun Heights, einen Dreizack, der sich auf das Land am Zusammenfluß von Potomac und Shenandoah richtete.

Charles und die Scouts hatten ein kleines Gefecht mit marschierenden Männern, die sie für Jacob Cox's Ohio-Soldaten hielten, aber natürlich ließ sich das kaum mit Sicherheit feststellen. Die Hitze nahm ebenso zu wie die Müdigkeit.

Und es war der Tag der Zigarren, der alles änderte. Aber das erfuhr Charles erst später.

Drei Zigarren – von einem Yankee durch Zufall auf dem Grund und Boden gefunden, wo Daniel Harvey Hills Männer bei Frederick gelagert hatten. Interessanter als die Zigarren war das Papier, in das sie gewickelt waren: eine wunderschön geschriebene, offensichtlich authentische Kopie des Befehls 191. Wer das Papier zurückgelassen hatte, wußte niemand. Klar war, wer es bald schon zu lesen bekam. McClellan las es und erfuhr so, daß Lee seine Armee geteilt hatte. Angefeuert von dieser Information, begann Little Mac wie ein Blizzard vorzustürmen. Der Überraschungseffekt, die Initiative, der Zeitvorteil, all das zerrann wie Wasser zwischen Old Bobs Fingern.

14. September. Im Verlauf des Morgens leerte Charles seinen Revolver viermal innerhalb von fünfundvierzig Minuten beim Kampf um Crampton's Gap, den südlichsten der drei Bergpässe, die die Konföderierten zu halten versuchten. Nachdem ihm die Munition für den Colt ausgegangen war und er sich ernsthafte Sorgen zu machen begann, daß Sport getroffen werden könnte, zog er seine Schrotflinte. Auch dafür ging ihm langsam die Munition aus.

Stuart kommandierte Hampton eiligst zur Unterstützung von McLaws ab, da Lee verzweifelt Zeit zu gewinnen suchte, um die geteilte Armee wieder zu vereinigen, da Little Mac ansonsten die einzelnen Einheiten fast mühelos hätte vernichten können. Der Befehl: Grabt euch ein, haltet die Pässe um jeden Preis.

Aber die Pässe gaben langsam nach, die Granaten schlugen Löcher in die Hänge und die grauen Linien, und Lee hatte nicht mehr als einen Tag gewonnen.

Die Pässe waren mit Sicherheit verloren; auch der Vorteil, den sie

gehabt hatten. Konnte Lee jetzt noch etwas retten, seine Armee eingeschlossen?

15. September. Keine Gefahr lauerte bei Harpers Ferry. Statt dessen
fanden sie singende, feiernde Männer vor. Old Jack hatte die bedingungslose Kapitulation erreicht.

Die Sieger brachen die Türen der Magazine und Kornspeicher auf.
Sie fanden dreizehntausend Faustfeuerwaffen und Futter für die halb
verhungerten Pferde. Elftausend Mann gingen in Gefangenschaft,
zweihundert einsatzfähige Wagen und siebzig oder mehr Kanonen
wurden erbeutet. Und massenhaft Munition; auch für Charles' Colt
war was dabei.

Als die Nacht hereinbrach, band Charles Sport an seinem Handgelenk fest, kauerte sich mit dem Rücken gegen die Wand des Arsenals
und schlief. Nach einer halben Stunde weckte ihn Ab.

«Ich glaube, sie wollen zu irgendeinem Ort nördlich von hier aufbrechen. Old Jack läßt Rationen für zwei Tage kochen.»

Mit der Dunkelheit senkte sich Ruhe herab; der eigenartige Frieden
dieser Stunden, wenn die Schlacht zur Gewißheit wird. Gegen elf – so
spät wie möglich, um das Pulver trocken zu halten – begann die
Munitionsausgabe. Hundert Schuß pro Mann, wurde Charles erzählt,
obwohl er keine Ahnung hatte, ob es tatsächlich zutraf. Bald schon
würden die Trommeln zum Aufbruch geschlagen, das wußte er; jetzt
schlief Ab, beide Pferde an sein Handgelenk gebunden.

Neben den gurgelnden Flüssen waren gewaltige Feuer entfacht worden; hier richteten die Colonels ihre Ansprache an die Männer.

«Denkt dran, Männer, es ist besser zu verwunden als zu töten, da es
Zeit und oftmals gleich zwei feindliche Soldaten braucht, um den Verwundeten nach hinten zu tragen.»

In der Dunkelheit ging Charles weiter.

«Und wenn wir auf dem Kriegsschauplatz aufmarschieren, dann
werden wir den entscheidenden Sieg an unsere Fahnen heften und die
Söldner vernichten, die unsere Freiheiten, unseren Besitz und unsere
Ehre zerstören wollen. Vergeßt keinen Moment, daß die Blicke und die
Hoffnungen von mehr als acht Millionen auf euch ruhen. Alle Frauen
der Südstaaten sind auf euren Schutz angewiesen. Mit festem, uner-
schütterlichem Vertrauen in eure Führer und in Gott werdet ihr Erfolg
haben. Ein Fehlschlag ist nicht möglich.»

16. September. Jackson ließ die Trommeln schlagen und marschierte
um ein Uhr morgens los.

Charles und die anderen stiegen in den Sattel. Brigadier Hampton wirkte frisch und energiegeladen, als er seine Regimenter hinter der Hauptkolonne zum Aufmarsch zusammenstellte. Wie macht er das in seinem Alter, fragte sich Charles. Ich wollte, ich wäre so munter.

«Wohin geht's, Charlie?»

«Hinter Old Jack her. Wir schützen wieder mal seinen Rücken.»

«Ich weiß. Wohin ist er unterwegs?»

«Frank Hampton hat mir was von Sharpsburg erzählt. Kleine Stadt, fünfzehn, vielleicht sechzehn Meilen die Straße hoch. Ich glaub', nach Old Jacks Sieg hat sich Old Bob entschlossen, in Stellung zu gehen und zu kämpfen.»

«So, wie wir aufgeteilt waren, ist ihm wohl nichts anderes übriggeblieben», stimmte Charles zu. Nach einer Pause sagte Ab: «Die Fußkavallerie schaut erschöpft aus.»

«Die Fußkavallerie hat da 'ne Menge Gesellschaft.»

Sharpsburg erwies sich als kleines, grünes Dorf, eingebettet in eine freundliche Hügellandschaft. Lees Hauptquartier war Oak Grove, ein Stückchen südwestlich der Stadt. Seine Hauptlinie erstreckte sich von Sharpsburg aus über fast drei Meilen nach Norden, in groben Zügen der Straße nach Hagerstown folgend. Stuarts Kavallerie deckte die äußerste linke Seite ab, dicht bei einer Flußschleife. John Hood grub sich mit seinen zwei und Harvey Hill mit seinen fünf Brigaden ein. Little Mac würde von Osten her mit seinen fünfundsiebzigtausend Mann anmarschiert kommen. Auch Little Mac hatte Nachzügler, aber er war der Spieler mit den meisten Chips; er konnte sie mit vollen Händen hinauswerfen und immer noch das Spiel beherrschen.

Während Old Jack mit seinen Truppen den Nordsektor der Front besetzte, war Charles voll damit beschäftigt, Stuart und den anderen Außenposten Befehle zu überbringen. Als er später vor dem Hauptquartier Ab begegnete, erklärte ihm der andere Scout: «Es heißt, die Linien steh'n sich so dicht gegenüber, daß die eine Seite es riechen kann, wenn auf der anderen Seite einer furzt.»

Es hatte gelegentliche Scharmützel gegeben und während der Dämmerung ein schweres Bombardement. In der Dunkelheit ertönte dann nur noch ab und zu ein Ruf oder ein Schuß. Vor Tagesanbruch begann es zu nieseln; als der Morgen aufdämmerte, brach die Hölle los.

17. September. Die blauen Wellen stürmten frühzeitig aus den Wäldern. Zuerst eine Doppelreihe, dann die Hauptstreitmacht, feuernd und ladend, feuernd und ladend – so kamen sie näher und näher. Ein Südstaatensoldat schrie: «Joe Hooker!»

Joe Hooker, ein gutaussehender Teufelskerl, setzte zwei Corps der Union wie einen Hammer gegen die linke Flanke der Konföderierten ein. Die Yankee-Fußtruppen stießen durch die Kornfelder vor, die Köpfe gesenkt, als wollten sie einem Regenguß ausweichen.

Die Kämpfe begannen um sechs; die Fronten wechselten so schnell, und die Schlacht war derart gewaltig, daß Charles nur einzelne Fäden davon mitbekam, niemals das ganze Muster.

Vom Nicodemus Hill zurückreitend, den Kopf gesenkt, den Revolver in der Hand, geriet er in einen wütenden Angriff der Bundestruppen gegen Old Jacks Männer, die sich zwischen den Bäumen auf den Felskämmen verschanzt hatten. Ein Colonel, der mehrere Offiziere verloren hatte, beorderte Charles mit gezogenem Revolver vom Pferd und brüllte: «Halten Sie diese Position um jeden Preis.»

Also kämpfte er fünfzehn unglaubliche Minuten lang mit den Fußtruppen, schoß auf Yankees, die über die Straße gestürmt kamen, mit immer heller glänzenden Bajonetten, als die Sonne den Dunst auflöste und warmes, heiteres Licht über das Schlachtfeld warf.

Inmitten von Old Jacks Männern feuerte Charles, lud nach, brüllte, trieb die Männer an – half mit, den Angriff zurückzuwerfen, der die Yankees in weniger als einer halben Stunde fast fünftausend Mann kostete. Als die triumphierenden Fußtruppen brüllend zum Gegenangriff auf das Kornfeld ansetzten, rannte Charles, in dem Gefühl, dem unbekannten Colonel gegenüber seine Pflicht erfüllt zu haben, zurück, band Sport los und machte sich, immer noch vor Erregung zitternd, wieder auf den Weg.

Gegen elf hatte sich das Zentrum der Schlacht auf eine verfallene Straße etwas südöstlich von dem Kornfeld verlagert, durch das Charles zu der Zeit gerade ritt. In den letzten drei Stunden waren mindestens ein Dutzend Angriffe hin und her gewogt; von den gestern noch so stolz erhobenen Halmen war nichts mehr zu sehen.

Er hatte das Gefühl, in irgendein dämonisches Kaleidoskop zu starren: jede gräßliche Szene eine neue Variation des Horrors. Bei dem Anblick spürte Charles, wie ihm seine Selbstkontrolle entglitt. Immer heftiger umklammerten seine Hände die Zügel. Während der Himmel explodierte und er instinktiv den Kopf einzog, dachte er an ein Gesicht. An einen Namen. Hielt sich an beiden wie an einem Rettungsanker fest.

Der Impuls, abzusteigen und sich zu verstecken, war stark. Es ging vorüber, und er hielt weiterhin auf die verfallene Straße zu, wo Old Bobs Offiziere und Männer nicht nur um die Rettung der Armee, sondern vielleicht auch der ganzen Konföderation kämpften.

Charles spornte Sport an. Er war ein Mann, der in einem endlosen, zerstörerischen Meer trieb. Keine gerechte Sache konnte sein Leben retten; kein Slogan. Nur Erinnerungsfetzen.

Name.

Gesicht –

Sie.

Nahe der umgepflügten Straße war er unter lauter Wahnsinnigen – graue Soldaten in ihrer ersten Schlacht, die vor Angst Amok liefen. Er beobachtete, wie einer seine Feldflasche wegwarf; ein anderer stopfte zwei, drei, vier Kugeln in seine Gewehrmündung, ohne zu zählen, ohne es zu bemerken; ein Dritter stand mit geballten Fäusten da und schrie wie ein verlassenes Kind. Ein Granatsplitter schnitt sein linkes Bein und seinen Schrei mit einem sauberen Schlag ab. Blut spritzte wie der vorangegangene Regen auf den Boden.

«Steh auf, steh auf, verdammt!»

Der da brüllte, war ein rotgesichtiger, rotbärtiger Lieutenant, der nach einem gestürzten Pferd trat. Die Männer des Lieutenants duckten sich um eine Blakely-Kanone, die in einer Wagenspur festhing. Charles glitt aus dem Sattel, schlang den Zügel um einen Stein, rannte vor und stieß den hysterischen Offizier mit beiden Händen weg.

«Schluß. Das Pferd kann nichts mehr ziehen. Das Bein ist gebrochen.»

«Aber – aber – die Kanone wird oben an der Straße gebraucht. Ich habe Befehl, sie zur Straße zu bringen.» Der Lieutenant weinte jetzt.

«Beiseite, ihr Männer», Charles hob die Hand, «schneidet die Stränge durch. Wir ziehen vorn an der Deichsel. Ein paar von euch schieben an jedem Rad. Einer paßt auf mein Pferd auf.»

Die Kugeln summten so dicht wie Bienenschwärme, Granatexplosionen schleuderten Schrapnelle durch die Gegend, aber sie zerrten fluchend und schwitzend die kleine Feldkanone voran, bis sie auf einen Major trafen, der sie mit gezogenem Säbel grüßte. «Gut, Jungs. Rollt sie dorthin.»

«Der Captain hat das geschafft», sagte einer der Artilleristen. «Unser Lieutenant hat sich die Hosen voll gemacht.»

«Wer sind Sie, Captain?» fragte der Major.

«Charles Main, Sir. Scout bei Hamptons Brigade.»

«Ich werde Sie lobend erwähnen, falls einer von uns den Tag überleben sollte.»

Charles rannte geduckt über das Feld zurück zu dem Soldaten, der Sport bewachte. Der bärtige Lieutenant saß auf dem Boden neben dem lahmen Pferd. Charles erlöste das Tier mit einer Kugel. Der

Lieutenant starrte ihn mit nassen Augen an, als wünschte er sich dieselbe Gnade.

«Los, Sport», flüsterte Charles mit rauher Stimme. Er mußte zurück zum Hauptquartier.

Es war ein hartes Stück Arbeit. Hinter einer Rauchwand verborgen kanonierte die Bundes-Artillerie von den Anhöhen jenseits des Flusses. Charles bekam den Mann nie zu Gesicht, der auf ihn schoß. Etwas schlug gegen seine Brust, es riß ihn seitlich herum, und er wäre beinahe aus dem Sattel gestürzt.

Verwirrt schaute er an sich herunter und entdeckte ein rundes Loch links neben seinem Hemdknopf. Er öffnete das Hemd und holte den Lederbeutel hervor. Auch darin war ein Loch, wenn auch nicht durchgehend. Eine tödliche Kugel hatte ihn getroffen und war von dem Buch aufgehalten worden.

Er geriet in Andersons Brigade, die in dem Versuch, die Stellung zu halten, an die Straße geworfen wurde. Gegen den Strom der Männer kam er nur langsam voran. Was allmählich eine dauerhafte Veränderung in ihm auslöste, war nicht der einzelne Tod, den er oft genug gesehen hatte, sondern die überwältigende Multiplikation des Todes. Leichen türmten sich aufeinander. Ein Mann hatte keinen Kopf mehr; Fliegen krochen auf dem fleischigen Stumpf herum. Körper hingen mit dem Bauch nach unten über Farmzäunen.

Rauch hüllte ihn ein. Sport bäumte sich auf, wieherte zum erstenmal an diesem Morgen. Plötzlich erspähte Charles in dem geröteten Gras zu seiner Rechten einen gefallenen Mann, der ihm bekannt erschien. Der Mann lag still da, das Gesicht in seinem breitkrempigen Hut verborgen.

Zitternd stieg Charles ab. «Doan?»

Der Scout rührte sich nicht. Auf beiden Seiten der Straße lagen verstreute Körper, aber Doans Pferd war nirgendwo zu sehen. «Doan?» Diesmal sagte er es sanft, als wüßte er bereits, was er vorfinden würde, wenn er den Scout umdrehte.

Es war schlimmer als erwartet. Eine Kugel hatte Doans linke Gesichtshälfte weggerissen; sein ganzes Gesicht tropfte, als Charles den Kopf anhob. Blut lief aus den Augen und den Nasenlöchern über Zunge und Zähne. Der ganze Hut war voll davon. Doan war in seinem eigenen Blut ertrunken.

18. September. Im Dunkel der Nacht zog sich Bob Lees Armee über den Potomac nach Virginia zurück.

Dreiundzwanzigtausend Mann waren in der Schlacht gefallen, die den ganzen Tag gedauert hatte. Die verzweifelten Verteidigungsbemühungen hatten gewaltige Opfer gefordert; ein massierter Frontalangriff auf die Unionsstellungen hätte kaum blutiger verlaufen können.

Es hatte Augenblicke gegeben, wo alles verloren schien. Am Nachmittag hatten die Yankees eine halbe Meile vor Sharpsburg gestanden; noch eine halbe Meile, dann hätten sie einschwenken und Lee den Fluchtweg abschneiden können. Der Kampftag hatte beide Seiten erschöpft zurückgelassen, doch noch hatten sie die lange, schreckliche Nacht mit Schreien und Stöhnen und der Suche nach Überlebenden vor sich. Kerzen flackerten über den Feldern und durch die Wälder, wie die Leuchtkäfer des vergangenen Sommers. Die Feldwachen schossen nicht; beide Seiten suchten.

In dieser Nacht sah Charles die Ambulanzen mit ihrer stöhnenden Fracht rollen. Er sah improvisierte Operationszelte, wo die Chirurgen die Ärmel aufkrempelten, ihre Sägen rausholten und verstümmelte Arme und Beine zu Hunderten amputierten. Er sah Leichen, die anschwollen, die sich mit den Gasen des Todes aufblähten. Kurz vor der Morgendämmerung sah er, wie ein Toter explodierte.

Am nächsten Tag begann sich die allgemeine Lage abzuzeichnen.

McClellan hatte eine Verteidigungsposition bezogen, sonst hätte er die Konföderation für immer auslöschen können. Angesichts der Gelegenheit, Lees Armee zu vernichten, hatte er lediglich die Invasion gestoppt. Lee war nicht geschlagen worden, aber er hatte auch nicht gesiegt. Er hatte einfach seine Verteidigungseinheiten von einem Ort zum anderen gehetzt und zwischen Tagesanbruch und Dunkelheit fünf aufeinanderfolgende apokalyptische Angriffe zurückgeworfen.

In den frühen Morgenstunden des 18. September erhielt McClellan Verstärkung und beschloß, die Stellung zu halten. Das Oberkommando der Konföderierten beschloß den Rückzug. Mittlerweile besaß Charles nur noch bruchstückhafte Erinnerungen an den vorangegangenen Tag. Er konnte sich nicht mehr an all die Orte erinnern, an die man ihn geschickt hatte, oder an all die Männer, auf die er geschossen hatte. Er wußte, daß er die Erinnerung an seine ständige Furcht um Sport für immer bei sich tragen würde; nie würde er das Gefühl vergessen, daß dieser Septembernachmittag ewig dauern würde, daß die Sonne an den Himmel genagelt war und nie versinken und allem ein Ende machen würde.

Die Erinnerungen pflanzten eine neue Überzeugung in Charles' Herz und Geist: Der Krieg würde länger dauern, als je irgendeiner von ihnen sich hätte träumen lassen.

Wer hatte gesiegt, wer hatte eine Niederlage erlitten? Wen kümmerte das schon, dachte er in jener merkwürdig leichtfertigen, benommenen Stimmung, die ihn überkam, als er und Ab, wieder zusammen, auf den Potomac zu ritten. Sie befanden sich ungefähr eine Meile hinter der Kavallerie der Second South Carolina, die relativ frisch war, da sie während der gesamten Schlacht auf der äußersten linken Seite in Reserve gehalten worden war.

Im Mondschein, nahe am Fluß, kamen sie an einigen rastenden Infanteristen vorbei. Einer rief ihnen in bitterem Schmerz zu: «Möcht' wetten, ihr Jungs von der Kavallerie habt von dem ganzen Theater nichts mitgekriegt.»

«Ganz richtig», sagte ein anderer, «bei der Kavallerie, das ist so, als hätt' man 'ne Lebensversicherung, die keiner einkassiert.»

Ab sah düster und fiebrig aus. Er zog seine Waffe, spannte den Hahn und zielte auf den letzten Sprecher, der entsetzt aufsprang und rannte. Charles packte Abs Arm und zog ihn langsam nach unten. Er fühlte, wie Ab zitterte.

Am nächsten Tag verhielt sich Charles so wie viele andere auch, die einer großen Schlacht lebend entronnen waren. Er lächelte nicht; er sprach kaum ein Wort. Eine immer drückender werdende Depression preßte seine Seele zusammen. Er funktionierte, führte Befehle aus, aber das war auch schon alles. Und wenn jemand Ab Woolner fragte, weshalb sein Freund solch einen fernen, verlorenen Ausdruck in den Augen hatte, erklärte Ab: «Wir waren bei Sharpsburg dabei. Charlie ist immer noch dort.»

58

Über die Schlacht schrieb Billy nur eine Zeile in sein Tagebuch:

Horror jenseits aller Vorstellungskraft.

Eine erste Ahnung überfiel ihn, als sie sich dem Schlachtfeld näherten. Die Pioniere kamen in Maryland nur schwer voran, weil die Straßen mit Ambulanzen verstopft waren. Von den Ambulanzen drangen Geräusche herüber, die Billy zwar auch schon gehört hatte, an die er sich aber nie gewöhnen würde.

Er sah den Rauch und hörte den Gefechtslärm von South Mountain, erreichte aber an diesem 15. September den Gipfel von Turner's

Gap nicht vor Einbruch der Dunkelheit. Reveille weckte das Bataillon um vier, und als es dämmerte, entdeckten sie, daß sie zwischen Toten von beiden Seiten biwakiert hatten. Selbst Männer mit eisernen Mägen konnten ihr Frühstück nicht bei sich behalten.

Am späten Nachmittag wurde das Bataillon von Keedysville aus an die Front gejagt. Um fünf organisierten Billy und Lije Suchtrupps, die auf dem umliegenden Farmland jeden verfügbaren Stein einsammeln sollten. Andere Männer schleppten die Steine zum Antietam Creek. In Hemdsärmeln schuftete Billy bis Sonnenuntergang, um eine Furt zu schaffen, wo die Artillerie den Fluß überqueren konnte. Eine ähnliche Furt wurde für die Infanterie vorbereitet.

Um halb elf war die Arbeit beendet. Obwohl Billy zum Umfallen müde war, hielt ihn die innere Unruhe den größten Teil der Nacht wach. Morgen würde es eine Schlacht geben. Würde Bison dabei sein? In den letzten Tagen hatte er häufig an Charles gedacht. War er noch am Leben?

Es war üblich, daß an die Pioniere Munition ausgegeben wurde – vierzig Schuß für die Patronentasche, zwanzig als Reserve – sowie Rationen, aber aus den eigentlichen Kämpfen wurden sie herausgehalten. Billy und Lije und die anderen saßen an diesem blutigen Tag auf einem Kamm, mit Blick über die in der vergangenen Nacht konstruierten Furten. Angesichts dessen, was er zu sehen bekam, wünschte sich Billy weit weg. Der Anblick der Toten und Verwundeten löste eine illoyale Reaktion bei ihm aus: Wie konnte irgendeine Sache so viele Menschenleben wert sein?

Am nächsten Tag wurden die Pioniere nach vorn geworfen und dienten als Infanterieunterstützung für eine Batterie nahe dem Zentrum der Front. Am Tag danach zog sich das Bataillon über die untere Flußbrücke nach Sharpsburg zurück.

Die Pontonbrücke der Bundestruppen bei Harpers Ferry war von den Rebellen zerstört worden; die Pioniere marschierten dorthin und machten sich am 21. September zu bereits fortgeschrittener Tageszeit an den Wiederaufbau.

Billy empfand die Arbeit wie ein stärkendes Mittel: Mit Hirn, Herz, Verstand und einer Menge Schweiß schuf das Bataillon Dinge, anstatt sie zu zerstören. Er baute sich eine geistige Sperre auf und versteckte dahinter den Zweck dieser Schöpfungen.

Er sehnte sich nach Brett. Die lange Trennung von seiner Frau brachte ihm nächtliche Träume, deren Folgen peinlich und beunruhigend waren. Nach vier Stunden erwachte er, aß etwas und fühlte sich besser. Einige der Pioniere gaben Lose ab; jeder Mann zog einen Zettel mit einem Datum darauf. Das Datum sollte den Zeitpunkt bezeichnen an dem McClellan abgelöst werden würde.

Zwei Tage später erfuhren sie, was Lincoln öffentlich am vierundzwanzigsten verkündet hatte. An den abendlichen Feuern diskutierten die Männer darüber und verfälschten, wie bei jeder Armee zu jeder Zeit üblich, die Einzelheiten.

«Mit der Unterschrift unter diesen Fetzen Papier befreit er jeden gottverdammten Nigger in diesem gottverdammten Land.»

«Stimmt nicht. Nur in den Staaten, die am 1. Januar noch rebellieren. Kentucky oder so hat er nicht angerührt.»

«Jedenfalls», sagte einer der New Yorker Freiwilligen, «ist die ganze Sache eine Beleidigung des weißen Mannes. Keiner wird ihn unterstützen. Nicht in dieser Armee.»

Viel Zustimmung.

«Ich denke, es wird eine verteufelte Menge Ärger mit sich bringen – innerhalb und außerhalb der Armee», sagte Billy.

Er hatte seine Meinung nicht geändert, als er in der Dämmerung am Potomac entlangschlenderte. Er versuchte seine innere Verwirrung über den neuesten Kriegskurs abzuschütteln und konzentrierte seine Gedanken auf Brett.

Ein melancholisches Signalhorn ertönte unten am Steilufer – ein neuer Klang, in Virginia zum erstenmal im Juni oder Juli gespielt. Er wußte nicht, wer es komponiert hatte. Ein letzter Gruß an einen Soldaten. Für wen war dieser Gruß bestimmt, wer war gestorben, fragte er sich. Und was war mit dem Schwung von Lincolns Feder gestorben? Was war neu geboren worden? All diese Fragen paßten zu der einfallenden Herbstdunkelheit.

Bewegungslos blieb er stehen, lauschte dem Murmeln des Flusses, den vertrauten Lagergeräuschen und den schwindenden letzten Tönen von «Taps».

Charles zeigte Ab in Virginia das Buch *An Essay on Man*. Ab berührte die in der Mitte eingebettete Bleikugel, dann das Buch selbst und fragte: «Wer hat dir das gegeben?»

«Augusta Barclay.»

«Du hast mir doch gesagt, du habest kein Mädchen.»

«Ich hab' eine Freundin, die mir ein Weihnachtsgeschenk geschickt hat.»

«Wirklich?» Ab befingerte erneut die platte Kugel. «Die Religion hat dich gerettet, Charlie. Du hast keine Bibelwunde abgekriegt», dauernd hörte man, daß eine Taschenbibel eine Kugel aufgefangen und damit einem Soldaten das Leben gerettet hatte, «aber das hier ist fast genauso heilig.»

Schweigen.

«Du hast eine Pope-Wunde abgekriegt. Direkt vom Papst. Hier steht's.»

Charles lächelte nicht, schüttelte bloß den Kopf. Ab schaute unglücklich drein. Charles steckte das Buch wieder hinein, zog den Riemen zu und verbarg den Beutel unter seinem Hemd.

Cooper verließ mit seiner Frau das Haus, um ihr die Geschichte zu erzählen.

Es war die Stunde der sanften, grauen Dämmerung, mit den ersten funkelnden Sternen am Himmel. Eine Herbstbrise wehte über den Abercromby Square und schickte die Schwäne zu ihren Schlafplätzen unter den Trauerweiden am Rande des Teiches. Ein paar Blätter, vertrocknet und rot, wirbelten um die Straßenlaternen.

«Sie wollen, daß wir nach Hause zurückkehren. Die Nachricht kam mit dem heutigen Postsack aus Richmond.»

Judith antwortete nicht gleich. Hand in Hand schlenderten sie über den Platz zu der Bank, auf der er so gern die Ereignisse des Tages diskutierte. Der Wind war scharf. Der Mersey roch nach Salz und einem gerade eingelaufenen Gewürzschiff. «Das ist eine Überraschung», sagte Judith schließlich. «Wurde ein Grund angegeben?»

«Der Krieg läuft nicht gut für die Yankees, aber für unsere Seite ebensowenig. Der Blutzoll in Maryland war fürchterlich.»

Und Menschenleben waren dabei nicht der einzige Verlust. Als die Schlachtberichte Europa erreichten, wurde der Ausgang als Niederlage der Konföderierten hingestellt. Trotz falschen Jubels begriffen die Leute in Bullochs Abteilung die tiefere Wahrheit von Sharpsburg. Der Süden würde niemals die diplomatische Anerkennung erreichen.

«Man will mich im Marineministerium haben», berichtete er ihr. «Mallory braucht Hilfe und glaubt anscheinend, daß ich sie ihm geben kann. James hat hier alles gut in der Hand, und ich weiß, daß er in seinem Bericht meinen Einsatz beim Stapellauf der *Alabama* hervorgehoben hat.»

Nach Beendigung der geheimen Mission war Cooper damals mit einem Passagierdampfer nach Liverpool zurückgekehrt. Judith erkundigte sich sanft: «Was hältst du von Mallorys Aufforderung?»

Er preßte seine Schulter gegen die ihre. Der Wind war kalt; die Sterne leuchteten. «Ich werde diese alte Stadt vermissen, aber ich habe keine Wahl. Ich muß gehen.»

«Wie bald?»

«Sobald ich mit einigen laufenden Projekten fertig bin. Ich schätze gegen Ende des Jahres sind wir auf dem Weg.»

Sie hob seinen Arm und legte ihn sich um die Schultern; wegen der Wärme und weil sie die Berührung liebte. «Eine Atlantiküberquerung im Winter macht mir Sorgen.»

Mehr Sorgen bereitete ihm der letzte Teil der Reise, die Fahrt von Hamilton oder Nassau durch die Blockade. Aber er sprach es nicht aus, um sie nicht aufzuregen.

«Solange wir vier zusammen sind, ist alles in bester Ordnung. Gemeinsam können wir allem trotzen.»

Sie stimmte ihm zu, überlegte dann einen Moment. «Ich frage mich, was dein Vater sagen würde, wenn er dich so ergeben dem Süden dienen sähe.»

Er hoffte, sie würden sich wegen dieses Themas nicht wieder in die Haare kriegen wie auch schon. Vorsichtig erwiderte er: «Er würde sagen, das sei nicht der Sohn, den er aufgezogen habe. Er würde sagen, ich hätte mich verändert, aber das haben wir ja alle.»

«Nur in gewissen Punkten. Ich verabscheue die Sklaverei so stark wie eh und je.»

«Du weißt, daß ich ebenso empfinde. Wenn wir unsere Unabhängigkeit gewinnen, dann wird die Sklaverei eingehen und eines natürlichen Todes sterben.»

«Unabhängigkeit? Cooper, die Sache ist verloren.»

«Sag sowas nicht.»

«Aber es stimmt. In deinem Herzen weißt du es. Du hast von den Hilfsmitteln des Nordens gesprochen und wie sehr es dem Süden daran fehlt, lange bevor dieser schreckliche Krieg begann.»

«Ich weiß, aber – ich kann die Niederlage nicht eingestehen. Wenn ich es täte, weshalb sollten wir heim? Weshalb sollte ich überhaupt ein Risiko eingehen? Und doch muß ich es – der Süden ist mein Heimatland. Deins auch.»

Sie schüttelte den Kopf. «Ich habe es verlassen, Cooper. Es ist mein Land, weil es deins ist, das ist alles. Der Krieg ist falsch, auch die Sache, um die es geht – weshalb sollten du oder Bulloch oder sonst jemand weiterkämpfen?»

«Wir müssen für einen noch auszuhandelnden Frieden kämpfen.»

«Und du glaubst, es lohnt sich, dafür heimzukehren?»

Er nickte.

«Gut, Liebster. Küß mich, und wir werden es tun.»

Sie gingen zurück. Im gaslichterhellten Flur wurde Cooper bleich und deutete auf einen Tropfen Blut auf dem gekachelten Boden. «Guter Gott, schau doch.»

Ihre Augen wurden groß. «Judah?»

Marie-Louise steckte den blonden Kopf aus dem Wohnzimmer. «Er ist verletzt, Mama.»

Cooper stürzte die Treppe hoch; sein Magen zog sich zusammen wie ein Seemannsknoten, sein Kopf dröhnte, seine Handflächen wurden feucht. War sein Sohn einem Unhold in die Hände gefallen? Er rannte auf die halb offene Zimmertür des Jungen zu. «Judah!»

Er stieß die Tür auf. Judah lag auf dem Bett; seine Jacke war zerrissen, seine Wange aufgeschlagen, seine Nase blutig.

Cooper rannte zum Bett, wollte seinen Sohn in die Arme nehmen, hielt sich dann aber zurück. Judah war elf und erachtete solche Kontakte als weibisch. «Sohn – was ist passiert?»

«Ich bin in ein paar Toxteth-Dockjungen gelaufen. Sie wollten mein Geld, und als ich sagte, ich hätte keins, fielen sie über mich her. Mir fehlt nichts.» Er gab die Erklärung mit offensichtlichem Stolz ab.

«Du hast dich verteidigt?»

«So gut ich konnte, Pa. Sie waren zu fünft.»

Er konnte sich nicht länger beherrschen, berührte Judahs Stirn, strich eine Haarsträhne zurück, kämpfte gegen das eigene Zittern an. Judiths Schatten fiel über seinen Arm. «Ihm fehlt nichts», sagte Cooper; wie Ebbe wich die Furcht aus ihm.

59

Das Wetter war warm an diesem Morgen in der besetzten Stadt New Orleans. Colonel Elkanah Bents emotionale Temperatur war ebenfalls gestiegen und hatte sich dem Stimmungsbarometer der Einheimischen angepaßt, die mit ihm an der Ecke Chartres und Canal Street standen und den greifbaren Beweis für General Ben Butlers Radikalismus betrachteten.

Bent, fetter denn je, eine Zigarre paffend, war ebenso wütend wie die Zivilisten, obwohl er es nicht zu zeigen wagte. Dröhnende Trommeln, schrille Querpfeifen, vornweg schlaffe Fahnen, so paradierten die First Louisiana Native Guards am Kanal entlang.

Generalmajor Butler hatte das Regiment im Spätsommer aufge
stellt, im Kielwasser anderer Abscheulichkeiten, wozu die Hinrichtung
Mumfords durch den Strang zählte, des Mannes, der es gewagt hatte
eine amerikanische Flagge von der Münzstätte zu reißen, sowie eine
Befehls vom 15. Mai, der die Verhaftung von Frauen, die Unionssol
daten beleidigt hatten, und ihre Behandlung als Prostituierte anord
nete.

Im Vergleich zu dem hier waren das Schuljungenstreiche, dachte
Bent. Die bloße Existenz der Niggertruppe, offiziell am 27. September
angemustert, erschien ihm unglaublich und abstoßend. Er bedauerte
die Offiziere dieses Regiments, die ehemalige Baumwollpflücker und
Hafenarbeiter zu kommandieren hatten.

Das Negerregiment war kein Gerücht mehr, er hatte es direkt vor
Augen – gelbe Gesichter, braune Gesichter, ebenholzschwarze Gesichter. Wie sie grinsten und mit den Augen rollten, während sie an ihrer
alten Unterdrückern vorbeistolzierten, die vor lauter Unglauben und
Abscheu wie zu Statuen erstarrt dastanden.

Bents Hände begannen zu zucken, als er an ein Glas Schnap
dachte. Zu früh. Viel zu früh. Aber er konnte den Wunsch nicht unter
drücken, dem er in letzter Zeit immer häufiger nachgab. Seit Pittsburg
Landing war es mit ihm abwärts gegangen. Nach einer mühsamer
Reise an die Ostküste und einer Dampferfahrt um die Spitze Floridas
hatte er Butlers Hauptquartier in New Orleans erreicht. Nach einer
zweiminütigen Unterredung mit dem schieläugigen kleinen Politiker
aus Massachusetts fand sich Bent bei der Militärpolizei wieder. Für
ihn der ideale Dienst, weil er dadurch sowohl Zivilisten als auch Solda
ten Befehle erteilen konnte.

Bent hatte New Orleans bereits gekannt. Er genoß die gepflegte
Atmosphäre der Stadt und die Freuden, die sie einem Gentleman mi
Geld zu bieten hatte. In den Bordellen hatte er eine gewisse Leiden
schaft für Gleichberechtigung entwickelt; er war bereit, einen hoher
Preis zu zahlen, um mit einem Niggermädchen, vor allem einem sehr
jungen, schlafen zu können. Letzte Nacht hatte er ein solches Erlebnis
genossen.

Bent spähte hinter dem Regiment her – dem Corps d'Afrique, wie
sich die überheblichen Nigger selbst bezeichneten. Bent marschierte
los, auf den alten Platz zu; auf den Gehsteigen überall unfreundliche
Gesichter. Ah, aber die Zivilisten traten beiseite. Jawohl, das taten sie

Seine Gedanken wandten sich wieder den Bordellen zu. Es gab da
ein Haus, das er bei passender Gelegenheit besonders gern besuch
hätte. Vor dem Krieg war er zufällig dort gewesen, auf dem Rückweg

368

von dem höllischen Dienst in Texas. In den Räumen der Hausherrin hingen viele wunderschöne Gemälde, einschließlich eines Frauenporträts, das in irgendeinem Zusammenhang, den er noch nicht ganz durchschaut hatte, mit der Main-Familie stand. Der Zusammenhang allerdings war klar. In Charles Mains Quartier in Texas hatte er das Foto einer Frau mit praktisch identischen Gesichtszügen gesehen.

Was Bents Phantasie auf Touren brachte, waren die Fakten, die ihm die Besitzerin des Bordells, Madame Conti, mitgeteilt hatte. Das Bild stellte eine Terzeronin dar, eine Viertelnegerin, die einst in diesem Etablissement gearbeitet hatte. Anders ausgedrückt: eine Niggerhure.

Das Gemälde bildete einen der wenigen positiven Aspekte in Bents gegenwärtigem Exil. Er glaubte es möglicherweise als Waffe gegen die Mains einsetzen zu können. Er wußte, daß das Bordell immer noch unter Madame Contis Leitung stand, und nahm an, daß sich das Gemälde noch dort befinden würde.

Als er Bienville erreichte, wußte er, daß er so schnell wie möglich einen Drink haben mußte. In dem Moment bemerkte er eine gutgekleidete weiße Frau, die hinter der Kreuzung der schmalen Straßen aus einer Kutsche stieg. Sie entließ den Fahrer und ging, genau wie Bent, auf die Kathedrale zu. Aus der anderen Richtung näherten sich, lachend und einander rempelnd, zwei schwarze Soldaten. Gelbe Streifen an den hellblauen Hosen zeigten, daß sie zu der von Ben Butler aufgestellten Kavallerie gehörten.

Die Frau blieb stehen. Die Soldaten, den Gehsteig blockierend, ebenfalls. Bent sah den Hut der Frau wippen, als sie etwas sagte. Die Soldaten reagierten mit Gelächter. Bent zog seinen Paradesäbel und wälzte sich über die Straße.

«Aus dem Weg, Männer.»

Sie blieben stehen.

«Das war ein Befehl. Runter vom Gehsteig, laßt die Lady vorbei.»

Sie blockierten weiterhin den Gehsteig. Es war eine Art von Ungehorsam, die ihm nicht unbekannt war, aber wegen der Hautfarbe der Männer ärgerte er sich mehr darüber. Wären Butler und Old Abe nicht gewesen, sie hätten es nicht gewagt, ihm zu trotzen.

Bent hörte einen der Kavalleristen etwas Abfälliges über weiße Offiziere murmeln. Wie dumm von ihm, sich mit solchen Rowdies einzulassen. Wenn sie ihn nun attackierten?

Die Rettung nahte in Gestalt von drei weißen Soldaten. Der Sergeant trug einen Revolver. Bent winkte mit seinem Säbel. «Sergeant! Sofort hierher.»

Das Trio kam angerannt. Bent stellte sich vor. «Bringen Sie diese beiden Befehlsverweigerer zur Militärpolizei. Ich komme nach, um Anklage zu erheben.» Sein Atem ging nun langsamer; nun konnte er die Nigger mit Verachtung überschütten. «Wenn ihr zur Armee der Union gehören wollt, Gentlemen, dann müßt ihr euch wie menschliche Wesen und nicht wie Affen aufführen. Abtreten, Sergeant.»

Der Unteroffizier zog seinen Revolver. Er und seine Männer begannen den Auftrag zu genießen. Sie stießen die beiden Schwarzen herum und traten ihnen gegen die Schienbeine.

«Colonel?»

Er zog seinen Hut; die attraktive Frau war in ihren mittleren Jahren. «Ma'am? Ich bitte um Entschuldigung wegen der Art und Weise, wie Sie von diesen – Soldaten belästigt wurden.»

«Ich bin sehr dankbar für Ihr Eingreifen.» Ihr Akzent klang städtisch, ihre Stimme melodisch und warm. «Hoffentlich nehmen Sie es mir nicht übel, wenn ich sage, daß Sie kein typisches Mitglied der Besatzungsarmee sind. Für einen Mann mit Ihrer Sensibilität wäre es natürlicher, Grau zu tragen. Ich danke Ihnen nochmals. Guten Tag.»

Überwältigt murmelte er: «Guten Tag», während sie in dem Eingang verschwand, der ihr Ziel gewesen war.

Vielleicht hatte die Frau recht. Die Seiten zu wechseln war natürlich unmöglich, aber möglicherweise war es ein Irrtum gewesen, daß er sein Leben lang die Südstaatler verflucht hatte. In gewisser Weise mochte er mehr Reb als Yank sein. Ein Jammer, daß er das erst so spät merkte.

Plötzlich wurde seine Aufmerksamkeit von zwei Männern auf dem Platz gefangengenommen. Einer war der Bruder des Kommandierenden Generals, ein Armeeoffizier, den man überall in New Orleans sah. Der andere –

Er wühlte in seinem Gedächtnis, dann hatte er es. Stanley Hazard. Bent hatte ihn vor über einem Jahr bei Willard's gesehen. Was tat er hier?

Der überraschende Anblick von Stanley erinnerte ihn an George und Orry. Er durfte keine der beiden Familien vergessen und was er ihnen alles heimzuzahlen hatte. Bevor er New Orleans verließ, mußte er das Gemälde in dem Bordell an sich bringen.

Der höfliche, zurückhaltende Gentleman, der den Tisch mit Stanley teilte, trug die Abzeichen eines Colonels, obwohl der Ursprung dieses Dienstgrades ein Geheimnis blieb. Stanley hatte einige Nachforschungen angestellt, bevor er Washington verlassen hatte. In einer Gruppe von Berichten wurde der Offizier ständig als Captain Butler bezeichnet. Andere im Kriegsministerium archivierte Berichte führten ihn als Colonel Butler, obwohl diese Berichte meist von seinem Bruder stammten. Anders ausgedrückt: Wenn ein Gentleman einen Posten im Stab seines Bruders bekam, dann war sein Aufstieg unaufhaltsam. Ob das legal zustande kam, spielte keine Rolle; nur Macht und Einfluß des Mannes zählten. Er verfügte reichlich über beides, und so übersah Stanley gern die Unkorrektheiten.

Stanley achtete darauf, nicht zuviel Champagner zu trinken, den die livrierten Kellner nachschenkten; schwierige Verhandlungen lagen vor ihm. Während des Essens behandelten sie harmlose Themen. Butler erkundigte sich nach seiner Reise.

«Oh, bestens. Seeluft soll ja sehr gesund sein.» Er hatte nicht viel davon mitbekommen. Er war nur aus seiner Koje aufgestanden, um sich in einen Eimer zu übergeben.

«Nun, Sir», Stanleys Gast lehnte sich zurück, «ich danke Ihnen für das herrliche Mahl. Aber da Sie nur kurz hier sind, kommen wir vielleicht besser gleich zum Anlaß Ihres Besuches.»

«Mit Freuden, Colonel. Damit Sie sich ein allgemeines Bild machen können, möchte ich Ihnen sagen, daß ich der Eigentümer der Fabrik Lashbrooks in Lynn, Massachusetts, bin.»

«Armeeschuhwerk», bemerkte Colonel Andrew Butler mit einem Nicken. Über Stanleys Rücken lief ein kleiner Schauder. Der Mann wußte alles über ihn.

Mit der Serviette betupfte sich Stanley nervös die Lippen. «Dies hier ist ein ziemlich öffentlicher Ort. Sollten wir nicht – ?»

«Nein, hier sind wir bestens aufgehoben.» Butler führte ein Streichholz an eine große Havanna. «An der Hälfte der Tische in diesem Restaurant werden, äh, ähnliche Arrangements abgeschlossen. Wenn auch nicht in der Größenordnung, die Sie vorschlagen. Bitte fahren Sie fort.»

Stanley sammelte all seinen Mut und stürzte sich ins kalte Wasser. «Soviel ich weiß, werden Schuhe verzweifelt benötigt.»

«Verzweifelt», murmelte Butler und stieß eine Rauchwolke aus.

«Im Norden wird dringend Baumwolle benötigt.»

«Ist zu haben. Man muß nur kooperative Quellen kennen und wissen, wie man sie in die Stadt und auf die Docks bekommt.» Butler lächelte. «Ihnen ist klar, daß ich bei jeder Transaktion sowohl vom Käufer als auch vom Verkäufer eine Provision erhalte?»

«Ja ja – das spielt keine Rolle, wenn Sie mir beim Transport von Schuhen zu den Kon-, äh, zu denen, die sie benötigen, helfen können und gleichzeitig Baumwolle in ausreichender Menge liefern, so daß der

Wiederverkauf das nicht unbeträchtliche Risiko lohnt. Es gibt Gesetze gegen den Handel mit dem Feind.»

«Tatsächlich? Ich bin zu beschäftigt gewesen, um das zu bemerken.» Er lachte herzlich, und Stanley stimmte ein.

Sie begaben sich auf einen Spaziergang und arbeiteten die Einzelheiten aus. Stanley fühlte sich großartig in dem milden Sonnenschein des Frühwinters. Unglaublich, daß an irgendwelchen fernen Orten Männer ihre Leben für Slogans hingaben.

Bei seiner dritten Zigarre begann Andrew Butler über seinen Bruder zu philosophieren. «Sie haben ihm den Spitznamen ‹Beast› gegeben, weil er gedroht hat, die Frauen der Stadt wie Huren zu behandeln, wenn Sie abfällige Bemerkungen über unsere Jungs machen sollten. Außerdem gaben sie ihm den Spitznamen ‹Löffel›, weil sie meinen, er plündere Privathäuser aus. Glauben Sie mir, Stanley, wenn Ben stehlen möchte, dann würde er sich nicht mit Löffeln abgeben. Schließlich kommt er aus der Massachusetts-Politik – und ist zusätzlich Anwalt.»

Sie gingen Richtung Fluß, wo ein Raddampfer angelegt hatte. Butler fuhr fort: «Die Leute in dieser Stadt haben ja keine Ahnung. Zum Glück werden wir es bei unserem kleinen geschäftlichen Abenteuer mit Gentlemen zu tun haben, die persönlichen Profit über alberne Slogans stellen.»

«Sie meinen die Baumwollpflanzer?»

«Ja. Ihr Wunsch, sich als umgänglich zu erweisen, wurde durch die Erfahrung einiger weniger verstärkt, die mir ursprünglich ihre Kooperation verweigert hatten – und ihre Baumwolle. Die Sklaven dieser Gentlemen waren ganz plötzlich abwesend. Als sie sich schließlich bereit erklärten, ihre Ernte auf dem allgemeinen Markt anzubieten, tauchten die Sklaven selbstverständlich wieder auf, um die schwere Arbeit zu tun.»

Arbeit unter den Bajonetten der Soldaten der Vereinigten Staaten, dachte Stanley. Die skandalösen Geschichten waren bis nach Washington gedrungen. Doch das erwähnte er nicht.

«Selbst in Kriegszeiten», schloß Butler, «ist eine praktische Einstellung häufig klüger als Patriotismus.»

«Ja, eindeutig», stimmte Stanley zu. Champagner und Sonnenschein und Erfolg erzeugten ein Selbstwertgefühl, wie er es noch nie im Leben empfunden hatte. Isabel sollte stolz auf das sein, was er heute vollbracht hatte. Verdammt stolz sogar. Er jedenfalls war es.

Ende November wußten die meisten Offiziere der Golf-Armee, daß sie gegen Jahresende einen neuen Kommandeur haben würden. Die Proteste gegen Butlers Stil waren zu zahlreich geworden. Ein neuer Kommandeur hatte für gewöhnlich viele Versetzungen zur Folge. Elkanah Bent erkannte, daß er das Gemälde sofort an sich bringen mußte.

An drei Abenden beobachtete er Madame Contis Eingang. Das Bordell war sowohl bei Offizieren als auch bei Unteroffizieren beliebt, obwohl es gegen die Vorschriften verstieß, daß sie erstens gemeinsam und zweitens überhaupt einen solchen Ort besuchten. Die Männer gingen still und heimlich hinein und kamen stockbesoffen wieder hinaus. Innerhalb einer halben Stunde beobachtete Bent zwei Schlägereien, was ihn zusätzlich aufheiterte.

In seinem Zimmer setzte er sich hin und entwickelte einen Plan. Die Frau, die das Bordell leitete, würde ihm niemals das Porträt verkaufen. Er war nicht gewillt, einen Einbruch spät nachts zu riskieren; sehr lebhaft erinnerte er sich an Madame Contis schwarze Helfer. Er mußte das Bild stehlen, während andere mit dem beschäftigt waren, was in Militärkreisen als Ablenkungsmanöver bekannt war. Bei dem angeheiterten Zustand der Bordellbesucher sollte das nicht schwierig zu erreichen sein.

Am nächsten Samstagabend stieg Bent in voller Ausgehuniform die wunderschöne schwarze Eisentreppe hoch. Im Wohnzimmer fand er eine große, lärmende Menge Soldaten vor, von denen er keinen kannte. Glück.

Er bestellte sich einen Bourbon, nahm gelegentlich einen Schluck und hörte zu. Wenn die Männer nicht vor den Huren angaben, dann faselten sie von zu Hause oder beschimpften den Süden. Ideal.

Er bestellte einen zweiten Drink. Plötzlich begann es in seinem Nacken zu kribbeln. Beobachtete ihn jemand?

«Guten Abend, Colonel. Ich dachte, ich hätte einen alten Kunden erkannt.» Sie war gute sechzig; die Masse ihres weißen Haares war zu einer verblüffenden Frisur getürmt.

Er fing an zu schwitzen; sein Lächeln war unaufrichtig. «Sie haben ein gutes Gedächtnis, Madame Conti.»

«Ich erinnere mich lediglich an Ihr Gesicht, nicht an Ihren Namen.» Klugerweise erwähnte sie ihren Streit über den Preis für gewisse Spezialleistungen nicht, die ihm die Hure, mit der er zu Bett gegangen war, erwiesen hatte.

«Bent.» Bei seinem ersten Besuch hatte er seinen wirklichen Namen noch schützen wollen und sich Benton genannt, weil er da noch an eine Armeekarriere geglaubt hatte. Zu der Zeit war ihm noch nicht klar gewesen, daß die Generäle niemals Talent, sondern nur Einfluß anerkannten.

Und du verfügst über keinerlei Einfluß. Du weißt, wer dafür verant-
wortlich ist: dein Vater, der dich im Tode noch verraten hat. Die Mains
und die Hazards, General Billy Sherman und Unmengen unbekannter
Feinde, die sich verschworen haben –

«Colonel? Geht es Ihnen nicht gut?»

Eine pochende Ader an seiner Stirn glättete sich. Sein Atem beruhigte sich. «Nur eine kleine Benommenheit. Nichts Ernstes.»

Sie entspannte sich. «Colonel Bent. Richtig.» Vergeblich suchte er
den Schatten eines Zweifels in ihren Augen.

«Ich erinnere mich an einen Neger, der für Sie gearbeitet hat – ein
riesiger, wilder Bursche.» *Bereit, auf Befehl zu töten.* «Ich hab' ihn
heute abend noch gar nicht gesehen. Ist er immer noch bei Ihnen?»

Voller Bitterkeit: «Nein. Pomp wollte zur Armee. Er war ein freier
Mann, und ich konnte ihn nicht davon abbringen. Zum Geschäft,
Colonel. Was können wir Ihnen heute abend bieten? Sie kennen unsere
speziellen Angebote, wenn ich mich recht entsinne.»

Er hätte gern einen ihrer jungen Boys gehabt, wagte aber inmitten
all der Soldaten nicht, danach zu fragen. «Ein weißes Mädchen, denke
ich. Mit Fleisch auf den Knochen.»

«Kommen Sie, lernen Sie Marthe kennen. Eine Deutsche, aber sie
lernt englisch. Eine Bitte: Marthes jüngerer Bruder dient in einem
Louisiana-Regiment. Wir sind zwar unparteiisch, aber Sie erwähnen
besser den Krieg nicht.»

«Natürlich, natürlich.» Besorgnis beschleunigte seine Antwort.
Würde er es durchstehen? Er mußte.

Er bestellte eine Magnumflasche französischen Champagners und
watschelte dann mit, um sich der Hure vorstellen zu lassen.

«Sehr schön, Liebling», sagte Marthe zwanzig Minuten später. «Sehr
befriedigend.» Sie hatte einen schweren Akzent und porzellanblaue
Augen, die sie während der ganzen Zeit auf die Decke gerichtet hatte.
Rundlich und rosig angehaucht von der kurzen Anstrengung lag sie da
und spielte mit ihren Korkenzieherlöckchen.

Bent hatte ihr den Rücken zugewandt und kämpfte sich in seine
Hosen. Jetzt, sagte er zu sich. Jetzt. Er nahm die Flasche und leerte den
letzten Tropfen des abgestandenen Champagners.

Die mollige Hure erhob sich und griff nach ihrem blauseidenen
Kimono. «Zeit zu zahlen, Liebling. Der Junge unten an der Bar nimmt
dein Geld un-»

Bent wirbelte herum. Sie sah seine erhobene Faust, aber vor lauter
Verwirrung brachte sie keinen Schrei heraus. Er traf sie hart. Ihr Kopf

ruckte zurück. Sie fiel, vor Wut und Schmerz aufkreischend, aufs Bett zurück.

Er wandte sich ab, damit sie ihn nicht beobachten konnte, und fuhr sich mit den Fingernägeln über die linke Backe, bis er Blut spürte. Dann packte er seinen Uniformrock und schwankte zur Tür.

Die Hure fiel von hinten über ihn her, hämmerte mit den Fäusten auf ihn ein und bellte deutsche Flüche. Bent schlug zweimal zurück, dann stürzte er auf den schwach erhellten Flur hinaus. Überall gingen Türen auf, verschwommene Gesichter tauchten auf. Was hatte der Aufruhr zu bedeuten?

Sein Säbel fiel ihm ein, den er zurückgelassen hatte.

Er taumelte die Treppe hinunter; Blut tropfte von seinem Kinn. «Die verfluchte Rebellenhure hat mich angegriffen! Sie hat mich angegriffen!»

Er stürzte durch den Torbogen in den Salon. «Schaut her, was die Hure mir angetan hat!» Bent deutete auf seine blutige Backe. «Sie nannte General Butler einen verpißten Straßenköter, spuckte auf meine Uniform, dann ist sie mit Fingernägeln auf mich losgegangen. In diesem Verräternest zahl' ich keinen Penny.»

«Recht haben Sie, Colonel», sagte ein Captain mit dunklem Bart. Mehrere Männer standen auf. Marthe kam die Treppe heruntergerannt; ihre hinausgeheulten deutschen Flüche erhöhten noch die Wirkung von Bents Geschichte. Durch den dichten Rauch hindurch sah er die Hand des Barmannes unter dem Tresen verschwinden. Hinter ihm öffnete sich die Tür, und Madame Conti kam herausgeeilt; das Büro – genau so, wie er es in Erinnerung gehabt hatte.

«Ich bitte um Ruhe. Ich erlaube keinen derartigen –»

«Und das machen wir mit Leuten, die die Armee der Vereinigten Staaten beleidigen.» Bent packte den nächsten Stuhl und knallte ihn auf die Marmorbar.

«Aufhören, aufhören», rief Madame Conti mit einem Unterton von Verzweiflung. Einige Mädchen flohen quietschend. Er nahm einen weiteren Stuhl und schleuderte ihn zur Seite, in einen dekorativen Spiegel hinein. Begeistert wie kleine Jungs machten die betrunkenen Soldaten mit. Tische stürzten um. Stühle zerbrachen. Madame Conti versuchte die Zerstörung ihres Salons zu verhindern, gab dann auf und stürzte davon, als das Zerstörungswerk auf die anderen Räume übergriff. Ein Offizier erwischte sie, hob sie hoch und schleppte sie auf seiner Schulter außer Sicht.

Vor Aufregung und Angst keuchend, rannte Bent ins Büro. Da war die rotgetönte Tapete, die genaue Anordnung der Gemälde – und da war das Porträt der Terzeronin. Bent holte ein Klappmesser hervor und begann die Leinwand aus dem Rahmen zu schneiden. Nach anderthalb Minuten hatte er das Porträt fast herausgelöst.

«Was tun Sie da?»

Ein Schnitt, ein Ruck – das Bild gehörte ihm. Er begann es zusammenzurollen. «Sie haben es ruiniert», rief Madame und kam auf ihn zugeeilt. Bent ließ das Gemälde fallen und schlug ihr die Faust an den Kopf. Sie wäre gestürzt, hätte sie sich nicht an der Schreibtischkante angeklammert.

Ihre Frisur war dahin; durch wirre graue Strähnen hindurch starrte sie ihn an. «Beim erstenmal war Ihr Name nicht Bent; er war –»

Wieder schlug er sie. Wimmernd blieb sie am Boden liegen, während er das zusammengerollte Bild nahm und hinauseilte; sollten seine Armeekameraden das Werk vollenden. Dem Geschrei und Getöse nach zu urteilen, das hinter ihm langsam in der Dunkelheit verklang, machte ihnen ihre Arbeit offensichtlich Spaß.

Für alle war es ein netter Abend gewesen.

60

Burnside brachte die Potomac-Armee Mitte November zum Rappahannock. Die Pioniere kamen in dem riesigen Lager von Falmouth in Hütten unter und warteten. Selten hatte Billy so viele Klagen gehört.

«Wir zögern so lange, bis sie ihre besten Einheiten gegen uns aufgestellt haben.»

«Schlechtes Terrain, Fredericksburg. Was sollen wir tun, die Anhöhen hochstürmen wie die Rotröcke bei Breed's Hill, bloß um genauso niedergemäht zu werden?»

«Der General ist ein Hosenscheißer, der kann gerade seinen Bart kämmen, sonst nichts. In diesem Land ist kein Offizier in der Lage, diese Armee zum Sieg zu führen.»

Trotz Lije Farmers Drängen, er solle Vertrauen haben und die Unzufriedenen ignorieren, begann Billy den Unzufriedenen zu glauben. Das Vertrauen in Burnside wurde nicht gerade größer, als die Geschichte die Runde machte, er bitte seinen Koch um strategische Ratschläge.

Das Wetter, naß und scheußlich, verstärkte Billys Elend und griff ihn schließlich physisch an. Am 9. Dezember begann er zu niesen. Dann folgten Übelkeit und Kopfschmerzen. Am nächsten Abend, als der Ponton-Zug sich zu einem vor kurzem erkundeten Feld am Fluß in Bewegung setzte, glühte seine Stirn, und er konnte nur mit Mühe ein heftiges Zittern unterdrücken. Er sagte nichts davon.

Sie bewegten sich so leise wie möglich. Der einsetzende Nebel dämpfte jeden Laut. Um drei Uhr morgens wurden die Boote abgeladen. Jeder wußte, was die farbigen Flecken im Nebel zu bedeuten hatten: Zwischen den Bäumen und großen Häusern am anderen Ufer brannten die Wachfeuer der Konföderierten.

«Leise», sagte Billy alle paar Minuten. Das Fieber wirbelte seine Gedanken durcheinander und verschleierte sein Blickfeld, aber Billy machte weiter. Es fing an zu nieseln. Dann setzten bei ihm die Schmerzen ein.

Während einer Arbeitspause schlang er die Arme um seinen Leib, in dem vergeblichen Versuch, sich etwas aufzuwärmen. Lije tauchte auf, berührte ihn an der Schulter.

«Es sind genügend Männer hier. Geh zum Arzt, wo du hingehörst.»

Billy schüttelte die Hand seines Freundes ab. «Ich bin in Ordnung.»

Lije stand still, sagte nichts, aber Billy wußte, daß er ihn verletzt hatte. Er wollte sich entschuldigen, aber Lije wandte sich ab und ging zurück zu seinen Männern.

Kurz vor Tagesanbruch wurden die ersten Boote zu Wasser gelassen. Die Männer ließen ein Boot fallen, und es klatschte laut wie ein Schuß ins Flachwasser.

Über den Warnschrei des Wachpostens hinweg rief Lije: «Vorwärts, Jungs. Jetzt braucht ihr nicht mehr leise zu sein.»

Mit Balken und Pfosten rannten sie vor, als drüben eine kleine Signalkanone losging. Vor den Wachfeuern zeichneten sich laufende Gestalten ab. Eine Abteilung Infanterie tauchte hinter den Pionieren auf. Artillerie wurde oben am Steilhang in Stellung gebracht. Billy vermutete, all das zusammen würde lediglich einen dürftigen Schutz abgeben.

Sie hatten fünf Boote verankert und zwei überplankt, als der Feind das Feuer eröffnete. Billy arbeitete am Ende der Brücke, die bald schon bis in die Mitte des Flusses ragte. Er hörte das Gewehrfeuer. Eine Kugel klatschte rechts von ihm ins Wasser; eine andere traf das Pontonboot, über dem er kniete.

«Wenn ich nur mein verfluchtes Gewehr hätte», sagte jemand.

«Spar dir den Atem», sagte Billy. «Arbeite.»

377

Männer rannten mit Bohlen nach vorn. Ein Mann zuckte zusammen und kippte seitlich in den Rappahannock. Hände griffen nach ihm, zerrten den Verwundeten heraus. Nie war Billy Wasser so eisig erschienen. Lije rannte vor zur Brücke. «Mut, Jungs. Unsere Seele wartet auf den Herrn. Er ist unsere Hilfe und unser Schutz.»

Den Mann in Sicherheit bringend – Blut und Wasser strömten aus seinem Gesicht – drehte sich Billy herum und sagte: «Halt die Klappe, Lije. Der Herr, unser Schutz, hat dem Mann nicht geholfen, und Er wird auch uns nicht helfen, also halt die Klappe, ja?»

Der weißbärtige Mann schien zu schrumpfen. Ärger blitzte in seinen Augen auf, wurde schnell von Trauer verdrängt. Billy hätte sich am liebsten die Zunge abgebissen. Über die schlüpfrige Brücke rannte er auf Lije zu und packte ihn am Arm.

«Ich hab's nicht so gemeint. Tut mir unendlich leid, daß ich sowas gesagt –»

«Deckung», brüllte Lije, als die Rebellen drüben eine Salve abfeuerten. Er gab Billy einen Stoß und warf sich über ihn.

Billys Kopf knallte gegen die Brücke. Er versuchte aufzustehen, aber zuviel drückte ihn nieder. Zuviel Krankheit, Müdigkeit, Verzweiflung. Beschämt, wie er war, ließ er sich in die tröstende Finsternis sinken.

Am gleichen Tag noch – dem 11. Dezember – lag Billy im Feldhospital in Falmouth. Dort erfuhr er, daß die Pioniere den ganzen Morgen unter ständigem Beschuß gearbeitet und gegen Mittag zwei von fünf geplanten Brücken über den Rappahannock beendet hatten.

Zu schwach, um den Dienst wieder aufzunehmen, verbrachte er den Samstag damit, der Kanonade zu lauschen. Am Sonntag besuchte ihn Lije und erkundigte sich nach seinem Befinden.

«Ich schäme mich, Lije. Ich schäme mich für das, was ich gesagt hab' und wie ich's gesagt hab'.»

«Nun, Sir», erwiderte der Ältere etwas formell, «ich habe es mir eine Weile zu Herzen genommen.»

«Du hast mich vor einer Kugel gerettet.»

«Niemand ist vollkommen. Du warst krank, wir waren alle erschöpft, und die Situation war gefährlich. Wem kann man unter solchen Umständen ein grobes Wort übelnehmen?»

Sein Prophetengesicht wurde sanft. «Du wirst zweifellos die letzten Neuigkeiten hören wollen. Ich fürchte, deine düsteren Vorahnungen haben sich voll bestätigt. Selbst mein Vertrauen und mein Glaube werden durch die gestrigen Ereignisse aufs Äußerste beansprucht.»

Zwischen den Reihen der Kranken, Verwundeten und Sterbenden erzählte Lije seinem Freund, wie die Bundestruppen den Fluß überquert hatten und was ihnen dort zugestoßen war.

61

Am gleichen Samstagabend hielten drei Männer in Minister Stantons Büro eine Nachtwache ab.

Draußen trieb der Potomacnebel an den Fenstern vorbei. Stanley wünschte, die Nachtwache würde bald enden, damit er heimgehen, damit er die letzten Berichte von Lashbrooks durchsehen konnte; die gewaltigen Geschäfte hatten sich dank des geheimen, von Butler arrangierten Vertrages verdoppelt.

Major Albert Johnson, der arrogante junge Mann, der früher Stantons Kanzleiangestellter gewesen und nun zu dessen vertrauenswürdigstem Gehilfen geworden war, marschierte im Büro auf und ab. Der Präsident lag auf der Couch, wo er den größten Teil des Tages zugebracht hatte. Sein altmodischer Anzug war zerknittert. Seine Augen, auf irgendeinen Punkt auf dem Teppich gerichtet, paßten zu einem Trauernden. Seine Gesichtsfarbe ließ auf Gelbsucht schließen.

Lincoln hatte ihnen verärgert mitgeteilt, daß ein Mr. Villard, Korrespondent von Greeleys *Tribune*, am Samstag von der Front zurückgekehrt und um zehn Uhr abends ins Regierungsgebäude gebracht worden war. Dort hatte er berichtet, was er wußte, und gegen die Weigerung des Militärzensors protestiert, seine Meldung über den vergeblichen Angriff von Burnside auf Fredericksburg durchzugeben. «Ich bot ihm eine Entschuldigung an und sagte, die Nachrichten würden hoffentlich nicht so schlimm sein, wie es ihm erschienen war.»

Keiner von ihnen wußte etwas Genaues. Der Minister kontrollierte, was veröffentlicht wurde – die Militärzensoren waren ihm unterstellt –, und außerdem kontrollierte er den Telegraphen von der Front. Nichts gelangte nach Washington, ohne daß Stanton zuerst davon erfuhr. Er behandelte Lincoln nun als guten Freund, obwohl er die Beziehung so manipuliert hatte, daß der Präsident der abhängige und nicht der dominierende Partner war.

Die Tür zum Chiffre-Raum öffnete sich. Johnson hielt inne. Stanley sprang auf. Stanton tauchte mit ein paar dünnen gelben Blättern auf, dechiffrierten Kopien von Frontmeldungen. Der Minister roch nach Kölnischwasser und kräftiger Seife, was bedeutete, daß er heute einen öffentlichen Auftritt gehabt hatte. Stanton pflegte sich nach jedem Kontakt mit der Öffentlichkeit zu schrubben und zu salben.

«Wie sind die Nachrichten?» fragte Lincoln.

Das Gaslicht verwandelte die Gläser von Stantons Brille in schimmernde Spiegel. «Nicht gut.»

«Ich wollte die Nachrichten haben, keine Beschreibung von ihnen.» Die Stimme des Präsidenten war rauh vor Müdigkeit.

Stanton bog die Ecken der ersten beiden Blätter um. «Bedauerlicherweise scheint der junge Villard recht zu haben. Es hat wiederholte Angriffe in der Stadt gegeben.»

«Was war das Ziel?»

«Marye's Heights. Eine so gut wie uneinnehmbare Stellung.»

Lincoln starrte ihn mit diesem hoffnungslosen Gesicht an. «Sind wir geschlagen?»

Stanton wich dem Blick nicht aus. «Jawohl, Herr Präsident.»

Langsam, als würde er unter Arthritis leiden, setzte sich Lincoln auf. Stanley hörte ein Kniegelenk knirschen. Stanton reichte ihm die Kopien und fuhr ruhig fort: «Eine Meldung, die gerade kopiert wird, deutet darauf hin, daß General Burnside heute morgen erneut die Rebellenstellungen angreifen wollte. Seine Offiziere haben ihn von diesem unbesonnenen Vorgehen abgebracht.»

Lincoln blätterte die Kopien durch und warf sie dann auf die Couch. «Zuerst hatte ich einen General, der die Potomac-Armee als seine Leibwache beschäftigte. Jetzt habe ich einen, der eine Niederlage damit feiert, daß er die nächste anstrebt.» Kopfschüttelnd ging er zum Fenster und spähte hinaus in den Nebel, als wären dort alle Antworten zu finden.

Stanton räusperte sich. Nach einem angespannten Schweigen drehte sich Lincoln um. Sein Gesicht war voll gekränkter Wut «Ich nehme an, die Dampfer werden uns bald noch mehr Verwundete bringen?»

«Das haben sie bereits, Herr Präsident. Das erste Schiff vom Aquia Creek hat letzte Nacht angelegt.»

«Vermutlich sind die Zahlen hoch und die Verluste schwer?»

«Jawohl, Sir, die ersten Berichte deuten darauf hin.»

Bleicher denn je wandte sich der Präsident erneut dem Fenster zu und starrte in die Nacht hinaus. «Stanton, ich habe es zuvor schon gesagt. Wenn es einen schlimmeren Ort als die Hölle gibt, dann bin ich dort.»

«Wir teilen dieses Gefühl, Herr Präsident.»

Stanley achtete darauf, ein entsprechend sorgenvolles Gesicht zu machen.

Ferne Schreie weckten Virgilia am Dienstagmorgen. Sie wandte den Kopf dem kleinen Fenster zu. Schwarz. Noch kein Tageslicht.

Die Scheibe war nicht zerbrochen, eine Seltenheit in dem alten Union-Hotel. Neue Hospitäler – Pavillons nach dem Nightingale-Plan – befanden sich im Bau, in einer Größenordnung von fünfzehntausend Betten. Das Geld dafür war im Juli letzten Jahres bewilligt worden. Bis zur Beendigung der Bauarbeiten mußten jedoch alle möglichen ungeeigneten Gebäude als Ersatz herhalten, angefangen von öffentlichen Bauten und Kirchen bis zu Lager- und Privathäusern – vor allem in diesem trostlosen Dezember, der durch Burnsides stümperhaftes Verhalten über zwölftausend Opfer gebracht hatte.

Die Schreie hielten an. Schnell setzte sich Virgilia auf und griff nach der Lampe auf dem Boden. Sie war in ihrem schlichten, grauen Kleid und der langen, weißen Schürze zu Bett gegangen. Sie hatte nicht gewußt, wann sie gebraucht werden würde, da niemand gesagt hatte, ob die für das Union-Hotel-Hospital bestimmten Verwundeten mit der Bahn oder mit dem Dampfschiff in Washington ankommen würden.

Die flimmernde Lampe enthüllte die billige Möblierung des Zimmers und die zerfetzte Tapete. Das ganze Hotel war so, eine einzige Ruine. Ironischerweise befand sie sich weniger als eine halbe Meile vom Haus von George und Constance entfernt. Sie hatte keine Ahnung, ob ihr Bruder wußte, daß sie als Krankenschwester in Washington arbeitete, hatte aber auch nicht die Absicht, ihn davon in Kenntnis zu setzen.

Sie empfand eine widerwillige Dankbarkeit Constance gegenüber, ja sogar gegenüber Billys Frau, die ihr geholfen hatte, ihr äußeres Erscheinungsbild zu verbessern. Abgesehen davon würde es sie nicht besonders stören, wenn sie keine von beiden je wiedersah.

Virgilia glättete ihr Haarnetz und verließ das Zimmer, eine ordentliche, vollbusige Frau mit einer Aura von Autorität, die nach Seife roch. Station eins war ihr bereits unterstellt worden. Virgilia nahm das übliche Gehalt von zwölf Dollars pro Monat an, was nicht alle Freiwilligen taten. Für sie war es eine Notwendigkeit, ein Schutz vor zukünftigem Unglück.

Im Hotel wurde es lebendig. Aus der Küche drang der Duft von Kaffee und Suppe. Soldaten, die während ihrer Genesungszeit als

381

Krankenpfleger arbeiteten, erhoben sich in Hallen und Fluren von ihren nicht allzu sauberen Strohsäcken. Ihr Stationsgehilfe, ein jugendlicher Artillerist aus Illinois namens Bob Pip, gähnte und blinzelte, als sie sich ihm näherte.

«Morgen, Oberin.»

«Auf, Bob, auf – sie sind da.»

Virgilia hatte den Nerv für die Krankenschwesterarbeit. Viele der Freiwilligen waren nicht geeignet und kehrten schnell nach Hause zurück. In ihrer Station hatte sie gerade so eine Person. Die junge Frau erst drei Tage in Washington, fühlte sich offensichtlich von ihrer Pflichten abgestoßen. Trotzdem mochte Virgilia sie.

Sie klopfte laut an die Tür eines Salons, der in einen Schlafsaal für Krankenschwestern umgewandelt worden war; die Oberschwestern hatten kleine, getrennte Räume.

«Meine Damen? Aufstehen, bitte. Sie sind da. Beeilt euch, ihr werdet auf der Stelle gebraucht.»

Virgilia schritt in den Krankensaal, inspizierte die Betten rechts und links. Als sie fertig war, trat ihre Assistentin ein. Sie war eine kräftige einfache Frau von ungefähr dreißig Jahren, mit freundlichem Gesicht und dichtem, braunem zu Zöpfen geflochtenem Haar, das mit einem Netz zusammengehalten wurde. Sie hatte Virgilia erzählt, daß sie Schriftstellerin werden wollte und bereits einige Artikel und Verse publiziert hatte.

«Guten Morgen, Miss Alcott. Kommen Sie, helfen Sie mir bitte, die Verwundeten hereinzubringen.»

«Natürlich, Miss Hazard.»

Virgilia erteilte ihre Kommandos und rief: «Bob – Lloyd – Casey – bitte in die Halle.»

Sie setzte sich an die Spitze ihrer Gruppe. Louisa Alcotts Gesichtsausdruck veränderte sich. Die Halle war noch nicht in Sicht, aber schon konnten sie die kräftigen Gerüche wahrnehmen – vertraute Gerüche, von denen Virgilia beim erstenmal schlecht geworden war.

Sie hoffte, Miss Alcott würde durchhalten; irgend etwas sagte ihr daß diese Frau alle Voraussetzungen für eine gute Krankenschwester hatte. Sie stammte aus einer berühmten Familie, aber das half ihr nicht viel. Virgilia war bestürzt, als Miss Alcott würgte und «Lieber Himmel» stammelte, als die Gruppe von Station eins die Halle betrat.

Und da waren sie, mit und ohne Krücken oder auf Bahren, die tapferen Jungs von Fredericksburg, manche so verkrustet von Schlamm und blutigen Verbänden, daß man ihre Uniformen kaum noch erkennen konnte. Sie hörte Louisa Alcott würgen und sagte

hnell: «Tragen Sie von nun an immer ein mit Salmiak oder Kölnisch-
asser getränktes Taschentuch bei sich. Sie werden feststellen, daß Sie
s bald nicht mehr benötigen.»

«Sie meinen, Sie haben sich daran gewöhnt?»

Aber Virgilia befand sich schon mitten unter den Bahrenträgern.
Bringen Sie vierzig da lang, zum Ballsaal.»

Das Herz brach ihr bei dem Anblick. Ein Junge, die rechte Hand
bgesägt, der Stumpf bandagiert. Ein Mann in ihrem Alter, am Fuß
rwundet, der mit seiner Krücke kämpfte und mit Augen wie Fenster-
las um sich starrte. Ein Soldat auf einer Bahre, um sich schlagend,
em die Tränen in den schlammverkrusteten Bart tropften, während er
ändig wiederholte: «Mutter. Mutter.» Virgilia nahm seine Hand und
ng neben der Bahre her. Er wurde ruhiger; sie hielt seine Hand bis
um Eingang des Ballsaals.

Gestank von Dreck, eiternden Wunden, Kot und Kotze breitete sich
us. Der tüchtige Bob Pip legte Handtücher, Schwämme, braune Seife
ereit.

«Wo zum Teufel sind wir hier?» Die dröhnende Stimme hatte einen
ischen Akzent. Hinter dem Ofen sah Virgilia einen breitschultrigen
oldaten, Mitte Zwanzig, mit roten Haaren und rotem Bart, der auf
einem Feldbett um sich schlug. «Schaut nicht aus wie Erie, Pennsylva-
ia –»

Pip erklärte dem Soldaten, daß er im Union-Hotel-Hospital sei. Der
Mann begann aus dem Bett zu klettern. Pip hielt ihn zurück. Der
oldat fluchte und unternahm einen zweiten Versuch. Fangen wir mit
m an, dachte Virgilia. Andere sahen zu, und es war wichtig, in der
tation Autorität zu etablieren.

Sie ging auf das Feldbett des Iren zu. «Hören Sie mit diesem schmut-
igen Gerede auf. Wir sind hier, um Ihnen zu helfen.»

Der bärtige Soldat starrte sie mit zusammengekniffenen Augen an.
Sparen Sie sich die Hilfe, Frau, und geben Sie mir was zu essen. Hatte
ichts mehr zu beißen, seit Burny mich den verdammten Hügel zum
terben hochgejagt hat.» Er wackelte mit dem linken, in fleckige Ban-
agen gewickelten Fuß.

Die Bewegung hatte geschmerzt; er reagierte ärgerlich. «Jesus, Frau,
teh'n Sie nicht rum. Ich will was zu essen.»

«Sie werden nichts bekommen, bevor wir nicht diese dreckigen Klei-
er entfernt und Sie gewaschen haben. Das ist die übliche Kranken-
auspraxis.»

«Und wer zum Teu- – wer soll mich waschen, wenn ich fragen
arf?»

«Eine meiner Schwestern wird das tun. Miss Alcott.»

«Eine Frau? Mich baden? Bei Gott, niemals!»

Über seinem Bart wurden seine Backen rot. Pip stellte eine Schüssel mit Wasser neben das Feldbett, gab dann Miss Alcott zwei Handtücher, Schwamm und braune Seife. Der Soldat versuchte sich von den Frauen fortzurollen. Virgilia machte eine Geste.

«Bob, helfen Sie mir.»

Sie packte den Iren bei den Schultern und drückte ihn mit einiger Anstrengung ins Bett. «Wir wollen Ihnen nicht noch mehr Schmerzen zufügen, Corporal. Wir wollen Ihnen lediglich alles bis auf die Unterhosen ausziehen und Sie gründlich abschrubben.»

«Überall?»

«Ja. Jeden Zentimeter.»

«Heilige Mutter Gottes.»

«Schluß damit. Wir müssen uns auch noch um die anderen Männer kümmern. Wir können keine Zeit mit der falschen Scham von Narren verschwenden.»

Und damit riß sie ihm den Kragen auf. Knöpfe sprangen ab.

Der Ire leistete kaum noch Widerstand; er war zu schwach, zu verletzt. Virgilia zeigte der sprachlosen Miss Alcott, wie man mit einem seifigen Schwamm und einem Handtuch umgeht. Das Handtuch war dunkelgrau, nachdem sie damit zweimal über die Haut des Corporal gefahren war.

Der Körper des Iren blieb stocksteif. Virgilia hob seinen rechten Arm und wusch seine Achselhöhle. Er wand sich und kicherte.

«Jesus, wer hätt' das gedacht? Eine fremde Frau, die mich wie meine Mutter behandelt.» Etwas einfältig dann: «Ich fühl' mich gar nicht mal so übel, nach allem, was ich hinter mir hab'. Gar nicht übel.»

«Ihre neue Einstellung ist sehr hilfreich. Ich weiß das zu schätzen, Miss Alcott, übernehmen Sie, ich mache mit dem nächsten Mann weiter.»

«Aber Miss Hazard», sie schluckte, das Gesicht so rot wie das des Iren, «kann ich mit Ihnen allein sprechen?»

«Gewiß. Kommen Sie, dort hinüber.»

Sie wußte, was kommen würde, hörte sich aber pflichtbewußt die geflüsterte Frage an. Ähnlich leise antwortete sie, um Miss Alcott nicht in Verlegenheit zu bringen: Bob Pip oder einer der anderen Soldaten wäscht dann jeden Mann fertig.»

Miss Alcott war ungemein erleichtert. Sie preßte eine Faust gegen ihre Brust und atmete tief durch. «Oh, das freut mich zu hören. Ich glaube, mit der anderen Arbeit komme ich schon zurecht. Ich gewöhne mich langsam an den Geruch. Aber ich glaube nicht, ich könnte mich überwinden, die – die –» Sie brachte es nicht einmal fertig, es auszusprechen.

«Sie machen Ihre Sache großartig», sagte Virgilia und gab ihr einen aufmunternden Klaps auf die Schulter.

Louisa Alcott hielt sich wirklich gut. Innerhalb von zwei Stunden hatten sie mit Hilfe einer dritten freiwilligen Krankenschwester die gesamte Belegschaft der Station gesäubert. Die Krankenpfleger brachten Kaffee, Rindfleisch und Suppe.

Während die Männer aßen, tauchten die Ärzte auf. Zwei betraten den Ballsaal; einer davon war ein älterer Mann, den Virgilia noch nicht kannte. Er stellte sich vor und sagte, er werde alle Fälle übernehmen, die keinen chirurgischen Eingriff benötigten.

Es gab, so hatte Virgilia festgestellt, Armeeärzte unterschiedlichster Art. Einige waren hingebungsvolle, talentierte Männer; andere Quacksalber ohne professionelle Schulung, die lediglich einige Wochen in einer Arztpraxis assistiert hatten. Gerade die letztere Gruppe kam sich ungemein bedeutend und erfahren vor und ging brutal mit den Patienten um.

Der Neue war kein Quacksalber, sondern ein praktischer Arzt aus Washington mit solidem Ruf. Dr. Erasmus Foyle reichte Virgilia kaum bis zur Schulter, aber er hielt sich sehr aufrecht. Bis auf einen öligen, schwarzen Haarkranz war er kahl wie ein Ei, hatte einen gepflegten Schnurrbart und würzte seinen Atem mit Nelken. Schon bei ihrer ersten Begegnung ließ er durchblicken, daß Virgilia ihn nicht allein aus beruflichen Gründen interessierte.

Nach einer einleitenden Verbeugung sagte er: «Guten Morgen, Miss Hazard. Könnte ich Sie mal draußen sprechen?»

Der letzte Soldat, den Foyle untersucht hatte und dessen beide Beine von den Knien bis zu den Lenden bandagiert waren, begann sich hin und her zu rollen und zu stöhnen. Das Stöhnen ging in schrilles Schreien über. Miss Alcott ließ ihre Schüssel fallen, die Pip gerade noch auffangen konnte.

Virgilia rief: «Opium für den Mann, Bob!»

«Und zwar reichlich», sagte Foyle und nickte heftig. Er legte seine rechte Hand um ihren linken Arm; seine Fingerknöchel versuchten die Rundung ihrer Brust zu streifen. Sie wollte ihn gerade zur Ordnung rufen, als etwas mit ihr geschah.

Die Männer sahen sie jetzt anders an als in der Vergangenheit. Wie nützlich konnte das sein? Vielleicht sollte sie das herausfinden. Sie ließ Foyles Hand an Ort und Stelle. Er errötete vor Freude.

«Gleich hier lang.» Er führte sie durch einen Eingang, dann nach links in einen schäbigen Flur; von der Station aus konnte sie jetzt niemand mehr sehen. Er stand dicht vor ihr, seine kleinen, hellen Augen auf gleicher Höhe mit ihren Brüsten. Auch Grady hatte ihre Brüste geliebt.

«Miss Hazard, in welchem Zustand befindet sich Ihrer Meinung nach der arme Kerl, der gerade geschrien hat?»

«Dr. Foyle, ich bin keine Ärztin.»

«Bitte, bitte – ich respektiere Ihre Sachkenntnis.» Er hüpfte dabei praktisch von einem Fuß auf den anderen. «Seit unserer ersten Begegnung habe ich Sie respektiert und, wenn ich das sagen darf, bewundert. Sagen Sie mir bitte Ihre Meinung.»

Der kleine Mann griff dabei nach ihrem rechten Arm. *Jetzt weiß er, wie sich die andere anfühlt.* Sie amüsierte sich, war aber auch leicht verblüfft über diese unerwartete Macht.

«Also gut. Ich glaube nicht, daß das linke Bein zu retten ist.» Es fiel ihr schwer, das auszusprechen; sie hatte es miterlebt, wie Männer das Bewußtsein wiedererlangt hatten, nachdem sie unter die Säge gekommen waren.

«Amputation – ja, das war auch meine Schlußfolgerung. Und das rechte Bein?»

«Nicht ganz so schlimm, aber der Unterschied ist minimal. Wirklich, Doktor, sollten Sie nicht lieber mit Ihrem Kollegen anstatt mit mir darüber sprechen?»

«Bah! Der ist nicht besser als ein Apotheker. Sie aber, Miss Hazard, besitzen ein wirkliches, intuitives Verständnis für medizinische Dinge.»

Wieder preßten sich seine Knöchel in ihren Busen. «Der Mann muß so bald wie möglich operiert werden. Könnten wir vielleicht die anderen Fälle heute abend beim Essen besprechen?»

Dieses Machtgefühl berauschte sie. Foyle war physisch gesehen nicht gerade der Größte, aber er war ein respektierter Mann, und er begehrte sie. Ein weißer Mann wollte sie haben. Es konnte nicht klarer sein. Sie hatte sich verändert; ihr Leben hatte sich verändert. Sie war Dr. Erasmus Foyle dankbar.

Allerdings nicht so dankbar, wie er es gern gesehen hätte.

«Liebend gern, aber was wird Ihre Frau dazu sagen?»

«Meine –? Meine Liebe, ich erwähnte mit keinem Wort...»

«Nein, Sie nicht. Eine andere Krankenschwester tat das.»

Seine Gesichtsfarbe wechselte von Rosa zu Rot. «Zum Teufel mit ihr. Welche?»

«Um genau zu sein, es waren mehrere. In diesem Hospital und im vorhergehenden. Ihr Ruf, den guten Namen Ihrer Frau zu schützen, ist weitverbreitet. Es heißt, sie würden ihn so eifrig schützen, daß kaum jemand etwas von ihrer Existenz weiß.»

Mit boshaftem Vergnügen betrachtete sie seine Reaktion. Sie nahm seine Hand und ließ sie fallen, als wäre sie schmutzig.

«Ich fühle mich durch Ihre Aufmerksamkeiten geschmeichelt, Dr. Foyle, aber ich glaube, wir sollten zu unserer Arbeit zurückkehren.»

«Aufmerksamkeiten? Was für Aufmerksamkeiten?» schnarrte er.

«Ich wollte eine private Diskussion über medizinische Angelegenheiten, weiter nichts.» Er zog seinen Uniformrock zurecht, richtete seine Schärpe und marschierte eiligst in den Ballsaal zurück. Unter anderen Umständen hätte Virgilia gelacht.

«Nun, Miss Alcott?» fragte Virgilia, als die erschöpften Schwestern um acht Uhr abends ihre erste volle Mahlzeit zu sich nahmen. «Was halten Sie von der Arbeit einer Krankenschwester?»

Louisa Alcott, völlig erledigt und mit den Nerven am Ende, sagte: «Wie offen darf ich sein?»

«So offen, wie Sie wollen. Wir sind alle Freiwillige – alle gleich.»

«Also dann – gleich zu Anfang – dieser Ort hier ist ein Pestloch. Die Matratzen sind hart wie Stein, das Bettzeug ist verdreckt, die Luft faulig, und das Essen – haben Sie das Rindfleisch gekostet? Das muß noch für die Jungs von 1776 gedacht gewesen sein. Beim Schweinefleisch fürs Abendessen muß es sich um eine Geheimwaffe des Feindes gehandelt haben.»

Sie sagte es so nachdrücklich, daß die Frauen an beiden Seiten des Tisches in Gelächter ausbrachen. Sie schien den Tränen nahe, lachte dann aber ebenfalls.

Virgilia sagte: «Das wissen wir alle, Miss Alcott. Die Frage ist – werden Sie bleiben?»

«Oh ja, Miss Hazard. Ich mag nicht über viel Erfahrung im Baden nackter Männer verfügen – zumindest nicht bis heute –, aber ich werde auf jeden Fall bleiben.»

Als wollte sie das nachdrücklich unter Beweis stellen, stopfte sie sich ein Stück Rindfleisch in den Mund und begann zu kauen.

62

Am Dienstag, an dem in New Orleans General Butler durch General
Banks abgelöst werden sollte, wurde Elkanah Bent um elf Uhr zum
alten Kommandeur befohlen. Er hatte sich auf eine Untersuchung
wegen des Aufruhrs bei Madame Conti vorbereitet, hätte aber nie
gedacht, daß es sich bei dem untersuchenden Offizier um den General
persönlich handeln würde.

«Eine schöne Schweinerei, um die ich mich da an meinem letzten
Tag kümmern muß.» Mürrisch klatschte Butler auf eine vor ihm liegende Akte. Bent war wie betäubt; er hatte noch kein Wort gesagt, und
schon herrschte dicke Luft.

«Vermutlich ist Ihnen nie in den Sinn gekommen, daß die Besitzerin
des Etablissements sowohl bei den Zivilbehörden als auch bei mir
Klage erheben könnte?» Ben Butler war ein kompakter, rundlicher
Mann, bei dem jedes Auge in eine andere Richtung blickte.

«General, ich –» Bent versuchte seiner Stimme Kraft zu geben,
schaffte es aber nicht. «Sir, ich bekenne mich schuldig, der Gerechtigkeit auf etwas grobe Weise zum Sieg verholfen zu haben. Doch diese
Frau ist eine Prostituierte, ganz gleich, wie großartig sie tut. Ihre Angestellten beleidigten mich und griffen mich dann an.» Er betastete die
Nagelspuren in seinem Gesicht. «Als ich und andere protestierten, hat
sie uns mit weiteren Beleidigungen provoziert. Ich gebe zu, daß die
Dinge etwas außer Kontrolle gerieten.»

«Das ist wohl mehr als untertrieben», unterbrach Butler und schielte
mehr denn je. Seine Stimme besaß diesen nasalen Klang, den Bent mit
New England in Verbindung brachte. «Sie haben den Platz vollkommen zerstört. Den Vorschriften entsprechend müßte ich verlangen, daß
General Banks ein Kriegsgericht einsetzt.»

Beinahe wäre Bent in Ohnmacht gefallen. Sekunden verstrichen.
Dann sagte Butler, «Ich persönlich würde es vorziehen, Sie vollkommen zu entlasten.» Bents Freude wurde schnell gedämpft. «Kann ich
aber nicht machen. Sie sind der eine Grund, sie ist der andere.»

Verwirrt murmelte Bent: «Sir?»

«Einfach genug, oder? Wegen Ihrer Personalakte kann ich keine
Nachsicht walten lassen.» Er schlug die Akte auf und entnahm ihr
mehrere Blätter. «Makel und Schande, weiter nichts, und jetzt kommt
noch ein weiterer Punkt hinzu. Was die Frau anbelangt, haben Sie

natürlich recht; sie ist eine Prostituierte, und ich weiß, daß sie mich mehr als einmal verunglimpft hat. Aber wenn ich jeden hängen würde, der das getan hat, würde es in der nördlichen Hemisphäre keinen Hanfstrick mehr geben.»

Bents Stirn begann zu glänzen. Mit einem Grunzen stemmte sich Butler aus seinem Stuhl und marschierte in kleinen Kreisen herum.

«Unglücklicherweise gehen Madame Contis Anschuldigungen über Vandalismus hinaus, was schon schlimm genug ist. Sie beschuldigt Sie des Diebstahls eines wertvollen Gemäldes. Dazu kommt noch Angriff auf ihre Person, um diesen Diebstahl ausführen zu können.»

«Beides – gottverdammte Lügen.» Er würgte.

«Sie bestreiten die Anschuldigungen?»

«Bei meiner Ehre, General. Mit meinem heiligen Eid als Offizier der Armee der Vereinigten Staaten.»

Butler kaute an seiner Lippe. «Das wird ihr gar nicht gefallen. Sie deutete an, sie würde möglicherweise die Anklage fallen lassen, wenn sie ihr Eigentum zurückbekäme.»

Ein Gefühl warnte Bent, daß sie am kritischen Punkt angelangt waren; er mußte zum Angriff übergehen, sonst war er erledigt. «General – falls ich mir die Bemerkung erlauben darf –, weshalb ist es notwendig, einer Frau in irgendeiner Form entgegenzukommen, die sowohl eine Verräterin als auch äußerst verrufen ist?»

«Genau darum geht's!» rief Butler gereizt. «Sie ist gar nicht so verrufen, wie man erwarten müßte. Ihre Familie läßt sich in dieser Stadt über Generationen zurückverfolgen. Haben Sie nie die Straße im alten Viertel bemerkt, die ihren Nachnamen trägt?» Natürlich war sie ihm aufgefallen; allerdings hatte er keine Schlußfolgerungen daraus gezogen. «Was ich Ihnen klarzumachen versuche, Colonel, Madame Conti besitzt hochgestellte Freunde in der Stadtverwaltung. Ich muß ihr also einen Knochen zuwerfen, verstehen Sie?»

Butler sank auf seinen Stuhl zurück, ein kleiner Mann aus einer komischen Oper. Aber er verfügte über gefährliche Macht.

«Ich denke, ich könnte Ihnen das Kommando über ein schwarzes Regiment geben», Bent war einer zweiten Ohnmacht nahe, «aber ich bezweifle, ob Madame Conti den tieferen Sinn dieser Strafe erkennen würde. Bedauerlicherweise muß ich eine deutlichere Alternative finden.»

Unter der Akte holte Butler ein neues, mit schwarzer Tinte beschriebenes Blatt hervor. Er drehte den Erlaß herum, damit Bent ihn lesen konnte, der dafür allerdings zu benommen und zu verwirrt war.

«Mit Wirkung ab heute wird Ihr Brevet aufgehoben. Das wird die

Hündin vom Bellen abhalten, bis ich aus der Stadt verschwunden bin‹
Jemand von General Banks Stab wird sich mit Ihnen über die finanzi‹
elle Wiedergutmachung unterhalten. Ich fürchte, Sie werden den Res‹
Ihrer Armeekarriere damit zubringen, für diese kleine Eskapade zi‹
zahlen, Lieutenant Bent. Abtreten.»

Lieutenant Bent? Nach sechzehn Jahren hatte er wieder den Rang, der‹
er nach Beendigung der Akademie eingenommen hatte? «Nein, be‹
Gott!» rief er in dem unordentlichen Zimmer nahe der Münzstätte. E‹
zerrte seine Reisekiste hervor und trat den Deckel auf. Er packte ei‹
paar Bücher, eine Miniatur von Starkwether und zum Schluß da‹
sorgfältig zusammengerollte, in Ölpapier gewickelte Gemälde ein. I‹
die Kiste stopfte er anschließend seine sämtlichen Besitztümer, bis au‹
einen Zivilanzug, einen breitkrempigen Hut, den er eine Stunde nac‹
dem Auftritt bei Butler gekauft hatte; alle seine Uniformen ließ er i‹
einem Haufen auf dem Fußboden zurück.

Regenschauer peitschten den Uferdamm, der Sturm ließ den Bode‹
erbeben, verdunkelte die gelb leuchtenden Fenster der Stadt.
  «Paß auf die Kiste auf, Boy», schrie Bent einem alten Neger zu, de‹
sie vor ihm die Gangway hochzerrte. Regen tropfte von seiner Hut‹
krempe, als er an Bord der *Galena* schwankte, in dem schwindlige‹
Zustand, der ihn seit dem gestrigen Gespräch nicht mehr losgelasse‹
hatte. Seine militärischen Träume lagen in Scherben, ruiniert von eifer‹
süchtigen, rachsüchtigen Feinden. Er hatte sich entschlossen, lieber zi‹
desertieren, als in einer Armee zu dienen, die jahrelange Loyalität un‹
harte Arbeit mit Degradierung belohnte.
  Eine erschreckende Gestalt versperrte ihm oben an der Gangwa‹
den Weg. *Beruhige dich, sonst werden sie mißtrauisch, man wird dic‹
erwischen, und Banks wird dich hängen.*
  «Sir?» grollte eine Stimme. Erleichtert erkannte Bent, daß er ledig‹
lich den Zahlmeister des Dampfers vor sich hatte. «Ihr Name?»
  «Benton. Edward Benton.»
  «Freut mich, Mr. Benton. Sie sind der letzte Passagier. Kabine drei‹
am Oberdeck.»
  Der Wind pfiff. Bent schrie: «Wann legen wir ab?»
  «In der nächsten halben Stunde.»
  Eine halbe Stunde. Jesus. Würde er das durchhalten?
  «Der Sturm wird uns nicht aufhalten?»
  «Wir sind fahrplangemäß im Golf, Sir.»
  «Gut. Ausgezeichnet.» Er brauchte beide Hände an dem schlüpfri‹

390

en Geländer, um seinen müden Körper die Treppe hochzuziehen, in die Sicherheit seiner Kabine. Was war ihm noch geblieben? Nichts als das Gemälde, Haß und die Entschlossenheit, sich von seinen Feinden nicht vernichten zu lassen.

Nein – Blitz; seine Augen glänzten wie nasse Steine, als er sich gegen den Regen hochzerrte – oh nein! Er würde überleben und sie zuerst vernichten. Irgendwie.

Von seiner Krankheit immer noch geschwächt, begab sich Billy wieder zum Fluß hinunter. Unter dem Schutz von Gewehren und Artillerie half er bei der Demontage der Brücke, die er mitgebaut hatte. Er hatte das Gefühl, einen Akt der Entweihung zu begehen.

Die Pontonwagen verschwanden in der winterlichen Dunkelheit. Erneut im Lager von Falmouth untergebracht, hätte er Brett gern einen Brief geschrieben, fürchtete sich aber davor. Statt dessen schrieb er in sein Journal.

Heute abend wieder bittere Kälte. Jemand singt «Home, Sweet Home», ein merkwürdiger, trauriger Refrain angesichts unserer Lage. Allein in dieser Woche haben unsere Regimenter eine ganze Menge Männer durch Desertion verloren. Überall das gleiche in der gesamten Armee. Entmutigt stehlen sie sich nach Hause. Selbst Lije F. betet für sich allein und zitiert nur noch selten die Bibel. Burnside ist erledigt, so heißt es. Es gibt viele Spekulationen über seinen Nachfolger. Die Verbittertsten sagen Sachen wie: «Oh, werdet nicht schwankend in eurem Glauben, Jungs, in Washington warten noch Dutzende von genauso dämlichen Generälen.» Meine Männer haben seit sechs Monaten keinen Lohn mehr erhalten. Wenn man den Zeitungen aus Richmond Glauben schenken darf, dann sind General Butler und sein Bruder unten in New Orleans eifrig damit beschäftigt, Baumwolle aus persönlicher Gewinnsucht zu stehlen. General Grant ist damit beschäftigt, alle Juden aus seinem Militärbezirk zu werfen – unter der allgemeinen Beschuldigung, sie spekulierten und brächen die Gesetze. Wer in Gottes Namen kümmert sich auch nur die Spur um diese geschändete Armee?

Wenn du je dieses Gekritzel liest, geliebte Frau, dann wirst du wissen, wie sehr ich dich in diesem Augenblick liebe und brauche. Aber ich wage es nicht, das alles in einem Brief auszudrücken, weil sich dann bestimmt noch andere Dinge einschleichen würden und du gezwungen wärst, einen Teil der Last zu tragen, die mir zusteht

*– die Bürde von Männern, die sich im Stich gelassen fühlen, die es
nicht laut auszusprechen wagen, daß sie keine Hoffnung mehr
haben.*

63

Zwei Nächte vor Weihnachten ritt Charles in der Dämmerung zu
Barclays Farm. Von seinem Sattel hing ein großes, grobes Netz. Darin
befand sich ein feiner Schinken, bei einem der letzten nächtlichen
Überfälle nördlich vom Fluß in einem Yankee-Laden erbeutet.

Der Abend hatte etwas Unheimliches an sich. Die kahlen Zweige,
Büsche und die Zäune am Straßenrand glitzerten wie Glas. Letzte
Nacht hatte es geregnet, während die Temperaturen gefallen waren.

Sport ging im Schritt; die Straße war tückisch. Dies war Charles'
erste Gelegenheit seit Monaten, die Farm zu besuchen, obwohl die
Kavallerie mehrere Wochen lang nicht weit entfernt, in Stevensburg
drüben, gelagert hatte. Doch Hampton war mit seinen Scouts und
einem ausgewählten Kavallerietrupp fast ständig im Sattel gewesen.

Wie Nachtgespenster hatten sie sich hinter den feindlichen Linien
herumgetrieben und bei Hartwood Church hundert Pferde und fast
ebensoviele Männer gefangengenommen; hatten die feindliche Tele-
graphenleitung nach Washington zerstört und die Wagen einer Versor-
gungsbasis bei Dumfries entführt; waren von einem ganzen Kavallerie-
regiment der Yankees gehetzt worden. Mit zwanzig Wagen, voll von
Marketenderdelikatessen, waren sie entkommen: Austern, Zucker und
Zitronen, Nüsse, Brandy und die Schinken, von denen er einen als
Geschenk für Gus abgezweigt hatte.

Mitten auf der Straße überrollte ihn eine Woge der Erleichterung.
Sie war da. Durchsichtiger Rauch stieg zu den Sternen empor. Lampen
erhellten den hinteren Teil des Hauses; Lichtschein drang aus der halb
offenen Tür der kleinen Scheune.

«Sport», knurrte er und zügelte den Wallach auf einer Eiskruste
scharf durch. Vornübergebeugt atmete er die beißende Luft ein. Lichtschein im Stall zu dieser Stunde?

An der Wasserpumpe, die ein glitzernder Eiszapfen zierte, waren
zwei Pferde angebunden. Höchstwahrscheinlich gab es eine ganz un-

schuldige Erklärung dafür, doch die Nähe der feindlichen Linien auf der anderen Seite des Flusses machte ihn vorsichtig. Auf der Straße stieg er ab, führte Sport beiseite und band ihn an einem Zaunpfahl fest.

Zu Fuß ging Charles auf das Farmhaus zu. In der Stille klingelten seine Sporen wie winzige Glöckchen. Er bückte sich und entfernte sie mit einiger Mühe. All das erschien ihm leicht albern; mit keinem Wort würde er das Gus gegenüber erwähnen, wenn sich die Besucher als Nachbarn herausstellten.

Trotzdem – weshalb stand die Scheunentür offen? Und warum waren Washington und Boz nirgendwo zu sehen?

Charles schlich auf das Haus zu; er achtete auf jedes Knirschen und Knacken unter seinen Füßen, aber trotz aller Vorsicht ließen sich Geräusche nicht vermeiden.

Die Pferde wurden auf ihn aufmerksam, schoben sich herum und stampften leise. In der Nähe des Hauses blieb er lauschend stehen.

Er hörte Gelächter. Das kam nicht von ihr. Das stammte von den Besitzern der Pferde.

Eines der Tiere trat zur Seite und wieherte. Charles hielt den Atem an. Das Gelächter brach ab. Das mußte in keiner Verbindung zueinander stehen. Vielleicht bildete er sich das Ganze nur ein.

Die Pferde änderten ihre Stellung und gaben ihm den Blick in den Stall frei. Ausgestreckte Beine ragten in sein Blickfeld. Die Knöchel waren mit einem Seil zusammengeschnürt. Bei einem Nachbarschaftsbesuch fesselte man niemand, oder?

Er lehnte sich gegen das Haus; sein Herz hämmerte wie verrückt. Gus war in Gefahr. Die Frau, die ihm am Herzen lag – in Gefahr.

Jetzt erst wurde ihm klar, wie sehr er sie liebte. Seine Gedanken wirbelten wild durcheinander. Angenommen, er handelte unbesonnen und sie wurde getötet?

Eine weitere Minute verstrich. Tu was, verdammt noch mal. *Tu was!*

Er schlich zum Baum, reckte sich, warf ein Bein über den untersten Ast und zog sich hoch. Jetzt wurde es schwieriger. Er klammerte sich nicht an Baumrinde, sondern an eine glitschige, vereiste Oberfläche. Dreimal wäre er ums Haar abgestürzt. Endlich erreichte er einen großen, über das Dach ragenden Ast.

Er griff nach einem darüberliegenden dünneren Ast, richtete sich auf und schob sich Fuß um Fuß den eisigen Ast hinaus, auf das Haus zu. Nahe einem der Dachfenster studierte er die Situation. Er mußte sich vorbeugen, den Giebel packen und sich festklammern. Auf dem Dach selbst konnte er wegen der Neigung und der Vereisung unmöglich Fuß fassen.

Er schluckte. Streckte die Hand aus. Reckte sich –
Seine Finger verfehlten den Giebel um ein paar Zentimeter.

Immer noch den Zweig über sich festhaltend, schob er sich weiter auf das Haus zu. Der Ast, auf dem er stand, sackte und knackte. «Oh, verflucht», flüsterte er, setzte alles auf eine Karte und warf sich mit ausgestreckten Armen vor. Er fiel, erwischte gerade noch den Giebel. Das plötzliche Gewicht riß schmerzhaft an seinen Armen. Seine Knie knallten gegen das Dachfenster; bis Florida mußte das zu hören sein.

Mit beiden Händen hing er am Giebel, griff dann mit einer Hand hinunter ans Fenster.

Er zerrte. Nichts.

Noch einmal. Wieder nichts.

Abgesperrt, verdammt noch mal. Wütend stöhnte er auf und zog ein drittesmal; wahrscheinlich würde er mit der Faust die Scheibe einschlagen –

Das Fenster hob sich ein Stückchen.

Seine linke Hand begann abzugleiten, aber keuchend klammerte er sich fest. Mit der anderen Hand griff er unter das Fenster und zog es langsam, so furchtbar langsam weit genug hoch, daß er sich in die spinnwebenhafte Dunkelheit dahinter schwingen konnte. Mit geschlossenen Augen blieb er auf den Knien liegen; sein linker Arm zitterte unkontrolliert.

Wieder hörte er das Gelächter, dann undeutliche Worte von Gus. Sie klang ärgerlich. Dann kam ein klatschendes Geräusch. Sie gab eine scharfe, wütende Erwiderung. Ein zweiter Schlag brachte sie zum Schweigen. Fast glaubte er den Schlag selbst zu spüren.

Er beherrschte seinen Zorn und richtete sich vorsichtig auf. Er zog seine Handschuhe aus, bewegte seine Finger, bis sie wieder geschmeidig waren. Er knöpfte seine alte Farmerjacke auf und holte seinen geladenen Colt hervor.

Lautlos schlich er die Treppe hinunter. Wut und Haß steigerten sich. Unten drückte er vorsichtig die Tür auf – kein Quietschen, Gott sei Dank – und glitt durch den warmen Flur.

Rechts von ihm lag der Kücheneingang. Die Stimmen waren deutlich zu hören.

«Was ich dich fragen wollte, Bud. Hast du's schon mal mit 'ner Frau gemacht?»

«Nein. Sarge.» Die Stimme klang hell; der Sprecher mußte jünger sein.

«Okay, Junge, das werden wir schnell ändern.»

Mit dem Rücken zur Wand schob sich Charles auf die Küche zu.

«Hast je ein schöneres Paar Titten gesehn, Bud?»

«Nein, *Sir*.»

«Willst einen Blick draufwerfen, bevor wir uns an die richtigen Sachen machen?»

«Wenn du willst, Sarge.»

«Oh, und ob ich will. Sitz still, Missy!»

«Laß die Finger von mir.» Charles war einen Meter von der Tür entfernt, als Gus das sagte.

«Du bist ruhig, Missy. Ich will so'n hübsches kleines Ding wie dich nicht verprügeln, aber ich werd' jetzt das Kleid aufmachen und mir diese hübschen runden Dinger –»

Charles stürzte durch die Tür, den Revolver im Anschlag. Von den beiden Yanks trug keiner Uniform – Scouts also, wie er selbst auch.

Der Junge, mit blauen Augen und dürftigem blondem Schnurrbart, sah ihn zuerst. «Sarge!»

Der ältere Yankee versperrte ihm die Sicht auf Gus, die offensichtlich auf einem Stuhl saß. Charles trat in das Zimmer und machte einen Fehler; er sprang nach rechts, um zu sehen, ob sie verletzt war.

«Gus, bist du –?»

Fast zu spät sah er, was ihm zuvor entgangen war – die große Sattelpistole im Gürtel des jüngeren Yanks. Riesig groß schwang sie hoch. Charles ließ sich auf die Knie fallen und feuerte im gleichen Moment auf den jüngeren Mann.

Die Yankeekugel pfiff über seinen Kopf. Seine eigene Kugel traf den aufgerissenen Mund des Jungen und riß ihm den hinteren Teil des Schädels weg. Gus schrie auf. Mit hervorquellenden Augen starrte der Sergeant auf den Jungen, den der Schuß gegen den Ofen geschleudert hatte. Dann starrte er Charles und dessen rauchenden Colt an.

Der Sergeant, nun voller Angst, griff nach seinem Revolver, merkte aber, daß er zu langsam war. Er taumelte zur Hintertür.

Charles sprang vor, stand neben dem Stuhl, zielte auf den Rücken des Mannes. «Du Stück Yankeescheiße.» Er drückte ab, und gleichzeitig zog Gus an seinem Arm.

Die Kugel traf das linke Bein des Sergeants. Mit einem Schrei fiel er durch die Tür, die er eben geöffnet hatte, und rutschte auf dem Bauch über die Veranda.

«Ich bring' das Schwein um.»

«Charles!»

Mit bleichem Gesicht packte sie ihn am Arm, starrte ihn an, konnte nicht fassen, was sie sah; das Fieber in seinen Augen, den Totenkopfausdruck –

«Charles, mir ist nichts passiert. Laß ihn laufen.»

«Aber vielleicht –»

Sie hörten ein Pferd wiehern, dann klapperten Hufe in Richtung Straße davon. Boz und Washington riefen aus dem Stall. Langsam legte Charles den Colt auf den Tisch. Er zitterte.

Er packte sie bei den Schultern und beugte sich zu ihr hinunter. «Noch nie hab' ich einen Mann in den Rücken geschossen, aber bei dem hätt' ich's getan. Bist du wirklich in Ordnung?»

Ein kleines Nicken. «Und du?»

«Auch.» Das wahnsinnige Glitzern verschwand aus seinen Augen. Ja, sagte sie, es seien Scouts gewesen, die einem warmen Plätzchen nicht hatten widerstehen können.

«Ich dachte, ich sei nicht mehr bei Sinnen, als du durch die Tür gestürmt kamst.» Sie brachte ein brüchiges Lachen zustande, erhob sich, streckte sich. «Ich hielt es für eine Vision. Es ist so lange her, seit ich dich das letztemal gesehen hab.»

«Ich hab dir Briefe geschickt.»

«Ich hab' sie bekommen. Ich hab' auch welche geschrieben. Ein halbes Dutzend.»

«Wirklich?» Der Beginn eines Lächelns.

«Du hast sie doch bekommen, oder?»

«Keinen einzigen. Aber das ist schon in Ordnung. Ich gehe besser in den Stall und binde deine Männer los.»

Eine Stunde später lag er in seiner Unterwäsche, eingehüllt in drei Decken, am großen Herd. Der Schinken thronte auf dem Hackklotz. Gus hatte die Wand geschrubbt, die Leiche des Jungen war verschwunden; Washington und Boz hatten sich darum gekümmert, nachdem sie wiederholt Charles die Hand geschüttelt und ihm gedankt hatten, daß er ihre Herrin und sie gerettet hatte.

Zitternd starrte Charles in das Feuer, immer noch von seinem eigenen Verhalten verblüfft und verwirrt. Ohne Zögern hatte er töten, hatte einen Mann in den Rücken schießen wollen. Alarmierende Anzeichen. Was passierte in diesem verdammten Krieg? Was passierte mit ihm?

Gus kehrte in die Küche zurück und kam auf ihn zu. «Was ist los?»

«Nichts.»

«Du sahst erschreckend aus, als ich hereinkam.»

«Mir ist kalt, das ist alles.»

«Kannst du Weihnachten da bleiben?»

«Wenn es dir recht ist.»

«Mir recht ist – oh, Charles», rief sie. «Ich hatte solche Angst während der Kämpfe in der Stadt. Ich lag wach, lauschte den Kanonen und fragte mich, wo du wohl bist.» Sie kniete vor ihm nieder, ihr Gesicht weich, ohne jeden Schutz. «Was hast du mit mir getan, Charles Main? Ich liebe dich – oh mein Gott, ich kann nicht fassen, wie sehr ich dich liebe», rief sie, zog ihn an sich, küßte ihn.

Den Arm um sie gelegt, führte er sie den Flur entlang, machte sich Gedanken wegen seiner schmutzigen Unterwäsche. Ihr Zimmer war kalt. Sie fielen aufs Bett, umklammerten sich. «Gus, ich brauch' erst ein Bad, bevor –»

«Später. Halt mich fest, Charles. Ich will vergessen, wie dieser arme Junge gestorben ist.»

«Er war ein verdammt übler Bursche.»

«Er glaubte, den Feind zu bestrafen.»

«Das, was sie dir antun wollten, steht in keinem Handbuch.»

«Es war schrecklich, aber es ist vorbei. Sprich nicht mehr drüber, und liebe mich so sehr – was ist das?»

Ihre Finger hatten den Lederbeutel ertastet. Sie bestand darauf, eine Kerze anzuzünden, während er seine Unterwäsche aufknöpfte, den Lederriemen über den Kopf zog und ihr den Beutel reichte.

Freude breitete sich über ihrem Gesicht aus, als sie ihn öffnete. «Du hast das Buch die ganze Zeit bei dir gehabt?» Das Lächeln erlosch. «Das Buch ist getroffen worden. Du bist getroffen worden. Das ist eine Kugel.»

«Der Rest davon. Mr. Pope rettete mir bei Sharpsburg das Leben.»

Sie brach in Tränen aus, griff nach ihm, überschüttete ihn mit Küssen. Sie zogen einander aus. Ihre Vereinigung war schnell, fast verzweifelt, weil der Schock der vorangegangenen Ereignisse noch über ihnen lag. In weniger als fünf Minuten rollte er von ihr weg und schlief ein.

Eine Stunde später erwachte er, als sie an seiner Schulter rüttelte. «In der Wanne ist heißes Wasser.» Ihr offenes Haar reichte ihr fast bis zur Taille. «Ich wasch' dir den Rücken, dann gehen wir wieder ins Bett.»

Dann lag Charles, diesmal weniger benommen, mit ihr in der warmen Höhle unter der Decke. Sie küßte seine Augen und seinen Bart. Seine Hand spielte mit ihren vollen Brüsten, glitt dann tiefer.

Beide atmeten sie schneller. Und doch ertönten Warnsignale in seinem Kopf.

«Bist du sicher, daß wir weitermachen sollen? Ich bin ein Soldat – vielleicht dauert es Monate, bis ich wiederkommen kann.»

«Ich weiß, was du bist», sagte sie, ihn zärtlich streichelnd in der Dunkelheit.

«Wirklich? Ich könnte wegreiten und nie zurückkommen.»

«Sag nicht solche Sachen.»

«Ich muß, Gus. Wenn du es für besser hältst, dann springe ich noch in dieser Minute aus dem Bett.»

«Möchtest du?»

«Bei Gott, nein.»

«Ich auch nicht.» Sie küßte ihn, berührte ihn, erregte ihn so, daß es fast schmerzte. «Liebe mich, Charles!»

Er tat es, und kurz vor dem Höhepunkt warf sie den Kopf zurück und hauchte: «Ich will dich. Für immer. Immer, immer.»

«Ich liebe dich, Gus.»

«Ich liebe dich, Charles.»

« – liebe dich –»

«– liebe dich –»

«– liebe –»

Das Wort stieg empor wie menschliche Musik, als er in ihren Mittelpunkt vordrang, und sie bäumte sich auf und schrie ihre Freude hinaus, mit einer Stimme, die den Raum erbeben ließ.

Spät nachts schlief sie an seiner Schulter, gab gelegentliche kleine Laute von sich. Sie hatten sich ein drittesmal vereinigt, und danach hatte sie die Augen geschlossen. Er konnte nicht schlafen; was er heute abend getan, gelernt hatte, hielt seine Augen offen und ließ sein Herz viel zu schnell schlagen.

Er steckte voller Ängste, weil seine Gefühle nicht länger verborgen waren. *Du solltest nicht hier sein.* Aber wie könnte er anderswo sein? Bei ihrer ersten Begegnung hatte er sich in sie verliebt.

Wie war es möglich, so erfüllt und gleichzeitig so zerrissen zu sein? Er liebte Gus. Sie bedeutete Leidenschaft, Frieden, Freude, Nachdenklichkeit, Gesellschaft. Er bewunderte ihre Art, er begehrte sie körperlich, sie war all das, was er sich von einer Frau erträumt hatte – ohne jede Hoffnung, es je zu finden.

Aber da war Hampton; und die Yankees.

Das Problem bestand darin, daß er weder Gus noch seinen Dienst aufgeben konnte. Liebe und Krieg waren feindliche Mächte, und er war unentrinnbar zwischen beiden gefangen. Ihm blieb keine andere Wahl, als sich von diesen ungleichen Kräften vorantreiben zu lassen, wohin immer sie ihn auch tragen mochten – ihn und sie.

Voll dunkler Vorahnungen schob er seinen Arm unter ihre warmen Schultern und drückte sie an sich.

Viertes Buch

«Laßt uns sterben, um die Menschheit zu befreien»

Ich möchte, daß der Norden siegt, aber ich will, wie jeder andere Offizier und Soldat in der Armee, nichts mit der Emanzipations-Proklamation zu tun haben. Ich wollte für die Wiederherstellung der Union kämpfen... und nicht für die Befreiung der Nigger.

Ein Soldat der Union, 1863

«Laßt uns sterben, um die Menschheit zu befreien»

64

«Gesellschaftlicher Selbstmord», sagte er, als sie ihm den Vorschlag machte. «Selbst für eine Abolitionistin, wie du es bist.»

«Glaubst du, das kümmert mich? Morgen abend ist genau der richtige Zeitpunkt.»

«Einverstanden. Ich nehme dich mit.»

Und so saßen sie nun, George und seine römisch-katholische Frau, in der presbyterianischen Kirche. Nur wenige Kerzen brannten in den Leuchtern, denn es war die Stunde der Besinnung.

Mitternacht war nah. Obwohl kein religiöser Mann, war es für George ein bewegendes Erlebnis, hier zu sitzen und die erhobenen schwarzen Gesichter zu sehen, von denen nicht wenige mit Tränen bedeckt waren. Überall im Norden wurden ähnliche Gottesdienste zum neuen Jahr abgehalten. Morgen früh würde Lincoln die Proklamation unterzeichnen. George fühlte die Spannung wachsen, als die letzte Minute verstrich. Der Chor verstummte, in der Kirche wurde es still. Dann kam der erste Glockenschlag.

Der Geistliche hob Kopf und Hände. «Der Herr, unser Gott, ist erschienen. Du hast uns geboren.»

«Amen!» «Lobet den Herrn!» In der ganzen Kirche gaben Männer und Frauen ihrer Freude Ausdruck, und der Klang der Glocke schien anzuschwellen. George lief ein Schauer über den Rücken. Constance hatte Tränen in den Augen.

Andere Kirchenglocken stimmten ein. Die Freudenrufe wurden lauter. Auch George war dicht daran, in die Rufe einzustimmen. Dann plötzlich, wie ein Hagelsturm, prasselten Steine gegen die Kirche. Er hörte Schmähungen, Obszönitäten.

Mehrere Männer, unter ihnen George, sprangen auf. Er, zwei andere Weiße und ein halbes Dutzend Schwarze stürmten den Kirchengang vor. Die Rowdies waren nur noch als flüchtende Schatten zu sehen, als die Männer die Stufen erreichten.

Obwohl die Stimmung des Gottesdienstes gestört worden war, konnte nichts den mächtigen Bann zerbrechen. Das ließ sich deutlich an den Gesichtern der Frauen und Männer ablesen, die sich zwischen den Kutschen verstreuten, die in der Obhut kleiner schwarzer Jungs zurückgeblieben waren. Als sie durch die verlassenen Straßen nach Georgetown heimwärts ratterten, schmiegte sich Constance an ihn und sagte: «Bist du froh, daß wir gegangen sind?»

«Sehr sogar.»

«Gegen Ende des Gottesdienstes schautest du so ernst drein. Warum?»

«Ich habe nachgedacht. Ich frage mich, ob irgend jemand, Lincoln eingeschlossen, genau weiß, was diese Proklamation für das Land bedeutet.»

«Ich weiß es sicherlich nicht.»

«Ich auch nicht. Aber als ich so dort saß, hatte ich ein ganz eigenartiges Gefühl wegen des Krieges. Ich bin mir nicht sicher, ob die Bezeichnung Krieg noch länger zutrifft.»

«Wenn es kein Krieg ist, was ist es dann?»

«Eine Revolution.»

Schweigend hielt sich Constance an seinem Arm fest. Die Glocken schlugen weiter, läuteten Veränderungen ein in der Stadt und in der ganzen Nation.

Washington hatte sich in den Monaten, in denen die Hazards hier gelebt hatten, drastisch verändert. Nie waren die Geschäfte besser gelaufen, aber das traf auf den gesamten Norden zu. Hazards lief auf vollen Touren, und die Bank von Lehigh Station, im Oktober eröffnet, war ein großer Erfolg.

Zu Beginn des Krieges hätten alle darin übereingestimmt, daß Washington eine Stadt des Südens war. Vor wenigen Monaten jedoch war Richard Wallach, Bruder des Besitzers vom *Star*, zum Bürgermeister gewählt worden. Wallach war ein bedingungsloser Unions-Demokrat, der nichts mit dem Friedensflügel in seiner Partei im Sinn hatte, sondern den Krieg bis zum Ende durchgestanden sehen wollte.

Im letzten April hatte die Emanzipation im Bezirk Einkehr gehalten. Stanley und Isabel förderten sie an vorderster Front, obwohl bei einem der seltenen und schwierig zu arrangierenden gemeinsamen Essen der Hazard-Familien Isabel die Feststellung gemacht hatte, die Emanzipation würde die Stadt «für die weiße Rasse in die Hölle auf Erden» verwandeln. Aber es war anders gekommen. Fast täglich fielen weiße Soldaten über irgendwelche Schwarzen her und verprügelten sie, ohne Strafe befürchten zu müssen.

In der demoralisierten Armee standen mit Sicherheit Veränderungen an. Im Lager am Rappahannock plante Burnside gegen alle Ratschläge eine Winteroffensive. Er war wild darauf versessen, seinen

Fehlschlag bei Fredericksburg wiedergutzumachen. Mehr als einmal hatte George von hohen Offizieren gehört, daß Burnside den Verstand verloren habe.

Fighting Joe Hooker wurde am häufigsten als Burnsides Nachfolger ins Gespräch gebracht. Wer immer auch das Kommando übernahm, sah sich einer gigantischen Aufgabe gegenüber: Die Armee mußte neu organisiert und Stolz und Disziplin wiederhergestellt werden. Mittlerweile gab es einige Schwarze in der Armee. Genau wie die ehemals geflüchteten Sklaven wurden sie häufig verprügelt und erhielten für den gleichen Dienst drei Dollars weniger im Monat als die Weißen.

Auch im Regierungsbereich standen im neuen Jahr Veränderungen bevor. Die Kongreßwahlen waren für die Republikaner schlecht ausgegangen, und der melancholische Präsident litt unter wachsender Unbeliebtheit. Man gab Lincoln die Schuld an den militärischen Niederlagen und belegte ihn mit allen möglichen Namen, angefangen von «Dorftrottel» bis zu «kriecherischer Negrophiler».

Veränderung lag also in der Luft – notwendig, unerwünscht. Sich allein bloß die verschiedenen Zukunftsmöglichkeiten auszumalen, verursachte George Kopfschmerzen.

Zu Hause angekommen schaute Constance nach den schlafenden Kindern und bereitete dann einen heißen Kakao für George. Dabei las sie noch einmal den Brief ihres Vaters, den sie gestern erhalten hatte.

Patrick Flynn hatte Kalifornien im Herbst erreicht. Er fand ein Land der sonnigen Schläfrigkeit vor, fern des Krieges. Flynn berichtete, daß ihm seine Anwaltskanzlei in Los Angeles praktisch kein Geld einbrachte, aber er war glücklich.

Sie brachte den Kakao in die Bibliothek, wo George eine Anzahl von Papieren vor sich ausgebreitet hatte.

Sie stellte den Kakao ab. «Wird es lange dauern?»

«Bis ich das hier fertig habe. Ich muß es morgen Senator Sherman zeigen – das heißt, heute – beim Präsidentenempfang.»

«Müssen wir hin? Diese Empfänge sind schrecklich. So viele Leute, daß man sich kaum noch bewegen kann.»

«Ich weiß, aber Sherman erwartet mich. Er hat versprochen, mich mit Senator Wilson aus Massachusetts bekanntzumachen. Wilson ist Vorsitzender des Komitees für militärische Angelegenheiten. Ein Verbündeter, den wir dringend nötig haben.»

«Wann wird die Gesetzesvorlage zur Bewilligung der Gelder behandelt?»

«Im Haus innerhalb von zwei Wochen. Der wirkliche Kampf findet erst im Senat statt. Wir haben nicht viel Zeit.»

Sie beugte sich über ihn, strich ihm zärtlich übers Haar. «Für einen Mann, der das Soldatenleben nie gemocht hat, bist du bemerkenswert eifrig.»

«Ich mag es immer noch nicht, aber ich liebe West Point.»

Sie küßte seine Braue. «Komm ins Bett, sobald du kannst.»

Abwesend nickte er, bemerkte schon gar nicht mehr, daß sie hinausging. Er tauchte die Feder ein und nahm seine Arbeit an dem Artikel wieder auf, den er für die *New York Times* schrieb, die zu den standhaftesten Verteidigern der Akademie zählte.

George schrieb in den ersten Morgen des neuen Jahres hinein, bis gegen fünf über seinem Manuskript einschlief; eine Haarsträhne fiel über seine abgelegte Feder und wurde tintig.

«Ja, ich freue mich, sagen zu können, daß sie bald bei mir sein wird», erklärte Orry dem Präsidenten. In seiner rechten Hand hielt er eine Punschtasse. «Es ist gut möglich, daß sie sich bereits auf den Weg gemacht hat.»

Das Aussehen des Präsidenten beunruhigte Orry; bleicher denn je, hager, mit der leicht gebeugten Haltung eines Mannes, der unter Schmerzen litt. Aber in diesen Tagen plagten Jefferson Davis mehr als nur körperliche Schmerzen. Sein Baumwollembargo hatte sich als Fehlschlag erwiesen. Diplomatische Anerkennung in Europa war nicht einmal mehr eine ferne Hoffnung. Kritiker machten ihn herunter, weil er weiterhin den unpopulären Bragg im Westen unterstützte. In Richmond gab es fast nur noch üblen Kaffee-Ersatz. Botschaften wurden an Stadtmauern geschmiert: STOPPT DEN KRIEG. ZURÜCK ZUR UNION!

An diesem Neujahrsnachmittag bevölkerten Offiziere, Zivilisten und viele Frauen die offizielle Residenz in der Clay Street. Davis bemühte sich, jedem Gast, wenn auch nur für kurze Zeit, seine volle Aufmerksamkeit zu widmen. Trotz seiner Leiden waren sein Lächeln und seine Manieren voller Wärme.

«Das sind ja wirklich gute Nachrichten, Colonel. Ich erinnere mich, daß Ihre Frau schon viel früher nach Richmond kommen sollte.»

«Anfang letzten Jahres, aber die Plantage war von einer Reihe von Unglücksfällen betroffen.» Er erwähnte den Schlaganfall seiner Mutter, nicht aber das wachsende Problem flüchtender Sklaven.

Dann erkundigte sich Davis: «Wie kommen Sie mit Mr. Seddon aus?»

«Gut, Sir. Er besitzt hier in Richmond einen hervorragenden Ruf als Anwalt.»

Mehr wollte Orry dazu nicht sagen. James Seddon von Goochland County hatte General Gustavus Smith als Kriegsminister ersetzt. Smith hatte nach Randolphs Rücktritt im November diesen Posten lediglich vier Tage lang bekleidet. Orry mochte die fanatischen sezessionistischen Ansichten des finstern Seddon nicht. Seddon und seine Frau befanden sich hier auf diesem Empfang. Er wechselte das Thema.

«Erlauben Sie mir eine andere Frage, Herr Präsident. Der Feind bewaffnet schwarze Truppen. Sollten wir vielleicht den gleichen Kurs einschlagen?»

«Sind Sie dafür?»

«Ja, möglicherweise.»

Davis' Mund wurde zu einem schmalen Strich. «Ein verderblicher Einfall, Colonel. Wie Mr. Cobb von Georgia bemerkte: Wenn Neger gute Soldaten abgeben, dann ist unsere ganze Theorie der Sklaverei falsch. Entschuldigen Sie mich.»

Und damit ging er zu einem anderen Gast. Orry war irritiert; es war eine Schwäche, die Davis schadete, diese Unfähigkeit, abweichende Meinungen zu akzeptieren.

Langsam arbeitete er sich in die Eingangshalle vor, wo er Judah Benjamin mit drei Frauen entdeckte. Der Außenminister begrüßte ihn so fröhlich, als hätte er in letzter Zeit keine Unannehmlichkeiten gehabt, obwohl die sich mittlerweile überall herumgesprochen hatten. Benjamin war erwischt worden, als Winders Detektive in einen Spielsalon in der Main Street eingedrungen waren. Bei der Razzia, die auf Deserteure abgezielt hatte, waren nur bekümmerte Zivilisten im Netz hängengeblieben, einschließlich eines Kabinettmitglieds.

«Wie geht es Ihnen, Orry?» fragte Benjamin und schüttelte ihm die Hand.

«Besser, wenn Madeline erst hier ist. Endlich ist sie unterwegs.»

«Großartig. Sobald sie ankommt, müssen wir zusammen essen.»

«Ja, gewiß», murmelte Orry; er nickte und ging weiter. Die Erkenntnis durchfuhr ihn, daß es verdammt unfair wäre, von Madeline gleich bei ihrer Ankunft einen erneuten Umzug zu verlangen, nachdem sie sich über ein Jahr abgemüht hatte, endlich nach Richmond zu kommen. Sie würde es verstehen, aber es wäre unfair. Vielleicht konnte er noch einige Monate durchhalten. Er mußte die Schuld für seine Fehlschläge im Umgang mit den Männern der Militärpolizei bei sich selbst suchen. Er mußte sich mehr Mühe geben.

Als er am Fuße der großen Treppe vorbeikam, verkrampfte er sich beim Anblick von drei Personen, die gerade das Haus betraten: seine Schwester, mit von der Kälte gerötetem Gesicht und wunderschön gekleidet; Huntoon; und ein dritter Mann, gekleidet nach der Mode, die so typisch war für diese Sorte.

«Guten Tag, Ashton – James», sagte Orry, als der Fremde seinen Hut abnahm. Seit Monaten hatte Orry sie nicht mehr zu Gesicht bekommen.

Huntoon murmelte etwas mit abgewandtem Blick. Mit einem winterlichen Lächeln sagte Ashton: «Wie schön, dich zu sehen», und eilte weiter zu Benjamin. Sie machte sich nicht die Mühe, ihm den gutaussehenden Burschen mit den schläfrigen Augen vorzustellen, aber Orry legte auch keinen Wert darauf. Der Kleidung nach zu urteilen war dies einer der Männer, die sich wie Parasiten in der Konföderation eingenistet hatten: ein Spekulant. Ashton und ihr Mann bewegten sich in eigentümlicher Gesellschaft.

Er stülpte sich den Hut auf den Kopf und verließ das Weiße Haus in übler Laune.

65

Endlich jubelte Madelines Herz, endlich – der Tag des Wunders. Über ein Jahr lang hatte sie das Gefühl gehabt, als würde dieser Tag nie kommen.

Jetzt, an dem gleichen Neujahrsnachmittag, an dem sich ihr Mann im Weißen Haus in Richmond befand, klappte sie das letzte Hauptbuch zu, verschloß den letzten Reisekoffer, kontrollierte zum letztenmal die grünen Fahrkarten und begab sich auf ihre letzte Runde durch das Haus.

Als sie die Runde beendet hatte, klopfte sie an Clarissas Tür. Das weiträumige, schön möblierte Zimmer löste bei Madeline unweigerlich Trauer aus. Heute war es nicht anders. Clarissa saß am Fenster; milder Sonnenschein fiel auf einen Block Papier mit einer kaum erkennbaren Kohlezeichnung, wie von Kinderhand gemalt.

«Guten Tag.» Clarissa lächelte höflich, erkannte aber ihre Schwiegertochter nicht. Leichte Anzeichen des Schlaganfalls waren zurückgeblieben: Ihr rechter äußerer Augenwinkel hing leicht nach unten, ihre Sprache war langsam geworden, vereinzelte Wörter klangen verzerrt.

Ansonsten hatte sie sich gut erholt, obwohl sie nur selten ihre rechte Hand benützte.

«Clarissa, ich fahre jetzt bald nach Richmond. Ich sehe dort deinen Sohn.»

«Meinen Sohn. Oh, ja. Wie nett.» Ihre Augen blieben leer.

«Das Hauspersonal und Mr. Meek kümmern sich um dich, aber ich wollte dir selber sagen, daß ich abfahre.»

«Sehr freundlich von dir. Ich habe deinen Besuch genossen.»

Ganz plötzlich den Tränen nahe schlang Madeline ihre Arme um die alte Frau; die jähe Handlung überraschte und erschreckte Orrys Mutter. Ihre weißen Brauen schossen in die Höhe.

Unten sprach Madeline kurz mit Jane, der sie im letzten Sommer gegen Bezahlung das Hauspersonal unterstellt hatte. Dann ging sie den gewundenen Weg hinunter zu dem kleinen Gebäude, in dem nacheinander Tillet, Orry und sie gelebt hatten. Nun wurde es von dem Verwalter bewohnt.

Unter einem Baum lungerte ein Sklave herum, zerbrach Borkenrinde in kleine Stücke. Er starrte sie unverschämt an. Sie hielt inne.

«Hast du nichts zu tun, Cuffey?»

«Nein, Ma'am.»

«Ich werde Andy sagen, daß er das ändert.» Sie ging weiter.

Im letzten Jahr, der Proklamation folgend, war Cuffey einer der ersten gewesen, die flüchteten. Philemon Meek hatte bereits eine heftige Abneigung gegen den Sklaven gefaßt – die meisten anderen Sklaven verachteten ihn ebenfalls – und wandte besondere Mühe auf, Cuffey wieder einzufangen. Meek, Andy und drei weitere Schwarze hatten Cuffey bewußtlos in einem Sumpf gefunden, die Beine unter Wasser. Er hatte hohes Fieber gehabt und wäre möglicherweise ertrunken.

Meek brachte Cuffey in Eisen nach Mont Royal zurück. Er wurde ärgerlich, als Madeline zusätzliche Bestrafung untersagte. Die Krankheit während der Flucht sei ausreichende Strafe, sagte sie.

Es beunruhigte sie, daß Cuffey keine zweite Flucht versucht hatte. Er war hinter Jane her, aber Jane konnte ihn nicht ausstehen. Blieb Cuffey, weil er irgendeinen wirren Plan hatte, der Plantage nach ihrer Abreise Schaden zuzufügen?

Zehn Minuten später klopfte sie an die Bürotür und trat ein. Meek legte seine Bibel beiseite – er las jeden Tag ein bißchen darin – und rückte seine Brille zurecht. Ein Glück, daß wir ihn gefunden haben, dachte Madeline. Er war jenseits der Altersgrenze, die das im September erlassene zweite Einberufungsgesetz vorschrieb, und sollte beliebig lange auf Mont Royal bleiben können – natürlich vorausgesetzt, daß Jeff Davis nicht aus Verzweiflung Großväter einzuziehen begann.

«Sind Sie bereit, Miss Madeline? Ich rufe Aristotle, damit er das Gepäck auflädt.»

«Danke, Philemon. Noch eines, bevor ich fahre. Sollte es zu einem Notfall kommen, zögern Sie nicht zu telegraphieren. Falls das nicht möglich ist, schreiben Sie. Ich komme dann sofort nach Hause.»

«Hoffe, das wird nicht nötig sein – zumindest nicht, bevor Sie nicht wenigstens eine Stunde bei Ihrem Mann sein konnten.»

Sie lachte. «Das hoffe ich auch. Um die Wahrheit zu sagen, ich kann's kaum erwarten, ihn zu sehen.»

«Wundert mich nicht. Schweres Jahr für Sie gewesen. Sollte alles glatt laufen, falls die Blaubäuche nicht näher rücken. Hab' gestern gehört, daß ein Steuereintreiber unten in Beaufort Lincolns Proklamation vorgelesen hat. Große Mengen von Negern hatten sich um einen Baum versammelt, den sie bereits auf den Namen Emanzipations-Eiche getauft haben.»

Sie beschrieb kurz ihr Zusammentreffen mit Cuffey. Meek fuhr auf. «Nichts zu tun, eh? Werd' dafür sorgen, daß sich das ändert.»

«Nicht nötig. Andy kümmert sich schon darum.»

«Übler Bursche, dieser Cuffey», erklärte Meek.

«Ich weiß, daß Sie mit ihm fertig werden. Sie haben großartige Arbeit geleistet, Philemon – bei den Leuten, mit dem Pflanzen und der Ernte.»

Er setzte zum Sprechen an, zögerte, sprach es dann doch aus. «Wär' gut, wenn Sie Jane sagen würden, sie kann nicht mehr unterrichten. Lernen ist schlecht für die Neger, vor allem in solchen Zeiten.» Er räusperte sich. «Ich bin unbedingt dagegen.»

«Das ist mir bewußt. Sie kennen auch meine Lage. Ich habe Jane gegenüber ein Versprechen abgegeben. Und ich glaube, auf Mont Royal bleibt es ruhiger, wenn sie hier unterrichtet, als wenn sie nach Norden gehen würde.»

«Eins ist sicher – wenn sie geht, dann verlieren wir Andy.» Der Verwalter spähte unter seinen buschigen Brauen hervor. «Trotzdem nicht richtig, wenn Neger lernen. Ist außerdem gegen das Gesetz.»

«Die Zeiten ändern sich, Philemon. Die Gesetze müssen sich ebenfalls ändern. Ich übernehme die volle Verantwortung für Janes Aktivitäten und ihre Folgen.»

Meek machte einen letzten Versuch. «Wenn Mr. Orry über Jane Bescheid wüßte, würde er vielleicht nicht –»

«Er weiß Bescheid. Ich habe es ihm letztes Jahr geschrieben.»

Meek gab auf. «Ich wünsche Ihnen eine sichere Reise. Hörte, die Eisenbahnschienen sind in ziemlich üblem Zustand.»

«Danke für Ihre Besorgnis.» Nach kurzem Zögern eilte sie auf ihn zu und umarmte ihn; er hustete und errötete. «Passen Sie auf sich auf.»

«Das werd' ich. Grüßen Sie den Colonel von mir.»

Er holte, das Gesicht immer noch scharlachrot, Aristotle für die kurze Fahrt zu der wenige Meilen entfernten kleinen Eisenbahnstation. Madeline fuhr los, den ungefähr vierzig Sklaven zuwinkend, die sich zu ihrem Abschied in der Einfahrt versammelt hatten.

Ein Stück abseits stand Cuffey mit über der Brust verschränkten Armen und beobachtete sie ebenfalls.

An diesem Abend hielt Jane im Krankenzimmer Unterricht ab.

Zweiunddreißig Schwarze drängten sich in den weißgetünchten, von Kerzen erhellten Raum. Andy saß mit gekreuzten Beinen in der ersten Reihe. Cuffey lehnte mit verschränkten Armen in einer Ecke; selten nur wich sein Blick von Janes Gesicht. Diese Art von Aufmerksamkeit war ihr unangenehm, aber sie versuchte sie nach Möglichkeit zu ignorieren.

«Versuch es, Ned», bat sie einen schlaksigen Feldarbeiter. Mit ihrem Schreibinstrument, einem Stück Kreide, tippte sie gegen ihre Tafel, eine Kiste. «Drei Buchstaben.» Nacheinander zeigte sie darauf.

Ned schüttelte den Kopf. «Weiß nich'.»

Sie stampfte mit dem nackten Fuß auf. «Vor zwei Tagen hast du's noch gewußt.»

«Ich vergeß'! Ich arbeit' schwer ganzen Tag, werd' müd. Bin nich' klug genug für solche Sachen.»

«Doch, das bist du, Ned. Ich weiß, daß du es bist, und du mußt selber auch dran glauben. Versuch es noch mal.» Sie beherrschte ihre Ungeduld. Sie tippte gegen die Tafel. «Drei Buchstaben: *N, E, D*. Das ist dein Name, erinnerst du dich?»

«Nein.» Ärgerlich. «Tu ich nich'.»

Jane stieß die Luft aus; sie fühlte sich müde und erschöpft. Madelines Abreise hatte sie stärker berührt, als sie vorher geahnt hatte.

«Machen wir Schluß für heute», sagte sie. Das brachte ihr Proteste ein. Ihr ältester Schüler, Cicero, protestierte am heftigsten. Cicero, vor kurzem Witwer geworden, war mit seinen neunundsechzig Jahren zu alt für die Feldarbeit, hatte aber geschworen, daß er noch vor seinem nächsten Geburtstag lesen und schreiben konnte. Er sagte, er würde als gebildeter Mann sterben, falls er nicht lange genug lebte, um als freier Mann zu sterben.

Cuffey, der Abend für Abend auf demselben Fleck stand, sagte schließlich: «Sollten für immer Schluß machen, denk' ich.»

Andy erhob sich. «Wenn du nichts lernen willst, dann bleib doch weg.»

Andy machte gute Fortschritte in seinen Studien, was einer der Gründe war, weshalb sich Janes Gefühle für ihn änderten. Ein Grund, aber nicht der einzige. Zweimal hatte er sie scheu geküßt. Das erstemal auf die Stirn, das zweitemal auf die Wange. Dieser ernste, entschlossene junge Mann veränderte ihr Leben auf eine Art und Weise, die sie selbst nicht ganz verstand.

Als Antwort auf Andys Worte grollte Cuffey: «Werd' ich vielleicht. Keiner von uns muß hier bleiben. Geh'n wir runter nach Beaufort, da sind wir frei.»

«Sicher», sagte Cicero und fuchtelte mit einem Finger vor Cuffey herum. «Du geh runter nach Beaufort – du verhungerst, weil du ein dummer Nigger bist, der seinen Namen nicht lesen oder schreiben kann.»

«Paß auf, was du sagst, alter Mann.»

Cicero wich keinen Millimeter zurück. Cuffey starrte wild um sich und wandte sich an die ganze Gruppe. «Werd' nicht verhungern in Beaufort. Die geben den Freigelassenen Land. Stück Land und ein Maultier.»

«Du baust also was an», sagte Andy, «und die weißen Agenten betrügen dich, weil du ihre Zahlen nicht zusammenrechnen kannst.»

Cuffey reagierte auf Vernunft mit Zorn. «Jemand hat dich zu 'nem guten Besitzstück erzogen, Nigger. Hast ja kein Rückgrat.»

Andy stürzte sich auf ihn. Cicero trat dazwischen; er keuchte vor Anstrengung, die beiden viel jüngeren Männer auseinanderzuhalten.

«Ich hasse es so sehr wie du, Besitz zu sein», schleuderte Andy zurück. «Meine Momma wurde verkauft, meine kleine Schwester auch. Glaubst du, ich lieb' die Leute, die das getan haben? Tu ich nicht, aber ich hab' Besseres zu tun, als sie zu hassen. Ich werd' frei sein, Cuffey, und ich kann nicht aus eigener Kraft leben, wenn ich dumm bleib' wie du.»

Schweigen.

Blicke glitten von Mann zu Mann. Schatten huschten über die weißgetünchte Decke. Füße scharrten über den Boden. Cuffey hob die geballte Faust.

«Eines Tages werd' ich dir deine Zunge direkt aus dem Schädel schneiden.»

«Schande», sagte Cicero leise, aber fest. Andere wiederholten das

Wort. «Schande – Schande.» Cuffey reckte den Kopf vor und spuckte auf den Boden; ein großer, weißlicher Schleimklumpen zeigte, was er von ihnen hielt.

«Ich will eure Bücher nicht», sagte er. «Will diesen Platz niederbrennen. Will die verfluchten Leute umbringen, die meine Babys getötet haben, die mich mein ganzes Leben lang angekettet haben.»

«Du bist verrückt», sagte Jane und stellte sich neben Andy. «Verrückt. Miss Madeline ist die beste Herrin, die du haben kannst. Sie will jedem in diesem Zimmer helfen, sich auf die Freiheit vorzubereiten. Sie ist eine gute Frau.»

«Sie ist eine Weiße, und ich will sie tot seh'n. Ich brenn' alles nieder, bevor ich hier fertig bin.» Cuffey wirbelte herum, trat die Tür auf und stürmte in die Dunkelheit hinaus.

Auch Janes Schüler schoben sich hinaus. Andy blieb. Jane schaute ihn an. «Cuffey ist nicht zu helfen, oder? Er ist bösartig geworden.»

«Denk' schon.»

«Ich wollt', er wär' noch mal davongerannt. Hab' noch nie einen Neger getroffen, der mir so viel Angst einjagt wie er.» Ohne nachzudenken lehnte sie ihren Kopf gegen Andys Hemd. Er legte eine Hand um ihre Taille, streichelte mit der anderen ihr Haar. Es war ganz selbstverständlich und tröstend.

«Brauchst keine Angst vor Cuffey zu haben», sagte er. «Ich paß auf dich auf. Immer, wenn du mich läßt.»

«Was?»

«Ich sagte – immer. Wenn du mich läßt.»

Langsam beugte er sich zu ihr hinunter und küßte sanft ihren Mund. Etwas ging mit ihr vor, drückte sich in einem erstaunten kleinen Lachen aus. Sie wußte, daß sie ihre Zukunft besiegelt hatten. Mit diesem einen Kuß. Sie gestand sich ein, daß sie sich schon während der letzten Wochen in ihn verliebt hatte.

Visionen überfielen sie, befleckten den Augenblick. Statt Andys Gesicht sah sie Cuffey vor sich, und in den zuckenden Schatten an der Zimmerdecke erblickte sie Mont Royal in Flammen.

«Resolution Nummer 611 des Hauses», sagte Senator Sherman und tippte auf das Dokument auf seinem Schreibtisch. «Wie Sie sehr wohl wissen, wird die Akademie kein Geld mehr haben, wenn sie nicht in beiden Häusern durchkommt.»

George nieste. Draußen fegte der Schnee waagrecht vorbei. George putzte sich die Nase mit einem gewaltigen Taschentuch und fragte dann: «Wann wird die Bewilligungsvorlage behandelt?»

«Morgen.»

Das Büro roch nach alten Zigarren. Eine Golduhr tickte. Um zwanzig nach zehn lagen die meisten Einwohner der Stadt daheim im Bett. George wünschte sich auch dorthin. Trotz seines dicken Armeemantels konnte er nicht warm werden.

«Was wird das Haus damit machen?»

«Herumspielen», erwiderte der jüngere Bruder des Generals. «Die Zehntausend für die Dacherneuerung der Akademiegebäude kürzen. Vielleicht die Vergrößerung der Kapelle streichen. Die Mitglieder des Finanzausschusses möchten ihre Autorität zeigen, aber ich bezweifle, daß sie wesentlichen Schaden anrichten werden. Das Kriegsbeil wird erst ausgegraben, wenn die Vorlage zu uns kommt.»

«Wade ist immer noch fest entschlossen?»

«Absolut. Er benimmt sich wie ein Verrückter, wenn es um dieses Thema geht. Sie kennen seinen Haß auf den Süden.»

«Verdammt noch mal, John, West Point ist nicht der Süden.»

«Das ist Ihre Ansicht, George, die leider nicht von allen Senatsangehörigen geteilt wird.»

«Wie stehen die Chancen, daß die Vorlage abgeschmettert wird?»

«Kommt darauf an, wer spricht und wie überzeugend. Wade wird jede erdenkliche Anstrengung unternehmen und jeden nur vorstellbaren Grund anführen, um die Sache zu Fall zu bringen. Lane wird sich ihm anschließen.»

«Das ist keine Antwort», unterbrach ihn George. «Wie stehen die Chancen?»

Sherman starrte ihn an. «Bestenfalls – fünfzig zu fünfzig.»

«Wir hätten mehr tun müssen. Wir –»

«Wir haben alles nur Erdenkliche getan», warf der Senator ein. «Jetzt können wir nur noch den Ausgang abwarten.» Er kam um seinen Schreibtisch herum. «Gehen Sie nach Hause, George. Wir brauchen keine Offiziere, die an Lungenentzündung sterben.»

Mit grauem Gesicht schlurfte George hinaus.

In dem Schneesturm brauchte er eine dreiviertel Stunde, um einen Fahrer aufzutreiben, der bereit war, die lange Fahrt nach Georgetown zu unternehmen. Mit klappernden Zähnen sackte er in der Kutsche in sich zusammen. Mit der Hand hämmerte er gegen die Wand der Kutsche. «Wir hätten einfach mehr tun müssen!»

«Was ist da los?»

«Nichts», brüllte er zurück. Als er endlich in sein Haus taumelte, war er schweißgebadet und halb bewußtlos.

412

66

udah beugte sich über die Steuerbordreling. «Schau mal, Pa. Ist das in Yankee?»

Cooper spähte in den morgendlichen Dunst und entdeckte den Dampfsegler, auf den sein Sohn gezeigt hatte. Er lag mit gerefften Segeln auf Reede. Die Flagge hing schlaff im hellen Licht. Er konnte nur die Farben erkennen – rot, weiß, mit einem tiefblauen Teil. Er bezweifelte, daß es sich dabei um die Nationalflagge der Konföderation handelte. «Ich denke schon.»

Ein kleines Boot brachte den Lotsen an Bord. Kurz darauf wurden die Maschinen lauter, und die *Isle of Guernsey* dampfte in den geschützten Hafen, der mit Dampfern und Segelschiffen überfüllt war. Dahinter erkannte Cooper das grünliche Flirren von New Providence Island.

Der Dampfer hatte sie durch die gewaltige See und winterliche Stürme in diese schläfrige Wärme gebracht. Unterwegs hatte der britische Lademeister Cooper die hauptsächliche Schiffsfracht gezeigt: lange und kurze Enfield-Gewehre, Kugelgußformen, Patronen, Patronentaschen, Sergeballen. Das alles mußte für die gefährliche Fahrt durch die Blockade auf ein anderes Schiff umgeladen werden.

Judith, hübsch und freudig erregt in dem neuen Hut, den er ihr als vorzeitiges Weihnachtsgeschenk überreicht hatte, gesellte sich mit ihrer Tochter zu ihm. «Hier haben wir ein weiteres Argument für das, was ich dir gestern nacht zu erklären versuchte», sagte Cooper zu seiner Frau. «Dort drüben hält ein Yankeeschiff Wache. Ich würde mich wesentlich wohler fühlen, wenn ich ein Haus in Nassau mieten könnte, wo –»

«Cooper Main», unterbrach sie ihn. «Das Thema ist für mich erledigt.»

«Aber –»

«Die Diskussion ist beendet. Ich werde nicht mit den Kindern hier bleiben, während du fröhlich nach Richmond segelst.»

«Daran ist nichts Fröhliches», grollte er. «Es ist eine sehr gefährliche Reise. Die Blockade wird ständig schärfer. Es ist fast unmöglich, nach Savannah und Charleston hineinzukommen, und in Wilmington sieht's nicht viel besser aus. Ich hasse es, daß du dieses Risiko eingehen mußt.»

«Ich habe mich entschieden, Cooper. Wenn du es riskierst, dann riskieren wir's auch.»

«Hurra», rief Judah, sprang herum und klatschte in die Hände. «Ich will ins Dixie-Land und General Jackson sehen.»

«Ich will auf kein Boot, auf das geschossen wird», sagte Marie Louise. «Ich möchte lieber hier bleiben. Schaut hübsch aus. Kann ich mir hier einen Papagei kaufen?»

«Still», sagte ihre Mutter.

Abfall suchende Möwen bildeten eine lärmende Wolke am Bug. Innerhalb einer Stunde lag die *Isle of Guernsey* vor Anker; ein Leichter brachte die Mains und ihr Gepäck zum überfüllten Prince-George-Kai. Hier wimmelte es nur so von weißen Matrosen, schwarzen Schauerleuten, bunt gekleideten Frauen, die keiner erkennbaren Beschäftigung nachgingen, glitzernden Bergen von Cardiff-Kohle und Baumwolle – endlos viele Ballen, jeder mit Dampf auf sein halbes Volumen zusammengepreßt.

Die gepflasterte Uferstraße konnte kaum all die Menschen und den Verkehr fassen. Der Krieg mochte den Süden aushungern, aber dieser Insel hatte er ungezügeltes Wachstum und Reichtum beschert.

Nachdem er seine Familie in ihrer Suite untergebracht hatte, begab sich Cooper zum Hafenmeister, wo er seine Wünsche in vorsichtigen Umschreibungen zum Ausdruck brachte. Der schnurrbärtige Beamte kürzte seine Weitschweifigkeit ab.

«Im Augenblick keine Blockadebrecher im Hafen. Ich rechne morgen mit der *Phantom*. Sie wird allerdings keine Passagiere mitnehmen. Lediglich die Fracht von der *Guernsey*.»

«Warum keine Passagiere?»

Der Hafenmeister schaute ihn an, als wäre er geistig minderbemittelt. «Die *Phantom* gehört dem Waffenbeschaffungsamt Ihrer Regierung, Sir.»

«Ah, ja. Es gibt vier solcher Schiffe. Ich hatte die Namen vergessen. Ich gehöre zum Marineministerium. Vielleicht wird die *Phantom* eine Ausnahme machen.»

«Sie können ja mit dem Kapitän sprechen, aber andere offizielle Gentlemen der Konföderation haben das auch schon vergeblich versucht.»

In der Nacht glitt die *Phantom* unter britischer Flagge in den Hafen. Cooper führte ein kurzes, unbefriedigendes Gespräch mit dem Kapitän. Der Hafenmeister hatte recht: Selbst ein Beauftragter von Minister Mallory wurde nicht auf einem Schiff des Waffenamtes als Passagier zugelassen.

«Ich bin schon für wertvolle Fracht verantwortlich», sagte der Kapitän. «Ich möchte nicht noch zusätzlich Verantwortung für Menschenleben übernehmen.»

Der Nieselregen hörte auf, und die Sonne schien. Zwei drückende Tage verstrichen. Die *Phantom* lief aus – wieder nachts –, und der Yankeesegler verschwand, zweifellos in Verfolgung des kleineren Schiffes. Gegen Ende der Woche hatte Cooper es satt, zu warten und alte Zeitungen zu lesen. Endlich, nachdem sie fast schon eine Woche in der Stadt waren, brachte der *Nassau Guardian* am Montag in seiner Schiffskolumne die Wochenendankünfte, darunter die «*Water Witch* aus New Providence Is., gesamte Fracht Baumwolle von St. George's Is., Bermuda.»

«Sie muß ein Blockadebrecher sein», rief Cooper beim Frühstück. «Baumwolle ist nicht gerade ein Haupterwerbszweig auf den Bermudas.» Und so machte er sich mit Judah wieder zum Hafen auf.

Sie erreichten den Liegeplatz des Schiffes. «Teufel auch», sagte Judah, wieder in seine Liverpooler Phase verfallend, «schau dir bloß all die verfluchte Baumwolle an.»

«Red nicht so», schnappte Cooper. Aber er war genauso fasziniert. Die *Water Witch* war ein bemerkenswerter Anblick; ein vielleicht dreihundert Tonnen schwerer, gepanzerter Dampfer mit einer Länge von ungefähr zweihundert Fuß. Jedes verfügbare Fleckchen war mit Baumwollballen vollgestopft.

Cooper und sein Sohn zwängten sich an Bord; er erkundigte sich nach dem Kapitän, bekam aber nur den Maat zu Gesicht.

«Kapitän Ballantyne ist an Land. Ging gleich als erster. Schätze, er wird bereits auf irgendeinem Flittchen –» Er entdeckte Judah hinter seinem Vater. «Vor morgen früh, wenn wir mit dem Laden beginnen, werden Sie ihn nicht an Bord finden.» Eine mißtrauische Pause. «Was woll'n Sie überhaupt von ihm?»

«Ich bin Mr. Main, vom Marineministerium. Ich brauche dringend für mich, meinen Sohn hier, meine Frau und meine Tochter eine Passage zum Festland.»

Der Maat kratzte seinen Bart. «Wir woll'n wieder nach Wilmington. Verdammt gefährliche Fahrt, bis wir wieder in Deckung der Kanonen von Fort Fisher sind. Glaub nicht, daß der Kapitän Zivilisten mitnimmt, vor allem so junge.»

«Sagen Sie, Mr. –»

«Soapes.»

«Wo sind sie zu Hause, Mr. Soapes?»

«Hafen von Fernandina. Liegt in Florida.»

«Ich weiß, wo es liegt. Sie sind also Südstaatler, ja?»

«Jawohl, Sir, genau wie Sie und Kapitän Ballantyne. Sie sagten, Ihr Name sei Main?» Cooper nickte. «Irgendeine Verbindung zu den Mains von South Carolina?»

«Ich bin ein Angehöriger dieser Familie. Warum fragen Sie?»

«Oh, ich hab' bloß von ihnen gehört, das ist alles.»

Mr. Soapes log, da war sich Cooper sicher. Nervös geworden brüllte der Maat einen Schauermann an. «Wenn einer von euch Niggern 'nen Ballen Baumwolle ins Wasser fallen läßt, dann hungert er so lange, bis er dafür bezahlt hat. Sechzig Cents das Pfund. Marktpreis.»

Cooper räusperte sich. «Sagen Sie, Mr. Soapes, welche Ladung nehmen Sie mit nach Wilmington?»

«Oh, Sie wissen schon, das Übliche.»

«Nein, ich weiß es nicht. Was ist das Übliche?»

Soapes kratzte sich am Bauch und vermied es, Cooper anzusehen. «Sherry. Havannazigarren. Ich glaub', wir haben diesmal auch noch 'ne Lieferung Käse dabei. Dann Tee und Fleischbüchsen und massenhaft Kaffee.» Während er die Liste aufzählte, wurde seine Stimme immer leiser und Coopers Gesicht immer röter. «Außerdem haben wir noch Rum und –»

«Die Konföderation benötigt dringend Kriegsmaterial, und Ihr befördert Luxusgüter?»

«Wir laden, was Profit bringt.» Nach dieser Antwort schwand der Mut des Maats. «Ich jedenfalls bin nicht der Lademeister. Das macht der Kapitän. Sprechen Sie mit ihm.»

«Das werd' ich, verlassen Sie sich drauf.»

«Vor morgen früh ist er aus dem Hurenhaus nicht zurück.»

Cooper juckte es in den Fäusten. Soapes hatte nur deswegen Hurenhaus gesagt, um Judah in Verlegenheit zu bringen.

Der Junge begriff es und grinste. «Mein Pa nimmt mich ständig zu solchen Orten mit. Vielleicht treffen wir ihn dort.»

Cooper gab seinem Sohn einen Klaps. Der Maat schaute verblüfft drein, bis er merkte, daß man sich über ihn lustig machte. Dann wurde er so rot wie Cooper, der seinen Sohn auf die Gangway zuschob.

Als er am nächsten Morgen zurückkehrte, hatte Cooper bereits eine heftige Abneigung gegen den Kapitän und die Eigentümer des Schiffes, seinen gestrigen Erkundigungen nach ein Südstaatenkonsortium, gefaßt. In Ballantynes Kabine im Heck roch es überwältigend nach Tabak; kleine Kisten füllten jede freie Ecke. Die Kisten trugen spanische Aufschriften, bei denen das Wort *Habana* hervorragte.

«Zigarren», sagte Ballantyne offen, als er die Neugier seines Besuchers bemerkte. «Mein Privatunternehmen. Setzen Sie sich auf diesen Hocker, ich hab' gleich für Sie Zeit. Muß nur noch unser Ladeverzeichnis fertig machen. Danach sind die Bermudas unser Bestimmungsort.»

Er strahlte wie ein Cherub. William Ballantyne war ein mondgesichtiger Mann, dem nur noch wenige Haare geblieben waren, mit Ausnahme von denen in seinen Ohren. Er hatte eine Brille und ein kleines Bäuchlein.

«Also gut, das wär' erledigt», sagte Ballantyne, nachdem sie die Passage ausgehandelt hatten. «Tut mir leid, daß ich gestern nicht hier war. Mr Soapes erzählte mir, sie hätten einige, äh, Bedenken wegen unserer Fracht.»

«Da Sie es erwähnen, das hab' ich tatsächlich.»

Ballantyne grinste; ein ziemlich unangenehmes Grinsen. «Ich erwähnte es, Sir, weil ich annahm, daß Sie es ohnehin tun würden.»

«Ich würde es nicht Bedenken nennen. Es handelt sich dabei um sehr ernste, moralische Einwände. Warum befördert dieses Schiff nichts weiter als Luxusgüter?»

«Aber, Sir, weil die Besitzer es so wünschen. Das läßt die Kasse klingeln.»

Wütend sagte Cooper: «Sie sind ein verdammter Schurke, Ballantyne. Männer und Jungs sterben, weil es ihnen an Waffen und Munition fehlt, und Sie befördern Schinken und Zigarren.»

«Hören Sie. Ich sagte Ihnen schon, ich befördere das, was mir aufgetragen wird. Plus kleine Extras, um für mein Alter vorzusorgen.» Das Lächeln wurde rissig, und die Kreatur dahinter kam zum Vorschein. «Mir geht's nicht so großartig wie Ihnen, Sir. Ich wuchs in den Bergen von North Carolina auf. Meine Leute waren dumm und unwissend. Ich hab' nichts gelernt bis auf das hier, und ich muß das beste draus machen. Abgesehen davon verstehe ich gar nicht, worüber Sie sich aufregen. Die Art von Handel ist weitverbreitet. Macht doch jeder.»

«Nein, Ihr eigener Mangel an Skrupeln und Patriotismus sind keineswegs allgemeingültig. Ganz bestimmt nicht.»

Ballantynes Lächeln verschwand. «Ich muß Sie nicht mitnehmen, das wissen Sie.»

«Ich glaube doch. Außer Sie wollen, daß die Regierung sich näher um dieses Schiff kümmert. Das läßt sich einrichten.»

Ballantyne raschelte mit den Papieren in seiner Hand. Zum erstenmal klang seine Stimme unsicher. «Versuchen Sie mich zu versenken, und Sie versenken auch jemanden, der Ihnen nahesteht.»

«Was zum Teufel soll das heißen?»

«Mr. Soapes sagte, Sie stammen aus South Carolina. Eine unsere Eignerinnen ebenfalls. Ihr mittlerer Name ist derselbe wie Ihr Nach name, sie besitzt zwanzig Prozent der *Water Witch* und hat eine Bruder im Marineministerium.»

Das Hafenwasser klatschte gegen den Rumpf. Cooper konnte kaum schlucken, geschweige denn sprechen. Schließlich brachte er hervor «Was sagen Sie da?»

«Kommen Sie, Sir – tun Sie nicht so, als wüßten Sie von nichts. Z den Eignern gehört eine Lady namens Huntoon – Mrs. Ashton Mai Huntoon aus Richmond und dem Palmetto-Staat. Ist sie – ist sie kein Verwandte?»

Als er Coopers angeekelten Gesichtsausdruck sah, grinste er «Dacht' mir's doch. Hab' zwei und zwei zusammengezählt, nachden ich mit Mr. Soapes gesprochen hatte. Sie haben eine Passage auf einen Schiff der Familie gebucht, Mr. Main.»

67

George lehnte am Geländer der Galerie und blickte in den Senatssaa hinunter. Es war der 15. Januar. Er hatte schlecht geschlafen, war of aufgewacht, zwischen Hoffnungen und Befürchtungen hin und he gerissen.

Wade, der Initiator des Angriffs, erhob sich zuerst.

«Ich habe so oft meine ablehnende Haltung gegen Vorlagen diese Art zum Ausdruck gebracht, daß ich jetzt keine Zeit mehr verschwen den möchte, Gegenargumente anzuführen.»

Nach weltweit üblicher Politikerart tat er dann genau das.

«Ich weiß, daß diese Institution dem Lande keinen Nutzen gebrach hat. Hätte es keine West-Point-Militärakademie gegeben, so hätte e keine Rebellion gegeben. Von dort kamen die Hauptverräter und Ver schwörer.»

Es gab Zwischenrufe und Einsprüche. Die Debatte wurde scharf dann zügellos, als sich die Minuten zu einer Stunde dehnten.

Senator Wilson, der Vorsitzende des Ausschusses für militärische Angelegenheiten, den George hofiert hatte, gestand Schwächen de

Akademie ein, widerlegte dann aber Wade mit eindeutigen Beweisen – den gleichen Zahlen, die George in seinem Brief an die *Times* benützt hatte. Wilson hielt West Point keineswegs für eine «Brutstätte des Verrats».

Senator Nesmith versuchte den Angriff zu schwächen, indem er die Namen von Absolventen anführte, die ihr Leben für die Union gegeben hatten – Mansfield und Reno zählten zu den Bekanntesten –, und versuchte zum Schluß seiner Rede die Emotionen seiner Kollegen zu wecken, indem er zwölf Zeilen eines Heldengedichts zitierte.

Sofort konterte Wade mit einem Flankenangriff. Gnadenlos verdrehte er die Wahrheit immer weiter und weiter. «Ich bin dafür, diese Institution abzuschaffen.» Vereinzelter Beifall. «Wir wollen nicht, daß sich die Regierung in die militärische Ausbildung einmischt, genausowenig, wie sie sich in irgendeine andere Ausbildung einzumischen hat.»

John Sherman verließ seinen Platz, spürte, daß die Strömung in die falsche Richtung ging, eilte von einem Kollegen zum anderen. Foster aus Connecticut widersprach Wade. Hatten nicht Yale und Harvard ebensoviele Südstaatler ausgebildet wie West Point?

Hämisch sagte Wade: «Yale wird nicht von der Regierung der Vereinigten Staaten finanziert.»

Es ging weiter und weiter: West Point besitze ein «Monopol»; weitere Anklagen, daß es die Männer ungenügend ausbilde. Hier ergriff der mächtige Lyman Trumbull zum erstenmal das Wort.

«Weil sie Festungswerke zu errichten verstehen, soll man sie deshalb für Napoleons halten? Hier liegt der Fehler. Was wir für unsere Armeen brauchen, sind Generäle, die auf die Stärke unserer Armeen vertrauen! Lassen wir die Soldaten dieses Landes auf die Rebellion los! Werft jeden Mann, der eine Befestigung zu bauen versteht, aus der Armee, und laßt die Männer des Nordens, mit ihren starken Armen und ihrem unbezähmbaren Geist, über die Rebellen kommen. Ich sage euch, sie werden sie zu Staub zermahlen!»

Der Applaus, sowohl von unten als auch von den Galeriebesuchern oben, klang diesmal wesentlich lauter. Georges Handflächen waren kalt und feucht, sein Herz klopfte viel zu schnell.

Lane zückte einen ganz neuen Satz verbaler Messer. «Diese Institution wird seit mehr als dreißig Jahren eindeutig von den Aristokraten des Südens beherrscht. Ein junger Mann, der sich in West Point einschreibt, wird vor allem angehalten, die elende, sklavenhalterische Aristokratie des Südens zu bewundern – ihm wird die Doktrin der Südstaatensezession als Wissenschaft beigebracht.»

Links von George klatschte jemand. Er wußte, wer es war, wagte aber nicht hinzuschauen. Senator Sherman und mehrere seiner Verbündeten hoben den Kopf; das Klatschen hörte auf.

Die Debatte ging weiter; endlich wurde zur Abstimmung gerufen.

«Wer ist dafür?»

Die Ja-Rufe waren laut, inbrünstig.

«Wer dagegen?»

Die Nein-Rufe waren ebenfalls laut, aber – gaukelte ihm die Hoffnung etwas vor? – weniger.

«Ich schreite zur Abzählung», sagte Vizepräsident Hamlin. «Neunundzwanzig Ja, zehn Nein.»

Ein Aufstöhnen, in das sich herzlicher Applaus mischte. John Sherman warf George einen erschöpften Blick zu. Erst jetzt wagte es George, sich umzudrehen und dem bleichen, wütenden Stanley einen Blick zuzuwerfen.

George erhob sich, in der Absicht, ein versöhnliches Wort mit seinem Bruder zu wechseln. Stanley stand ebenfalls auf, drehte ihm den Rücken zu, und verließ die Galerie, als George zwei Meter von ihm entfernt war.

George feierte bei Willard's, hielt andere Offiziere frei, bis niemand mehr da war.

«Ich glaube, Sie sollten jetzt heimgehen», sagte der Kellner.

Er ging heim.

Als er ins Haus geschwankt kam, sagte er zu Constance: «Wir haben gewonnen.»

«Aber du schaust so grimmig drein. Setz dich hin, bevor du umfällst.» Sie schloß die Wohnzimmertüren, damit die Kinder ihn nicht sahen.

«Heute hab' ich das wahre Gesicht dieser Stadt gesehen, Constance. Ignoranz, Vorurteile, Mißachtung der Wahrheit – das ist das wahre Washington. Einige dieser verdammten Schurken im Senat warfen mit Lügen um sich, als würden sie die Zehn Gebote zitieren. Ich ertrag' diesen Ort nicht länger. Ich muß irgendwie raus, irgend –»

Sein Kopf rollte zurück, sackte auf seine Schulter. Constance trat hinter ihn, strich ihm über die Stirn. Sein Mund öffnete sich, und er begann zu schnarchen.

Im Gegensatz dazu schien Stanley in der byzantinischen Atmosphäre der Stadt aufzublühen. Er fühlte sich längst nicht mehr als Neuankömmling und genoß die wachsende Verantwortung, die er als Assistent von Mr. Stanton zu tragen hatte. Außerdem verdiente er zum erstenmal in seinem Leben aus eigener Kraft gewaltige Summen.

Natürlich stellte die Genehmigung der Bewilligungsvorlage für West Point einen Rückschlag dar, der ihn auch für mehrere Tage mürrisch stimmte. Dazu kam die Verdrießlichkeit des Ministers, die gleichzeitig mit General Burnsides Feldzug gegen Lee am 20. Januar begonnen hatte; der Feldzug war dann auch bereits zwei Tage später steckengeblieben, nachdem schwere Regenfälle die Straßen von Virginia in ein einziges Morastmeer verwandelt hatten.

Burnsides Anhänger sahen einen Akt Gottes in dem Fehlschlag, der ansonsten hämisch als «der Schlamm-Marsch» bezeichnet wurde. Die Befehlshaber gaben dem General die Schuld und ersetzten ihn durch Joe Hooker. Fighting Joe verkündete seine Entschlossenheit, die Armee neu zu organisieren und alles zu verbessern, angefangen von sanitären Einrichtungen bis zur Hebung der Moral (er begann sofort damit, Urlaub zu bewilligen), und vor allem versprach er, die Rebellen im Frühling auszulöschen.

Stanleys Verdruß nahm zu, als Isabel ihren Sohn Laban mit heruntergelassenen Hosen überraschte, sein Geschlechtsorgan in einem nur zu willigen Hausmädchen. Stanley sah sich gezwungen, seinem Sohn den Hintern zu versohlen, dann das Flittchen zu entlassen, was ihm keineswegs schwerfiel, und ihr zusätzlich hundert Dollars zu zahlen, was ihm durchaus schwerfiel.

An einem düsteren Tag gegen Monatsende zu rief ihn Stanton zu sich. «Schauen Sie sich das an», sagte der Minister und warf etwas Metallisches auf den Schreibtisch.

Es war einer dieser großen Kupferpennies, zuletzt 1857 geprägt, in dessen Mitte man den Kopf von Lincoln grob hineingeschnitten oder gefeilt hatte. Stanley drehte den Penny um und entdeckte eine kleine, angelötete Sicherheitsnadel.

«Die Feinde dieser Regierung tragen das», sagte der Minister. «Ganz offen!» Er brüllte, aber Stanley hatte sich mittlerweile an Stantons Ausbrüche gewöhnt.

«Ich hörte, daß man die Friedensdemokraten als ‹Kupferköpfe› bezeichnet, aber ich wußte nicht, daß solch ein Abzeichen der Grund dafür ist. Darf ich fragen, woher das stammt?»

«Colonel Baker hat es besorgt. Sie sind weitverbreitet, sagt er. Ich möchte, daß Sie sich häufiger mit Baker treffen. Er soll seine Aktivitäten in der Hinsicht verstärken. Baker ist ein ignoranter, sturer Mann, aber er kann nützlich sein. Ich übertrage Ihnen persönlich die Aufgabe, diese Nützlichkeit zu vergrößern.»

«Jawohl, Sir», sagte Stanley begeistert. «Gibt es etwas Bestimmtes, worum er sich kümmern soll?»

«Momentan noch nicht. Aber ich bereite Listen vor.» Stanton strich sich den Bart. «Noch eins. Der Präsident braucht davon nichts zu wissen. Wie ich zuvor schon sagte, Bakers Abteilung darf mit uns nicht in Verbindung gebracht werden. Seine Bemühungen sind jedoch lebenswichtig, und wir werden ihn mit soviel Geld unterstützen, wie er benötigt.» Er lächelte. «In bar. Ohne Spuren zu hinterlassen.»

«Ich verstehe. Ich werde heute nachmittag Colonel Baker aufsuchen.»

Baker leitete seine merkwürdige Organisation, die Stanton im privaten Kreis häufig als das Detektivbüro des Kriegsministeriums bezeichnete, von einem kleinen Backsteingebäude aus, gegenüber von Willard's.

Stanley befingerte das Kupferabzeichen. Eine engere Verbindung mit Baker konnte ihre Vorteile haben. Vielleicht konnte er das Büro heimlich anweisen, die Aktionen seines Bruders George im Auge zu behalten.

Im Februar begegnete George zufällig einem Mann, der die Methoden und Irrwege der Regierung ebensosehr verachtete wie er selbst.

Hazard hatte einen Auftrag über Fünfzehn-Inch-Rodman-Geschütze mit glattem Lauf für die Rappahannockfront fertiggestellt. Christopher Wotherspoon verlud sie auf einen Güterzug, der sie schließlich zur Inspektion und Abnahme ins Washingtoner Arsenal brachte. Wotherspoon fuhr in einem Passagierwagen mit.

An zwei langen Abenden besprach er mit George Angelegenheiten der Eisenhütte. Dann überwachte Wotherspoon die Verladung der riesigen, flaschenförmigen Kanonen auf Lastkähne, die sie den Potomac hinunter nach Aquia Creek Landing bringen würden. George nahm sich frei und fuhr auf einem Kanonenboot ebenfalls flußab; in einem für den elenden Winter typischen nassen Schneesturm kam er bei der Landestelle an. Der kurze Ausflug war sowohl eine Sache des persönlichen Interesses als auch Flucht vor einem Job, den er nicht länger ertragen konnte.

Die Temperaturen stiegen, und Regen schmolz den Schnee. Das Ausladen der Kanonen dauerte fast den ganzen Tag. George stampfte im Regen umher, bis die Arbeit beendet war. Mit unverhohlenem Stolz stand er neben einem der Plattformwagen, während die Männer die letzte Kanone festzurrten. Eine glänzende, neue Mason-Lokomotive stand unter Dampf. Auf dem Führerstand war in vergoldeten Lettern zu lesen: GEN. HAUPT. Die Inschrift auf dem Tender lautete U.S. MILITARY R.RDS. Dampfwolken hüllten George ein, während der Regen von seiner Hutkrempe tropfte. Deshalb sah er nicht sofort den strengen, schnurrbärtigen Mann in schlammigen Stiefeln und Drillichhosen, der sich neben ihn stellte. George dachte, er müßte den Mann kennen, wußte aber nicht, wohin er ihn stecken sollte.

Der Mann war mehr als einen Kopf größer; für gewöhnlich reizte George schon die bloße Existenz solcher Leute. Das, zusammen mit seinem Stolz, ließ ihn sprechen, ohne sich umzuschauen.

«Meine Kanonen.»

«Auf meinem Zug.»

George wandte sich um. Jetzt kannte er den Mann. «Auf meinen Schienen», sagte er.

«Tatsächlich? Sie sind Hazard?»

«Das bin ich.»

«Weiß ich zu schätzen. Dachte, wenn eine wirkliche Person hinter dem Namen steckt, dann ist das irgendein dickbäuchiger Buchhalter, der niemals an einen Ort wie den hier kommen würde. Sind gute Schienen, die Sie machen. Hab' schon einige davon verlegt.»

Die Pfeife ertönte, der Dampf zischte. Über den Lärm hinweg fragte George: «Sind Sie General Haupt?»

«Nein, Sir. Bin kein General. Als ich letzten Mai die Ernennung annahm, stellte ich die Bedingung, daß ich keine Uniform tragen muß. Letzten Herbst versuchte mich Stanton zum Brigadegeneral der Freiwilligen zu machen, aber ich hab's nie offiziell akzeptiert. Wenn man erst mal richtiger General ist, dann verbringt man seine ganze Zeit damit, Bücklinge zu machen und Formulare auszufüllen. Ich bin Haupt, das ist alles.»

Er betrachtete George, wie ein Staatsanwalt einen Zeugen mustert. «Trinken Sie was? Ich hab' eine Flasche in dem Bau dort drüben.»

«Ich trinke schon, ja.»

«Also, wollen Sie nun einen Whiskey oder nicht?»

«Wenn ich noch jemanden mitbringen kann – meinen Arbeitsaufseher dort.»

«In Ordnung, tun Sie's, und Schluß mit dem Gequatsche.»

Und auf diese Weise begann, mitten im heftigen Regen, Georges Freundschaft mit Herman Haupt.

Tropfen glänzten in Haupts Bart, als er Whiskey in zwei schmutzige Gläser goß. Wotherspoon hatte die Einladung abgelehnt; vor seiner Abreise wollte er noch den gewaltigen Militärkomplex besichtigen.

423

«Von Beruf bin ich Bauingenieur.» Das war sehr bescheiden ausgedrückt; Haupt zählte zu den besten Ingenieuren der Nation. «Ich soll die Eisenbahnlinien, die die Armee mit Beschlag belegt hat, in Ordnung halten und neue bauen. Mit all ihren Vorschriften und Regeln machen sie einem das verdammt schwer. Was tun Sie?»

«Ich arbeite in Washington.»

«Würde ich nicht mal einem Mann wünschen, den ich hasse. Was tun Sie dort?»

«Artilleriebeschaffung für das Waffenamt. Wenn Sie eine genauere Beschreibung haben wollen, ich gebe mich die meiste Zeit mit Narren ab.»

«Erfinder?»

«Das sind noch die harmlosesten.» George nahm einen Schluck. «In erster Linie meinte ich die Generäle und Politiker.»

Haupt lachte und beugte sich vor. «Was haben Sie für eine Meinung von Stanton?»

«Hab' nicht viel mit ihm zu tun. Politisch ist er unflexibel, ein Fanatiker, und einige seiner Methoden sind recht anrüchig. Aber ich glaube, er ist kompetenter als die meisten anderen.»

«Er kapierte die Lektion von Bull Run schneller als die anderen. Als dieser Krieg anfing, begriffen die wenigsten, daß man Truppen mit der Bahn schneller und einfacher transportieren kann als auf dem Wasser.»

«Geschwindigkeit», sagte George nickend.

«Wie bitte?»

«Geschwindigkeit – eine von Dennis Mahans Lieblingsideen. Vor mehr als zehn Jahren sagte er, daß Geschwindigkeit und Kommunikation den nächsten Krieg gewinnen würden. Die Eisenbahn und der Telegraph.»

«Falls ihn die Generäle nicht zuvor verlieren. Nehmen Sie noch einen Drink?»

«Danke, nein. Ich muß meinen jüngeren Bruder suchen. Er ist beim Pionierbataillon.»

Er erhob sich, um zu gehen. Haupt streckte die Hand aus. «War nett, unser Gespräch. Gibt nicht viele in dieser Armee, die so klug und offen sind wie Sie.» Das amüsierte George. Er hatte kaum etwas anderes getan, als Haupt zuzuhören.

«Ich muß gelegentlich nach Washington», fuhr Haupt fort. «Beim nächstenmal schaue ich bei Ihnen herein.»

«Würde mich freuen, General.»

«Herman, Herman», sagte er, als George hinausging.

George erkundigte sich nach den Pionieren und sprang schließlich eine Weile später bei Brooks Station von einem langsam fahrenden Waggon; hier fand er Billy, der die Konstruktion einer Pfahlsperre zum Schutz der Station überwachte. Eine Stunde lang unterhielten sie sich an der Baustelle. George erfuhr, daß sein Bruder gerade erst einen Wochenendurlaub auf Belvedere verlebt hatte. Billy war mitten in der Nacht durch Washington gekommen – nicht die richtige Zeit für einen Besuch in Georgetown.

George grinste. «Ich kann deinen Eifer ja verstehen, deine Frau zu sehen, aber nicht diese Hast, wieder zum Dienst zurückzukommen.»

«Ich will diesen Krieg hinter mich bringen. Ich hab's satt, von Brett getrennt zu sein. Ich habe diese ganze verdammte Sache satt.»

Das war die Grundstimmung des Treffens: wenig Humor und eine drückende Melancholie. George konnte nichts tun, um seinen Bruder aufzuheitern. Er machte sich Vorwürfe deswegen, als er zur Stadt zurückkehrte.

Zu seiner Freude und Überraschung kam noch vor Ablauf einer Woche Herman Haupt in das Winder-Gebäude marschiert. Sie gingen auf ein Bier und ein gewaltiges Nachmittagsmahl zu Willard's. Haupt war geladen; er kam gerade von einem Treffen im Kriegsministerium. George erkundigte sich nach dem Grund.

«Egal. Wenn ich drüber rede, gehe ich gleich wieder in die Luft.»

«Na ja, ich hatte heute morgen wieder mal einen Zusammenstoß mit Ripley, da geht's mir nicht viel besser. Ich sage schon ständig meiner Frau, daß ich's hier nicht mehr lange aushalte.»

Haupt kaute an seiner kalten Zigarre. «Wenn's soweit ist, sagen Sie mir Bescheid. Ich bringe Sie beim Eisenbahnbau unter.»

«Ich kann Schienen produzieren, aber ich habe nicht die geringste Ahnung vom Verlegen.»

«Vierundzwanzig Stunden beim Bau-Corps, und Sie haben eine Ahnung. Das garantiere ich Ihnen.»

George lächelte unvermittelt; eine Last war von ihm gewichen. «Ich weiß Ihr Angebot zu schätzen. Vielleicht nehme ich es früher in Anspruch, als Sie erwarten.»

Rauhe Winde, eiskalte Temperaturen und plötzliche Schneestürme peinigten weiterhin die auf den Frühling wartenden Armeen. Charles schaffte es, für drei nächtliche Besuche zu Barclays Farm zu reiten. Beim erstenmal brachte er zwei Karabiner und Munition mit, die von toten Yankees stammten, und übergab sie Boz und Washington; in seinem Heimatstaat wäre er dafür ausgepeitscht worden.

Der zweite Besuch hätte ihn beinahe das Leben gekostet. Er hatte gerade mit Ab einen Zweitagesritt hinter den feindlichen Linien hinter sich gebracht und trug noch die für solche Missionen übliche Uniform – hellblaue Hosen mit breiten gelben Streifen, einen konfiszierten unionsblauen Umhang und die Mütze mit den gekreuzten Säbeln. Es schneite, als er sich der Farm näherte. Boz hielt ihn für einen feindlichen Soldaten und schoß auf ihn. Die erste Kugel verfehlte ihn nur knapp. Als Boz wieder feuerte, hatten Charles und Sport hinter einer Roteiche Deckung gesucht. Die Kugel traf den Baum. Charles brüllte seinen Namen, und Boz entschuldigte sich fast zehn Minuten lang.

Charles konnte von der blonden, blauäugigen Witwe nicht genug bekommen; er war unersättlich darin, mit ihr zu reden, mit ihr zu schlafen, sie zu berühren oder auch einfach sie zu beobachten.

In der angenehmen Schläfrigkeit, die sie überfiel, nachdem sie sich geliebt hatten, erzählte er ihr aus seiner Vergangenheit. Er beschrieb, wie sie ihm am Tage seiner Ankunft in West Point den halben Schädel rasiert hatten; er berichtete ihr von den Soldaten, die er in der Zweiten Kavallerie kennengelernt und bewundert hatte, unter ihnen George Thomas aus Virginia, der nun auf der anderen Seite stand; von seinen Schwierigkeiten mit einem Captain namens Bent, der aus irgendeinem Grund die ganze Familie haßte. Und er ließ Bilder von Texas vor ihr auferstehen, so gut es mit unzulänglichen Worten ging: die Grasebennen, das Glitzern der Pecanobäume und der Pfahleichen nach einem Regen, während die Lerchen sangen.

«In diesem Staat gibt es die herrlichsten Fleckchen auf Gottes Erde.»

«Möchtest du dorthin zurückkehren?»

«Das hatte ich mal vor.» Er nahm ihre Hand. «Jetzt nicht mehr.»

Am Ende seines dritten Besuchs küßte ihn Gus viermal auf den Mund, ehe sie flüsterte: «Wann kommst du wieder?»

«Weiß nicht. Wir werden uns bald Richtung Süden aufmachen, Pferde jagen. Wir haben eine Menge verloren.»

«Sag General Hampton, ich will nicht, daß dir was zustößt.»

«Und du, sag Boz und Washington, sie sollen sich nur noch mit diesen Karabinern schlafen legen – geladen.»

68

's ging Virgilia gegen den Strich, den Besucher zum Gehen bewegen
u müssen. Er war ein merkwürdiger Mensch, aber die Patienten
nochten ihn und rechneten mit seinen Sonntagsbesuchen, obwohl er
s nicht immer schaffte, sich von einem Militärdampfer nach Aquia
Creek Landing mitnehmen zu lassen.

Seine Taschen und ein Rucksack waren vollgestopft mit Hustenbon-
ons, billigen Federn und Schreibpapier, Kautabak, Marmeladedosen
nd Kleingeld, damit sich die Verwundeten frische Milch bei den vor-
eikommenden Händlern kaufen konnten. Virgilia hegte den Ver-
acht, daß sich der Mann mit diesen Geschenken selbst arm machte.
ein Job konnte nicht viel einbringen; er war lediglich Schreiber im
Büro des Generalzahlmeisters. Mehr als das und seinen Vornamen
rußte sie von ihm nicht, außer daß er einen inneren Drang zu verspü-
en schien, die Verwundeten zu trösten.

Es war früher Nachmittag. Eine kraftlose Februarsonne schien. In
er Empfangshalle hörte Virgilia Stimmen. Sie näherte sich dem Sonn-
agssamariter, der neben einem schlafenden Soldaten saß, die Hand
es jungen Mannes zwischen seinen weichen, zarten Händen haltend.
Der Besucher, Mitte Vierzig, war bärtig und stämmig wie ein Dockar-
eiter gebaut. Er hatte sanfte Augen und helle Haut.

«Walt, die Besucher sind da.»

Mit langsamen, bärenartigen Bewegungen erhob er sich von dem
Hocker. Der Soldat öffnete ruckartig die Augen. «Geh nicht!»

«Ich komme wieder», sagte Walt, beugte sich hinunter und gab dem
ungen einen kleinen Kuß auf die Wange. Einige der Krankenschwe-
tern bezeichneten ein solches Benehmen als unnatürlich, aber die
neisten der Patienten, die unter ständigen schrecklichen Schmerzen
tten oder die auf die Säge des Chirurgen warteten, begrüßten Walts
treichelnde Hände und seine Küsse. Für manche von ihnen war das
lie einzige Liebe, die sie vor ihrem Tod erfahren würden.

«Nächste Woche, Miss Hazard, wenn ich kann», versprach der
onntagsmann und schulterte den Rucksack. Er schob sich am einen
Ende des Ganges zur Tür hinaus, während die Würdenträger von der
nderen Seite eintraten. Die Delegation bestand aus zwei Frauen und
ier Männern der Gesundheitskommission, sowie einer siebenten Per-
on, der die anderen mit Ehrerbietung entgegenkamen.

427

«Eine typische Krankenstation, Kongreßabgeordneter. Gut geführt von der freiwilligen Schwesterntruppe, wie Sie sehen können.» Der Sprecher, einer der Herren der Kommission, winkte Virgilia heran. «Oberschwester? Dürften wir kurz Ihre Zeit in Anspruch nehmen?»

Der Mann, der als Kongreßabgeordneter angeredet worden war, hielt sich leicht gebeugt; er war groß und blaß und reizlos. Trotzdem beeindruckte er sie, als er seinen hohen Hut abnahm und mit einem schnellen Blick ihr Gesicht und ihre Figur überflog.

Die weißbärtige Vogelscheuche, die sie hergewinkt hatte, sagte: «Sie sind Miss –?»

«Hazard, Mr. Turner.»

«Nett von Ihnen, daß Sie sich an mich erinnern. Wir haben einen Ehrengast, der einige unserer Hospitäler zu besichtigen wünschte. Darf ich Ihnen Herrn Samuel G. Stout vorstellen, Repräsentant von Indiana?»

«Miss Hazard, nicht wahr?» sagte der Kongreßabgeordnete, Virgilia für einen Moment sprachlos machend. Aus diesem etwas mickrigen Körper rollten die tiefsten, vibrierendsten Töne, die sie je vernommen hatte – die Stimme eines geborenen Redners, der jede Menschenmenge aufputschen oder zu Tränen rühren kann. Er sprach diese vier Worte, betrachtete sie aus kleinen, eher eng zusammenstehenden Augen und schickte dabei Schauer über ihren Rücken.

Sein Blick machte sie übermäßig nervös. «Das ist richtig, Kongreßabgeordneter. Wir freuen uns über Ihren Besuch.»

«Nach dem Frontdienst», sagte Stout, «ist dies hier die wichtigste Arbeit. Ich stimme mit Mr. Lincoln nicht überein, daß wir die Verräter gut behandeln müssen. Ich stehe in Mr. Stevens Lager und bin der Meinung, wir sollten sie gnadenlos bestrafen. Sie helfen dabei, diese Aufgabe zu vollenden.»

Zustimmendes Gemurmel der anderen.

«Sie gehören zum Corps von Miss Dix? Vielleicht erzählen Sie uns etwas von Ihren Aufgaben.» Stout lächelte. Seine Zähne waren krumm – ihr erster Eindruck war richtig gewesen; rein körperlich war er nicht gerade beeindruckend –, doch sie spürte Stärke und Entschlossenheit in ihm. «Dieser junge Bursche zum Beispiel.»

Der Junge im Bett starrte die Besucher mit fiebrigen Augen an. «Henry hatte Wachdienst am Rappahannock», sagte sie. «Rebellenscouts kamen nahe an seinem Posten vorbei. Schüsse wurden gewechselt.» Der Junge wandte den Kopf ab und schloß die Augen. Virgilia zog die Besucher außer Hörweite. «Ich fürchte, sein rechtes Bein ist nicht mehr zu retten.»

«Für diese Verstümmelung eines jungen Mannes müßten zehn Rebellen ihr Leben lassen», sagte Stout. «Ich würde sie kreuzigen, wenn unsere Gesellschaft diese Form der Strafe nicht abgeschafft hätte. Nichts ist grausam genug für jene, die diesen Krieg der Grausamkeit begonnen haben.»

Ein Kommissionsmitglied sagte: «Bei allem nötigen Respekt, Kongreßabgeordneter, finden Sie das nicht ein bißchen zu hart?»

«Nein, Sir, das finde ich nicht. Ein lieber Verwandter von mir, Adjutant von General Rosecrans, wurde bei Murfreesboro niedergemetzelt. Das ist noch keine sechzig Tage her. Von seinem Körper blieben keine Überreste, die man seiner Frau und seinen kleinen Kindern hätte überbringen können. Er wurde so verstümmelt, daß gewisse Teile –»

Er hielt inne, räusperte sich; er wußte, daß er über das Ziel hinausgeschossen war. Allerdings nicht, soweit es Virgilia betraf. Dieser Mann erregte sie, wie es seit ihrer Bekanntschaft mit dem visionären John Brown nicht mehr vorgekommen war.

Mit einem leichten Schwindelgefühl führte sie die Besucher durch die Station; unbewußt dehnte sie die Beschreibung der Diagnose eines jeden Patienten, bis Turner seine große, goldene Uhr hervorzog. «Ich fürchte, wir müssen uns beeilen, Miss Hazard. Der Quartiermeister erwartet uns.»

«Aber gewiß, Mr. Turner.» Sie zögerte; wenn Stout jetzt hinausging, ohne etwas davon bemerkt zu haben, wie sie auf ihn reagierte, dann sah sie ihn vielleicht nie wieder. «Könnte ich vielleicht mit dem Kongreßabgeordneten kurz unter vier Augen sprechen? Dieses Hospital benötigt verschiedene Dinge ganz dringend. Vielleicht könnte er uns behilflich sein.»

Das klang fadenscheinig, aber ihr fiel nichts Besseres ein. Die Besucher entfernten sich, während Stout ihr folgte. Zwischen den Betten zweier schlafender Patienten blieb sie stehen.

«Ich habe eben gelogen. Wir sind mit allen Dingen wohl versorgt.»

Sein Blick wanderte zu ihren Brüsten und wieder zurück. Er erlaubte sich ein Lächeln. «Um ehrlich zu sein, das habe ich gehofft.»

«Ich –» Sie glaubte kaum, daß hier Virgilia Hazard nach Worten suchte, aber es war die neue Virgilia, an jenem Abend geboren, als Brett ihr Haar gebürstet hatte. «– ich wollte lediglich meine Bewunderung für Ihre Bemerkungen über den Feind zum Ausdruck bringen. Ich kann die Aussicht auf einen milden Frieden, wie ihn Mr. Lincoln anstrebt, nicht tolerieren.»

Stouts Lippen preßten sich zusammen. «Es wird keinen milden Frieden geben, wenn es nach einigen von uns im Kongreß geht.» Er beugte sich vor, seine Stimme so wunderbar wie die tiefen Register einer Orgel. «Wenn Sie Gelegenheit haben, Washington zu besuchen, dann würde ich mich freuen, wenn wir uns ausgiebiger über dieses Thema unterhalten könnten.»

«Ich – würde mich freuen, Kongreßabgeordneter. Ich kann Ihre Einstellung zum Krieg gut verstehen, wo doch ein Verwandter von Ihnen vom Feind verstümmelt wurde.»

«Es war der ältere Bruder meiner Frau.»

Er ließ den Satz zwischen ihnen hängen. Sie fühlte sich, als hätte sie einen Schlag erhalten. Der Ausdruck seiner Augen zeigte, daß diese Enthüllung nicht zufällig erfolgt war.

«Ihre –?»

«Frau», wiederholte er. «Seit wir von Muncie kamen, ist sie mit Frauensachen beschäftigt – humanitäre Komitees, solche Dinge. Wenn es unbedingt notwendig ist, begleite ich sie in der Öffentlichkeit. Ich erwähne das nur, um zu zeigen, daß wir nur wenig gemeinsam haben.»

«Bis auf eine Heiratsurkunde.»

«Das ist ziemlich engherzig, Miss Hazard. Ich bin kein Mann, der zur Falschheit neigt – außer wenn ich mich an die Wähler wende.» Sein Versuch zu lächeln schlug fehl. «Bitte, seien Sie nicht ärgerlich. Ich finde Sie ungemein attraktiv. Ich wollte lediglich offen sein. Hätten Sie mich bei einer Lüge ertappt, dann hätten Sie nur schlecht von mir gedacht.»

Ihr Kopf begann zu schmerzen. Die unangenehme Überzeugung drängte sich ihr auf, daß er all das nicht zum erstenmal sagte. Das kam alles zu routiniert, zu glatt heraus.

«Meine Ehe sollte kein Hindernis für ein diskretes Treffen und ein anschließendes stimulierendes Gespräch sein.»

Sie trat einen Schritt zurück. «Ich fürchte, es ist eindeutig ein Hindernis.»

Er runzelte die Stirn. «Meine liebe Miss Hazard, lassen Sie sich doch nicht von alberner Prüderie –»

«Sie müssen mich entschuldigen, Kongreßabgeordneter.» Sie wirbelte herum und ging davon.

Virgilia war wütend, weil sie sich von ihren Emotionen hatte fortreißen und demütigen lassen. Sie hatte diesen Mann körperlich stärker begehrt als jeden anderen Mann, seit Grady gestorben war. Dieses Begehren wurde noch dadurch verschärft, daß Stout ein Mann von Macht und Einfluß war.

Das Bild seiner Augen, die Erinnerung an seine hallende Stimme
egte einen schmerzlichen Ausdruck über ihr Gesicht, als sie durch die
Schwingtüren am Ende der Station stürmte.

«Verdammt soll er sein, *verdammt soll er sein* – warum ist er nur
verheiratet?

69

Der Kneipenraum war unappetitlich und lag in einer üblen Gegend,
unten in der Q-Street nahe Greenleaf's Point. Es wimmelte hier nur so
von prahlerischen Offizieren, geilen Zivilisten, herumlungernden Tot-
schlägern und Prostituierten – Weiße, Schwarze, sogar eine Chinesin
war darunter. Jasper Dills war nur äußerst widerwillig hierher gekommen und nur darum, weil an den üblichen Orten kein Treffen abgehalten werden konnte. Schließlich hatte er der Bitte eines Armeedeserteurs
entsprochen.

Dills Fahrer, der eine versteckte Pistole bei sich trug, wartete an der
kupferbeschlagenen Bar, was den kleinen Anwalt etwas beruhigte. In
Washington konnte man nicht vorsichtig genug sein.

Über den Tisch hinweg sagte Bent: «Ich bin verzweifelt, Mr. Dills.
Ich verfüge über keinerlei Mittel.»

Mit manikürten Fingernägeln klopfte Dills gegen sein Glas mit
Mineralwasser. «Ihr etwas wirrer Brief hat zumindest das klar zum
Ausdruck gebracht. Ich spreche ganz offen, und ich erwarte, daß Sie
jedes meiner Worte genau beachten. Falls ich die Vereinbarungen treffe
– und ich die Nachricht schreibe, an die ich denke –, dann dürfen Sie
mich keinem Risiko aussetzen. Sie müssen mit dem Gentleman, bei
dem ich Sie einzuführen beabsichtige, verhandeln, als würde die Vergangenheit nicht existieren. Sie müssen Ihre Probleme in West Point
aus Ihrem Gedächtnis streichen. Ihre eingebildeten Kränkungen –»

Bent schlug auf den Tisch. «Sie sind nicht eingebildet.»

«Wenn Sie das noch mal tun», flüsterte Dills, «stehe ich auf und
gehe.»

Mit zitternder Hand bedeckte Bent seine Augen. Was für ein verach-
tenswerter Fleischklotz, dachte der Anwalt. «Bitte, Mr. Dills – es tut
mir leid. Ich kann die Vergangenheit vergessen.»

«Das wäre auch besser. Aufgrund Ihrer Handlungsweise in New Orleans stehen Ihnen keine legalen Wege mehr offen. Dieser hier bewegt sich bestenfalls im Randgebiet.»

«Wie – wie haben Sie von New Orleans erfahren?»

«Ich habe gewisse Möglichkeiten. Ich interessiere mich nun mal für Ihre Karriere, aber das spielt für unsere Diskussion keine Rolle. Zur Sache. Sie versichern mir nach bestem Wissen und Gewissen, daß Sie dem fraglichen Gentleman noch nie begegnet sind?»

«Ja.»

«Aber er kennt möglicherweise Ihren richtigen Namen. Darum und weil er Zugang zu Militärakten hat, müssen wir Sie mit einem neuen Namen ausstatten. Was sollen wir nehmen?»

Bent befingerte sein Kinn. «Irgendwas aus Ohio? Wie wär's mit Dayton? Ezra Dayton.»

«Das sollte gehen», erwiderte Dills achselzuckend. «Zum ersten Treffen werden Sie ins Kriegsministerium müssen. Können Sie das?»

«Gibt es keine andere –?» Unter Dills starrem Blick hielt er inne. «Ja, sicher kann ich das.»

Dills war keineswegs sicher, sagte aber nichts. «Ausgezeichnet. Bevor Sie desertierten, haben Sie sich eine Reputation für Brutalität erworben – oh, tun Sie nicht so unschuldig, ich habe Kopien Ihrer Akten gesehen. In diesem speziellen Fall wird Ihnen das sogar zugute kommen. Schreiben Sie die Adresse Ihres Pensionszimmers auf dieses Stück Papier. Morgen schicke ich einen Boten mit einem Umschlag, adressiert an Ezra Dayton, Esquire. Der Umschlag wird einen zweiten versiegelten Umschlag enthalten, den Sie nicht öffnen dürfen. Das ist mein Einführungsschreiben, mit dem ich Sie beim zuständigen Assistenten für innere Sicherheit, Stanley Hazard, für eine Beschäftigung empfehle.»

In einem weiträumigen Büro im ersten Stock führte eine Ordonnanz Bent zu dem schönen Walnußschreibtisch von Stanley Hazard. Wie er so davorstand, spürte er den Stachel der Vergangenheit. Doch Mr. Stanley Hazard besaß wenig Ähnlichkeit mit seinem jüngeren Bruder. Er war teuer gekleidet, mit Spitzenhemd und zu seinem Gehrock passender Krawatte.

Nachdem Stanley seinen Besucher hatte warten lassen, während er einen Brief öffnete und las, ließ er sich schließlich zu einer gnädigen Handbewegung herab. «Setzen Sie sich. Meine Zeit ist heute morgen knapp bemessen.»

Stanley legte den Brief vor sich hin. Bent mußte sein Hinterteil in

en Stuhl hineinquetschen. Die Vergangenheit überwältigte ihn. An
:iner Schläfe begann eine Ader zu pochen, aber er zwang sich, gewalt-
\ltige Gedanken zu unterdrücken. Dieser Mann stellte vielleicht die
.nzige Möglichkeit dar, sich vor Armut und totalem Niedergang zu
:tten. Er mußte die Familie des Mannes vergessen.

Es wurde leichter für ihn, als Stanley lächelte, ein langsames, ange-
:hm schmieriges Lächeln. «Dieser Brief von Rechtsanwalt Dills be-
\lgt, daß Ihr Name Dayton ist – das ist aber nicht Ihr wirklicher
\lame.»

Bent zwinkerte vor Entsetzen. «Was soll das?» Hatte ihn der Anwalt
erraten?

«Sie wissen über den Inhalt des Schreibens nicht Bescheid?»

«Nein, nein.»

Stanley las laut vor. «Dayton ist ein Pseudonym. Seine wahre Identi-
\lt kann aufgrund von Verbindungen mit hochgestellten Persönlich-
:eiten nicht enthüllt werden. Seine erzwungene Anonymität mindert
:doch keinesfalls seine Fähigkeit, Ihnen behilflich zu sein, noch meine
\lchdrückliche Empfehlung für ihn.»

«Sehr – sehr freundlich von dem Anwalt», japste Bent erleichtert.

Stanley faltete die Hände und studierte seinen Besucher. «Der An-
\lalt präsentiert Sie als Kandidaten für den Dienst in einer Abteilung
.ieses Ministeriums, die offiziell gar nicht existiert. Der Chef dieser
\lbteilung ist Colonel Baker, der gelegentlich auch mit gewissen ver-
:aulichen Missionen hinter den feindlichen Linien beauftragt wird.
\lb und zu schicke ich ihm einen vielversprechenden Mann. Anschei-
.end war es das, was Dills vorschwebte.»

Stanley wartete auf eine Antwort. Schwitzend sprudelte Bent her-
\lor: «Das hört sich nach einer ungeheuer wichtigen Arbeit an, Sir.
\lrbeit, die ich mit Begeisterung verrichten würde. Ich stehe fest hinter
\lem Programm dieser Regierung und –»

«Das scheint bei Jobsuchern stets der Fall zu sein.» Bent krümmte
\lch unter Stanleys Grinsen.

Einen Augenblick später überfiel Bent ein neuer Gedanke. Dieses
\lpezielle Mitglied des Hazard-Clans war vielleicht aus dem gleichen
\lolz geschnitzt wie er selbst – und verdiente möglicherweise seine
\leindschaft gar nicht. Stanley Hazard war hochmütig, ließ einen seine
\ledeutung spüren; das waren Eigenschaften, die Bent bewunderte.

«Vergessen Sie nicht, Dayton, Colonel Baker entscheidet über die
\linstellung eines Agenten. Ich kann jedoch meine Empfehlung der von
\lills hinzufügen.»

«Das wäre sehr freundlich von Ihnen –»

«Ich habe nicht gesagt, daß ich es tun werde», unterbrach Stanle
Eine weitere genaue Musterung. «Weshalb sind Sie nicht in d
Armee?»

Terror. Er hatte sich auf die Frage vorbereitet, aber das zählte jet
nicht mehr. «Ich war, Mr. Hazard.»

«Natürlich können wir das wegen des Problems mit Ihrer Identit
nicht überprüfen. Sehr hübsch ausgedacht.» Ein schwaches Läche
milderte Stanleys Strenge. «Zumindest die Umstände Ihrer Trennu
können Sie verraten.»

«Ja, sicher. Ich habe um meine Entlassung gebeten. Ich weiger
mich, das Kommando über eine Niggereinheit zu übernehmen.»

Stanley ballte seine Hand zur Faust. «Behalten Sie in diesem Min
sterium diese Art von Bemerkungen für sich. Der Minister ist e
entschiedener Anhänger der Emanzipation.»

Bent starrte in einen Abgrund von Fehlschlägen. «Es tut m
schrecklich leid, Mr. Hazard. Ich verspreche –»

Stanley winkte ab. «Nehmen Sie noch einen kleinen Rat von mir a
Colonel Baker ist ein entschiedener Abstinenzler. Wenn Sie trinke
dann nicht vor der Begegnung mit ihm.»

Bents Hoffnung stieg wieder an. Vertraulicher fuhr Stanley for
«Davon abgesehen will der Colonel keine Heiligen, er verlangt ledi
lich zwei Eigenschaften. Seine Männer müssen erstens vertrauenswü
dig und zweitens bereit sein, Befehlen zu gehorchen. Allen Befehle
ganz gleich, wie sie lauten.» Er beugte sich so schnell vor, daß
aussah, als würde er sich auf ein Opfer stürzen. «Habe ich mich kl
ausgedrückt, Sir?»

«Absolut. Ich verfüge über all diese Eigenschaften.»

«Dann werde ich meine Empfehlung der von Dills hinzufügen. W
ich schon sagte, Baker wird die endgültige Entscheidung treffen. Ab
ich kann Charaktere sehr gut beurteilen. Ich würde sagen, Ihre Au
sichten sind sehr gut.»

Er griff zur Feder. Dann reichte er seinem Besucher den versiegelt
Umschlag. «Bringen Sie das zu Colonel Baker in 217 Pennsylvan
Avenue.»

«Danke, Sir, ich danke Ihnen.» Bent wuchtete sich hoch, streckte d
Hand, merkte, daß er den Brief hielt, und ließ ihn fallen. Stanley erho
sich ebenfalls und verschränkte die Hände hinter dem Rücken.

Kochend vor Wut über die Zurückweisung bückte sich Bent na
dem Brief, was ihm wegen seines Bauches nicht gerade leicht fie
Stanley sagte scharf: «Noch eins.»

«Sir?»

«Ihr Name taucht auf meinem heutigen Terminkalender nicht auf. Unser Gespräch hat nie stattgefunden. Wenn Sie diese Anweisung mißachten, dann können Sie große Schwierigkeiten bekommen.» Er machte eine Geste. «Guten Tag.»

Was würden Sie tun, wenn er redete? Ihn ermorden? Die Möglichkeit jagte ihm Angst ein, aber nicht für lange. Er konnte seine Erregung kaum unterdrücken. Endlich hatte er eine Tür zu den Korridoren der Macht gefunden, auch wenn sie nur einen Spalt breit offen stand.

Er eilte die Treppen hinunter und schwor sich, bei Colonel Baker um jeden Preis einen guten Eindruck zu machen. Vielleicht konnte er durch dieses Sonderbüro George und Billy Hazard aufspüren. Er stellte sich vor, wie er eine weibliche Verdächtige verhörte. Sah sich, wie er ihr die Kleider vom Leib riß. Wie er nach unten griff, sie berührte. Und sie konnte nichts dagegen tun.

Wie neugeboren trat er in den Sonnenschein hinaus. Angestellte und einige Offiziere sahen verblüfft dem fetten Mann nach, der fast über die Gehsteige am President's Park tanzte.

70

Von der Steuerbordreling aus beobachtete Cooper den Himmel. War es Einbildung, oder wurde die dichte Wolkendecke tatsächlich dünner? So dünn, daß die Strahlen des Mondes hindurchdringen konnten?

Ballantyne hatte ihm erklärt, daß eine erfolgreiche Fahrt von zwei Bedingungen abhängig war: dem richtigen Stand der Flut und totaler Dunkelheit. Die Flut stimmte, aber jetzt, spät nachts, hatte der Wind auf das Land zu gedreht und trieb die Wolken vor sich her. Der Ausguck, vor zehn Minuten noch unsichtbar, zeichnete sich deutlich gegen den Himmel ab.

Ohne irgendwelche Zwischenfälle war die *Water Witch* in drei Tagen von Nassau hochgedampft. Seit sie den Hafen verlassen hatten, war Cooper bemüht gewesen, mit der Enthüllung fertigzuwerden, daß Ashton Mitbesitzerin dieses Schiffes war.

«Big Hill auf Steuerbord», rief der Ausguck leise. Ein Mann rannte nach achtern, um es dem Ruderhaus weiterzusagen. Cooper strengte sich an, die Landmarke auf dem flachen, verlassenen Strand zu entdecken. Ganz plötzlich sah er sie, mit erschreckender Deutlichkeit; ein großer, hoher Hügel, der den Blockadebrechern sagte, daß sie sich in der Nähe von Fort Fisher und sicheren Gewässern befanden.

Ballantyne und der Lotse hatten sich über den Kurs des endgültigen Durchbruchs geeinigt. Sie liefen ungefähr zwanzig Meilen nördlich vor Cape Fear vorbei, schwangen dann nach Backbord herum und passierten das nördlichste Schiff der Blockadelinie. Nachdem das Manöver im Zwielicht ausgeführt worden war, warteten sie praktisch bewegungslos die völlige Dunkelheit ab und glitten dann der Küste entlang bis zur Mündung des Flusses.

Die langsame Fahrt zerrte an den Nerven. Ständig leuchteten auf ihrer Backbordseite die blauen Laternen der Blockadeschiffe. Jetzt, bei zunehmendem Licht, entdeckte Cooper Masten und einen Rumpf, groß genug für einen Kreuzer.

Wie weit entfernt? Eine halbe Meile? Wenn er den Yankee sehen konnte, weshalb sollte der Yankeeausguck nicht sie sehen können?

Er eilte auf das Ruderhaus zu, wo er im schwachen Mondschein Ballantyne, den Lotsen und den Steuermann erkennen konnte, die in einen großen Blechkegel spähten. Der Kegel deckte das schwache Kompaßlicht ab. Cooper sagte: «Herr Kapitän, sicherlich haben Sie bemerkt, daß es aufklart.»

«Ja-ah.» Ballantynes Grinsen, sein universelles Verteidigungsmittel gegen alle Feinde und Widerwärtigkeiten, wirkte verzerrt in dem Silberlicht. Der Steuermann und der Lotse flüsterten miteinander. «Pech, sowas», fügte Ballantyne hinzu.

«Ist die Durchfahrt jetzt nicht zu riskant? Sollten wir nicht besser umkehren?»

«Was, abhauen? Dann würden uns die Yankees jagen.»

«Und wenn? Wir können davonkommen, oder– Sie sagten mir, wir seien schneller als jedes dieser Schiffe.»

«Das sind wir auch.»

«Und je näher wir dem Fluß kommen, desto mehr Feindschiffe – ist das richtig?»

«Das ist es.»

«Dann sollten wir es nicht riskieren.»

«Oh, sind Sie plötzlich Kapitän der *Water Witch* geworden?» fragte Ballantyne unfreundlich. «Ich glaube nicht. Sie sind lediglich Passagier. Natürlich ist es gefährlicher geworden, weil die Wolkendecke unerwartet aufgebrochen ist. Aber die Eigner haben mir genaue Anweisungen gegeben. Keine unnötigen Verzögerungen.»

Wütend trat Cooper dichter an den Kapitän heran, dessen Angst schweiß er plötzlich riechen konnte. «Die Konföderation wird nicht zusammenbrechen, wenn eine Schiffsladung Havannazigarren verspätet eintrifft. Ich werde es nicht zulassen, daß meine Familie in Gefahr gerät, bloß wegen Ihrer Habsucht und der meiner Schwe-. Zeigen Sie ein bißchen gesunden Menschenverstand, Mann. Drehen Sie um!»

«Verlassen Sie die Brücke», sagte Ballantyne. «Verschwinden Sie, bevor ich Sie runterschmeißen lasse.»

Cooper griff nach Ballantynes Arm. «Zum Teufel mit Ihrer gierigen Seele. Hören Sie –» Der Kapitän gab ihm einen Stoß. Cooper stolperte und wäre beinahe gefallen.

Der Lotse stieß einen ellenlangen, verzweifelten Fluch aus. «Der Herr sei uns gnädig – da ist der Mond.»

Voll und weiß kam er hinter einer leuchtenden Wolke hervorgesegelt. Cooper sah die Masten von vier gewaltigen Schiffen wie das Bühnenbild eines Hafens auftauchen. Eine durch ein Sprachrohr verstärkte Baritonstimme rief die *Water Witch* an.

«Hier ist der Bundes-Kreuzer *Daylight*. Drehen Sie bei, und warten Sie, bis wir an Bord kommen.»

«Höllenfeuer, aus dem Weg», rief Ballantyne, stieß den Steuermann beiseite und beugte sich über das Sprachrohr zum Maschinenraum. «Maschinen volle Kraft voraus. Gebt mir allen Dampf, den Ihr habt.» Cooper konnte sich die Bedingungen unten lebhaft vorstellen; bei geschlossenen Luken mußten die Heizer in einem Inferno arbeiten.

«Oh, mein Gott», sagte er, als ein Schwarm kleiner Boote hinter dem Kreuzer zum Vorschein kam. Wie silbrige Wasserwanzen jagten die Bundes-Barkassen den Blockadebrecher.

Über das Sprachrohr dröhnte die gewaltige, körperlose Stimme. «Drehen Sie bei, oder ich eröffne das Feuer!»

«Ballantyne», fing Cooper an, «Sie müssen –» Flüche und Rufe der verängstigten Matrosen übertönten seine Worte, ebenso wie Ballantynes lautes «Schafft ihn raus!» Die Tür des Ruderhauses knallte vor Coopers Nase zu.

«Dampffregatte», rief der Ausguck. «Genau achtern.»

Und da war sie, machte sich ein paar Meilen hinter ihnen an die Verfolgung; Dampfwolken stiegen im Mondlicht auf, all ihre Segel waren gesetzt, um ihrer von den Kesseln erzeugten Geschwindigkeit noch zwei oder drei Knoten hinzuzufügen.

Coopers Eingeweide verkrampften sich. Ein, zwei, drei glitzernde Spuren stiegen über der *Daylight* in den Himmel; das weiße Kalziumlicht ihrer Leuchtraketen ließ den Mond verblassen. Selbst die Gewehre der Männer in den Barkassen konnte man erkennen.

Die Kanone auf dem verfolgenden Kreuzer begann zu krachen. Einmal, zweimal. Die Schüsse waren zu kurz, ließen Wasserfontänen aufsteigen, die in dem grellen Licht wie Diamanten funkelten. Beim ersten Knall rannte Cooper nach unten.

Ihre Kabinentür stand offen; Judith war da, die Arme um die Kinder gelegt. Sie versuchte, ihre Angst zu verbergen. Cooper packte ihre feuchte Hand. «Los, kommt, hier entlang.»

Eine weitere Granate explodierte, diesmal viel näher. Das Schiff ruckte und bockte.

«Pa, was ist das?» rief Judah.

«Der Mond ist rausgekommen, und Ballantyne wollte nicht umkehren. Er denkt nur dran, seine Waren nach Wilmington zu bringen. Kommt schon!» Er riß so hart an Judiths Hand, daß sie aufschrie. Er bedauerte es sofort, aber er mußte sie in Sicherheit bringen.

«Wohin gehen wir?» fragte seine Tochter, als das Schiff sich schief legte.

«Zu den Booten. Ballantyne wird sie mittlerweile zu Wasser gelassen haben. Unsere einzige Chance ist, an Land zu rudern.»

Als die Familie an Deck auftauchte, konnte Cooper nicht fassen, was er sah: Alle Boote schwangen noch wild an ihren Davits. Er packte einen vorbeieilenden Mann der Crew.

«Lassen Sie die Boote runter, damit wir weg können!»

«Niemand verläßt das Schiff, Mister. Wir halten auf den Fluß zu.»

Weitere Lichter erstrahlten in weißem Glanz. Eine Granate jaulte heran, traf das Heck und riß es in die Höhe. Judith schrie auf, ebenso die Kinder. Alle fielen sie gegen Cooper, nagelten ihn an der Reling fest.

«Papa, ich hab' Angst.» Marie-Louise warf die Arme um ihn. «Sinkt das Boot? Werden wir Gefangene der Yankees?»

«Nein», keuchte er. Eine Kanone dröhnte. Unter Deck erfolgte eine heftige Detonation. Jemand schrie: «Der Rumpf ist getroffen.»

Sofort legte sich der Blockadebrecher scharf nach Steuerbord über. Cooper sah Ballantyne aufgeregt an Deck herumrennen, auf der Suche nach Männern, die ihm helfen würden, ein Boot zu Wasser zu lassen. «Bastard», sagte Cooper. «Habgieriger, dämlicher Bastard. Kommt, Kinder, Judith, wir steigen in dieses Boot, und wenn ich dafür jeden Mann dieses Schiffes umbringen muß.»

Wenn alles fehlschlug, dachte Cooper, konnten sie immer noch an den Strand schwimmen. Seine Tochter festhaltend, arbeitete er sich über das stark geneigte, schlüpfrige Deck auf den Kapitän zu, der sich mit einem Boot abmühte.

«Ballantyne!» – Bevor Cooper noch was brüllen konnte, schlug die nächste Granate unterhalb der Wasserlinie ein. Der Explosion folgte ein entsetzlicher Lärm – das Kreischen reißenden Metalls, das wütende Zischen von Dampf und Schreie, wie sie Cooper noch nie gehört hatte.

In all dem Lärm, dem Kreischen, dem Krachen von Brandung und Kanonen, verschaffte sich Ballantyne unglaublicherweise Gehör.

«Die Kessel sind geplatzt. Jeder Mann –» Zwischen Ballantynes Beinen riß das Deck auf; laut aufbrüllend wurde er von einer Dampfwolke verschluckt. Der Maat, Soapes und zwei andere Mannschaftsmitglieder sprangen als erste über Bord. Sterbende Männer schrien im Maschinenraum. Cooper wurde heftig gegen die Reling geschleudert. Er kletterte hinüber; mit einem Arm umklammerte er die Schulter seiner Tochter, mit der anderen Hand tastete er nach Judiths Hand und hielt sie fest. Der Dampfer holte noch weiter über, der Kiel stieg aus dem Meer. Die Mains flogen über die Reling in weißen Dampf.

Wassertretend keuchte Cooper: «Wo ist – Judah?»

«Ich weiß nicht», rief Judith zurück.

Dann, mitten unter den Trümmern der berstenden *Water Witch*, entdeckte er einen treibenden Körper, dessen Kleider er erkannte. Er stieß Marie-Louise zu seiner Frau und kämpfte sich das kurze Stück gegen die Wellen vor. Die düstere Vorahnung überfiel ihn, daß sein Sohn tot war, von den platzenden Kesseln erschlagen. Judah trieb mit dem Gesicht nach oben auf dem Wasser. Cooper griff nach der Schulter seines Sohnes, verfehlte sie und erwischte ihn am Kopf, der langsam herumrollte; an mehreren Stellen kamen die Knochen durch. Judah war kaum zu erkennen.

«Judah!» Er kreischte den Namen hinaus. Der leichte Körper trieb weg und ging unter. «Judah! Judah!» Er zerrte ihn zurück; Wogen schleuderten ihn hin und her, das Wasser schlug über ihm zusammen, vermischte sich mit seinen Tränen. «Judith, er ist tot, er ist tot!»

«Schwimm, Cooper!» Sie packte ihn am Kragen, riß daran. «Schwimm mit uns, oder wir kommen alle um!»

Ein Mastteil krachte dicht hinter ihr ins Wasser. Cooper begann mit dem linken Arm zu rudern, während seine rechte Hand die hysterisch heulende Marie-Louise stützte. Judith half von der anderen Seite. Cooper spürte den Schmerz in seiner Brust, dann in seinen Muskeln; jede Welle, die von hinten über ihn hereinbrach, brachte ihn dem Ertrinken näher.

Einen Augenblick später stieß er gegen treibende Gegenstände. Er spuckte Salzwasser und einen Teil seines Mageninhalts; neben ihnen schwammen runde, eingewickelte Scheiben und kleine Holzkistchen mit spanischen Aufschriften. Sherry und Käse, Käse und Sherry – auf und ab, auf und ab, an der Küste des Krieges.

Der Anblick verschmolz Coopers Gedanken und Ängste und Gefühle, sperrte sie in ein solides schwarzes Delirium. Er schrie noch einmal auf und schwamm dann weiter und weiter. An nichts anderes erinnerte er sich mehr.

71

Im Halbdunkel eilte Orry an einer Mauer vorbei, auf die jemand drei Worte geschmiert hatte: TOD FÜR DAVIS. Weder diese Botschaft – nichts Ungewöhnliches in diesen Zeiten – noch sonst etwas, sein verhaßter Job eingeschlossen, konnten ihm die Laune verderben. Er beeilte sich, weil das Abendessen länger als beabsichtigt gedauert hatte. Er und sein alter Freund George Pickett hatten eine Vierzig-Dollar-Flasche zu ihrem Mahl geleert.

Pickett, der in West Point Orrys Klassenkamerad gewesen war, zog seinen Freund damit auf, daß er seine Zeit auf einen Job als Wachhund für General Winder verschwendete. «Obwohl der arme Irre weiß Gott von jemandem im Auge behalten werden muß, damit er uns vor der Welt keine Schande macht.» Orry konterte, daß täglich Waggonladungen Gefangene in die Stadt kamen und in die überfüllten Gefängnisse gesteckt wurden.

«Winder verwaltete diese Örtlichkeiten ebenfalls, verstehst du. Die Yankees würden noch viel schlimmer behandelt werden, wenn das Kriegsministerium nicht ab und zu hineinschauen und die übelsten Exzesse verhindern würde.»

Das sah Pickett ein. Als sie am Grund der Weinflasche angelangt waren, gestand er ein, daß er trotz seiner Beförderung zum Generalmajor im Herbst unglücklich war. Während der letzten Monate hatte er das Mittelstück der Fredericksburg-Linie kommandiert; es hatte sich kaum was ereignet. Zwischen den alten Freunden schien eine unausgesprochene Wahrheit in der Luft zu hängen. Der Krieg lief nicht gut für die Konföderation.

Arm in Arm marschierten sie hinaus und trennten sich auf der

Straße; Pickett ging mit seiner Frau in das elegante neue Theater von Richmond, und Orry holte Madeline vom Zug ab.

Er eilte durch den überfüllten, düsteren Bahnhof; auf einer großen Tafel stand in Kreide, daß der Richmond & Petersburg-Zug anderthalb Stunden Verspätung hatte.

Die Nacht fiel herab. Die Wartezeit erschien ihm viel länger als angekündigt. Endlich tauchte jenseits des Bahnsteigs ein Licht auf; zischend und fauchend und Rauchwolken ausstoßend fuhr der Zug ein. Aus den Wagen, die meisten mit zerbrochenen Fensterscheiben, drängten sich Männer, die nach ihrem Urlaub wieder zum Dienst antreten mußten, und Zivilisten jeder Schattierung. Aufgrund seiner Größe ragte Orry aus der Menge heraus. Er sah niemanden, der ihm bekannt vorgekommen wäre.

Hatte sie den Anschluß verpaßt? War sie nicht fahrplanmäßig weggekommen? Fahrgäste winkten wartenden Freunden zu, verschwommene, glückliche Gesichter huschten vorbei. Angst und Sorge vertieften sich. Und dann stieg sie aus dem letzten Wagen.

«Madeline!» Er brüllte und winkte wie ein Schuljunge. Sie sah erschöpft und wunderschön aus.

«Oh, Orry – mein Liebling. Mein Liebling.» Sie ließ einen Handkoffer und zwei Hutschachteln fallen und warf die Arme um seinen Hals, küßte ihn, weinte. «Ich dachte, ich würde nie hier ankommen.»

«Das dachte ich auch.» Glücklich wie ein junger Bräutigam trat er zurück. «Geht's dir gut?»

«Ja, ja – und dir? Wir müssen meinen großen Koffer aus dem Gepäckwagen holen.»

«Und dann besorgen wir uns draußen eine Kutsche. Ich traue mich gar nicht, dir meine Zimmer zu zeigen. Sie sind scheußlich, aber was Besseres konnte ich nicht kriegen.»

«Um bei dir sein zu können, würde ich auf einem Müllhaufen schlafen. Guter Gott, Orry – es ist so lange her. Oh, mein Liebling, du hast an Gewicht verloren.»

Die Sätze überstürzten sich. Auf der Fahrt zum Quartier saß er links neben Madeline, damit er seinen Arm um sie legen konnte.

«Ich konnte es nicht erwarten, bis du kommst, aber es ist eine schlechte Zeit für einen Besuch in Richmond. Den Leuten geht es elend, jeden Tag werden sie gereizter. Alles wird knapp.»

«Eines bestimmt nicht. Meine Liebe für dich.» Sie küßte ihn. Sie tat so, als wären seine Räumlichkeiten in der Pension der reinste Palast. Er genoß im Scheine der einzigen schwachen Gaslampe ihren Anblick und fragte sie: «Hast du Hunger?»

441

«Nur nach dir. Ich brachte alle Bücher –»

«Hurra! Wir können an den Abenden lesen –»

Madeline lächelte. Er legte seinen Arm um ihre Taille, veränderte dann seine Haltung, so daß er die Hand auf ihre Brust legen konnte. E küßte sie mit solcher Leidenschaft, daß ihr Rücken zu schmerzen be gann. Lachend löste sie sich aus seiner Umarmung. Sie begann, die Knöpfe ihres Mieders zu öffnen.

Nackt mit ihr im kühlen Schlafzimmer betrachtete er ihr Haar au dem Kopfkissen und drang zart, ganz zart ein kleines Stückchen in si ein; er empfand eine fast unerträgliche Glückseligkeit.

«Wir dürfen uns nie wieder trennen», schluchzte Madeline. «Nie, nie wieder. Ich könnte es nicht ertragen.»

Washington und Boz rochen den nahenden Frühling in der feuchtei Erde und dem Nachtwind. Als die Schneehügel im Hof kleiner und kleiner wurden, fielen den beiden Schwarzen Reitertrupps auf der Straße zu jeder Tages- und Nachtzeit auf. Artilleriefeuer dröhnte an Fluß; gelegentlich ließen die Explosionen die Fensterscheiben erzittern Washington und Boz diskutierten häufig den Ernst der Lage und beschlossen schließlich, sich an ihre Herrin zu wenden. Nachdem sie sich eine Stunde herumgestritten hatten, fiel die Aufgabe dem jüngeren Mann zu. Abends ging Boz in die Küche.

«Führt kein Weg drum herum, Miss Augusta. Wird bald Kämpfe geben. Unionsarmee rollt vielleicht geradewegs über die Farm. Ist nich mehr sicher hier. Washington und ich, wir sterben für Sie. Aber Si dürfen nicht sterben, und wenn's geht, dann sterben wir lieber auch nicht.» Er atmete tief durch. «Sie geh'n nach Richmond City, bitte.»

«Boz, ich kann nicht.»

«Warum nicht?»

«Er würde ja gar nicht wissen, wo er mich suchen soll, wenn er mich hier nicht mehr findet. Ich könnte ihm schreiben, aber die Post ist so unzuverlässig, daß er den Brief vielleicht niemals bekommt. Tut mir leid, Boz. Du und Washington, ihr könnt gehen, wann immer ihr wollt. Ich muß bleiben.»

«Bleiben ist gefährlich, Miss Augusta.»

«Ich weiß. Aber viel schlimmer wäre es, zu gehen und ihn nie wieder zusehen.»

Als Billy nach seinem kurzen Urlaub Lehigh Station verließ, trieb Brett wieder in diese düstere Stimmung hinein. Teilweise war das di direkte Folge der Beschäftigung ihres Mannes mit der Armee. Er sagte die sinkende Moral berühre ihn nicht; er sei Berufssoldat. Aber sie erkannte die Veränderungen in ihm – die Müdigkeit, den Zynismus, die schwelende Wut.

Nur eines schien sie aus ihrer Depression herauszureißen: die langen Stunden, in denen sie den Czornas und Scipio Brown bei den Kindern half, waren Medizin für sie. Fußböden schrubben, Mahlzeiten kochen, den Kleinsten Geschichten vorlesen und den Älteren Schreiben und Rechnen beibringen, das alles zählte zu ihren Aufgaben.

Mit Brown kam sie mittlerweile gut zurecht; sie mochte ihn, obwohl er allein aufgrund ihrer Herkunft gern Streitgespräche mit ihr vom Zaun brach. Eines davon fand an einem Nachmittag im März statt, als sie und Brown gemeinsam das Gebäude auf dem Hügel verließen, um Maismehl und andere Lebensmittel bei Pinckney Herbert zu kaufen. Brown fuhr den Einspänner, und sie saß neben ihm – was auf Mont Royal nichts Besonderes gewesen wäre, da man ihn für einen Sklaven gehalten hätte. In Lehigh Station brachte es ihnen feindselige Blicke und manchmal auch häßliche Bemerkungen ein, vor allem von Leuten wie Lute Fessenden und seinem Cousin. Beide hatten sich bis jetzt vor dem Militärdienst gedrückt.

Das würde ihnen allerdings nicht mehr lange gelingen. Lincoln hatte kürzlich ein Gesetz unterzeichnet, wonach jeder taugliche Mann zwischen zwanzig und sechsundvierzig auf drei Jahre dienstverpflichtet wurde. Ein Mann konnte einen Ersatz stellen oder sich für dreihundert Dollar freikaufen. Dieses Hintertürchen für die Reichen hatte die Armen des Nordens bereits in Rage gebracht.

Bei schönem Wetter – so wie heute – trieben sich die beiden Männer fast immer auf der Straße herum. Als Brett und der breitschultrige Schwarze sich gerade auf den Rückweg machen wollten, erspähte sie der rotbärtige Fessenden und brüllte eine Beleidigung.

Brown seufzte. «Ich frage mich, ob sich dieses Land je ändern wird. Wenn ich solchen Abschaum sehe, dann habe ich meine Zweifel.»

«Sie haben sich seit unserer ersten Begegnung bestimmt verändert.»

«Wieso?»

«Zum einen reden Sie kaum noch von Auswanderung.»

Brown warf ihr einen Blick zu. «Warum sollten die Neger auf Schiffen abtransportiert werden, jetzt, wo der Präsident uns die Freiheit garantiert hat? Oh, ich weiß – die Proklamation war in Wirklichkeit nichts weiter als eine Kriegsmaßnahme, die nur im Süden Bedeutung haben soll. Aber Mr. Lincoln nennt es Freiheit, und wir werden mehr damit anfangen, als selbst er sich vorstellen kann. Warten Sie nur ab.»

«Ich glaube nicht, daß Lincoln seine Absichten über Neuansiedlung geändert hat, Scipio. Im *Ledger-Union* steht, er plane, in diesem Frühling eine Schiffsladung Schwarze zu einer neuen Kolonie zu bringen. Fast fünfhundert. Auf irgendeine winzige Insel in der Nähe von Haiti.»

«Nun, Old Abe wird mich dort nicht hinkriegen – und Dr. Delany ebenfalls nicht. Ich sah ihn in Washington – hab' ich Ihnen das erzählt? Keine langen Roben mehr für Martin. Er will eine Uniform. Er bemüht sich um das Kommando über ein schwarzes Regiment.»

Über das Klappern der Pferdehufe hinweg sagte sie: «Billy hat mir erzählt, daß Neger in der Armee alles andere als willkommen sind.»

«Schauen Sie mich an, Brett, und beantworten Sie mir eine Frage: Glauben Sie, Freiheit ist nur für Menschen Ihrer Hautfarbe da?»

«Die Verfasser der Unabhängigkeitserklärung hatten das im Sinn.»

«Nicht alle Verfasser! Außerdem haben wir jetzt das Jahr 1863. Also antworten Sie. Ist Freiheit nur für die Weißen und sonst niemanden da?»

«Man hat mir beigebracht –»

«Ich will nicht wissen, was man Ihnen beigebracht hat, ich will wissen, was Sie glauben.»

«Verdammt noch mal, Scipio, Sie sind so verdammt –»

«Unverschämt?» Ein schmales Lächeln. «Das bin ich.»

«Südstaatler sind nicht die einzigen Sünder. In Wirklichkeit wollen die Yankees die Schwarzen auch nicht frei sehen. Vielleicht einige Abolitionisten, aber nicht die Mehrheit.»

«Zu spät.» Er zuckte die Schultern. «Mr. Lincoln hat die Anordnung unterschrieben. Und um ehrlich zu sein, mir ist es egal, was *ist*. Ich kümmere mich mehr darum, was sein sollte.»

«Diese Haltung könnte das ganze Land in Brand setzen.»

«Es brennt bereits – oder haben Sie in letzter Zeit keine Meldungen gelesen?»

«Manchmal verabscheue ich Sie, so arrogant sind Sie.»

«Ich verabscheue Sie aus dem gleichen Grund. Manchmal.»

Er wollte ihre Hand tätscheln, hielt sich aber aus Angst, sie könnte es falsch verstehen, zurück. Ruhiger fuhr er fort: «Ich würde keine Minute auf Sie verschwenden, wenn ich nicht sicher wäre, daß sich irgendwo in Ihnen eine sensible, anständige Frau verbirgt, die darum kämpft, das Tageslicht zu erblicken. Ich glaube, der Grund, weshalb Sie mich manchmal nicht ausstehen können, besteht darin, daß ich ein Spiegel bin. Ich zwinge Sie, einen Blick auf sich selbst zu werfen.»

Ruhig, aber angespannt sagte sie: «Sie haben recht. Vermutlich verabscheue ich Sie deswegen manchmal. Niemand läßt sich gern seine

Fehler vorhalten.» Warum mußte er nur immer auf ihr Gewissen einhämmern. Was Brown nicht wußte: Sie spürte bereits die Schmerzen, die mit der Trennung von alten Überzeugungen verbunden waren. Sie nahm es ihm übel, daß er diesen Prozeß schürte.

Feinfühlig sagte Brown: «Wir hören besser mit diesem Gespräch auf, bevor wir aufhören, Freunde zu sein.»

«Ja.»

«Ich möchte weiterhin Ihr Freund bleiben, das wissen Sie. Sie sind nicht nur eine gute Frau, sondern es gibt auch noch zwei weitere Wände in der Schule zu tünchen. Niemand geht besser mit Pinsel und Bürste um. Sind Sie sicher, daß Sie nicht irgendwo ein bißchen Sklavenblut in sich haben?»

Sie mußte lachen. «Sie sind unmöglich.»

Er nahm die Zügel, sagte «Hüh», und der Wagen setzte sich wieder in Bewegung.

«So», sagte der Mann mit dem roten Bart und den beiden Pistolen unter dem Gehrock. «Sie glauben also, Sie könnten unserer Sonderabteilung bei der Arbeit behilflich sein, die ich Ihnen kurz umrissen habe?»

«Mit absoluter Sicherheit, Colonel Baker.»

«Ich glaube es auch, Mr. Dayton. Ich glaube es auch.»

Bent fühlte sich ganz schwach, und das nicht nur, weil ihm nach wochenlangem Warten endlich Erfolg beschieden war. Mittlerweile war März – Baker hatte wegen dringender Angelegenheiten das Gespräch dreimal verschoben. Bent war schwindlig, weil er kurz vor dem Verhungern stand. Nachdem sich seine eigenen Geldmittel erschöpft hatten, war er gezwungen gewesen, sich von Dills einen kleinen Betrag zu borgen. Aus Sparsamkeitsgründen aß er nur zwei Mahlzeiten pro Tag.

Lafayette Baker hatte die Statur eines Dockarbeiters und die Augen eines Wiesels. Bent schätzte ihn auf fünfunddreißig. Die vergangene Stunde hatte aus einigen wenigen Fragen und einem endlosen Monolog über Bakers Vergangenheit bestanden.

«Die Hauptaufgabe dieses Büros ist, und das kann ich nicht oft genug betonen, die Entlarvung und Bestrafung von Verrätern. Dazu verwende ich die Methoden des Mannes, dessen Karriere ich studiert und mir zum Vorbild genommen habe. Der größte Detektiv von allen: Vidocq, von der Pariser Polizei. Kennen Sie ihn?»

«Nur dem Namen nach.»

«In seinen Anfangszeiten war er ein Krimineller. Aber er wandelte sich und wurde zum verhaßten Feind genau der Klasse, der er entstammte. Sie müssen seine Memoiren lesen, Dayton. Sie sind nicht nur aufregend, sie sind sehr lehrreich. Vidocq besaß eine schlichte, aber wirkungsvolle Philosophie, an die ich mich peinlich genau halte.» Bakers Hand glitt über den Knauf seines Spazierstocks. «Es ist bei weitem besser, hundert Unschuldige zu verhaften, als einen Schuldigen laufen zu lassen.»

«Da stimme ich mit Ihnen überein, Sir.» Eifrige Bereitschaft, für Baker zu arbeiten, war an Stelle der Berechnung getreten.

Bakers kleine, undeutbare Augen richteten sich auf Bent. «Bevor ich Sie in Washington beschäftige, würde ich gerne Ihren Mut testen. Möchten Sie immer noch für mich arbeiten?»

Dem verängstigten Bent blieb keine andere Wahl, als zu nicken.

«Ausgezeichnet. Sergeant Brandt wird die Details erledigen und Sie auf unsere Lohnliste setzen. Zuerst aber werde ich Ihnen Ihren ersten Auftrag beschreiben.» Einschüchterndes Starren. «Sie werden nach Virginia gehen, Mr. Dayton. Hinter die feindlichen Linien.»

72

Fast einen Monat lang hausten sie in einem einzigen kleinen Zimmer; Judith hängte Decken um Marie-Louises Strohsack und schuf so eine etwas ungestörtere Atmosphäre.

Sie hatten Glück gehabt, in der überfüllten Stadt überhaupt ein Zimmer zu bekommen – noch dazu mit Fenstern, die zum Fluß hinausgingen. Cooper saß stundenlang vor dem Fenster, eine Decke über den Beinen, die Schultern gekrümmt, das Gesicht grau und abgemagert von der Lungenentzündung, die ihn zwei Wochen lang dem Tode sehr nahegebracht hatte.

In der Nacht, in der Judah gestorben war, hatten sich die Mains durch die Brandung an den Strand gekämpft. Auf einer mondhellen Düne, zwei Meilen oberhalb der Stellungen, die die Flußmündung bei Confederate Point schützten, waren sie zusammengebrochen. Weitere Überlebende waren am Strand nicht zu finden.

Cooper hatte alles ausgekotzt, all das Salzwasser, das er geschluckt hatte; dann war er am Strand auf und ab gewandert und hatte Judahs

Namen gerufen. Marie-Louise lag halb bewußtlos in den Armen ihrer Mutter. Judith hielt ihre Tränen zurück, bis sie es nicht länger ertragen konnte. Dann brach es in lauter Klage aus ihr heraus, und sie kümmerte sich nicht im geringsten darum, ob die ganze verdammte Blockadeflotte sie hörte.

Als der schlimmste Kummer sich gelöst hatte, nahm sie Cooper bei der Hand und führte ihn nach Süden, wo sie Fort Fisher vermutete. Er war fügsam und brabbelte wie ein Verrückter vor sich hin. Endlich taumelten sie in das Fort, und am nächsten Morgen wurde ein Suchtrupp in die Dünen geschickt. Judahs Leiche fanden sie nicht.

Und so waren sie schließlich die achtundzwanzig Meilen den Fluß hoch in die Stadt gekommen, wo Cooper krank geworden war und Judith um sein Leben gezittert hatte. Jetzt hatte er sich zumindest physisch erholt, aber er sprach nur, wenn es unbedingt notwendig war. Blauschwarze Ringe lagen unter seinen Augen, während er das Glitzern der Märzsonne auf dem Fluß beobachtete, das rege Treiben überall. Wilmington erlebte eine Blütezeit.

Beim Gedanken an Judah weinte Judith nachts häufig; nicht mal ein anständiges Begräbnis hatten sie ihm geben können. Coopers Verhalten verstärkte ihre Sorge noch. Er legte nun nicht mehr den Arm um sie, berührte sie nicht und sprach kein einziges Wort, wenn sie nebeneinander in dem harten Bett lagen. Judith weinte lediglich heftiger, schämte sich ihrer Tränen, konnte aber nichts dagegen tun.

Eines Tages gegen Ende März zu platzte Marie-Louise heraus: «Bleiben wir für den Rest unseres Lebens jetzt in diesem schrecklichen Zimmer?» Das fragte sich Judith auch. In der ersten Woche hatte sie Cooper nicht zum Aufbruch drängen wollen; er war immer noch sehr schwach und ermüdete schnell. Angeregt durch die Frage ihrer Tochter schlug sie ihm vor, Minister Mallory zu telegraphieren und ihm ihren Aufenthaltsort mitzuteilen. Er reagierte darauf mit einem trostlosen Nicken und einem dieser Blicke, die so eigentümlich starr und gleichgültig wirkten.

Einige Tage später rannte Judith mit einem dünnen, gelblichen Blatt Papier die Treppe hoch. Cooper saß wie üblich am Fenster und beobachtete die Piers. «Liebling, gute Nachrichten», sagte sie. Drei Schritte trugen sie durch den vollgestopften Raum. «Im Telegraphenamt war eine Nachricht vom Minister.»

In der Hoffnung, ihn aufzuheitern, hielt sie ihm die gelbliche Kopie entgegen. Er nahm sie nicht. Sie legte das Blatt in seinen Schoß. «Du mußt es lesen. Stephen drückt sein Beileid aus und bittet dich, so bald wie möglich nach Richmond zu kommen.»

Cooper zwinkerte. Sein hageres Gesicht, das ihr in letzter Zeit so merkwürdig fremd vorkam, wurde etwas weicher. «Braucht er mich?»

«Ja! Lies das Telegramm.»

Mit gesenktem Kopf tat er es.

Als er wieder aufblickte, wünschte sie fast, er hätte es nicht getan. Sein Lächeln hatte nichts Menschliches an sich. «Ich schätze, es ist Zeit zu gehen. Ich muß mit Ashton abrechnen.»

«Ich weiß, daß du darüber gebrütet hast. Aber sie ist nicht wirklich verantwortlich für –»

«Sie ist», unterbrach er sie. «Ballantyne sagte es deutlich – die Eigner wünschen keine Verzögerungen. Sie wollten die Fracht um jeden Preis geliefert haben. Er setzte Judahs Leben aus reiner Gier aufs Spiel. Er und Ashton. Sie trifft die gleiche Schuld.»

Ein Schauder lief Judith über den Rücken. Sie begann die Konsequenzen seines Hasses und seiner Wut zu fürchten.

«Hilf mir hoch», sagte er unvermittelt, die Decke zur Seite schleudernd.

«Bist du kräftig genug?»

«Ja.» Er schwankte und griff nach ihrem Arm, so fest, daß sie aufstöhnte.

«Cooper, du tust mir weh.»

Ohne Entschuldigung lockerte er seinen Griff. «Wo ist mein neuer Anzug? Ich will zum Bahnhof gehen. Fahrkarten kaufen.»

«Das kann ich doch tun.»

«Ich will! Ich will nach Richmond. Wir sind schon viel zu lange hier.»

«Du warst krank. Du mußtest dich ausruhen.»

«Ich mußte auch nachdenken. Den Kopf klar bekommen. Ein Ziel finden. Das habe ich. Ich beabsichtige, den Minister bei der Kriegsführung voll zu unterstützen. Nichts anderes zählt.»

Sie schüttelte den Kopf. «Ich höre deine Worte, aber ich glaube sie nicht. Als der Krieg begann, hast du ihn verabscheut.»

«Jetzt nicht mehr. Ich teile Mallorys Ansichten. Wir müssen siegen, keinen Frieden aushandeln. Ich möchte gern siegen auf Kosten vieler toter Yankees.»

«Liebling, sprich nicht so.»

«Geh beiseite, damit ich an meine Kleidung herankomme.»

«Cooper, hör mir zu. Laß dir durch Judahs Tod nicht deine Menschenfreundlichkeit und deinen Idealismus rauben, die immer –»

Er riß die Schranktür auf. Sie erschrak. Herumwirbelnd starrte er sie mit furchterregenden Augen an.

«Warum nicht?» sagte er. «Mit Menschenfreundlichkeit war das Leben unseres Sohnes nicht zu retten. Idealismus konnte Ballantyne und meine Schwester nicht daran hindern, ihn zu ermorden.»

«Aber du kannst nicht dein restliches Leben lang um ihn trauern –»

«Ich müßte überhaupt nicht trauern, wenn du mit den Kindern in Nassau geblieben wärst, wie ich dich gebeten habe.»

Sie zuckte zurück. Sehr bleich sagte sie: «Das ist es also. Du mußt irgendwelchen Leuten die Schuld geben, und ich bin einer dieser Leute.»

«Bitte entschuldige mich, ich muß mich anziehen.» Er wandte ihr den Rücken zu.

Lautlos weinend schlüpfte Judith zur Tür hinaus und wartete zusammen mit Marie-Louise, bis er zwanzig Minuten später herunterkam.

73

Ashton hörte das Geräusch, die Rufe vieler Stimmen, bevor ihr deren Bedeutung klar wurde.

Sie betrat gerade Franzblau's Epicurean, einen Feinkostladen auf der Main Street, in dem nur die Reichsten einkauften, diejenigen, welche nicht so taktlos waren, sich nach der Herkunft der Waren zu erkundigen. Einen Teil davon hatte die *Water Witch* auf ihrer letzten erfolgreichen Fahrt gebracht. Solche Fahrten würde es nun nicht mehr geben. Der Dampfer war nahe der Mündung des Cape Fear River versenkt worden, sagte Powell. Es spielte keine Rolle. Die bis dahin erzielten Gewinne waren gigantisch.

Gestern abend, als Huntoon wieder einmal spät arbeitete, hatte ein Bote eine Nachricht von Ashtons Partner gebracht. In verschlungenen Formulierungen forderte er sie auf, ihn morgens zu besuchen, damit sie ihrem Schiff die letzte Ehre erweisen und ihre weitere Strategie planen konnten. Powell liebte es, sie mit solchen Vorwänden zu foppen – als ob sowas bei ihr nötig gewesen wäre.

Obwohl man bereits den 2. April schrieb, war dieser Donnerstagmorgen kühl. Sie war kurz nach halb elf in den Feinkostladen gekommen und wandte sich nun an den zierlichen, grauhaarigen Besitzer.

«Mumm's, wenn Sie welchen haben, Mr. Franzblau. Und ein Töpfchen – nein, zwei – von dieser köstlichen Gänseleberpastete.»

Während sie hundertzwanzig Konföderiertendollar abzählte, ertönte wieder dieses Geräusch. Franzblau hob den Kopf, ebenso wie der schwarze Mann, der neben der Tür saß, um unerwünschte Kunden abzuwehren.

Franzblau legte die Flasche Champagner in Ashtons Korb, neben die eingewickelte Gänseleberpastete. «Was rufen diese Leute?»

Sie lauschte. «‹Brot!› Wieder und wieder – ‹Brot!› Wie merkwürdig.›

Der Schwarze sprang auf, als Homer durch die Tür gestürzt kam. «Mrs. Huntoon, wir gehen hier besser weg», sagte der ältliche Hausdiener. «Eine Menge Menschen kommen da um die Ecke. Mächtig viel und mächtig wütend.»

Franzblau wurde blaß, flüsterte etwas auf deutsch und griff dann unter den Tresen nach einem Revolver. «Sowas hab' ich befürchtet, Will, laß die Jalousien herunter.»

Ashtons Absätze klapperten über die schwarzweißen Keramikfliesen. Auf halbem Weg zum Ausgang hörte sie das Klirren von Glas. Oft genug hatte sie die mürrischen Gesichter der armen weißen Frauen von Richmond gesehen, hätte aber nie gedacht, daß sie auf die Straße gehen würden.

Vom zurückgesetzten Eingang aus sah Ashton zwanzig Frauen, dann doppelt so viele, die mitten in der Main Street angestürmt kamen. Dahinter folgten weitere Frauen. Drinnen sagte Franzblau: «Versperr die Tür, Will!»

«Ich renne zur Kutsche», sagte Homer. Einige der Frauen hatten die gleiche Idee.

«Ich komme nach», flüsterte Ashton, von Panik überwältigt beim Anblick Hunderter von Frauen, die stießen, kreischten, Steine warfen, Schuhe und Kleider aus Schaufenstern rissen. «Brot», sangen sie, «Brot.» Gleichzeitig bedienten sie sich mit Kleidung und Schmuck.

Ein Bauernkarren wurde von einer Meute Frauen umringt und umgekippt. Aus den zerbrechenden Lattenkisten flatterten wild mit den Flügeln schlagende Hennen. Der Farmer kauerte unter dem Wrack seines Karren. Ashton, in die offene Kutsche springend, sah voller Entsetzen, wie die Frauen den Mann hervorzerrten und mit Händen und Füßen auf ihn losgingen.

Homer hantierte ungeschickt mit Peitsche und Zügeln. Ein halbes Dutzend Frauen kam auf die Kutsche zugerannt, die Hände ausgestreckt, die häßlichen Mäuler verzerrt.

«Da ist eine Reiche.»

«Gutes Essen in dem Korb, möcht' ich wetten.»

«Gib her, Liebste –»

«Beeil dich, Homer», rief Ashton, gerade als eine grauhaarige Frau in stinkenden Lumpen auf das Trittbrett der Kutsche sprang. Eine dreckige Hand zerrte an Ashtons Handgelenk.

«Holt sie raus, holt sie raus», jubelten die anderen Frauen, drängten sich näher an die Frau in Lumpen. Ashton krümmte sich, kämpfte, aber es nützte nichts. Sie beugte sich vor und biß in die schmutzige Hand der Frau, die aufschrie und nach hinten fiel.

Die Straße befand sich in höchstem Aufruhr. Ashton schlug einer Frau die Champagnerflasche auf den Kopf; nach links und rechts hieb sie mit dem Flaschenhals um sich, schnitt Handrücken auf. Blut quoll heraus. «Homer, verdammt noch mal, fahr los!»

Homer peitschte wie ein Verrückter auf Pferde und Menschen ein. Er drehte die Kutsche und raste auf eine weitere Frauengruppe zu, die auseinanderstob. Viele rannten, bemerkte Ashton, als die Kutsche in die Eleventh Street hineinschleuderte. Sie hörte schrille Pfiffe, Schüsse. Die Polizeitruppe griff ein.

Der Aufruhr hatte Ashtons morgendlichen Plan durcheinandergebracht. Als sie sich schließlich gewaschen und zurechtgemacht hatte, fuhr sie in die Franklin Street. Gegen halb eins kam sie dort an, in ihrem Korb die beiden Töpfchen mit Gänseleberpastete.

«Ich hatte auch noch eine Flasche Mumm, aber ich mußte sie jemandem über den Schädel schlagen, um dem Mob zu entkommen», erklärte sie Powell im Wohnzimmer. Er war barfuß, trug nur seine Hosen.

«Als du nicht rechtzeitig da warst, beschloß ich, dir die Tür nicht mehr aufzumachen», sagte er. «Dann hörte ich einen Kutscher was von Aufruhr in der Stadt brüllen. Also verzieh ich dir.»

«Es war der totale Wahnsinn. Hunderte von häßlichen, vollkommen verdreckten Weibern –»

«Ich möchte alles darüber wissen.» Er nahm ihre Hand. «Aber nicht jetzt.»

Die Uhr schlug zwei, als Ashton aus tiefer, schläfriger Befriedigung wieder an die Oberfläche trieb. Das Bettzeug war zerwühlt und losgerissen. Powell döste neben ihr. Sie strich sich das Haar aus den Augen und studierte die beiden Gegenstände nahe seiner rechten Schulter: eine Karte der Vereinigten Staaten und darauf seine Lieblingswaffe – eine Randfeuer-Sharps-Taschenpistole, deren vier stumpfe Mündungen ihr ein bedrohliches Aussehen verliehen.

Er erwachte und erkundigte sich nach dem Aufruhr. Seine Hand spielte müßig zwischen ihren Beinen, während sie die Ereignisse beschrieb. «Sie schrien nach Brot, aber sie stahlen alles, was ihnen unter die Augen kam.»

«Sie werden mehr tun als nur stehlen, wenn King Jeff weiterhin Amok läuft. Die Situation in Richmond – in der ganzen Konföderation – ist eine einzige Katastrophe.»

«Aber wir besitzen genügend Geld, um die *Water Witch* zu ersetzen und vielleicht ein zweites Schiff zu kaufen. Wir brauchen uns wegen des Präsidenten keine Sorgen zu machen.»

«Das könnten wir, wenn uns der Süden scheißegal wäre.» Er sagte es leise, aber voller Leidenschaft. Erschrocken erkannte sie, daß sie ihn verärgert hatte. «Mir ist er das nicht. Zum Glück gibt es eine Möglichkeit, Davis zu stoppen und die Prinzipien des Südens zu bewahren.»

«Was meinst du damit?»

Powells schmaler, starker Mund zog sich nach oben, doch seine Augen blieben kalt.

«Wie sehr liebst du mich, Ashton?»

Sie lachte nervös. «Wie sehr –?»

«Es ist eine ganz einfache Frage. Beantworte sie.»

«Mein Gott – du kennst die Antwort. Bei keinem Mann hab' ich das empfunden, was ich bei dir empfinde.»

«Ich kann dir also vertrauen?»

«Hat dir das unsere Partnerschaft nicht schon bewiesen?»

«Ja, ich glaube, ich kann dir vertrauen. Aber wenn ich ein Geheimnis teile und dann feststellen muß, daß ich einen Fehler gemacht habe», er packte die Sharps und stieß die Mündungen in ihre Brust, «dann mache ich diesen Fehler wieder gut.»

Ashtons Mund klappte auf, als sie seinen Finger weiß werden sah. Lächelnd drückte er ab. Der Hammer fiel – auf eine leere Kammer.

«Was – Lamar – was soll das?» Verwirrt und zitternd vor Furcht preßte sie die Worte heraus. «Was steckt hinter all dem?»

Er legte die Pistole beiseite und breitete die Landkarte auf dem zerwühlten Bett aus. In der Südwestecke der Karte hatte er eine vertikale Linie durch das Territorium von New Mexico gezogen; links davon waren mit gepunkteten Linien kleine Quadrate eingetragen, die sich nirgendwo überschnitten.

«Hier siehst du alles vor dir, Liebes. Unsere unfähigen Generäle in Texas haben den Südwesten verloren. Das gehört jetzt alles der Union. Einschließlich des neuen Territoriums von Arizona. Der Yankee-Kongreß hat im Februar das Gesetz erlassen. Ein paar Berufssoldaten aus Kalifornien und einige Freiwillige aus New Mexico sollen das ganze

Gebiet bewachen, was natürlich unmöglich ist. Es ist zu groß, und außerdem sind die Soldaten ständig unterwegs, um isolierte Ansiedlungen vor den roten Wilden zu schützen. Das neue Territorium ist geradezu perfekt für einen Plan geeignet, den ich und einige andere Gentlemen entwickelt haben. Uns allen ist klar, daß King Jeff uns ruinieren wird, wenn wir es zulassen.»

Das entnervende Lächeln blieb auf seinem Gesicht, als er die Karte zusammenrollte. Ashton sprang mit wippendem Hinterteil aus dem Bett. Sie verschränkte die Arme vor ihrem Busen.

«Du drückst dich so geheimnisvoll aus, um mich zu quälen, Lamar. Wenn du nicht erklären willst, was du meinst, dann ziehe ich mich an und gehe.»

Er lachte bewundernd. «Daran gibt es nichts Geheimnisvolles, Liebes. Diese Quadrate auf der Landkarte umfassen die mögliche Anordnung einer neuen Konföderation.»

Sie wirbelte herum, eine Figur so weiß wie Milch bis auf die Schwärze ihres Haares. «Eine neue –?» Sie schüttelte den Kopf. «Mein Gott. Du meinst es ernst, nicht wahr?»

«Absolut. Die Idee ist gewiß nicht neu.» Sie nickte. Sie hatte von einem dritten Staat reden hören, der im Nordwesten aufgebaut werden sollte, und von einer Konföderation an der Pazifikküste. «Ich habe nichts weiter getan, als die ideale Lage für einen neuen Staat zu finden, klein, aber uneinnehmbar. Ein Ort, wo jeder seinen Wünschen und Fähigkeiten entsprechend reich werden kann und wo die Sklaverei unterstützt wird.»

Die Vorstellung war so überwältigend, daß sie es noch gar nicht fassen konnte. Sie ging zurück zum Bett und setzte sich auf die Kante. «Wie lange arbeitest du schon an dem Plan?»

«Seit über einem Jahr. Der eigentliche Anstoß war Sharpsburg, als die europäische Anerkennung hoffnungslos geworden war.»

«Aber Davis wäre für einen solchen Plan nicht zu gewinnen, Lamar. Er würde seine gesamte Regierungsgewalt einsetzen, um ihn zu verhindern.»

«Meine arme, gedankenlose Ashton», sagte er und streichelte sie. «Natürlich würde er das. Was glaubst du, weshalb ich mich vergewissern wollte, daß du vertrauenswürdig bist? Wenn wir den neuen Staat errichten, dann wird die Regierung ohne Führung sein. Mr. Jefferson Davis wird seinen Lohn erhalten – in der Hölle, wie ich hoffe.»

«Du meinst – ihn ermorden?»

«Den Präsidenten und die wichtigsten Kabinettsmitglieder. Jene, die uns vielleicht Widerstand leisten könnten.»

«Wie – wieviele andere Personen sind an der Sache noch beteiligt?»

«Du brauchst nur zu wissen, daß ich das Kommando führe und daß wir es ernst meinen. Jetzt, wo dir der Plan bekannt ist», sein Daumen preßte sich in ihre Wange; seine Finger schlossen sich um ihren Nakken, verursachten einen Hauch von Schmerz, «gehörst du dazu.»

Nachdem sich der erste Schock gelegt hatte, schossen ihr Unmengen von Fragen durch den Kopf. Sie stellte die nächstliegende davon: Wie sollte dieser neue Staat finanziert werden? Er war zwar klein, mußte aber trotzdem verteidigt werden. Wie sollte die Armee bezahlt werden?

Erregt lief Powell im Schlafzimmer herum. «Zuerst einmal mit meinem Anteil an den Profiten der *Water Witch*. Aber natürlich wird in den ersten paar Jahren für die Ausrüstung unserer Verteidigungsarmee wesentlich mehr Geld benötigt. So lange, bis die Yankees erkennen, daß sie uns nicht überwältigen können, und uns unsere Souveränität bestätigen.»

«Woher willst du die Männer für eine solche Armee bekommen?»

«Mein Liebes, jetzt in diesem Moment gibt es in der Konföderation Tausende von ihnen. Unzufriedene Offiziere und Mannschaften. Einige unserer besten Leute sind desertiert, von all den stümperhaften Fehlern desillusioniert. Falls notwendig, können wir auch noch Söldner aus Europa anheuern. Soldaten zu finden ist kein Problem.»

«Aber du mußt sie trotzdem noch bezahlen.»

Er grinste breit. «Wir haben die Mittel. Habe ich je meinen Bruder Atticus erwähnt?»

«Flüchtig. Erzählt hast du nie was über ihn.»

Powell setzte sich neben sie und begann ihr Bein zu streicheln. Sie studierte sein Profil, für einen Moment um seine geistige Gesundheit besorgt. Er sprach voller Leidenschaft, aber mit der Klarheit eines Mannes, der sein Vorgehen seit langer Zeit genau geplant hatte. Ihr Zweifel schwand.

Verachtung schlich sich in Powells Stimme. «Mein Bruder besaß dem Süden gegenüber keine Loyalität. Er verließ Georgia im Frühling 1856 und ging in den Westen auf die Goldfelder. Viele Georgier taten das. In Colorado, wo Atticus sich seinen Claim absteckte, gab es eine ganze Kolonie davon. Er bearbeitete ihn bis Sommer 1860 und holte in der Zeit zweitausend Dollar heraus – ganz anständig, aber auch nicht mehr. Ungefähr zu der Zeit, als South Carolina abfiel, überkam ihn wieder die Wanderlust. Atticus verkaufte seinen Claim für weitere tausend und machte sich mit seinem Kapital nach Kalifornien auf. Er kam bis zu den Schürfgebieten am Carson River, an der Westgrenze des Nevada-Territoriums.»

«Ich habe von den Carson-River-Minen gehört. James redete davon, Anteile zu kaufen.»

«Mein Bruder kam gerade zur rechten Zeit. Im Jahr zuvor hatten einige Goldgräber ein paar vielversprechende Stellen am Mount Davidson entdeckt. Von Anfang an machten sie einen ordentlichen Profit. Doch die ganze Mine war reicher, als sie sich erträumt hatten. Erzadern zogen sich durch den ganzen Berg. Zusätzlich zu dem Gold kam auch noch ein weiteres Edelmetall hinzu. Silber.»

«Steckte sich dein Bruder einen Claim ab?»

«Nicht direkt. Goldgräber sind eine merkwürdige Rasse – ständig schachern sie mit ihren Claims herum, kaufen und verkaufen. Reines Glücksspiel, wieviel Erz noch im Boden ist. Einem der ursprünglichen Entdecker, einem Burschen namens Penrod, gehörte ein Sechstel der Ophir-Mine, das er für 5500 Dollar verkaufen wollte. Mein Bruder konnte den Betrag nicht aufbringen, aber Penrod machte ein zweites Angebot – halbe Beteiligung an einer Mine, genannt ‹Der Mexikaner›, für 3000 Dollar. Atticus kaufte.»

Powell wanderte erneut durch das Schlafzimmer, erklärte, daß Virginia City sich während der ersten beiden Kriegsjahre rapide verändert hatte. Die Goldgräber waren übereingekommen, daß sich jeder von ihnen einen Erz-Claim abstecken konnte, der wesentlich größer war als der übliche fünfzig auf vierhundert Fuß große Goldwäscher-Claim, da man sich bei einem Erz-Claim in den Berg hineingraben und sämtliche abzweigenden Erzgänge ausbeuten durfte.

«Bald schon holten Atticus und sein Partner aus jeder Tonne Erz für dreitausend Dollar Silber und dreimal soviel Gold heraus. Im letzten Jahr kam ein großer Zustrom aus Kalifornien, aber natürlich waren die besten Claims schon vergeben, und die Neuankömmlinge bezeichneten Virginia City als Schwindel. Atticus' Partner ließ sich von dem Gerede beeinflussen. Mein Bruder zahlte ihn zu einem günstigen Preis aus. Im letzten Sommer, als die Stadt schon auf fünfzehntausend Einwohner angewachsen war, fand der arme Atticus ein vorzeitiges Ende.»

«Oh, welch ein Jammer.»

«Ich sehe, du bist tief getroffen», sagte er lächelnd.

«Wie ist dein Bruder gestorben?»

«An einer Kugel», sagte Powell achselzuckend. «Im Fahrstuhl vom International Hotel. Als Motiv wurde Raub angenommen. Der Mann wurde nie gefaßt oder identifiziert. Rein zufällig hatte Atticus eine Woche zuvor ein Dokument ausgestellt, das ich verschlossen aufbewahre. Darin vermacht er mir die Erträge der Mexikaner-Mine, da ich der einzige noch lebende Verwandte bin. Er schickte die Urkunde einem Kontaktmann in Washington. Mit einem der üblichen Postschmuggler gelangte sie dann nach Richmond.»

Atticus Powells großzügige Handlungsweise war mit einem amüsierten Unterton erzählt worden. Bei Ashton begann es allmählich zu dämmern. Powell sah es und bestätigte ihre Vermutungen.

«Beachte, was es heißt, daß Atticus und ich die einzigen noch lebenden Familienmitglieder waren. Es gibt niemanden, der bestätigen könnte, daß die Schrift in dem Testament der Handschrift meines Bruders nur sehr oberflächlich ähnelt.

Jetzt habe ich einen guten Verwalter, der die Minenarbeiten für mich beaufsichtigt und dem es egal ist, wem die Mine gehört, solange er sein Geld bekommt. Ich bin froh, sagen zu können, daß die Mine im Rekordtempo fördert. Es gibt genügend Gold und Silber, um eine Privatarmee bezahlen zu können.»

Auf der Suche nach einer Zigarre verschwand er im nächsten Zimmer. Ashton wußte, daß Powell den Mörder seines Bruders angeheuert hatte, ebenso wie den Fälscher für das Testament. Anstatt entsetzt zu sein, empfand sie neue Bewunderung.

«Du siehst also», sagte Powell, als er mit Streichhölzern und Zigarre zurückkam, «mein Vorhaben ist gar nicht so phantastisch. Nicht mit der Mexikaner-Mine als Finanzierungsquelle. Deshalb muß ich dir eine Frage stellen.»

«Und die wäre?»

Umständlich zündete er seine Zigarre an. «Möchtest du die First Lady dieser neuen Konföderation sein?»

«Ja. Ja!»

Powell berührte ihre Brust; mit dem Daumen zog er einen Kreis um ihre Brustwarze. «Das dachte ich mir.» Aus seinem Lächeln sprach Selbstzufriedenheit und ein Hauch von Verachtung.

Am frühen Nachmittag wanderte Huntoon über die mit Glasscherben bedeckten Gehsteige der Main Street. Er konnte nicht in sein Büro zurück; nicht nach dem, was heute morgen passiert war.

Wie die meisten anderen Regierungsangestellten war auch er hinausgeeilt, als er von dem Aufruhr erfuhr. Er beobachtete, wie der hagere, graue Präsident auf einen Wagen kletterte und um Respektierung der Gesetze bat. Davis sagte, jeder Bürger müßte um ihrer gemeinsamen Sache willen Entbehrungen ertragen. Die Leute buhten ihn aus. Mit einer letzten pathetischen Geste stülpte er seine Taschen nach außen und warf dem Mob ein paar Münzen zu.

Es änderte nichts; der Anblick von Bajonetten war nötig, um Ruhe und Ordnung wiederherzustellen. Während der Aufruhr noch in vollem Gange war, bog Huntoon in die Main Street ein und sah eine vertraute Kutsche vor einem eleganten Feinkostladen. Voller Neugier ging er in Deckung.

Seine Frau war in der Kutsche, kämpfte mit schäbig gekleideten Weibern; er konnte nicht viel sehen, bis die Kutsche wegrollte, aber das wenige reichte bereits. Der Korb und der Laden, den sie besucht hatte, verschärften seine seit Monaten wachsende Gewißheit, daß sie ein Verhältnis hatte. Für ihren eigenen Tisch kaufte Ashton niemals Franzblaus Delikatessen. Er hatte den Verdacht, daß Powell, der Mann, der ihn reich machte und den er sowohl beneidete als auch fürchtete, ihr Liebhaber war. Huntoon kehrte wieder in sein Büro zurück, war aber nicht fähig zu arbeiten. Also drückte er sich weiter auf den Straßen herum.

Wie die ganze Nation, so lag auch Huntoons privates Leben in Scherben. Während der vergangenen Monate hatte er völlig den Appetit verloren und ein Dutzend Pfund abgenommen. In seinem verwirrten Zustand vermischte sich die Wahrheit über Ashtons Untreue mit dem Krebsgeschwür der Verzweiflung über die Regierung. Mit jedem Tag wurden seine Frustrationen schlimmer. Wenn es nur eine Möglichkeit gäbe, sich Luft zu verschaffen, ein Ziel, auf das er einschlagen könnte.

«Was soll ich tun?» murmelte er, in die Glasscherben tretend. «Was in Gottes Namen soll ich denn tun? Sie umbringen? Mich umbringen? Beide?» Zwei Negerinnen hörten ihn und gingen ihm schnell aus dem Wege.

74

Der Wind wurde wärmer, die Erde weicher. Die Jahreszeit wechselte. Im Brigade-Lager in Sussex County ritten Ab und Charles im Schritt über eine schlammige Wiese zur Schmiede. Die Stiefel beider Männer waren über und über mit Schlamm bedeckt.

Charles war gut gelaunt. Zum einen freute er sich, daß er Sport, der krank gewesen war und beinahe das linke Vorderbein verloren hätte, durch den harten Winter gebracht hatte. Der Hauptgrund für seine gute Stimmung lag zusammengefaltet in seiner Hemdtasche.

Während der Hufschmied einen Kavalleristengaul fertig machte, säuberten die beiden Scouts mit Stöcken die Hufe ihrer Pferde.

Ab fragte: «Hast deinen Paß gekriegt?» Charles klopfte auf seine Tasche. «Sei vorsichtig, wenn du dich da ganz allein in Spotsylvania County rumtreibst. Wenn du auf Unionskavalleristen stößt, verzieh dich in die andere Richtung. Ich habe bei diesen verdammten Schreiberlingen das gleiche Gefühl wie du. Sie lernen langsam reiten und schießen.»

Später am Tag verabschiedete sich Charles von Ab und ritt nach Norden los. In Richmond besuchte er Orry und Madeline, die ein größeres Quartier gefunden hatten – vier Zimmer, die ganze obere Etage eines Hauses im Court-End-Bezirk. Orry war so froh, aus der Pension draußen zu sein, daß er die unverschämt hohe Miete klaglos zahlte.

Charles erzählte ihnen zum erstenmal von Gus. Orry reagierte voraussagbar, als er hörte, wo Barclays Farm lag. Lee lag bei Fredericksburg Jackson gegenüber, aber Hooker befand sich mit doppelt sovielen Männern direkt am anderen Flußufer. Orry sagte, es wäre verrückt, wenn Gus in Spotsylvania County bleiben würde.

Charles stimmte zu. Sie redeten noch lange, bis gegen vier Uhr morgens. Charles schlief schlecht, in einer Decke zusammengerollt auf dem Fußboden, und verließ am nächsten Morgen die Stadt.

Weiter nach Norden durch den Frühling von Virginia. Die Luft roch nach feuchter Erde, und hier und da erkannte er auch noch etwas anderes: verwesendes Pferdefleisch. Am Geruch der toten Pferde konnte man erkennen, wo die Armeen langgezogen waren.

Je weiter er kam, desto mehr graugekleidete Nachzügler wanderten über die frisch umgegrabenen Felder; Gott allein mochte wissen, wohin sie unterwegs waren. So viele versprengte Soldaten waren keine gute Sache für eine allein lebende Frau, selbst wenn diese Soldaten die richtige Uniform trugen. Das zeigte sich wieder, als er in Sichtweite von Barclays Farm kam. Ein Intendanturwagen mit weißer Plane stand auf der Straße; zwei rauh aussehende Kutscher beäugten das Haus, als Charles sich näherte. Er legte seine Hand auf die Schrotflinte, und sie beschlossen, weiterzufahren.

Als er in den Hof geritten kam, warf Boz seine Axt hin, sprang über einige gespaltene Holzscheite und rannte auf ihn zu. «Hallo, hallo! Miss Augusta – Captain Charles ist hier!»

Boz hörte sich mehr als glücklich an. Er klang sehr erleichtert.

«Irgend etwas beunruhigt dich», sagte sie. «Was ist es?»

Nebeneinander lagen sie in der Dunkelheit. Sie hatten gegessen und geredet, gebadet und miteinander geschlafen. Und anstatt sich jetzt angenehm müde zu fühlen, kämpfte er gegen die Spinnweben seiner eigenen Gedanken.

«Wo soll ich anfangen?» fragte er.

«Wo du willst.»

«Es läuft schlecht, Gus. Der ganze verfluchte Krieg. Vicksburg bedroht – Grant führt dort das Kommando. Orry kennt ihn von der Akademie und Mexiko her. Er sagt, der Mann sei wie ein Terrier mit einem Knochen. Läßt nicht los, selbst wenn er daran erstickt. Orry meint, Grant wird Vicksburg im Herbst eingenommen haben. Dann ist da Davis, der immer noch zweitklassige Generäle wie Bragg hätschelt. Und die Kavallerie kann nicht genügend Pferde auftreiben, geschweige denn sie füttern.»

«Die Farmen hier sind ausgeplündert. Und wenn man jetzt ein Feld pflügt, dann zieht zehn Minuten später eine Artillerie-Batterie darüber, und du kannst wieder von vorn anfangen.»

Charles zitterte in der Dunkelheit. Besänftigend strich sie über seine nackte Schulter. «Ich würde sagen, das alles sind ungemein ehrbare Sorgen.»

«Da ist noch eine.»

«Welche?»

Er rollte zur Seite, konnte sie nur als blassen Umriß sehen.

«Du.»

«Mein Liebling, verschwende keine Minute darauf, dich um mich zu sorgen. Ich kann schon auf mich aufpassen.» Ihre Stimme klang stolz und beruhigend. Aber er hörte auch eine Spur von Ärger heraus.

«Nun, ich mache mir trotzdem Sorgen. Beim Gedanken an dich hier ganz alleine kann ich nicht schlafen.»

Und deshalb sollte sich ein Mann in Kriegszeiten nicht verlieben. Diese Überzeugung ruhte wie ein Felsblock in ihm, unerwünscht, störend – und zweifellos wahr.

«Das ist albern, Charles.»

«Den Teufel ist es das. Hooker wird mit Sicherheit Fredericksburg angreifen – vielleicht schon in den nächsten Tagen. Die Potomac-Armee könnte das ganze Land überrennen.»

«Boz und Washington und ich können –»

«Ihr könnt euch gegen Blaubäuche verteidigen, die seit Monaten keine hübsche Frau mehr gesehen haben? Jetzt hör aber auf.»

«Du bist streitsüchtig.»

«Du auch. Ich habe gute Gründe. Ich kann nicht aufhören, mir Sorgen zu machen.»

«Du müßtest nur nicht mehr hierherkommen, dann hättest du überhaupt keine Sorgen.»

Kalt und hart fielen die Worte zwischen sie. Er warf sich aus dem Bett, kratzte sich wütend den Bart. Sie berührte ihn an der Schulter.

«Glaubst du vielleicht, ich mache mir deinetwegen keine Sorgen? Ständig? Manchmal glaube ich, ich habe mich zum falschen Zeitpunkt verliebt – in einen Mann, der –»

«Dann sollte ich vielleicht nicht mehr kommen.»

«Ist es das, was du willst?»

«Ich –»

Schweigen. Dann zerbrach etwas in ihm, er wirbelte herum, umarmte ihren nackten Körper, streichelte ihr Haar. «Oh Gott, nein, Gus. Ich liebe dich so sehr, ich weiß manchmal gar nicht mehr, was ich tue.» Zitternd umklammerten sie einander. «Geh nach Richmond», bat er.

Sie löste sich aus der Umarmung. «Charles, das hier ist mein Zuhause. Ich werde nicht wegrennen.»

«Es hat nichts mit Feigheit zu tun, wenn du die Farm für ein oder zwei Wochen verläßt. Bis Hooker losschlägt und eine Entscheidung fällt.»

«Und wenn die Yankees kommen, und ich bin nicht hier? Wenn sie plündern und alles niederbrennen? Das hier ist alles, was ich habe.»

«Sie können plündern und brandschatzen, während du in der Küche stehst.»

«Richmond ist zu überfüllt. Es gibt keinen Platz –»

«Mein Cousin und dessen Frau werden dich aufnehmen. Boz und Washington auch.»

Sie sank zurück, verschränkte die Arme vor ihrer Brust, als wäre ihr kalt. «Es würde viel Umstände machen, alles zu packen und –»

«Hör auf, Gus. Du bist eine stolze Frau. Stark. Deswegen liebe ich dich. Aber verflucht noch mal –»

«Ich wollte, du würdest nicht ständig fluchen.»

Die leisen Worte drückten ihren Ärger deutlicher als alles andere aus. Er atmete tief durch und umklammerte den Bettpfosten, als müßte er sich festhalten.

«Tut mir leid. Aber die Gründe sind nach wie vor stichhaltig. Stolz und Stärke und zwei Neger reichen als Schutz gegen Joe Hookers Armee nicht aus. Du mußt nach Richmond gehen; wenn du es nicht für dich tust, dann tu es für mich.»

«Für dich?»

«Ja.»

«Ich verstehe.»

«Wenn du den Ton beibehältst, dann schlafe ich im anderen Zimmer.»

«Das tust du wohl besser.»

Und draußen war er, eingewickelt in eine Decke; die Tür knallte hinter ihm zu.

Beim ersten Tageslicht schlich er zu ihr hinein, flüsterte ihren Namen, erschrak, als sie sich hellwach aufrichtete. Ihr Gesicht zeigte ihm, daß sie kaum geschlafen hatte.

Er hielt ihr die Hand hin. «Es tut mir leid.»

Sie umarmten sich, beendeten den Streit, und beim Frühstück sagte sie, sie würde noch vor Ablauf der Woche nach Richmond gehen, wenn er ihr einen Paß besorgen könnte. Er versprach es. Er schrieb ihr den Weg zu Orrys und Madelines Haus auf. Alles war wieder in Ordnung. An der Oberfläche.

Später am Morgen bereitete er sich zum Aufbruch vor. «Ich schau in Richmond vorbei und sage ihnen, daß du kommst.»

Sie standen im Hof. Sie legte ihre Arme um ihn, küßte ihn und sagte: «Ich liebe dich, Charles Main. Du darfst dir keine Sorgen um mich machen.»

«Oh nein, niemals. Und Old Abe wird morgen in Atlanta die Stars and Bars-Fahne hochziehen.»

Er stieg in den Sattel, winkte und trabte auf die Straße zu. Nach einer halben Meile blickte er zurück, aber eine ratternde Kolonne Munitionswagen wirbelte Staub auf. Er konnte nur schwitzende Pferde und knirschende Räder sehen. Als die Kolonne ihn passiert hatte, war der Hof leer.

Wieder bei der Brigade in Sussex County log er Ab vor, der Besuch sei großartig gewesen.

75

«Miss Jane, ich muß gestehen –»

In der Dämmerung hatte er sie zur Veranda ihrer Hütte gebracht hatte unterwegs versucht, sich auf diesen Moment vorzubereiten. Sie lächelte ihm ermutigend zu.

«Ich liebe dich. Ich sehne den Tag herbei, wo ich ein freier Mann bin und dich um deine Hand bitten kann.»

Schon lange hatte er sich das zurechtgelegt, es aber nie auszusprechen gewagt. Seine Worte machten sie glücklich. Sie sah Andy an. Die versteckte Sonne ließ den leichten Nebel in staubig rötlicher Farbe aufleuchten. Sanft sagte sie: «Der Tag wird kommen. Dann werde ich voller Stolz ja sagen.»

«Großer Gott! Ich würde dich küssen, wenn nicht so viele Leute zuschauen würden.»

Lachend sagte sie: «Ich sehe niemanden.» Sie gab ihm einen kleinen Kuß auf die Wange und rannte hinein. Sie lehnte sich gegen die Tür preßte ihre Hände gegen ihre Brüste.

Und dann bemerkte sie den Geruch. Den Geruch eines schmutzigen Körpers und eines schmutzigen Geistes. Er räkelte sich an der weißgetünchten Wand, die Augen trübe. Wo hatte er den Whiskey her bekommen? Wie hatte er sich ins Haus geschlichen?

«Wie kannst du es wagen, Cuffey. Raus hier.»

Er rührte sich nicht. Mit einem verschlagenen Lächeln griff er nach unten und fingerte an sich herum. «Hab' gehört, was der Nigger sagte Er *liebt* dich.» Die dunkelbraune Hand öffnete einen Knopf nach dem anderen, bis er ihr zeigen konnte, was darunter war. «Ich kann's di viel besser machen als er.»

«Du betrunkener, dreckiger –»

Cuffey hörte auf, an sich herumzuspielen, und kam auf sie zu. Jane schrie auf und griff nach der Tür. Er erwischte sie an der Schulter und riß sie so hart herum, daß sie stolperte. Dann knallte jemand von der anderen Seite gegen die Tür. Jane flog gegen die andere Wand, schlug schwer auf, sah nicht, wie die Tür aufkrachte und Andy im Rahmen stand. Ängstliche Schwarze drängten sich auf der kleinen Veranda.

Cuffey sagte: «Mach die Tür zu, Nigger. Hau ab, tu das, was du am besten kannst – Ol' Meeks Arsch küssen.»

Mit einem Blick erfaßte Andy die Situation: Jane, die sich an der

Wand wieder hochstemmte, Cuffey, der sein baumelndes Geschlechts-organ zurück in seine Hose stopfte. Andy senkte leicht den Kopf und kam in die Hütte marschiert.

Cuffey packte einen alten Hocker und schwang ihn im Bogen herum, streifte Andys Kopf. Ein Bein des Hockers brach, das gesplit-terte Ende riß Andys Schläfe auf. Das Blut lief ihm ins Auge, als er Cuffey ansprang und zu einem mächtigen Schlag ansetzte. Cuffey wich leicht aus und stach mit dem gesplitterten Bein nach Andys Auge.

«Laß ihn. Warte auf Hilfe», bat Jane. Falls Andy sie hörte, so achtete er nicht auf sie. Wie ein Soldat marschierte er vor, aufrecht, ohne zu zögern. Cuffey trat ihn zwischen die Beine. Andy krümmte sich zusammen, stieß einen verbissenen Laut aus. Aber er blieb auf den Füßen. Er hob seine verschränkten Hände und hämmerte sie Cuffey seitlich ins Genick; der Schlag schleuderte Cuffey gegen die Wand.

«Du wolltest es nicht anders», sagte Andy, über dem anderen Mann aufragend und mit beiden Händen auf ihn einhämmernd. Jetzt schrie Cuffey auf. Andy begann ihn wie einen Nagel zu bearbeiten, schlug ihn tiefer, brachte ihn auf die Knie. Cuffey begann aus dem Ohr zu bluten.

«Paß auf, Andy. Mist' Meek kommt», rief jemand von draußen. Jane stand auf, sah die Schwarzen von der Veranda verschwinden; der Verwalter tauchte auf, eine Pistole aus seinem breiten Gürtel ziehend.

«Wer kämpft da drinnen?»

«Cuffey und Andy», antwortete eine Frau, gerade als Cuffey an seinem verdreckten Hemd von Andy hochgezerrt wurde. Auch aus Cuffeys Nase lief jetzt das Blut.

«Ich bring dich um, Nigger. Dich und alle andern hier.»

«Laß ihn los», befahl Meek vom Eingang her. Andy drehte sich zu dem Verwalter um. Cuffey erkannte seine Chance und gab seinem Gegner einen Stoß.

Andy taumelte gegen den Verwalter. Cuffey riß die Mehlsackvor-hänge herunter, die Jane über das hintere Fenster geheftet hatte. Er schwang ein Bein über den Rand. «Platz zum Schießen», brüllte Meek und stieß Andy beiseite.

Cuffey packte Jane und schwang sie in die Schußlinie. Meek riß die Mündung der Pistole nach oben, und Cuffey ließ sich aus dem Fenster fallen. Er tauchte in dem Nebel unter, der sich zu einem tiefen Grau verdichtete.

«Stop, Nigger!» kommandierte Meek, einen Schuß abgebend. Cuffey verschwand hinter einer Eiche.

«Andy, was ist passiert?»

«Ich war draußen – und hörte Jane schreien.» Die Worte kamen mühsam; er atmete immer noch schwer. «Ich kam rein, und er hatte sich hier versteckt», sagte Jane. «Er sagte schmutzige Sachen zu mir und knöpfte dann seine Hose auf.»

Meek, immer noch wütend, daß ihm der Übeltäter entgangen war, schnaubte: «Wenn wir euch Hengste alle zu Wallachen machen würden, dann hätten wir's hier um einiges friedlicher.»

Andy funkelte ihn an. «Hören Sie –»

Der Verwalter war zu wütend, um ihn zu beachten. Genau in dem Moment dröhnte eine Stimme aus dem dichten Nebel hinter der Hütte: *«Ich bring euch alle um, hört ihr?»*

«Hol ein paar Männer», sagte Meek zu Andy. «Mindestens acht oder zehn. Eine üble Nacht, um Ausreißer zu fangen, aber den kriegen wir. Dann werd' ich's ihm heimzahlen.»

Die Verfolgung endete drei Stunden später, als der leichte Nebel dicht und schwer geworden war. Im Lichte einer Fackel berichtete Andy Jane von dem Fehlschlag. «Ich denke, er ist weg für immer. Nach Beaufort wahrscheinlich.»

«Gute Reise», sagte sie.

«Vielleicht sollte ich bis zum Morgen hier draußen auf der Veranda Wache halten», schlug er vor.

«Er wird nicht zurückkommen.»

«Du hast gehört, was er brüllte, nachdem er aus dem Fenster gesprungen war.»

«Cuffey war ein Angeber, seit ich ihn kenne. Wir werden ihn nie wiedersehen.»

«Hoffentlich hast du recht. Also dann – gute Nacht.»

«Gute Nacht, Andy.» Sie berührte sein Gesicht unter dem Leinenstreifen, den er sich um den Kopf gebunden hatte, um den blutverkrusteten Riß zu schützen. «Du bist ein mutiger Mann. Ich habe es ernst gemeint, als ich sagte, ich sei stolz darauf, deine Frau zu werden.»

Seine Augen leuchteten in dem flackernden Licht. «Ich danke dir.»

Er ging die knarrenden Stufen hinunter und in den Nebel hinaus. Kaum hatte sich ihre Tür geschlossen, da löschte er seine Fackel, drehte um und bezog Posten auf ihrer Veranda, wo er bis zum Morgen auszuharren beabsichtigte.

Obwohl Jane einige Zeit wach lag, hatte sie keine Ahnung, daß er ihr so nahe war. Sie hörte die vielen Geräusche der Frühlingsnacht. Und in ihrer Phantasie hörte sie eine Stimme, die Rache schwor. Sie versuchte, die Stimme zum Schweigen zu bringen, aber es wollte ihr nicht gelingen.

76

Am frühen Morgen des 28. Aprils schrieb Billy beim Schein einer Kerze:

Lije F. und ich sind mit einer Freiwilligenkompanie den drei Corps von Gen. Slocum zugeteilt. Morgen marschieren wir stromaufwärts. Einige glauben, daß wir einen großen Bogen um Lee schlagen und seine Nachhut angreifen. Es werden Rationen für acht Tage gekocht. 2000 Packmaulesel ersetzen die meisten Versorgungswagen, ein weiterer Beweis für den Wunsch nach Schnelligkeit und Überraschung.

Das Wetter hat sich gebessert – der Regen ist vorbei, auch wenn Straßen und Uferbänke an manchen Stellen noch sehr schlammig sind.

Die meisten der Freiwilligen, die jetzt zur Armee kommen, sind Ersatz für Deserteure oder Gefallene, Verwundete oder Kranke. Die meisten der Greenhorns freuen sich über die Aussicht auf eine Schlacht. Ich habe den Dreck und das Töten so satt und kann nicht die geringste Freude an dem empfinden, was auf uns zukommt. Aber die Freiwilligen sind ja noch Jungs. Noch ehe dieser Frühling vorbei ist, werden sie etwas anderes sein.

Spät am nächsten Tag entdeckten Billy und ein Trupp von zwölf Freiwilligen-Pionieren ein Farmhaus mit einem soliden Stall und einem kleineren Außengebäude; die leichte Brise trug ihnen den kräftigen Duft von Hühnermist zu.

«Was meinen Sie, Sir?» fragte der Unteroffizier der Gruppe, ein Junge aus Syracuse namens Spinnington. Er war zum Corporal ernannt worden, weil er weniger faul und weniger dämlich als die anderen zu sein schien.

Von der Straße aus studierte Billy die ordentlich gehaltenen Gebäude, sich insgeheim wünschend, den Befehl zum Weitermarsch geben zu können. Spinnington zappelte ungeduldig herum. Billy sagte: «In Ordnung.»

Mit Hurragebrüll griffen die Neuankömmlinge das Haus an; die tiefstehende Sonne gleißte wie eine Axtschneide. Ihre langen Schatten kletterten an der Hauswand empor.

Die Vordertür öffnete sich; ein Mann trat heraus. Ein winziger Mann mit einem kleinen, weißen Bart, aber kräftigen, starken Händen.

Billy näherte sich der Veranda. Bevor er etwas sagen konnte, tauchte hinter dem Mann eine Frau auf. Sie war einen Kopf größer als er und dreimal so schwer.

«Mr. Tate», sagte sie, «geh rein. General Hookers Männer sagten, wir werden erschossen, wenn wir einen Fuß ins Freie setzen.»

«Ein Bluff», sagte der alte Farmer. «Sie haben Angst, wir geh'n über den Rapidan und warnen Bob Lee. Würde ich nicht tun. Ich muß diesen Platz hier beschützen. Deshalb muß ich mit diesen Jungs reden.»

«Mr. Tate –»

«Was wollt ihr, Jungs?» übertönte der alte Farmer die ständigen Einwände seiner Frau.

Billy nahm sein Käppi ab. «Sir, ich bedaure, Ihnen mitteilen zu müssen, daß wir Befehl haben, Holz zu organisieren. Wir brauchen es, weil die Germanna-Furt ein Sumpf ist und überplankt werden muß, damit General Hookers Streitkräfte den Fluß überqueren können. Ich wäre Ihnen dankbar, wenn Sie und Ihre Frau wieder hineingingen und uns unsere Arbeit machen lassen würden.»

«Was für Arbeit?» rief der alte Mann. «Was für Arbeit?»

Er wußte Bescheid. Billy schämte sich, ihm in die Augen zu sehen, und wandte sich an Spinnington. «An die Arbeit, Corporal. Zuerst den Stall, vielleicht kriegen wir damit den Wagen voll. Vielleicht brauchen wir den Hühnerstall gar nicht.»

«Ich habe mein Leben lang gebraucht, um das hier aufzubauen», sagte der alte Mann; Tränen des Zorns rannen aus seinen Augenwinkeln. «Bedeutet Ihnen das gar nichts?»

«Es tut mir leid, Sir. Wirklich leid.»

Ein Nagel quietschte, ein durchdringender, kreischender Laut. Zwei Freiwillige brachen das erste Brett heraus, ein Dritter rannte zum Wagen.

Der alte Farmer torkelte von der Veranda. Billy zog seinen Revolver. Der Farmer zögerte, setzte sich auf die Stufen und warf Billy einen Blick zu, den dieser nie vergessen würde. Dann starrte der Farmer auf seine Schuhe, während die Pioniere den Stall auseinanderrissen. Bei Einbruch der Dunkelheit waren sie fertig; die jetzt nicht mehr eingepferchten Milchkühe und Ackergäule wanderten um den Hühnerstall herum. Billy setzte sich auf den anrollenden Wagen; er gestattete sich keinen Blick zurück.

Ein Eintrag in seinem Tagebuch, irgendwann zwischen Sonnenuntergang und der Morgendämmerung des 30. Aprils geschrieben, lautete:

Ich hasse den Menschen, den dieser Krieg aus mir macht.

«Es sind die Deutschen», schnarrte Spinnington. «Die verfluchten Deutschen haben sich verschanzt.»

«Maul halten», sagte Billy, nackt bis zur Hüfte; mit beiden Händen schwang er die Axt.

Es war gerade Tag geworden. Vor einer Stunde, als die von Granaten in Brand gesetzte Wildnis in Flammen stand, war Billys Trupp im Eiltempo zu dem relativ sicheren Gelände bei der Chancellorsville-Kreuzung beordert worden. Den vielen Wachposten und Kurieren nach zu urteilen mußte General Hooker in dem weißen Herrschaftshaus stecken. Niemand schien zu wissen, was er im Schilde führte, aber eines schien gewiß: Fighting Joes großer Plan hatte gar nichts gebracht.

Hooker hatte seine angestrebte Position in der Wildnis eingenommen, war bereit gewesen, Lee von hinten anzugreifen – und hatte den Vorteil aus der Hand gegeben. Warum? dachte Billy, die Axtschläge zur Bekräftigung der wütenden Wiederholung der Frage einsetzend. *Warum?*

Gestern hatte Fighting Joe seine Männer weiter nach vorn in eine bessere Angriffsposition gebracht – auf höheres und offeneres Gelände. Als seinen Männern feindliches Feuer entgegenschlug, stoppte er den Vormarsch. Die Corps-Kommandeure hatten ihren Zorn nicht verborgen. Billy hatte gehört, was General Meade sagte; es breitete sich aus wie das Feuer in den Wäldern: *«Wenn er eine Bergspitze nicht halten kann, wie kann er dann erwarten, sich im Tal zu halten?»*

Mittlerweile aber bereiteten sie sich genau darauf vor. Vormarsch; *warum?* Rückmarsch; *warum?*

Gestern, während Hooker seine Chance auf eine überlegene Position vergab, waren Bob Lee und Old Jack damit beschäftigt gewesen, ihn zu überlisten. Jackson hatte seine Männer auf einen ihrer berühmten Blitzmärsche geführt, diesmal eine verdammt riskante Flankenbewegung. Aber er hatte es geschafft, ohne entdeckt zu werden, und stand bei Anbruch der Nacht bereit, die rechte Flanke der Union anzugreifen. Howards Deutsche genossen dort gerade in aller Ruhe ihr Abendessen. Old Jacks brüllende, kreischende Farmerjungen überraschten sie vollkommen.

Das war der Anfang vom Ende von Hookers großartigem Plan. Überall im Wald befanden sich die Rebs jetzt in der Offensive. Gott

467

allein mochte wissen, wo sie im nächsten Moment auftauchen würden – was der Grund war, weshalb die Soldaten der Union so verzweifelt Schützenlöcher aushoben, um das offene Gelände bei der Straßenkreuzung verteidigen zu können, während andere, einschließlich Billys Trupp, noch vor den Linien Bäume fällten.

Die Äxte bissen in das Holz. Spinnington arbeitete links neben Billy, Lije dicht hinter ihm. Schweißtropfen glänzten in seinem weißen Bart, als Lije die schwere Axt mit der rechten Hand anhob, als wäre sie ein Strohhalm. Er deutete auf einen größeren Baum, eine Eiche von ungefähr einem Fuß Durchmesser.

«Den als nächsten, Jungs. Der fällt nach rechts, wenn wir ihn richtig schlagen.» Lije mußte laut sprechen, um den ständigen Lärm zu übertönen: Trommeln und Hörnerklang, brüllende Männer, Gewehrfeuer, verirrte, laut muhende Kühe von der Herde. Gegen drei Uhr morgens hatte Billy ein Nickerchen gemacht und war von einer Kuh, die ihm auf den Bauch trat, unsanft hochgeschreckt worden.

Billy und Lije nahmen die Eiche von zwei Seiten in Angriff. Lije fing seinen Blick auf, lächelte auf müde, väterliche Weise. Billy wünschte sich den Glauben des älteren Mannes. Wenn Gott auf seiten der Union stand, warum überraschte und schlug sie Lee jedesmal?

Sie hatten eine weiße Kerbe in den Stamm geschlagen, als Billy hinter all den anderen Geräuschen einen unheilvolleren Laut vernahm: das Heulen einer Granate. «Die Köpfe runter», brüllte er, «die kommt mächtig –»

Um ihn herum schleuderte Erde hoch, riß ihn in einer Wolke von Dreck und Gras von den Beinen. Benommen landete er auf dem Rücken. Etwas lag auf seiner nackten Brust: ein großes, gelblichweißes Stück Holz vom Kern der Eiche.

Zwinkernd richtete er seinen Blick auf den Baum, der gerade zu stürzen begann. Männer, genauso benommen wie er, taumelten hoch. Lije stand ein gutes Stück hinter dem Baum, und auch er sah ihn fallen, genau auf Spinnington zu.

«Spinnington, weg dort», brüllte Billy. Spinnington drehte sich um, das Gesicht stumpf und verständnislos. Das weitere lief blitzschnell ab. Lije hechtete vor, rammte den Corporal mit der Schulter, in der Absicht, ihn beiseite zu stoßen. Sein linker Stiefel verfing sich in einer Ranke. Er stürzte auf die Brust, hob den Kopf, krallte sich mit beiden Händen in die Erde, einen Augenblick, bevor ihm die Eiche auf den Rücken krachte.

«Oh Gott», flüsterte Spinnington, der unverletzt danebenstand. Billy rannte vor, brüllte Lijes Namen. Männer warfen sich zu Boden;

eine weitere Granate schlug zwanzig Meter entfernt ein. Billy knallte mit dem Rumpf auf, Erde und Steine prasselten in sein Gesicht.

Er raffte sich wieder hoch, taumelte auf die gestürzte Eiche zu. Langsam schlug Lije die Augen auf. Ein ganzes Stück links hinter ihnen explodierte die nächste Granate. Ein Mann wurde buchstäblich zerfetzt; Schreie und Stöhnen erhöhten das lärmende Chaos. Billy wußte, welche Schmerzen Lije erdulden mußte, doch die Augen des älteren Mannes bekamen lediglich einen feuchten Schimmer.

«Ich hole dich raus, Lije.» Er sprang zum Baum, griff mit den Händen darunter, zerrte und zog. Schmerz schoß durch seinen Rücken. Die Eiche bewegte sich nicht.

Er wirbelte herum. «Los, Männer, helft mir!»

«Sinnlos», murmelte Lije. Er schloß die Augen, leckte sich die Lippen, wiederholte das Wort, sagte dann, «Rückzug. Das Feindfeuer wird zu stark. Rückzug – das ist ein direkter – Befehl.»

Trotz ihrer Angst kamen einige Freiwillige angerannt und versuchten die Eiche anzuheben. Der Stamm ruckte ein paar Zentimeter nach oben. Dann rutschten die Hände eines Mannes ab, und der Stamm sackte nach unten. Billy hörte Lijes Zähne knirschen.

«Rückzug», flüsterte er.

«Nein», sagte Billy, langsam die Beherrschung verlierend.

«William Hazard, ich befehle –»

«Nein, nein.» Er weinte. «Ich lasse dich hier nicht sterben.»

«Wessen das Leben ist – soll der den Tod nicht schau'n?»

«Hör auf mit der Bibel!» schrie Billy. «Du bleibst nicht hier, so einsam und verlassen.»

«Das werde ich nicht sein.» Lijes Stimme war schwach, aber er sprach jede Silbe deutlich aus. «Ich vertraue dem Wort des Herrn. ‹Der, welcher mein Wort höret – und an mich glaubet – soll nicht der Verdammnis anheimfallen.› Es war mir vorherbestimmt, hier zu fallen. Dein Schicksal – ist es zu leben – und diese Männer –»

Eine weitere Granate schlug in den Wald, schleuderte Erde in den Rauch und Qualm, verwischte mit ihrer Explosion Lijes schwache Stimme.

«– in Sicherheit zu bringen. Ich befehle es dir.»

«Jesus.» Billy weinte. «Jesus Christus.»

«Versündige dich nicht. Ich *befehle* es dir. Lebe und – kämpfe weiter. Ich – liebe dich wie einen Sohn. Das war mir – vorbestimmt.»

Das war es nicht, schrie eine Stimme tief in Billys Innerem. Es war nicht Gottes Wille, sondern Zufall und eine dämliche christliche Opferbereitschaft.

«Kommen Sie, Sir.» Hände zogen ihn. «Er ist tot, Sir.»

Billy senkte den Blick; Lijes Augen waren geschlossen, sein Gesicht war glatt.

«Kommen Sie, Sir», wiederholte Spinnington. Überraschend sanft griffen er und ein weiterer bartloser Freiwilliger nach Billys Armen. Er war benommen, murmelte vor sich hin. «Wir holen seine Leiche, wir kommen zurück», sagte eine ferne Stimme, die er nicht erkannte. Er bohrte seine schmutzigen Fäuste in seine feuchten Augen und ließ sich wegführen.

In der Nähe des Hauptquartiers machte ein Arzt eine Flasche Whiskey auf. Zwei Schlucke rüttelten Billy wach, versetzten ihn in die Lage, wieder einigermaßen zu funktionieren. Er wußte nun etwas, das er zuvor nicht gewußt hatte. Gott regierte einen solchen Krieg nicht – falls er überhaupt irgendwo regierte.

Der Rückzug zum Fluß begann am Vormittag; Soldaten, Kanonen, Ambulanzen, alles zog sich in wirrem Durcheinander zurück, während die Rebelleninfanterie vorrückte und die Rebellenartillerie weiter aus allen Rohren schoß. Billy, Spinnington und zwei andere schlichen sich vor, um Lijes Leiche zu bergen. Aber das Geschützfeuer von Hazel Grove war zu schwer gewesen; zuviele Bäume hatten sich entzündet, und die Flammen hatten sich so schnell ausgebreitet, daß Lijes Körper nichts Menschenähnliches mehr an sich hatte. Keiner von ihnen, nicht mal Billy, konnte länger als ein paar Sekunden hinsehen. Sie verließen die verkohlte Gegend und zogen sich zurück.

Mitten im Rückzug traf Billy die Erkenntnis: Nun, zumindest war er an einem Sonntag zur ewigen Ruhe gegangen.

77

Die ganze Montagnacht hindurch blieb der Militärtelegraph über lange Zeitspannen hinweg still. Im Kriegsministerium konnte man ein ständiges Kommen und Gehen übermüdeter Männer beobachten; einige blieben eine Stunde, andere wollten warten, bis neue Nachrichten eintrafen. Zu ihnen gehörte Stanley, Mitglied einer kleinen Gruppe, deren Status es erlaubte, daß sie in Stantons Büro warteten. Der Präsident hielt sich ebenfalls dort auf, ausgestreckt auf seiner Lieblingscouch; alle paar Minuten drehte er sich rastlos hin und her.

«Wo ist Hooker jetzt? Wo steckt General Stoneman? Warum zum Teufel schicken sie keine Nachricht?»

Stanley hielt sich die Schläfen und rieb sich mit zwei Fingern die schmerzenden Augen. Er hatte die ungeduldigen rhetorischen Fragen des Präsidenten satt. Stanton offensichtlich auch; seine Stimme klang rauh, als er sagte: «Sie werden ihr Schweigen brechen, wenn es angebracht erscheint, Herr Präsident. Ich nehme an, die Generäle sind damit beschäftigt, unseren Sieg zu festigen.»

Es war Dienstag, kurz vor Sonnenaufgang. Während der letzten zwölf Stunden, in denen nur völlig unzulängliche Nachrichten eingetroffen waren, hatte sich ein Gerücht wie eine ansteckende Erkältung ausgebreitet: Hooker hatte einen Sieg errungen, wenn auch zu einem hohen Preis.

Stanley hoffte bei Gott, daß Hooker einen Sieg errungen hatte. Die Partei benötigte mehr als nur diesen einen. Die Präsidentenwahlen fanden in etwas über einem Jahr statt, und wenn Lincoln stürzte, dann riß er viele andere mit sich. Stanley krümmte sich allein beim Gedanken an diese Möglichkeit. Er hatte an seinem Job und der damit verbundenen Macht Geschmack gefunden. Falls Isabel für den Rest ihres Lebens zurück nach Lehigh Station mußte, dann würde sie ihm die Schuld daran geben und ihm das Leben noch schwerer machen. Ein Jammer, daß er über keinen Ersatz für Isabel verfügte – irgendeine jüngere und weniger kluge Frau, die seinen Problemen mit einem gewissen Verständnis und Mitgefühl gegenüberstehen würde.

Als Stanley Willard's Speisesaal betrat, sah er seinen Bruder ganz allein an einem Tisch frühstücken. Stanleys erster Impuls war, den Raum wieder zu verlassen. Seit Wades Niederlage im Senat hatte er

George nicht mehr gesehen, und George würde zweifellos seinen Triumph auskosten.

Doch die lange Nachtwache hatte Stanley in eine für ihn untypische Verfassung gebracht: Er sehnte sich nach der Gesellschaft eines Menschen von außerhalb des Kriegsministeriums. Also steuerte er auf den Tisch zu, an dem George saß und mit einem sehr merkwürdigen Gesichtsausdruck auf seine Bratkartoffeln starrte. Erst als Stanley sich räusperte, hob George den Kopf.

«Hallo, Stanley. Wo kommst du her?»

«Aus dem Telegraphenraum. Ich habe dort die ganze Nacht auf Nachrichten aus Virginia gewartet.»

«Und? Gibt es welche?»

«Sehr wenige. Darf ich mich zu dir setzen?»

George deutete auf einen Stuhl. Noch immer ging ihm nicht aus dem Kopf, was er vorhin auf der Straße gesehen zu haben glaubte. Stanley legte seinen Hut ab und zog seine Weste über die ständig größer werdende Rundung seines Bauches. «Stimmt was nicht, George? Probleme mit Constance oder den Kindern?»

Bastard, dachte George. Es gehörte zu Stanleys Stil, solche Fragen mit hoffnungsvollem Unterton zu stellen. «Ja, es stimmt was nicht. Vor zehn Minuten hab' ich einen Geist gesehen.»

«Ich bitte dich.»

«Sir?» sagte der Kellner, der auf Stanleys Bestellung wartete.

«Kommen Sie später noch mal», schnappte Stanley. «Erklär mir, was du damit meinst, George.»

«Ich habe Virgilia gesehen. In einem der Wagen auf der Straße.»

Vor Verblüffung verschlug es Stanley für einen Moment die Sprache. «Ich dachte, Virgilia sei weit weg von diesem Teil des Landes. Ich habe seit zwei oder drei Jahren nichts mehr von ihr gehört.»

«Ich bin sicher, daß sie es war – nun, jedenfalls so gut wie sicher. Du weißt, daß sie nie Wert auf ihre Kleidung legte, und diese Frau war elegant gekleidet. Ihr Haar war modisch frisiert. Aber selbst diese Änderungen –»

«Offensichtlich bist du dir alles andere als sicher», unterbrach ihn Stanley. «Aber angenommen, es war Virgilia. Was geht dich das an? Was für einen Unterschied würde es machen? Für mich und Isabel keinen, das kann ich dir sagen. Bis auf den Nachnamen und die Verachtung des Südens verbindet mich nicht das geringste mit meiner Schwester.»

«Hast du dich nie gefragt, wie es ihr geht?»

«Nie. Sie ist eine Diebin und eine Hure – und das sind noch die freundlichsten Bezeichnungen, die ich finden kann. Ich verspüre keine große Lust, über Virgilia oder ein ähnlich unangenehmes Thema zu sprechen. Ich bin die ganze Nacht auf gewesen und möchte in Ruhe und Frieden mein Frühstück verzehren. Wenn du willst, kann ich das auch an einem anderen Tisch tun.»

«Beruhige dich, Stanley. Bestell etwas, und ich bin still.»

Danach ließ die Unterhaltung zu wünschen übrig. Stanley verzehrte ein gewaltiges Frühstück, während George diffuse Phantasiebilder eines Frauengesichts vor sich sah. Auf eine seltsame Weise waren beide Brüder über die Gesellschaft des anderen froh.

Gemeinsam verließen sie den Speisesaal. «Gehst du jetzt zur Arbeit?» erkundigte sich Stanley draußen. George meinte, er würde die drei Blocks zum *Evening Star* gehen, um zu sehen, ob dort neue Nachrichten angeschlagen worden waren.

«Wenn's um genaue Nachrichten geht, verlasse ich mich lieber auf die Korrespondenten. Ihr Burschen in Stantons Büro veröffentlicht anscheinend nur das, was günstig ist, und unterdrückt den Rest.»

Die Beleidigung ärgerte Stanley, aber ihm fiel keine passende Antwort ein; unglücklicherweise hatte sein Bruder recht. Er begleitete ihn zur *Star*-Redaktion. Eine Menge von fast hundert Leuten drängte sich um die langen, handbeschriebenen Papierstreifen, die draußen hingen.

Das Neueste vom Kriegsschauplatz

– – – – –

General Lee überrascht

– – – – –

General Stoneman fällt den
Rebellen mit seiner Kavallerie
in den Rücken

– – – – –

Feind bedroht Fredericksburg
Unsere Virginia-Korrespondenten berichten
von schrecklichen Kämpfen Samstag & Sonntag
bei Chancellorsville

Mürrisch sagte George: «Altes Zeug. Hab' ich alles gestern schon gelesen. Ich muß los –»

«Wart einen Moment», sagte Stanley. «Sie bringen gerade eine neue Nachricht raus.»

Die Menge flüsterte erwartungsvoll, als ein Mann in Hemdsärmeln mit einem langen Bogen Papier in der Hand erschien. Er kletterte eine Leiter hoch und befestigte das Bulletin.

Erregende Neuigkeiten von der Armee!

Hooker okay!!!

– – – – –

Unsere Männer vollbringen Wunder
an Tapferkeit – Tausende von feindlichen
Soldaten gefangen

– – – – –

General Stonewall Jackson
angeblich schwer verwundet

Fast augenblicklich kam die Reaktion.

«Wir haben gesiegt! Fighting Joe hat's geschafft!»

«Soll'n nur diese Gefangenen herbringen, wir hängen sie schon auf.»

«Schau dir das an – Jackson hat gekriegt, was er verdient hat.»

Stanley zog an seiner Weste. «Wenn diese Berichte stimmen –»

George hörte ihn nicht. Er dachte an Jackson, an den seltsamen, scheuen Presbyterianerjungen aus den Hügeln von West-Virginia, der sein Freund geworden war. Er erinnerte sich daran, daß er ihn Tom genannt hatte und wie er mit ihm und Orry und Sam Grant nach der Eroberung von Mexico City zusammengesessen hatte.

Das Bulletin flatterte in der Brise. Die Erfahrung hatte George gelehrt, daß viele solcher Bulletins sich als völlig oder teilweise falsch erwiesen. Bei diesem hier hatte er allerdings ein ungutes Gefühl.

Er wandte sich an Stanley: «Was sagtest du?»

«Ich sagte, es wird ein Segen sein für die Union, wenn die Nachricht über Jackson stimmt. Sogar noch größer, wenn die Verwundung tödlich sein sollte.»

«Halt die Klappe, Stanley. Spar dir deine dämlichen Bemerkungen für die rachsüchtige Menge, mit der du auf so vertrautem Fuß stehst.»

«Ich sage über einen verdammten Verräter, was ich will und –»

«Nein, das tust du nicht. Er war mein Freund.»

Stanley öffnete den Mund, schloß ihn aber schnell wieder. Mit leicht gesenktem Kopf starrte ihn George noch einen Moment drohend an, dann drehte er sich mit steifem Rücken um und verschwand hinter der nächsten Straßenecke.

Jemand in der Menge hatte den Wortwechsel gehört. Ein Mann reckte Stanley sein Kinn entgegen. «Was sagte dieser Offizier eben? Dieser Stonewall war sein Freund?»

«Jeden, der sowas zugibt, sollte man lynchen», sagte eine fette Frau.

«Ich teile diese Meinung», erklärte Stanley. Er bedauerte, mit George gefrühstückt zu haben, und überlegte wieder einmal, ob er nicht Colonel Bakers Aufmerksamkeit auf George lenken sollte.

78

Sie würde dafür büßen müssen, daß sie nach Washington fuhr, das wußte Virgilia. Bei ihrer Rückkehr nach Aquia Creek würde sie von der Frau, die erst kürzlich als Leiterin der Krankenschwestern eingesetzt worden war, eine strenge Rüge erhalten; man konnte nicht einfach verschwinden, wenn so viele Verwundete von Chancellorsville eingeliefert wurden. General Hookers großer Vorstoß war zurückgeworfen worden, was in der Hauptstadt kaum bekannt war, wie Virgilia bemerkte.

Virgilias Gewissen hielt sie im Dienst fest, aber einige anderen Umstände waren stärker. Fast vier Wochen hatte sie auf einen Gesprächstermin bei Miss Dix warten müssen. Und sie mußte etwas wegen ihrer immer unerträglicher werdenden Situation unternehmen.

Während ihres Interviews an dem Morgen, an dem George sie gesehen hatte, lobte sie die neue Oberschwester, Elvira Neal, die eine ordentliche Ausbildung genossen hatte. Dann kam sie zum eigentlichen Zweck des Gesprächs. Sie bat um ihre Versetzung in ein anderes Krankenhaus. Ihre Worte sorgfältig wählend, sagte sie, daß anscheinend ihre Persönlichkeit und die der verwitweten Mrs. Neal nicht ganz zueinander paßten. Sie äußerte ihre Meinung, daß sie getrennt voneinander wirkungsvoller arbeiten könnten.

«Und deswegen haben Sie zu solch einem kritischen Zeitpunkt Ihren Posten verlassen?» fragte Miss Dix. «Aus persönlicher Bequemlichkeit?»

Virgilias Temperament ging mit ihr durch. «Ich kann nichts Unrechtes dabei finden, so lange es besser –»

«Daran ist vieles unrecht, wenn man die Bedeutung des gegenwärtigen Feldzugs in Virginia berücksichtigt. Ich werde Ihren Antrag in Erwägung ziehen, aber das wird weder schnell gehen, noch stehe ich der Angelegenheit positiv gegenüber. Sie haben sich bis jetzt gut geführt, Miss Hazard, aber mit dieser Sache haben Sie sich einen schlechten Dienst erwiesen. Guten Morgen.»

Virgilia ging; lautlos verfluchte sie Miss Dix als eine verdammt sture Kuh.

Sie stieg wieder in die Kutschbahn und beruhigte sich nach und nach. Sie fühlte sich wohl im Schwesterndienst. Deswegen war sie jetzt froh, daß sie nicht alle Anschuldigungen gegen Mrs. Neal vorgebracht hatte, die sie auf Lager hatte. Sie waren ohnehin mehr persönlicher als beruflicher Natur. Diese Frau war sentimental, eine Friedensdemokratin, die McClellan gar nicht genug loben oder Männer wie Stevens und Stanton gar nicht genug kritisieren konnte.

Ich hätte mir denken können, daß es so ausgeht, dachte sie. Ein kleiner Seufzer brachte ihr einen Blick von dem neben ihr sitzenden Mann ein. Er bemerkte ihren Busen und setzte zum Sprechen an. Ihre Augen funkelten gefährlich, und er wechselte den Sitz.

Eine wachsende Leere erinnerte sie daran, daß sie nichts mehr gegessen hatte, seit sie in dem billigen Hotel, in dem sie die Nacht verbracht hatte, erwacht war. Sie sah Willard's an der nächsten Ecke und stieg aus dem Wagen. Sie befand sich an der Tür zum Speisesaal, als eine Gruppe Männer herauskam.

«Kongreßabgeordneter Stout –»

Er wandte sich um. Sie hielt den Atem an – würde er sie erkennen?

Ja! Er zog den Hut, den er gerade auf sein welliges, dunkles Haar hatte drücken wollen.

«Gentlemen, entschuldigen Sie mich. Eine alte Freundin. Ich danke Ihnen; wir werden die Angelegenheit weiterverfolgen.»

Sam Stout ignorierte das leicht unzüchtige Gekicher einiger seiner Freunde und schüttelte ihr die Hand.

«Miss Hazard. Wie geht es Ihnen?»

«Freut mich, daß Sie sich an meinen Namen erinnern.»

«Hatten Sie das Gegenteil angenommen? Was tun Sie in der Stadt?»

«Ich hatte einen Termin bei Miss Dix über dringende Verwaltungsangelegenheiten. Ich habe sehr ungern das Hospital verlassen, aber es ging nicht anders. Gibt es irgendwelche Nachrichten von General Hooker?»

«Nur das, was die Zeitungen bringen. Mein Freund Stanton bewacht den Telegraphen sehr sorgfältig.» Stout blickte sich um, musterte schnell alle Männer und Frauen in der betriebsamen Halle. Er tat es ganz beiläufig, ohne Aufmerksamkeit zu erregen, was Virgilias Bewunderung für ihn nur noch erhöhte.

Die Begegnung mit ihm versetzte sie in beschwingte Stimmung. Bei einem vorangegangenen Besuch in Washington hatte sie einige Nachforschungen über sein Privatleben angestellt. Er hatte keine Kinder; seine Frau, eine Jugendfreundin aus Indiana, war offensichtlich unfruchtbar. Außerdem war sie mager, mit einer Brust so flach wie ein Brett.

Mit ernstem Gesicht sagte Stout: «Es wäre äußerst interessant für mich, noch etwas über die gegenwärtigen Zustände in den Hospitälern zu hören. Ob sie über die nötige Ausrüstung verfügen, genügende Mengen von Betäubungsmitteln.»

Kluger Mann. Er sprach, den gleichen Vorwand wie sie damals benutzend, laut und deutlich, um gleich jeden Hauch von Unschicklichkeit abzubiegen. Ein Angestellter am Empfang hatte Stout erkannt und lauschte. «Ich glaube, hier entlang kommen wir zu einem ruhigen Salon, Miss Hazard. Wir könnten dort ein wenig plaudern, falls das Ihren Zeitplan nicht durcheinanderbringt.»

Sein direkter Blick drückte aus, was er wirklich im Sinn hatte. Virgilia fühlte sich schwindlig und begann, von ihrer Kleidung beengt, zu transpirieren. Höflich griff er nach ihrem Ellbogen und führte sie den verlassenen Flur entlang. Der Salon, in dem verstreut kleine Tische und Stühle standen, war leer.

Stout war kein Narr; er ließ die Tür weit offen, obwohl er einen Tisch wählte, an dem sie von außen nicht gesehen werden konnten.

«Ich muß gestehen, Miss Hazard, Sie sehen wunderbar aus.» Die vibrierende Stimme klang tief in ihr nach, rührte etwas an.

Sei vorsichtig! sagte eine innere Stimme zu ihr. Laß dich auf keinen beiläufigen Handel ein. Er ist ein verheirateter Mann. Er kann nicht wie ein reifer Apfel gepflückt werden.

«Danke, Kongreßabgeordneter.»

Mit beredter Geste zu einem plüschigen Sessel: «Möchten Sie sich nicht setzen? Wie sind die Zustände in Aquia Creek?»

«Die Arbeit ist mühsam, aber Sie wissen ja, wie sehr mir unsere Sache am Herzen liegt.»

«Das weiß ich noch sehr gut», erwiderte er nickend. «Das ist einer der vielen Gründe, weshalb ich Sie bewundere.» Er studierte ihren Mund und lächelte ein wenig. Sie fühlte sich schwach. Er drängte nicht.

«Unsere Vorräte scheinen nie auszureichen», fuhr sie fort.

«Trotzdem ist es eine bemerkenswerte Leistung, die Sie und die anderen Damen vollbringen.»

«Nie gut genug, um mich zu befriedigen, Kongreßabgeordneter.»

«Sam, wenn es Ihnen nichts ausmacht.»

«Gut. Mein Vorname ist –»

«Virgilia. Ein schöner Name.»

«Sie besitzen solch eine wunderbare Stimme, daß da jeder Name großartig klingt.»

Sein Blick wanderte zur Salontür. Der Flur lag leer und still da. Er schien sich seinen nächsten Zug zu überlegen. Virgilias Augen ermutigten ihn.

Schließlich sagte er: «Ich bedaure, daß unser erstes Treffen so entmutigend endete.»

«Ich glaubte, offen zu Ihnen sein zu müssen, obwohl ich Ihre Militanz den Rebellen gegenüber sehr bewundere.» Sie war selbst von der Leichtigkeit überrascht, mit der sie einen Unterton in ihrer Stimme mitschwingen ließ. Sie würde zwar nie so perfekt flirten können wie diese strohköpfige Ashton Main, aber einiges hatte sie bereits gelernt.

Wieder wanderte sein Blick zum Flur. Nur das ferne Gemurmel aus der Hotelhalle war zu hören. Langsam hob er die rechte Hand vor seinem Schoß. Wie träge diese Hand schien, die sich da wie ein durch Luftströmungen segelnder weißer Vogel auf ihr Mieder zubewegte. Sie begann zu zittern, preßte die Beine zusammen, als sich sein Daumen auf ihre linke Brust legte und seine Finger die schwellende Rundung umfaßten.

Sie legte ihre rechte Hand über die seine. Leise flüsterte sie seinen Vornamen, schloß dann die Augen. «Oh!»

Im Flur klapperte jemand mit einem Eimer. Schnell zog Stout die Hand zurück. Das alles hatte nicht länger als fünf Sekunden gedauert, aber damit war all das geklärt worden, was zuvor nur unausgesprochen in der Luft gehangen hatte.

Ein älterer Neger in Hotellivree tauchte mit einem Eimer in der Hand auf und begann eine Sandurne vor der Salontür zu säubern. Als er fertig war, glättete er den Sand und verschwand wieder.

Virgilias Gesicht fühlte sich an, als hätte jemand heißes Wasser darüber geschüttet.

Stout beugte sich vor. «Ich möchte Sie wiedersehen.»

«Mir geht es ebenso.»

«Unser nächstes Treffen sollte in einer mehr privaten Atmosphäre stattfinden, meinen Sie nicht auch?»

Einen schwindelnden Augenblick lang geriet sie in Versuchung. Dann erinnerte sie sich daran, was sie zu verlieren – oder zu gewinnen hatte. Sie schüttelte den Kopf. Stouts polierte Fassade zeigte Risse.

«Ich sagte lediglich –»

«Auch ich fühle – eine starke Anziehungskraft, Sam. Aber ich weigere mich, irgendeine – irgendeine Hinterhofaffäre anzufangen.»

Er legte einen Arm über seinen Sessel und betrachtete sie aufmerksam. «Ist immer noch meine Frau das Problem?»

«Ich fürchte ja.»

Kalt sagte er: «Wenn Sie glauben, ich würde sie Ihretwegen oder wegen irgendeiner anderen Frau über Bord werfen, dann haben Sie sich getäuscht.»

«Ich habe nichts verlangt –»

«Das ist auch gar nicht notwendig, meine Liebe. Ihr Plan ist vollkommen klar. Ich nehme an, ich kann Ihnen nicht vorwerfen, daß Sie sich irgendwelche Hoffnungen machen, aber diese Hoffnung ist fehl am Platz. Ich würde nie aufs Spiel setzen, was ich in dieser Stadt erreicht habe – und noch erreichen will –, indem ich mich moralisch ins Abseits begebe. Haben Sie eine Ahnung, was einige meiner Anhänger tun würden, wenn ich in einen Skandal verwickelt wäre? Sie würden mich abwählen – und Teer und Federn am Bahnhof bereithalten, wenn ich heimkomme.»

Nachdem er den erwünschten Effekt erzielt hatte, griff er nach ihrer Hand. «Warum muß Konvention ein Hindernis sein, Virgilia? Wir verspüren doch beide den gleichen Wunsch und können ihn insgeheim befriedigen, ohne die Interessen irgendeiner Partei dabei zu verletzen.»

«Woher wollen Sie wissen, ob es so funktioniert, Kongreßabgeordneter? Sind Sie ein Experte in solchen Dingen?»

Seine Augen wurden frostig. Er griff nach Stock, Hut und Handschuhen. «Ich habe eine Verabredung. Hat mich gefreut, Sie zu sehen, Miss Hazard. Leben Sie wohl.»

«Leben Sie wohl.»

Er erreichte die Tür. Abrupt stand sie auf. «Sam –»

«Ja?»

Wie schwer es ihr doch fiel, das zu sagen, was gesagt werden mußte. «Nichts. Ich kann von meinen Bedingungen nicht abrücken.»

«Sie sind zu hoch, fürchte ich. Viel zu hoch.» Er schenkte ihr ein weiteres Lächeln; ein verächtliches Lächeln diesmal, das sie treffen sollte. Seine gebeugte Gestalt verschwand den Flur hinunter.

Niedergeschlagen blieb sie sitzen. Wie dumm von ihr, mit solch schlechten Karten bluffen zu wollen. Zweifellos hätte er die Hälfte der Washingtoner Frauen haben können.

Und doch, wenn sie an seine Augen dachte, dann wußte sie, daß er sie haben wollte. *Ihre* Brüste, *ihre* Person.

Was spielte es jetzt noch für eine Rolle? Sie hatte alle Trümpfe ausgespielt und trotzdem verloren. Oder war es vielleicht doch ein bißchen voreilig, die Niederlage als endgültig zu betrachten? Wenn sie ihre Gunst so teuer anbot, dann konnte das möglicherweise den Effekt haben, daß Stout sie nur um so stärker begehrte.

Bei diesem Gedanken überfiel sie die feste Überzeugung, daß sie Sam Stout nicht zum letztenmal gesehen hatte. Wo würden sie sich das nächste Mal treffen? Das ließ sich nicht sagen. Aber ganz egal wo, es würde geschehen. Sie verließ den Salon und eilte zuversichtlich den fernen Geräuschen entgegen. Sie bemerkte, daß sie die verstohlenen Blicke der Gentlemen auf sich zog, als sie die Halle durchquerte.

79

«Es ist alles da», sagte der Albino. «Wo ist das Geld?»

«Alles zu seiner Zeit – alles zu seiner Zeit!»

Bents kleine, dunkle Augen überflogen die eng beschriebenen Seiten. Der Albino, ein sanfter, verletzlich aussehender Junge von achtzehn oder neunzehn Jahren, ging mit mürrischem Gesichtsausdruck ein Stück beiseite; er riß einen Strohhalm aus einem der im Schuppen aufgetürmten Ballen und kaute darauf herum.

Bent las weiter. «Sie finden alles wie versprochen», sagte der Albino. Es klang wie eine Beschwerde. «Komplettes Verzeichnis der Produktion bei Tredegar – Kanonen, Granathülsen, Geschützlafetten, Panzerplatten für Mr. Mallorys Panzerschiffe. Dazu eine lange Liste mit der jeweiligen Menge. Mein, äh, Freund, der die Informationen zusammengestellt hat, war einer von Joe Andersons Spitzenassistenten.»

Bent, aufmerksam geworden, räusperte sich. «Sagtest du: war?»

«Jawohl, Mr. Bascom.» Geziert strich er sich mit der linken Hand das schöne, weiße Haar von der Schulter. «Leider wurde er letzte Woche entlassen. Einige Unregelmäßigkeiten bei Zahlungen.»

«Was für Unregelmäßigkeiten?»

«Das hat was mit der Begünstigung von gewissen Lieferanten zu tun. Auf diesen Bericht wirkt es sich nicht aus. Der ist hundert Prozent zuverlässig.»

«Oh ja, das glaube ich auch», sagte Bent nickend. Er faltete die Blätter zusammen und steckte sie in die Seitentasche seines zeltähnlichen Rockes. In seinem neuen schwarzen Alpaca-Anzug, den schweren Stiefeln und dem breitkrempigen Hut ähnelte er einem respektablen Geschäftsmann.

Seine Gedanken rasten. Diese arme Kreatur hatte eben versehentlich eine verderbliche Information ausgeplaudert, als Kontaktmann war er nun nutzlos. Bent wußte, daß er nun handeln mußte, und er würde auch nicht zögern; Baker hatte ihm viel Handlungsspielraum gelassen.

«Ich habe das Geld dabei.» Er wühlte in einer Tasche. Der Albino eckte sich die Lippen. Eine Glocke ertönte auf einem nächtlichen Paketboot. Ein kurzes Stück flußab, jenseits des Kanals, aber noch auf dieser Seite des Flusses, rötete die ausgedehnte Tredegar-Gießerei die Nacht und füllte sie mit dem Lärm ihrer Maschinen.

Bent befand sich noch nicht lange in dieser Abteilung, aber einige der Feinheiten hatte er bereits gelernt. Ein inaktiver Kontaktmann war potentiell gefährlich. Der Albino wußte, daß Bent ein Spion der Union war. Er konnte Bent jederzeit den Behörden melden. Oder er konnte, nachdem Bent Richmond verlassen hatte, ein bißchen zuviel reden und so Bents Risiko bei einer möglichen Rückkehr erhöhen.

Der Albino sagte: «Wie Sie wissen, muß ich den Betrag mit meinem Freund teilen, der die Informationen geliefert hat. In so schweren Zeiten wie diesen ist jeder zusätzliche Dollar willkommen. Was meinen Freund anbelangt, so gehöre ich nicht ausschließlich ihm, falls Sie also Lust haben sollten –»

«Ein andermal», sagte Bent, nur kurzfristig in Versuchung geführt. Er mußte Pflicht und Vergnügen getrennt halten. Abgesehen davon hatte der kleine Schweinehund vielleicht eine Krankheit. «Ich glaube, damit wäre unser Geschäft beendet.» Er reichte dem Albino das Geld. «Geh du zuerst. Ich lösche die Laternen und folge in wenigen Minuten nach.»

«In Ordnung, Mr. Bascom.» Der Albino klang enttäuscht.

«Übrigens – befindet sich dein Freund noch in Richmond?» Sein Entschluß stand zwar fest, aber die Antwort könnte die Länge seines Aufenthalts in der Stadt beeinflussen.

Unerwarteterweise sagte der Albino: «Nein, Sir. Er ist für ein paar Tage nach Charlottesville heimgefahren, um sich zu fassen. Es war ein schwerer Schlag für ihn, von Joe Anderson rausgeworfen zu werden. Er hat zehn Jahre bei Tredegar gearbeitet.»

«Traurig», erklärte Bent. Die Nervenanspannung ließ sein Herz jetzt schnell schlagen. Der Albino warf ihm einen letzten bittenden Blick zu.

«Also dann – gute Nacht, Mr. Bascom.»

«Gute Nacht.»

Während der Albino zur Tür schlenderte und nach dem Haken griff, öffnete Bent lautlos sein Klappmesser. Die lange Klinge blitzte im Schein der Laternen auf.

Der Albino hörte den schnellen, schweren Schritt und spähte über die Schulter. Bevor er aufschreien konnte, lag Bents linker Ellbogen um seine Gurgel. Mit aller Kraft stieß er dem Albino das Messer in den

Rücken. Die Klinge traf auf Widerstand. Er stieß weiter, drehte das Messer erst in die eine, dann in die andere Richtung. Der Albino zerrte an Bents linkem Arm, aber es fehlte ihm an Kraft. Seine Schuhe scharrten über den Boden. Schließlich fiel der leichte Körper schlaff in sich zusammen.

Bent zog sein blutiges Messer heraus und würgte nur einmal kurz. Er war überrascht und erfreut, daß er sich zu dieser Art von Arbeit eignete. Da er den Freund des Albinos nie getroffen hatte, war er sicher, daß dieser nie Mr. Bascom mit einem gewissen Mr. Dayton aus Raleigh, North Carolina, in Verbindung bringen konnte, der vorübergehend in einem der billigeren Logierhäuser der Stadt abgestiegen war.

Er verbarg die Leiche unter Strohballen, nachdem er die Taschen des toten Jungen geleert hatte; Baker würde froh sein, das Bargeld anderweitig einsetzen zu können. Nach einer nochmaligen sorgfältigen Inspektion der Umgebung löschte Bent die Laternen und trat in die laue Mainacht hinaus. Er ging ein kurzes Stück am Kanal entlang und bog dann nach links ab, in Richtung des Zentrums der Stadt, die um eine Legende trauerte.

Der nächste Tag war Mittwoch, der 13. Mai. In voller Uniform, einschließlich der Schärpe und des Säbels aus Solingen, marschierte Orry mit vielen anderen Offizieren der Konföderation in der Beerdigungsprozession mit.

Hinter den Offizieren folgten Hunderte von Angestellten und untergeordneten Offiziellen aus Parlament und Stadtverwaltung. Direkt vor Orry ging sein Chef, Seddon, sein Freund Benjamin und andere Kabinettsmitglieder; noch davor die schwarz geschmückte Kutsche des Präsidenten und Mrs. Davis.

Ganz vorn wurde von einem einzelnen Soldaten das Lieblingsstreitroß des Generals, Old Sorrel, geführt. Vor Old Sorrel der schwarze Leichenwagen mit den sterblichen Überresten von Thomas Jonathan Jackson, die Pferde mit schwarzen Federbüschen geschmückt; als Ehrengarde ging je ein General neben den vier Rädern.

Jackson war am Sonntag gestorben, nachdem die Wunde seinen ganzen Körper vergiftet hatte; in einem vergeblichen Versuch, sein Leben zu retten, hatten die Ärzte seinen linken Arm amputiert. Den ganzen gestrigen Tag hatte er aufgebahrt im Gouverneursgebäude gelegen, die Nationalflagge über den Sarg drapiert. Als sein Körper für die Prozession zum Capitol Square fertig gemacht wurde, war Jacksons Witwe zusammengebrochen und weggeführt worden.

Auf jeder Seite der Marschroute sah Orry tränenüberströmte Gesichter. Nichts hatte die Konföderation in letzter Zeit so tief getroffen wie Jacksons Tod. Seddon hatte Orry gestern zugeflüstert, als sie neben der Totenbahre standen, daß Lee fast untröstlich sei.

Die Prozession betrat Capital Square durch die Westtore; Orry entdeckte seine Frau bei einer Gruppe von Damen, zu der auch Mrs. Stanard gehörte, eine der *Grandes Dames* der örtlichen Gesellschaft. Benjamin hatte für eine Empfehlung gesorgt, und Mrs. Stanard hatte sofort Gefallen an Madeline gefunden und ihr mitgeteilt, daß sie für Orrys Schwester, Mrs. Huntoon, nichts übrig habe.

Madelines Anblick heiterte ihn ein bißchen auf. Ansonsten gab es kaum Anlaß zur Heiterkeit. Im Westen ging Sam Grant erbarmungslos gegen Vicksburg vor. Männer senkten nicht mehr die Stimmen, wenn sie über die Absetzung von Davis diskutierten. Und unter General Winders Beamten herrschten weiterhin furchtbare Zustände in den überfüllten Gefängnissen, trotz häufiger Proteste von Orry und anderen.

Cooper befand sich seit fast einem Monat in Richmond. Sein Büro lag in einem anderen Gebäude, so daß Orry ihm nur selten begegnete. Als Folge des Todes seines Sohns hatte sich Cooper auf tragische Weise verändert. Er kümmerte sich um nichts weiter als um seine Arbeit für Marineminister Mallory, dem Orry nicht über den Weg traute.

Vor kurzem war bei Orry und Madeline ein Besucher aus Spotsylvania County eingetroffen: die intelligente, elegante, gelegentlich scharfzüngige Witwe, der Cousin Charles romantische Gefühle entgegenbrachte. Mit ihren beiden Negern war Augusta Barclay von Fredericksburg gekommen und hatte sich auf dem Sofa im Wohnzimmer häuslich niedergelassen, zumindest für die Zeit, bis Hookers Rückzug über den Rapidan zur Gewißheit werden würde.

Charles war eindeutig verliebt. Die Witwe Barclay sagte das zwar nicht direkt, aber aus der Art, wie sie über seinen Cousin sprach, ging das für Orry ziemlich klar hervor. Und Orry stand ebenso wie Madeline der Witwe ziemlich positiv gegenüber. Bevor sie wieder reiste, sagte Augusta Barclay dreimal, daß sie sich nur zu gern für die großzügige Gastfreundschaft erkenntlich zeigen würde und sie sollten nicht zögern, sie zu besuchen. Orry hielt das Angebot für aufrichtig.

Die Halle im Repräsentantenhaus war mit Blumendüften erfüllt. Widerstrebend stellte sich Orry in die Reihe der Offiziere, die sich auf den offenen Sarg zuschoben. Als es an ihm war, einen Blick auf den bärtigen Kopf auf dem Satinkissen zu werfen, wäre er dazu beinahe nicht in der Lage gewesen. Inmitten der Lilien senkte Orry den Kopf und weinte.

Irgendwie drängte sich Madeline durch die Menschenmenge, nahm seinen Arm und hielt ihn ganz fest, bis er sich wieder gefaßt hatte.

Wie ein Elefant wühlte sich Bent an diesem Nachmittag gegen ein Uhr aus seinem Bett. Gestern nacht hatte er ein Hurenhaus besucht und eine Schwarze ordentlich hergenommen. In der Morgendämmerung war er in die Pension zurückgekehrt, zu einer Zeit, wo ihn bestimmt niemand fragen würde, ob er an Jacksons Beerdigungsparade teilzunehmen gedachte. Er jedenfalls hatte ganz gewiß nicht die Absicht, den Tod des Verräters durch seine Anwesenheit zu würdigen.

Bent seifte sein Gesicht ein und holte sein Rasiermesser hervor. Er war erstaunt über die Leichtigkeit, mit der er bis jetzt seine Mission erfüllt hatte. Natürlich hatte er Vorsichtsmaßnahmen getroffen – er war mit zwei Pistolen und einem versteckten Messer nach Richmond gekommen –, aber der Rest war geradezu lächerlich einfach gewesen. Wann immer er angehalten wurde, zeigte er lediglich den von Bakers Spezialisten gefälschten Paß. Die Sprache bereitete ihm keine Schwierigkeiten, weil er sich in einem Teil des Südens befand, in dem der gequetschte Akzent der Baumwollstaaten fremdländisch klang. Abgesehen davon waren überall in der Stadt Yankees – vor allem Huren und Spekulanten – zu finden.

Was die weiblichen Eindringlinge anbelangte, so hatte ihm ein Barmann einen guten Rat gegeben: «Kümmern Sie sich keine Minute um die Sicherheit von Richmond, bis Sie die Huren aus Baltimore Fahrkarten kaufen sehen. Dann sollten Sie sich Sorgen machen.»

Die Informationen über Tredegar in einer Spezialtasche in seinem Jackenfutter verborgen, trottete er zum Capitol Square und stellte sich in die Reihe der vorwärts schlurfenden Leute, die in einer abstoßenden Art und Weise um den toten Verräter weinten. Als er die Totenbahre erreichte, erkannte er kaum den Mann, der da lag. Aber er bemühte sich um einen trauernden Gesichtsausdruck und wischte sich über ein Auge, bevor er weiterging.

Beim Anblick von zwei Leuten, die weiter hinten in der Reihe standen, fuhr er zusammen: ein Mann mit runden Brillengläsern, fast so schwer wie er selbst, und eine Frau, deren dunkle Schönheit vage Erinnerungen in ihm weckte. Er näherte sich einem Offizier.

«Entschuldigung, Major – kennen Sie zufällig das Paar dort drüben? Ich glaube, die Dame könnte eine entfernte Verwandte meiner Frau sein.»

Der Offizier konnte ihm nicht helfen, aber ein Mann mit dem geackten Aussehen eines hohen Regierungsbeamten hatte die Worte gehört und sagte: «Oh, das ist Huntoon. Aus South Carolina. Er bekleidet eine untergeordnete Stelle im Schatzamt.»

Bent zitterte fast vor Erregung. «South Carolina, sagen Sie? Ist der Mädchenname seiner Frau zufällig Main?»

Die Frage kam mit solcher Intensität, daß der Zivilist Verdacht schöpfte. «Das kann ich Ihnen nicht sagen.» Der Zivilist entschuldigte sich und ging davon.

Bent eilte auf den Platz und drückte sich herum, bis das Paar auftauchte und in eine viersitzige Kutsche stieg, die von einem alten Neger gefahren wurde. Die Kutsche rollte an Bent vorbei; die Frau beachtete weder ihn noch ihre Umgebung. Sie kam Bent ungemein arrogant vor, aber sie ähnelte eindeutig Orry Main. Das war schon eine Nachforschung wert.

Jetzt, wo er seine erste Mission problemlos hinter sich gebracht hatte, steckte er voller Selbstvertrauen. Spontan beschloß er, noch einen weiteren Tag in der Hauptstadt der Konföderation zu riskieren.

In dieser Nacht ging er im Bett seinen Plan durch. Am nächsten Morgen besuchte er in aller Frühe das Postamt. Er stellte sich als Mr. Bell aus Louisville vor und überredete den Angestellten mit einem zusammengefalteten Schein, ihm aus einem dicken Buch die Adresse von James Huntoon herauszusuchen.

In einer Mietkutsche fuhr Bent zweimal an der Residenz in der Grace Street vorbei. Dann suchte er in der Stadt nach einem Laden, in dem er viel zu teures Leinen kaufte, das sich für Verbände und Bandagen verwenden ließ. Die nächsten paar Stunden trödelte er in seiner Pension herum. Er wollte erst spät am Tag seinen Besuch machen, kurz bevor die Regierungsbüros schlossen.

Gegen vier marschierte er zur Grace Street. In einer Gasse, zwei Häuserblocks vor seinem Ziel, band er das Leinen zu einer Schlinge zusammen und steckte seinen linken Unterarm hindurch. Ein paar Minuten später ließ ihn der gleiche Schwarze, der die Kutsche gefahren hatte, ins Foyer.

«Ja, Miz Huntoon zu Haus, aber erwartet keinen Besuch.»

«Ich bin nur kurz in der Stadt. Sag ihr, es sei wichtig.»

«Wie war Name, Sir?»

«Bellingham, Captain Erasmus Bellingham, auf Urlaub von General Longstreets Corps.»

Homer führte Bent in einen kleinen Salon und trottete davon. Bent war zu nervös, um sich hinzusetzen. Er marschierte auf und ab; der Schweiß lief ihm über den Rücken. Gerade, als er sich entschlossen hatte zu verschwinden, kam Ashton Huntoon hereingerauscht; sie machte einen verschlafenen und mürrischen Eindruck.

«Captain Bellingham?»

«Erasmus Bellingham, zur Zeit bei General –»

«Das hat mir mein Nigger bereits erzählt.»

«Es ist mir sehr unangenehm, Sie ohne Vorwarnung stören zu müssen, Ma'am –» Ihr Gesichtsausdruck machte deutlich, daß es ihr mindestens genauso unangenehm war. Obwohl die Ähnlichkeit mit ihrem Bruder ihn automatisch in Rage brachte, behielt Bent sein öliges Lächeln bei. «Meine Zeit hier in Richmond ist jedoch knapp bemessen. Ich habe mich fast von der Verwundung erholt, die ich bei der Belagerung von Suffolk erhielt. Bevor ich zu Longstreets Kommando zurückkehre, wollte ich einige Nachforschungen über einen alten Bekannten anstellen.»

«Sie klingen nicht wie ein Südstaatler, Captain.»

Miststück. Sein Lächeln wurde breiter. «Oh, es gibt alle möglichen südlichen Akzente, finde ich. Tatsächlich bin ich am Ostufer von Maryland aufgewachsen. Ich meldete mich sofort, als die Konföderation zu den Waffen rief.»

«Wie interessant.» Ashton verbarg ihre Langeweile nicht.

Bent erklärte, er habe gehört, daß einer seiner Klassenkameraden aus West Point in Richmond stationiert sei. «Gestern abend unterhielt ich mich in meiner Pension mit einem Gentleman, und als ich meinen Klassenkameraden erwähnte, brachte er sie und Ihren Gatten ins Gespräch. Er meinte, Sie stammten ebenfalls aus South Carolina und Ihr Mädchenname sei mit dem seinen identisch.»

«Heißt Ihr Klassenkamerad Orry Main?»

«Ja.»

Sie reagierte, als hätte er einen Spucknapf über ihr ausgeleert. «Er mein älterer Bruder.»

«Ihr Bruder», echote Bent. «Nein, welch ein außergewöhnlicher Zufall! Ich hab' ihn seit Jahren nicht mehr gesehen. Ich glaube mich zu erinnern, daß er sehr liebevoll von Ihnen gesprochen hat.»

Mit einem Spitzentaschentuch betupfte Ashton ihre Oberlippe. «Das bezweifle ich.»

«Bitte, sagen Sie mir, ist Orry in Richmond?»

«Ja, zusammen mit seiner Frau. Ich sehe sie beide nicht. Aus eigenem Entschluß.»

«Ist er zufällig in der Armee?»

«Er ist Lieutenant-Colonel im Kriegsministerium.» Ihre Röcke raffend, erhob sich Ashton. «Sonst noch was?»

«Nur noch seine Privatadresse, wenn Sie so freundlich sein –»

«In der Marshall Street, nahe beim Weißen Haus. Ich bin nie dort gewesen. Guten Tag, Captain Bellingham.»

Bent schaffte es trotz des groben Rausschmisses, die Straße zu erreichen, ohne sich seine Wut anmerken zu lassen. Er hatte eine kurze, schwindelerregende Vision, wie er Ashton Huntoon die Kleider vom Leibe riß und sie gewissen Bestrafungen unterwarf, die auch ihm ein perverses Vergnügen bereiten würden.

Die gehässige Stimmung verflog. In einer Seitengasse warf er die Armschlinge weg. Orry Main war hier. Er sollte schnurstracks ins Kriegsministerium marschieren, Main an seinem Schreibtisch überraschen und ihm einen Schuß direkt zwischen die –

Nein. Das würde nicht nur sein Leben gefährden, es würde ihn um den Genuß seiner Rache bringen. Außerdem mußte er an seinen neuen Job denken. Baker würde ihn in Washington erwarten. Er sollte sein Pferd aus dem Stall holen und auf der Stelle aufbrechen.

Statt dessen beschloß er, noch eine Nacht zu bleiben. Er wollte mit dem Terrain vertraut sein, wenn er, was zweifellos der Fall sein würde, in anderer Mission nach Richmond zurückkehrte. Er wollte genau wissen, wo er Orry Main finden konnte.

Es bereitete ihm keine Schwierigkeiten, am nächsten Tag die Büros des Kriegsministeriums zu finden. Eine halbe Stunde lang beobachtete Bent das Gebäude, ging aber nicht hinein. Die Wohnung in der Marshall Street im eleganten Court-End-Bezirk zu finden, erwies sich als schwieriger. Mit ein paar Münzen mußte er nachhelfen, bis ihm ein kleiner Negerjunge endlich das Haus zeigte.

Er näherte sich von der gegenüberliegenden Straßenseite. Unter der Krempe seines schwarzen Hutes hervor beobachtete er das Haus und bekam einen Schock, als eine sehr hübsche Frau mit einem Sonnenschirm heraustrat und sich nach links wandte.

Bent hatte das Gefühl, ein Blitzschlag habe ihn getroffen. Die Frau, die da vorbeiging, war ihm sofort vertraut, weil er sie – oder eine ihr sehr ähnliche Person – schon oft betrachtet hatte: auf der in New Orleans gestohlenen Leinwand. Diese Frau hier, Mund, Nase, Farbe der Augen und des Haares, war nicht identisch mit der Frau auf dem Gemälde. Aber an der großen Ähnlichkeit gab es nicht den geringsten Zweifel.

Schwitzend stolperte Bent die Stufen zu dem Haus hoch und klingelte. Eine kleine, gebrechliche alte Frau öffnete. Er zog den Hut.

«Bitte um Entschuldigung, Ma'am, ich habe geschäftlich mit einer Mrs. Wadlington zu tun, die ich nicht persönlich kenne. Man hat mir erzählt, sie wohne in diesem Block hier. Ich bin eben an einer Lady vorbeigekommen, auf die ungefähr die grobe Beschreibung zutrifft, die ich erhalten habe. Die Lady kam aus dieser Tür hier, deshalb frage ich mich –»

«Das ist Colonel Mains Frau. Nie was gehört von einer Mrs. Wadlington, und ich kenne jeden. Sie kenne ich nicht.» *Wumm.*

Außer Atem, aber in Hochstimmung walzte Bent davon. Endlich hatte sich das Glück ihm zugewandt. Zuerst die Verbindung mit Baker und jetzt das. Orry Main, ein hoher Offizier, war mit einer Niggerhure verheiratet – und er besaß den Beweis dafür. Wie er diesen Beweis einsetzen würde, das konnte er jetzt noch nicht entscheiden; dafür war er viel zu erregt. Aber in irgendeiner Form würde er ihn verwenden, da war er sich ganz sicher.

«Mord! Geheimnisvolle Messerstecherei am Kanal!»

Der Ruf des Zeitungsjungen auf der Broad Street unterbrach seine rachsüchtigen Träumereien. Er kaufte eine Zeitung und überflog sie. Die Kälte der Panik verdrängte sein freudiges Delirium. Sie hatten die Leiche von Bents Informanten gefunden.

In weniger als einer Stunde hatte Bent seinen Koffer gepackt, sein Zimmer aufgegeben, sein Pferd gesattelt und die Stadt auf der Straße nach Norden verlassen.

80

Am gleichen Abend stand Cooper knietief im James River und nieste vor sich hin.

Er hatte sich erkältet. Es spielte keine Rolle, genauso wenig wie der elende, erschöpfte Zustand seines Assistenten und der beiden Helfer. «Noch mal», sagte er. «Richtet die Granate her.»

«Mr. Main, es ist fast dunkel», sagte sein Assistent, ein ernsthafter, aber vollkommen untalentierter Junge namens Lucius Chickering. Der neunzehnjährige Chickering, ein Aristokrat aus Charleston, hatte sich an Mallorys Marineakademie eingeschrieben und war in schneller Folge nacheinander in Astronomie, Navigation und Seemannskunst durchgefallen und schließlich entlassen worden. Nur der Einfluß seines Vaters hatte ihn vor der absoluten Schande bewahrt; im verachteten Marineministerium fand man einen Job für ihn. Cooper mochte Chikkering, auch wenn er wußte, daß der Junge keinem Menschen seinen Arbeitsplatz verriet.

Lucius Chickering besaß eine gewaltige Nase mit einem Höcker in der Mitte. Seine oberen Zähne ragten über seine Unterlippe, und er hatte mehr Sommersprossen, als ein einzelner Mensch verkraften konnte. Seine Häßlichkeit machte ihn irgendwie sympathisch. Und mit der späten Stunde hatte er durchaus recht.

Cooper gab seinem Assistenten zur Antwort: «Wir haben Zeit. Wenn ihr alle zu faul seid, dann mach' ich das selber.»

Seit Tagesanbruch hatte er nichts mehr gegessen. Den ganzen Tag waren sie schon hier unten in dem Binsengelände, eine Meile von der Stadtgrenze entfernt, und mühten sich mit diesen Treibholztorpedos ab. Sie hatten keinen einzigen Erfolg verbuchen können, und Cooper wußte auch, warum. Das Konzept war falsch.

Das Hauptproblem bestand darin, daß die Bewegung des Treibholzes, in dem der Metallkanister mit dem Pulver befestigt war, in der Flußströmung – und damit auch im Gezeitenstrom eines Hafens – unberechenbar war. Sehr häufig knallte das falsche Torpedoende gegen das Testziel. Kein einziger ihrer Versuchstorpedos war detoniert.

Als Cooper sich ans Werk machte, explodierte Chickering. «Mr. Main, ich muß protestieren. Sie haben uns den ganzen Tag wie Arbeitssklaven schuften lassen, und jetzt sollen wir weitermachen, obwohl wir kaum noch was sehen können.»

«Richtig», sagte Cooper, sein Körper ein schwarzes Schilfrohr gegen den dunkelroten Himmel. «Wir haben Krieg, Mr. Chickering. Wenn Ihnen die Arbeitsbedingungen nicht zusagen, dann bitten Sie um Ihre Entlassung und gehen zurück nach Charleston.»

Lucius Chickering blickte seinen Vorgesetzten finster an. Cooper Main schüchterte ihn ein und brachte ihn gleichzeitig in Wut.

«Sir, bei allem Respekt», nachdem er sich etwas Luft verschafft hatte, war Chickering nun ruhiger, «weshalb machen wir mit diesen sinnlosen Experimenten weiter? Unsere Arbeit ist so albern, daß sich alle anderen Abteilungen über uns lustig machen.»

«Seien Sie dankbar, Lucius. Hämische Bemerkungen können einen nie so treffen, wie es bei Kugeln der Fall ist.»

Chickering verfärbte sich bei der Andeutung, er könnte sich vor gefahrvollem Dienst drücken. Cooper begann seine scharfen Worte zu bedauern. Junge Leute ließen sich nun mal von anderen beeinflussen. Chickering hegte eine verständliche Abneigung gegen eine Abteilung, die ständig angegriffen wurde wegen Mißwirtschaft und Projekten, die den Gehirnen von Idioten entsprungen zu sein schienen. Doch der Junge, wie so viele andere auch, begriff einfach nicht, daß man allen Dreck durchsieben mußte, wenn man einen Goldnugget zu finden hoffte.

Cooper hatte sich mit blindwütiger Energie in die Suche nach diesem Goldnugget gestürzt. Hätte er seine Abteilung nicht gehabt, er würde wohl kaum überlebt haben. Hinzu kam noch, daß er an seine Arbeit glaubte; er und Mallory ähnelten sich in diesem und anderen Punkten. Beide hatten sie anfangs die Idee der Sezession verabscheut – zu Beginn des Krieges. Mallorys Worte waren häufig zitiert worden: «Für mich ist das lediglich ein anderer Name für Revolution», aber nun waren sie beide Falken geworden.

Als der Wagen auf die von Lampen erhellten Hügel zuratterte, fragte sich Cooper, wie spät es wohl sein mochte. Er würde ziemlich spät nach Hause kommen. Judith würde ärgerlich sein. Wieder einmal. Nun, ihm war es egal.

Der Wagenfahrer ließ ihn vor dem Mechanics Institute aussteigen und wünschte ihm mit mürrischer Stimme eine gute Nacht. Cooper störte sich nicht an der Mißbilligung; der Kerl kapierte nichts vom verzweifelten Kampf der Konföderation oder von den Problemen des Ministeriums, die Mallory in zwei Worten zusammenfaßte: «nie genug». Nie genug Zeit. Nie genug Geld. Nie genug Kooperation. Sie improvisierten und lebten von ihrem Geschick. Das erzeugte zwar einen gewissen Stolz, aber dafür brachte einen die Arbeit auch fast um.

Cooper nahm an, daß sich Mallory noch in den Büros im zweiten Stock befand, und so war es auch. Alle waren schon gegangen bis auf den stets entgegenkommenden Mr. Tidball, einen der drei Assistenten des Ministers, der gerade seinen Schreibtisch absperrte, als Cooper eintrat.

«Guten Abend», sagte Tidball und zog der Reihe nach an jeder Schreibtischschublade. Tidball besaß nicht die geringste Phantasie, dafür aber außerordentliche organisatorische Fähigkeiten. Er ergänzte die anderen beiden Mitglieder des Trios – Commodore Forrest, ein aufbrausender alter Fahrensmann, der viel von Seemannskunst verstand, und Cooper, der eine Art Verlängerung von Mallorys eigener erfinderischer Natur darstellte. Diese beiden Männer zogen ein «Versuchen wir's» einem «Aus diesem oder jenem Grund können wir das nicht» jederzeit vor.

«Er wartet auf Sie», sagte Tidball mit einem Nicken zum inneren Büro. Tidball ging hinaus, und Cooper betrat das Büro, in dem der Minister beim Schein einer Lampe mit grünem Glasschirm Ingenieurszeichnungen betrachtete.

«Hallo, Cooper», sagte Mallory. Er war ein rundlicher Mann von fünfzig, in Trinidad geboren und größtenteils in Key West von einer irischen Mutter und einem Yankeevater aus Connecticut aufgezogen. Er besaß eine schiefe Nase, dicke Backen und helle, blaue Augen, die oft vor Erregung funkelten.

«Glück gehabt?»

Cooper nieste. «Nicht die Spur. Das Hauptproblem haben wir ja bereits bei der ersten Untersuchung der Pläne festgestellt. Ein Torpedo, an Treibholz befestigt, tut nur eines mit Sicherheit – treiben. Ohne Führung brennt das Ding eher ein Loch in Fort Sumter, als daß es einen Yankee versenkt. Die Wahrscheinlichkeit, daß es Wochen und Monate im Hafen von Charleston rumtreibt, stets eine potentielle Gefahr, ist am größten. Wird alles in meinem Bericht stehen.»

«Sie empfehlen, wir sollen die Sache vergessen?» Cooper fiel auf, daß der Minister heute abend ungemein erschöpft wirkte.

«Auf jeden Fall.»

«Na, wenigstens das ist eindeutig. Ich weiß es zu schätzen, daß Sie den Test durchgeführt haben.»

«General Rains hat den Wert von Torpedos bei Landoperationen nachgewiesen», sagte Cooper und setzte sich auf einen harten Stuhl. «Die Yankees mögen das für unmenschlich halten, aber es funktioniert. Wir können sie einsetzen, wenn wir die richtige Methode finden, sie ins Ziel zu bringen, und wenn wir dafür sorgen, daß sie explodieren.»

«Stimmt alles. Aber wir kommen damit verdammt langsam voran.»

«Die Abteilung ist überfordert, Stephen. Vielleicht benötigen wir eine Extra-Gruppe zur Weiterentwicklung auf systematischer Basis.»

«Eine Torpedo-Abteilung?»

Cooper nickte. «Captain Maury wäre der ideale Leiter dafür.»

«Ausgezeichneter Gedanke. Vielleicht kann ich die nötigen Mittel auftreiben.» Cooper schniefte, und Mallory fügte hinzu: «Hört sich ja schrecklich an.»

«Ich habe eine Erkältung, das ist alles.»

Mallory schaute skeptisch drein. Schweiß glänzte auf Coopers Stirn. «Zeit für Sie, heimzugehen und eine warme Mahlzeit zu essen. Dabei fällt mir ein, Angela drängt darauf, daß Sie und Judith endlich mal mit uns zusammen zu Abend essen.»

Cooper sackte noch tiefer auf seinem Stuhl zusammen. «Wir habe schon drei Einladungen von meinem Bruder ausgeschlagen.»

«Ich weiß Ihren Einsatz zu schätzen. Aber Sie müssen sich auc etwas Freizeit gönnen. Sie können nicht ständig arbeiten.»

«Warum nicht? Ich habe offene Rechnungen zu begleichen.»

Mallory räusperte sich. «Also gut. Ich wollte Ihnen noch was ande res zeigen, aber das kann bis morgen warten.»

Cooper schob seinen langen Körper in die Höhe. «Es geht jetz auch.» Er ging um den Schreibtisch und betrachtete die oberste Zeich nung, die ein seltsames Schiff mit einer Länge von vierzig Fuß zeigte Heck und Bug waren wie eine Zigarre geformt.

«Was zum Teufel soll das sein? Schon wieder ein Tauchboot?»

«Ja», sagte Mallory und deutete auf einen dekorativen Streifen i der unteren rechten Ecke, wo in Zierschrift *H. L. Hunley* stand. «Da ist der Name des Schiffes. Im Begleitbrief steht, daß Mr. Hunley, ei gutsituierter Zuckermakler, für das Konzept und einen Teil des Kon struktionsgeldes verantwortlich zeichnet. Sie wurde in New Orlean gebaut. Ihre Konstrukteure transportierten sie nach Mobile, bevor di Stadt fiel. Diese Gentlemen hier machen die Sache fertig.» Er tippt auf eine Zeile darunter: *McClintock & Watson, Marine Engineers.*

«Sie nennen sie das Fisch-Schiff», fuhr der Minister fort. «Sie sol wasserdicht und in der Lage sein, mit einem Torpedo im Schlepp unte einem feindlichen Schiff hindurchzutauchen. Der Torpedo detoniert wenn das Fisch-Schiff sicher auf der anderen Seite angelangt ist.»

«Ah», sagte Cooper, «darin unterscheidet sie sich von der *David*. Das Ministerium mühte sich seit längerem damit ab, ein Tauchschif für Küsten- und Hafenoperationen zu entwickeln. Das eben erwähnt kleine Torpedoboot trug seine Explosivladung vor sich her, an einen langen Bugausleger.»

Nach einem Moment des Zögerns sagte Cooper: «Ich denke, nur di Tests werden uns zeigen, welcher Entwurf der beste ist.»

«Richtig. Wir müssen die Vollendung dieses Schiffes ermutigen. Ic beabsichtige, den Gentlemen in Mobile einen herzlichen und begeister ten Brief zu schreiben – und Kopien der gesamten Korrespondenz a General Beauregard nach Charleston zu schicken. Und jetzt gehen Si heim und ruhen sich aus.»

«Ich würde gern noch ein bißchen mehr sehen von –»

«Morgen. Gehen Sie heim. Und seien Sie vorsichtig. Ich nehme an Sie haben ebenfalls von all den Morden und Raubüberfällen in letzte Zeit gelesen.» Cooper nickte ernst. Die Zeiten waren schwer, die Leut verzweifelt.

Er wünschte Mallory eine gute Nacht und hatte das Glück, auf der Main Street eine Kutsche zu erwischen. Judith saß mit einem Buch im Schoß da und hob den Kopf, als er eintrat. Halb mitfühlend, halb verärgert sagte sie: «Du schaust elend aus.»

«Wir haben den ganzen Tag im James herumgeplantscht. Ohne Ergebnis.»

«Der Torpedo –»

«Taugt nichts. Gibt's was zu essen?»

«Kalbsleber. Du würdest nicht glauben, was das kostet. Ich fürchte, es wird kalt und fettig sein. Ich habe dich schon längst erwartet.»

«Oh, um Himmels willen, Judith, du weißt doch, daß ich eine Menge Arbeit habe.» Er schniefte. «Wo ist Marie-Louise?»

«Wo soll sie zu dieser Stunde sein? Im Bett natürlich. Cooper –»

«Ich wünsche keine Diskussion.» Er wandte sich ab.

«Aber mit dir ist etwas geschehen. Du scheint überhaupt kein Gefühl mehr übrig zu haben für mich, für deine Tochter – nur deine verdammte Abteilung zählt noch.»

Er schniefte wieder, den Kopf leicht gesenkt. Die Art und Weise, wie er sie unter seinen Brauen hervor ansah, ängstigte sie.

«Mit mir ist etwas geschehen», sagte er leise. «Mein Sohn ist ertrunken. Wegen dieses Krieges, der Gier meiner Schwester und deiner Weigerung, in Nassau zu bleiben. Und jetzt laß mich bitte in Ruhe, damit ich essen kann.»

Er setzte sich neben den kalten Ofen in der Küche, aß drei Bissen und warf den Rest weg. Er ging ins Schlafzimmer, zündete die Gaslampe an und schloß die Tür. Nachdem er sich ausgezogen hatte, türmte er zwei Zudecken über sich, fror aber immer noch.

Bald darauf kam Judith herein. Sie zog sich aus, löschte die Lampe und kam zu ihm ins Bett gekrochen. Er lag mit dem Rücken zu ihr, das Gesicht zur Wand. Sie achtete sorgfältig darauf, ihn nicht zu berühren. Er glaubte sie weinen zu hören, drehte sich aber nicht um. Er schlief ein, mit seinen Gedanken bei den Zeichnungen des Fisch-Schiffes.

Einmal pro Woche wiederholte Madeline ihre Dinner-Einladung. Gegen Ende Mai setzte Judith es schließlich durch, daß Cooper sich für einen Abend vom Marineministerium freimachte. An diesem Tag schickte er um vier Uhr eine Nachricht, daß er später kommen würde. Erst gegen halb neun kam seine Kutsche in der Marshall Street an.

In der großen Wohnung in der oberen Etage umarmten sich die Brüder. «Wie geht's dir, Cooper?» Orry roch Whiskey; der Anblick des blassen, heruntergekommenen Gastes entsetzte ihn.

«Viel Arbeit im Ministerium.» Die Antwort rief bei Judith ein Stirn runzeln hervor.

Sie setzten sich zu Tisch. «Orry wird euch Rotwein einschenken oder Wasser, falls ihr das vorzieht», sagte Madeline. «Ich weigere mich dieses üble Gebräu aus gemahlenen Erdnüssen zu servieren, das sie al Kaffee verkaufen.»

«Sie verkaufen eine Menge merkwürdiger Sachen», sagte Judith «Kermesbeerensaft als Tinte –» Sie hielt inne, als Cooper seinem Bru der das Glas entgegenstreckte. Orry schenkte es halbvoll mit Wein aber Cooper zog seine Hand nicht zurück. Orry räusperte sich und füllte das Glas ganz.

«Einige –» Cooper stürzte die Hälfte des Weines hinunter; dunkle Tropfen befleckten sein bereits schmutziges Hemd. «– einige Leute i dieser Stadt trinken richtigen Kaffee und schreiben mit richtiger Tinte Einige können diese Sachen bezahlen.» Er starrte seinen Bruder an «Unsere Schwester zum Beispiel.»

«Tatsächlich?» sagte Madeline mit bemühter Leichtigkeit. Cooper starrer Blick war mürrisch, seine Sprache schleppend. Etwas Häßliche lag in der Luft.

«Ich gebe zu, Ashton lebt in einem schönen Haus», sagte Orry «Und die paar Mal, die ich sie auf der Straße gesehen habe, war si stets gut gekleidet – Pariser Schick oder sowas. Ich kann mir nich vorstellen, wie sie sich das bei Huntoons Gehalt leisten kann.»

Cooper atmete tief und rauh ein. Judiths Hände verkrampften sich unter dem Tisch. «Ich kann dir sagen, wie sie sich den Luxus leiste können, Orry. Sie sind Kriegsgewinnler.»

Orry legte die Gabel ab. «Das ist eine schwere Beschuldigung.»

«Ich war auf ihrem Schiff, gottverdammt!»

«Lieber», fing Judith an, «wir sollten vielleicht besser –»

«Es ist an der Zeit, daß sie Bescheid wissen.»

«Welches Schiff meinst du?» fragte Orry. «Der untergegangen Blockadebrecher? Auf dem du –?»

«Ja, ich meine die *Water Witch*. Ashton und ihr Mann sind zu einen Großteil an dem Schiff beteiligt. Die Eigner erteilten dem Kapitän de grundsätzlichen Befehl, die Blockade um jeden Preis und zu jeder Risiko zu durchbrechen. Wir taten es, und ich verlor meinen Sohn.»

Merklich erregt füllte Orry das Glas von Cooper auf. «Wer wei sonst noch über Ashton und James Bescheid?»

«Die anderen Eigner, nehme ich an. Ihre Namen habe ich nie ge hört. Der einzige Mann an Bord mit diesen Informationen schien de Kapitän zu sein, und der ertrank wie –» Coopers Gesicht zuckte.

Er trank, starrte vor sich hin in die Kerzenflamme. «Ich möchte sie umbringen», sagte er und stellte sein Kelchglas so hart ab, daß der Stiel brach.

«Entschuldigt mich», sagte Cooper, von seinem Stuhl aufspringend, der krachend umstürzte. Er streckte die Hand aus, um eine Kollision mit der Wand zu vermeiden, und schwankte ins Wohnzimmer. Er erreichte gerade noch die Couch, bevor er zusammensackte.

Judith entschuldigte sich noch einmal für Coopers Benehmen. Orry, selbst aufgewühlt, sagte, eine Entschuldigung sei unnötig. «Ich hoffe bloß, er meinte die letzte Bemerkung nicht ernst.»

«Sicher nicht. Der Verlust von Judah war für uns beide tragisch, aber ihn scheint es besonders getroffen zu haben.»

Orry seufzte. «Sein ganzes Leben lang hat er die Welt stets für besser gehalten, als sie tatsächlich ist. Menschen mit dieser Art von Idealismus werden am schlimmsten verletzt. Hoffentlich handelt er nicht übereilt, Judith. Ashton hat bereits in dem Punkt, der ihr in Richmond am meisten bedeutete, einen Fehlschlag erlitten – zu den besten Kreisen zu gehören. Die Bestrafung für ihre Profitmacherei wird sie schon noch ereilen. Wenn er sie zu richten versucht», er warf einen Blick über die Schulter auf die traurige Vogelscheuche auf dem Sofa, «dann wird er nur sich selbst weh tun.»

Ein Windstoß blähte die Wohnzimmervorhänge, strich über das grausträhnige Haar in Coopers Stirn. Judith sagte: «Das versuche ich ihm ja beizubringen. Es nützt nichts. Er trinkt stark, wie ihr sicher bemerkt habt. Ich habe Angst vor dem, was er vielleicht mal tut, wenn er zuviel hat.»

Die Worte, leise und sanft gesprochen, lösten tiefe Bestürzung bei Orry aus. Schweigend saßen die drei da und lauschten dem Regen, der auf das Dach und die Trümmer dieses Abends fiel.

Jede Woche gelangten einige Exemplare vom *Richmond Enquirer* ins Winder-Gebäude. Eine Ausgabe, die George mit einem Gemisch aus Neugier und Trauer las, enthielt mehrere lange Artikel über Jacksons Beerdigung. Auf einer Seite war eine Liste mit hohen Offizieren abgedruckt, die bei der Prozession mitmarschiert waren. Darunter entdeckte George den Namen seines besten Freundes.

«Da ist es – Colonel Orry Main», sagte er zu Constance, als er ihr am Abend die Zeitung zeigte. «Er ist zusammen mit anderen vom Kriegsministerium aufgeführt.»

«Bedeutet das, er ist in Richmond?»

«Ich denke schon. Was immer er tut, ich bin sicher, es ist wichtiger,

als Gespräche mit Verrückten zu führen und in Verträgen das Kleinge
druckte zu lesen.»

Mit einer Spur Bedauern in der Stimme sagte sie: «Du läßt dich
schon wieder von deinen Schuldgefühlen überwältigen.»

Er faltete die Zeitung zusammen. «Ja, das tue ich. Jeden Tag.»

Homer betrat das Speisezimmer und machte Meldung.

Huntoon nahm seine Brille ab. «Mr. Main? Welcher? Orry?»

Wie stets wandte sich der alte Neger mit seiner Antwort an Ashton.
«Nein. Der andere.»

«Cooper? Na sowas. Ich hatte keine Ahnung, daß er sich in Rich
mond befindet, James.»

Im Nordwesten donnerte es; bläuliches Licht zuckte und gleißte. Es
war ein schwüler Juni, und die Stadt kochte über mit Gerüchten von
einem bevorstehenden Einfall in den Norden durch General Lee.

«Er ist hier, er ist eindeutig hier», drang eine belegte Stimme aus
dem Schatten vor dem Speisesaal. Eine erschreckende Gestalt trat
durch die Tür – tatsächlich Cooper, aber gealtert, seit Ashton ihn das
letztemal gesehen hatte. Schrecklich gealtert und grau. Seine Wangen
waren wächsern, und seine Whiskeyfahne rollte wie eine Woge über
den Tisch. «Er ist hier und kann es kaum erwarten zu sehen, wie seine
liebe Schwester und ihr Ehemann ihren neuerworbenen Reichtum ge
nießen.»

«Cooper, Lieber –», fing Ashton an; sie witterte Gefahr, versuchte
sie mit einem sirupartigen Lächeln beiseitezuwischen. Cooper ließ sie
nicht weiter reden.

«Sehr schönes Haus habt ihr hier. Großartige Möbel. Die Gehälter
im Finanzministerium müssen höher sein als im Marineministerium.
Müssen ja geradezu gewaltig sein.»

Zitternd umklammerte Huntoon die Armlehnen seines Stuhles. Bei
läufig griff Cooper in ein offenes Regal nach einem der wunderschö
nen, leicht bläulich getönten Porzellanteller.

«Hübsches Zeug, das. Habt ihr sicher nicht hier gekauft. Hat es ein
Blockadebrecher gebracht? Vielleicht statt Gewehre und Munition für
die Armee?»

Mit großer Wucht schmetterte er den Teller zu Boden. Ein Splitter
traf Huntoons Handrücken; niemand beachtete seinen gemurmelten
Protest.

Ashton sagte: «Lieber Bruder, ich kann mir weder deinen Besuch
noch dein flegelhaftes Benehmen erklären. Abgesehen davon, daß du
so unangenehm wie eh und je bist, bin ich sehr erstaunt, von di

atriotische Phrasen zu hören. Du klingst wie einer der eifrigsten Par-
eigänger von Mr. Davis.»

Sie zwang sich zu einem Lächeln, in der Hoffnung, die darunterlie-
ende Furcht verbergen zu können. Sie befand sich in Gesellschaft
ines Irren, dessen Absichten sie nicht erraten konnte. Ohne sich etwas
nmerken zu lassen, sah sie, wie sich Homer von hinten auf Cooper
uschob. Gut.

Ashton stützte ihre Ellbogen auf den Tisch. Ihr Lächeln wurde
ämisch. «Wann fand diese bemerkenswerte Transformation zum Pa-
rioten statt, wenn man fragen darf?»

«Sie fand statt», sagte Cooper über die Geräusche des Sturmes
inweg, «kurz nachdem mein Sohn ertrunken war.»

Ashtons Beherrschung verwandelte sich in Verblüffung. «Judah –
rtrunken? Oh, Cooper, wie absolut –»

«Wir befanden uns an Bord der *Water Witch*. Kurz vor Wilmington.
)er Mond kam raus, die Blockadeflotte war in voller Stärke vertreten.
ch bat Captain Ballantyne, den Durchbruch nicht zu riskieren, aber er
estand darauf. Die Eigner hatten klare Befehle erteilt. Maximales
Risiko für maximale Profite.»

Ashtons Hand fiel nach unten. Ihre Haut fühlte sich wie erfroren an.
«Den Rest kennst du, Ashton. Wegen deiner intensiven Hingabe an
nsere Sache wurde mein Sohn geopfert.»

«Halt ihn auf, Homer», kreischte sie, als Cooper vortrat. Huntoon
vollte sich von seinem Stuhl erheben. Cooper traf ihn seitlich am
Kopf, schlug ihm die Brille herunter.

Homer packte Cooper von hinten und schrie um Hilfe. Cooper
ammte ihm den Ellbogen in den Magen, überbrüllte das Gewitterdon-
ern: «Die Sache des Profits. Deine verfluchte, dreckige Gier.»

Mit beiden Händen griff er nach dem Schrank und zog. Die herrli-
hen blauen Teller und Tassen und Untertassen und Schüsseln began-
en zu rutschen. Erneut kreischte Ashton auf, als die Wedgwood-
achen zu Boden stürzten. Der Schrank krachte auf den Eßtisch, der
uf Huntoons Seite zusammenbrach. Zwei Hausdiener kamen Homer
u Hilfe und zerrten den fluchenden, tobenden Cooper zur Tür. Sie
tießen ihn in den strömenden Regen hinaus.

Ashton hörte das Knallen der Tür; ihr erster Gedanke war: «Wenn
r herumerzählt, was er weiß?»

«Na und?» schnarrte Huntoon. «Wir haben nichts Gesetzwidriges
etan. Und jetzt sind wir ja raus aus dem Geschäft.»

«Hast du gesehen, wie weiß seine Haare geworden sind? Ich glaube,
r ist verrückt geworden.»

«Ganz sicher ist er gefährlich», sagte Huntoon. «Morgen müsse
wir Pistolen kaufen, für den Fall – für den Fall –»

Er konnte den Satz nicht beenden. Ashton betrachtete die Scherber
Eine einzige Tasse hatte überlebt. Am liebsten hätte sie vor Wut ge
heult. Ein Blitz zuckte auf; ihre Lippen preßten sich zusammen.

«Ja, Pistolen», stimmte sie zu. «Für jeden von uns.»

81

Am gleichen Abend, einem Donnerstag in der ersten Juniwoche, me
dete sich Bent wie befohlen in Colonel Bakers Büro. Baker war nick
da. Ein Detektiv sagte, er sei ins Old-Capitol-Gefängnis gegangen, ur
einen unbequemen Journalisten, der verhaftet worden war, persönlic
zu verhören. «Von dort wird er zum Pistolentraining gehen. Di
Stunde versäumt er keinen Tag.»

Bent setzte sich und besänftigte seine Nerven mit einem der Äpfe
die er bei einem Straßenhändler gekauft hatte. Nach zwei Bisse
blickte er wieder auf das kleine silberne Abzeichen an seinem Rever
Es trug die Worte NATIONAL DETECTIVE BUREAU; Bake
hatte es ihm nach seiner Rückkehr aus Richmond verliehen. Sei
dortiger Erfolg hatte ihm die offizielle Aufnahme in Bakers Organisa
tion gebracht.

Bent verzehrte gerade seinen dritten Apfel, als Baker, fröhlich sun
mend, ins Büro marschiert kam.

«O'Dell ist letzte Nacht aus Richmond zurückgekommen. Er sa
eine Menge Truppenbewegungen westlich von Fredericksburg. An de
Gerüchten ist was dran. Lee hat was vor – ah!» Unter der Post fand e
einen Umschlag, den er sofort einsteckte. «Ein Brief von Jennie.
Bakers Frau lebte bei ihren Eltern in Philadelphia.

Der Mann, den Baker erwähnt hatte, Fatty O'Dell, war ein weitere
Agent. «Ich wußte gar nicht, daß noch jemand von uns unten war.»

«Doch, doch», erwiderte Baker, führte das aber nicht weiter au
Nur er kannte alle Agenten und ihre Aufträge.

Baker lehnte sich zurück und verschränkte die Hände hinter de
Kopf. «Fatty hat noch was von dritter Stelle erfahren. Ein Spekula
aus Richmond namens Powell agitiert ziemlich offen gegen Davis.»

Bent klaubte sich ein Apfelstückchen von der Lippe. «Das geht schon über ein Jahr so, nicht wahr?»

«Vollkommen richtig. Diesmal jedoch gibt es eine neue Perspektive. Fatty sagte, Mr. Powells Ankündigungen beinhalteten Gerede über die Gründung eines unabhängigen Konföderiertenstaates in einer noch nicht näher bezeichneten Gegend.»

«Wie war der Name des Spekulanten doch gleich?» fragte Bent.

«Lamar Powell.»

«Hab' ich in Richmond nie gehört. Auch nichts von einer neuen Konföderation.»

«Vielleicht handelt es sich bloß um Straßenklatsch. Wenn sie Davis aufhängen würden, dann wäre uns schon viel geholfen. Und ich wäre der erste, der Beifall klatschen würde. Aber wahrscheinlich ist das eine vergebliche Hoffnung.»

Er zog eine Schreibtischschublade auf und holte einen der Hefter mit den persönlichen Dossiers heraus. In schöner, fließender Handschrift stand vorne der Name Randolph darauf.

Baker reichte den Hefter über den Schreibtisch. Bent schlug ihn auf und sah mehrere Seiten handschriftliche Notizen und eine Anzahl Zeitungsausschnitte vor sich. Unter einem der Berichte stand: *Von unserem Capitol-Korrespondenten Mr. Eamon Randolph.*

«Mr. Randolph steht, wie Sie bald feststellen werden, wenn Sie diese pöbelhaften Artikel lesen, nicht auf seiten derer, für die wir arbeiten. Auch hat er nichts für Senator Wade und den Kongreßabgeordneten Stevens übrig. Sie werden merken, daß Mr. Randolphs Zeitung, der *Cincinnati Globe*, gegen die Regierung und pro-demokratisch eingestellt ist. Zusätzlich verdient sich nur der Friedensflügel dieser Partei seine Bewunderung. In Krisenzeiten können wir derartige Ansichten nicht tolerieren. Ich bin von gewissen offiziellen Regierungskreisen gedrängt worden, ihn –», Baker strich sich seinen üppigen Bart, «– zu züchtigen. Ihn kurz zum Schweigen zu bringen, womit auch gleich eine Warnung für seine Zeitung und andere mit ähnlicher Einstellung verbunden ist. Ihre Arbeit in Richmond hat mich beeindruckt, Dayton. Deshalb habe ich Sie für diesen Fall ausgewählt.»

82

Die drei Ärzte saßen in dreckigen Uniformen um den wackligen Tisch
Auch ihre Hände waren dreck- und blutbeschmiert.

Einer der drei bohrte in der Nase. Der zweite rieb sich mit dümmli
chem Lächeln zwischen den Beinen. Der dritte Arzt leerte eine für die
Verwundeten bestimmte Flasche Alkohol. Eine Ordonnanz, die sich
wie ein Wahnsinniger benahm, führte einen jämmerlich hinkenden
Verwundeten herein.

«Was haben wir denn da?» sagte der Arzt, der den Alkohol getrun
ken hatte; anscheinend war er der Chef.

«Ich bin verletzt, Sir», sagte der Soldat. «Kann ich heim?»

«Nicht so schnell! Zuerst müssen wir eine Untersuchung durchfüh
ren. Gentlemen? Darf ich bitten.»

Die Ärzte umringten den Soldaten, bohrten an ihm herum, berat
schlagten im Flüsterton. Der Chef verkündete den gemeinsamen Be
schluß: «Tut mir leid, aber Ihre Arme müssen amputiert werden.»

«Oh.» Der Patient schaute bedrückt drein, doch einen Momen
später grinste er wieder. «Dann bekomme ich Urlaub?»

«Auf gar keinen Fall», sagte der Arzt, der sich die Geschlechtsteil
gerieben hatte. «Das linke Bein muß auch ab.»

«Oh.» Diesmal war es ein Stöhnen. Der Patient mühte sich um ein
Lächeln. «Aber danach bekomme ich doch bestimmt Urlaub?»

«Bestimmt nicht», sagte der Nasenbohrer. «Wenn Sie wieder gesund
sind, können Sie eine Ambulanz fahren.»

Dröhnendes Gelächter.

«Gentlemen – eine weitere Beratung», rief der Chef, und wieder
steckten sie die Köpfe zusammen. Diesmal ging es schnell. Der Chef
sagte: «Ein letzter Eingriff ist noch notwendig. Wir müssen Ihren Kopf
amputieren.»

Der Patient bemühte sich, die Sache positiv zu sehen. «Nun, aber
danach, das *weiß* ich, habe ich Anrecht auf Urlaub.»

«Keineswegs», sagte der Chef. «Wir sind so knapp an Männern, daß
wir Ihren Körper an die Feldschanzen stellen müssen, um den Feind zu
täuschen.»

Wieder dröhnte brüllendes Gelächter aus der Dunkelheit. Charles
mit untergeschlagenen Beinen im zertrampelten Gras sitzend, lachte so
sehr, daß ihm die Tränen kamen. Auf der winzigen, von Laternen und

Fackeln erhellten Bühne, rannte der Soldat, der den Patienten spielte, kreischend herum, während ihn die wahnsinnigen Ärzte mit Meißeln, Sägen und Äxten verfolgten. Schließlich jagten sie ihn hinter einen Vorhang.

Applaus, Japsen und Pfiffe zeigten das Ende des Programms an, das ungefähr vierzig Minuten gedauert hatte. Alle Darsteller und Schauspieler verbeugten sich. Ein anonymer Schreiber der Stonewall-Brigade hatte *Der Ärzte-Ausschuß* geschrieben, und es hatte sich zu einem Lieblingsstück der Lagerprogramme entwickelt.

Viele undeutliche Schatten erhoben sich und gingen auseinander. Charles rieb sich den steifen Rücken. Ab sagte: «Muß noch meine Stiefel polieren. Verdammt will ich sein, wenn mir je in den Sinn gekommen wäre, ich müßte mich bei den Scouts so aufputzen.»

«Du kennst Stuart», sagte Charles mit resigniertem Schulterzucken.

«Bei manchen Gelegenheiten wünschte ich, das wäre nicht der Fall. Verdammt will ich sein, falls ich auch nur die geringste Lust verspüre, am Samstag für die Ladies zu paradieren.»

Die beiden Männer überquerten die Eisenbahnschienen, holten ihre Pferde aus dem Pferch und machten sich zu dem Feld auf, wo ihre Zelte bei dem Regiment von Calbraith Butler standen. Unterhalb des Rappahannock fanden massive Verschiebungen der Streitkräfte statt; Ewell und Longstreet standen mit ihrer Infanterie bereits bei Culpeper. Charles wußte nichts vom eigentlichen Ziel der Armee, aber es wurde viel über eine zweite Invasion in Richtung Norden geredet.

Irgendwo über dem Fluß gab es mit Sicherheit Yankees, die Lees Armeebewegungen ausspionierten, aber niemand schien sich deswegen Sorgen zu machen. Stuart lagerte bei Culpeper mit mehr Reitern, als er seit langem zur Verfügung gehabt hatte – fast zehntausend. Die meisten davon bereiteten sich auf Stuarts große Parade am Samstag vor geladenen Gästen vor. Viele Frauen würden aus Richmond und den umliegenden Städten mit Bahn und Kutsche anreisen. Charles wünschte, er hätte Zeit gehabt, Gus einzuladen.

Der Duft süßen Klees hing in der Juninacht. Entlang des ganzen südlichen Horizonts leuchteten die Feuer. Im Camp gab es nur wenige Männer, die sich ausruhten, Briefe schrieben oder Karten spielten. Die meisten Kavalleristen hatten dafür keine Zeit. Sie nähten und putzten, weil Stuart befohlen hatte, daß jeder in anständiger Uniform zur Parade zu erscheinen hatte. Charles hatte zwar für den ganzen Einfall nichts übrig, aber er wollte sich doch so ordentlich wie möglich präsentieren. Wenn Jeb eine große Show abziehen wollte, dann würde er seinen Teil dazu beitragen.

Brandy Station hatte ihren Namen von einer alten Postkutschenhalte-stelle bekommen, die für ihren Apfelbrandy berühmt war. Jetzt betrieb die Orange & Alexandria-Bahnlinie die Station. Am Samstag rollten schon frühzeitig die Sonderzüge ein, die Wagen vollgepackt mit Politi-kern und bunt gekleideten Damen, die sowohl an der Parade als auch an General Stuarts Ball in Culpeper am gleichen Abend teilnehmen würden.

Auf den offenen Wiesen nahe des langgestreckten, relativ flachen Fleetwood Hill führte Stuarts Kavallerie den Besuchern ihre Darbie-tungen vor. Nach der langen, ermüdenden Parade kehrte Charles zu seinem Lager zurück und freute sich auf eine gute Mahlzeit und einen gesunden Schlaf. Morgen mußte er den Fluß in der Nähe von Kelly's Furt erkunden. Er versorgte gerade Sport, als eine Ordonnanz er-schien.

«Captain Main? General Fitzhugh Lee sendet seine Grüße und bit-tet heute abend in seinem Hauptquartierszelt um die Gesellschaft des Captains. Das Essen wird vor dem Ball serviert, den der General nicht besuchen wird.»

«Weshalb nicht?»

«Der General war krank, Sir. Kennen Sie die Lage seines Haupt-quartiers?»

«Oak Shade Church?»

«Richtig, Sir. Darf der General mit Ihnen rechnen?»

«Ich habe ebenfalls nicht vor, auf den Ball zu gehen. Sagen Sie Fitz – dem General, ich nehme mit Vergnügen an.»

Das ist eine verdammte Lüge, dachte er, nachdem die Ordonnanz gegangen war. Jeder wußte, daß Fitz immer noch eifersüchtig auf Hampton war, weil dieser aufgrund seiner früheren Ernennung rang-höher war. Hamptons Partisanen machten hämische Bemerkungen über Fitz und behaupteten, er sei nur so schnell befördert worden, weil er Old Bobs Neffe war. Da mochte was dran sein. Zwei der fünf Kavallerie-Brigaden wurden von Lees geführt – von Fitz und von Rooney, dem Sohn des Generals.

Die Einladung bereitete Charles ein unbehagliches Gefühl. Die nächsten paar Stunden brachte er damit zu, seine Uniform zu säubern. Schließlich sattelte er Sport und ritt der untergehenden Sonne entge-gen. Im Norden verschwammen die Hügel von Fleetwood in blauem Dunst.

Ich wünschte, ich könnte hier weg und Gus besuchen, dachte er. Irgendwas läuft bei diesem Feldzug verdammt verkehrt.

«Freut mich, daß du die Einladung angenommen hast, Bison. Hab' mich in letzter Zeit ziemlich schlecht gefühlt. Rheumatismus. Ich brauche ein bißchen aufmunternde Gesellschaft.»

Fitz sah tatsächlich blaß und krank aus. Sein Bart war groß und buschig wie stets, seine Uniform makellos, aber ihm fehlte seine gewohnte Energie.

Der Feuerball der Sonne senkte sich auf die flachen Hügel im Westen. Durch das offene Zelt wehte eine leichte, angenehme Brise. Ein Negerdiener servierte Whiskey, und einer von Fitz' Offizieren schloß sich ihnen an; Colonel Tom Rosser, ein gutaussehender junger Texaner, der im Mai '61 graduiert hätte, sich aber zuvor schon dem Süden angeschlossen hatte. Die drei Kavalleristen plauderten zwanglos. Zweimal erwähnte Rosser einen Kadetten der Juni-Klasse von '61, der auf seiten der Union stand.

«Heißt George Custer. Ein Lieutenant. Adjutant von Pleasanton. Ich hab ihn mal für einen Freund gehalten, aber das ist wohl nicht länger möglich.»

Beim Gedanken an Hampton und Freundschaften warf Charles dem General einen versteckten Blick zu. Weshalb hatte Fitz ihn eingeladen? Aus dem offiziellen Grund – Gesellschaft? Oder aus einem anderen Grund?

Zum Thema Custer sagte Fitz: «Ich höre, sie nennen ihn Crazy Curly.»

«Warum das?» fragte Charles.

Rosser lachte. «Wenn man ihn sieht, ist einem das sofort klar. Haare bis hierhin.» Er zeigte zur Schulter. «Trägt ein großes, scharlachrotes Halstuch – schaut aus wie ein verdammter Zirkusreiter, der verrückt geworden ist.» Nachdenklich fügte er hinzu: «An Mut fehlt's ihm allerdings nicht.»

Der Abend zog sich hin, und Charles wurde immer deprimierter. Er sagte wenig und beobachtete seinen Freund Fitz mit einem Gefühl wachsenden Neides. Für einen jungen Mann hatte es Fitz weit gebracht – und nicht nur aufgrund seiner Familienbeziehungen.

Schließlich erhob sich Rosser, stülpte sich seinen Hut auf. «Ich muß los. Hat mich gefreut, Sie kennenzulernen, Captain Main. Hab' viel Gutes von ihnen gehört. Hoffentlich sehen wir uns bald wieder.»

Rossers letzte Bemerkung schien eine verschlüsselte Botschaft für Fitz zu enthalten. Als der Neger des Generals Teller mit Fleisch und Brot vor ihnen abstellte, sagte Fitz: «Du verschwendest deine Zeit beim alten Hampton, das weißt du. Ich habe vor einer Woche einen Colonel verloren. Wenn du willst, kannst du sein Regiment haben.»

Völlig überrascht stotterte Charles: «Fitz, das – nun, das ist sehr schmeichelhaft.»

«Zum Teufel damit. Dieser Krieg bringt zuviele Probleme mit sich, meinen Rheumatismus eingeschlossen, als daß ich eine Minute auf Schmeicheleien verschwenden würde. Du bist ein großartiger Kavallerist, ein fähiger Führer, und, wenn ich das so sagen darf, du dienst unter einem Kommandeur, der nicht ganz das ist, was er sein sollte – Moment, reg dich nicht auf.»

«Aber ich bin seit zwei Jahren bei General Hampton. Ich trat bei ihm ein, als er seine Legion in Columbia zusammenstellte. Er hat Anspruch auf meine Loyalität.»

«Richtig. Jedoch –»

«Er ist ein fähiger und tapferer Offizier.»

«An Wade Hamptons Mut besteht kein Zweifel. Aber der Mann ist – nun – nicht mehr jung. Und gelegentlich hat er eine gewisse Zaghaftigkeit an den Tag gelegt.»

«Fitz, bei allem Respekt, red bitte nicht weiter. Du bist mein Freund, aber Hampton ist der beste Offizier, unter dem ich je gedient habe.»

Fitz's Stimme wurde merklich kühler. «Schließt diese Aussage auch General Stuart ein?»

«Ich möchte das lieber nicht weiter ausführen, bis auf einen Punkt. Was manche Zaghaftigkeit nennen, bezeichnen andere als Vorsicht – oder Klugheit. Hampton konzentriert seine Kräfte, bevor er angreift. Er will den Sieg, keine großen Opfer oder Schlagzeilen.»

Enttäuscht und verärgert betrachtete Fitz seinen Besucher. «Deine Loyalität mag lobenswert sein, Charles, aber ich behaupte nach wie vor, daß du deine Talente verschwendest.» Keine Spitznamen mehr; das Freundschaftstreffen hatte einen sauren Beigeschmack bekommen. «Fast jeder Offizier unseres West-Point-Jahrgangs ist Colonel oder Major – mindestens.»

Das tat weh. Charles atmete tief durch. «Ich war vor zwei Jahren zur Beförderung dran. Ich habe einige Fehler gemacht.»

«Ich weiß alles über das, was du als deine Fehler bezeichnest. Sie sind bei weitem nicht so ernst, wie du dir einbildest. Grumble Jones und Beverly Robertson achten auch sehr auf Disziplin. Beide verloren deswegen die Wahlen zum Colonel. Aber man fand neue Kommandos für sie.»

«Fitz», unterbrach Charles, «habe ich mich nicht klar ausgedrückt? Was ich tue, gefällt mir. Ich will und brauche kein neues Kommando.»

Schweigen senkte sich über das Zelt. Draußen konnte man den

chwarzen Diener am Campofen hantieren hören. «Tut mir leid, daß
lu es so siehst, Charles. Wenn du dich nicht an den Platz stellen willst,
vo du am nützlichsten bist, weshalb kämpfst du dann überhaupt für
len Süden?»

Die leise Verachtung ärgerte Charles. «Ich kämpfe nicht für den
Jüden, wenn das Sklaverei oder ein getrenntes Land bedeutet. Ich
kämpfe für den Ort, wo ich lebe. Mein Land. Mein Zuhause. Deswegen haben sich die meisten Männer zur Armee gemeldet. Manchmal
rage ich mich, ob Mr. Davis das versteht.»

Fitz zuckte mit den Schultern und begann hastig zu essen. «Tut mir
eid, dich drängen zu müssen, aber ich muß mich beim Ball sehen
assen. Übrigens, General Lee hat sich für Montag ebenfalls angekün-
ligt. General Stuart hat eine Parade angeordnet.»

«Noch eine? Wie stellt er sich das vor? Nach der heutigen Parade
sind die Männer gereizt und die Pferde erschöpft. Wir sollten die
Yankees nördlich vom Fluß im Auge behalten, nicht unsere gesamte
Energie auf militärischen Tand verschwenden.»

Fitz räusperte sich. «Tun wir so, als wären diese Worte nie gefallen.
Ich danke dir für dein Kommen, Charles. Ich fürchte, du wirst mich
etzt entschuldigen müssen.»

Der Abend hatte Charles eine deprimierende Lektion gelehrt. Er und
Fitz konnten nicht länger Freunde sein. Rang und unterschiedliche
Meinungen trennten sie. In letzter Zeit durchschaute er mehr und mehr
lie eigenartige Institution, die die Sklaverei war und schon immer
gewesen war. Die Wirklichkeit – vom Standpunkt der Versklavten aus
– war eine trügerische Maske, hinter der sich Angst und Wut verbargen. Die Art von Maske, die getragen werden mußte, wenn der Sklave
iberleben wollte.

Gus würde seine Gefühle über die Sklaverei verstehen; sie Ab oder
einem anderen seiner Kameraden gegenüber zum Ausdruck zu bringen
wagte er allerdings nicht. Der Gedanke schlich sich bei ihm ein, daß er
ür seine Heimat kämpfte, während die Politiker für Slogans und Rhetorik kämpften, für eine «gerechte Sache». Und sich damit, was das
anbelangte, im Unrecht befanden.

Der Parade am Montag wohnten keine Damen bei; deshalb stellte
sie ein unerfreuliches Ereignis dar. Noch unerfreulicher war, daß irgendein Idiot John Hood eingeladen hatte, der seine gesamte Infante-
riedivision mitbrachte. Die Kavalleristen stießen wüste Drohungen
aus, was sie tun würden, wenn ein Infanterist sie mit dem üblichen:
«Mister, wo hast du dein Maultier gelassen?» aufziehen würde.

Wie Charles befürchtet hatte, erschöpfte die Parade jedermann – und am Dienstagmorgen sollten sie zum Abmarsch bereit sein. Er und Ab ritten direkt vom Paradeplatz zu Hamptons Lager. Charles schlie⟩ sehr unruhig und schreckte abrupt hoch, als die Hörner und Trom⟩ meln erklangen.

Es war gerade Tagesanbruch. Das Camp war ein einziges Chaos. Ab rannte durch den dichten Nebel, der sich während der Nacht über di⟩ Landschaft gelegt hatte. Er trug ihren Kaffeetopf auf eine Art und Weise, daß Charles wußte, daß er keine Chance gehabt hatte, ihn hei⟩ zu machen.

«Hoch mit deinem Arsch, Charlie. General Stuart hat den Dame⟩ zuviel Aufmerksamkeit geschenkt und den Blaubäuchen zuwenig. Ein⟩ ganze Kavalleriedivision ist bei Beverly Ford auf der anderen Fluß⟩ seite.»

«Welche?»

«Bufords, heißt es. Er hat Infanterie und Gott weiß was noch. Viel⟩ leicht kommen sie auch bei Kelly's rüber. Niemand weiß was Ge⟩ naues.»

Der Hornist rief in den Sattel. «Sollen Tausende von ihnen sein» sagte Ab und ließ den Kaffeetopf fallen. «Sie kamen aus dem Nebel Unsere Wachposten ließen sich total überraschen. Wir sollen zusam⟩ men mit Butler los, die Nachhut bilden und kundschaften.»

Peitschen knallten. Wie große Schiffe im Meer des weichen, grauer Nebels ragten Stuarts Hauptquartierwagen am Rande des Camp⟩ hoch. Verdammt, dachte Charles, im Schlaf überrascht. Unter Hamp⟩ tons Kommando wäre das nicht passiert. Er packte Schrotflinte und Decke, schwang seinen Sattel über die Schulter und rannte wie de⟩ Teufel hinter Ab Woolner her.

Charles merkte, daß Ab eine sehr schlechte Nacht gehabt haben muß⟩ ten. Zuerst brüllte er ein paar Hospitalratten an, die mit eingebildete⟩ Beschwerden zum Arzt rannten; ein vertrauter Anblick vor Kampfbe⟩ ginn. Dann fluchte Ab das Blaue vom Himmel herunter, als er ein Paa⟩ einwandfreie Stiefel im Unkraut liegen sah. Männer ohne Stiefel genau wie Pferde ohne Hufeisen, konnten nicht kämpfen – und irgend⟩ ein verfluchter feiger Hund, wie Ab ihn charakterisierte, hatte sein⟩ Stiefel weggeworfen, um einem äußerst unangenehmen Tag zu entge⟩ hen.

In dem dünner werdenden Nebel entfernten sich Charles und A⟩ bald schon von Butlers Truppe. In einem kleinen Pinienwäldche⟩ oberhalb von Stevensburg zog Charles plötzlich scharf die Zügel an

Jenseits der Bäume näherten sich auf einem Weg neben einem Weizenfeld ein halbes Dutzend Unions-Kavalleristen. Charles konnte kein Anzeichen der berühmten Berge von Ausrüstung entdecken, die die Südstaaten-Kavallerie verächtlich als «Yankee-Festungswerke» bezeichnete. Die feindlichen Reiter hatten weiter nichts als Waffen bei sich.

«Machen wir einen Bogen um sie, Ab. Wir kommen so schneller nach Stevensburg.»

Wild, fast feindselig starrte Ab ihn an. «Schießen wir ein paar Yanks ab. Danach kommen wir um so sicherer nach Stevensburg.»

«Hör zu, wir sollen uns nur umschauen und –»

«Was ist los mit dir, Charlie? Hast wegen dieses Mädels keinen Mut mehr?»

«Du verdammter Hundesohn –»

Aber Ab galoppierte bereits aus dem Wäldchen; seine doppelläufige Schrotflinte dröhnte.

Die Yankees hatten verkündet, daß sie jeden Südstaatler, den sie mit einer solchen Waffe erwischten, aufhängen würden. Aber die beiden, die Ab aus den Sätteln geblasen hatte, würden keine Meldung mehr gegen ihn machen. Mit trockenem Mund trieb Charles Sport voran.

Kugeln zischten vorbei. Sobald er in Schußweite war, feuerte er beide Läufe ab. Damit waren vier Yanks erledigt. Die beiden letzten flüchteten sich in das Weizenfeld. Ab galoppierte auf Stevensburg zu, ohne einen Blick zurückzuwerfen. Charles haßte seinen Freund, weil er die Wahrheit gesagt hatte.

An diesem Nachmittag kämpfte Jeb Stuarts Kavallerie auf dem sonnigen Fleetwood Hill eine neue Art von Krieg. Sie bekamen es mit Unions-Kavalleristen zu tun, die mit ihren Säbeln und Pferden so geschickt umgingen wie die besten Südstaatenjungs. Die Yanks trieben Stuart vom Hügel runter, und als Charles und Ab von Stevensburg zurückkehrten, wurde jeder verfügbare Kavallerist in den Kampf geworfen. Hampton war von Beverly Ford zurück, wo er den erfolglosen Versuch unternommen hatte, Buford aufzuhalten.

Auch Stevensburg hatte sich zur Katastrophe ausgewachsen. Dort hatte Frank Hampton einen Säbelhieb abbekommen und war anschließend von einer Kugel tödlich getroffen worden. Calbraith Butler hielt seine Position gegen die angreifenden Yankees, aber auf Kosten seines rechten Fußes, der ihm von einem Granatschrapnell fast abgerissen wurde.

Bei Fleetwood sammelten sich die Schwadronen, und Stuart brüllte:

«Zeigt ihnen die Säbel, Jungs!» Die Hornisten bliesen Trab und Ga
lopp und schließlich Angriff. Hügelauf stürmten sie, im Sonnenschein
der schnell hinter Schleiern von Rauch und Staub verschwand.

Obwohl Charles ihn nicht sehen konnte, wußte er, daß Ab ganz in
seiner Nähe ritt. Seit dem Vorfall bei dem Pinienwäldchen hatten sie
nur das Nötigste gesprochen. Charles wußte, daß sein Freund mit der
Anschuldigung nur herausgeplatzt war, weil er übermüdet und an
gespannt war. Aber das machte es nicht weniger wahr.

Dann waren sie auf den Höhen von Fleetwood. Artillerie wurde
herumgezerrt. Säbel schepperten aufeinander. Pistolen blitzten. Pferde
und Männer verkeilten sich ineinander. Formationen lösten sich auf
Charles kämpfte mit einer Verbissenheit wie nie zuvor. Er mußte sich
in Abs Augen bewähren.

Bluttropfen sammelten sich in seinem Bart. Er tauschte den Säbel
gegen die Schrotflinte, die Schrotflinte gegen den Revolver, wechselte
dann wieder zurück zu der Waffe, die stets seine letzte Zuflucht dar
stellte, wenn keine Zeit zum Nachladen blieb.

Er stieß auf einen Mann in Grau ohne Pferd, streckte ihm die Hand
entgegen, um ihm zu helfen. Der Mann schlug nach ihm mit einem
Ladestock, hätte ihm beinahe den Schädel eingedroschen; Charles
konnte gerade noch ausweichen und stieß dem Yank seinen Säbel in
die Brust. Der dichte Staub machte an diesem Nachmittag viele blaue
Uniformen grau. Ein Mann konnte sterben, weil er die Farben nicht
rechtzeitig auseinandergehalten hatte.

Wie bei den meisten Schlachten löste sich auch der Kampf um den
Hügel in viele kleine, häßliche Gefechte auf. Sie erkämpften die Anhö
hen, verloren sie, stürmten erneut an. Beim zweiten Angriff wäre Char
les beinahe in einen ganzen Trupp Unions-Kavalleristen geritten. Er
hob seinen Säbel, um den Schlag eines wild blickenden Offiziers mit
wehendem Haar und einem scharlachroten Halstuch zu parieren.

Säbel gegen Säbel, schiebend und stoßend, höhnte der Lieutenant
«Dein ergebener Diener, Reb –»

«Aber ich nicht der deine.» Charles spuckte dem Yank ins Gesicht
um einen Vorteil zu erringen; er hätte ihn auch durchbohrt, wäre nich
das Pferd des Offiziers gestolpert. *Wahnsinnig gewordener Zirkusreiter*
hallte eine Stimme in ihm nach, als sich ihre Blicke für einen Augen
blick ineinander krallten.

Das Pferd stürzte; der Yankee verschwand. Keiner der beiden Män
ner würde den anderen vergessen.

«Paß auf, Charlie», brüllte Ab über den Schlachtenlärm hinweg
Durch Staubwolken erkannte Charles undeutlich, daß Ab hinter ihm

508

deutete. Er drehte sich um, sah, wie ein Yank-Sergeant eine gewaltige Pistole in Anschlag brachte.

Ab raste auf den Yank zu. Seinen leeren Revolver als Keule benutzend, schlug er auf den Arm des Sergeants. Der Sergeant änderte sein Ziel und schoß Ab aus zwei Fuß Entfernung in die Brust.

«*Ab!*» Der Schrei nützte nichts mehr. Ab war bereits tot, rutschte seitlich aus dem Sattel, die Augen offen, aber ohne jedes Bewußtsein. Der Sergeant tauchte in dem Getümmel unter.

Mit zusammengebissenen Zähnen parierte Charles den Schlag eines Unions-Kavalleristen, der mit seinem Pferd Sport rammte. Dann ein zweiter Schlag. Funken stoben, wo Metall auf Metall traf.

Der Kavallerist kämpfte mit seinem bockenden Pferd; ein Rotschopf, noch keine zwanzig, mit einem närrischen Grinsen unter seinem großen, roten Schnurrbart.

«Hast den Mut verloren?» Mit diesem Gedanken war Ab gestorben. *Und trotzdem hat er mich gerettet –*

«Diesmal krieg ich dich», brüllte der Rotschopf. Mit einer geschickten Drehung entging Charles dem Säbel und bohrte seinen eigenen in die Kehle des Jungen. Ohne Bedauern zog er ihn wieder heraus. Ab hatte recht gehabt: Gus hatte ihn weich und schwach gemacht. Dieser blutige Junitag war nötig gewesen, um das ans Licht zu bringen.

Charles kämpfte weiter mit dem Säbel wie ein Wahnsinniger, täuschte und schlug so schnell, daß er nicht zu treffen war. Schließlich siegten die Südstaatler und hielten den Hügel. Doch die Unions-Aufklärung hatte ihr Ziel erreicht: Lees Armee war gestellt.

Und noch etwas hatten die Yanks erreicht, ungeplant und unbeabsichtigt: sie hatten einen Säbelhieb tief in das Selbstvertrauen der konföderierten Kavallerie geführt.

Noch vor Einbruch der Dunkelheit befahl Pleasanton den allgemeinen Rückzug. Als die Sonne versank und der Wind den Rauch und Staub von Fleetwood wegwehte, ließen sich Legionen von glänzenden blauen Schmeißfliegen auf dem zertrampelten roten Gras nieder. Truthahngeier kamen aus dem Zwielicht des Himmels angesegelt. Charles suchte so lange, bis er Abs Leiche gefunden hatte, hundert Meter von der Stelle entfernt, an der er gestorben war. Die Aasgeier waren bereits bei seinem Gesicht angelangt. Charles verscheuchte die Vögel, aber einer kam mit einem Stück rosigen Fleisches im Schnabel hoch. Charles zog seinen Colt und tötete den Vogel.

Er begrub Ab in einem Wäldchen südlich der Eisenbahnlinie. Während er grub, versuchte er Trost zu finden beim Gedanken an die guten Zeiten, die er und Ab zusammen erlebt hatten; er fand keinen.

Er legte Ab in das Loch, kauerte sich am Rand hin. Eine Minute verstrich. Er knöpfte sein Hemd auf und zog den Lederriemen über den Kopf. Er betrachtete das Buch mit der eingebetteten Kugel. Das Buch hatte ihn nicht beschützt, es hatte ihn verweichlicht. Er warf den Beutel in das Grab und begann, Erde hineinzuschaufeln.

Während des Kampfes hatte er General Hampton mehrmals gesehen, seinen großen Säbel schwingend und vor seinen Männern galoppierend, wie das gute Kavalleriegeneräle stets taten. An diesem Abend sah Charles ihn erneut. Der Verlust seines Bruders ließ Hampton wie einen alten Mann aussehen.

Charles hörte, daß die Ärzte Calbraith Butlers Fuß wahrscheinlich nicht retten konnten. Soviel war an diesem Tag bei Fleetwood geschehen – so viele Tote und kleine Heldentaten, einige bemerkt, andere unbemerkt. Charles hatte seinen einzigen guten Freund verloren; dafür hatte er etwas wiedergewonnen, was er aufgegeben hatte.

Er rieb Sport ab, fütterte ihn und streichelte seinen Hals. «Wir haben's wieder mal geschafft, alter Freund.» Der Graue reagierte mit einem kleinen Schütteln des Kopfes; er war ebenso erschöpft wie Charles.

Brandy Station begründete den Ruf der Unions-Kavallerie. Stuarts Reputation bekam einige Flecken ab. Und mit einiger Verspätung wurde Charles klar, wie sehr er doch mit seiner Angst vor einer Beziehung mit Gus recht gehabt hatte. Solch eine Verbindung war in Kriegszeiten falsch. Falsch für sie, falsch für ihn.

Charles war während der Angriffe auf Fleetwood beobachtet worden. Er wurde von Hampton lobend erwähnt und erhielt die Ernennung zum Major. Und er selbst hatte sich ein neues Ziel gesteckt. Zuerst mußte er an seine Pflicht denken. Er liebte Gus; daran würde sich nichts ändern. Aber Spekulationen über Heirat, eine gemeinsame Zukunft, durften im Kopf eines Soldaten keinen Platz finden. Das schläferte seine Konzentration ein, machte ihn verletzbar, weniger tatkräftig.

Er mußte Gus sagen, wie es um ihn stand. Das war nur fair. Doch jetzt war er zu müde, um sich darüber Gedanken zu machen, wann und wie er ihr das mitteilen würde.

83

«Pack sofort», sagte Stanley.

Verschwitzt und gereizt von der Hitze an diesem Montag, dem 15. Juni, schnappte Isabel zurück: «Wie kannst du es wagen, einfach mitten am Tag bei mir hereinzuplatzen und Befehle zu erteilen?»

Er wischte sich das Gesicht, war aber sofort wieder schweißüberströmt. «Also gut, bleib hier. Ich bring die Jungs mit dem Vier-Uhr-Zug über Baltimore nach Lehigh Station. Ich habe das Dreifache des normalen Preises für die Fahrkarten gezahlt, und da habe ich noch Glück gehabt.»

Ganz plötzlich spürte sie Beklommenheit – nie sprach er in diesem scharfen Ton zu ihr – und mäßigte sich. «Was ist der Grund dafür, Stanley?»

«Den Grund schreien die Zeitungsjungs an jeder Straßenecke heraus. ‹Washington in Gefahr›. Ich habe gehört, daß Lee in Hagerstown ist – daß er in Pennsylvania ist –, morgen früh haben die Rebs die Stadt vielleicht schon eingeschlossen. Ich habe beschlossen, daß es Zeit für einen Urlaub ist. Wenn du keinen Wert darauf legst, dann ist das deine Angelegenheit.»

Es hatte Gerüchte über Militärbewegungen in Virginia gegeben, aber bis jetzt hatte man nichts Genaues erfahren. Konnte sie seiner Beurteilung der Lage trauen? Sie roch seine Whiskeyfahne; in letzter Zeit trank er viel.

«Wieso hast du die Erlaubnis zur Abreise bekommen?»

«Ich erzählte dem Minister, zu Hause sei meine Schwester schwer erkrankt.»

«Kam ihm der Zeitpunkt nicht ein bißchen sehr merkwürdig vor?»

«Sicher. Aber das ganze Ministerium ist ein einziges Irrenhaus. Niemand tut etwas. Und Stanton hat gute Gründe, mich bei Laune zu halten. Ich hab seine Instruktionen an Baker weitergegeben. Ich weiß, wieviel Dreck an seinen Händen klebt.»

«Trotzdem könnte es deiner Karriere schaden, wenn –»

«Hör auf», schrie er. «Lieber ein lebender Feigling als ein toter Patriot. Glaubst du, ich bin der einzige Regierungsbeamte, der verschwindet? Hunderte sind bereits weg. Wenn du mit mir kommen willst, dann fang an zu packen. Ansonsten verhalte dich ruhig.»

Eine bemerkenswerte, nicht ganz willkommene Veränderung war in den letzten Monaten mit ihrem Mann vorgegangen. Sie hatte diesen neuen Mann geschaffen. Und sie liebte einige Aspekte dieser Schöpfung – den Reichtum, die Macht, die Unabhängigkeit von seinem üblen Bruder. Wenn sie ihn weiterhin kontrollieren wollte, dann mußte sie ihren eigenen Stil ändern und subtilere Methoden anwenden.

Von der Tür her funkelte er sie an. Mit gesenktem Blick und vorgetäuschter Unterwürfigkeit sagte sie: «Ich entschuldige mich, Stanley. Es war klug von dir, auf die Abreise zu drängen. In einer Stunde bin ich fertig.»

Ächzend und grunzend kletterte Elkanah Bent, der in seinem weißen Leinenanzug wie ein Berg Schweineschmalz auf Beinen aussah, vom Kutschbock; der Fahrer hatte genau vor Mrs. Devores Privatresidenz für junge Damen gehalten, deren Geschäfte den Geräuschen nach zu urteilen trotz der Panik in der Stadt sehr gut zu gehen schienen. Zwei weitere Männer der Abteilung schoben die hinteren Vorhänge der geschlossenen Kutsche beiseite und sprangen hinaus. Bent signalisierte einen zu einem Durchgang, der zur Hintertür des Hauses führte. Der andere folgte ihm die Steinstufen hoch.

Die Detektive hatten nach der besten Möglichkeit gesucht, wie sie ihr Opfer zu fassen bekommen könnten. Es schien nicht ratsam, einen bekannten Journalisten bei hellem Tageslicht von der Straße zu zerren. Sie hatten sein Logierhaus in Erwägung gezogen, aber Bent, der das Kommando führte, hatte sich schließlich für das Bordell entschieden. Allein die Umgebung würde vielleicht die unvermeidlichen Proteste des Mannes dämpfen.

Er läutete die Glocke. Der Schatten einer Frau mit hochgetürmten Haaren fiel auf das Milchglas. «Guten Abend, Gentlemen», sagte die elegante Mrs. Devore. «Möchten Sie nicht eintreten?»

Lächelnd folgten Bent und sein Begleiter der Frau in einen hell erleuchteten Salon, in dem sich Huren im Abendkleid und eine fröhliche Menge aus Offizieren und Zivilisten drängten. Einer der Zivilisten, ein dürrer, satanischer Mensch, näherte sich Bent.

«Abend, Dayton.»

«Abend, Brandt. Wo?»

Der Mann blickte zur Decke. «Zimmer 4. Heute hat er zwei im Bett. Gemischte Farben.»

Bents Herz klopfte rasend, eine Mischung aus Furcht und Erregung. Jetzt erst entdeckte Mrs. Devore die Ausbuchtung an Bents rechter Hüfte.

«Sie halten hier unten alles unter Kontrolle, Brandt. Niemand verläßt den Raum, bis ich ihn geschnappt habe.» Brandt nickte. «Los», sagte Bent zu dem anderen Detektiv. Sie gingen auf die Treppe zu.

Alarmstimmung leuchtete in Mrs. Devores Augen auf. «Gentlemen, wohin wollen –?»

«Verhalten Sie sich ruhig», sagte Bent und wandte sein Revers, um sein Abzeichen zu zeigen. «Wir sind vom National Detective Bureau. Wir wollen einen Ihrer Kunden. Mischen Sie sich nicht ein.»

Die Stufen hochwalzend, zog Bent seinen Revolver, einen nagelneuen LeMat .40-Kaliber, in Belgien hergestellt. Es war eine durchschlagskräftige Waffe, die meist von den Rebellen benutzt wurde.

Im oberen Flur konnte der starke Parfümduft nicht ganz den Geruch nach Desinfektionsmitteln verdecken. Bents Stiefel trampelten über den Teppich, vorbei an geschlossenen Türen; hinter einer Tür stöhnte eine Frau in rhythmischen Ausbrüchen. Seine Lenden bebten.

Vor Zimmer 4 postierten sich die Detektive auf beiden Seiten der Tür. Bent dreht den Türknauf mit der linken Hand und stürzte hinein. «Eamon Randolph?»

Ein Mann in mittleren Jahren mit weichlichen Gesichtszügen lag nackt im Bett; ein hübsches schwarzes Mädchen saß rittlings über ihm, eine ältere weiße Frau, deren schwere Brüste über seiner Nase baumelten, hinter seinem Kopf. «Wer zum Teufel sind Sie?' rief der Mann, während die Huren aufsprangen.

Wieder ließ Bent sein Abzeichen aufblitzen. «National Detective Bureau. Ich habe einen Haftbefehl gegen Sie, unterzeichnet von Colonel Lafayette Baker.»

«Oh-oh», sagte Randolph und richtete sich mit kampflustigem Gesichtsausdruck auf. «Ich soll wohl wie Dennis Mahoney beiseite geschafft werden?» Mahoney, ein Journalist mit ähnlicher Einstellung wie Randolph, hatte letztes Jahr drei Monate im Gefängnis gesessen.

«Sowas in der Art», sagte Bent. Die weiße Hure grapschte nach ihrem Morgenrock. Die junge Schwarze, weniger verängstigt, beobachtete alles vom offenen Fenster aus. «Die Anklage lautet auf illoyale Praktiken.»

«Aber natürlich», schoß Randolph mit hoher Stimme zurück, gegen die Bent sofort eine heftige Abneigung empfand. Das fliehende Kinn und die hervorquellenden Augen des Reporters erweckten den falschen Eindruck von Schwäche. Anstatt sich zu krümmen, schwang er recht munter die Beine aus dem Bett.

«Meine Damen, wenn Sie mich entschuldigen würden. Ich muß mich ankleiden und diese Totschläger begleiten. Ihr könnt gehen.»

Einen Blick auf die schwarze Hure werfend, wedelte Bent mit dem LeMat. «Jeder bleibt an seinem Platz. Ihr kommt alle in den Wagen.»

«Oh Gott», sagte die Weiße und bedeckte ihre Augen. Das schwarze Mädchen schlüpfte in ein elfenbeinfarbenes Seidenkleid; jetzt sah sie aus wie eine in die Enge getriebene Ratte.

«Er blufft, Mädels», sagte Randolph. «Geht.»

«Ein schlechter Rat», konterte Bent. «Ich möchte eure Aufmerksamkeit auf diese Waffe lenken. Sie ist mit Schrotkugeln geladen. Ihr könnt euch sicher vorstellen, wie ein Gesicht aussieht, das ich mir zum Ziel genommen habe?»

«Er wird nicht schießen», sagte Randolph, auf die nackten Füße springend. «Diese Regierungsleute sind alle feige Hunde. Und was den Haftbefehl anbelangt, den können Sie ins gleiche Feuer werfen, in dem Sie und Baker und Stanton schon ihre Verfassungskopien verbrannt haben. Und jetzt treten Sie bitte beiseite, und stören Sie mich nicht beim Ankleiden.»

«Bewach die Tür», knurrte Bent seinem Helfer zu. Er holte mit dem LeMat aus und schlug zu. Randolph, nicht darauf gefaßt, bekam den Schlag voll ins Gesicht. Seine Haut platzte auf; Blut tropfte auf sein weißes Brusthaar.

Die weiße Frau schluchzte melodramatisch. Im Korridor erklangen Schritte, Flüche, Fragen. Bent rammte den LeMat in Randolphs nackten Bauch, schlug dann erneut auf seinen Kopf ein. Mit hervorquellenden Augen kippte Randolph aufs Bett, machte die Laken blutig.

Bent am Ärmel fassend, sagte der andere Detektiv: «Hör auf, Dayton. Wir wollen ihn nicht umbringen.»

Bent schlug mit dem linken Arm nach hinten, schüttelte die Hand des anderen ab. «Halt's Maul. Ich befehle hier. Und was dich anbelangt, du Dreckstück –» Er knallte Randolph den Revolverkolben auf den Schädel. «Für dich haben wir ein Spezialzimmer im Old-Capitol Gefängnis reserviert – *Paß auf sie auf!*»

Der Detektiv sprang auf das schwarze Mädchen zu. Aber sie hatte bereits ein nacktes Bein über den Fenstersims geschwungen und war blitzschnell verschwunden. Bent hörte einen scharfen Aufschrei, als sie landete.

Fäuste hämmerten gegen die Tür. Der andere Detektiv streckte den Kopf zum Fenster raus. «Harkness! Eine haut ab.»

«Laß sie gehen. Nichts weiter als Niggergeschmeiß», sagte Bent. Mit dem Revolver versetzte er Randolphs Schulter einen harten Stoß. «Anziehen.»

Fünf Minuten später zerrte er zusammen mit seinem Helfer den halb bewußtlosen Journalisten die Treppe runter. Sie warfen den in eine Decke gewickelten Körper hinten in die Kutsche. «Du hast ihn hart geschlagen», sagte der andere Detektiv.

«Du sollst das Maul halten, hab' ich gesagt.» Bent schnaufte laut; er fühlte sich, als hätte er eben eine Frau gehabt. «Ich habe die Sache erledigt. Das ist alles, was Colonel Baker will.»

Brandt stieg zu ihnen in die Kutsche. Detektiv Harkness setzte sich neben den Kutscher. «Die Niggerin ist entwischt, Dayton», sagte er. Bent grunzte; allmählich wurde er ruhiger. Am Boden gab der Gefangene wimmernde Laute von sich. Bent begann sich Sorgen zu machen; hatte er ihn wirklich zu hart getroffen?

Lächerlich, sich darüber Gedanken zu machen. Oft genug war bei Bakers Verhören wesentlich Schlimmeres passiert. Er hatte nichts weiter als seine Arbeit getan.

«Los, sonst kriegen wir noch die städtische Polizei auf den Hals», brüllte er. Der Fahrer schüttelte die Zügel; die Kutsche ruckte an.

Brett trat auf die vordere Veranda hinaus; sie hatte sich zum Abendessen umgekleidet, aber schon brach ihr wieder der Schweiß aus. Kein Lufthauch rührte sich.

«Brett? Hallo! Wichtige Neuigkeiten!»

Die belegte Stimme gehörte dem fett gewordenen Stanley, der in Hemdsärmeln mit aufgeschlagener Zeitung auf der Veranda seines eigenen Hauses saß. Seit er und Isabel mit ihren widerwärtigen Söhnen nach Belvedere zurückgekehrt waren, hatte Brett nach Möglichkeit einen Bogen um sie gemacht. Auch jetzt überlegte sie, ob sie grob und unhöflich sein sollte, brachte es aber nicht über sich. Gleich würde die Glocke zum Abendessen rufen; solange konnte sie es schon mit ihm aushalten.

Sie ging die paar Schritte nach nebenan, ihr Schatten auf dem messingfarbenen Rasen dreimal so groß wie sie. «Was gibt's?» fragte sie vom Fuße der Treppe aus. Sie roch seine Ginfahne und bemerkte seinen glasigen Blick. Im oberen Stock konnte sie die Zwillinge fluchen und streiten hören.

Schwankend streckte Stanley ihr den *Ledger-Union* entgegen. «Zeitung hat telegraphisch Nachricht aus Washington bekommen. Am Samstag», Zischlaute mischten sich in seine schon undeutliche Aussprache, «Präs'dent Lincoln ersetzt Gen'ral Hooker. Gen'ral Me's hat's Kommando jetzt.»

«General Wer?»

«Me. M-e-a-d-e. Me.»

Betrunken, dachte sie. Von der Dienerschaft des anderen Hauses hatte sie zufällig einigen Klatsch über Stanleys neues Laster aufgeschnappt. Sie sagte zu ihm: «Ich fürchte, ich weiß so gut wie nichts über diese Männer oder ihre Fähigkeiten.»

«Gen'ral Me is' ein Fels. Wenn einer die Reb-Invasion stoppn kann, dann er.» Ein nervöser Blick Richtung Süden. «Gott, ich wünscht', wir hätt'n das alles hinter uns.»

Mit der Zeitung klatschte er sich gegen das Bein. Bei der plötzlichen Bewegung verlor er die Balance und konnte sich gerade noch an einer Verandapfosten klammern. Für einen kurzen Moment hatte Brett Mitleid mit ihm. «Ich wünsche es mir mindestens so sehr wie du», sagte sie.

Er blinzelte, zerrte an seinem feinen Leinenhemd. «Weiß schon, du hättest Billy gern daheim. Ich auch. Aber der verfluchte Krieg sollt nich' bloß wegen der Familie vorbei sein. Hab auch noch'n paar politische Gründe. Nich' persönlich gemeint, jetzt», ein schmieriges Grinsen, «aber wir Republikaner werd'n das alte Dixie-Land für immer umkrempeln.»

Gereizt von seiner alkoholisierten Selbstzufriedenheit, aber doch neugierig geworden, fragte sie: «Oh, wirklich? Wie denn?»

Geheimnistuerisch legte er den Finger an die Lippen, flüsterte dann «Ganz einfach. Rep'likanische Partei wird so tun, als wär sie der Freund von all'n befreit'n Niggern da unten. Dummes Pack, Niggers Wir geb'n ihnen das Wahlrecht, dann wähl'n sie, was wir ihnen sagn Mit den Niggerstimmen kriegt unsre Partei die Mehrheit, bevor du *piep* sagen kannst.»

«Stanley, das ist ein ziemlich kaltblütiger Plan. Bist du sicher, daß du ihn nicht erfunden hast?»

Das schmierige Grinsen wurde noch breiter. «Würd' ich meine eigne Verwandte anlüg'n? Pläne sind schon lange gemacht. Von einer gewissen – inneren Gruppe.» Er verdrehte die Augen. «Ich sag' besser nichts mehr.»

Empört erwiderte Brett: «Du hast schon genug gesagt. Ihr nützt die gleichen Leute schamlos aus, die ihr angeblich unterstützen wollt?»

Er kicherte. «Nigger kapier'n sowas nicht, kapier'n auch nicht, daß wir sie benutzen.»

«Das ist absolut skrupellos.»

«Nein, bloß Pol'tik. Ich –»

«Entschuldige mich», sagte sie, mit ihrer Geduld am Ende. «Ich muß zum Essen.»

Sie aß allein, erhitzt und verärgert. Maude, eines der Serviermädchen, nahm ihren Mut zusammen und fragte: «Alle reden von einer großen Schlacht. Werden sie hier auch kämpfen?»

«Ich weiß nicht», antwortete Brett. «Niemand weiß genau, wo die Armeen stehen.»

In der Hoffnung auf etwas Kühlung spazierte Brett den Hügeln entgegen, in die von Hazards Licht gerötete Dunkelheit hinein. Wo war Billy? Seit fast drei Wochen hatte sie keinen Brief mehr bekommen. Sie stieg höher, durch den Lorbeer auf den Anhöhen hindurch. Gedankenverloren brach sie einen Lorbeerzweig. Sie erinnerte sich daran, daß Billy ihre Liebe mit dem Lorbeer verglichen hatte. Beide würden sie diese schrecklichen Zeiten überleben, hatte er gesagt. Würden sie wirklich?

Wo mochte ihr Mann heute abend sein? Wo die Armeen? Konnte es sein, daß Harrisburg brannte, und sie hatte in diesem friedlichen Tal keine Ahnung davon? Sie schauderte unter den rötlichen Sternen, starrte nach Südwesten in die Dunkelheit, stellte sich die unsichtbaren Armeen vor, die sich in der heißen Nacht gegenseitig belauerten.

Verstört und verschreckt warf sie den Lorbeerzweig weg und eilte den Hügel hinab. Erst in der Morgendämmerung schlief sie ein.

84

Lee war im Feindesland untergetaucht. Eine Stadt, eine Regierung, ein ganzes Land hielt den Atem an in der Hoffnung auf gute Nachrichten.

Keine guten Nachrichten aus dem Westen, teilte Orry Madeline mit. Rosecrans war in Tennessee in Bewegung, und Grant hielt Vicksburg in einem stündlich enger werdenden Würgegriff. Orrys Arbeit bestand aus einem Alptraum von Konferenzen, Memoranden und ständigen Zusammenstößen mit Winder und dessen Gefängnispersonal über die laufend steigende Zahl der Toten unter den Kriegsgefangenen.

Sie lasen und erwiderten die gelegentlichen Briefe von Philemon Meek. Augusta Barclay besuchte sie für einen Tag und erkundigte sich sehr besorgt nach Cousin Charles. Seit zwei Monaten hatte sie keinen Brief mehr von ihm erhalten; ihre Angst, er könnte bei dem Kavalleriegefecht bei Brandy Station gefallen sein, war groß.

Orry versicherte ihr, daß er die Verlustlisten genau beobachtete; bis jetzt sei der Name von Major Charles Main nirgendwo aufgetaucht. Gus wußte noch nichts von seiner Beförderung. Sie sagte, sie freue sich darüber, aber es klang nicht sonderlich begeistert.

Kurz vor ihrer Abreise brachte sie den Mains gegenüber erneut ihre Dankbarkeit für deren Gastfreundschaft während der Kämpfe bei Chancellorsville zum Ausdruck; sie würde sich gern für die erwiesenen Freundlichkeiten revanchieren. Madeline dankte ihr, und die beiden Frauen umarmten sich; sie hatten Gefallen aneinander gefunden.

Nachdem Gus gegangen war, sagte Madeline: «Irgendwas stimmt nicht zwischen ihr und Charles, ich weiß bloß nicht, was.»

Orry war der gleichen Meinung; genau wie seine Frau hatte er eine gewisse Traurigkeit in den Augen der Besucherin entdeckt.

Auch mit Cooper stimmte etwas nicht. Orry traf seinen Bruder gelegentlich am Capitol Square. Cooper war kurz angebunden und lehnte weitere Essenseinladungen mit einem schroffen «Im Augenblick zu beschäftigt» ab.

Seit einigen Monaten wußte Orry, daß Beauchamps Oyster House in der Main Street als illegaler Briefkasten für Post nach dem Norden diente. Ende Juni schrieb er George einen langen Brief, adressiert an Hazards in Lehigh Station. Er erkundigte sich, wie es Constance und Billy und Brett ging, berichtete von seiner Eheschließung mit Madeline und erwähnte, daß Charles Dienst bei den Iron Scouts tat. An einem schwülen Abend betrat er in dem einzigen Zivilanzug, den er von Mont Royal mitgebracht hatte, Beauchamps und übergab dem Barmann den versiegelten Umschlag, zusammen mit vierzig Konföderiertendollar. Es gab keine Garantie, daß der Brief weiter als bis zur nächsten Mülltonne kommen würde. Doch Orry vermißte seinen alten Freund, und nachdem er es auf Papier zum Ausdruck gebracht hatte, fühlte er sich besser.

Die Junihitze hielt an. Das Warten auch.

«Ich mache mir Sorgen», sagte Ashton am gleichen Abend, an dem Orry seinen Brief abschickte.

«Worüber?» fragte Powell. Nackt bis auf die Unterhosen saß er da und las die Besitzurkunde über eine kleine Farm durch, die er und seine Partner gekauft hatten. Die Farm lag am Ufer des James, unterhalb der Stadt in der Nähe von Wilton's Bluff. Powell hatte nicht erklärt, weshalb dieser Besitz einen Vorteil bot, doch Ashton wußte, daß es etwas mit dem Plan, Davis zu eliminieren, zu tun hatte.

Powells Desinteresse brachte Ashton dazu, ärgerlich zu erwidern: «Über meinen Mann.» Er hörte den Zorn in ihrer Stimme und legte die Urkunde beiseite. «Jeden Morgen erkundigt er sich nach meinen Plänen für den Tag. Als ich gestern in der Stadt einkaufen war, hatte ich das komische Gefühl, beobachtet zu werden – und dann entdeckte ich James auf der anderen Straßenseite, wie er hinter einem Wasserwagen lauerte und möglichst unverdächtig dreinzuschauen versuchte.»

«Hat er dir an dem Abend Fragen gestellt?»

Sie schüttelte den Kopf. «Er war noch an der Arbeit, als ich das Haus verließ.»

«Aber du glaubst, er weiß Bescheid?»

«Er hat einen Verdacht. Ich will es nicht, aber ich glaube, ich muß es sagen, Lamar. Vielleicht wäre es besser, wenn wir uns eine Weile nicht mehr sehen würden.»

Seine Augen wurden eisig. «Wenn ich dich richtig verstehe, willst du damit zum Ausdruck bringen, daß ich dich langweile, ja, meine Liebe?»

Sie rannte auf ihn zu, preßte ihre Handflächen gegen seine harte Brust. «Oh, mein Gott, nein, mein Schatz. Nein! Aber James ist so – es läuft schlecht für ihn, und er ist völlig durcheinander. Egal, wie vorsichtig du bist, er könnte dich eines Abends überraschen. Dich verletzen.» Sie begann sich an seiner Hüfte zu reiben. «Es würde mich umbringen, wenn ich für sowas verantwortlich wäre.»

Powell führte ihre Hand tiefer und murmelte: «Nun – vielleicht hast du recht.»

Er erlaubte ihr, noch etwas weiterzumachen, dann schob er abrupt ihre Hand weg und nickte in Richtung eines anderen Stuhls. Gehorsam setzte sie sich hin. «Meine persönliche Sicherheit kümmert mich am wenigsten. Ein gewaltiges Werk ist in Gang gebracht worden. Ich will nicht, daß es durch irgendeine idiotische, vermeidbare Gewalttat gestört wird. Um dir die Wahrheit zu sagen, ich habe mir auch schon Gedanken wegen deines Mannes gemacht.» Er legte die Fingerspitzen gegeneinander. «Letzte Woche bin ich auf eine Möglichkeit gestoßen, sicher zu gehen, daß er keine Bedrohung für uns darstellt. Ich habe darüber nachgedacht und bin jetzt überzeugt davon, daß die Idee vernünftig ist.»

«Was hast du vor? Willst du für seine Entlassung sorgen und ihn heimschicken?»

Powell ignorierte den Sarkasmus. «Ich beabsichtige, ihn für unsere Gruppe zu rekrutieren.»

«*Ihn zu rekrutieren?*» Sie sprang auf. «Das ist die lächerlichste, um nicht zu sagen gefährlichste –»

«Sei still, und laß mich ausreden.»

Seine kalte Stimme brachte sie zum Schweigen. «Natürlich klingt es so – anfangs. Aber denk mal drüber nach. Es sprechen ganz logische, zwingende Argumente dafür.»

«Tut mir leid, ich kann keine entdecken», konterte sie.

«Bei jedem derartigen Unternehmen braucht man immer eine gewisse Anzahl von – sagen wir mal, Soldaten. Männer, die die gefährlichsten Phasen des Plans ausführen. In unserem Fall müssen diese Männer mehr als vertrauenswürdig sein; sie müssen fanatisch gegen die Freiheit der Nigger sein, denn nur das bringt absolute Loyalität. Unsere Soldaten müssen Davis und seine West-Point-Stümper und die Judenbürokraten hassen und für die Errichtung unserer neuen Konföderation sein. Vom letzten Aspekt abgesehen, von dem er noch nichts weiß, gehe ich davon aus, daß dein Mann all diese Bedingungen erfüllt.»

«Nun, so betrachtet, mag es vielleicht zutreffen.»

Powells verschlagenes Lächeln verstärkte sich. «Und schließlich, wäre es nicht besser, ihn ganz in der Nähe und unter Kontrolle zu haben, als ihn frei herumlaufen zu lassen?» Er kam um den Tisch und wickelte eine Locke ihres Haares um seinen Finger. «Bei einer aktiven Beteiligung deines Mannes könnten wir uns auch wesentlich leichter sehen.»

«Da stimme ich dir zu – vor allem jetzt, wo er sich wegen der Fehlschläge des Präsidenten in einem solchen Zustand befindet.»

«Siehst du? So verrückt ist der Einfall also doch nicht.»

Mit dem Finger strich er an ihrem Nacken auf und ab. «Bloß mal angenommen, er kommt uns, trotz aller Vorsichtsmaßnahmen, auf die Schliche. Gerät aus dem Gleichgewicht, ist daher nicht mehr vertrauenswürdig.» Er ließ ihre Haarsträhne los und legte seine Hand auf den Sharps-Revolver mit den vier Läufen. «Auch damit können wir fertig werden.»

Ashtons Blick ging von seinem Gesicht zu der glänzenden Waffe und zurück. Erschreckt, erfreut und ganz plötzlich erregt schlang sie die Arme um seinen Hals, küßte ihn und flüsterte: «Oh, mein liebster Lamar. Du bist so klug.»

«Dann hast du nichts gegen meinen Plan einzuwenden?»

«Nein.»

«Nicht das geringste?»

Über seine Schulter hinweg sah sie den glänzenden Sharps-Revolver. «Nein – *nein*. Ich bin mit allem einverstanden, was du willst, so lange ich nur für immer bei dir bleiben kann.»

Sie spürte ihn gegen ihr Kleid, groß und potent. Sie hatte das Gefühl, mehr als nur etwas Physisches zu berühren. Sie berührte seine Stärke; seine Ambitionen; die Macht, die sie schließlich miteinander teilen würden.

«Für immer», wiederholte Powell und hob sie wie ein Kind hoch. «Dafür müssen wir allerdings darin übereinstimmen, daß James Huntoon, Esquire, nötigenfalls geopfert wird.»

Ihr leidenschaftlicher Kuß gab ihm die Antwort.

Spät am Mittwoch, dem 1. Juli, trat Stanley aus dem Erste-Klasse-Abteil des Zuges von Baltimore. Selbst durch den Schleier von einigen kräftigen Schlucken aus der Bourbonflasche hindurch konnte er kaum fassen, was ihm während der letzten vierundzwanzig Stunden alles zugestoßen war.

Gerüchte von einer bevorstehenden Schlacht hatten Lehigh Station erreicht. Er und Isabel hatten gerade gepackt, um sich auf den Familiensommersitz Fairlawn in Newport zurückzuziehen, als Stantons scharf formuliertes Telegramm eintraf. Stanley war fast die ganze gestrige Nacht und den heutigen Tag unterwegs gewesen. Erschöpft und halb betrunken hatte er schließlich gegen halb sieben das Heiligtum des Ministers betreten und zehn Minuten lang Stantons Zorn über sich ergehen lassen, bevor er mit einer Mietkutsche zur Nordseite des Capitol Square fuhr. Hier stand das Gebäude, das seit 1861 als Gefängnis diente.

Stanley hatte seine Ankunft angekündigt. Bakers Brauner, Slasher, war am Ringpfosten beim Eingang angebunden. Der Colonel wartete draußen, in bösartiger Stimmung, aber eindeutig nervös. Bei ihm befand sich der Gefängnisdirektor Wood.

«Wo ist er?» wollte Stanley von Wood wissen.

«Raum 16. Wo wir alle Reporter unterbringen.»

«Haben Sie die anderen aus dem Raum entfernt? Es ist wichtig, daß mich niemand erkennt. Zeitungsleute würden mich bestimmt erkennen.» Man versicherte ihm, daß das erledigt worden sei. «Sie haben das versaut, Baker – das wissen Sie?»

«Nicht meine Schuld», beschwerte sich Baker, als Stanley die Stufen hochzusteigen begann.

«Der Minister sieht das anders. Wenn wir das nicht wieder hinbiegen, dann kann es Sie Ihr kostbares Spielzeug kosten – diese vier Kavallerietruppen, zu denen Sie Mr. Lincoln überredet haben.»

Raum 16 war eine lange, trostlose Kammer mit einem dreckigen Fenster am Ende. Spinnweben verklebten die Ecken. Merkwürdige Flecken färbten die Wände; auf Feldbetten häuften sich schmutzige

Decken und Gepäck. Die Möblierung bestand aus zwei dreckigen Tischen und Bänken. Mit Kohle hatte jemand an die Wand geschmiert: HIER WIRD MAULTIERFLEISCH SERVIERT

«Untere Koje, links», flüsterte Wood.

Der Fußboden knarrte, als sie auf Zehenspitzen zu dem kleinen, fast zwergenhaften Mann schlichen, der mit dem Rücken zu ihnen schnarchte. Die sichtbare Seite seines Gesichts war übel zerschlagen, sein Auge nur noch ein verquollener Schlitz. «Guter Gott», sagte Stanley.

Randolph bewegte sich, wachte aber nicht auf. Stanley schob Baker beiseite und ging hinaus. Unten in Woods Büro knallte er die Tür zu und sagte: «Folgendes ist geschehen. Eine schwarze Hure entkam, als Randolph bei Mrs. Devores geschnappt wurde. Die Hure telegraphierte Cincinnati. Die Besitzer von Randolphs Zeitung sind Demokraten, aber sie besitzen genügend Einfluß in Ohio, um eine Antwort von der republikanischen Regierung verlangen zu können – womit speziell Mr. Stanton gemeint ist. Habeas Corpus hin oder her, Randolph wird morgen früh entlassen.»

Baker seufzte. «Damit wäre das also erledigt.»

«Den Teufel ist es. Wer hat ihn so schlimm zugerichtet?»

«Der Mann, den Sie mir geschickt haben, Dayton.»

«Werden Sie ihn los.»

Baker strich sich achselzuckend den Bart. «Nichts leichter als das.»

«Und die Zeugen.»

«Nicht ganz so einfach.»

«Warum nicht? Eine ist in Haft.»

«Die weiße Prostituierte», sagte Wood. «Sie war bei der anderen Frau.»

«Besorgen Sie sich den Namen der Niggerin bei Mrs. Devore», befahl Stanley. «Finden Sie sie, und bringen Sie beide Frauen aus Washington raus. Drohen Sie ihnen, geben Sie ihnen Bestechungsgeld, aber auf jeden Fall will ich sie fünfhundert oder tausend Meilen von hier entfernt haben. Sie sollen falsche Namen annehmen, wenn ihnen ihr Fell lieb ist.» Baker wollte Einwände erheben, aber Stanley plusterte sich auf: «Tun Sie, was ich Ihnen sage, Colonel, oder Sie haben die längste Zeit den Ersten Bezirk der Columbia Cavalry kommandiert.»

Mit undeutlichem Gemurmel wandte sich Baker ab. Wood kratzte sich am Kinn. «Da ist immer noch Randolph. Niemand hat ihm die Zunge rausgeschnitten.»

Stanley warf dem Direktor einen vernichtenden Blick zu; zu einem solchen Zeitpunkt scherzte man nicht. «Randolph unterliegt Mr. Stantons Verantwortlichkeit. Der Minister spricht gerade mit Senator Wade, und man kann davon ausgehen, daß einige angesehene Kongreßabgeordnete Randolphs Verlegern einen guten Rat geben werden. Die Botschaft wird ganz simpel sein. Es wird nur zu ihrem Vorteil sein, wenn sie sich ruhig verhalten; wenn nicht, dann werden sie sehr viel Ärger bekommen. Ich nehme an, sie werden sich für ersteres entscheiden. Wenn Randolph dann redet, wer soll seine wilde Geschichte bestätigen? Seine Zeitung wird es nicht tun. Die Frauen auch nicht, die werden verschwunden sein. Dayton ebenfalls. Viele haltlose Geschichten über Regierungsexzesse sind heutzutage in Umlauf. Da kommt es auf eine mehr nicht an.»

«Ich rede morgen mit Dayton», versprach Baker.

«Heute abend», sagte Stanley und ging die Treppe hinunter, hinaus auf den Platz.

«Ich bedaure das», sagte Lafayette Baker zu Elkanah Bent, der sich noch im Halbschlaf befand. Es war halb zwölf. Bent war von Detektiv O'Dell geweckt und ins Büro geschleppt worden.

Baker räusperte sich. «Aber Tatsachen sind Tatsachen, Dayton. Sie haben Randolph durch mehrfache Schläge verletzt.»

Bent umklammerte die Armlehnen seines Stuhls und schob sich vor. «Er hat sich der Verhaftung widersetzt.»

«Selbst dann ist offensichtlich, daß Sie mehr Gewalt als nötig angewendet haben.»

Bent schlug auf den Schreibtisch. «Und was tun Sie und Wood, wenn Sie jemanden befragen? Ich bin im Gefängnis gewesen. Ich habe die Schreie gehört –»

«Das reicht», sagte Baker mit unheilverkündender Stimme.

«Sie wollen einen Sündenbock –»

«Ich will gar nichts, Dayton. Sie sind ein fähiger Agent, und wenn ich Sie behalten könnte, dann würde ich das auch tun, glauben Sie mir das.» Bent stieß einen Fluch aus. Baker verfärbte sich, kontrollierte aber seine Stimme. «Ich stehe unter Befehl vom Kriegsministerium. Der Minister höchstpersönlich. Aber für das, was Randolph geschehen ist, muß eine gewisse Wiedergutmachung angeboten werden, und ich bedaure –»

«– daß ich der Knochen bin, der den Wölfen zum Fraß vorgeworfen wird», rief Bent; es war mehr ein Kreischen. Jemand klopfte an die Tür.

«Alles in Ordnung, Fatty», rief Baker zurück. Und leiser: «Ich verstehe Ihre Gefühle. Aber es wird zu Ihrem Vorteil sein, wenn Sie das mit Anstand tragen.»

«Den Teufel werd' ich. Ich lasse mich nicht von Ihnen auf den Müllhaufen werfen, auch nicht von Stanton oder sonst jemandem –»

«Halten Sie den Mund!» Baker sprang auf, deutete auf den anderen Mann. «Sie haben vierundzwanzig Stunden, um aus Washington zu verschwinden. Das ist endgültig.»

Wie ein harpunierter Wal stieß sich Bent von seinem Stuhl hoch. «Behandelt die Regierung loyale Angestellte so? Belohnt sie so treue Dienste?»

Abrupt setzte sich Baker. Seine Hände begannen emsig, Dossiers durchzublättern. Ohne den Blick zu heben, sagte er: «Vierundzwanzig Stunden, Mr. Dayton. Oder Sie werden unter Arrest gestellt.»

«Auf wessen Betreiben? Auf wessen Befehl?»

Wütend sagte Baker: «Mäßigen Sie Ihre Stimme. Eamon Randolph wurde übel zusammengeschlagen. Ihnen wird viel Schlimmeres passieren, falls Sie Ärger machen. Sie werden im Old Capitol verschwinden und einen grauen Bart kriegen, bevor Sie das Tageslicht wieder erblikken. Und jetzt raus hier, und morgen um diese Zeit sind Sie aus Washington verschwunden. *O'Dell!*»

Die Tür flog auf. Der Detektiv kam hereingeschossen, die rechte Hand unter der Jacke.

«Bring ihn raus. Verschließ die Tür, wenn er draußen ist.»

Augenblicklich verwandelte sich Bent in einen blinzelnden, keuchenden Haufen Hilflosigkeit. Er brachte ein einziges, schwaches «Aber –» hervor.

«Dayton», sagte Fatty O'Dell und trat beiseite, um den Weg freizugeben. Bent stolperte hinaus.

Einige Stunden zuvor rollte ein eleganter, offener Einspänner die Hollywood Cemetery Straße westlich von Richmond entlang. Lichtschein drang aus entfernt stehenden Häusern. Belaubte Zweige strichen dicht über die Köpfe von James Huntoon und Lamar Powell, dem Fahrer des Einspänners.

«Ich kann nicht glauben, was Sie mir da erzählt haben, Powell.»

«Genau deshalb habe ich Sie hierher gebracht», erwiderte Powell. «Ich möchte Sie gern für unsere Gruppe rekrutieren, aber ich konnte nicht riskieren, an einem Ort darüber zu sprechen, wo wir vielleicht belauscht werden.»

Huntoon zog ein Taschentuch hervor, um seine beschlagene Brille zu putzen. «Das verstehe ich natürlich.»

Powell schüttelte die Zügel, um das Tempo auf einem geraden Straßenstück zu beschleunigen. «Ich weiß, daß wir unsere, äh, Geschäftsverbindungen nicht gerade in bestem Einvernehmen begannen, Huntoon. Aber letzten Endes hat Ihnen die *Water Witch* einen ordentlichen Profit eingebracht.»

«Das stimmt. Unglücklicherweise hat mich meine Frau deswegen hintergangen.»

«Das tut mir leid. Ich habe das Gefühl, Ihre Frau ist äußerst charmant, aber ich kenne sie kaum, und so wäre es wohl mehr als unpassend, wenn ich mich zu Ihrer häuslichen Situation äußern würde.»

Er hielt den Blick auf die Straße gerichtet. Dann sagte ihm ein flüsterndes Seufzen, daß sich die Gedanken des Anwalts wieder dem Plan zugewandt hatten, den er ihm eben umrissen hatte.

«Sind Sie entsetzt von dem, was ich Ihnen eben sagte?»

«Ja.» Entschlossener: «Ja – wie auch nicht? Meuchelmord ist – nun – nicht nur ein Verbrechen; es ist ein Akt der Verzweiflung.»

«Für die einen. Nicht für meine Gruppe. Wir unternehmen lediglich einen genau geplanten und absolut notwendigen Schritt zur Errichtung einer neuen Konföderation im Südwesten. Natürlich wird es auch dort eine Regierung geben. Sie könnten dabei eine nicht unbedeutende Rolle spielen. Das Talent dazu besitzen Sie sicherlich. Ich habe mich über Ihre Arbeit im Finanzministerium informiert.»

Entzückt wie ein Junge sagte Huntoon: «Tatsächlich?»

«Glauben Sie, ich würde jetzt so offen mit Ihnen sprechen, wenn das nicht der Fall wäre? Sie sind einer von diesen überaus fähigen Männern, die King Jeff auf untergeordneten Posten verkümmern läßt, um seine verdammten Virginier fördern zu können. Für Sie könnte ich mir sehr wohl einen wichtigen Posten in unserem Finanzministerium vorstellen, wenn Ihnen das zusagt. Falls nicht, können wir Sie sicherlich mit einem anderen hohen Amt, höchstwahrscheinlich auf Kabinettsebene, zufriedenstellen.»

Kabinettsebene. Wäre Ashton da nicht begeistert? Vielleicht würde sie ihn dann nicht mehr für so unzulänglich halten.

Aber es war gefährlich. Und Powell sprach so leichtfertig von Mord. Zögernd sagte er: «Ehe ich mich entscheide, brauche ich weitere Details.»

«Details, ohne daß Sie zu uns gehören? Ich fürchte, das ist unmöglich, James.»

«Dann Bedenkzeit. Die Risiken…»

«Sind gewaltig, daran ist nicht zu rütteln», unterbrach ihn Powell. «Aber mutige Männer mit Zukunftsvisionen können damit fertig werden. Vorhin eben haben Sie ein sehr zutreffendes Wort gebraucht – Verzweiflung. Aber es trifft auf die anderen weit mehr zu als auf uns. Die Konföderation von Davis und seiner Bande ist verloren, und sie wissen das. Dem Volk wird das ebenfalls langsam klar. Die einzige Regierung, die Erfolg haben kann, ist eine neue Regierung. Unsere. Also ist die Frage ganz simpel: Wollen Sie sich uns anschließen oder nicht?»

In Huntoons Kopf wirbelten Erinnerungen durcheinander: Ashtons hingebungsvolle Augen, als sie seinen Heiratsantrag annahm; die jubelnden, klatschenden Mengen, vor denen er in seinem Heimatstaat für die Sezession plädiert hatte. Seit er in diese verfluchte Stadt gekommen war, hatte er diese Art von Anerkennung schmerzlich vermißt.

«Ihre Antwort, James?»

«Ich bin – geneigt, mich Ihnen anzuschließen. Aber vor der endgültigen Entscheidung muß ich noch einmal darüber nachdenken.»

«Natürlich. Allerdings nicht zu lange», murmelte Powell. «Die Vorbereitungen sind bereits im Gange.»

Wieder schüttelte er die Zügel. Das Klappern der Hufe wurde schneller. Powell lächelte. Der Fisch hing fest am Haken.

Nach seiner Entlassung durch Lafayette Baker zerbrach Elkanah Bents mühsam bewahrte Selbstbeherrschung wie ein trockener Zweig. Schnurstracks fuhr er zur Residenz von Jasper Dills.

Wie einst bei Starkwether hämmerte Bent jetzt gegen die Tür von Dills Haus; hämmerte dagegen, bis seine Faust schmerzte und ein hochmütiger Diener endlich öffnete. «Mr. Dills hat die Stadt für einige Tage verlassen.»

«Feigling», murmelte Bent, während ihm die Tür vor der Nase zugeknallt wurde. Wie so viele andere auch war der Anwalt bei der ersten Drohung einer Invasion geflohen.

Ohne die Hilfe des Anwalts wagte Bent es nicht, in Washington zu bleiben. Ein plötzlicher Einfall kam ihm. Weshalb sollte er überhaupt im Norden bleiben? Er haßte diese Armee, weil sie seine militärischen Talente nicht erkannt und ihm die Karriere verweigert hatte, die er verdiente. Er haßte den Präsidenten, weil er die Neger hätschelte. Und am meisten haßte er diese Regierung, weil sie ihn benutzt und dann weggeworfen hatte.

In seinem Zimmer warf er Kleidung und einige wenige Besitztümer in zwei Koffer. Zuletzt packte er das Gemälde aus New Orleans ein. Während er arbeitete, stieg erneut der Haß in ihm auf.

Er drehte sich um und starrte sein Bild in dem alten, fleckigen

Spiegel an. Wie häßlich er war; aufgedunsen vom Fett. Mit einem Aufschrei packte er den Porzellanwasserkrug und schmetterte ihn in den Spiegel.

Augenblicke später klopfte die Vermieterin gegen die Tür. «Mr. Dayton, was tun Sie da?»

Um das Zimmer zu verlassen, mußte er die Tür aufsperren und die alte Frau beiseitestoßen. Sie fiel hin. Er beachtete sie nicht. Den großen Koffer auf der Schulter, den kleinen Koffer in der Hand, so polterte er die Treppe hinunter, während die Frau hinter ihm her blökte.

In einem gemieteten Einspänner ratterte er nach Süden in die Morgendämmerung hinein. Sein kleines silbernes Abzeichen und eine Portion Frechheit brachten ihn durch die Befestigungslinien. Er hielt geradewegs auf Port Tobacco zu, wo gewisse Matrosen loyal zur Konföderation standen, vorausgesetzt, diese Loyalität wurde mit Bargeld unterstützt.

Bent achtete kaum auf die Landschaft. Vielleicht waren die Südstaatenführer gar nicht so schlimm, wie er immer geglaubt hatte. Und während seiner Zeit in Richmond hatte er gemerkt, daß er sich, ohne Verdacht zu erregen, anpassen konnte. Es *mußte* einen Platz für ihn in der Konföderation geben; im Norden gab es keinen mehr.

Er mußte einen Weg finden, um zu überleben. Als der Morgen heißer und der Straßenstaub dichter wurde, fiel ihm eine Möglichkeit ein. Baker hatte einen Mann erwähnt, der eine zweite Konföderation zu erreichen versuchte. Wie war sein Name? Nach einigen Minuten erinnerte er sich: Lamar Powell. Wie Baker gesagt hatte, handelte es sich vielleicht nur um ein Gerücht. Aber ein paar Fragen konnten nicht schaden.

In dem verschlafenen Nest Port Tobacco sagte ein alter Binnenschiffer, dessen eine Gesichtshälfte von einem Schlaganfall gelähmt war, zu Bent: «Ja, für die Summe kann ich Sie rüber nach Virginny schmuggeln. Wann kommen Sie zurück?»

«Hoffentlich nie.»

«Dann lade ich Sie zur Feier des Tages zu einem Glas ein», sagte der alte Mann mit einem halben Grinsen. «Wir machen die Fahrt, sobald die Sonne untergegangen ist.»

85

«Ihnen nach», schrie Charles und trieb Sport die Landstraße entlang. Die Schrotflinte in der linken Hand donnerte er auf die vier erschrokkenen Yankees zu, die eben aus dem eine halbe Meile entfernten Wäldchen geritten waren. «Wir schnappen uns einen», brüllte Charles seinem Begleiter zu, der zwei Längen hinter ihm ritt; ein achtzehnjähriger Farmerjunge, der zweihundertdreißig Pfund wog. Er war ein fröhlicher, fügsamer junger Mann mit lediglich zwei Ambitionen: «Ich möchte eine Menge Südstaatengirls lieben und einen Haufen Yankeeschädel einschlagen.»

Jim Pickles war sein Name. Er war den Scouts zugeteilt worden, weil er für den normalen Dienst zu bullig und nicht elegant genug schien. Er hatte sich dem Senior-Scout angeschlossen – der darauf bestand, Charlie und nicht Major Main genannt zu werden –, seit Stuart und seine Männer ihren Ritt nach Norden begonnen hatten, hinaus aus Virginia und weg von der eigentlichen Armee, die Longstreet in Feindesland führte.

Drei Brigaden – diejenige von Hampton, Fitz Lee und die des verwundeten Rooney Lee unter dem Kommando von Colonel Chambers – hatten in der Nacht des 27. Juni den Potomac überquert. Reichlich vagen Befehlen von General Lee folgend, führte sie ihre Route östlich der Bergketten fast genau nach Norden. Sie ritten drauflos, ohne eine Ahnung vom Standort der Unionsstreitkräfte zu haben.

Charles hörte Beschwerden und Gemurmel, daß General Jeb im Begriff sei, eine weitere spektakuläre Show abzuziehen – ähnlich dem Ritt auf der Halbinsel um McClellan herum, der ihm soviel Ruhm eingebracht hatte. Stuarts Ruf hatte bei Brandy Station einige Flecken abbekommen; vielleicht glaubte er, mit einem zweiten Umgehungsmanöver der Unionsarmee diese Flecken wieder tilgen zu können.

Nun schrieben sie den 2. Juli. Ungefähr fünf Meilen südlich der Stelle, wo Charles und Jim Pickles auf die vier Yankees gestoßen waren, dröhnten Kanonen. Hinter dem Wäldchen, aus dem die blauen Kavalleristen aufgetaucht waren, stieg eine beachtliche Staubwolke auf. Ein großer Reitertrupp, wie Charles annahm, in Richtung Hunterstown unterwegs. Aber er wollte die genaue Ursache für diese Staubwolke wissen; General Hampton ebenfalls, davon war er überzeugt. Deshalb sein Wunsch, einen Yankee zu erwischen.

Er fühlte, wie die Erschöpfung von ihm abfiel, als er auf die vier zugaloppierte. Letzte Nacht hatte er überhaupt nicht geschlafen, und obwohl er in letzter Zeit häufig geglaubt hatte, er würde keine einzige Meile mehr schaffen, ohne vom Pferd zu fallen, war er auch heute morgen wieder mit Pickles losgeritten – und jetzt war er hellwach, angespannt und nur noch darauf aus, einen der Blaubäuche zu schnappen.

Es gab einiges Durcheinander bei den Yanks, dann begannen sie mit ihren Karabinern zu schießen. Charles hörte links von sich eine Kugel vorbeipfeifen. Er stieß einen dieser jaulenden Rebellenschreie aus, bei denen sich die Yanks in die Hosen machten. Sein Bart, in dem sich nun vereinzelte weiße Stellen zeigten, flatterte über seine linke Schulter.

Pickles schloß hinter ihm auf; sein Gewicht brachte Schaum auf die Flanken seines Rotschimmels. Charles galoppierte brüllend weiter. Eine Kugel schlug gegen seine Hutkrempe, und dann gingen die Yanks mit Revolvern und gezogenen Säbeln zum Gegenangriff über.

«Jetzt», brüllte Charles, als die Entfernung stimmte. Seine Schrotflinte kam hoch, er feuerte beide Läufe ab und riß dann Sport zur Seite. Pickles, der nun freies Schußfeld hatte, feuerte ebenfalls. Sie holten zusammen zwei Yanks aus dem Sattel. Die anderen beiden galoppierten auf das Wäldchen zu.

«Hoffentlich lebt einer noch», schrie Charles im Weiterreiten. Bald schon konnte er die Fliegen sehen, die sich am offenen Mund des auf der Straße liegenden Kavalleristen sammelten. Hier waren keine Informationen mehr zu holen. Der andere Yank war nirgendwo zu sehen.

In dem hohen Unkraut zu seiner Linken hörte Charles schlagende Geräusche, dann ein Stöhnen. Er stieg ab und näherte sich vorsichtig dem Straßenrand. Schweiß tropfte von seiner Nasenspitze, als er sich vorbeugte und den Unionskavalleristen entdeckte, einen bärtigen Burschen, der unten im Graben saß, seinen Revolver noch in der Hüfttasche. Sein linker Oberschenkel war blutdurchtränkt.

Den Mann im Auge behaltend, zog Charles mit der rechten Hand seinen Colt, richtete ihn auf den Yank, während er in den Graben kletterte. Pickles, ein eifriger Schüler, beobachtete alles.

«Zu welcher Einheit gehörst du?»

«General – Kilpatrick's – Dritte Division.»

«Wohin unterwegs?»

Der Yank zögerte. Charles drückte ihm die Revolvermündung gegen die schwitzende Stirn. «Wohin?»

«Lees linke Flanke – wo immer die auch sein mag.»

Schnell richtete sich Charles auf. Aus dem Süden rollte weiterhin

Kanonendonner heran. Nach einem weiteren Blick auf den Verwundeten kletterte Charles aus dem Graben heraus. Als er sich nach seiner Schrotflinte bückte, ließ er den Yank für eine Sekunde aus den Augen Jim Pickles rief: «He, Charlie, paß auf!»

Herumwirbelnd spürte er mehr die Abwärtsbewegung der Hand des Yankees, als daß er sie wirklich sah. Sofort schoß er. Die Kugel riß den Mann zur Seite. Während Charles in die Mündung seines Colts blies, bemerkte er, daß der Yank mit der linken Hand nach seiner Wunde gegriffen hatte, nicht mit der rechten Hand nach dem Revolver.

«In Ordnung, Jim. Bringen wir Hampton die Nachricht. Die Staubwolke gehört zu Kilpatrick, der ein Flankenmanöver versucht.»

Sie ritten die verlassene Straße entlang; Pickles zeigte ein gewaltiges Grinsen. «Guter Gott, Charlie, du bist schon einer. Kalt wie ein Eisblock. Obwohl mir der Yank irgendwie leid tut. Hat bloß nach unten gegriffen, weil er Schmerzen hatte.»

«Manchmal muß deine Hand schneller sein als dein Gehirn», sagte Charles achselzuckend. «Hätte ich gewartet, vielleicht hätte er doch den Revolver gezogen. Lieber einen Fehler machen als im Grab liegen.»

«Du bist schon einer. Ihr Jungs bei den Scouts, ihr seid die reinsten Killermaschinen.»

«So ungefähr ist's gedacht. Jeder Tote auf ihrer Seite bedeutet weniger Tote auf unserer Seite.»

Jim Pickles schauderte, nicht nur aus reiner Bewunderung. Im Süden ging das Donnern der Kanonen bei Gettysburg weiter.

Pechschwarze Finsternis vor ihnen, pechschwarze Finsternis hinter ihnen. Regenbäche rannen von Charles' Hut. Sein Umhang war bereits seit Stunden durchweicht.

In vieler Hinsicht war es die schlimmste Nacht, die er je während seiner Soldatenzeit verbracht hatte. Sie befanden sich auf dem Rückzug, hielten auf das Gebiet südlich vom Potomac zu, eine Kolonne konfiszierter Farmwagen. An jedem Wagen hing eine bleiche Laterne, die Prozession erstreckte sich über Meilen.

Hamptons Männer bildeten die ehrenvolle Nachhut. Für Charles war es mehr die Vorpostenlinie der Hölle. Ironischerweise war der Tag, dessen letzte Stunden jetzt gerade verstrichen, der 4. Juli.

Gestern hatte Hampton seine dritte Verwundung durch ein Schrapnellfragment erlitten, nach einem vergeblichen Versuch, Meade zu umgehen und von hinten anzugreifen. Manche gaben Stuart ganz offen die Schuld an dem Debakel von Gettysburg. Kritiker behaupteten weiterhin, er habe die Armee ihrer Augen und Ohren beraubt, weil er sich zu weit von Lee entfernt hatte.

Bei einem Besuch bei seiner alten Einheit, der Second South Carolina, hatte Charles erfahren, daß Calbraith Butler, als Invalider nach Brandy Station heimgeschickt, sein restliches Leben mit einem Korkfuß verbringen mußte. Der Gedanke daran wollte ihm heute nacht nicht aus dem Kopf gehen; hinzu kamen noch die Rufe und Schreie der Verwundeten, die wie Sardinen in die ungefederten Wagen gepackt worden waren; jedes Schwanken und jedes Rütteln vergrößerte ihre Schmerzen. Ihre Stimmen füllten die regnerische Finsternis.

«Laßt mich sterben. Laßt mich sterben.»

«Jesus Christus, schafft mich aus dem Wagen. Habt Mitleid mit mir. Tötet mich.»

«Bitte, warum kommt denn niemand? Hier, der Name meiner Frau, schreibt ihr.»

Das kam von dem Wagen, der Charles am nächsten war. Unter ihm rutschte Sport in dem Schlamm weg; er versuchte, nicht hinzuhören. Aber es ging weiter und weiter: das Rauschen des Regens; das Quietschen der Achsen; die Männer, die wie die Kinder weinten. Es brach ihm das Herz.

Jim Pickles kam an seine Seite geritten. «Wir halten. Schätze, irgendein Hindernis weiter vorn.»

«Kommt denn niemand? Ich schaff's nicht. Ich muß Mary sagen –»

Vor Wut kochend schwang Charles sein rechtes Bein über den Sattel; am liebsten hätte er seinen Colt gezogen und dem Schreier das Gehirn aus dem Schädel geblasen. Er sprang ab, klatschte in tiefen Schlamm. Sports Zügel drückte er Pickles in die Hand.

«Halt ihn.»

Über das Hinterrad des Ambulanzwagens kletterte er unter die Leinwand, hinein in den Gestank. Er dachte an Weihnachten 1861. Damals hatte es geschneit. Jetzt regnete es. Aber die gleiche Arbeit mußte getan werden.

Seine Seele war wundgescheuert. Er hatte den ganzen Wahnsinn satt, die Idiotie, Männer der anderen Seite töten zu müssen, um ein paar Männer auf seiner Seite zu retten. Warum hatten sie das damals auf der Akademie mit keinem einzigen verfluchten Wort erwähnt?

Hände zupften an seinen Hosen, die scheuen, sanften Berührungen verängstigter Kinder. Der Regen trommelte auf das Leinwanddach. Er hob seine Stimme, um gehört zu werden, aber sein Ton war sanft.

«Wo ist der Mann, der seiner Frau schreiben möchte? Er soll sich melden, ich helfe ihm.»

Vom Wohnzimmerfenster aus schaute Orry die Marshall Street hinunter, zu den vom Sonnenuntergang geröteten Dächern und Reihenhäusern. Seit Tagen war die Stadt in ungewöhnliches Schweigen gehüllt, aus Gründen, die der normalen Bevölkerung noch nicht aufgegangen waren. Aber er verstand es.

«Einige der Narren im Ministerium behaupten, Lee sei erfolgreich gewesen – er habe seine Absicht verwirklicht: die Armee im Feindesland neu zu verproviantieren.» Grau gekleidet, ernst und schweigsam saß Madeline da und wartete darauf, daß er weitersprach. «Die Wahrheit ist, daß sich Lee auf dem Rückzug befindet. Seine Verluste mögen bis an die dreißig Prozent gehen.»

«Guter Gott», flüsterte sie. «Wann wird das bekannt werden?»

«Du meinst, wann die Zeitungen davon erfahren? Ein Tag, zwei Tage, schätze ich.» Er rieb sich die Schläfen, die ihn in der Gluthitze plötzlich schmerzten. «Es heißt, Pickett habe die Unionsstellungen am Cemetery Hill im hellen Tageslicht angegriffen. Ohne jede Deckung. Wie Weizen, in den die Sense fährt, so fielen seine Männer. Armer George – warum haben wir diese verfluchte Sache nur angefangen?»

Sie ging zu ihm, schlang die Arme um ihn und preßte ihre Wange gegen seine Schulter. Sie wünschte, sie könnte ihm eine Antwort darauf geben. So hielten sie sich fest, während das rötliche Licht schwächer und schwächer wurde.

In einer armseligen Kneipe unten am Flußbecken bestellte Elkanah Bent ein Bier, das warm und abgestanden schmeckte. Angewidert stellte er es ab, gerade als ein weißhaariger Mann hereingerannt kam, dem die Tränen über die Backen liefen.

«Pemberton hat aufgegeben. Am 4. Juli. Der *Enquirer* hat eben eine Extraausgabe rausgebracht. Grant hat ihn ausgehungert. Die Yanks haben Vicksburg und vielleicht den ganzen verdammten Fluß. Wir können nicht mal unser eigenes gottverfluchtes Territorium halten.»

Bent stimmte in die mitfühlenden Flüche der anderen ein. In der Ferne begann eine Kirchenglocke zu läuten. War er genau in dem Moment nach Richmond gekommen, als alles auseinanderzufallen begann? Ein Grund mehr, diesen Powell so schnell wie möglich zu finden.

Mr. Jasper Dills litt unter Kopfschmerzen, die noch schlimmer waren als die von Orry Main. Die Kopfschmerzen begannen am Unabhängigkeitstag, einem Samstag, als die Nachricht von einem großartigen Sieg bei Gettysburg die Stadt erreichte. Washington hatte seit Tagen auf gute Nachrichten gewartet. Dadurch bekam die Feierlichkeit etwas mehr Saft und Kraft.

Die erfreulichen Neuigkeiten konnten die zermürbenden Auswirkungen des allgemeinen Lärms auf Anwalt Dills nicht ausgleichen, konnten ihn nicht mit dem vertrauten Muster versöhnen, das sich in den Tagen nach der Feier abzeichnete. Wie alle Generäle vor ihm schien Meade zu zaudern. Er verfolgte Lee nicht aggressiv und vertat so die Chance, den Kern der Konföderiertenarmee zu vernichten. Die Festbeleuchtung erlosch in den Fenstern der Herrschaftshäuser und der öffentlichen Gebäude. Die Freudenfeuer sprühten Funken, brannten nieder; beißender Rauch stieg auf.

Mit immer noch schmerzendem Kopf grübelte Dills über zwei weiteren unangenehme Informationen. Sein Butler hatte ihm mitgeteilt, daß Bent an der Haustür wie ein Verrückter getobt habe. Und ein scharfer Brief von Stanley Hazard setzte Dills davon in Kenntnis, daß der von ihm empfohlene Mann beinahe eine Katastrophe ausgelöst habe, indem er einen demokratischen Reporter zusammenschlug, obwohl niemand ihm ein solches Verbrechen befohlen hatte.

Stanton hatte verlangt, daß jemand zur Verantwortung gezogen wurde. «Ezra Dayton» wurde entlassen, mit der Anweisung, Washington zu verlassen – und Mr. Dills möchte doch so nett sein und niemanden mehr der Sonderabteilung empfehlen, besten Dank.

Zwei Tage und zwei Nächte hatten von Dills Firma beschäftigte Boten die Stadt abgesucht. Es stimmte – Bent war verschwunden. Niemand wußte, wohin. Dills saß in seinem Büro; in seinem Kopf hämmert es, während er an das feste Gehalt dachte, das ausbleiben würde, wenn er die Spur von Starkwethers Sohn verlor. Was sollte er tun? Was konnte er tun?

«Der Tag war eine einzige Katastrophe», beklagte sich Stanley beim Abendessen. Es war der Dienstag nach dem Unabhängigkeitstag. «Der Minister ist wütend, weil Meade nicht losschlägt, und mir gibt er die Schuld an dem Schlamassel mit Randolph.»

«Ich dachte, du hättest es geschafft, das zu vertuschen.»

«Bis zu einem gewissen Grad. Randolph wird nichts publizieren. Das heißt, seine Zeitung in Cincinnati wird nichts bringen. Aber Randolph läuft wieder frei auf den Straßen rum, und seine Verletzungen sind die beste Reklame für das, was man ihm angetan hat. Und heute nachmittag bekamen wir weitere schlechte Nachrichten. Laurette?»

Er deutete auf sein leeres Glas. Isabel betupfte ihre Oberlippe mit dem Taschentuch. «Du hattest bereits vier, Stanley.»

«Nun, dann will ich eben noch eins. Laurette!»

Das Mädchen füllte das Glas mit rotem Bordeaux. Er nahm einen kräftigen Schluck, während seine Frau die Hand an die Stirn führte. Merkwürdige Veränderungen gingen mit ihrem Mann vor. Die berufliche Verantwortung, die auf seinen Schultern lastete, und die gewaltigen Summen, die sich auf ihren Bankkonten ansammelten, schienen irgendwie zuviel für ihn zu sein.

«Was ist sonst noch schiefgelaufen?» fragte sie.

«Einer von Bakers Männern war in Port Tobacco. Er hörte, daß Mr. Dayton, der Bursche, der Randolph zusammengeschlagen hat, anscheinend zum Feind übergelaufen ist, nachdem ihn Baker aus der Stadt gejagt hat. Gott weiß, was für wichtige Informationen er mitgenommen hat.» Er kippte den restlichen Wein hinunter und ließ sich nachschenken. «Zusätzlich ist jetzt noch die allgemeine Wehrpflicht in Kraft. Die Leute hassen das Gesetz. Wir erhielten bereits Berichte von Protesten, von Gewalttätigkeit –»

«Hier?»

«Hauptsächlich in New York.»

«Nun, mein Lieber, das ist ein gutes Stück entfernt von diesem Haus; und ausnahmsweise könntest du deinem Glück mal dankbar sein. Du könntest einberufen werden – jung genug bist du noch –, wenn du nicht im Kriegsministerium wärst oder reich genug, um einen Ersatzmann bezahlen zu können.»

Immer noch mürrisch dreinschauend, schlürfte Stanley seinen Wein. Isabel schickte Laurette aus dem Zimmer und trat hinter ihren Mann.

«Trotz all deiner Sorgen haben wir noch Glück, Stanley. Wir sollten dankbar sein, daß der Kongreß die Weisheit hatte, die Ersatzklausel einzubauen. Dankbar, daß es der Krieg des reichen Mannes, aber der Kampf des armen Mannes ist, wie es so schön heißt.»

«Constance?» Sie lag neben George im Bett, an diesem schwülen Mittwoch nach Gettysburg, und deutete mit einem Murmeln an, daß sie zuhörte. «Was soll ich tun?»

Seit Monaten hatte sie diese Frage erwartet; gefürchtet.

«Du meinst wegen des Ministeriums?» fragte sie, obwohl das kaum nötig war. «Ich kann die Dummheit und die Politisiererei nicht länger ertragen. Und all das Geld, das aus Tod und Leiden gemacht wird – Gott sei Dank habe ich nichts mit Stanleys Kontrakten zu tun. Ich würde sie ihm in die Kehle stopfen, bis er daran erstickt.»

Ihre linke Brust begann zu schmerzen. In letzter Zeit hatte sie häufig diese dumpfen Schmerzen verspürt, in ihren Beinen, im ganzen Brustbereich, hinter der Stirn. Sie vermutete einen ganz einfachen Grund dahinter – Sorge. Sie sorgte sich um ihre Kinder, um ihren Vater im fernen Kalifornien, um ihr Gewicht, das sich jeden Monat um ein oder zwei Pfund vergrößerte. Am meisten Sorgen machte sie sich um George.

Vor allem Ripleys Starrsinn war nicht mehr zu ertragen; es gab unzählige Beispiele dafür. Seine wachsende Verbitterung darüber hatte George zu der Frage heute abend veranlaßt. Sie lag regungslos in der Dunkelheit ihres Bettes.

«Was würdest du gerne tun, George?»

«Welche Antwort möchtest du hören, die Idealvorstellung oder die realistische?»

«Gibt es zwei? Dann die Idealvorstellung zuerst.»

«Ich würde gern für Lincoln arbeiten.»

«Ehrlich? Bewunderst du ihn so sehr?»

«Ja. Seit dem Abend, als wir uns beim Arsenal trafen, habe ich das Gefühl, ich kenne ihn gut. Der Mann besitzt Qualitäten, die in dieser Stadt verdammt knapp sind. Ehrlichkeit. Idealismus. Stärke. Ja, ich wünschte, ich könnte in irgendeiner Form für ihn arbeiten, aber da ist kein Platz.»

«Du hast dich erkundigt?»

«Sehr diskret. Ich habe dir nichts davon erzählt, weil ich es ohnehin für unmöglich hielt.»

«Und wie lautet die realistische Antwort?»

«Ich kann zu den Militäreisenbahnen gehen, wenn Herman Haupt mich will. Es ist eine gute Alternative. Und ich bin begierig darauf.»

Seine prompte Antwort machte ihr klar, daß er diesen Gedanken schon seit einiger Zeit hegte. Betont ruhig sagte sie: «Das ist Felddienst. Dicht bei den Schlachtlinien.»

«Manchmal, ja. Aber es ist eine Arbeit, von der ich glaube, daß ich sie tun kann und daß ich stolz darauf sein kann.»

Schweigen, nur vom ewigen Gerumpel der nächtlichen Wagen unterbrochen. Er spürte ihre Spannung und rollte sich auf die Seite, streichelte ihren Busen, so wunderbar tröstend in seiner Vertrautheit.

«Möchtest du, daß ich es nicht tue?»

«George, in –», sie räusperte sich, «– in unserer Ehe stellt keine Seite solche Fragen, das weißt du.»

«Ich möchte trotzdem gerne wissen –»

«Tu, was du tun mußt», sagte sie und küßte ihn. Sie zwinkerte schnell, in der Hoffnung, er möge ihre Tränen nicht spüren, die ihr die Angst in die Augen getrieben hatte.

«Also Herman – brauchst du einen neuen Mann?»

Spät am nächsten Tag stellte George diese Frage, als er und der bärtige Brigadier an Willards Bar lehnten. Haupt sah erschöpft aus. Er war quer durch Pennsylvania gehetzt, um die Bahnlinien von Gettysburg zu reparieren.

«Du kennst die Antwort darauf. Die Frage ist, wird der Minister dich gehen lassen?»

«Bei Gott, das möchte ich ihm geraten haben. Ich ertrage es nicht, innerhalb einer Meile von diesem Mann zu arbeiten.» Er schlürfte eine rohe Auster von der Platte vor ihm. «Vermutlich hast du von dem Randolph-Skandal gehört?»

«Wer nicht? Ich denke, er darf nicht darüber schreiben, aber er sammelt Zuhörer und wiederholt die Geschichte bei jeder sich bietenden Gelegenheit.»

«Damit hat er verdammt recht. Es ist eine Schande.»

«Nun, solche philosophischen Überlegungen mal beiseite, ich rate dir dringend, schnell zu handeln. Ich glaube, Stanton will meinen Kopf. Ich verabscheue ihn genauso wie du, und er weiß das. Wie willst du den Wechsel bewerkstelligen?»

«Morgen habe ich eine Verabredung mit dem Kommandierenden General.»

«Mit Halleck? Dem Meister des Papierkriegs? Ich wußte nicht, daß du mit Old Brains bekannt bist.»

«Ich bin ihm zweimal auf gesellschaftlicher Ebene begegnet. Er ist ein Mann der Akademie.»

«Die Klasse von '39. Vier Jahre nach mir. West Pointler halten zusammen – verläßt du dich darauf?»

«Ja», sagte George. «Ein bißchen habe ich kapiert, wie diese Stadt funktioniert, Herman.»

Henry Halleck, der George zehn Minuten in seinem Terminkalender einräumte, war mehr Gelehrter als Soldat, jedoch ein fähiger Verwalter.

Vom Fenster aus, wo er in seiner üblichen Pose stand, die Hände hinter dem Rücken auf seiner makellosen, sauber geknöpften Uniform verschränkt, sagte er: «Als ich Ihren Namen in meinem Kalender las, habe ich mir Ihre Akte kommen lassen, Major. Sie ist außerordentlich. Sie sind fest entschlossen, das Waffenamt zu verlassen?»

«Jawohl, General. Ich möchte mich nützlicher machen. Der Dienst am Schreibtisch ist schal geworden.»

«Ich vermute, Sie meinen, Ripley ist schal geworden», sagte Halleck mit einem seltenen Anflug von Humor. «Wie Sie wissen, ist er Ihr Vorgesetzter. Wegen eines Transfers müßten Sie sich an ihn wenden.»

Wohl wissend, was er riskierte, schüttelte George den Kopf. «Bei allem Respekt, Sir, das kann ich nicht. General Ripley würde mit an Sicherheit grenzender Wahrscheinlichkeit meine Bitte abschlagen. Wenn ich allerdings mit Ihrer Genehmigung direkt zum Generaladjutanten gehen könnte –»

«Nein, das ist nicht statthaft.»

George wußte, er hatte verloren. Aber Halleck sprach weiter: «Ich verstehe allerdings Ihre Zwangslage und fühle mit Ihnen. Ich weiß, Sie kamen nur auf Camerons Betreiben nach Washington, motiviert von einem starken patriotischen Pflichtgefühl. Ich begrüße Ihren Wunsch, sich mehr dem Kern der Dinge zuzuwenden. Wenn Sie das schaffen wollen, dann muß es ordentlich gemacht werden.»

Er reckte seinen großen, fast kahlen Schädel vor und senkte die Stimme, wie jeder gute Washingtoner, wenn er einen kleinen Plan ausheckt.

«Lassen Sie Ihre Bitte um einen Transfer dem Generaladjutanten durch die entsprechenden Kanäle zukommen – und achten Sie darauf, daß eine Kopie an General Ripley geht. In der Zwischenzeit werde ich mich für Sie einsetzen. Inoffiziell, versteht sich. Falls wir Erfolg haben, bereiten Sie sich auf einen Kampf mit Minister Stanton vor.» Er streckte die Hand aus. «Ich wünsche Ihnen Glück.»

George hatte die von Halleck angesprochenen Papiere bereits vorbereitet. Er schickte sie augenblicklich los und wurde viel früher als erwartet zum Minister zitiert.

Im Gebäude des Kriegsministeriums, in dem George sich am Montag um halb drei meldete, herrschte eine eindeutig düstere Atmosphäre. Meade hatte getrödelt; Lee war ihm glatt entwischt; die allgemeine Wehrpflicht löste mehr Gewalt in den Straßen von New York City aus. Vom Präsidenten hieß es, daß er nach einer Periode intensiver Aktivität und Hoffnung in eine weitere Depression gestürzt sein sollte.

«Sie möchten für Haupt arbeiten? Mein lieber Major», sagte Stanton mürrisch, «wissen Sie, daß er niemals offiziell den Rang eines Brigadiers nach seiner Ernennung im letzten September akzeptiert hat? Wer kann schon sagen, wie lange er noch das Kommando über die Militäreisenbahnen hat?»

Aus der Stimme des bärtigen, buddhaähnlichen Mannes hörte George Abneigung und eine Warnung heraus. «Nichtsdestoweniger, Sir», sagte er, «wünsche ich diesen Transfer. Ich kam auf Minister

Camerons Bitte ins Waffenamt, und ich habe mich bemüht, meinen Pflichten ordnungsgemäß nachzukommen, obwohl ich mir dabei nie sehr nützlich vorgekommen bin. Ich möchte in direkterer Weise dienen.»

«Würde es Ihre Meinung ändern, wenn ich Ihnen sage, daß General Ripley vielleicht bald aus dem Dienst ausscheidet?» Ein unaufrichtiges Lächeln. «Der General ist immerhin bereits neunundsechzig.»

«Nein, Sir, das hätte keine Auswirkungen auf meine Bitte.»

«Wollen wir offen sein, Major Hazard. Seit Ihrem Eintritt hier habe ich eine gewisse Feindseligkeit in Ihrer Stimme entdeckt – nein, bitte, ersparen Sie mir irgendwelche Einwände.» George errötete; er hatte nicht erkannt, daß seine Gefühle so durchsichtig waren. «Ich glaube, Sie mögen dieses ganze Ministerium nicht. Habe ich recht?»

«Sir –» *Sag besser nichts, geh hinaus, und die Sache ist erledigt.* Aber sein Charakter und sein Gewissen wollten das nicht zulassen. «Bei allem Respekt, Herr Minister – jawohl, Sie haben recht. Ich stimme mit einigen Verfahrensweisen des Kriegsministeriums nicht überein.»

«Könnten Sie etwas deutlicher werden, Sir?»

«Da ist diese Sache mit Eamon Randolph –»

Laut unterbrach ihn Stanton. «Darüber weiß ich nichts.»

«Soviel ich weiß, wurde der Mann von Angehörigen Ihres Detective Bureau zusammengeschlagen, einzig und allein deswegen, weil er die Politik dieses Ministeriums kritisiert hat – was ich für das gute Recht eines jeden Bürgers gehalten hatte.»

«Nicht in Kriegszeiten.» Stantons Lächeln wurde kalt. «Darf ich hinzufügen, Major, falls Sie sich je Hoffnungen auf eine dauerhafte militärische Karriere gemacht haben, so können Sie die begraben. Sie sind über das Ziel hinausgeschossen.»

«Bedaure», sagte George, was keineswegs den Tatsachen entsprach. «Die Sache hat mir auf dem Gewissen gelegen, und es ist allgemein bekannt, daß Lafayette Baker für Sie arbeitet.»

Immer noch dieses Lächeln, tödlich und verschlagen. «Durchsuchen Sie das gesamte Ministerium einschließlich der Papierkörbe, Sie werden nicht den Hauch eines Beweises finden, der diese Behauptung stützt. Und jetzt verlassen Sie freundlicherweise mein Büro. Ich werde mit Freude Ihr Gesuch befürworten – Sie und dieser verrückte Haupt sind aus dem gleichen Holz geschnitzt.»

«Sir –»

Stanton hämmerte auf seinen Schreibtisch. «Hinaus.»

George hörte, wie sich hinter ihm die Tür öffnete. Jemand kam hereingestürzt. «Ihr Bruder möchte gehen», sagte der Minister. George wandte sich um und sah Stanley vor sich, bleich vor Sorge und Angst. «Sorgen Sie bitte dafür, daß er es mit dem nötigen Tempo tut.»

Stanley packte Georges Ärmel. «Komm.»

«Stanley», Georges Stimme senkte sich um eine halbe Oktave, «vor langer Zeit hab' ich dich schon mal niedergeschlagen. Nimm deine Hand weg, oder ich tu's wieder.»

Zwinkernd gehorchte Stanley, das Gesicht schweißüberströmt. Was bin ich doch für ein Idiot, dachte George, ein halsstarriger, großmäuliger Idiot. Und doch hatte ihm sein kleines Sprüchlein ein Gefühl des Stolzes und der Erleichterung vermittelt – und er war noch nicht fertig.

«Wenn diese Regierung den Krieg nur dann gewinnen kann, wenn sie jeden, der die leiseste Kritik äußert, zusammenschlagen läßt oder einsperrt, dann möge Gott uns gnädig sein. Dann haben wir es verdient, zu verlieren.»

Sanft, ganz sanft strich sich Stanton durch den Bart. Aber er war fahl vor Wut. «Major Hazard», sagte er, «ich würde vorschlagen, Sie verschwinden, falls Sie nicht wegen Aufruhrs vors Kriegsgericht gestellt werden möchten.»

Als sich die Bürotür geschlossen hatte, flüsterte Stanley: «Ist dir eigentlich klar, wen du beleidigt hast?»

«Jemanden, der es verdient hat.»

«Weißt du, wie sehr das deiner Karriere schaden kann?»

«Meine sogenannte Karriere ist eine Farce. Von mir aus können sie mich morgen aus der Armee schmeißen. Ich würde mit Freuden zurück nach Lehigh Station gehen und Kanonen bauen.»

«Du könntest wenigstens an mich denken, George.»

«Das tue ich», erwiderte er, immer noch wütend. «Ich hoffe, Stanton grillt dich bei lebendigem Leib, weil du so einen aufrührerischen Verwandten besitzt. Dann kannst du nach Massachusetts gehen und Militärstiefel verkaufen – an beide Seiten, wie ich gehört habe.»

«Du verdammter, lügnerischer –», fing Stanley an und versuchte gleichzeitig, George mit einem wilden Schwinger zu treffen. Aber Stanley war schwächlich und seine Bewegung matt. George brauchte nur die linke Hand zu heben, um die Faust seines Bruders beiseite zu wischen. Er stülpte sich den Hut auf den Kopf und marschierte aus dem Gebäude.

Er eilte in Haupts Büro, fand niemanden vor und hinterließ eine Nachricht:

Habe mit Minister S. gesprochen und meine Armeekarriere ruiniert. Plane, mich zur Feier des Tages zu besaufen. Transfer scheint gewiß. G.H.

86

Der Arbeitszug mit zwei Plattformwagen ratterte nach Süden auf Manassas zu. Der schwere Duft des Regens hing über dem grauen Tag.

Pinienzweige reckten sich neben den Schienen und strichen über Billys Gesicht. Mit baumelnden Beinen, den Karabiner neben sich, saß er auf der Seite eines der Wagen. Unter seinem Hemd steckte ein kleines Schreibheft für seine Tagebucheintragungen. Seine staubigen Hosen verbargen teilweise die am Rand des Wagens weiß aufgemalte Inschrift U.S.M.R. NO. 19.

Im schüttelnden Rhythmus des langsam fahrenden Zuges dachte er an eine ganze Anzahl von Dingen: Brett, nach deren Gesellschaft er sich sehnte, und wenn es nur für eine einzige Nacht gewesen wäre; Lije, dessen Tod eine so sinnlose Verschwendung schien; die beunruhigenden telegraphischen Nachrichten von New York, die sie gerade noch vor ihrer Abfahrt gehört hatten. Die Stadt war bereit für Demonstrationen, vielleicht sogar für Aufruhr, als die ersten Namen zur Einberufung gezogen wurden.

Die Pioniere hatten am Gettysburg-Feldzug teilgenommen, dabei allerdings nur eine untergeordnete Rolle gespielt. Jetzt befanden sie sich wieder in Virginia, und Billy und sechs Mannschaftsdienstgrade waren zur Orange & Alexandria abkommandiert worden, um eine neue Linie nahe der Bull-Run-Bockbrücke zu überwachen. Guerillas hatten die Bockbrücke in letzter Zeit zum sechsten oder siebten Mal zerstört.

Rauch strich über die entspannt auf der offenen Plattform liegenden Soldaten. Ruß und Asche prasselte gegen sie, aber das war auch schon das Schlimmste, bevor die Schüsse explodierten. Der erste Schuß ließ die Glocke der Lokomotive aufklingen. Eine Salve folgte.

«Wo zum Teufel stecken sie?» rief ein blonder Corporal, warf sich auf den Bauch und schnappte sich seinen Karabiner. Billy tat es ihm nach. Er hörte den Feind, bevor er ihn sah. Sie kamen hinter dem Eisenbahnerwagen vorgesprengt, acht zerlumpte Männer mit langen Bärten auf sehnigen Pferden.

«Bleib unten», brüllte Billy, als der blonde Soldat närrischerweise aufsprang und, die Beine gespreizt, sein Ziel suchte, während der Plattformwagen schwankte. Ein dürrer Mann in einem verstaubten,

chwarzen Anzug, der die Reiter auf Billys Seite anführte, bückte sich
nter einem Ast hindurch, feuerte dann seinen Revolver ab und blies
ohnson über den Rand des Wagens.

Billy fiel auf ein Knie, versuchte sich im Gleichgewicht zu halten.
Der Heizer war auf den Tender geklettert. Billy spürte den Zug rucken,
ls der Pionier den Dampf aufdrehte. Einer der Pioniere schoß einen
Guerilla auf der anderen Seite aus dem Sattel, was dem Grinsen und
schreien der Partisanen ein Ende bereitete.

Der Zug wurde schneller. Der Himmel verdunkelte sich; Regen be-
ann auf die Plattformen zu klatschen. Die Guerillas schoben sich
eitlich neben den Wagen, auf dem die Pioniere fuhren. Billy wirbelte
erum, um einen Schuß in Richtung der entfernten Seite abzugeben,
ls jemand seinen Arm umklammerte, an ihm zerrte.

Benommen vor Furcht taumelte er über den Wagenrand, gezogen
on dem Mann im dunklen Anzug, der dicht genug an ihn heran
eritten war, um ihn zu erreichen. Billy schlug keuchend auf dem
Boden auf; die Luft blieb ihm weg.

Billys Karabiner lag neben der nächsten Eisenbahnschiene. Zwei der
Partisanen kamen herangetrabt. Der sich entfernende Zug wurde lang-
amer, die Pioniere sorgten sich um die heruntergefallenen Männer.
Die Partisanen feuerten mehrere Salven auf den Zug, der wieder
Tempo aufnahm.

Auf Händen und Knien griff Billy nach dem Karabiner. «Lang hin,
nd ich bring dich um», sagte eine fröhliche Stimme. Er hob den Kopf,
ah den gebrechlichen Mann im schwarzen Anzug vor sich. In der
Hand hielt er eine gewaltige Pistole.

«Wir haben zwei, den Captain hier mitgezählt», rief Schwarzkittel.
«Lebt der andere noch?»

«Nein, der ist erledigt», rief jemand von hinten. Billy schnitt eine
Grimasse; Johnson hatte auf die Nachricht von der Geburt seines
zweiten Kindes in Albany gewartet.

«Sicher?» erkundigte sich Schwarzkittel bei dem Mann, der mit
Johnsons Leiche angeritten kam.

«Toter als das Hirn von 'nem Niggerkind.»

«Irgendwelche Wertsachen?»

«Wir können ihm das Gold aus den Zähnen holen, aber das wär's
uch schon.»

«Teufel auch», sagte Schwarzkittel. «Das hier scheint der einzige
Preis zu sein, den wir erwischt haben. Steh auf, Yank! Gib mir deinen
Namen und deine Einheit, damit wir die Beerdigungspapiere richtig
usfüllen können.»

Billy konnte nicht glauben, daß es der Mann ernst meinte. Er konnt
nicht glauben, daß all das geschehen war – der überraschende Angriff
die zufällige Gefangennahme. Aber die Kugel, die einen verfehlte –
oder tötete –, tat das ebenfalls zufällig.

«Captain William Hazard. Pionier-Bataillon, Potomac-Armee. We
seid ihr?»

Gelächter, amüsiertes Geflüster, dann eine dröhnende Stimme: «E
ist mittendrin im Fairfax County und fragt, wer wir sind.»

Der Mann mit der tiefen Stimme, häßlich und fett, ritt heran, dami
Billy ihn sehen konnte. «Major John S. Mosbys Partisan Rangers
vom Kongreß der Konföderation ordnungsgemäß zu unabhängige
Aktionen autorisiert. Das sind wir, du Stück Yankeescheiße.» Mit den
Kolben seiner Schrotflinte schlug er nach Billys Kopf.

Wütend griff Billy nach dem Kolben. Schwarzkittel langte nacl
unten und riß an seinem Haar. Billy japste und ließ los. Er roch di
ungewaschenen Männer, bemerkte ihre dreckige Kleidung, abgelegt
Uniformstücke – und wußte, daß sie nicht logen. John Mosby hatt
eine Weile für Stuart als Scout gearbeitet, sich aber vor kurzem al
Guerilla-Kommandant etabliert. Er kam und ging bei Nacht, ri
Schienen auf, verbrannte Versorgungsdepots, schoß aus dem Hinter
halt Wachen ab – um so mehr gefürchtet, als er und seine kleine Band
kaum zu sehen waren. Graue Gespenster.

Und er hielt sich nicht an die Kriegsgesetze, erinnerte sich Billy mi
einem Klumpen in der Magengegend. Schwarzkittel riß erneut an sei
nem Haar und brachte seine Pistole in Anschlag.

«Hände auf den Kopf, Junge.»

«Was?»

«Ich sagte, leg beide Hände auf deinen Kopf. Ich möchte das schnel
erledigen.»

«Was schnell erledigen?»

Höhnisches Gelächter. Einer der lautesten Lacher sagte: «Er is
wirklich dämlich, was?»

«Nun, Ihre militärische Exekution, Captain Hazard, Sir», sagt
Schwarzkittel, jedes Wort sarkastisch betonend. «Wenn Sie nichts da
gegen haben, dann gestatten Sie vielleicht, daß ich mit der Sache fort
fahre, damit ich mich dringenderen Pflichten zuwenden kann.»

Ungläubig starrte Billy die dunkle Gestalt auf dem Pferderücken an
Der Wind pfiff durch die Pinien. Warum kam der Zug nicht zurück
Sie mußten ihn für tot halten, wie Johnson.

«Hände auf den Kopf!» sagte Schwarzkittel. «Und dreh dich um
damit ich deinen Rücken sehen kann.»

«Unter –», Billy gab sich Mühe, damit seine Stimme nicht brach, «– unter Kriegsgesetz habe ich das Recht, als Gefangener behandelt zu werden und –»

Aufrichtig wütend sagte Schwarzkittel: «Zum letztenmal, Yank – *tu deine Hände auf den Kopf.*»

Billy legte seine linke Handfläche auf seine nassen Haare, die rechte obendrauf. Er schämte sich, die Augen zu schließen, aber vielleicht war es auf diese Weise leichter.

Schwarzkittel salutierte mit der Pistole. «Also dann, Captain Pionier. *Sir!*»

In Billys Innerem verkrampfte sich alles, während er auf die Kugel wartete.

Reiter. Dieses Geräusch drang langsam in sein Gehirn. Reiter trabten zwischen den Pinien neben der Eisenbahnlinie hindurch. Billy schlug die Augen auf, die Hände auf dem Kopf.

Sechs Männer, zwei davon in Uniform, zügelten ihre Pferde neben den anderen. Schwarzkittel und der Rest wandten sich sofort mit einer gewissen Ehrerbietung einem schmächtigen, schlanken Offizier mit sandfarbenem Haar zu, das unter einem Hut mit Straußenfeder zu sehen war. Der Offizier mochte ungefähr dreißig sein; sein glatt rasiertes Gesicht wirkte streng, aber nicht unfreundlich. Er schien mehr an Schwarzkittel als an Billy interessiert zu sein.

«Was geht hier vor?»

«Wir haben diesen Yank von einem Arbeitszug gezogen, Sir. Wir waren gerade dabei –» Schwarzkittel schluckte, warf seinen Kameraden nervöse Blicke zu.

«Den Gefangenen zu erschießen?» sagte der Offizier.

Schwarzkittel wurde rot, sagte leise: «Jawohl, Sir.»

«Das verstößt gegen die Gesetze eines zivilisierten Krieges, das weißt du genau. Ganz egal, was für Greuel die Yankeezeitungen uns andichten, mit Mord haben wir nichts zu tun. Du wirst dafür Strafe zahlen.»

Verängstigt steckte Schwarzkittel seine Pistole weg. Billys Herzschlag verlangsamte sich. «Die Hände runter», sagte der Offizier zu ihm. Billy gehorchte. «Nennen Sie mir Namen und Einheit, bitte.»

«Captain William Hazard, Pionier-Bataillon, Potomac-Armee.»

«Nun, Captain, Sie sind Gefangener der Partisan Rangers.»

Billy hielt den Atem an. «Sind Sie –?»

Der Stulpenhandschuh berührte die Hutkrempe. «Major John Mosby. Zu Ihren Diensten.» Er unterdrückte ein Lächeln. «Man hat

Sie vom Zug gezogen, was? Na, wenigstens sind Sie noch an einem Stück. Ich werde veranlassen, daß Sie ins Richmond-Gefängnis für Unionsoffiziere gebracht werden.»

Mosbys unerwartete Ankunft hatte Billy beschwingt und verwirrt. Er hätte ihn sofort erkennen müssen; gleich nach dem von Stuart war sein Federbusch der berühmteste in der ganzen Konföderation. Mosby wandte sich an den anderen Mann in Uniform, einen Sergeanten. «Sorg dafür, daß er zu essen bekommt und nicht mißhandelt wird. Wir müssen weiter.»

Sie ritten los; einer von ihnen blieb zurück, um sich um den Gefangenen zu kümmern. Schnell flüsterte Schwarzkittel Billy zu: «Du kommst ins Libby-Gefängnis. Wenn du siehst, wie ihr Yankeejungs dort behandelt werdet, dann wirst du dir noch wünschen, ich hätte abgedrückt. Wart nur ab.»

87

Der August brachte Richmond eine alles niederdrückende Hitze mit hoher Luftfeuchtigkeit; staubige Blätter und die regungslose Luft warteten auf den großen befreienden Sturm, der nordwestlich vom Potomac hing, sich aber nicht von der Stelle zu rühren schien. Eine durchdringende Verzweiflung folgte den beiden Erkenntnissen: Der Mississippi war verloren; und Gettysburg war nicht der Triumph gewesen, als den das Oberkommando ihn ausgegeben hatte. Ein deutliches Zeichen dafür war der illegale Wechselkurs. Ein Yankeedollar, von denen sich Tausende in Umlauf befanden, hatte vor dem Debakel in Pennsylvania zwei Konföderiertendollar gekostet. Jetzt kostete er vier.

Vicksburg spuckte Tausende von neuen Gefangenen in die bereits überfüllten Camps und in die in Gefängnisse umgewandelten Lagerhäuser. Gettysburg brachte den überbelegten Hospitälern Tausende von frischen Verwundeten. Huntoon nahm das alles am Rande zur Kenntnis, während er seine Arbeit erledigte, die ihn nicht länger interessierte. Memminger hatte ihm die verhaßte Aufgabe aufgebürdet, Listen jener fast zahllosen Geschäftsunternehmen zu erstellen, die mit Druck und Verteilung illegaler Cent-Noten zu tun hatten.

Die Konföderation besaß kein Silber für kleine Münzen, und so hatte das Schatzamt Staaten und Städte bevollmächtigt, Papiergeld von fünf bis fünfzig Cents als Wechselgeld herauszugeben. An diesem Morgen schrieb Huntoon von Informanten des Schatzamtes in Florida und Mississippi zur Verfügung gestellte Namen ab – verhaßte Arbeit, auf die sein Schweiß wie Tränen tropfte.

Es interessierte ihn nicht mehr, was diese Regierung tat. Aber eine neue Konföderation – das konnte einen in Versuchung führen, das elektrisierte ihn. Nachts lag er wach und dachte darüber nach. An seinem Schreibtisch hing er Tagträumen nach, bis ihn irgendein Vorgesetzter ermahnte. Eines heißen Mittags schließlich schreckte er seine schläfrigen Kollegen auf, als er plötzlich seinen Hut packte und mit verzücktem Gesichtsausdruck aus dem Büro stürmte.

In den Saloons hatte er bereits Nachforschungen angestellt. Die meisten Barkeeper kannten Powell recht gut, und bald schon wußte Huntoon die Adresse des Georgiers. Ashton hatte er nicht fragen wollen, aus Furcht, sie wüßte Bescheid.

Huntoon wollte Powell einige zusätzliche Fragen stellen. Er benötigte mehr Details, wollte sich aber gleichzeitig auch nicht unbeliebt machen. So hatte er das eine Weile hinausgezögert. Sein angeregter Zustand trieb ihn schließlich an diesem kochendheißen Mittag aus dem Büro und in eine Mietkutsche.

«Church Hill», rief er. «Ecke Twenty-fourth und Franklin.»

Mit Staub bedeckte Blätter hingen regungslos über dem Gehsteig. Aufgeregt stolperte Huntoon die Stufen hoch und klopfte. Eine Minute später klopfte er erneut. Endlich ging die Tür auf.

«Powell, ich habe beschlossen –»

«Was zum Teufel tun Sie hier?» fragte Powell und zog den Gürtel seines Samtmorgenmantels zu.

Die St. John's-Kirche begann die halbe Stunde einzuläuten. Huntoon hatte das unbehagliche Gefühl, daß es die Totenglocke für seine Chance war. «Ich wollte nicht stören.»

«Aber das tun Sie. Ich bin ungemein beschäftigt.»

Huntoon blinzelte, von Furcht überwältigt. «Bitte nehmen Sie meine Entschuldigung an. Ich bin nur gekommen, weil Sie eine schnelle Entscheidung von mir wollten. Heute morgen habe ich sie getroffen.» Ein hastiger Blick die Straße hinunter. Dann glaubte er die Bewegung einer unsichtbaren Person hinter der Tür zu hören.

«In Ordnung. Reden Sie.»

«Ich – ich möchte mitmachen, wenn Sie mich haben wollen.»

Ein Teil des Zorns schwand aus Powells Gesicht. «Natürlich. Das sind gute Neuigkeiten.»

«Könnten wir über die Einzelheiten sprechen, wann und wie?»

«Nicht jetzt. Ich nehme Verbindung auf.» Als er Huntoons Reaktion auf seine schroffe Antwort sah, lächelte Powell. «Sehr bald schon. Ich würde es gerne heute machen, aber unglücklicherweise muß ich mich um viele andere Dinge kümmern. Ich bin froh, Sie bei uns zu haben. Wir brauchen einen Mann mit Mut und Visionen im neuen Schatzamt. Sie werden bald von mir hören, das verspreche ich.»

Er schloß die Tür. Huntoon blieb draußen in der Hitze stehen. Natürlich war er ohne Voranmeldung gekommen, und Südstaatler mochten solche Unhöflichkeiten nicht. Er hatte kein Recht, verstimmt zu sein, obwohl er sich fragte, welche Privatangelegenheit es nötig machte, daß Powell mitten am Tag einen Morgenmantel trug. Huntoon hegte einen Verdacht, der zu schmerzhaft war, als daß er ihn lange hätte aufrechterhalten können.

Während er sich auf die Suche nach einer Kutsche machte, vollführte er eine emotionale Kehrtwendung. Powell wurde zu der Person, der eine Kränkung widerfahren war; er selbst wurde zum Angreifer. Sein Geist vollführte den Umschwung, weil er das Gefühl brauchte, ein echter Bestandteil von Powells Plan zu sein.

Am meisten aber wünschte er sich, seiner Frau von seiner tapferen Entscheidung zu berichten.

«Knappe Sache», sagte Powell im Foyer und schlüpfte aus der heißen Samtrobe. Huntoon watschelte auf dem Gehsteig davon, und Ashton, splitternackt, gab sich dem Gelächter hin, das sie mühsam unterdrückt hatte, während sie hinter der Tür versteckt gewesen war.

«Ums Haar hättest du uns verraten.»

«Aber – ich mußte lauschen, Lamar.» Sie lachte so sehr, daß ihr die Tränen kamen. «Es war – so köstlich – mein Ehemann auf der einen Seite der Tür – mein Liebhaber auf der anderen.» Sie hielt sich die Seiten; ihre Brüste bebten.

«Ich habe nicht gehört, wie du runtergeschlichen bist. Bei deinem Anblick hätte mich beinahe der Schlag getroffen.» Mit der linken Hand umklammerte er ihr Kinn und hob es grob an. «Tu sowas nie wieder.»

Ihr Lächeln verblaßte. «Nein, nein – es tut mir leid – ich werd's nie wieder tun. Aber ich bin so froh, daß er ja gesagt hat. Seit Tagen kämpft er mit der Entscheidung. Er hat kein Wort davon zu mir gesagt, aber es war offensichtlich.» Sie griff nach seinem Arm. «Du bist erfreut, nicht wahr? Jetzt haben wir ihn da, wo wir ihn im Auge behalten können.»

«Vor allem wollen wir nicht, daß er seinen Entschluß noch mal umstößt. Also mußt du irgendwelche Zweifel, die er noch haben mag, zerstreuen. Mach ihn stolz auf seine Entscheidung, indem du ihn belohnst.» Er drückte ihr Kinn zusammen; ein Zucken ihrer Mundwinkel zeigte den Schmerz. «Du verstehst, Liebes?»

«Ja. Ja. Ich tue, was du sagst.»

«Wie immer.» Er ließ los. Der Abdruck seiner Finger verblaßte. Lächelnd drückte er einen kurzen, väterlichen Kuß auf ihre Wange. «Deshalb liebe ich dich.»

Nachdem an diesem Abend die Dienerschaft entlassen und die Türen zum Speisezimmer geschlossen worden waren, räusperte sich Huntoon auf eine Art und Weise, die eine Ankündigung verhieß.

Lächelnd sagte sie: «James, was ist los? Du bist so aufgeregt.»

«Mit gutem Grund. Kürzlich führte ich einige persönliche Gespräche mit Mr. Lamar Powell.» Er schob die Terrine mit der dampfenden Fischsuppe beiseite, sprang auf. «Oh, ich kann nicht sitzen!» Er eilte zu ihr. «Er unterbreitete mir einen höchst erstaunlichen Plan, Ashton – ein Angebot, das ich akzeptiert habe, weil ich es für meine patriotische Pflicht halte, weil ich es für moralisch richtig halte und weil ich glaube, daß es uns große Vorteile bringen wird.»

«Meine Güte», murmelte sie mit der richtigen Mischung aus Überraschung und Zurückhaltung. «Will er Geld für ein weiteres Schiff?»

«Guter Gott, nein, nichts so Weltliches, Profanes. Ich werde es dir sagen, aber mach dich auf einiges gefaßt. Zögere nicht, nun ja, tollkühn zu denken. Unkonventionell. Liebling – Mr. Powell und einige Verbündete, die ich noch nicht kennengelernt habe, beabsichtigen», er packte ihren Arm, beugte sich zu ihr nieder, «einen neuen Konföderiertenstaat zu gründen.»

«*Was?*»

«Bitte nicht so laut. Du hast mich richtig verstanden. Eine neue Konföderation. Laß dir erzählen.»

Es dauerte eine halbe Stunde, bis er alles herausgesprudelt hatte. Die Fischsuppe war längst zusammengeklumpt, als er fragte: «Jetzt sag mir – hab' ich falsch gehandelt? Ich habe keines der Fakten zurückgehalten, einschließlich meines starken Wunsches, mich Powells Gruppe anzuschließen. Ich möchte sein neuer Finanzminister werden, und ich glaube, es ist möglich. Der Südwesten ist weit von unserem Heimatstaat entfernt, aber denk nur an den Lohn, der uns erwartet, wenn wir eine neue Regierung etablieren. Die Aufmerksamkeit, der Respekt der ganzen Welt wird auf uns gerichtet sein.»

«Daran denke ich gerade. Es ist einfach nur ein bißchen – nun – überwältigend.»

«Aber du bist nicht wütend auf mich?»

«James – James!» Sie begann sein wabbeliges Gesicht mit kleinen Küssen zu überschütten. «Selbstverständlich nicht. Deine Vision erregt mich, ich bin stolz auf deinen Mut, stolz darauf, daß du soviel Intelligenz und Initiative zeigst. Ich wußte schon immer, daß du über diese Eigenschaften verfügst. Ich bin so glücklich, daß diese elende Arbeit in Richmond dich nicht deines Ehrgeizes beraubt hat.»

«Der Hauptgrund meines Ehrgeizes bist du, Ashton. Ich möchte, daß du in der neuen Konföderation eine der bedeutendsten Frauen wirst.»

«Oh, Liebling!» Sie legte ihre Hände um sein feuchtes Gesicht, drückte es, küßte ihn, schob ihre Zunge tief in seinen Mund. Er stieß ein Stöhnen aus, als sie ihre rechte Hand auf seinen Schenkel gleiten ließ. «Ich bin so stolz auf dich.»

Jemand klopfte leise; in der Küche schien man sich über den endlosen Suppengang zu wundern. Ashton glättete ihr Kleid, blickte in Huntoons Kuhaugen – sie wußte, was heute nacht unvermeidlich kommen würde – und trällerte: «Komm herein, Della.»

Huntoon kehrte an seinen Platz zurück. Aber kaum war das Essen beendet, da war er schon wieder an ihrer Seite, fummelte an ihrem Kleid herum und flehte sie an, ins Schlafzimmer zu kommen. Sie gab vor, ebenso atemlos zu sein wie er, streckte schwach die Hand aus, um sich von ihm führen zu lassen.

Nackt gurrte sie über seinem Körper und verhalf ihm zu einer gewaltigen Erektion. Das zumindest war etwas Neues; sie konnte es kaum erwarten, Lamar davon zu erzählen.

Nördlich von Richmond, unter den Bäumen eines Wäldchens, unterhielten sich zwei Männer, von denen keiner den anderen sehen konnte, obwohl dunstiger Mondschein die umliegende Landschaft erhellte.

Über die leisen Geräusche der sich unruhig bewegenden Pferde sagte der eine: «Ich muß dir mitteilen, zum besten von uns allen, daß du zu oft und zu offen gesprochen hast. Es heißt, selbst dieser verdammte Lafayette Baker habe von uns gehört.»

«Von mir aus. Männer meines Staates machen kein Geheimnis aus ihren Überzeugungen. Gouverneur Brown tut das nicht, und ich tue es auch nicht.»

«Aber du hast Aufmerksamkeit auf dich gelenkt und damit möglicherweise auch auf uns andere.»

«Oh, ich bezweifle, daß man einem weiteren Verschwörungsmärchen viel Glauben schenken wird – es gibt so viele davon. Außerdem habe ich keine andere Möglichkeiten Männer mit dem nötigen Nerv zu rekrutieren. Ich kann nur den Köder auswerfen und warten. Bei dir hat's funktioniert.»

Widerwillig: «Stimmt.»

«Befinden wir uns in unmittelbarer Gefahr?»

«Ich glaube nicht. Davis hat von dem Gerede gehört und einen Brief geschickt, in dem er den General zu Nachforschungen auffordert. Ich habe mich dafür freiwillig gemeldet, patriotischer Eifer, der Haß auf Verräter, die üblichen Phrasen.»

«Sehr clever. Kannst du die Nachforschungen abblocken?»

«In die Länge ziehen», korrigierte der andere. «Wir haben nicht mehr soviel Zeit wie zuvor.»

«Dann werden wir schneller vorgehen. In wenigen Monaten wird Jeff Davis tot sein.»

«Wenn nicht, dann werden wir tot sein.»

«Wir werden den Sonnenschein und die freie Luft des Südwestens genießen. Inzwischen – bin ich für die Warnung sehr dankbar.»

«Ich weiß, es ist ein weiter Ritt bis hier heraus, aber es ist der sicherste Ort, der mir eingefallen ist, und ich dachte, es könnte dich interessieren.»

«Vollkommen richtig. Besten Dank. Ich bleibe in Verbindung.»

Sie schüttelten sich die Hände, wünschten einander gute Nacht und wandten ihre Pferde in entgegengesetzte Richtungen. Fahles Mondlicht strich über das Gesicht von Lamar Powell, als er auf der einen Seite aus dem Wäldchen getrabt kam, und über die freundlichen Gesichtszüge des Agenten des Kommandeurs der Militärpolizei, Israel Quincy, der auf der anderen Seite aus dem Wäldchen trabte.

88

LIBBY & SON
Schiffs- & Kolonialwarenhändler

Von einem Gewehrlauf aus dem Planwagen getrieben, sah Billy das

Schild, das noch aus der Zeit stammte, als das quadratische Gebäude ein Warenhaus und kein Gefängnis gewesen war. Ungefähr drei Dutzend Offiziere kletterten aus Billys Wagen und den zwei Wagen dahinter. Wie die anderen war Billy erschöpft, hungrig und vor allem nervös.

Kurz vor dem Libby-Gefängnis waren die Wagen an Handelshäusern und unbebauten Grundstücken vorbeigekommen. Zuerst fielen Billy die uniformierten Wachen auf, die in Abständen um das Backsteingebäude postiert waren.

Im Morgenlicht wirkte das Gefängnis streng. Die Wagen hatten an der unteren Seite gehalten, wo das Gebäude vier Stockwerke hoch war. Auf der gegenüberliegenden Seite waren es nur drei. Die Warnung, die über einer der Türen eingeschnitzt sein sollte, war in der ganzen Unionsarmee bekannt: *Die ihr hier eintretet, lasset alle Hoffnung fahren.*

«Antreten, in Einerreihen antreten», sagte ein gelangweilter Sergeant. Die meisten der Gefangenen nahmen ihre Lage recht gelassen hin. Einige hatten während der Fahrt nach Richmond in einem dreckigen Güterwaggon die unvermeidlichen Witze machen müssen. Aber als der Zug in die feindlichen Hauptstadt einfuhr, war Schluß mit den Witzen. Von all den Offizieren schien nur ein stattlicher Artillerie-Captain, vielleicht zwei oder drei Jahre älter als Billy, tief getroffen von diesem Erlebnis; seine Augen waren feucht, als er seinen Platz in der Reihe einnahm.

«Schaut euch das an», sagte ein Offizier und deutete auf eine Barkasse, die von einem nicht weit vom Gefängnis entfernten Pier ablegte. Die ganze offene Decksfläche war von ausgemergelten Männern in schmutzigen blauen Uniformen belegt. Vom Dach des Ruderhauses hing ein weißes Tuch. Die Barkasse fuhr flußabwärts.

Ein Wachmann bemerkte, daß die Gefangenen zuschauten, und sagte: «Das Schiff mit der Parlamentärflagge. Bringt eine Ladung von euren Jungs aus diesem Gebäude hier zum Tausch. Viele Boote legen heutzutage nicht mehr ab. Wird lange dauern, bis einer von euch für den Trip dran ist. Und jetzt los.»

Sie gingen durch das Tor und schoben sich die ächzenden Stufen hoch. Die Gerüche brachten die Männer zum Husten: Fisch, Tabak, etwas Beißendes.

«Was zum Teufel ist das für ein Gestank?»

Von einer sarkastischen Wache bekam der Gefangene Antwort. «Brennender Teer. Ihr Yanks riecht so scheußlich, daß wir den Ort regelmäßig ausräuchern müssen.»

Sie gelangten in einen großen, unmöblierten Raum mit hohen Fensterschlitzen, die nur wenig Tageslicht zuließen. Ein Mannschaftsdienstgrad befragte jeden Gefangenen, trug Name, Rang und Einheit in ein Schreibheft. Dann übergab er sie einem Corporal, der mit hinter dem Rücken verschränkten Händen unter einem Fenster stand. Bei seinem Anblick verkrampften sich Billys Eingeweide.

«Aufstellen – acht Mann in einer Reihe – hier anfangen.»

Der Corporal war ein gesunder, rosagesichtiger Junge mit blonden Locken und Augen, so strahlend und klar wie der Oktoberhimmel. Als die Gefangenen Reihen gebildet hatten – Billy befand sich in der zweiten – trat der Corporal vor sie.

«Ich bin Corporal Clyde Vesey und habe den Auftrag, euch Gentlemen hier im Libby-Gefängnis zu begrüßen, von dessen Gastfreundschaft ihr zweifellos schon gehört habt. Ihr werdet euch nun bis auf die Haut ausziehen, damit Private Murch und ich eine Suche nach Geld und anderen illegalen Materialien, die ihr vielleicht bei euch habt, durchführen können.»

Hemden wurden ausgezogen, Hosen fielen; dreckige Hände mühten sich mit den Knöpfen der Unterwäsche. Es gab keine Beschwerden; die Zugwachen hatten sie vor der Durchsuchung gewarnt und gemeint, oft hänge es von der Laune der durchsuchenden Soldaten ab, was man behalten könne. Veseys blaue Augen und seine Ansprache stimmten Billy nicht optimistisch.

«Mach den Mund auf», fuhr Vesey einen Major in der vordersten Reihe an. Der Major weigerte sich. Vesey schlug ihm zweimal hart mit dem Handrücken ins Gesicht. Zwei Plätze weiter nach links stieß der dicke Artillerie-Captain einen hörbaren Aufschrei des Abscheus aus.

«Aufmachen», wiederholte Vesey. Der wütende Major gehorchte. Vesey griff hinein und holte eine kleine, spuckebedeckte Papierröhre heraus. Vesey rollte die Zehn-Dollar-Note auf, wischte sie an seiner Bluse ab, steckte sie ein und ging weiter.

Er erreichte den Artilleristen, lächelte, spürte dessen Schwäche. Nach einer Routinedurchsuchung von Mund und Achselhöhlen trat er zurück. «Umdrehen und Arschbacken spreizen.»

«W-was? Hören Sie, das ist weder anständig noch –»

Vesey lächelte ein süßliches Lächeln. «Du hast nicht zu beurteilen, was im Libby-Gefängnis anständig oder unanständig ist. Solche Beurteilungen liegen in den Händen des Gefängnisdirektors, Lieutenant Turner, und derjenigen Leute, die das Privileg haben, ihm zu dienen.» Seine Hand schnellte hoch, packte das Ohr des Captains und verdrehte es. Der Artillerist kreischte wie ein Mädchen.

Vesey lächelte. «Dreh dich um, pack deine Arschbacken, und spreize sie.»

Die Gefangenen wechselten wütende Blicke. Mit rotem Gesicht drehte sich der Artillerist um und griff nach seinem Hinterteil. In dieser Position ließ ihn Vesey stehen, fünfzehn Sekunden – zwanzig – dreißig. Der Captain begann vor Anstrengung zu zittern. Vesey schlug ihm seitlich ins Gesicht. Der Captain quietschte und fiel nach vorn. Männer in der nächsten Reihe stießen ihn zurück. Der Captain begann zu heulen. Billy machte einen halben Schritt nach vorn.

Vesey sagte zu ihm: «Oh, ich würde mich nicht einmischen. Das zahlt sich nicht aus.»

Billy zögerte, trat wieder zurück. Die Suche ging weiter. Billys Mund wurde trocken, als der Corporal die zweite Reihe abschritt. Vesey bückte sich und durchwühlte den Kleiderstapel neben Billys nackten Füßen.

«Was ist das?» fragte Vesey erfreut. Aus Billys Jacke zog er das Schreibheft.

«Das ist mein Tagebuch», sagte Billy. «Es ist rein persönlich.»

Vesey erhob sich und wedelte mit dem Heft dicht vor Billys Nase herum. «In Libby ist nichts persönlich, außer wir machen es dazu. Dies ist ein Buch. Regelmäßiger Kirchgang hat mich gelehrt, Büchern zu mißtrauen, vor allem Romanen, und all jenen, die sie lesen. Es ist nicht nur meine Christenpflicht, euch als Gefangene zu halten, sondern euch auch von euren Irrwegen abzubringen. ‹Ich will euch vor den Heiden retten›, sagte der Prophet Ezechiel. Das ist genau das, was ihr Yankees seid. Heiden.»

Er ist verrückt, dachte Billy. «Murch?» Vesey schleuderte das Büchlein dem anderen Soldaten zu, der es auffing und einsteckte. Vesey schenkte Billy ein flüchtiges Lächeln und ging weiter zum nächsten Mann.

Billys Beine begannen zu schmerzen. Endlich war Vesey fertig und baute sich wieder, die Hände hinten verschränkt, vor ihnen auf. Jetzt können wir wenigstens hier weg und uns hinsetzen, dachte Billy.

«Es ist meine Pflicht und mein Privileg, euch Gentlemen einige moralische Instruktionen zu geben.» Vesey stellte sich breitbeinig hin. Ein Offizier fluchte. Vesey funkelte ihn an. Der Artillerist weinte immer noch leise. «Die Instruktionen betreffen euren Status in diesem Gefängnis. Wie ich schon zu dem Mann mit dem versteckten Tagebuch sagte, wir betrachten euch nicht nur als Feinde; wir betrachten euch als Heiden. Ihr seid keine Offiziere mehr. Ihr seid keine Gentlemen mehr. Euer Status hier ist der eines Niggers. Nein, ich bin zu großzügig. Ihr seid niedriger als Nigger, und ihr werdet lernen, das zu spüren – in jeder Minute, die ihr unter meiner Obhut seid, werdet ihr das einatmen. Jetzt!»

Ein tiefer Atemzug. Dann lächelte er.

«Zeigt mir, daß ihr verstanden habt, was ich euch gerade gesagt habt. Zeigt mir, wer ihr seid. Runter auf die Knie!»

«Was zum Teufel?» grollte Billy. Hinter ihm sagte ein anderer Offizier: «Du verfluchter Rebellenaffe!»

«Murch?» Vesey winkte. Mit seinem Revolver schlug der Soldat dem Offizier über den Hinterkopf. Der Mann taumelte. Ein zweiter Schlag warf ihn fast bewußtlos nieder.

Vesey lächelte erneut. «Ich sagte», murmelte er, «kniet nieder. Heidennigger. Kniet – *nieder*!»

Der Artilleriecaptain ließ sich als erster keuchend fallen. Jemand verfluchte ihn. Vesey flitzte zur dritten Reihe und schlug den Frevler, packte ihn dann an den Schultern und zwang ihn auf die Knie. Besorgte Blicke flackerten zwischen den Gefangenen auf, müde Männer, die sich vor diesem Irren in Sicherheit bringen wollten. Einer nach dem anderen sank langsam auf die Knie, bis nur noch drei nackte Offiziere standen. Vesey studierte das Trio und ging zum nächsten – Billy.

«Knie nieder», schnorrte Vesey.

Mit hämmerndem Herzen sagte Billy: «Ich verlange, daß diese Gefangenengruppe entsprechend den Kriegsregeln behandelt wird. Regeln, die Ihr Vorgesetzter sicher versteht, selbst wenn das bei Ihnen nicht der Fall –»

Er sah die Hand auf sein Gesicht zufliegen, versuchte auszuweichen, aber die Müdigkeit machte seine Bewegungen langsam. Der Schlag mit der offenen Hand schmerzte mehr, als er erwartet hatte. Er taumelte zur Seite, wäre beinahe gestürzt.

«Ich hab' es bereits gesagt. Hier existieren nur die Regeln, die ich aufstelle. Auf die Knie.»

Makellose Fingernägel gruben sich in Billys nackte Schulter. «Jesus», sagte Billy, Tränen in den Augen. Veseys Nägel rissen ihm die Haut auf; Blut tropfte, als er tiefer bohrte.

«Das ist Blasphemie. *Runter!*»

Billy wollte stehenbleiben, aber seine Beine gaben nach. Sein Kopf begann zu vibrieren wie der fehlerhafte Teil einer Maschine. Er biß die Zähne zusammen, widerstand dem stetigen Druck nach unten.

Unerwartet zog Vesey. Billy verlor das Gleichgewicht, stürzte nach vorn, knallte mit den Knien auf den Boden, rutschte mit den Handflächen darüber, ein langer Splitter fuhr ihm in die rechte Hand.

Er hob den Kopf und sah, wie sich der Corporal abwandte. «Murch?»

«Sir?»

«Wie heißt er?»

«Hazard. William Hazard. Pionier.»

«Danke. Ich möchte sichergehen, daß ich den Namen nicht vergesse», sagte Vesey; seine Lippen waren vor Wut so schmal, daß sie alle Farbe verloren hatten.

Sein Blick glitt zu den beiden anderen noch stehenden Offizieren. Erst kniete der eine nieder, dann der andere. «Gut», sagte Vesey.

Billy kauerte sich hin. Blut tröpfelte von seinem Arm. Er beobachtete, wie sich die strahlenden Oktoberaugen wieder auf ihn richteten und Maß nahmen.

Gegen fünf Uhr nahm der Wind zu, der Himmel färbte sich schwarz, der Hitzeschild zerbrach unter dem Ansturm des peitschenden Regens und des prasselnden Hagels. Orry ging gerade durch den Kapitol-Rundbau, als der Sturm losbrach; die Gaslichter brannten noch nicht, und er fand sich plötzlich in fast völliger Dunkelheit wieder. Er prallte gegen einen anderen Offizier, trat verblüfft zurück.

«George? Ich wußte nicht, daß du in Richmond bist.»

«Doch», sagte sein alter Freund Pickett mit seltsam entrückter Stimme. Picketts langes Haar war ungekämmt, seine Augen hatten dunkle Ringe. «Ja, für eine Weile – ich bin vorübergehend abkommandiert. Freut mich, dich zu sehen. Wir müssen uns mal zusammensetzen», sagte er über die Schulter und eilte in die Dunkelheit hinein. Donnerschläge ließen den Marmorboden vibrieren.

Er hat mich nicht erkannt. Was ist los mit ihm?

Doch Orry glaubte Bescheid zu wissen, er hatte die Geschichten gehört. Einst fröhlich und unbekümmert, hatte Pickett seine Jungs den Cemetery Hill hochgeführt, wo sie abgeschlachtet worden waren. Als er wieder herunterkam, war er ein gebrochener Mann. Orry blieb regungslos stehen. Das ganze Gebäude erzitterte, als wollten die Elemente es auseinanderreißen.

Am gleichen Tag erhielt George einen zerknitterten Briefumschlag, der von Lehigh Station mit einer zusätzlichen Drei-Cent-Marke nachgeschickt worden war. Er öffnete ihn, faltete den Briefbogen auf, sah die Unterschrift und stieß einen Begeisterungsruf aus.

Orry befand sich nicht nur in Richmond, er war mit Madeline dort, die mittlerweile seine Frau geworden war. George schüttelte voller

Erstaunen den Kopf, als er den Brief durchlas, der offensichtlich per illegalem Kurier nach Pennsylvania gelangt war. Ironischerweise hatte das Schicksal die Freunde auf ähnliche Pfade geführt. Genau wie George waren auch Orry seine Pflichten im Kriegsministerium fast unerträglich.

Trotz des melancholischen Tons mußte George lächeln, wann immer er den Brief las. Und er las ihn oft, er las ihn laut Constance vor und wieder und wieder für sich allein, bevor er ihn zu seinen anderen Erinnerungsstücken tat.

Keiner der Gäste an der Hotelbar lachte; wenige hoben ihre Stimme über ein Murmeln. Weshalb sollte man fröhlich sein? Nicht einmal das Wetter gab Anlaß dafür. Die Hitzewelle war gebrochen, aber der Sturm, der Erleichterung gebracht hatte, war so heftig gewesen, daß man hätte meinen können, er wolle ganz Richmond dem Erdboden gleichmachen.

Lamar Powell, der an einem Briefentwurf für den Vorarbeiter der mexikanischen Mine arbeitete, versuchte all die unzufriedenen Stimmen zu ignorieren. Er hatte sich einen Tisch hinten in der Ecke ausgesucht, um ungestört zu sein, und kündete dem Vorarbeiter gerade an, daß er innerhalb der nächsten zwölf Monate persönlich erscheinen würde, um das Kommando zu übernehmen.

Einen Augenblick zu spät hörte er das Quietschen der nassen Stiefel. Schnell faltete er den Briefentwurf zusammen und schaute zu dem Mann auf, dessen Schatten auf den Tisch gefallen war. Der Mann war fett, gewaltig, sein verstaubter Anzug so groß wie ein Zelt. Er hatte dunkles Haar, verschlagene Augen, eine verschwörerische Art.

«Habe ich die Ehre mit Mr. Lamar Powell?»

Powell wünschte sich, er hätte seine vierläufige Sharps heute abend mitgenommen. Konnte es sich bei diesem feisten Burschen um einen von Winders Spionen handeln, auf der Suche nach Kritikern des Präsidenten?

«Was wollen Sie?» entgegnete Powell.

Etwas irritiert räusperte sich der Fremde. «Man hat mir gesagt, daß Sie Mr. Powell sind. Ich suche Sie seit einigen Tagen. Ich interessiere mich für, äh, gewisse Pläne von Ihnen. Darf ich mich setzen und mich näher erklären? Oh, verzeihen Sie – mein Name ist Captain Bellingham.»

An diesem Abend feierte Bent, indem er sich in seiner Pension bis zur Bewußtlosigkeit vollaufen ließ. Mr. Lamar Powell war raffiniert. Mit keiner Silbe hatte er bestätigt, daß er an einer Verschwörung gegen die Regierung beteiligt sei, und ebensowenig hatte er den leisesten Hinweis gegeben, daß eine solche Verschwörung existierte. Doch seine Blicke und Gesten ließen keinen Zweifel daran. Er war daran beteiligt, und er konnte vertrauenswürdige Rekruten gebrauchen – vor allem einen in Maryland geborenen Südstaatensympathisanten, der kürzlich in Diensten von General Longstreet verwundet worden war.

Powell befragte ihn eingehend, wie und wo er seinen Namen gehört hatte. Bent verweigerte die Antwort. Natürlich war es ein Risiko, in diesem Punkt auf stur zu schalten. Doch wenn Powell ihn für zu weich und nachgiebig hielt, dann verzichtete er möglicherweise auf seine Dienste. Also grub sich Bent ein und sagte wiederholt, nein, er könne seine Quellen nicht enthüllen.

Er verabschiedete sich in der Hotelbar von Powell, betrank sich in seiner Pension und machte sich auf eine Wartezeit gefaßt. Eine Woche, einen Monat – wie lang immer es dauern mochte. In der Zwischenzeit konnte er einen weiteren kleinen Plan verfolgen, nun, da er sich in der gleichen Stadt wie Orry Main befand, der von seiner Anwesenheit keine Ahnung hatte. Er konnte ihn überraschen.

Am nächsten Abend verließ Ashton das Haus in der Grace Street um halb sieben. Die Luft war merklich kühler; von Nordwesten her zogen weiterhin häßliche, schwarze Wolken herauf.

Sie zog ihre Handschuhe an und war in Gedanken so mit dem gemeinsamen Abend mit Powell beschäftigt, daß sie den hinter einer Säule am Fuße der Treppe halb verborgenen Mann gar nicht bemerkte.

«Mrs. Huntoon?»

«Wie können Sie es wagen, mich derart zu erschrecken – oh!» Sie erkannte ihn: ein gewaltiger Fleischberg in dunklem Wollstoff, ein fettes Gesicht unter einem breitkrempigen Hut. Er hatte sie zuvor schon einmal aufgesucht, obwohl sein Name ihr entfallen war. Er trug eine Ölleinwandrolle unter dem Arm.

«Entschuldigen Sie, ich wollte Sie nicht ängstigen», sagte er, schnelle Blicke auf das Haus werfend. «Gibt es hier in der Nähe einen Ort, wo wir uns ungestört unterhalten können?»

«Wie war Ihr Name?»

«Captain Erasmus Bellingham.»

«Richtig. General Longstreets Corps.»

«Nun Invaliden-Corps, fürchte ich», erwiderte Bent mit seinem gefühlvollsten Gesichtsausdruck. «Ich bin nicht mehr bei der Armee.»

«Beim erstenmal sagten Sie, mein Bruder sei ein Freund von Ihnen.»

«Es tut mir leid, wenn ich diesen Eindruck erweckt habe. Ich bin ein Freund, lediglich ein Bekannter. Bei dieser Gelegenheit brachten Sie zum Ausdruck, daß Ihre Gefühle Colonel Main gegenüber etwas, nun, sagen wir, etwas weniger als herzlich seien? Deswegen bin ich heute abend vorbeigekommen – die erste Gelegenheit nach meiner Entlassung aus dem Chimborazo Hospital.»

«Captain, ich habe es eilig. Kommen Sie zur Sache.»

Seine plumpen Finger trommelten auf die Leinwandrolle. «Ich habe hier ein Gemälde. Ich würde es Ihnen gerne zeigen, das ist alles. Ich will es nicht verkaufen, Mrs. Huntoon – ich würde mich nicht davon rennen. Aber ich glaube, Sie werden es trotzdem sehr interessant finden.»

Charles erreichte am gleichen Abend Barclays Farm. Er hatte Jim Pickles eingeladen und ihm unterwegs erklärt, daß er zur Witwe Barclay in romantischer Beziehung stehe.

Gus umarmte und küßte ihn herzlich, und als sie hinausging, um zwei Hühner fürs Abendessen schlachten zu lassen, stieß Jim seinen Gefährten an. «Du bist ein Glückspilz. Sie ist eine echte Schönheit.»

Charles paffte weiter schweigend seine Maiskolbenpfeife und röstete seine nackten Füße am Küchenherd; der Regen unterwegs war peitschend und kalt gewesen.

Das Essen verlief fröhlich, aber der Krieg ließ sich nicht ganz ausklammern. Gus bemerkte, daß sie über die kürzlichen Aufstände in New York City, die Schwarzen und Weißen das Leben gekostet hatten, keine Freude empfinden könne. Besitztum im Wert von über zwei Millionen Dollar war zerstört worden, ehe Einheiten von Meades Armee aus Pennsylvania anrückten und den Aufruhr stoppten. Diese Bemerkung löste einen Streit aus.

«Du solltest glücklich darüber sein, Gus. Wir brauchen Hilfe, wo wir sie finden können.»

«Das kann nicht dein Ernst sein. Das war Gemetzel, kein Krieg. Frauen mit Messern erstochen. Kleine Kinder gesteinigt.»

«Scheußlich, das gebe ich zu. Aber wir können uns keine weichen Herzen mehr leisten. Selbst wenn wir siegen, verlieren wir. In jeder Schlacht verbrauchen beide Seiten Männer, Pferde, Munition. Die Yanks können es sich leisten – sie haben von allem reichlich. Wir nicht. Wenn sie je einen General finden, der das mitkriegt, dann ist es mit unserer Seite aus.»

Sie schauderte. «Du klingst so blutrünstig.»

Seine Laune ging mit ihm durch. «Und du so mißbilligend.»

Ihre alte Verteidigung, ein sprödes Lächeln, tauchte auf. «Mr. Pop und ich, wir fragen uns, was die Ursache deiner schlechten Verfassun ist.»

«Meine Verfassung geht dich nichts an.»

Sie zitierte trotzdem: «War vielleicht krank», ein Augenblick de Zögerns, «verliebt oder hatte nicht gespeist?»

An einem Hühnerflügel nagend fragte Jim: «Wer ist Mr. Pope? Ei Farmer hier aus der Gegend?»

«Ein Dichter, von dem Mrs. Barclay sehr viel hält, du Dummkopf.

«Charles, du bist unhöflich», sagte sie.

Er seufzte. «Ja. Tut mir leid, Jim.»

«Oh – schon vergessen», antwortete Jim, sein Hühnchen im Aug behaltend.

«Ich möchte trotzdem wissen, weshalb du so ungemütlich bis Charles.»

«Ich bin ungemütlich, weil wir verlieren, verdammt noch mal.» Bein letzten Wort schlug er seine Pfeife so kräftig gegen den Herd, daß de Stiel brach.

Später glätteten sie die Wogen – sie ergriff die Initiative – un schliefen zwischen Mitternacht und Morgen zweimal miteinande Aber der Schaden war da.

Am nächsten Nachmittag rissen die Wolken auf, als die Männer z ihrem Ritt zurück zum Camp unterhalb vom Rapidan aufbrachen wohin sich die Infanterie hinter den Schutzschild der Kavallerie zu rückgezogen hatte. Alle Kommandos im berittenen Dienst sollten ne beurteilt und möglicherweise neu organisiert werden. Als ob das Char les nicht völlig egal gewesen wäre.

Der Himmel, der sich gegen Abend tief orange färbte, wirkte verlo ren und hoffnungslos. Herbstlicht. Charles trabte neben dem jüngere Scout; er bemerkte, daß die Truthahnfeder an Jims Hutband, vor ei paar Minuten noch nach hinten geneigt, nun auf die Straße vor ihne zeigte.

Jim bemerkte den starren Blick seines Gefährten. «Stimmt wa nicht, Charlie?»

«Der Wind hat gedreht.»

So war es; jetzt kam er scharf und kalt aus Nordwesten. Viel zu ka für die Sommerzeit. Jim wartete auf weitere Erklärungen, aber es kan nichts mehr. Er kratzte sich seinen stoppligen Bart. Seltsamer Mann Charlie. Tapfer wie der Teufel. Aber momentan mächtig unglücklich.

Gegen den steifen Nordwind ankämpfend, der die Gräser der Felde flach preßte und die Bäume ächzen ließ, ritten sie in den orangefarbenen Abend.

Die Metzgersrechnung

Ich kann die Wandlung nicht beschreiben, auch nicht, wann sie stattgefunden hat, und doch weiß ich, daß sich etwas verändert hat, denn ich schaue die Leiche eines Mannes mit den gleichen Gefühlen an wie die eines Pferdes oder Schweines.

Konföderierter Soldat, 1862

Fünftes Buch

Die Metzgerrechnung

89

Ein milder Winter dämpfte den Anblick des gepeinigten Landes von Virginia, konnte ihn aber nicht zudecken. Zu viele Felder lagen nackt und bloß da. Zu viele Bäume zeigten die rohen Kreise, wo Äste abgehackt worden waren. Zu viele Straßen wiesen Krater und tiefe Furchen von Hufen und Rädern auf. Die Mauern zu vieler Farmen waren mit Gewehrkugeln gepflastert, Fenster waren ausgeschlagen, überall frische Gräber.

Heuböden und Ställe waren leer. Die Speisekammern waren leer, ebenso wie die Stühle, auf denen einst Onkel und Brüder, Väter und Söhne gesessen hatten.

Drei Jahre lang hatte man zu viel von der Erde gefordert, und das hatte seine Spuren hinterlassen. Von Feldern und Schluchten, von Bächen und Teichen, von Hügeln und blauen Bergen stieg im blassen Sonnenschein dünner Dunst empor. Es war der Atem eines kranken Landes.

In der Kavallerie der Armee von Nordvirginia war Charles zu einer Art Legende geworden. Sein Mut und seine Sorge für andere hoben ihn aus der Masse der Männer heraus, während sein mangelnder Ehrgeiz ihn andererseits zurückwarf. Hinter seinem Rücken erzählte man sich, daß der Krieg Spuren in seinem Kopf hinterlassen habe.

Er entwickelte merkwürdige Angewohnheiten. Er verbrachte viele Stunden bei seinem grauen Wallach, striegelte und bürstete ihn. Manchmal unterhielt er sich lange mit dem Tier. Den Winter über galoppierte er gelegentlich los, um ein Mädchen in der Nähe von Fredericksburg zu besuchen, kehrte aber jedesmal in mürrischem Schweigen zurück. Regelmäßig durchstöberte er die Camps nach gelbgebundenen Beadle-Romanen. Er las nur eine Sorte, wie Jim Pickles bemerkte – jene, die von den Ebenen im Westen handelten und den Scouts und Trappern, die sie bevölkerten.

«Wie lang bist du in dem Teil des Landes gewesen?» fragte Jim an einem Januarabend an ihrem Lagerfeuer.

«Lang genug, um mich in das Land zu verlieben.» Charles benützte sein Bowiemesser, um sich Stew in den Mund zu schaufeln. Jim hatte dafür nur einen Stock; aus Armeequellen war kein Löffel zu bekommen.

Nach einem weiteren Bissen fügte Charles hinzu: «Ich würde morgen dorthin, wenn dieser Krieg nicht wäre.»

Überrascht sagte Jim: «Was ist mit Miss Augusta?»

«Ja, das kommt dazu», sagte Charles. Eine Weile starrte er ins Feuer.

Aus der Dunkelheit rief einer der Scouts: «Charlie? Ich glaube, dein Grauer ist los.»

Er sprang auf, verschüttete sein Essen. Durch blattloses Gesträuch stürmte er in die Richtung, in die der andere Mann gedeutet hatte. Richtig, da war sein Pferd und malmte heftig an einem Stück grauen Tuches; Sport hatte seinen Haltestrick zerrissen.

Ärgerlich zerrte Charles die Decke aus Sports Maul. Der Graue wieherte, entblößte die Zähne, stieß nach Charles' Hand. «Verdammt noch mal, Sport, was ist los mit dir?» Natürlich wußte er, was los war. Es gab kein Futter mehr; der Hunger machte die Pferde wild.

Charles stieß heftige Flüche aus, als er im Schein eines anderen Feuers die Rippen des Grauen sah, so gleichmäßig wie Eisenbahnschwellen. Seit Wochen schon wußte er, daß Sport an Gewicht verlor. Er schätzte, daß der Graue dreißig oder vierzig Pfund weniger wog als damals, als er ihn gekauft hatte. Dieses Dahinsiechen erfüllte Charles mit Wut und Schmerz, genau wie das Schicksal der anderen Tiere. Viele starben. Warum nicht? Auch ihre Sache starb. Fast jeden Tag schickte Hampton Reitertrupps auf die Suche nach Futter; nur selten fanden sie was. Beide Seiten hatten den Staat leer gefegt.

Charles' Zustand blieb auch Hampton nicht verborgen, der zum Generalmajor ernannt worden war und bei der letzten Neuorganisation eine Division bekommen hatte. Fitz Lee hatte die gleiche Beförderung und die andere Division erhalten. Eines Abends lud Hampton Charles in sein Zelt ein.

In dem tiefgoldenen Licht der Laternen sah Wade Hampton immer noch fit aus, ein kleines Wunder angesichts der ernsten Wunden, von denen er sich hatte erholen müssen. Doch Charles bemerkte auch Linien in seinem Gesicht, die noch nicht da gewesen waren, als Hampton die Legion aufgestellt hatte. Ein neuer, feierlicher Ernst hüllte den General wie einen Mantel ein.

Sie plauderten eine Weile über alles mögliche, doch Charles hatte das Gefühl, daß dies nur der Vorbereitung auf etwas anderes diente. Er täuschte sich nicht.

«Ich möchte Ihnen etwas sagen, das Sie, wie ich weiß, schon von vielen anderen gehört haben, einschließlich Ihres Freundes Fitz.»

Charles wartete, auf der Hut. Hampton wirbelte einen kleinen Rest Whiskey in seiner Blechtasse herum. «Sie sollten nichts Geringeres sein als Brigadier, Charles. Sie verfügen über die Erfahrung. Und über die Fähigkeit – »

«Aber nicht über den Wunsch, Sir.» Warum nicht die Wahrheit sagen? Er hatte es satt, es für sich zu behalten, und wenn ihn jemand verstehen würde, dann der General. «Ich bin soweit, daß ich den Krieg verabscheue.»

Kein Anzeichen einer Zurechtweisung; nur ein kurzes Seufzen. «Niemand wünscht sich den Frieden sehnlicher als ich, aber wir dürfen uns keinen Täuschungen hingeben, wie das bei einigen der Fall ist. Vizepräsident Stephens und viele andere in der Regierung glauben, Frieden bedeute lediglich ein Ende des Krieges. Das stimmt nicht. Darüber sind wir hinaus, zuviel Blut ist geflossen. Wir werden hinterher genauso erbittert kämpfen, auf andere Weise, wie wir jetzt kämpfen.»

Der Gedanke war Charles noch nicht gekommen. Er überlegte sich das einige Sekunden lang, fand es sowohl realistisch als auch deprimierend.

«Dann werd' ich mich vielleicht nach Texas aufmachen und mir eine Hütte und ein Stück Farmland suchen.»

«Das will ich nicht hoffen. Der Süden wird starke Männer mit gesundem Menschenverstand nötig haben. In diesem Leben müssen wir unsere Talente verantwortlich einsetzen.»

Hampton hatte es ruhig gesagt, aber es hatte getroffen, so wie er es beabsichtigt hatte. Der General ließ seine Bemerkungen einsinken. Er streckte seine kräftigen Beine aus und lächelte auf die Art und Weise, mit der er so viele Freunde gewonnen hatte; selbst Stuart war ihm gegenüber aufgetaut. Fitz Lee allerdings, das wußte jeder, würde dem älteren General stets eifersüchtig und mißgünstig gegenüberstehen.

«Ah, ich nehme aber an, daß wir noch lange auf den Frieden warten müssen», sagte Hampton nun. «Und ich glaube daran, daß wir siegen werden.»

Charles verzog keine Miene; solche Lügen wurden von den hohen Offizieren gefordert. Hampton jedoch diskutierte weiter über den Sieg. Sinnierend strich er seinen gewaltigen braunen Bart. «Sie werden in den Westen gehen, wenn wir es geschafft haben, sagen Sie. Was hält diese junge Lady in Fredericksburg von Ihren Plänen? Ich habe gehört, Ihre Herzenssache ist recht ernst.»

«Oh, nein, Sir. In Zeiten wie diesen kann ich mich kaum richtig um mein Pferd kümmern. Ich habe nicht die Absicht, mich auch noch um eine Frau kümmern zu müssen.»

Bald verabschiedete er sich; Hampton schüttelte ihm herzlich die Hand, drängte ihn nochmals, über die Brigade nachzudenken. Charles versprach es, allerdings nur aus Höflichkeit.

Sein Atem stand in kleinen Wolken in der Dunkelheit, als er durch den ewigen Schlamm zu Sport trottete. Obwohl er in scherzhaftem Ton über Gus gesprochen hatte, war es ihm durchaus ernst gewesen. Er liebte Gus mehr, als er je zuvor eine Frau geliebt hatte, aber er mußte die Beziehung abbrechen, um ihrer beider willen.

Mit dem immer stärker werdenden Gefühl, daß der Tod der Konföderation unvermeidlich war, stand Charles in seiner Familie nicht allein. Cooper glaubte es ebenfalls, obwohl er es nie laut aussprach, nicht einmal Judith gegenüber.

Cooper und seine Familie befanden sich in Charleston, wohin Minister Mallory sie im vergangenen Herbst geschickt hatte. Lucius Chikkering hatte seinen Vorgesetzten begleitet.

Die Stadt, in die Cooper kam, war nicht länger der charmante Hafen mit Lichtern, guten Manieren und dem hellen Klang der Kirchenglokken, in den er sich verliebt hatte, als ihn sein Vater hierher ins Exil schickte. Charleston trug noch die Wunden und Narben des Großfeuers von 1861, die Stadt war erschöpft von Blockade und Belagerung, vom Feind bedroht zu Lande und zu Wasser. Die anmutige alte Stadt war im ganzen Norden verhaßt wie keine andere. Vor allem anderen wollten die Yankees Fort Sumter zurückerobern oder dem Erdboden gleichmachen, mehr aus symbolischen denn aus strategischen Gründen.

Cooper stellte fest, daß die alte Firma der Main-Familie, die Carolina Shipping Company, nicht mehr in dieser Form existierte. Das Militär hatte das Kommando übernommen, hatte die Lagerhäuser erweitert und die Piers verrotten lassen, weil Charleston von der See her nicht mehr versorgt werden konnte. Das kühle, hohe Haus in der Tradd Street war vom Feuer verschont geblieben; Cooper und Lucius waren allerdings gezwungen, sich zu bewaffnen, um ein halbes Dutzend weiße Hausbesetzer die sich hier eingenistet hatten, zu vertreiben. Dann brauchte es Besen, Farbe und Desinfektionsmittel, um das Haus wieder halbwegs in seinen früheren Zustand zu versetzen. Nicht daß sich diese Anstrengung gelohnt hätte, dachte Judith knapp eine Woche nach ihrer Ankunft. Ihr Mann verbrachte den gesamten Tag und einen guten Teil der Nacht in seinem Büro oder dem von General Beauregard; an beiden Orten versuchte er, System in die Tests mit dem Tauchboot *Hunley* zu bringen.

Ein zentraler Existenzfaktor in Charleston war die Bundesblockade, die ihre grausame Wirkung zeigte, und das nicht nur, indem sie den Süden weiterhin von lebenswichtigen Versorgungsgütern abschnitt. Da die Yankees buchstäblich die Kontrolle über den Atlantik von Chesapeake bis Florida besaßen, mußten die Truppen entlang der gesamten Küste bereitgehalten werden, um jeden möglichen Angriffspunkt abzudecken. Scotts Anakonda war nicht länger eine Theorie, über die man sich lustig machen konnte. Ihre Schlingen würgten den Süden zu Tode.

Eine zweite nervenzerfetzende Realität in dem neuen Charleston waren die anhaltenden, heftigen Versuche der Yankees, die Stadt zu erobern oder wenigstens teilweise zu zerstören. Nach tagelangem Einschießen eröffneten die massiert aufgebauten Kanonen Mitte August das Bombardement. Seitdem hatte es drei schwere, mehrere Tage anhaltende Bombardements gegeben. Sumter glich nun einem Steinhaufen, obwohl sich in den Ruinen noch eine Garnison von fünfhundert Mann mit achtunddreißig Kanonen hielt.

Die Stadt widerstand den Bombardements und nahm relativ geringen Schaden. Sumter zeigte immer noch die Konföderiertenflagge. Doch der Feind hatte weder aufgegeben, noch war er abgezogen; die Yanks steckten da draußen im Dunst jenseits von James Island, wo Cooper seine noch in den Kinderschuhen steckende Werft aufbaute. Zur Stützung der Moral hatte Präsident Davis letzten November die Stadt besucht. Bei jedem Auftauchen war Mr. Davis von Menschenmengen herzlich begrüßt worden. Cooper war zu keiner Kundgebung gegangen. Jetzt halfen nur noch Taten, keine patriotischen Predigten. Sein Job war die *Hunley*.

Das «Fisch-Schiff» war im letzten Sommer von Mobile aus antransportiert und seitdem vom Mißgeschick verfolgt worden. Mit einer offenstehenden Luke war sie von einem viel größeren, dicht vorbeifahrenden Schiff zum Sinken gebracht worden. Die gesamte Acht-Mann-Crew, einschließlich des Kapitäns, Lieutenant Payne, befand sich an Bord. Bis auf Payne ertranken alle.

Während eines Tests des Tauchschiffs mit einer Ersatz-Crew verloren weitere fünf Mann ihr Leben. Daraufhin gab Old Bory die *Hunley* auf, änderte aber seine Meinung, als Mallory versprach, zwei seiner vertrauenswürdigsten Mitarbeiter zur Überwachung zu schicken.

Mittlerweile hatte das Torpedoboot *David* am 5. Oktober bei der

U.S.S. *New Ironsides* einen Treffer gelandet. Der Torpedo detonierte erfolgreich sechs Fuß unter der Wasserlinie des Feindschiffes, und obwohl die Sechzig-Pfund-Ladung nicht ausreichte, das Schiff zu versenken, mußte es sich doch zur Reparatur nach Port Royal zurückziehen.

Das war der Zeitpunkt, zu dem Cooper und Lucius ankamen. Sie wiesen Beauregard auf einen Vorteil hin, den die *Hunley* gegenüber der *David* aufzuweisen hatte: Lautlosigkeit. Die offiziellen Berichte zeigten, daß die Maschine der *David* die *New Ironsides* bereits auf die Gefahr aufmerksam gemacht hatte, noch bevor das Torpedoboot zugeschlagen hatte. Beauregard versprach Unterstützung, die auch dringend benötigt wurde. Die *Hunley* hatte bereits den Spitznamen «Der schwimmende Sarg» bekommen.

Hunley selbst kam einige Tage später in Charleston an, um den nächsten Test am 15. Oktober zu leiten. Er und die gesamte Ersatz-Crew aus Mobile kamen dabei ums Leben. «Sie hatte sich in den Grund gebohrt, neun Faden tief, in einem Winkel von ungefähr fünfunddreißig Grad», sagte Cooper am Abend danach. Er hockte vor einem Teller, von dem er noch nichts gegessen hatte.

Seine Tochter fragte: «Wie tief sind neun Faden, Papa?»

«Fünfundvierzig Fuß.»

«Brr. Nichts als Haie in der Finsternis da drunten.»

Und dieser schwimmende Sarg.

«Aber du hast sie bereits gehoben», begann Judith.

«Gehoben und geöffnet. Die Körper lagen furchtbar verkrümmt herum.»

«Marie-Louise», sagte ihre Mutter, «du darfst den Tisch verlassen.»

«Aber, Mama, ich möchte mehr hören über – »

«Geh.»

Nachdem ihre Tochter das Zimmer verlassen hatte, bedeckte Judith kurz ihren Mund mit der Serviette. «Wirklich, Cooper, mußt du dich vor ihr so drastisch ausdrücken?»

«Warum soll ich die Wahrheit verzuckern? Sie ist praktisch eine junge Frau. Das Unglück ist geschehen, obwohl es nicht hätte sein müssen.» Er schlug auf den Tisch. «Es hätte nicht sein müssen! Wir haben die Leichen sorgfältig studiert. Die von Hunley zum Beispiel – sein Gesicht war schwarz, und seine rechte Hand war über seinem Kopf. Nahe der vorderen Luke, die er offensichtlich zu öffnen suchte, als er starb. Zwei andere hielten Kerzen in den Händen. Sie waren bei den Riegeln, mit denen die Eisenstäbe unten am Rumpf gesichert sind. Diese Stäbe sind zusätzlicher Ballast, die gelöst und abgeworfen werden, wenn der Kapitän auftauchen will. Aber kein einziger Riegel war losgemacht worden, obwohl die armen Hunde es mit Sicherheit probiert haben. All das war ein Rätsel, bis wir die wirklich wichtige Entdeckung machten: das Bodenventil für den Ballasttank am Bug war noch offen.»

«Und was hat euch das verraten?» Ihr Ton und ihr Blick sagten, daß sie nicht sicher war, ob sie es wissen wollte.

«Wie sie runtergegangen ist! Ein anderer Mann bediente die Pumpe, mit der die Tanks geleert werden. Panik muß ausgebrochen sein. Vielleicht ging die Luft zu Ende, und die Kerzen erloschen. Das war genug auf diesem begrenzten Raum. Sie haben versucht, sie hochzubringen, verstehst du nicht? Aber das Bodenventil war offen, und in der Finsternis, bei der Panik, vergaß Hunley, den Befehl zum Schließen zu geben. Deshalb starben sie. Ordnungsgemäß betrieben ist das Schiff seetüchtig. Es kann eine Menge Yankeematrosen umbringen, und wir werden es testen und eine Mannschaft trainieren, bis alles bereit ist.»

Judith warf ihm einen seltsamen Blick zu; traurig, aber nicht unterwürfig. «Offen gesagt, ich habe es satt, von deinem heiligen Kreuzzug gegen Menschenleben zu hören.»

Er starrte sie wild an. «Judah bedeutet dir nichts?»

«Judah starb wegen Leuten von unserer Seite. Einschließlich deiner Schwester.»

Cooper schob seinen Stuhl vom Tisch zurück. «Erspar mir deinen zimperlichen Pazifismus. Ich gehe ins Büro.»

«Heute abend? Noch einmal? Du bist jeden – »

«Du tust so, als würde ich mich in irgendein Bordell oder eine Spielhölle schleichen.» Er schrie nun. «Ich versuche dringende und lebenswichtige Arbeit zu leisten. General Beauregard wird nicht, ich wiederhole, wird *nicht* die *Hunley* in Dienst stellen, wenn wir nicht nachweisen können, daß sie seetüchtig ist, und wenn wir sie nicht mit einer Bugladung ausrüsten, mit der man ein Panzerschiff versenken und nicht bloß beschädigen kann. Dafür braucht man wenigstens neunzig Pfund Pulver. Wir prüfen Material und Entwürfe.»

Mit langsamen, betonten Bewegungen erhob er sich und verbeugte sich. «Sollte es mir gelungen sein, wieder einmal mein Verhalten und meine Motivation zu deiner Zufriedenheit zu erklären, und solltest du keine weiteren trivialen Fragen haben, dürfte ich dann mit deiner gütigen Erlaubnis gehen?»

«Oh, Cooper – »

Er wirbelte herum und ging.

Nachdem die Haustür zugeschlagen war, blieb sie regungslos sitzen.

Sein häßlicher Abgang erinnerte sie vage an sein Verhalten zu der Zeit, als er mit dem Bau der *Star of Carolina* gekämpft hatte. Aber damals, obwohl in einem Zustand ständiger Erschöpfung, war er sanft und liebevoll gewesen. Der Mann, den sie geheiratet hatte. Jetzt lebte sie mit einem rachsüchtigen Fremden zusammen, den sie kaum kannte.

Das waren Judiths Gedanken im letzten Oktober gewesen, nach dem fatalen Test. Die Feiertage näherten sich, und nichts änderte sich – außer man betrachtete einen Wandel zum Schlechteren als Änderung. Die Verhältnisse in der Tradd Street wurden schlimmer, die Verhältnisse in Charleston wurden schlimmer.

Die Stadt erbebte weiterhin unter dem feindlichen Granatfeuer. Manchmal krächzten die Papageien die ganze Nacht hindurch, und reflektierendes rotes Licht an der Schlafzimmerdecke weckte sie häufig. Wie gern hätte sie sich umgedreht und ihren Mann umarmt, aber für gewöhnlich war er nicht da. Selten blieb er länger als zwei Stunden im Bett. Kurz vor Weihnachten schlug sie vor, sie könnten vielleicht nach Ashley fahren, um zu schauen, wie es um die Plantage stand.

«Wozu? Der Feind ist hier. Soll das Zeugs doch verfaulen.»

Eines Abends brachte er Lucius Chickering mit zum Essen, um zusätzliche Arbeitszeit zu gewinnen, nicht aus Gastfreundschaft, und die zwölfjährige Marie-Louise warf dem jungen Mann während des ganzen Essens bewundernde Blicke zu. Sie stieß mehrere Seufzer aus, die unmöglich mißzuverstehen waren.

Als sie und Judith die Männer beim Brandy allein ließen, sagte Lucius: «Ich glaube, Ihre charmante Tochter hat sich in mich verliebt.»

«Ich bin nicht in der Stimmung für billige Witze.»

Als ob du das je wärst, dachte Lucius. Mit überraschendem Mut räusperte er sich. «Hören Sie, Mr. Main. Ich weiß, ich bin bloß Ihr Assistent, jünger als Sie, mit weitaus weniger Erfahrung. Trotzdem weiß ich, was ich empfinde. Und ein bißchen Lockerheit ist auch in Kriegszeiten nicht unangebracht. Vielleicht hilft es sogar.»

«Vielleicht in Ihrem Krieg, nicht in meinem. Trinken Sie Ihren Brandy aus, damit wir uns an die Arbeit machen können.»

Jetzt war Januar. Old Borys schwindendes Vertrauen in die *Hunley* war durch Coopers Bitten und die Begeisterung des neuen Kapitäns und der neuen Crew am Leben gehalten worden. Der Kapitän war ein Armeeoffizier, Lieutenant George Dixon, zuletzt bei den Twenty-first Alabama Volunteers. Die Mannschaft war von dem Schiff *Indian*

Chief angeworben worden, und jeder einzelne Mann hatte die Geschichte der *Hunley* erzählt bekommen. Darauf hatte General Beauregard bestanden.

Und so fuhren Cooper und Lucius jeden Morgen mit ihrem Ruderboot nach Sullivan's Island, wo das Schiff vertäut war. Es war eine beschwerliche Fahrt, aber sie hatten es immer noch leichter als Kapitän Dixon und seine Mannschaft, die schon zu Tagesbeginn von ihren Baracken aus sieben Meilen anmarschieren mußten.

Auf dem knarrenden Dock, das aus dem Sandstrand hinausragte, ließ es sich im winterlichen Sonnenschein aushalten. Die beiden Männer vom Marineministerium und Mr. Alexander, der knorrige britische Maschinist, der beim Bau des Schiffes geholfen hatte, beobachteten mehrmals, wie die Crew mit der *Hunley* für kurze Zeit unter Wasser ging, ohne jeden Zwischenfall.

Ende Januar schließlich, an einem milden Nachmittag, verkündete Dixon: «Wir sind bereit, Mr. Main. Wird General Beauregard einen Angriff genehmigen?»

Coopers dünner werdendes Haar flatterte im Wind. Sein Gesicht, normalerweise schon blaß, hatte die Farbe eines Eisstücks. «Ich bezweifle es. Jetzt noch nicht. Sie sind jedesmal nur einige Minuten unten geblieben. Wir müssen demonstrieren, daß das Schiff viel länger unten bleiben kann.»

«Nun, Sir, wie lang ist viel länger?» fragte Alexander.

«Bis die Luft ausgeht. Bis die Mannschaft an der Grenze des Erträglichen angekommen ist. Diese Grenze müssen wir finden, Dixon. Ich möchte, daß Sie beim nächsten Test einen Mann an Land lassen. Ich werde ihn ersetzen – gestern hab ich Old Borys Erlaubnis erhalten. Ich tat es, weil das seine Zweifel zerstreuen wird. Ich muß beweisen, daß das Marineministerium Vertrauen in dieses Schiff hat.»

«Aber Mr. Main», protestierte Lucius, «das könnte äußerst gefährlich für Sie werden.»

Als ihm bewußt wurde, daß die anderen ebenfalls gefährdet waren, errötete er. Den mörderischen Blicken seines Vorgesetzten wich er aus. Dixons Reaktion darauf überraschte Cooper.

«Mr. Chickering hat recht, Sir. Sie sind ein verheirateter Mann mit Familie. Ist Ihre Frau einverstanden?»

«Ich brauche General Beauregards Einverständnis, nicht das ihre. Vergessen Sie das bitte nicht. Ich möchte die *Hunley* in Dienst sehen, ich möchte, daß sie Yankeeschiffe versenkt und Yankeeseeleute ersaufen läßt, ohne weitere Verzögerung. Ich werde an dem Tauchtest teilnehmen. Morgen abend.»

Seine geduckte Haltung, die zusammengepreßten Lippen, die zornigen Augen ließen Widerspruch nicht ratsam erscheinen. Die Papageien fingen an zu krächzen, als das Tagesbombardement begann. Ein Dutzend große, schwarzköpfige Möwen stieg erschrocken vom Strand hoch.

90

Gegen Ende des sechsten Monats im Libby-Gefängnis wog Billy achtundzwanzig Pfund weniger als am Tag seiner Ankunft. Sein Bart hing ihm bis auf die Brust. Sein Gesicht sah grau und eingefallen aus, aber er hatte gelernt, wie man überlebt.

Man stocherte mit dem Finger im Essen herum, auf der Suche nach Getreidekäfern. Dann roch man am Essen. Besser hungern als den verdorbenen Schweinefraß hinunterschlingen, der den Gefangenen vorgesetzt wurde. Schlechtes Essen konnte die Ruhr auslösen und einen zwingen, ständig zu den stinkenden Holzklosetts zu rennen. Man konnte tot sein, bevor man mit dem Rennen aufhörte.

Man hatte besser einen leichten Schlaf, für den Fall, daß Gefangene aus einem anderen Teil des Gebäudes einen Beutezug unternahmen und alles stahlen, was zu stehlen war. Leichter Schlaf war kein Problem. Jeder der großen Gefängnisräume beherbergte zwischen drei- und fünfhundert Mann; das Gefängnis platzte aus allen Nähten, weil der Austausch fast zum Erliegen gekommen war. Billys Raum im obersten Stock war so überfüllt, daß sie in Löffelstellung schliefen. Ohne Decken. Das verhalf zu noch leichterem Schlaf, nun, da der Winter gekommen war.

Man hielt sich von den Fenstern fern, ganz gleich, wie sehr man sich nach einem Hauch frischer Luft sehnte. Die Wachen draußen, manchmal sogar Zivilisten, schossen gelegentlich auf Gefangene, die am Fenster auftauchten. Diese Schützen bekamen keinen Rüffel vom Direktor.

Man tat alles nur Denkbare, um keine depressiven Gedanken aufkommen zu lassen. Schachspielen. Gefechtsstories austauschen. Man lernte Französisch oder Musiktheorie, was inoffiziell von anderen Gefangenen unterrichtet wurde. Hatte man ein Stückchen Papier übrig, dann kritzelte man einen kleinen Artikel darauf und gab es an den Herausgeber vom *Libby Chronicle* weiter, der zweimal die Woche im größten Raum vor einer gewaltigen Menge eine ganze Zeitung vorlas.

Vor allem aber vermied man, wenn man Billy Hazard hieß, jeden Kontakt mit Corporal Clyde Vesey.

In den ersten Wochen von Billys Gefangenschaft war das nicht schwierig. Vesey tat immer noch im Erdgeschoß Dienst, wo er weiterhin die neuen Gefangenen in Empfang nahm. In der Nacht nach Weihnachten jedoch tauchte Vesey in dem eiskalten Raum auf, in dem Billy inmitten all der rastlosen Männer zu schlafen versuchte. In der Hand trug er eine Laterne, wie ein Gespenst.

«Da bist du, Hazard», sagte er lächelnd. «Ich konnte es kaum erwarten, dich zu finden und dir zu erzählen, daß ich hier nach oben versetzt worden bin, nachts. Das heißt, daß ich dir endlich die Aufmerksamkeit widmen kann, die du verdienst.»

Billy hustete in seine Hand; er hatte sich erkältet. Nach dem Anfall sagte er: «Wunderbare Neuigkeiten. Jeder herrliche Augenblick deiner Gegenwart wird mir unvergeßlich bleiben, Vesey.»

Immer noch sanft lächelnd blickte Vesey auf die Hand, mit der Billy sich am Boden abstützte. Mit einer schnellen Bewegung verlagerte Vesey sein Gewicht und trat mit seinem genagelten Schuh auf die Hand.

«Ich habe nicht die Absicht, mir im Dienst deinen arroganten Collegestil bieten zu lassen.» Er trat kräftiger zu. «Ist das klar, Sir?»

Billy biß die Zähne zusammen und zwinkerte mehrmals. Tränen sammelten sich in seinen Augenwinkeln; ein dünner Blutfaden rann unter Veseys Stiefel hervor. «Du Hundesohn», flüsterte Billy. Zum Glück redete Vesey schon weiter.

«Was? Seh' ich den tapferen Yankee weinen? Ausgezeichnet. Ausgezeichnet!» Er drehte den Stiefel hin und her. Billy konnte einen leisen, erstickten Laut nicht unterdrücken. Vesey hob den Stiefel, und Billy konnte im Schein der Laterne die blutenden Wunden sehen. «Ich muß meine Runden weitermachen. Aber von nun an werde ich oft kommen. Wir werden regelmäßig Lektionen in Demut nehmen. Niedriger als der niedrigste Nigger. Guten Abend, Hazard!»

Eine Hymne summend marschierte er ab.

Anfang Januar war Billys Hand infiziert, und seine Erkältung hatte sich stark verschlimmert. Vesey besuchte ihn jede Nacht mindestens dreimal, um ihn zu schmähen; manchmal ließ er ihn zwei Stunden lang die Gefängnistreppen rauf und runter steigen oder in einer Ecke auf Zehenspitzen stehen, während Vesey davor auf einem Stuhl saß, ein

Bajonett auf seinem Gewehr, die Stahlspitze nur ein paar Millimete: von Billys zitterndem Rücken entfernt.

«Gestehe», pflegte Vesey lächelnd zu sagen. «Inzwischen mußt d« dir deiner Minderwertigkeit bewußt sein. Deiner heidnischen Natur Deinem falschen Denken. Gestehe, daß du Präsident Davis bewun« derst und General Lee für den größten Soldaten der ganzen Christen heit hältst.»

Billys Beine zitterten. Seine Zehen fühlten sich wie gebrochen an. E« sagte: «Leck mich am Arsch.»

Vesey zerriß Billys Hemd und fuhr ihm einmal mit dem Bajonet über den Rücken. Glücklicherweise begann die Wunde nicht zu eiter« wie seine Hand; die Hand war gelb und braun vom Schorf und Eiter «Wir machen damit weiter», versprach Vesey, als der diensttuend« Sergeant ihn holte. «Verlaß dich drauf, Heide.»

Billys Einstellung, wenn es darum ging, anderen Gefangenen behilf lich zu sein, änderte sich bald. Bei den nächsten Neuankömmlinge« war ein blasser, krausköpfiger Junge mit hoher Stirn dabei, der de« Platz neben Billy bekam. Er hieß Timothy Wann und hatte sich nac« seinem ersten Jahr in Harvard gemeldet. In Wanns zweiter Nacht in Libby gingen Offiziere eines anderen Raumes auf Beutezug. Billy er wachte aus seinem leichten Schlaf, als drei bärtige Männer den Junge« aus Massachusetts zum gemeinsamen Waschraum schleppten. Ei« vierter Soldat löste Wanns Gürtel und sagte: «Knochiger kleiner Arsc« an dem Hühnchen, aber wird schon gehen.»

Billy wußte, daß solche Dinge passierten, obwohl er es nie miterleb hatte. Doch eine derartige Behandlung eines jungen Offiziers, kau« älter als ein Schuljunge, konnte er nicht hinnehmen. Er taumelte au« die Füße und drängte sich durch die dösenden Gefangenen, bis er da« Quartett, das den entsetzten Wann mit sich schleppte, eingeholt hatte

«Laßt ihn los», sagte Billy. «Ihr könnt das in eurem Raum machen« aber nicht hier.»

Der grauhaarige Mann, der Wanns Gürtel aufgemacht hatte, zo« den Gürtel ganz heraus. «Hast du einen Anspruch auf den Jungen was? Ist er dein Vögelchen?»

Billy griff nach Wann und wollte ihn von den Schultern der dre« zerren, die ihn wie eine Rinderhälfte abtransportierten. Der ander« Soldat trat zurück, um Platz zu bekommen, schlug dann Billy de« Gürtel ins Gesicht. Krank wie er war – seit vierundzwanzig Stunde« tobte das Fieber in ihm –, machte die Wut neue Kräfte in ihm frei. E« entriß dem älteren Mann den Gürtel, packte ihn an beiden Ende« warf ihn wie eine Schlinge über den Kopf des Soldaten und zog.

Der Soldat würgte. Billy zog stärker.

Die Freunde des Mannes ließen Wann zu Boden fallen. «Geh zurück zu deinem Platz», sagte Billy zu Tim. Im Korridor erspähte er eine Laterne.

«Was ist das für ein Aufruhr? Was geht hier vor?»

Vesey tauchte mit erhobener Laterne auf; in der anderen Hand hielt er einen Revolver. Billy ließ ein Ende des Gürtels los. Der grauhaarige Offizier taumelte zurück, rieb sich die gerötete Kehle. «Der Verrückte hier hat mich angegriffen. Fing an, mich zu würgen – bloß weil wir hier mit ein paar Freunden sprachen und er sich in seinem Schlaf gestört fühlte.»

«Ihre Anschuldigung überrascht mich nicht, Sir», erwiderte Vesey mit mitfühlendem Nicken. «Dieser Offizier ist ein gewalttätiger Mann. Verursacht ständig Ärger. Ich übernehme das. Die anderen kehren in ihre Quartiere zurück.»

«Sehr wohl.» Sie verschwendeten keine Zeit.

«Was sollen wir jetzt mit dir machen, Hazard?» Vesey schaffte es, gleichzeitig zu sprechen, zu seufzen und zu lächeln. «Mit meinen Lektionen hier oben konnte ich diesen ewigen Rebellionen kein Ende bereiten. Vielleicht ist eine Lektion an der frischen Luft wirkungsvoller.»

«Ich will meine Schuhe, wenn wir hinausgehen – »

«Marsch», sagte Vesey, zerrte ihn am Kragen. Billy fragte sich, weshalb er so dumm gewesen war und Tim geholfen hatte. Der junge Gefangene machte eine Bewegung, um aufzustehen. Billy schüttelte den Kopf und marschierte vor Vesey aus dem Raum.

Auf der Flußseite des Gebäudes gab Vesey der Wache am Tor seine Laterne und stieß Billy die Treppe hinunter auf die Knie. Vesey band Billy die Handgelenke und Fußknöchel hinter dem Rücken zusammen, zog das Seil immer fester, bis Billys Schultern ganz verkrümmt waren. Nach wenigen Sekunden begannen seine Beinmuskeln zu schmerzen.

Leichter Regen setzte ein. Vesey stopfte einen stinkenden Knebel in Billys Mund und schnürte ihn mit einem zweiten Lumpen um den Kopf herum fest.

Als Vesey fertig war, regnete es in Strömen. Kalter Regen, eiskalter Regen. Er nieste und rannte in den Schutz des Tores zurück.

«Ich hole nur meinen Mantel, Hazard, dann komme ich wieder. Es ist ziemlich kühl hier draußen, aber eine Weile muß ich schon zuschauen, wie du deine Strafe verbüßt. Wenn wir deinen Geist nicht brechen können, dann können wir dir vielleicht das Kreuz brechen.»

Viele Meilen entfernt in Charleston sagte Judith in dieser Nacht: «Ich verstehe dich nicht mehr, Cooper.»

Am anderen Ende des Eßtisches runzelte er die Stirn. Er saß in seiner üblichen, angespannten Haltung da. Seinen unberührten Teller hatte er beiseite geschoben.

«Falls dies wieder eine deiner Beschwerden wegen meines Versagens beim Vollzug meiner ehelichen Pflichten – »

«Nein, verdammt noch mal.» Ihre Augen funkelten, aber sie beherrschte sich. «Ich weiß, daß du ständig müde bist – obwohl es nett wäre, wenn du mich wenigstens gelegentlich wie eine Ehefrau behandeln würdest. Das aber war nicht der Grund meiner Bemerkung.»

Eine Brise bauschte die Vorhänge zur Veranda. «Dann ist es der Test», sagte Cooper unvermittelt. «Warum mußte dieser verdammte Lucius auch soviel Wein trinken.»

«Gib dem armen Lucius nicht die Schuld. Heute abend hast du ihn wieder eingeladen. Du hast doch all den Wein eingeschenkt. Für ihn und für dich genauso.»

Außer Sicht begann Marie-Louise im Wohnzimmer *The Bonnie Blue Flag* auf dem Klavier zu spielen. Auf Judiths Drängen hin hatte sie den häufigen Gast der Mains mit ins andere Zimmer genommen, nachdem er versehentlich mit der Bemerkung über den Test, der nun für Montag nächste Woche angesetzt war, herausgeplatzt war.

Feindselig fragte er: «Was hast du damit gemeint, du verstehst mich nicht?»

«Der Satz war in schlechtem Englisch gehalten. Ist das so schwer zu entschlüsseln? Du bist nicht der Mann, den ich geheiratet habe. Nicht mal der Mann, mit dem ich nach England gegangen bin.»

Sein Gesicht zuckte vor Wut. Seine Hände umklammerten den Tisch so hart, daß es knirschte. «Und ich erinnere dich daran, daß wir nicht länger in der Welt leben, in der diese Ereignisse stattfanden. Die Konföderation ist in fürchterlicher Not. Verzweifelte Maßnahmen sind notwendig. Es ist meine Pflicht, an diesem Test teilzunehmen. Meine Pflicht. Wenn es dir an Verstand fehlt, das einzusehen, oder an Mut, das zu ertragen, dann bist du auch nicht die Frau, die ich geheiratet habe.»

Judith strich sich die dunkelblonden Locken aus der Stirn. «Oh», sagte sie mit einem kleinen, bitteren Lächeln, «wie sehr du mich doch mißverstehst. Es ist nicht das Risiko, das du eingehst, was mich jetzt aufregt, obwohl diese Art von Aufregung mittlerweile weiß Gott ein Dauerzustand geworden ist. Ich rege mich über die herzlose Weise auf, in der du dieses verfluchte Projekt vorangetrieben hast. Ich rege mich ber die Hartnäckigkeit auf, mit der du auf einem weiteren Test beharrst. Ich rege mich darüber auf, daß du sieben unschuldige Männer zwingst, diesen eisernen Sarg noch einmal zu versenken, weil du glaubst, es müsse getan werden. Es hat eine Zeit gegeben, da du diesen Krieg von ganzem Herzen haßtest. Jetzt bist du ein – ein Barbar geworden, den ich nicht einmal mehr erkenne.»

Eisig fragte er: «Bist du fertig?»

«Nein, das bin ich nicht. Setz den Test ab. Spiel nicht mit Menschenleben, bloß um dein eigenes verdrehtes Ziel zu erreichen.»

«Mein Ziel ist also verdreht, was?»

«Ja.» Sie schlug auf den Tisch.

«Patriotismus ist verdreht, ja? Meinen Heimatstaat zu verteidigen ist verdreht? Oder zu verhindern, daß diese Stadt niedergebrannt und dem Erdboden gleichgemacht wird? Denn genau das wollen die Yankees, verstehst du – von Charleston soll nichts als Schutt und Asche übrigbleiben. Das wollen sie!» schrie er.

«Das ist mir egal – *das ist mir egal!*» Weinend sprang sie auf. «Du bist nicht der alleinige Retter der Konföderation, obwohl du so tust. Nur zu, mach weiter, bring dich um in deinem heiligen Krieg, wenn du willst. Aber es ist hassenswert und unmoralisch, zu verlangen, daß andere ihr Leben opfern, um deinen Zorn zu besänftigen. Der frühere Cooper hätte das verstanden. Der Cooper, den ich liebte – so sehr liebte – »

Ihre Stimme brach; Schweigen breitete sich aus. Draußen im Garten rauschten die Palmwedel im Wind. Wie eine große Schlange schraubte sich Cooper von seinem Stuhl hoch. Mit ausdruckslosem Gesicht sagte er: «Der Test wird wie geplant durchgeführt.»

«Ich wußte es. Nun, von jetzt an kannst du dich mit dir selbst darüber unterhalten.»

«Was soll das heißen?»

«Das heißt, du kannst deine Mahlzeiten in diesem Haus einnehmen, aber erwarte nicht, daß ich dabei anwesend bin. Es heißt, du kannst in dem anderen Schlafzimmer schlafen. In meinem will ich dich nicht mehr haben.»

Sie starrten sich an. Dann marschierte Cooper hinaus.

Judiths Fassade zerbrach. Stimmen drangen aus dem Wohnzimmer zu ihr; zuerst die Stimme ihres Mannes, kurz angebunden.

«Lucius, hol deinen Mantel. Wir können heute abend noch einiges schaffen.»

Marie-Louise, ärgerlich: «Oh, Papa! Mama hat gesagt, daß wir uns alle zusammensetzen und singen.»

577

«Sei still.»

Judith senkte den Kopf, preßte die Hände gegen die Augen un⟩
begann lautlos zu weinen.

91

Noch Tage nach seiner Marter – Billy hatte bis zum Morgen in der⟩
Hagelsturm knien müssen – hoppelte er mehr, als daß er ging. Meis⟩
lag er zusammengerollt auf dem Boden, die Hände um die hochgezc⟩
genen Knie, in dem vergeblichen Versuch, die Kältewellen abzuweh⟩
ren, die abrupt mit hohem Fieber abwechselten, das ihn toben lief⟩
Und jede Nacht kam Vesey, um ihn zu beleidigen, mit dem Geweh⟩
anzustoßen, mit dem Stiefel leicht auf die Hand zu treten, die fü⟩
immer von den Nägeln gezeichnet sein würde.

Das einzig Positive war Tim Wanns. Der Junge aus Massachusett⟩
war zwar nicht kräftig, besaß aber eine schnelle Auffassungsgabe⟩
Unter Billys Anleitung lernte er schnell die Überlebenstricks. Tir⟩
wurde Billys ergebener Freund, weil dieser ihn gerettet hatte, berei⟩
alles mit ihm zu teilen, was er besaß. Und er besaß etwas, das Bil⟩
nicht hatte: grüne Dollarscheine. Ungefähr zwanzig. Das Geld hatte e⟩
bei seiner Gefangennahme in der Tasche, und zwei Dollars hatten de⟩
Wachposten bei der Einweisung dazu gebracht, ihm den Rest zu las⟩
sen.

Mit Geld konnte man sich etwas Luxus von den entgegenkommen⟩
deren Wachen kaufen. Häufig drängte Tim darauf, daß Billy sich etwa⟩
von ihm kaufen ließ. Billy lehnte all diese Angebote ab, bis er in einen⟩
Punkt nicht mehr widerstehen konnte.

«Also gut, Tim – ein bißchen Schreibpapier. Und einen Bleistif⟩
Damit ich ein neues Tagebuch anfangen kann.»

Zehn Minuten später gab Tim die Bestellung auf. Um neun Uh⟩
abends kam die Lieferung. Tim erhob Einspruch.

«Das ist ja Tapetenpapier! Schau dir bloß diese häßlichen blaue⟩
Blumen an. Wie soll man auf die Seite was schreiben können?»

«Gar nicht», sagte der Wachposten. «Aber wenn du was schreibe⟩
willst, dann da drauf oder gar nicht. Selbst Jeffy Davis höchstpersön⟩
lich kriegt heutzutage nichts Besseres.»

578

Und so fing Billy an.

12. Jan. – Libby-Gefängnis. Ich schwöre, lebend hier rauszukommen. Mein nächstes, dringlichstes Ziel ist es, meiner lieben Frau einen Brief zu schicken.

Er wollte noch hinzufügen, daß man ihn aufgefordert hatte, sich dem Fluchtunternehmen anzuschließen, das gegenwärtig geplant wurde, hielt es dann aber doch für besser, so etwas nicht dem Papier anzuvertrauen, für den Fall, daß man das Journal entdeckte. Außerdem besaß er so wenig Papier – Tim hatte für drei Blätter drei Dollars gezahlt –, daß er sehr sparsam damit umgehen mußte.

Tim bestand darauf, einen Umschlag für den Brief zu kaufen. Geliefert wurde ein schmieriger Fetzen, gefaltet und mit Kleister zusammengehalten. Billy adressierte ihn sorgfältig und steckte ein Stückchen Tapete mit einer kurzen, liebevollen Botschaft hinein: Es ging ihm gut, er war gesund, er liebte sie, sie sollte sich keine Sorgen machen.

Der Umschlag blieb für den Zensor offen; gegen Mittag übergab er ihn der Wache. In der gleichen Nacht noch brachte ihn Vesey zurück.

«Ich fürchte, der Zensor hat diesen Brief nicht durchgelassen.» Lächelnd öffnete er die rechte Hand. Der Umschlag und sein Inhalt, alles in kleinen Fetzen, flatterte zu Boden.

Schwach und benommen stemmte sich Billy vom Boden hoch, kam langsam auf die Füße, stand dem Corporal Auge in Auge gegenüber.

«In diesem Brief stand nichts Illegales.»

«Oh, das bestimmt der Zensor. Der Zensor ist ein Kumpel von mir. Vor einigen Wochen bat ich ihn, ein Auge darauf zu haben, falls du einen Brief schreibst. Ich fürchte, keiner deiner Briefe wird je seine Zustimmung finden. Deine liebe Frau wird einfach weiterhin leiden und sich grämen müssen», er zwinkerte lächelnd, «sie wird glauben, du liegest tot in deinem Heidengrab.»

«Die Vorschriften – »

Veseys Hand krallte sich in Billys langes Haar. «Ich hab's dir gesagt – *ich hab's dir gesagt*», flüsterte er. «Hier gibt's nur meine Vorschriften. Ich hoffe, der Kummer deiner Frau wird unerträglich. Ich hoffe, es juckt sie ganz gewaltig in ihren weiblichen Gegenden. Eine Sehnsucht, so heftig, so hartnäckig – »

Er beugte sich näher, das Gesicht riesig, die porzellanblauen Augen voll hämischer Freude.

« – daß sie gezwungen ist, wie verrückt zu vögeln, um sich Erleichterung zu verschaffen. Vielleicht vögelt sie mit irgendeinem weißen Tramp. Vielleicht sucht sie sich einen Niggerhengst aus.»

579

Billy zitterte am ganzen Leib, versuchte sich zu beherrschen, versuchte das Gesicht vor sich nicht zu sehen, das Flüstern nicht zu hören.

«Stell dir bloß vor, einer dieser großen Nigger – sie sind euch gleichgestellt, nicht wahr? Old Abe sagt, daß sie's sind. Stell dir vor, wie er sich auf dem weißen Körper deiner Frau wälzt. Wie er seinen schwarzen Rammbock so hart in ihre zarte Öffnung stößt, daß sie blutet. Denk dran, wenn du ihr all diese Briefe schreibst, die du nie aus diesen Mauern herauskriegen wirst, du Heide, du gottloser –»

Mit einem Aufschrei schlug Billy zu. Als drei andere Wachen mit Laternen angerannt kamen, um ihn wegzuzerren, hatte er Vesey am Boden, hämmerte mit beiden Händen auf dessen Kopf ein. Einer der Wachposten riß Billy am Jackett hoch, ein zweiter trat ihm zwischen die Beine, zweimal. Keuchend kippte er zur Seite, krümmte sich zusammen. Der dritte Wachposten sagte: «Jetzt bist du dran, Yank.»

92

Obwohl es im Westen noch hell war, sah Cooper über dem Atlantik nur Dunkelheit und Wintersterne. Würde er diesen Anblick je wieder zu Gesicht bekommen? Seine Tochter? Judith? Im gleichen Moment, in dem diese Fragen auftauchten, schob er sie als unwürdige Sentimentalitäten beiseite.

Lucius Chickering war zusammen mit Alexander, dem Maschinisten, herunter zum Dock gekommen. Der junge Mann schüttelte Cooper die Hand. «Viel Glück, Sir. Wir warten auf Ihre Rückkehr.»

Alexander stieg durch die vordere Luke der *Hunley*. Nachdem Cooper bei Bory die Genehmigung für den Test durchgesetzt hatte, hatte der Maschinist darauf bestanden, teilzunehmen.

Cooper trat vom Pier auf den Rumpf und beugte sich über die Luke. «Kann ich runterkommen, George?»

«Alles bereit, Mr. Main», erwiderte Lieutenant Dixon. Cooper ließ sich in das dunkle Innere hinunter, quetschte sich an Dixon vorbei, der vor den Instrumenten stand: ein Tiefenmesser und ein Kompaß für die Steuerung unter Wasser. In einer Nische dazwischen stand in einer Tasse die brennende Kerze, die den Luftvorrat maß und für die einzige Beleuchtung sorgte.

Cooper brachte sich schräg hinter dem Kapitän in einem kleinen, am Rumpf befestigten Eisensitz unter. Die sechs Mann der Crew hatten ähnliche Sitze, drei auf jeder Seite der Antriebswelle, aus der Sektionen in Form von breiten, flachen U's herausragten. Die Männer drehten damit die Welle, um das Tauchboot mit seiner maximalen Geschwindigkeit von vier Knoten voranzutreiben.

«Mr. Main», sagte Dixon, «könnten Sie unserer Mannschaft den Testablauf erklären?»

«Ganz einfach», sagte Cooper. Sein Rücken, der sich der Rumpfkrümmung anpassen mußte, schmerzte bereits. «Heute abend wird diese Kerze nicht der einzige Bestimmungsfaktor dafür sein, wie lange wir unter Wasser bleiben können. Wir werden Sie, meine Herren, dafür benützen. Wir werden auf Tauchstation bleiben für eine Stunde, anderthalb Stunden», beunruhigtes Gemurmel erhob sich, «vielleicht länger. Wir werden erst auftauchen, wenn der erste Mann an seiner Grenze angekommen ist und erklärt, daß er ohne frische Luft nicht weitermachen könne. Jeder Mann muß diese Grenze für sich selbst herausfinden, wobei er seine eigenen Möglichkeiten nicht überschätzen darf, aber auch nicht gleich aufgeben sollte, wenn es ein bißchen ungemütlich wird.»

Bei den letzten Worten schwang ein deutlicher Unterton von Verachtung mit, was Dixon zu einer Reaktion veranlaßte. Aber sein Gesicht war den Instrumenten zugewandt; so entging Cooper das Stirnrunzeln.

«Wenn der erste Mann ein Wort ruft – *hoch!* –, dann ist das unser Signal zum Leeren der Tanks und zum Auftauchen. Irgendwelche Fragen?»

«Ich hoffe bloß, wir können auftauchen», erklärte einer mit nervösem Lachen. «Manche sagen, dieser Fisch sollte besser *Jonas* heißen statt *Hunley*.»

«Schluß mit dem Gerede», sagte Dixon und kletterte die kurze Leiter hoch, streckte seinen Kopf aus der Vorderluke. Cooper konnte aus seiner verkrampften Position einen kleinen Ausschnitt der Luke erhaschen: ein ovales Stück Himmel, mit blassen Sternen dekoriert.

«Macht die Bug- und Heckleinen los.»

Dockarbeiter rannten lärmend los, um Dixons Befehl auszuführen. Cooper konnte spüren, wie die *Hunley* plötzlich frei schwamm. Dixon kletterte wieder herunter und wandte sich an den Maat.

«Luftschacht offen, Mr. Fawkes?»

«Offen, Sir.»

«Achtung an der Kurbel. Halbe Kraft.»

«Halbe Kraft – kurbelt», wiederholte der Maat. Grunzend begannen die Männer, die Welle zu drehen.

Es war mühsame Arbeit, aber Dixon hatte die Männer gut trainiert. Die Kerze flackerte. Mit seltsam hohlem Klang klatschte Wasser gegen den Rumpf.

Wieder stieg Dixon die Leiter nach oben, rief dem Maat, der das Ruder übernommen hatte, Kommandos zu. Kaum waren sie ein Stück vom Dock entfernt, wechselten sie die Richtung und nahmen Geschwindigkeit auf. Schweiß tropfte Cooper vom Kinn. Er fühlte sich wie in einem Grab, wünschte, er wäre überall, nur nicht hier. Er kämpfte gegen die aufsteigende Panik an.

«Fertig zum Tauchen.»

Coopers Herz hämmerte so sehr, daß sein ganzer Brustkorb schmerzte. Er empfand aufrichtigen Respekt für die Männer, die sich freiwillig zu diesem Dienst gemeldet hatten, und konnte die Agonie jener nachvollziehen, die bei früheren Tauchversuchen gestorben waren. Dann schalt er sich selbst: Er gab sich schon wieder Sentimentalitäten hin.

«Luftschacht schließen.»

«Luftschacht geschlossen», rief der Maat.

«Bordventil Bugtank öffnen.»

Cooper hörte das Gurgeln und Rauschen des Wassers. Der Rumpf schwankte und neigte sich. Er umklammerte eine Stütze, als der Bug der *Hunley* nach vorn abkippte. Er konnte nicht anders, er mußte an Judith, an Marie-Louise denken.

Leicht schüttelnd kam das Boot mit einem weichen Stoß auf dem Grund zur Ruhe. Die Männer lehnten sich gegen den Rumpf. Dixon studierte die Quecksilbersäule des Tiefenmessers. Cooper kämpfte gegen plötzliche, schreckliche Phantasievorstellungen an. Jemand spannte ein Metallband um seinen Kopf. Jemand schloß ihn in einem lichtlosen Schrank ein, der sich von innen nicht öffnen ließ.

Alexander klopfte seine Jacke ab. «Hat einer der Herren eine Uhr dabei? Schaut so aus, als hätte ich meine in der Aufregung vergessen.»

«Ich hab' eine.» Cooper tastete nach der flachen Golduhr, die er stets bei sich trug. Er klappte den Deckel auf. «Zehn nach sieben.»Die Flamme der Kerze flackerte nicht.

Um halb acht brannte die Kerze deutlich schwächer. Ein Mann murmelte: «Luft wird schlecht.»

«Jemand hat einen fahren lassen», sagte ein anderer Mann. Das Lachen war nur halbherzig. Coopers Augen begannen zu schmerzen. Dixon strich stetig seinen Backenbart mit Zeige- und Mittelfinger.

«Wie lange?» fragte Alexander abrupt. Cooper schreckte hoch. Entweder er sah schlecht, oder die Kerze war noch schwächer geworden. Er mußte die Uhr bis in Kinnhöhe heben.

«Wir sind jetzt dreiunddreißig Minuten unten.»

Er behielt die Uhr offen in der Hand. Wie laut sie tickte! Die Intervalle zwischen dem Ticken schienen immer größer zu werden; eine halbe Stunde schien es zu dauern, bis das nächste Tickgeräusch ertönte, das lange in der Stille nachhallte.

Cooper hatte Sehnsucht nach Liverpool, nach der Tradd Street, selbst nach dem Deck der *Water Witch*. Gedanken an den Blockadebrecher führten zu Gedanken an den armen Judah, dessen Überreste irgendwo auf dem Grunde des Atlantiks lagen. Cooper spürte Feuchtigkeit auf seinen Wangen, drehte den Kopf zur Seite, damit niemand es sah.

Die Kerze ging aus.

Ein Mann atmete tief ein, ein panikerfülltes Zischen. Ein anderer fluchte. Dixon riß ein Streichholz an einer Eisenplatte an, aber es brannte nicht, sondern flackerte nur kurz auf.

Alexanders Stimme: «Wie lange, Mr. Main?»

«Einige Minuten, bevor die Kerze erlosch, waren es ungefähr fünfundvierzig Minuten.»

«Die Luft ist noch einigermaßen atembar», sagte Dixon. Ein Grunzer widersprach ihm.

In der Finsternis konnte Cooper die Zeit nicht schätzen. Benommenheit, Schläfrigkeit, übertriebenes Selbstvertrauen, die Gewißheit über seinen unmittelbar bevorstehenden Tod, all das wechselte in rascher Folge.

Er zerrte seine Krawatte los, riß den Hemdknopf auf. Er erstickte.

«*Hoch!*»

Lachen, dann redeten alle durcheinander. Einen Augenblick lang war Cooper fast davon überzeugt, er habe gerufen. Ruhig sagte Dixon: «Mr. Alexander, übernehmen Sie die Heckpumpe, bitte. Ich übernehme diese hier. Mr. Fawkes, Mr. Billings, entriegeln Sie die Ballaststangen.»

Cooper lehnte seinen Kopf gegen den Rumpf, stellte sich die köstliche Nachtluft vor, die ihn oben erwartete. Er hörte das Knarren und Quietschen der Pumpen.

«Ballaststangen sind gelöst, Sir.»

«Der Bug kommt hoch», grunzte Dixon, an der Pumpe schuftend. «Wir müßten jeden Moment aufsteigen.»

Jedermann spürte, wie sich der Bug hob. Die Männer lachten und pfiffen, aber das hielt nicht lange an. Einer rief: «Was ist los, Alexander? Warum kommt das Heck nicht auch hoch?»

«Kapitän Dixon?» Der kleine Engländer klang verängstigt. «Der Tank ist immer noch voll. Es liegt an der Pumpe.»

«Wir werden alle sterben», sagte der Mann direkt hinter Cooper.

Dixon: «Was ist los mit ihr?»

«Verstopft, schätze ich. Möglicherweise dieser verfluchte Seetang.»

«Wenn wir das nicht in Ordnung bringen, kommen wir nicht mehr an die Oberfläche.» Dixons Worte hatten eine schlimme Wirkung auf den Mann, der zuvor gesprochen hatte.

«Wir werden ersticken. Oh Gott, oh Gott – ich will so nicht sterben.» Seine Baritonstimme wurde schrill, sein Schluchzen unterstrich die einzelnen Worte. «Wir werden sterben. Ich weiß, daß wir sterben.»

Cooper drehte sich um und griff in die Finsternis. Die Uhr fiel zu Boden; er hörte das splitternde Glas, als er den Arm des hysterischen Mannes erwischte. Mit der freien Hand schlug er dem Mann zweimal ins Gesicht. «Aufhören. Das nützt niemandem was.»

«Verdammt, laß los – wir alle – wir werden – »

«Ich sagte aufhören.» Er schlug ein drittes Mal zu, so fest, daß der Kopf des Mannes gegen den Rumpf knallte. Cooper ließ den Arm los. Der Mann weinte weiter, erstickte es mit seinen Händen, schrie aber wenigstens nicht mehr.

«Danke, Mr. Main», sagte Dixon.

Alexander sprach: «Sir? Ich werde die Pumpe auseinandernehmen, einen Teil nach dem anderen. Ich glaube, ich schaffe das im Dunkeln. Vielleicht kann ich reingreifen und erreiche das, was die Pumpe verstopft.»

«Wenn Sie das tun, strömt das Wasser rein.»

«Machen Sie einen besseren Vorschlag!»

Leise sagte Dixon, «Tut mir leid, ich habe keinen. Tun Sie, was immer uns Ihrer Meinung nach helfen könnte, Mr. Alexander.»

Und so ging der Alptraum weiter, intensiver als zuvor. Cooper glaubte, nicht mehr atmen zu können. Kein bißchen. Und doch tat er es irgendwie: flache Atemzüge, von denen jeder schmerzte. Oder waren die Schmerzen auch nur eingebildet? Ein Schweigen, das fast weh tat, senkte sich über das Tauchboot. Jeder lauschte. Was bedeutete dieses Geräusch? Und jenes?

Cooper tastete neben seinen Füßen nach seiner Uhr. Gerade als er sie berührte, hörte er ein blasiges Rauschen. Ein Mann schrie: «Gott schütze uns», und Wasser rauschte durch die Pumpe herein, spritzte über den Boden.

Alexander rief: «Einen Moment noch – jetzt – *da*. Ich hab eine große Handvoll Tang, Sir. Ich glaube, das ist alles. Jetzt muß ich die Pumpe gegen den Druck wieder zusammenpressen.»

Das Wasser strömte weiterhin herein. Cooper wartete auf das Ende. Sein vergangenes Leben zog schnell an ihm vorüber; die schändlichen Momente übersprang er und genoß die schönen Augenblicke – beispielsweise, als er das erstemal Miss Judith Stafford an Deck des Schiffes gesehen hatte, das sie beide nach Charleston brachte. Er verfaßte eine kleine Abschiedsrede, um ihr zu sagen, wie dankbar er war, daß sie ihn geheiratet hatte.

«Geschafft», brüllte Alexander. Cooper schaute automatisch in Richtung Heck, obwohl er nichts sehen konnte. Er hörte das langgezogene Quietschen des Pumpenkolbens. Dann wieder Alexander.

«Sie funktioniert!»

«Hurra», rief Dixon. Die Crew klatschte Beifall. Tränen traten Cooper in die Augen, während er mühsam nach Luft schnappte. Er glaubte zu spüren, wie sich das Heck hob. Dixon bestätigte es.

«Da kommt sie hoch!»

Minuten später badete die *Hunley* im Mondschein.

Wie Verrückte gingen Dixon und Alexander auf die Bolzen der vorderen und hinteren Luke los. Ganz plötzlich sah Cooper die Sterne, atmete herrliche, kalte Luft ein. Innerhalb kürzester Zeit kurbelten die Männer an der Welle, als wäre nichts geschehen.

Dixon kletterte hoch und spähte hinaus. «Nur noch eine Person da. Kann nicht erkennen, wer's ist.»

Langsam schob sich das Tauchboot auf den Pier zu, wo Lucius Chickering auf und nieder sprang und klatschte und sich mit erhobenen Armen drehte wie ein glücklicher Vogel. Dixon befahl ihm, mit den Luftsprüngen aufzuhören und beim Festmachen des Schiffes zu helfen.

«Ich vollführe keine Luftsprünge, ich feiere», rief Lucius, als Dixon sich zum Bug vorarbeitete und ihm eine Leine zuwarf. «Die Soldaten und die Leute aus der Stadt sind nach vierzig Minuten nach Hause gegangen. Alle sagten sie, ihr wärt tot, aber ich hatte diese verrückte Idee, ich müsse nur bleiben – ich dürfe nicht aufgeben –, dann hätten alle anderen unrecht, und das Boot würde schließlich auftauchen. Allmächtiger, Lieutenant, ihr habt meinen Glauben auf eine harte Probe gestellt. Wissen Sie, wie spät es ist?»

Alexander, der hinter Cooper hinauskletterte, fragte: «Wie lange waren wir unten?»

Cooper hob seine Uhr ans Ohr. Guter Gott, sie tickte immer noch!

Er sprang an Land, hielt die Uhr ins Mondlicht, glaubte sich versehen zu haben.

«Es ist fünfzehn Minuten vor zehn. Wir waren zwei Stunden und fünfunddreißig Minuten getaucht.»

«Ich hab's gesagt, ich hab's gesagt», rief Lucius, packte Cooper bei den Schultern und wirbelte ihn herum. «Ist das nicht unglaublich? Sie hatten recht. Es funktioniert.»

Alexander murmelte etwas; Dixon brachte ihn zum Schweigen. «Sie kann sich jetzt jederzeit rausschleichen, Yankees abschießen – oh.» Lucius stoppte seinen Tanz. «Hab' ich ganz vergessen, Mr. Main. Ein Soldat sagte, er werde in General Beauregards Hauptquartier gehen, um zu melden, die *Hunley* sei erneut gesunken. Alle Mann seien tot. Ich möchte wetten, Ihre Frau hat das mittlerweile auch gehört.»

«Oh Gott. Lieutenant Dixon, gute Arbeit. Ich melde mich ab.»

Er hatte den Satz noch nicht ganz beendet, da lief er schon los, eilte wie ein großer Strandvogel über den Sand auf das Ruderboot zu. Lucius stülpte sich den Hut auf den Kopf. «Warten Sie auf mich, Mr. Main!»

Als Cooper nach seinem unglaublichen Abenteuer in der Tradd Street ankam, weinte Judith vor Erleichterung, auch wenn Lucius Chickerings Voraussage sich als nicht richtig erwies; sie hatte noch nichts davon gehört, daß das Boot untergegangen sein sollte.

Sie umarmte ihren Mann lange und fest. Aber sie zog es trotzdem vor, in dieser Nacht allein zu schlafen.

93

«Herr Direktor», sagte Vesey, «dieser Yank hat sich wie ein wildes Tier auf mich gestürzt. Er tat das ohne jede Provokation. Es ist Ihre Pflicht, wenn ich so kühn sein darf – Ihre Pflicht als verantwortlicher Kommandant und Christenmensch, mir das Recht zuzugestehen, ihn zu bestrafen.»

Der junge Turner, im Zweifel darüber, dachte eine Weile nach. «Ich würde es tun, kann aber sowas aus mehreren Gründen im Libby nicht zulassen. Zum einen haben wir zuviel verfluchte Rechtsanwälte aus Philadelphia unter den Insassen. Zum anderen schenkt uns dieser verdammte Wichtigtuer, der für Seddon arbeitet, zuviel Aufmerksamkeit.»

«Sie meinen diesen einarmigen Colonel, Herr Direktor?»

«Richtig. Main. Das selbsternannte Gewissen unserer Gefängnisse. Er schnüffelte ständig hier herum.» Vesey nickte. «In letzter Zeit sind uns seine Besuche erspart geblieben – ich hab' gehört, er hat einen schlimmen Anfall von Ruhr und kann das Bett nicht verlassen. Aber kaum sage ich, machen Sie nur zu, da erholt er sich und steht hier schon in der Tür.»

Vesey schaute düster drein. Dann bemerkte er den Ansatz eines Lächelns. «Wenn Sie natürlich eine Möglichkeit sehen, gewisse disziplinarische Maßnahmen außerhalb dieses Gebäudes durchzuführen, dann könnte ich eine vorübergehende Entlassung ausstellen, die sie hinterher wieder vernichte.»

Vesey beugte sich vor, sein Lächeln doppelt so breit wie das von Turner.

«Sollten Sie dabei Helfer brauchen – ich meine, falls es Zeugen gibt», fuhr der Gefängnisdirektor fort, «dann müssen sie absolut vertrauenswürdig sein.»

«Kein Problem, Sir.»

«Wenn Sie Spuren an ihm hinterlassen, dann muß es so aussehen, als wäre es ein Unfall gewesen.»

«Dafür garantiere ich.»

«Dann werde ich den Paß vorbereiten. Bevor ich Ihnen den Paß aushändige, möchte ich über Ihren Plan im Detail informiert werden.»

«Jawohl, Sir. Danke, Sir!» sagte Vesey und knallte salutierend die Hacken zusammen.

«Freut mich, behilflich sein zu können.» Turner lächelte immer noch. «Sie sind ein beispielhafter Soldat, Vesey. Ich wünschte, ich hätte mehr von Ihrer Sorte.»

Diese Unterhaltung fand am 13. Januar statt. Einige Tage später meldete sich ein sehr aufgeregter Vesey wieder. Die Stimmung des Corporals erfassend, fragte Turner: «Nun? Wie wollen Sie es machen?»

«Mit einem Munitionswagen, den sich mein Cousin bei der Artillerie ausborgt. Ein Munitionswagen und die schlimmste Straße, die wir finden können. Mein Cousin hatte die Idee. Er sagte, die Yanks bestraften ständig Übeltäter auf diese Weise. Was gut genug für sie ist, sollte auch gut genug für uns sein.»

Er fuhr fort, redete über eine Minute. Zum Schluß lachte Turner laut auf. «Erstklassig! In einer Stunde haben Sie den Entlassungsbefehl. Am besten bringen Sie ihn spät abends raus, da sind weniger Leute wach. Offiziell sagen wir, er werde wegen eines dringenden Verhörs in General Winders Büro gebracht.»

«Das ist perfekt, Sir.» Vesey konnte sein Frohlocken nicht verbergen. «Ich muß Ihnen das in aller Offenheit sagen. Bei diesem Ereignis wird eine kleine Gruppe anwesend sein – mein Cousin und einige seiner Kumpels. Aber ich schwöre, Direktor, jedem einzelnen Mann kann man voll vertrauen.»

«Sie haften mir dafür», sagte Turner mit sanftem Lächeln. «Ich wünschte, ich könnte selbst dabei sein.»

«Das ist General Winders Büro?» Nach der Frage spuckte Billy aus, aber die Spucke tröpfelte wegen der merkwürdigen Neigung seines Kopfes bloß auf die Speichen.

«Halt's Maul, Yank», sagte Clyde Veseys Cousin. Er zog Billys Kopf zurück, stieß ihn dann vor gegen das Rad. Die Pferde stampften und schnaubten. Es war ein strahlender, windiger Morgen, für Februar recht warm. Kahle Bäume rauschten zu beiden Seiten der verlassenen, von tiefen Rillen durchzogenen Straße, die sich über mehrere kleine Hügel hinzog.

Mit gespreizten Armen und Beinen hing Billy an dem Ersatzrad, das hinten an dem Artilleriemunitionswagen in einem Winkel von fünfundvierzig Grad befestigt war. Sein nackter Rücken war von einer Gänsehaut überzogen, die Radnabe bohrte sich in seinen Magen. Zwei Pferde statt der üblichen sechs waren eingespannt worden.

«Crawford?» Veseys Cousin trat vor. «Dir fällt die ehrenvolle Aufgabe des Vorreiters zu.» Der tölpelhafte Bursche bestieg eifrig das nächste Pferd. Mit vom winterlichen Sonnenschein geröteten Wangen trat Vesey zur Seite, damit der Gefangene ihn sehen konnte.

«Gentlemen, können wir anfangen?» Nicken, Grinsen. «Sollten wir nicht mit einer Hymne beginnen? Besser noch, vielleicht sollten wir für die Seele beten, die uns bald verlassen wird.»

Dem Beispiel seines Cousins folgend, packte er Billys Haar, riß den Kopf weit zurück, bis er Billys schmerzverzerrtes Gesicht sehen konnte.

«Eins ist sicher, Junge. Diese Fahrt wirst du nie vergessen.»

Billy spitzte seine Zunge zwischen aufgerissenen Lippen und spuckte. Diesmal verfehlte er sein Ziel nicht.

Vesey rammte Billys Kopf gegen eine Speiche, rannte dann zum nächststehenden Pferd. «Zwei Meilen die Straße runter und zurück, Crawford.»

Veseys Cousin peitschte auf das Gespann ein. «Los, ihr Schindmähren, tut eure Pflicht!» Billys Gesicht knallte gegen eine Speiche. Seine Wange riß innen auf, Blut begann seinen Mund zu füllen. Eine Beule wuchs an seiner Schläfe, als er damit mehrfach gegen das Rad knallte. Vesey, dieser Bastard, hatte genau gewußt, wie locker er ihn anbinden mußte.

Die Fahrt zurück schien viel länger zu dauern. Er hatte das Gefühl, daß jeder einzelne seiner Knochen mindestens ein paarmal gebrochen war. Blut lief ihm aus dem Mundwinkel. Der Munitionswagen verlangsamte sein Tempo, hielt gnädigerweise.

«Nun, Cousin, was meinst du?» fragte Crawford und kratzte sich.

Vesey stolzierte vor seinem Opfer auf und ab. «Oh, ich glaube es geht ihm noch viel zu gut. Ich kann nicht das leiseste Anzeichen von Reue für sein heidnisches Benehmen entdecken. Machen wir ihn los, und binden wir ihn mit dem Rücken aufs Rad. Und diesmal, Crawford, fährst du den ganzen Weg bis zur Brücke, bevor du wendest.»

Und so ging es wieder los; Crawford donnerte die Straße entlang, als würde es in die Schlacht gehen. Die Radnabe hämmerte gegen seinen Rücken, brach ihm fast das Rückgrat. Beschämt, aber machtlos, es zu unterdrücken, schrie er schließlich auf.

Und verlor das Bewußtsein.

Der Doktor, ein sechzigjähriger Säufer, in Virginia geboren, verachtete zufällig den jungen Direktor des Libby-Gefängnisses. Spät am nächsten Tag stampfte er in Turners Büro und teilte ihm mit, daß Gefangene vom dritten Stock ihm einen Mann gebracht hätten, einen gewissen Hazard, dessen Körper grauenhaft zerschlagen worden war. Ein Mann, der weder stehen noch zusammenhängend sprechen konnte und jetzt lebensgefährlich verletzt in der Chirurgie lag.

«Sein Rückgrat ist nicht gebrochen, aber das hat er denen, die ihn zusammengeschlagen haben, bestimmt nicht zu verdanken.»

«Machen Sie ihn einfach wieder gesund, und ich werde disziplinarisch gegen die Person oder die Personen vorgehen», versprach Turner. «Vielleicht aber, Dr. Arnold, war es auch ein Unfall. Ausrutschen auf der Treppe, ein Sturz – manche Gefangene sind recht schwach, und ich kann nicht viel dagegen tun. Jawohl, Sir, ich möchte wetten, ein Unglückssturz ist die Lösung.»

«Wenn Sie das glauben, dann sind Sie sogar noch dümmer, als ich dachte. Wenn er aus einem dieser Erkundungsballons gestürzt wäre, hätte er sich nicht so schlimm verletzt.» Der Doktor stemmte beide Hände auf den Schreibtisch. «Vergessen Sie eins nicht, Bürschchen.

Wir mögen uns im Krieg befinden, aber wir sind hier nicht beim Stab des Großinquisitors von Spanien. Das sind Amerikaner, die hier in diesem Gebäude eingesperrt sind – und Südstaatenehre bedeutet immer noch was. Finden Sie den Schuldigen, oder ich gehe zu Präsident Davis persönlich. Ich sorge dafür, daß Sie rausgeschmissen werden.»

Vielleicht wäre es so gekommen, hätte nicht die große Flucht für allgemeinen Aufruhr gesorgt.

Das Fluchtunternehmen fand am 9. Februar statt. Ein Colonel namens Rose aus Pennsylvania war einen Gefängniskamin hinabgeklettert und hatte einen verlassenen Raum im Keller entdeckt. Dort arbeiteten er und andere in mehreren Schichten, um einen Tunnel unter der Wand des alten Lagerhauses hindurch zu graben. Der Tunnel hatte eine Länge von fast sechzig Fuß. Sie kamen auf der anderen Seite wieder an die Oberfläche und flüchteten, hundertneun Mann.

Im Libby brach das Chaos aus, Turner steckte bis zum Hals in Schwierigkeiten. Er schrieb verzweifelt Berichte, um die Schuld auf andere abzuschieben und sich vor einer Anklage zu retten. Die ganze Zeit über lag Billy auf seinem Feldbett in der Krankenabteilung, zu sehr von Schmerzen gepeinigt, um sich daran zu erinnern, daß man ihn zur Flucht eingeladen hatte.

Tim Wann kam mindestens zweimal am Tag zu Besuch, stellte Dr. Arnold Fragen, eine davon besonders häufig: «Wer hat es getan, Doktor?»

«Ich kann's nicht herausfinden. Ich hab's auf Teufel komm raus probiert, aber die Wachen hier sind eine üble Bande. Die decken sich gegenseitig.»

Tim glaubte den Anführer zu kennen. Er sagte: «Jemand trug ihn mitten in der Nacht raus. Ich schlief – ich bin gar nicht aufgewacht.» Ganz blaß vor lauter Schuldgefühlen blickte der Junge aus Massachusetts auf das verquollene, verfärbte Gesicht auf dem dünnen, grauen Kissen. Selbst im Schlaf stöhnte Billy gelegentlich vor Schmerz auf.

«Und in Ihrem Raum hat sonst niemand was gesehen?»

«Sie sagen nein. Es war spät. Dunkel. Die müssen leise zu Werke gegangen sein.»

«Möge Gott uns alle verdammen für das, was wir im Namen des Patriotismus tun. Sie haben wirklich ganze Arbeit bei ihm geleistet. Sie müssen etwas viel Schlimmeres als Fäuste benützt haben, obwohl mir die Methode immer noch nicht klar ist.»

«Kann Billy uns das nicht sagen? Uns die Namen oder wenigstens die Beschreibung der Schuldigen geben?»

Billy schlug um sich, krümmte den Rücken, stöhnte leise. Aus seinem linken Nasenloch begann Blut zu tröpfeln. Der Doktor wischte es weg, warf Tim einen düsteren Blick zu.

«Falls er durchkommt», sagte er.

Sonnenuntergang. Seevögel kreisten. Die Luft war still und kalt, obwohl sich im Norden schnell massive Wolkenbänke auftürmten. Cooper, in seinen großen Kapuzenmantel gehüllt, beobachtete, wie sich auf dem Wasser Nebel bildete.

George Dixon beendete seinen Rundblick über den Hafen und schob das Teleskop zusammen. «Der Nebel wird helfen. Auf der Rückfahrt wird uns die Strömung der Ebbe unterstützen. Bis jetzt ist das unsere beste Gelegenheit. Ich denke, wir fahren.»

Er drehte sich um und rief nach dem Maat. «Mr. Fawkes? Machen Sie bitte den Torpedobaum fertig, ich möchte gleich los.»

«Aye, aye, Captain», sagte der frühere Alabama-Soldat. All die Landratten hatten die nautische Sprache schnell und mit Vergnügen gelernt. Nachdem sie den Unterwassertest überlebt hatten, waren sie stolz darauf, sich wie erfahrene Teerjacken zu benehmen.

«Welches Schiff wollen Sie sich zum Ziel nehmen?» fragte Cooper.

«Ich glaube, am besten entscheide ich das erst, wenn wir aus dem Hafen raus sind.»

«Ich beabsichtige, nach Sumter rüberzurudern und zuzuschauen.»

Er streckte die Hand aus. «Viel Erfolg, George. Gegen Mitternacht erwarte ich Sie zurück.»

«Auf jeden Fall», erwiderte der junge Kapitän mit einem sparsamen Lächeln. «Ich bin sehr stolz darauf, mit ihr hinausfahren zu können. Sie sollten ebenfalls stolz sein. Wenn wir Erfolg haben, wird diese Nacht in die Geschichte eingehen.»

«Sie werden Erfolg haben», sagte Lucius hinter seinem Vorgesetzten hervor.

«Also dann – leben Sie wohl», sagte Dixon und schritt so selbstbewußt den Pier entlang wie irgendein Kapitän, der schon als Junge in den Masten herumgeturnt war. «Vorsicht mit dem Pulver, Jungs. Damit wollen wir einen Yankee versenken, nicht uns.»

Ein Schauder lief Cooper über den Rücken – was nichts mit der sinkenden Temperatur zu tun hatte. Dieser Augenblick war all die Gefahren, die Sorge, die Bitten bei Beauregard wert – selbst die Kälte seiner Frau, die ihn oder die Bedeutung seiner Arbeit einfach nicht verstehen konnte.

Von Fort Sumter aus beobachteten sie, wie Dunkelheit und Nebel schnell die Blockadeflotte verbarg. Nur einige Signallaternen zeigten an, wo die Schiffe lauerten. Die Nacht blieb sehr still, sehr kalt. Cooper wurde nervös. Gerade eben hatte er wieder seine Uhr kontrolliert – 8 Uhr 47 –, als Feuer und Lärm durch den Nebel über dem Wasser brachen.

Cooper hielt den Atem an. «Welches Schiff ist es?»

«*Housatonic*», sagte der Major vom Fort, der sich ihnen angeschlossen hatte. Er gab das Teleskop weiter; Cooper spähte gerade hindurch, als eine Flammenwand Holzteile und Masten in den Himmel schleuderte. Der Donner rollte dröhnend in den Hafen hinein.

«Ihr Rumpf ist auf der Steuerbordseite getroffen», frohlockte Cooper. «Dicht vor dem Hauptmast, glaube ich – oh – sie hat bereits schwere Schlagseite!» Fast schleuderte er seinem Assistenten das Teleskop zu. «Schauen Sie durch, solange es noch was zu sehen gibt, Lucius. Sie sinkt.»

Die anderen Schiffe der Feindflotte setzten schnell neue Laternen. Das Dampfkriegsschiff neben dem sinkenden Schiff setzte Rettungsboote aus, während die Männer der Sumter-Garnison aus ihren Quartieren geeilt kamen, um zu erfahren, welche Batterie der Konföderierten gefeuert und den Dampfsegler tödlich verwundet hatte.

«Keine», sagte Cooper. «Sie wurde von unserem Tauchboot, der *Hunley*, versenkt.»

«Sie meinen, dieses Sargschiff von Sullivan's Island?»

«Diesen Namen verdient sie nicht länger. Lieutenant Dixon und seine Crew werden als Helden gefeiert werden.»

Aber die Rückkehr der Helden zog sich hin. Gegen elf Uhr ruderten Cooper und Lucius zum Pier zurück und hielten kalte, grimmige Nachtwache. Um sechs Uhr morgens sagte Cooper: «Fahren wir zurück nach Charleston.»

Das Tauchboot blieb verschwunden. Einige Tage später, nach der Kaperung eines Wachbootes der Union, konnte Cooper General Beauregard bestätigen, daß die *Housatonic* tatsächlich versenkt worden war. Zu seiner Enttäuschung mußte er erfahren, daß dabei wegen des schnellen Einsatzes der Rettungsboote nur fünf Mann ihr Leben verloren hatten.

«Zwei weniger als die Anzahl der Leute an Bord der *Hunley*», sagte er zu Lucius.

In der Hoffnung, Schlaf zu finden, trank Cooper in den nächsten Tagen gewaltige Mengen Whiskey und Gin. Der Schlaf wollte nicht kommen. Jede Nacht strich er durchs Haus oder saß in dem hohen, weißen Schaukelstuhl und starrte durch das Fenster in den Garten, der m Winterregen ertrank. Vom Garten sah er nichts. Statt dessen sah er einen ertrinkenden Sohn. Dixons Gesicht, so voller Mut, kurz bevor die *Hunley* bei Sonnenuntergang ablegte. Das Seltsamste war, daß er die Finsternis vor sich sah, die ihn während des Testes umgeben hatte. Er sah sie, roch sie, schmeckte sie, in dem vollen, schmerzlichen Bewußtsein, wie sich Dixon und die anderen gefühlt haben mußten, als sie starben.

Eines Nachts brachte Judith, mittlerweile fast ebenso erschöpft wie ihr Mann, eine Lampe in das Zimmer mit dem weißen Schaukelstuhl

«Cooper, so kann's nicht weitergehen – du sitzt da, bist auf, schläfst nie.»

«Weshalb sollte ich zu Bett gehen? Ich kann nicht schlafen. Die Nacht des 17. Februar war ein Meilenstein in der Geschichte des Seekriegs. Ich versuche, Frieden bei diesem Gedanken zu finden, und kann es nicht.»

«Weil du – » Sie schwieg.

«Ich weiß, was du sagen wolltest. Ich bin verantwortlich für diesen Meilenstein. Ich wollte es so unbedingt, daß ich damit sieben Menschen getötet habe.»

Sie drehte ihm den Rücken zu, konnte seinen haßsprühenden Blick nicht ertragen. Doch er hatte recht. Sie flüsterte: «Du hättest sie verrosten lassen sollen. Ich habe keinem dieser armen Jungs etwas Schlechtes gewünscht, aber ich bin froh, daß die *Hunley* weg ist. Möge Gott mir verzeihen, ich bin froh. Vielleicht befreit dich das endlich von einem Teil des Wahnsinns, der dich peinigt.»

Sein Kopf ruckte hoch. «Was für eine eigenartige Wortwahl – Wahnsinn. Ich bin meinen Pflichten nach bestem Wissen und Gewissen nachgekommen, das ist alles. Ich habe meine Arbeit gemacht. Und noch viel, viel mehr Arbeit wartet auf mich. Ich werde sie genauso anpacken.»

«Dann hat sich nichts geändert. Ich hatte gehofft – »

«Was hätte sich ändern sollen?»

Sie hob die Stimme. «Willst du mich nicht einmal mehr einen Satz zu Ende reden lassen?»

«Wozu? Ich frage dich noch einmal, Judith: Was hätte sich ändern sollen?»

«Du bist so voll von diesem schrecklichen Haß.»

«Mehr denn je. Sie werden für das Leben des armen Dixon zahlen müssen und für das Leben eines jeden Mannes, der mit ihm war.» Seine Lippen wurden weiß. «Den zehnfachen Preis.»

Ein Schauder lief durch ihren Arm, brachte die Lampe zum Erzittern. «Cooper, wann wirst du verstehen? Der Süden kann diesen Krieg nicht gewinnen. Er kann nicht.»

«Ich weigere mich, darüber zu diskutieren.»

«Hör mir zu! Diese – Hingabe an das Gemetzel, das zerstört dich. Es zerstört uns.»

Er wandte den Kopf ab, steif und schweigend.

«Cooper?»

Keine Bewegung. Nichts.

Sie schüttelte den Kopf, nahm die Lampe und ließ ihn sitzen. Er starrte in den verregneten Garten; die Wut in seinem Gesicht grub sich in so tiefen Linien ein, daß er für immer damit gezeichnet war.

Tim Wann ging oben an der Treppe vorbei und bemerkte die regungslose Gestalt auf dem Treppenabsatz darunter. Tim schaute ein zweitesmal, um sicherzugehen.

«Billy?»

Der ausgemergelte Gefangene hob den Kopf. Tim entdeckte neue weiße Strähnen in dem ungeschnittenen Haar. «Billy!» Mit einem Freudenschrei sprang er zu seinem Freund hinunter, der sich auf eine gepolsterte Krücke stützte. «Du bist wieder gesund!»

«Gesund genug, um in unser herrliches Quartier zurückzukehren. Einige Rippen müssen noch heilen, und ich stehe ein bißchen unsicher auf den Beinen – wenn du zu laut sprichst, dann bläst du mich womöglich um. Ich bin auch noch etwas langsam. Vom Erdgeschoß bis hierher habe ich zehn Minuten gebraucht.»

«Jemand hätte dir helfen müssen.»

«Ich glaube, Turner hält nichts davon, seine Gäste zu verwöhnen. Du kannst mir das restliche Stück helfen, wenn du willst.»

Sie schafften es bis in ihren Raum, wo Billy mit Willkommensgeschrei begrüßt wurde. Selbst einer von den Tageswachen sagte, er sei froh, daß Billy es durchgestanden hatte.

Ganz plötzlich war Billys Bart schweißgetränkt. «Ich muß mich setzen. Hilft mir jemand?»

Tim half ihm. Andere drängten heran. Billy fragte: «Haben wir noch Februar? Da unten hab' ich den Überblick verloren.»

«Wir haben den 1. März», sagte ein Mann. «Draußen sind die Wachposten verdoppelt worden. Eine Kolonne unserer Kavallerie steht nördlich von Richmond – praktisch vor der Tür. Drei- oder viertausend Pferde. Die Rebs fürchten, die wollen uns befreien und die Stadt schleifen.»

«Weißt du von der Flucht?» fragte jemand. Billy schüttelte den Kopf und ließ es sich erzählen. Mehr als vierzig Gefangene waren wieder geschnappt worden, aber der Rest hatte es wahrscheinlich geschafft. Weiter erfuhr er, daß Vesey zum gemeinen Soldaten degradiert worden war und unangenehmeren Dienst außerhalb des Gefängnisses verrichten mußte.

Sie stellten Fragen, wie er zu seinen Verletzungen gekommen war, und er beantwortete jede Frage mit Schweigen oder einem Kopfschütteln. Als er aufs Klo mußte, halfen ihm Tim und ein weiterer Soldat.

Tim sagte: «Es war Vesey, nicht wahr? Vesey hat dich gefoltert, und deswegen wurde er degradiert und versetzt, richtig?»

Schweigen war für Billy eine Sache des Stolzes. «Egal», sagte er. «Ich weiß, wer's war, und wenn ich je die Chance bekomme, dann begleiche ich die Rechnung mit ihm.»

Tim hatte Billys improvisiertes Tagebuch in Sicherheit gebracht. In dieser Nacht, während fernes Geschützfeuer durch das Libby-Gefängnis hallte, schrieb Billy mit seinem Bleistiftstummel:

1. März – Zwei bemerkenswerte Umstände. Ich lebe, obwohl Dr. Arnold, der alte Säufer in der Krankenstation, erwartet hatte, ich würde sterben. Außerdem – der Reb, der es für seine Pflicht hielt, mich zu verletzen, hat mich eine Lektion gelehrt, so überwältigend, daß ich es noch nicht ganz erfasse. Hier drinnen, gezwungen, jeden Befehl zu befolgen, ganz gleich, wie demütigend oder verletzend, habe ich endlich verstanden, wie der versklavte Neger empfinden muß. Ich habe eine Weile in der Seele eines angeketteten schwarzen Mannes gehaust und ein bißchen davon für immer in meine eigene Seele hinübergenommen.

94

Stanley fand es zunehmend schwieriger, mit all den Veränderungen in seinem Leben zurechtzukommen. Pennyford schickte weiterhin die Monatsreporte mit den gewaltigen Profiten, die Lashbrook machte. Stanley las sie voller Unglauben. Die Zahlen konnten einfach nicht stimmen. Kein Mensch verdiente solchen Reichtum; er ganz bestimmt nicht. Auch dem schnellen Wandel der öffentlichen Ereignisse konnte er nur schwer folgen. Wegen seines wachsenden Engagements für die

Neger und seiner Unfähigkeit, den Krieg erfolgreich zu beenden, war Lincoln ein verachteter Mann. Die Hauptstadt vibrierte nur so von Gerüchten, daß er entführt oder ermordet werden sollte. Ungefähr einmal pro Woche hörte Stanley von einem neuen Plan.

Dazu kam, daß der Präsident nach Meinung einflußreicher Republikaner der Partei durch die Einberufung einer weiteren halben Million Männer zum 1. Februar schweren Schaden zugefügt hatte. Mitte März würden weitere ein- oder zweihunderttausend Mann einberufen werden, hatte ihm Stanton anvertraut. Der verzweifelte Kongreß hatte jetzt den Rang eines Lieutenant General reaktiviert und ihn einem von Lincoln ausgewählten Mann verliehen – diesem Trunkenbold Grant. Als Oberkommandierender würde er bald auf dem östlichen Kriegsschauplatz das Kommando übernehmen; Old Brains war zum Stabschef degradiert worden.

Stanleys Überzeugung nach konnte nichts davon den Präsidenten retten. Lincoln würde die Herbstwahl verlieren – kein Anlaß zur Trauer. Aber die Anzahl der Republikaner, die er mit in den Abgrund reißen konnte, erschreckte Stanley und seine Freunde. Stanley empfand immer stärker den Wunsch, Washington zu verlassen. Er genoß immer noch die Macht, die sein Job mit sich brachte, aber er fühlte sich nicht wohl beim Gedanken an jene, mit denen er sich verbündet hatte, um die Cameron-Säuberung zu überleben. Im Januar hatte der Senat einen zusätzlichen Verfassungsartikel zur Aufhebung der Sklaverei vorgeschlagen – nach Stanleys Ansicht ein viel zu radikaler Schritt. Viel zu viele Neger waren bereits frei und außer Kontrolle. Überall in der Stadt stolzierten sie herum.

Doch er wußte, daß er gegen eine Flutwelle anschwamm. War sein Büro vorübergehend leer, so schloß er schnell die unterste Schublade auf und holte eine Flasche Bourbon heraus. Am ersten Arbeitstag des neuen Jahres hatte er die erste Flasche in die Schublade getan; jetzt war er bei der vierten Flasche angelangt.

Ein schneller Blick auf seine Umgebung. Sicher. Das Sonnenlicht brach sich in der Flasche, als er sie ansetzte. Die laut tickende Uhr zeigte auf zwanzig vor zehn.

Der Blitzschlag – *«Im Kampf vermißt»* – hatte die Hazards Ende letzten Jahres getroffen. Mitte Februar erfuhr George endlich etwas Verbindliches über Billys Schicksal, und mit einer Mischung aus Erleichterung und Widerstreben telegraphierte er nach Lehigh Station: DEIN MANN STEHT AUF LETZTEM NAMENSVERZEICHNIS LIBBY-GEFÄNGNIS RICHMOND.

Brett packte in dem Augenblick, in dem sie die Nachricht erhielt, und nahm den ersten Zug nach Washington. Als sie – dünner jetzt; nervös von monatelanger Angst und Besorgnis – in dem Haus in Georgetown ankam, war ihre erste Frage: «Was können wir tun?»

«Offiziell sehr wenig», sagte George. «Das Austauschsystem ist fast völlig zum Erliegen gekommen. Zuviel Haß auf beiden Seiten. Jede Seite erhält Berichte, daß die anderen Gefangene aushungern und mißhandeln.»

Brett empörte sich: «Du hast recht, das ist nicht viel.»

«Hast du gehört, daß ich das Wort *offiziell* voransetzte?» erwiderte George. «Ich habe noch einen anderen Vorschlag.»

Constance trat hinter seinen Stuhl und massierte ihm sanft die Schultern. Er schlief schlecht, sorgte sich um seinen Bruder und über seine Versetzung zu den Militäreisenbahnen, die noch nicht genehmigt war.

Brett wartete. Er räusperte sich. «In seiner Position im Kriegsministerium in Richmond kann Orry uns vielleicht helfen. Old Winder ist direkt für Libby und die anderen Gefängnisse verantwortlich. Aber Seddon überwacht Winder. Und Orry arbeitet für Seddon.»

Eifrig sagte Constance: «Du glaubst, Orry könnte Billys Entlassung arrangieren?»

«Ich bin sicher, er hat einen Eid geleistet, loyal zu dienen. Ich würde ihn nicht bitten, diesen Eid zu brechen. Noch wichtiger, er ist mein bester Freund. Ich würde ihn niemals durch die Bitte, direkt zu intervenieren, in Gefahr bringen.»

Bretts Faust krallte sich in ihren Rock. «Billy ist dein eigener Bruder!»

«Und Orry ist deiner. Sei so nett und laß mich ausreden, ja?» George machte sich von der Hand seiner Frau los, erhob sich und ging vor dem Frühstückstisch auf und ab. «Ich kann Orry bitten, alles über Billys Zustand und seinen genauen Aufenthaltsort im Libby herauszufinden.»

«Wie willst du das anstellen?» erkundigte sich Constance skeptisch.

George schaute sie an. «Indem ich das tue, was er tat, als er mir letztes Jahr schrieb. Indem ich das Gesetz breche.»

In Zivil, in einen dunklen Mantel gehüllt, ritt er zwei Nächte später im Schneefall nach Süden. Er kam nach acht in Port Tobacco an und zahlte dem verschlagenen zahnlosen Mann, der auf ihn wartete, die Summe von zwanzig Dollar in Gold. Er gab dem Mann den an Orry adressierten Brief und eine Warnung mit auf den Weg.

«Sie müssen Colonel Main den Brief übergeben, ohne irgendwelche Aufmerksamkeit zu erregen.»

«Bloß keine Aufregung, Major Hazard. Ich liefere geheime Post in alle Büros dort. Sie wären überrascht, wenn Sie wüßten, wieviel.»

Und damit schlüpfte er zur Hintertür der Kneipe in den Schneesturm hinaus.

Am Ersten des Monats war Grant nach Washington gekommen. Seine harte Hand wurde bereits spürbar. Ein gewaltiger Feldzug, vielleicht der endgültige, würde im Frühjahr anlaufen. Inzwischen warteten George und Brett und Constance. George hatte Stanley gegenüber den illegalen Brief nicht erwähnt. Letzten Herbst von Billys Gefangennahme in Kenntnis gesetzt, hatte Stanley nur oberflächliche Besorgnis zum Ausdruck gebracht.

Als sich der Frühling näherte, wurde George einer seiner Sorgen enthoben. Er erhielt Befehl, sich zum Ersten des Monats bei den Militäreisenbahnen zum Dienst zu melden.

«Ich werde für Old McCallum von Erie anstatt für Herman arbeiten, aber zumindest ist es Felddienst. Keine Kontrakte mehr, keine verrückten Erfinder, Wasserläufer – kein Winder-Gebäude mehr!» Er umarmte Constance, als sie an diesem Abend nach Erhalt der Nachricht im Bett lagen. Er spürte ihr Zittern und fügte schnell hinzu: «Mach dir deswegen keinen Kummer. Ich werde nicht in Gefahr sein.»

«Natürlich wirst du in Gefahr sein», sagte sie in fremdem Tonfall. Er berührte ihre Wange; sie war feucht. «Aber ich werde pflichtgemäß unsere Sachen zusammenpacken, nach Lehigh Station zurückkehren und so tun, als ob du's nicht wärst.»

Sie überraschte ihn damit, daß sie seine Hand an ihre Brust drückte. «Wenn du mich jetzt lieben würdest, dann könnte ich vielleicht heute nacht schlafen.»

Er lachte sanft, knabberte an ihrem Nacken. «Es wird mir ein Vergnügen sein, Lady.»

«Oh, George, du bist so ein liebenswerter Mann. Und es ist mir unmöglich, dich nicht zu lieben.»

Er räusperte sich, hielt inne, räusperte sich noch einmal. Er lächelte, als er nach ihrer Taille griff und sie zu sich zog.

«Nun», sagte er, «das möchte ich dir auch geraten haben. Und zwar auf der Stelle.»

George ging in die Luft, als der zahnlose Mann am nächsten Morgen im Winder-Gebäude auftauchte.

«Guter Gott, Mann, sind Sie wahnsinnig, hier aufzutauchen?» Er schob den Kurier auf die Treppe zu, vorbei an der üblichen Versammlung von Kontraktsuchern und Rettern der Union, die das Ministerium weiterhin als zweites Zuhause betrachteten.

«Hab' gedacht, Sie woll'n das auf der Stelle.» Der Mann schwenkte einen verdreckten, zerknitterten Briefumschlag vor seinem Kunden. «Hat an der Richmond-Station vorgestern auf Sie gewartet.»

«Nicht so laut», flüsterte George mit scharlachrotem Gesicht. Ein die Treppe hochkommender Brigadier warf dem Besucher einen mißtrauischen Blick zu. «Ich nehme an, Sie sind auch hergekommen, weil Sie zusätzliche Bezahlung erwarten.»

«Jawohl, das ging mir durch den Kopf. Darum dreht sich doch das alles, oder? Eine Chance für den Unternehmertyp, sich's für die Zukunft bequem zu machen.»

«Raus hier», sagte George, dem Kurier Geldscheine in die Hand drückend.

«He, das sind Greenbacks. Ich nehme nur –»

«Entweder das oder gar nichts.» Er schnappte sich Orrys Brief und eilte zurück in sein Büro.

Er wagte es nicht, ihn hier zu lesen. George setzte seinen Hut auf und flüchtete sich zu Willard's. An einem der hinteren Tische öffnete er mit zitternden Händen den Brief.

Stumpf, so fing er an. Nur die alten Namen aus Akademiezeiten, keine Zivilen. Orry war so clever wie eh und je. Für einen Moment traten George Tränen in die Augen; er wischte sie weg und begann zu lesen.

Die Person, nach der Du Dich erkundigt hast, befindet sich hier im Libby. Ich sah ihn vorgestern, allerdings nur aus der Ferne, weil ich keine Aufmerksamkeit erregen wollte. Zu meinem Kummer muß ich Dir berichten, daß er anscheinend von einem der Totschläger, die hier als Gefängnispersonal beschäftigt werden, mißhandelt wurde. Vermutlich wurde er geschlagen; er humpelt auf eine Krücke gestützt herum.

Aber er lebt und ist an einem Stück. Schöpfe daraus Mut. Ich werde Verbindung zu einem gewissen Kavalleristen aufnehmen und sehen, was sich tun läßt. Die alten Bande der Zuneigung müssen doch zu etwas gut sein, selbst in diesen Zeiten der allgemeinen Vernichtung. Es wäre unklug, wenn wir noch einmal Kontakt aufnehmen würden, außer im äußersten Notfall. Sorge Dich nicht. Alle Anstrengungen werden unternommen.

Meine liebe Frau sendet ebenfalls die herzlichsten Grüße an Dich und Deine Familie, und ein Gebet, daß wir alle diesen schrecklichen Kampf überleben mögen. Der Süden ist geschlagen. Verknappung, innere Zerrissenheit, Fahnenflucht ganzer Armeeeinheiten, all das beweist die Wahrheit dieser Aussage, obwohl ich wahrscheinlich aufgehängt würde, wenn der Brief in falsche Hände käme.

Ich hoffe von ganzem Herzen, daß die Kluft, die nach der Kapitulation aufreißen wird, nie so breit sein kann, daß unsere beiden Familien sie nicht wieder überbrücken können.

Tief aufgewühlt von dem, was er gelesen hatte, stürzte George das Bier, das er gar nicht gewollt hatte, hinunter. Es vergingen einige Augenblicke, bevor er den Brief zu Ende lesen konnte.

Gott schütze Dich und die Deinen. Für die betreffende Person werden wir alles tun, was in unseren Kräften steht.

Herzlichst
Dein Stiel

«Alle Anstrengungen werden unternommen.» Brett drückte den Brief an ihre Brust. «Oh, George, da steht es, in Orrys Handschrift. Alle Anstrengungen werden unternommen!»

«Vorausgesetzt, er kann Charles finden. Er warnt uns, daß es eine Weile dauern wird.»

Ihr Lächeln erlosch. «Ich weiß nicht, wie ich die Zeit bis dahin überleben soll.»

«Wenn Orry das Risiko erträgt, dann kannst du die Wartezeit auch ertragen», sagte George, streng wie ein Vater, der ein gedankenloses Kind zurechtweist. Er ahnte, daß es sehr lange dauern würde, bis sie wieder etwas hören würden. Und er betete, daß es sich dann um keine tragische Nachricht handeln würde.

95

George küßte die Kinder nach kurzen Verhaltensmaßregeln für seine Abwesenheit. Dann umarmte er Constance, die mit den Tränen kämpfte. Sie schenkte ihm einen getrockneten, offensichtlich in einem Buch gepreßten Lorbeerzweig. Er küßte sie noch einmal, sanft und zärtlich, schob den Zweig in die Tasche, versprach, bald zu schreiben und marschierte los, um sich eine Transportmöglichkeit nach Alexandria zu suchen.

Der Tag war grau und warm. Ein Platzregen ging nieder, als der Zug über die Long Bridge ratterte. Er lehnte sich hinaus in den Regen und betrachtete die grünen Hügel und die soliden Backsteinhäuser des Flußstädtchens. Das war Virginia. Das war der Krieg. Gespenstische Erinnerungsbilder an Mexiko und Manassas und das brennende Haus seines Vorarbeiters tauchten vor seinem geistigen Auge auf. Er war immer noch froh, daß es mit der Versetzung geklappt hatte.

Nach einer Suche von fast einer Stunde entdeckte er Colonel Daniel McCallum, Haupts Nachfolger, im rauchigen Lokomotivschuppen. McCallum, ein Schotte mit einem ausgezeichneten Ruf als Eisenbahnmanager, trug einen fächerförmigen Bart, wie er bei höheren Offizieren üblich war. Außerdem hatte George den Eindruck, er sei äußerst schlecht gelaunt. Georges Ankunft – die Unterbrechung – kam zu einem ungünstigen Zeitpunkt.

«Ich habe nicht viel Zeit für Sie», sagte der Colonel und bedeutete George, ihm zu folgen.

Sie marschierten zwischen aufgestapelten Eisenbahnschienen hindurch, einige davon von Hazard's, und betraten eines der vielen provisorischen Gebäude. McCallum knallte die Tür in einer Art und Weise zu, die seine Geistesverfassung mehr als deutlich machte.

Er setzte sich auf den einzigen Stuhl in dem winzigen Büro und überflog Georges Papiere. George benötigte keine große Intelligenz, um zu erkennen, daß er nicht willkommen war.

Verständlicherweise; die Papiere enthielten einen Empfehlungsbrief von Haupt. In Washington hieß es, daß McCallum gegen Georges Freund intrigiert und sich bei Stanton beliebt gemacht habe, um das Kommando übernehmen zu können.

Mit einer verächtlichen Bewegung schob McCallum die Papiere zurück. «Sie besitzen weder in Brückeninstandsetzung noch in Schienenbau praktische Erfahrungen, Major. Soweit ich das beurteilen kann, scheint Ihre einzige Qualifikation für das Konstruktions-Corps in Ihrer Freundschaft mit meinem Vorgänger zu liegen.»

George stand dicht davor, dem Colonel ins Gesicht zu schlagen. McCallum rümpfte die Nase und spähte zu einem kleinen, dreckigen Fenster hinaus. Frühlingsregen klatschte auf einen Schienenstapel.

Schließlich geruhte er, seine Aufmerksamkeit wieder dem vor ihm stehenden Mann zuzuwenden. «General Grant wünscht, daß die Orange & Alexandria-Linie offen bleibt, in gutem Zustand, die ganze Strecke bis Culpeper runter, seinem Basislager für die Frühjahrsoffensive. Das ist eine gewaltige Sache – wegen der konföderierten Partisanen. Die Gerüstbrücke bei Bull Run ist sieben Mal wieder aufgebaut worden. Was ich damit sagen will: Wir haben keine Zeit, Anfänger zu unterrichten.»

«Ich kann einen Pickel schwingen, Colonel, oder mit einer Schaufel umgehen. Dazu braucht es kein Training.» Der Mann lehnte George ab, weil er seine Abneigung gegen Haupt auch auf Haupts Freunde ausdehnte. George wollte mit sowas nichts zu tun haben. Er wollte arbeiten, und es war ihm verdammt egal, ob er jemanden beleidigen mußte, um den Platz einnehmen zu können, der ihm aufgrund seines Marschbefehls zustand.

Der Regen trommelte. Eine Pfeife ertönte, Glocken läuteten. Hinter McCallums Schweigen verbarg sich zunehmende Streitlust. Ganz plötzlich erkannte George, daß er vielleicht doch einen Trumpf im Ärmel hatte.

«Ich weiß, daß Sie für das Konstruktions-Corps Offiziere benötigen, Colonel. Viele weiße Männer wollen keine ehemaligen Negersklaven kommandieren. Ich schon.»

McCallums mürrischer Mund zuckte. «Ein guter Vorschlag, aber bedauerlicherweise läßt unser Organisationsschema sowas nicht zu. Die Grundeinheit beim Corps ist ein Zehn-Mann-Trupp. Zwei solcher Trupps werden von einem Offizier geführt. Einem Ersten Lieutenant.» Das Zucken wurde zu einem Grinsen. «Sie sind zu gebildet – »

George erkannte eine Stichelei gegen die Akademie, wenn er sie vorgesetzt bekam. Diesmal mußte er sich wirklich beherrschen, um den alten Bastard nicht zu schlagen.

« – überqualifiziert, wenn Sie verstehen, was ich meine. Haben Sie schon erwogen, sich für den Stabsdienst bei General Grant zu bewerben?»

George spielte seine höchste Karte aus. «Ich besuchte West Point zusammen mit Sam Grant. Ich kämpfte mit ihm zusammen von Vera Cruz bis Mexico City. Vielleicht sollte ich mich an ihn wenden, um dieses Schlamassel hier auszubügeln.» Er schüttelte die Papiere. «Man hat mir einen Transfer zu den Militäreisenbahnen zugesagt, und nun muß ich feststellen, daß ich zurückgewiesen werde.»

McCallum wurde so grau wie das Wetter. «Na, na – wir müssen doch keine Vorgesetzten in dieser Sache bemühen. Kein Problem ist unüberwindlich. Man kann die Vorschriften ja ein bißchen zurechtbiegen. Wir können bestimmt einen Platz finden – »

Der ältere Mann sah, daß George etwas besänftigt war, und musterte ihn mit einem verschlagenen Lächeln.

«Sie wären tatsächlich bereit, Farbige zu kommandieren?»

«Genau das sagte ich, Colonel. Ich bin bereit.»

Vierundzwanzig Stunden später lernte George auf dem Musterungsplatz seine beiden Trupps kennen und fragte sich, ob die Sicherheit, mit der er zuvor gesprochen hatte, berechtigt gewesen war. Angespannt musterte er die Neger, während sie wiederum ihn musterten. Falls seine Betrachtung Interesse und Neugier widerspiegelte, so war es bei ihnen Mißtrauen, in einigen Fällen Feindseligkeit.

Sie unterschieden sich physisch nicht mehr als jede andere zufällig zusammengewürfelte Männergruppe, mit einer Ausnahme: Bis auf einen der Schwarzen waren sie alle größer als George.

George machte sich bereit, die Männer anzusprechen, legte die Hände hinter dem Rücken zusammen und stellte sich dabei unbewußt auf die Zehenspitzen. Jemand bemerkte das und fing an zu kichern. George sprach sofort mit lauter Stimme.

«Mein Name ist Hazard. Ich bin gerade zum Konstruktions-Corps versetzt worden. Künftig werdet ihr für mich arbeiten.»

«Nein, Sir», sagte der Neger, der kleiner als George war, ein dunkelfarbiges Kerlchen mit dünnen Handgelenken. «Ich nehme Befehle von Ihnen an, aber arbeiten tue ich für mich.»

Die Schnelligkeit, mit der das kam, amüsierte George, aber es war wohl besser, er ließ sich das nicht anmerken. «Mal sehen, ob ich das richtig verstanden habe. Du sagst, du bist ein freier Mann, deshalb ist dieser Dienst hier dein eigener Entschluß»

Der dunkle Mann grinste. «Sie sind ganz schön schlau – für einen weißen Boß.»

Gelächter. George konnte nicht anders, er stimmte ein. Die Spannung löste sich. Mit diesen Männern würde er zurechtkommen.

96

Burdetta Halloran hatte ihre Nachforschungen so weit vorangetrieben, wie es ihr möglich war. Jetzt mußte sie die Behörden einbeziehen. Aber an wen sollte sie sich mit ihren Informationen wenden? Wie sollte sie das Räderwerk der Vergeltung in Gang setzen? Wartete sie zu lange, dann mochte der Belagerungszustand über Richmond verhängt werden, und die Regierungsbeamten hatten anderes zu tun, als ihr zuzuhören. Ihr Opfer könnte entkommen. *Mit wem sollte sie sprechen?*

Sie hatte darauf immer noch keine Antwort gefunden, als eine Freundin damit prahlte, sie habe eine Einladung zu einem der zunehmend seltener werdenden Empfänge im Weißen Haus erhalten. Mrs. Halloran erbettelte sich ebenfalls eine Einladung. Mittlerweile hatte sie die Idee zurückgewiesen, sich an die am ehesten in Frage kommende Person, den alten Winder, zu wenden.

Mehrere Gründe sprachen dagegen. Er besaß ein bösartiges Naturell und verachtete Frauen. Und sein Vorgehen war so scharf und anmaßend, daß viele seiner Verhaftungen und Anklagen wieder aufgehoben worden waren. Dem Klatsch zufolge würde er keine drei Monate mehr im Amt sein. Mrs. Halloran wollte es mit einem Beamten zu tun haben, der ihre Information ordnungsgemäß behandelte.

Am Abend des Empfangs gegen Ende März füllten mehr als hundert Leute das Weiße Haus. Mrs. Halloran trennte sich schnell von ihrer Freundin, um mehr Bewegungsfreiheit zu haben. Ihre Blicke schweiften über die Menge aus Regierungsbeamten und hohen Militärs mit ihren Frauen. Eine fröhliche Menge, dachte sie, angesichts der Umstände. Dann erspähte sie Varina Davis.

Obwohl erst Ende Dreißig, machte die Präsidentengattin den Eindruck einer zwanzig Jahre älteren Frau. Die Bürde ihres Mannes war zu der ihren geworden. Der Präsident selbst schien deutlich erschöpft. Kein Wunder, dachte Mrs. Halloran. Davis stand von allen Seiten unter Beschuß; weil er an Bragg festhielt und Joe Johnston ablehnte; wegen des wertlosen Geldes und der galoppierenden Preise; weil seine Regierung seit drei Jahren versagt hatte und weiterhin versagte.

Burdetta Halloran versuchte sich nicht deprimieren zu lassen, während sie sich unter die Leute mischte. Sie behielt ihr Ziel im Auge.

Sie schloß sich einer Gruppe um Minister Seddon an. Dann bemerkte sie auf der anderen Seite des Raumes einen großen, in seiner

604

hageren Art gutaussehenden Offizier. Er fiel ihr auf, weil sein leerer linker Ärmel oben an der Schulter festgesteckt war.

Vorsichtig pirschte sie sich heran. Er sprach gerade mit drei anderen Leuten über die militärische Lage; eine schöne Frau mit dem Aussehen einer Spanierin oder Kreolin umklammerte den gesunden Arm des Offiziers. Seine Frau?

Der Mann beeindruckte sie. Sie glitt davon, erkundigte sich da und dort und bekam bald die richtige Antwort.

«Das ist Colonel Main, einer von Mr. Seddons Assistenten. Seine Aufgaben? Zahlreich. Ich kenne sie nicht alle, aber eine davon ist die Rolle eines Wachhunds für diese Bestie Winder.»

Burdetta Halloran strahlte. «Ich danke Ihnen sehr für diese Auskunft. Würden Sie mich so lange entschuldigen, bis ich diese leere Tasse gegen ein Glas Weißwein umgetauscht habe?»

Die Suche war vorbei.

Am nächsten Morgen gegen halb zwölf führte man sie an Orrys Schreibtisch im Kriegsministerium. Trotz seiner Behinderung rückte er ihr höflich und überrascht geschickt den Besucherstuhl zurecht. «Setzen Sie sich bitte, Mrs. – Halloran, sagten Sie?»

«Jawohl, Colonel. Gibt es einen Platz, wo wir ungestörter sprechen können? Ich komme in einer ungemein schwerwiegenden Angelegenheit, die außerdem äußerst vertraulich ist.»

Skepsis blitzte in Orrys dunklen Augen auf. Trotz seiner guten Manieren befand er sich in höchster Anspannung, und das bereits seit zwei Wochen. Jeden Morgen erwachte er in der Hoffnung, daß er heute von seinem Schreibtisch aufschauen und Cousin Charles eintreten sehen würde. Nachdem er Georges Brief erhalten hatte, hatte er sofort an Charles geschrieben und ganz dringend ein Treffen verlangt.

Natürlich war Charles beschäftigt gewesen, um es milde auszudrükken, als die Yanks zugeschlagen hatten. Aber das war vorbei; wenigstens hätte er eine Nachricht schicken können. Bedeutete sein Schweigen, daß er verwundet worden war? In diesem Fall fiele ihm die gesamte Verantwortung zu –

Mit Mühe richtete er seine Aufmerksamkeit wieder auf Mrs. Halloran. «Ich will mal sehen, ob unser kleiner Konferenzraum frei ist.»

Er war frei. Orry führte sie hinein und schloß die Tür. Aus ihrer Handtasche holte sie ein zusammengefaltetes Papier. Ausgebreitet erwies es sich als eine Skizzenkarte vom James-Fluß unterhalb der Stadt. Sie hatte verschiedene Landmarken angedeutet und vier kleine Quadrate am Ufer in der Gegend von Wilton Bluffs eingezeichnet.

Sie zeigte auf die Quadrate. «Das sollen die Gebäude einer verlassenen Farm sein, Colonel. Das heißt, verlassen, wenn man von den nächtlichen Aktivitäten absieht, die dort vor sich gehen. Wenn Sie Nachforschungen anstellen, werden Sie herausfinden, daß diese Farm einer Clique, angeführt von einem gewissen Mr. Lamar Hugh Augustus Powell aus Georgia, als Hauptquartier dient.»

Orry klopfte mit seinem langen Finger auf den Tisch. Was wollte diese attraktive Frau? Sie war von einer eisernen, verzweifelten Entschlossenheit beseelt. Das hatte er sofort an ihrer Haltung, ihren Augen, ihrer beherrschten Stimme erkannt.

«Powell», sagte er. «Ich glaube, den Namen habe ich schon gehört Spekulant, nicht wahr?»

«Von Berufs wegen. Nebenbei beschäftigt er sich mit Verrat.»

Schnell erzählte sie den Rest. Powells Bande sammelte und lagerte Waffen auf der Farm bei Wilton Bluffs. Mit ihrem Fingernagel berührte sie ein Quadrat direkt neben der Klippe. «Dies hier war einst der Geräteschuppen. Auf dieser Seite führt ein Steilabhang fast senkrecht zum James, aber durch dieses Feld kann man sich dem Schuppen ungefährdet von Norden her nähern. Oder womöglich – »

«Einen Moment, bitte. Ich unterbreche Sie ungern, aber bevor Sie fortfahren, müssen Sie mir etwas über die Absichten dieser Bande erzählen. Es ist nicht illegal, Waffen zu besitzen oder zu lagern.»

«Diese Bande hat die Absicht», sagte sie, «Präsident Davis und ein oder mehrere Mitglieder seines Kabinetts zu ermorden.»

Orry lachte nicht, nachdem seine Verblüffung verflogen war. «Mrs Halloran, bei allem Respekt vor ihrem Patriotismus, der sie her geführt hat, haben Sie eine Ahnung, wieviele Meldungen über Morddrohungen gegen Mr. Davis wöchentlich hier eingehen?»

«Daran kann ich nichts ändern. Meine Information ist korrekt. Wenn Sie dieses Gebäude durchsuchen, dann garantiere ich Ihnen, Sie werden Gewehre, Revolver, Höllenmaschinen – »

«Bomben?» Das schreckte ihn auf; es war nicht typisch. «Was für ein Typ? Wie werden sie eingesetzt?»

«Das weiß ich nicht. Aber ich versichere, daß es explosive Sachen auf dem Gelände gibt. Vielleicht erwischen Sie dabei auch gleich die Verschwörer. Sie treffen sich häufig.»

«Wann soll der Anschlag ausgeführt werden?»

«Das konnte ich nicht in Erfahrung bringen.»

Er räusperte sich. «Ich bezweifle Ihre Angaben nicht im geringsten. Nichtsdestoweniger wäre es ungemein hilfreich, wenn ich eine Ahnung hätte, wie Sie an diese Information gelangt sind.»

«Das meiste davon habe ich selbst gesammelt. Eine Person meines Vertrauens hat weitere Details hinzugefügt – zum Beispiel die nächtliche Beobachtung der Farm. Mehr kann ich dazu nicht sagen, es ist eine vertrauliche Angelegenheit. Weshalb spielen solche Details eine Rolle? Was wirklich zählt, ist doch der Plan. Das Komplott!»

«Da stimme ich Ihnen bei. Erlauben Sie mir eine andere Frage.»

Der plötzlich maskenhafte Ausdruck ihrer Augen erinnerte ihn an jemanden, an den er lange nicht mehr gedacht hatte: Elkanah Bent.

«Bitte.»

«Ist Ihnen nicht in den Sinn gekommen, daß der Chef der Militärpolizei der richtige Mann für das ist, was Sie mir eben erzählt haben? Oh, vielleicht haben Sie bereits – »

«Nein.» Sie machte ein Gesicht, als hätte sie in verdorbenes Fleisch gebissen. «Ich bin General Winder nie begegnet, aber ich verachte ihn wie jeder gerecht denkende Bürger. Die Zivilbevölkerung hat nicht genügend Nahrungsmittel, und er beharrt auf seiner lächerlichen Preispolitik, mit der er die Farmer verärgert und die Situation nur verschlimmert. Ich würde niemals mit einem Mann zu tun haben wollen, der unserer Sache soviel Schaden zugefügt hat wie irgendein General der anderen Seite.»

Mit dieser Meinung stand Mrs. Halloran nicht allein. Es hörte sich überzeugend an.

«Gibt es noch etwas?»

«Keine weiteren Fakten, Colonel. Nur dies noch: Ich verspreche Ihnen, Sie werden sehen, daß jedes meiner Worte wahr ist, wenn Sie Nachforschungen anstellen. Falls Sie nicht nachforschen, meine Worte nicht beachten, aus was für Gründen auch immer, dann wird der Tod des Präsidenten auf Ihrem Gewissen lasten.»

«Das ist eine schwere Bürde.» Zum erstenmal klang er unfreundlich.

«Jetzt ist es Ihre Bürde, Colonel. Guten Tag.»

«Einen Moment.»

Sie hatte sich bereits halb vom Stuhl erhoben. «Wir sind noch nicht fertig. Ich werde Sie zu einem meiner Angestellten bringen. Sie müssen ihm Ihren vollen Namen, Ihren Wohnsitz und andere sachdienliche Informationen geben. Das ist die übliche Routine für jedermann, der dem Kriegsministerium behilflich ist.»

Sie lächelte. «Ich danke Ihnen, Colonel. Ich werde Ihnen voll und ganz zur Verfügung stehen, so lange ich dabei anonym bleiben kann.»

«Ich werde mein Bestes tun, Ihren Wunsch zu respektieren, aber versprechen kann ich Ihnen nichts.»

Sie zögerte, dachte an Powell, murmelte: «Ich verstehe. Ich bin mit den Bedingungen einverstanden. Was werden Sie zuerst unternehmen?»

«Das kann ich Ihnen leider nicht sagen. Aber ich versichere Ihnen eines: Ihre Aussagen werden bestimmt nicht ignoriert werden.»

Sie sah den eisernen Vorhang, der sich vor seine Augen schob, und wußte, daß weitere Fragen zwecklos waren. Es spielte keine Rolle. Sie hatte die Maschinerie in Bewegung gesetzt. Powell war erledigt.

«Natürlich habe ich ihr gesagt, daß ihre Aussagen nicht ignoriert würden», erklärte er Madeline an diesem Abend. «Was sonst könnte ich jemandem sagen, der vorgibt, vollkommen aufrichtig zu handeln.»

Madeline erfaßte die Bedeutung des Wortes ‹vorgibt›. Er fuhr fort: «Ich habe sie über den nächsten Schritt nicht informiert, weil ich ihn verdammt noch mal selbst nicht kenne. Auch jetzt noch nicht. Ich glaube, sie will mit jemandem abrechnen. Wahrscheinlich mit Powell. Was mich dabei stört: Warum sollte sie so viele konkrete Details erfinden, wenn doch vollkommen klar ist, daß man ihr dabei sofort auf die Schliche kommt? Ist sie dumm? Nein. Diese Geschichte ist vielleicht ihre Form der Rache, aber möglicherweise stimmt die Geschichte trotzdem.»

«Powell», wiederholte Madeline. «Der gleiche Powell, der Ashtons Investitionspartner war?»

«Genau der.»

«Falls eine Verschwörung existiert, könnte sie darin verwickelt sein?»

Orry überlegte einen Moment. «Nein, ich glaube nicht. Ashton ist unserer Sache gegenüber nicht gerade fanatisch eingestellt. Ashton hat niemals was von Selbstaufopferung gehört, und wenn, dann hat sie höchstens darüber gelacht. Ashton sorgt sich ausschließlich um Ashton.»

Sie nickte. «Beunruhigt dich noch etwas anderes?»

«Ja. Was mich beunruhigt, sind diese verdammten Details. Wir hören von einer Verschwörung nach der anderen, aber selten erfahren wir etwas Genaueres. Hier wird das Zentrum der Verschwörung genau festgenagelt. Sie zeichnete eine Karte, die ich in meinen Schreibtisch eingeschlossen habe. Ein letztes Detail stört mich am allermeisten.»

«Und?»

«Bomben. Es ist das erstemal, daß ich in Verbindung mit Meuchelmord von Höllenmaschinen höre. Messer, Pistolen, ja. Aber keine Bomben.»

Die Hand hebend, schob Orry langsam Daumen und Zeigefinger

zusammen. «Das ist genau die winzige Kleinigkeit, die mir eine Gänsehaut verursacht – dazu hätte es des Hinweises gar nicht bedurft, daß ich es auf dem Gewissen habe, wenn etwas passiert, weil ich nichts unternommen habe.»

«Wirst du zum Minister gehen?»

«Jetzt noch nicht. Und zu Winder auch nicht. Aber vielleicht fahre ich bald schon mal allein den Fluß runter.»

Sie kniete neben ihm nieder, legte ihre Wange an seinen rechten Ärmel. «Wenn du das tust – es könnte gefährlich werden.»

«Es könnte katastrophal werden, wenn ich es nicht tue.»

97

«Und dann – »

Charles unterbrach seine Geschichte, um an seiner Zigarre zu paffen. Der Qualm war fast zuviel für Gus. Sie schob sich zur Seite, fort von seiner nackten Hüfte, und zog die leichte Decke höher über ihren Bauch. Das Glühen der Zigarre verblaßte, die bleiche Fläche von Charles' Brust verschwand in der Dunkelheit.

«Hugh Scott und Dan und ich schoben einige Stämme in den Fluß. Wir klammerten uns dran und paddelten rüber. Das Wasser war eiskalt, und die Dunkelheit machte es noch schlimmer.» Er sprach ruhig, nachdenklich, fast so, als wäre er mit seinen Gedanken alleine; was in gewissem Sinne nicht weit von der Wahrheit entfernt war.

Den größten Teil des Winters über hatte er bei Hamilton's Crossing biwakiert, nicht weit von ihrer Farm entfernt, was aber keineswegs bedeutete, daß sie ihn häufiger sah. Meistens war er dienstlich unterwegs. Heute abend hatte er sie wie üblich mit seinem plötzlichen Auftauchen überrascht. Nach Einbruch der Dunkelheit kam er an, schlang sein Abendessen hinunter, und mit der gleichen Schroffheit, mit der er zu Tisch gesessen hatte, zog er sie anschließend ins Bett.

Er berichtete gerade vom Überfall auf Richmond im letzten Monat. Sie munterte ihn zum Weitersprechen auf. «Ihr habt also den Fluß zur Feindseite hin überquert?»

«Als Scout macht man das für gewöhnlich. Du kennst mich lange genug, um zu wissen, wie die Sache läuft.»

«Verzeih mir bitte mein schwaches Gedächtnis.»

Sofort bereute sie ihre Bitterkeit. Er wandte den Kopf ab und starrte zum offenen Fenster hinaus. Die Aprilnacht roch nach der Erde, die Washington und Boz heute gepflügt hatten.

«Wir haben in dieser Nacht noch eine ganze Menge mehr gemacht, als bloß über den Rappahannock zu schwimmen – » Die Erinnerung ließ ihn leise auflachen, was sie erfreute und erleichterte; es war lange her, daß sie ihn hatte lachen hören. «Total durchnäßt gingen wir weiter, bis wir die Yankee-Kolonne fanden. Es war tatsächlich Kilpatrick. Wir versteckten uns, bis wir uns drei vorüberlaufende Ersatzpferde schnappen konnten. Wir saßen auf und ritten eine Weile mit.»

«Mitten in der Unions-Kavallerie?»

«In der Dunkelheit hat niemand was bemerkt. Und mittendrin konnten wir leichter die Nasen zählen. Wir überquerten sogar mit General Kilpatrick und seinen Jungs den Fluß. Ich wollte, wir hätten ein paar von den Hundesöhnen abschießen können, aber wir mußten unsere Informationen zurück zur Division bringen. Das war der Grund, weshalb General Hampton schon wartete, als Little Kil auftauchte.»

Sie wollte die Härte in seiner Stimme beschwichtigen. «Das ist vielleicht eine Geschichte», sagte sie und tätschelte seinen nackten Arm.

Sofort rollte er sich weg von ihr. «Hab' noch ein paar von der Sorte», ein kräftiges Gähnen, «aber die heb' ich für morgen auf.»

Er zog die Bettdecke hoch, gab ihr ein Küßchen auf die Wange und begann nach einer knappen halben Minute zu schnarchen.

Am nächsten Morgen hatte er andere Dinge im Sinn. Kurz nach Sonnenaufgang kam er in die Küche und stopfte sich das graue Hemd in die Hose. Sie hatte ihn noch nicht ganz begrüßt, da verkündete er schon: «Ich wollte gestern nacht noch was über Richmond sagen. Jeden Tag nun – »

«Es wird weitere Kämpfe geben. Du mußt mich für eine Idiotin halten, stets auf Instruktionen von dem allwissenden Papa angewiesen. Mir ist bekannt, daß die Streitkräfte der Union bei Culpeper Court House stehen und bald marschieren werden – zweifellos in diese Richtung. Aber du entscheidest nicht, wann ich Schutz in der Stadt zu suchen habe.» Sie klopfte mit ihrem Holzlöffel gegen den Ofenrand.

«Ich werde entscheiden.»

Sein Gesicht über seinem weißgesprenkelten Bart wurde lang. Er setzte sich hin und zündete sich eine Zigarre an. «Was zum Teufel ist plötzlich in dich gefahren?»

Sie warf den Löffel auf den Ofen und kam auf ihn zu. «Ich verspüre den dringenden Wunsch, einige Dinge in Ordnung zu bringen. Wenn du was für mich übrig hast, dann benimm dich auch entsprechend. Ich habe es satt, daß du hier hereinplatzt, wann immer dir danach ist. Du nimmst dir eine Mahlzeit – und was immer du sonst noch willst, knurrst und grummelst dabei ständig wie ein Bauernlümmel.»

Er nahm die Zigarre aus dem Mund. «Meine Anwesenheit hier entspricht also nicht Ihren Wünschen, Mrs. Barclay?»

«Fang nicht so an. Du behandelst mich wie eine Mischung aus Köchin, Wäscherin und Hure.»

Er sprang auf. «Mitten im Krieg haben die Leute nun mal keine Zeit für all die kleinen Nettigkeiten.»

«In diesem Hause schon, Charles Main. Andernfalls betreten sie es nicht. Jedesmal, wenn du hier bist, benimmst du dich, als wärst du lieber woanders. Wenn das stimmt, dann sag es, und fertig. Glaub mir, in deiner Verfassung bist du nicht gerade ein Goldstück.»

Charles starrte Gus an, seine Augen groß über den dunklen Halbkreisen, die da waren, seit er im letzten Sommer aus Pennsylvania zurückgekommen war. Ganz plötzlich erkannte sie eine Art überraschte Unschuld in seinem Blick.

Sie fühlte sich beschwingt, wagte aber nicht zu lächeln. Aber sie war durchgedrungen. Jetzt konnten sie miteinander reden, die Sache bereinigen.

Ein heftiges Klopfen. Washington an der Küchenschwelle.

«Reiter grad eingebogen. Kommt jetzt hinten rum.»

Draußen ertönten Hufschläge. Charles riß seinen Colt aus dem über dem Stuhl hängenden Gürtel. Geduckt stand er da, als das runde Gesicht des Reiters am Seitenfenster auftauchte.

Charles hing sich den Revolvergurt über die Schulter und öffnete die Küchentür. «Was machst du hier, Jim?»

«Stör dich ungern, Charles, aber der Brief hier für dich kam gestern abend gegen zehn. Morgen, Miz Barclay.» Jim Pickles berührte mit dem zerknitterten Briefumschlag seine Hutkrempe und reichte ihn Charles.

«Guten Morgen, Jim.» Langsam wischte sich Gus die Hände an der Schürze ab. Die Chance war vertan.

Jim deutete auf den Brief. «Steht Kriegsministerium drauf. Persönlich und vertraulich.»

«Schaut aus, als wäre er sechs Fuß tief in der Erde vergraben gewesen.»

«Stimmt fast. Der Mann, der ihn gebracht hat, sagte, sie hätten einen ganzen Packen Briefe und Meldungen in den Wäldern bei Atlee's Station gefunden. Der Kurier war erschossen worden, schon vor einiger Zeit, und seine Tasche stand offen, und alles war verstreut.»

Charles erbrach das Siegel, faltete das Blatt auf. Sein Bart wehte in der Morgenbrise. «Du hast recht, Jim; der Brief ist im Februar geschrieben worden. Von meinem Cousin Orry, dem Colonel.»

Verblüfft las er weiter. Dann gab er Gus den Brief. Er bestand aus einem langen Absatz, in schöner, fließender Handschrift geschrieben. Als sie mit Lesen fertig war, sagte Charles zu Jim: «Billy Hazard ist im Libby-Gefängnis. Halb tot, wenn das hier stimmt.»

«Du redest von irgendeinem Yank?»

«Mein alter Freund aus West-Point-Zeiten. Ich habe dir von ihm erzählt.»

«Oh, ja», sagte der jüngere Scout unbeeindruckt. «Was sollst du da unternehmen?»

«Ich werde sofort Orry in Richmond aufsuchen. Ich hole meine Sachen.»

Auf dem Weg zur Küche fiel Charles noch etwas ein. Er drehte sich um und zeigte auf Jim. «Und du vergißt, was ich eben gesagt habe, verstanden? Du hast nie ein Wort gehört.»

Er verschwand und tauchte kurz darauf mit Hut, Jacke und dem kleinen Leinenbeutel, in dem er Rasierzeug und Zigarren aufbewahrte, wieder auf. Sanft drückte er ihren Arm und gab ihr einen Kuß auf die Wange.

«Denk dran, was ich dir wegen Richmond gesagt habe.»

Unglücklich über die verpaßte Chance, die Dinge ins Lot zu bringen, platzte sie heraus: «Ich bin keiner deiner Rekruten, die du herumkommandieren kannst. Ich sagte dir schon, ich treffe meine eigenen Entscheidungen.»

Der grelle Sonnenaufgang widerspiegelte sich in seinen Augen. «In Ordnung. Wir reden das nächstemal über dieses ganze Durcheinander.» Es war mehr Warnung als Bitte. Sie verschränkte die Arme über ihrem Busen.

«Falls ich hier bin.»

«Mein Gott, hast du heute morgen eine spitze Zunge.»

«Nicht anders als du. Und ich bin verblüfft über deine zarte Besorgnis für deinen Yankeefreund. Ich dachte, du willst auch noch den letzten Mann auf der anderen Seite umbringen.»

«Ich gehe lediglich nach Richmond, weil Orry mich darum bittet. Reicht dir diese Erklärung? Los, Jim.»

Sie stürmte hinein und knallte die Tür zu. Als das Hufgeklapper draußen verklang, rannte sie zum Fenster; die Tränen der Niederlage liefen ihr über die Wangen. Sie zwinkerte und blinzelte, aber sie konnte nichts weiter sehen als Staub, dort, wo die Straße nach Fredericksburg in der grünen Landschaft verschwand.

Auf halbem Weg zur Hauptstadt gönnte Charles, einen Passierschein in der Tasche, Sport eine kurze Rast an einem Flüßchen. Während der Graue trank, las er noch einmal Orrys Brief. Was ging es ihn an? Nicht mehr als seine Beziehung zu Gus. Der Krieg änderte vieles.

Er saß auf einem Felsblock neben dem murmelnden Flüßchen und las den Brief ein drittes Mal. Alte Erinnerungen, Emotionen begannen sein unbeugsames Pflichtgefühl aufzuweichen. Hatten die Mains und die Hazards – nun ja, die meisten von ihnen – nicht geschworen, daß die Bande der Freundschaft und der Zuneigung zwischen ihnen die Hammerschläge des Krieges überleben würden? Dies war nicht einfach bloß ein weiterer Yank, von dem Orry schrieb. Das war sein bester Freund, der Ehemann seiner eigenen Cousine Brett.

Das war das eine Band; das andere, an der Akademie geschmiedet, konnte gleichfalls nicht mit leichter Hand zerbrochen werden. Viele Offiziere, die ihre Truppen gegen alte Klassenkameraden führen mußten, hatten diese Wahrheit einsehen müssen.

Er steckte den Brief in die Tasche und schämte sich seines ersten Impulses, ihn einfach zu ignorieren. Aus vielen Gründen war er sich längst nicht mehr sonderlich sympathisch. Er rauchte eine weitere Zigarre und galoppierte weiter auf Richmond zu.

98

Hinterher erkannte Judith, daß sie auf die Katastrophe hätte vorbereitet sein müssen. Die Warnsignale waren unübersehbar.

Cooper schlief selten mehr als zwei Stunden pro Nacht. Oft kam er überhaupt nicht nach Hause, breitete sich nur eine Decke auf dem Bürofußboden aus. Mit Lucius ging es ebenfalls bergab. Schließlich faßte sich der erschöpfte junge Mann ein Herz und wandte sich insgeheim an Judith – konnte sie nicht etwas tun, irgend etwas, um das wahnsinnige Tempo ihres Mannes abzuschwächen?

Lucius deutete an, daß es sich bei einigen der Aufgaben, die Cooper ihm aufbürdete, um reine Beschäftigungstherapie handelte. Judith stellte das nicht in Frage, da ihr längst klar war, daß der übermüdete Verstand ihres Mannes Bewegung mit Ziel verwechselte.

Sie versprach Lucius, für eine Besserung der Situation zu sorgen, redete auch mit Cooper sehr vorsichtig und taktvoll darüber, provozierte damit aber lediglich einen Ausbruch, der ihn zwei ganze Tage von der Tradd Street fernhielt.

Da er ohne Sinn und Logik explodierte, konnte sie nichts weiter tun, als das Haus während seiner Anwesenheit möglichst ruhig zu halten. Marie-Louise durfte weder singen noch spielen, und sie selbst lud weder jemanden ein, noch nahm sie eine der wenigen Einladungen an, die sie erhielten.

So bewahrte sie eine unbehagliche Ruhe bis Mitte April, als verkündet wurde, daß General Beauregard das Kommando über das Department von North Carolina und Southern Virginia übernehmen würde. In Wirklichkeit wurde ihm damit die Verantwortung für die Verteidigungslinien von Richmond übertragen. Schnell wurde ein Abschiedsempfang im Mills House arrangiert. Cooper teilte ihr mit, daß sie hingehen würden. Am Tage des Empfangs versuchte Judith, es ihm auszureden – in der letzten Nacht hatte er nicht einmal eine Stunde geruht –, aber er griff nach seinem hohen, grauen Hut und den dazu passenden Handschuhen, und sie wußte, daß sie geschlagen war.

Sie erreichten die Broad-Street-Kreuzung und pausierten neben zwei Soldaten nahe den Stufen von St. Michael. Ungefähr einen halben Block entfernt tauchte eine Gruppe von achtzehn oder zwanzig Gefangenen auf. Die Yanks waren höchstwahrscheinlich draußen auf Morris Island gefangen worden. Drei Jungs in Grau, keiner von ihnen älter als achtzehn Jahre, bewachten die älteren Männer, die lachten und sich unterhielten, als würden sie ihre Gefangenschaft genießen.

Das Gaslicht blitzte auf den Bajonetten der jungen Wachen und ließ Coopers Augen sprühen. Sein Kopf dröhnte vom lauten Läuten der Glocken im Kirchturm über ihnen. Er beobachtete die Yanks, die auf die Straßenecke zugeschlurft kamen, wo er mit seiner Frau stand. Ein Sergeant mit blauer Jacke und dickem Bauch bemerkte Judith, lächelte und sagte etwas zu seinem Nebenmann.

Cooper schüttelte Judiths Hand von seinem Arm und rannte auf die Straße. Sie rief seinen Namen, aber er zerrte bereits den Sergeant aus der Reihe. Der jugendliche Wachposten vorn und die beiden anderen hinten schauten verblüfft drein. Cooper schüttelte den erstaunten Gefangenen.

«Ich habe gesehen, wie du meine Frau angestarrt hast. Behalt deine Blicke und deine dreckigen Bemerkungen für dich.»

Stimmen redeten durcheinander. Judith: «Ich bin sicher, der Mann wollte nicht – »

Der Wachhabende: «Sir, Sie dürfen sich hier nicht einmischen – »

Der Ire neben dem Sergeant: «Hören Sie, er sagte nicht ein einziges Wort – »

«Ich weiß es besser.» Coopers Stimme klang schrill. Er stieß mit seinem Stock nach dem Sergeant. «Ich hab's gesehen.»

«Mister, Sie sind ja verrück.» Der Sergeant wich zurück und stieß gegen die Männer hinter sich. «Helft mir doch, mir diesen verrückten Reb vom – »

«Ich hab' deinen Gesichtsausdruck gesehen. Du hast was Dreckiges über sie gesagt.»

«Bitte, Sir, hören Sie auf», bat der Wachposten.

«Ich weiß, daß du's getan hast, und bei Gott, du wirst dich entschuldigen.»

Dem Sergeant reichte es. «Du kriegst nichts weiter als meine Faust, du verfluchter Verräter, du –»

Der niedersausende Stock schimmerte im Gaslicht. Judith schrie auf, als Cooper den Sergeant am Kopf traf, dann an der Schläfe. Der Sergeant versuchte sich mit erhobenen Armen vor den Schlägen zu schützen. «Haltet ihn mir vom Leib!» Cooper zerrte eine Hand des Yanks runter und traf ihn noch zweimal. Der Sergeant sank auf ein Knie, schüttelte benommen den Kopf.

Der Ire versuchte einzugreifen. Cooper rammte dem Mann das Stockende in die Kehle, schlug erneut auf den Sergeant ein. Der Stock zerbrach. «Oh mein Gott, Cooper, hör auf.» Judith zerrte an ihm, sah Speichel auf seinen Lippen. Er schüttelte sie ab.

Er drehte das Stockstück, das er noch in der Hand hielt, um. Mit dem Silberknauf hämmerte er auf den Kopf des Sergeants ein. Blut färbte das Haar des Gefangenen. Judith versuchte noch einmal, Coopers Arm festzuhalten. Er rammte ihn nach hinten, schnaubte wie ein Tier. Sein Ellbogen traf schmerzhaft ihre Brust. Er stieß Obszönitäten aus, die sie in all den Jahren nie von ihm gehört hatte.

«Du hast meinen Sohn getötet», kreischte Cooper und landete einen weiteren Schlag. Endlich griffen kräftige Hände nach ihm, konnten ihn zurückreißen, ihm den Stock entwinden. Der geschockte Sergeant begann zu weinen. Die Gefangenen und der Wachhabende umringten Cooper, zerrten ihn zurück. Er trat, biß, warf sich von einer Seite zur anderen.

«Laßt mich los – er hat meinen Jungen getötet – mein Sohn ist tot – er hat ihn getötet!»

Die Masse der Männer rang Cooper auf den Gehsteig nieder, als die acht Kirchturmglocken die volle Stunde zu schlagen begannen. Der Klang hallte in Coopers Kopf nach. Einer der Yanks trat nach ihm.

«Bitte, laßt mich durch. Er ist nicht bei sich – »

Niemand beachtete Judith. Sie sah, wie ein anderer Gefangener auf Coopers ausgestreckte Hand trat. Verzweifelt schlug sie auf blaue Uniformen ein.

«Ich bin seine Frau. Laßt mich durch!»

Endlich öffnete sich eine Gasse, und sie warf sich über ihn, wiederholte seinen Namen in der Hoffnung, ihn zu beruhigen. Er rollte den Kopf hin und her, Schaum in den Mundwinkeln. «Stoppt die Glocken – sie sind zu laut – ich ertrag's nicht.»

«Was für Glocken?»

«Im Kirchturm», brüllte er. «Dort – dort.»

«Jene Glocken sind nicht mehr da, Cooper.» Sie faßte ihn an den Schultern und begann ihn zu schütteln. «Schon vor Monaten haben sie die Glocken von St. Michael abgeholt und nach Columbia gebracht, damit sie den Yankees nicht in die Hände fallen können.»

Sein Mund öffnete sich; er starrte sie an, dann den Kirchturm, dann wieder sie. «Aber ich höre sie.» Ein Aufschrei wie von einem Kind. «Ich höre sie, Judith!»

Er tastete nach ihrer Hand, versteifte sich plötzlich. Seine Augen schlossen sich, sein Körper wurde schlaff. Sein Kopf fiel zur Seite auf den Gehsteig.

«Cooper?»

99

Andy glaubte, ein Ast habe geknackt, bis er die Kugel vorbeizischen hörte.

Der Schuß kam aus dem Dickicht zu seiner Linken. Andy versuchte, die Person mit dem Gewehr zu entdecken, während er sein Maultier mit den schweren Arbeitsschuhen antrieb. Der Mann stand auf, ein gutes Stück drinnen im schattigen Unterholz. Er brachte eine Muskete in Anschlag, preßte den Kolben gegen die unionsblaue Uniformjacke, unter der seine schwarze Brust zu sehen war. Das linke Auge des Mannes schloß sich, während er das rechte Auge zusammenkniff, um zu zielen. Es traf Andy wie ein Hammerschlag, als er das aufgedunsene, fette Gesicht erkannte.

«Los, Maultier!» Wieder trat er das Tier.

Das Maultier rannte auf eine Straßenbiegung zu. Das Gewehr dröhnte auf, aber die Kugel war schlecht gezielt. Augenblicke später befanden sich Reiter und Maultier hinter der Biegung in Sicherheit.

In Mont Royal angekommen, ging Andy geradewegs ins Büro von Meek. Der Verwalter schob mit leicht verwirrter Miene Rechnungen hin und her, als wüßte er nicht genau, was er mit dem schnell schwindenden Inflationsgeld der Plantage noch bezahlen sollte. Mit trockenem Mund berichtete Andy.

«Er wollte mich töten, Mr. Meek. Und er hatte zwei Musketen. Er hätte die zweite Kugel nicht so schnell abschießen können, wenn er hätte nachladen müssen.»

Über den Rand seiner Halbbrille hinweg richtete sich Meeks wäßriger Blick auf Andy. Die Aufgabe, eine Plantage zu leiten, wenn man die Ernten unter Preis an die Regierung verkaufen mußte und ständig Sklaven verschwanden, hatte tiefe Falten in sein Gesicht gegraben. Er sah zehn Jahre älter aus als am Tag seiner Ankunft.

«Bist du sicher, daß es Cuffey war?»

«Bei dem Gesicht könnt' ich mich nie täuschen. Er trug die Uniform eines Yankeesoldaten; er ist fett wie eine Frühlingskröte. Diese Bande muß verdammt gut essen.»

Er begann zu lächeln, aber Meeks Ärger vertrieb das Lächeln. «Das tun sie. Diebe, das sind sie. Was glaubst du, wer die sechs Hennen vor einer Woche gestohlen hat? Schätze, wir bereiten uns lieber auf einen Empfang vor, falls sie noch mal kommen. Wir müssen ein paar Gewehrkugeln gießen und die beiden Pulverfäßchen auf Feuchtigkeit inspizieren.»

«Das mach' ich», versprach Andy.

Meek rieb sich die Nase. «Du hast nichts von dem Räuchersalz gesagt.»

Andy schüttelte den Kopf. «Nichts zu kriegen, Mr. Meek. Ich bin sogar in die Tradd Street gegangen, habe gehofft, was von Mr. Cooper zu borgen. Niemand da. Zumindest hat niemand aufgemacht. Ich habe lange und kräftig geklopft. Tut mir mächtig leid, mit leeren Händen zurückzukommen.»

«Ich weiß, daß du dein Bestes getan hast. Morgen kannst du rüber zu Francis LaMotte reiten. Ich hasse es, diesen eingebildeten kleinen Gockel um eine Gefälligkeit bitten zu müssen, aber ich habe gehört, er habe ein bißchen Salz aus Wilmington mitgebracht, als er auf Urlaub da war.» Er machte eine müde, abwesende Handbewegung. «Ich danke dir, Andy. Ich bin froh, daß dir nichts passiert ist.»

Das aufgedunsene Gesicht über dem Gewehrlauf haftete in Andys Erinnerung, als er sich in dem großen Haus auf die Suche nach Jane machte. Die Bande der Flüchtlinge, Cuffey eingeschlossen, verließ die Sümpfe, um Nahrung zu stehlen oder einsame Reisende zu töten und zu berauben. Zwei weiße Männer von Plantagen am Ashley waren letzten Monat ermordet aufgefunden worden.

«Guten Abend», sagte Andy, als er beim Haus angelangt war. Orrys Mutter reagierte nicht. Bewegungslos saß sie auf der Veranda und starrte mit sanftem, verwirrtem Lächeln zu den Bäumen hinüber. Kopfschüttelnd betrat er das Haus und folgte dem Klang der Hammerschläge, bis er Jane gefunden hatte. Sie nagelte mit einem Hausdiener Abfallbretter über ein Fenster, das der letzte Sturm zerbrochen hatte.

Sie lächelte, als sie ihn sah, aber sein Gesichtsausdruck machte ihr klar, daß etwas nicht stimmte. Er nahm sie beiseite und erzählte ihr von dem Vorfall auf der Straße, wobei er die Gefahr herunterspielte. «Ich möchte wetten, dieser verrückte Cuffey wartet bloß darauf, hier Unheil anrichten zu können. Vielleicht», er senkte die Stimme, damit der Hausdiener ihn nicht hören konnte, «vielleicht sollten wir beide uns auch in einer dunklen Nacht davonmachen.»

«Nein. Ich habe Miss Madeline mein Wort gegeben, daß ich bleibe. Und eine Sklavenhochzeit will ich auch nicht. Du und ich, wir werden als freie Menschen heiraten.» Sie drückte seine Hand. «Es wird nicht mehr lange dauern. Ein Jahr. Vielleicht weniger.»

«Nun, ich schätze, ich bin damit einverstanden, da ich noch keine Frau gefunden habe, die mir besser gefällt als du. Bis jetzt.»

Sie wollte ihm einen Klaps geben, und er wich lachend aus. Er hoffte, daß er hinter dem Lachen seine düstere Stimmung verbergen konnte. Er war sicher, daß sie in nächster Zeit Besuch von der Abtrünnigenbande bekommen würden.

Er schlief schlecht diese Nacht; im Traum erschien ihm Cuffeys aufgedunsenes Gesicht. Am nächsten Morgen, als er gerade zu Francis La Mottes Plantage aufbrechen wollte, nahm ihn Philemon Meek beiseite und schob einen kleinen Revolver in seine braune Hand. «Der ist geladen. Sorg dafür, daß er außer Sicht ist, wenn du irgendwelchen Weißen unterwegs begegnest. Versteck ihn im Unterholz, solange du auf LaMottes Besitz bist. Für das Tragen eines Revolvers könnten sie dich hängen.»

«Sie könnte man hängen, weil Sie ihn mir gegeben haben, Mr. Meek.»

«Das Risiko geh' ich ein. Ich möchte nicht, daß dir was passiert.»

Andys Lächeln wurde spröde. «Wollen Ihren Nummer-eins-Nigger nicht verlieren?»

Verärgert sagte Meek: «Ich möchte keinen guten Mann verlieren. Und jetzt setz dich auf dein Maultier, bevor ich dich in dein hochnäsiges Hinterteil trete.»

Andy atmete tief durch. «Tut mir leid, daß ich das gesagt habe. Da brechen die alten Zeiten durch.»

«Ich weiß.»

Sie schüttelten sich die Hände.

Dixie's Land vor sich hin pfeifend, ritt Andy einen fast zugewachsenen Weg entlang, eine Abkürzung zu Francis LaMottes Anwesen. Er dachte gerade, daß Old Meek gar nicht so übel sei, als er mitten auf dem Weg auf einen dunklen Haufen stieß, wie ein Bündel abgelegter Kleider.

«Whoa, Muli», flüsterte er; lauschend saß er da. Er hörte Vögel, die üblichen Geräusche im Unterholz, aber nichts Alarmierendes. Er stieg von dem Muli ab und ging, Meeks Revolver in der Hand, langsam vor.

Das Bündel war ein regungsloser schwarzer Mann. Die Taschen seiner Hosen waren umgedreht. Zwei rotrandige Löcher markierten seine Stirn wie ein zweites Augenpaar.

Andy schauderte, schluckte und studierte den Busch zu beiden Seiten des Weges. Rechts war ein ganzes Stück niedergetrampelt. Er ging hin, den Atem anhaltend. In der feuchten Brise baumelte eine Gestalt von einem Ast. Andy erkannte Francis LaMotte, in der Uniform der Ashley Guards – oder vielmehr das, was von ihm übrig geblieben war. LaMotte hing an einem um seine Handgelenke geschlungenen Seil. Stiefel und Socken waren ihm gestohlen worden. Seine Füße waren nackt.

Andy hätte auch genausogut einen phantastisch gefärbten Vogel vor sich haben können. LaMottes strahlend grüne Jägerjacke war an so vielen Stellen zerrissen, daß sie wie ein Federkleid wirkte. Die Jacke und die kanariengelben Hosen wiesen rote Flecke auf, die glänzten, weil sie immer noch feucht waren.

Der durchhängende Ast knirschte. Langsam drehte sich LaMottes Körper. Andy hörte auf, die Wunden zu zählen, als er bei dreißig angelangt war.

Am gleichen Aprilabend näherte sich Orry der Farm, deren Lageskizze ihm Mrs. Halloran aufgezeichnet hatte. Dünne Wolken verschleierten Mond und Sterne. Das erleichterte es ihm, die ungepflügten Felder zu überqueren, wie seine Informantin es vorgeschlagen hatte.

In einiger Entfernung band er sein Pferd an einen Baum. Der Nachtwind trug ihm ein Schnauben zu. Mit dem Handrücken fuhr er sich über die feuchte Oberlippe und ging langsam und leise in Richtung des erleuchteten Gebäudes.

Es gab keine Deckung, keine Möglichkeit, sich ungesehen zu nähern, außer man kroch. Auf halbem Weg glaubte er ein Streichholz jenseits des Hauses aufflackern zu sehen, ein gutes Stück zu seiner Linken. Eine Wache auf der Straße? Mehr als wahrscheinlich.

Jetzt hörte er das sanfte Stampfen der Pferde. Ein Streifen dichten, hohen Grases trennte das Gebäude von dem Feldrand, wo er kauerte und die Tiere zählte: vier Sattelpferde; ein Tier stand vor einem Einspänner. Wenn man davon ausging, dann war Mr. Lamar Powells Revolutionsarmee nicht gerade überwältigend. Aber Orry hatte als Junge seinen *Julius Caesar* gelesen und wußte, daß keine Heerscharen nötig waren, um einen politischen Mord zu begehen.

Geduckt kroch er auf das Licht zu; das Unkraut raschelte und knisterte. Auf halbem Weg zur Mauer hörte er gedämpfte Unterhaltung. Einen Augenblick lang traute er seinen Sinnen nicht: Zwischen den männlichen Stimmen hörte er eine Frauenstimme heraus.

Vor lauter Überraschung verlagerte er sein Gewicht zu schnell. Mit lautem Knacken zerbrach sein rechter Stiefel einen Zweig.

«Warte, Powell. Ich glaube, ich hab' draußen was gehört.»

«Vielleicht ein Kaninchen – oder eine Ratte. Hier wimmelt's nur so davon.»

«Soll ich nachschauen?»

«Nicht nötig. Wilbur hält an der Straße Wache.» Die Stimme des Mannes, der als Powell angesprochen worden war, verkörperte absolute Autorität. So schnell er es wagte, kroch Orry das restliche Stück zur Wand und preßte sein Auge gegen einen Spalt.

Verdammt. Powell drehte ihm den Rücken zu. Orry konnte nichts weiter als rehfarbene Hosen, eine dunkelbraune Samtjacke und ergrauende, pomadisierte Haare sehen. Von links ragten Stiefel in Orrys Blickfeld.

«Unsere wichtigsten Waffenlieferungen sind gestern eingetroffen», sagte Powell, ging auf einen Kistenstapel zu und drehte sich um.

Lamar Powell, Ende Dreißig, besaß ein Gesicht, das die meisten Frauen vermutlich als gutaussehend bezeichnen würden. Er posierte auf theatralische Weise, deutete auf eine rechteckige Kiste, auf die das Wort WHITWORTH aufgemalt war.

«Wie Ihr sehen könnt, sind wir mit dem Besten ausgerüstet.»

«Whitworth ist verflucht teuer», fing einer an. Powells Augen blitzten in plötzlicher Wut auf. Der Sprecher murmelte: «Bitte um Entschuldigung.»

«Teuer schon», stimmte Powell zu. «Aber auch die besten Scharfschützengewehre der Welt. Die .45-Kaliber-Whitworth hat auf achthundert Yards eine Abweichung von weniger als einem Fuß. Wenn nur einige wenige von uns auf den Feind zielen», sein Mund verzog sich zu einem humorlosen Lächeln, «dann muß jeder höchste Treffsicherheit erreichen.»

Mit diesen wenigen Sätzen schaffte es Powell, Orry in Alarmzustand zu versetzen. Diesen Mann umgab, anders als die meisten Fanatiker, eine Aura der Kompetenz. Durch eigene Dummheit würde er nicht scheitern, vermutete Orry.

Powell fuhr fort: «Ich glaube nicht, daß einer von euch daran interessiert ist zu erfahren, wieviele illegale Maßnahmen – teure Bestechungen – notwendig waren, um diese Schiffsladung zu erhalten. Je weniger ihr wißt, desto sicherer seid ihr. Und so, wie die Dinge stehen, riskieren wir schon bald genug den Hanfstrick.»

«Ich habe den langen Ritt hier heraus nicht gewagt, um mir Scherze anzuhören, Lamar.»

Der Schreck ging Orry durch und durch. Die Stimme gehörte zu James Huntoon.

«Ich will zum Kern der Sache kommen», sagte er. «Wann und wie töten wir Davis?»

Dann glaubte Orry wirklich den Verstand zu verlieren. Der nächste Sprecher, der sich an Powell wandte, war eine Frau.

«Und wer stirbt mit ihm?»

Ganz deutlich sah er, dicht neben Powell, seine Schwester Ashton.

Er mußte auch die anderen Verschwörer identifizieren. Er veränderte seine Stellung, um einen anderen Teil des Inneren überblicken zu können. Ein Mann lehnte an der Wand, zur Flußseite hin. Der Mann war ein grober, bulliger Typ, den Orry noch nie gesehen hatte.

Er legte seine Hand gegen die Wand und preßte sein anderes Auge gegen den Spalt. Die Holzverkleidung knackte unter seiner Hand. Huntoon sagte: «Draußen ist jemand.»

Powell rannte durch Orrys Blickfeld. Orry kroch zurück, während Powell brüllte: «Löscht die Laternen!»

Die senkrechten gelben Schlitze wurden schwarz. Orry sprang auf und rannte geduckt auf das Feld zu. Eine Tür ging auf. Er hörte Stimmen außerhalb des Geräteschuppens; Powells Stimme klang am lautesten.

«Wilbur? Wir brauchen dich. Wir sind ausspioniert worden.»

Orrys Brust schmerzte bereits vom Rennen. Auf halbem Weg durchs Feld hörte er ein Pferd herangaloppieren; der Reiter feuerte einen Schuß ab. Die Kugel schlug zwei Fuß links von Orry ein. Er rutschte aus, fiel auf die Knie, stieß sich wieder hoch; er erreichte sein Pferd, als sein Verfolger in der Mitte des Feldes angekommen war.

Er trieb seinen Gaul den Weg entlang, den er hergekommen war. Tiefhängende Zweige peitschten seine Wangen und seine Stirn. Der Mann hinter ihm schoß ein zweitesmal und verfehlte ihn erneut. Orry galoppierte auf die breitere Hauptstraße, die im Bogen vom Fluß wegführte. Er ließ seinen Verfolger hinter sich, atmete tief durch. Er entfernte sich von dem Ort des Schocks – ritt aber auf eine unvermeidliche Auseinandersetzung mit seinem eigenen Gewissen zu. Um Mitternacht war es soweit. Madeline saß auf dem Bettrand, während er auf und ab marschierte.

Nachdem er ihr alles erzählt hatte, waren ihre ersten Worte: «Wie um alles in der Welt konnte sie in eine solche Sache geraten?»

«Im ersten Moment dachte ich, wegen James. Aber jetzt bin ich mir nicht mehr so sicher. Außerdem spielt das wohl kaum eine Rolle. Ich bin der einzige Mensch, der Kenntnis hat von einem Anschlag auf das Leben des Präsidenten. Und auch andere Leben sind gefährdet.» Er umklammerte den Bettpfosten. «Ich muß mit der Information zu Seddon. Und zu Winder. Er kann die Verschwörer still und heimlich verhaften.»

«Alle Verschwörer?» fragte Madeline. «Einschließlich deiner Schwester?»

«Sie ist eine von ihnen. Weshalb sollte sie besondere Berücksichtigung verdient haben?»

«Du weißt, Orry, daß ich nicht mehr für sie übrig habe als du. Aber sie gehört zur Familie.»

«*Familie!* Lieber hätte ich Beast Butler als Verwandten. Madeline, meine Schwester wollte Billy Hazard ermorden lassen.»

«Das habe ich nicht vergessen, aber es ändert nichts an dem, was ich eben gesagt habe. Du hörst es nicht gern, aber es stimmt. Dazu kommt noch: Bis jetzt ist noch kein Verbrechen begangen worden.»

«Bestenfalls könnte ich – und ich will verdammt sein, wenn sie es verdient hat – ihren Namen verschweigen oder die Tatsache, daß ich sie gesehen habe.»

«Du müßtest für James das gleiche tun.»

«Ich schulde ihm nichts.»

«Er ist Ashtons Ehemann.»

Ein langes Schweigen, dann ein angewidertes Seufzen. «In Ordnung. Aber auf weitere Kompromisse lasse ich mich nicht ein. Ich werde Powell und niemanden sonst identifizieren. Wenn er Huntoon oder meine Schwester mit hineinzieht, so ist das seine Sache.»

«Wir sind entdeckt – man wird uns verhaften –, was in Gottes Namen sollen wir tun, Lamar?»

Huntoons Gejammer machte Ashton krank. Draußen vor dem Geräteschuppen schoß Powells Hand vor, packte Huntoon am Kragen. «Ganz bestimmt werden wir nicht wie die Kinder heulen.» Er stieß Huntoon zurück, als Wilbur, der Wachposten, über das Feld zurückgetrabt kam.

«Habe ihn aus den Augen verloren.»

«Aber du hast ihn erkannt.»

«Nein.»

«Zum Teufel mit dir.» Powell wandte Wilbur den Rücken zu, der sich den Farmerhut über die Augen zog und sich schweigend setzte.

Powell rieb sich mit den Fingerknöcheln das Kinn, dachte nach.

Einer der Verschwörer räusperte sich. «Gegen Morgen werden sie hier draußen sein, was?»

Huntoon sagte: «Vielleicht war's bloß ein Niggerjunge, der Hühner stehlen wollte.» Er versuchte sich selbst zu beruhigen.

«Es war ein Weißer. Soviel hab' ich gesehen», sagte Wilbur.

«Aber vielleicht will er uns nichts Böses – »

«Bist du schwachsinnig?» sagte Powell. «Er hat sich heimlich angeschlichen. Er hat uns durch einen Spalt in dieser Wand beobachtet. Aber davon abgesehen, glaubst du ernsthaft, ich setze mich erst mal hin und warte ab, ob er harmlos ist oder nicht?»

Er schob den gedemütigten Huntoon beiseite und überflog die Klippe, das Feld, die anderen Gebäude mit prüfenden Blicken. «Wir benötigen eine vernünftige Taktik, um mit dieser Situation fertig zu werden. Wenn wir kühlen Kopf behalten, dann kommen wir ohne jede Schramme da durch.»

Voller Angst klammerte sich Ashton an ihren Glauben in Powells Intelligenz und Mut. Aber auch dieser Glauben wurde erschüttert, als er lächelnd sagte: «Als erstes müssen wir uns die Hilfe von Mr. Edgar Allan Poe sichern. Mein Lieblingsautor. Kennt jemand von euch seine Geschichte des gestohlenen Briefes?»

623

«Du bist ein Schwachsinniger!» – tobte Huntoon. «Jetzt von irgendeinem billigen Schreiberling zu reden.»

Ausnahmsweise war Ashton insgeheim auf Seiten ihres Mannes. Ihr Geliebter gab keinerlei Erklärung ab, sondern stieß Huntoon ein zweitesmal beiseite und ging lachend an ihm vorbei.

Bei Tageslicht marschierte Orry zu Minister Seddons Residenz hoch und betätigte den Klopfer so kräftig, daß er damit wahrscheinlich die ganze Nachbarschaft weckte. Innerhalb von Minuten wurde der mürrische Winder herbeizitiert. Nach seinem Erscheinen leistete er eine halbe Stunde lang Widerstand – Orry gehörte schließlich nicht gerade zu den Kollegen, denen er bedingungslos vertraute –, gab dann aber unter Druck von Seddon nach. Vor Mittag noch würde er Männer nach Wilton's Bluff schicken.

«Ich werde sofort zum Präsidenten gehen», sagte der Minister, nachdem er sich vom Schock erholt hatte. «Alle Kabinettsmitglieder werden gewarnt. Inzwischen steht Ihnen, Colonel Main, das Privileg zu, das Netz für den größten Fisch auszuwerfen.»

«Es wird mir ein Vergnügen sein, Sir.»

Einige Minuten nach zehn raste eine geschlossene Kutsche nach Church Hill und bog in die Franklin Street ein. Orry sprang hinaus und führte einen bewaffneten Trupp die Eingangsstufen hoch. Ein zweiter Trupp hatte sich bereits im Garten postiert.

Die Eingangstür bot keinen Widerstand. Verblüfft sagte er zu seinen Männern: «Sie ist unverschlossen.»

Die Inneneinrichtung war unberührt, aber Kleidung und persönlicher Besitz fehlten.

Lamar Powell war verschwunden.

An diesem Abend kam ein zweiter Schock, und zwar drinnen in Winders Heiligtum.

«Ich habe nichts gefunden», sagte Winder. «Kein Anzeichen, daß jemand dort gewesen ist. Und vor allem keine Spur der Waffenkisten, von denen Sie berichteten, Colonel. Meiner Meinung nach ist seit Monaten niemand mehr dort gewesen. Die Nachbarn, die ich befragt hab', sind der gleichen Ansicht.»

Orry sprang auf. «Das kann nicht sein.»

Feindselig sagte der andere Mann: «Wirklich? Nun», eine spöttische Geste zur Tür, «befragen Sie die beiden Detektive, die ich mitgenommen habe. Sie haben meinen Bericht gehört. Wenn er Ihnen nicht paßt, reiten Sie zurück, und machen Sie Ihren eigenen Bericht.»

«Bei Gott, das werd’ ich», sagte Orry, als Israel Quincy ans Fenster trat und den Sonnenuntergang betrachtete.

Orry, der sein kärgliches Abendessen aus Reis und Maisbrot nicht angerührt hatte, sagte zu Madeline: «Quincy ist gekauft worden. Winder auch, soweit ich das beurteilen kann. Mrs. Halloran ist unbeabsichtigt über eine Verschwörung gestolpert, die sich bis in höchste Kreise zieht. Ich beabsichtige herauszufinden, bis wohin.» Am frühen Abend hatte er die Farm noch einmal persönlich abgesucht und nicht die geringste Spur entdecken können.

«Aber der Präsident ist jetzt in Sicherheit, nicht wahr? Er ist gewarnt worden.»

«Ja, aber ich muß es trotzdem herausfinden. Ich wäre nicht überrascht, wenn sich gerade jetzt Seddon und seine Frau Gedanken über meinen Geisteszustand machen würde. Bin ich ein Trunkenbold? Nehme ich Opium? Hatte ich Visionen auf der Farm? Ich schwöre dir», er ging um den Tisch herum zu ihr, «nichts davon trifft zu.»

«Ich glaube dir, Liebster. Aber was kannst du tun? Es scheint so, als wäre der Fall an einem einzigen Tag aufgetaucht und wieder verschwunden.»

«Für mich nicht. Und ich kenne jemanden, der auf der Farm war. Sie ist immer noch in Richmond – das habe ich überprüft. Gleich morgen früh werde ich mich um meine Schwester kümmern.»

Aber dazu kam es nicht. Um halb elf läutete es. Orry rannte nach unten. Es mußte für ihn sein; die Vermieterin empfing nie so spät noch Besuch.

Über und über mit Schmutz bedeckt stand Charles vor ihm; wie ein Berggipfel über Wolken ragte sein Kopf aus dem Zigarrenqualm heraus.

«Dein Brief hat einen Umweg über Atlee’s Station gemacht, aber endlich hab’ ich ihn doch noch bekommen. Ich bin hier, um was für Billy zu tun.»

100

Stephen Mallory kam am gleichen Abend in Charleston an, nach eine
beschwerlichen Fahrt in einem der dreckigen, ungeheizten Wagen de
allmählich verrottenden Südstaaten-Eisenbahn. Eine telegraphische
Nachricht von Lucius Chickering hatte ihn auf den Weg gebracht.

Cooper wußte davon nichts. Nach dem Vorfall in der Meeting Stree
hatten ihn Soldaten der Militärpolizei nicht gerade übertrieben sanf
heimgeschafft, und seitdem hatte er das Bett nicht mehr verlassen
hatte sich nicht bewegt, nicht gesprochen, das Essen nicht berührt, da
Judith ihm brachte.

Cooper drehte seinen Kopf um ein paar Millimeter, als Judith di
Tür öffnete, nachdem sie sanft geklopft hatte.

«Liebling? Du hast einen Besucher. Dein Freund Stephen. Der Mi
nister.»

Er sagte nichts, lag nur unter den für das milde Wetter zu dicke
Decken.

«Könnte ich einen Moment mit ihm allein sein, Judith?»

Sie betrachtete ihren Mann. Seine Augen waren rund und leer, wi
jeden Tag. Sorgfältig verbarg sie ihren Schmerz vor dem Besucher.

«Natürlich. Wenn Sie mich brauchen, auf dem Tisch dort ist ein
kleine Handglocke.»

Mallory nickte und zog sich einen Stuhl neben das Bett. Er setzt
sich. Judith schloß die Tür.

Der Minister starrte seinen Assistenten an. Coopers Augen ware
auf die Zimmerdecke gerichtet. Mallory begann mit der Abrupthe
eines Gewehrschusses.

«Es heißt, du bist erledigt. Stimmt das?»

Seiner Stimme fehlte der übliche, süßliche Krankenzimmertonfal
Cooper zwinkerte einmal, rührte sich aber nicht.

«Hör zu, Cooper. Wenn du mich verstehst, dann bring wenigsten
die Höflichkeit auf, mir in die Augen zu schauen. Ich habe nicht de
weiten Weg von Richmond gemacht, um mich mit einer Leiche z
unterhalten.»

Langsam kippte Coopers Kopf in Richtung des Besuchers, di
Wange ruhte auf dem Kissen, dünnes, graues Haar breitete sich dar
über. Aber die Augen blieben leer.

Hartnäckig fuhr Mallory fort: «Das war skandalös, was du da geta hast. Skandalös, es gibt kein anderes Wort dafür. Der Feind hält uns bereits für eine Nation von Barbaren – bedauerlich, aber nicht ganz ungerechtfertigt. Doch wenn sich ein Regierungsbeamter wie ein wahnsinnig gewordener Gefängniswärter aufführt, noch dazu in aller Öffentlichkeit…» Er schüttelte den Kopf. «Du hast unserer Sache geschadet, Cooper, und du hast dir selbst geschadet.»

Diese Worte lösten schließlich eine Reaktion aus: Coopers Augenlider flatterten, und seine Lippen preßten sich zusammen. Mallorys Gesicht sah fast so grau aus wie das des Mannes im Bett.

«Ich konnte in dem verdammten Zug nicht schlafen, da habe ich über irgendeine höfliche Formulierung nachgedacht, mit der ich deinen sofortigen Rücktritt fordern könnte. Es gibt keine. Deshalb – »

«Sie haben meinen Sohn getötet.»

Die plötzlichen Worte ließen Mallory zusammenfahren. «Was soll das? Die Gefangenen, die du angegriffen hast? Unsinn.»

Coopers Hände zuckten über die Decke, ziellose weiße Spinnen ohne Netz. Er zwinkerte wieder schnell und sagte heiser: «Die Profitler haben meinen Sohn getötet. Der Krieg hat ihn getötet.»

«Das war tragisch, das streite ich gar nicht ab. Aber in diesen Zeiten war es auch nichts Außergewöhnliches.»

Coopers Kopf ruckte hoch. In den tiefen Höhlen seiner Augen flackerte Ärger. Mallory drückte ihn sanft zurück.

«Nichts Außergewöhnliches, außer für dich und deine Familie. Hast du keine Ahnung von den Zahlen? Wieviele Väter ihre Söhne verloren haben? Das sind Hunderttausende, über den ganzen Süden verteilt. Und übrigens auch über den ganzen Norden. Nach einer angemessenen Zeit der Trauer nehmen die meisten dieser Väter wieder ihr Leben auf. Sie legen sich nicht ins Bett und heulen.»

Der Minister sackte ein bißchen in sich zusammen. Seine Bemühungen waren anstrengend und, schlimmer noch, erfolglos. Mit einem Taschentuch fuhr er sich übers Gesicht. Ein letzter Versuch noch.

«Du hast dem Marineministerium mehr als zuverlässig gedient, Cooper. Im Fall der *Hunley* hast du großen Mut bewiesen. Wenn du der gleiche Mann bist, der auf dem Grunde des Hafens von Charleston zweieinhalb Stunden lang verbrauchte Luft und Todesangst ertragen hat, dann benötige ich deine Dienste immer noch. Dieser Krieg ist noch nicht beendet. Die Soldaten und Matrosen kämpfen immer noch, genau wie ich. Deshalb wäre ich bereit, auf ein Rücktrittsgesuch zu verzichten. Aber um die Arbeit wieder aufzunehmen», streng wie ein Vater erhob er sich, «müßtest du dich aus dem Bett erheben. Bitte teile mir deine Entscheidung innerhalb von zweiundsiebzig Stunden mit.»

Er achtete sorgfältig darauf, die Türe lauter als notwendig zu schließen.

Unten bei Judith wischte er sich erneut das schwitzende Gesicht ab.
«Das war das Schwerste, was ich je getan habe – mein Mitgefühl für
diesen armen Mann zu verbergen. Es bricht mir das Herz, ihn so zu
sehen.»

«Es hat sich schon lange angedeutet, Stephen. Eine Anhäufung von
Müdigkeit, Frustration, Kummer; ich habe keine Möglichkeit, dagegen anzukämpfen. Weder freundliche noch ärgerliche Worte nützen
etwas. Ich dachte, ein Schock wäre vielleicht notwendig. Deshalb bat
ich Sie um dieses Vorgehen.»

«Ich habe das nicht nur gespielt. Wichtige Männer haben von mir
seinen Rücktritt gefordert.»

«Oh, das glaube ich.»

Sie küßte seine Wange, und Mallory errötete. «Ich schulde Ihnen
Dank.»

«Was ich sagte, war brutal – zumindest für mich. Ich hoffe nur, daß
es etwas genützt hat.»

Nachdem er gegangen war, kümmerte sich Judith um ihre häuslichen Angelegenheiten, bis sie von einem Geräusch aufgeschreckt
wurde. Sie blickte zur Decke. Hatte sie sich das eben nur eingebildet?

Nein. Schwach, aber unmißverständlich klingelte das kleine Glöckchen erneut.

Vor Hoffnung weinend, rannte sie die Treppe hoch, riß die Tür auf
und trat in die abgestandene Luft des Zimmers. Sehen konnte sie ihn
nicht in der Dunkelheit, aber hören konnte sie ihn deutlich.

«Judith, könntest du vielleicht die Vorhänge öffnen, damit etwas
Licht hereinkommt?»

Der salzige Wind wehte vom Meer her in das Schlafzimmer an der
Tradd Street. Am Nachmittag nahm Cooper etwas Fleischbrühe zu
sich. Dann ruhte er sich aus, den Kopf den hohen Fenstern zugewandt,
vor denen die große Eiche und das Dach des Nachbarhauses zu sehen
waren.

Er fühlte sich schwach, als hätte er gerade einen schweren Fieberan-
fall überwunden. «Mein Kopf ist klar. Ich fühle – wie soll ich es
ausdrücken? Ich fühle mich nicht mehr so wie vor Stephens Besuch.
Nicht mehr so wütend.»

Sie zog ihn sanft an ihren kleinen Busen, legte den linken Arm um
seine Schulter. «Als du diesen Gefangenen angegriffen hast, da ist
etwas in dir wie ein Kessel geplatzt. Du hast die Sklaverei verachtet,

aber als du vor drei Jahren deinen Platz einnahmst, da tatest du das mit all der Entschlossenheit, mit der du dich zuvor dagegen gewandt hattest. Das war lobenswert, aber ich glaube, schreckliche Kräfte gerieten dadurch in dir in Widerstreit. Judahs Tod machte alles noch schlimmer.» Sie drückte ihn an sich. «Was immer auch die Gründe gewesen waren, ich danke Gott, daß es dir besser geht. Wäre ich katholisch, ich würde sie bitten, Stephen heiligzusprechen.»

«Ich hoffe, ich bin wieder bei Vernunft. Ich schäme mich furchtbar. Wie geht es dem Sergeant, den ich angegriffen habe?»

«Eine Gehirnerschütterung. Aber er erholt sich wieder.»

Ein erleichterter Seufzer. «Du hast recht mit dem Kampf in mir. Das ist noch nicht vorüber. Ich weiß, der Krieg ist verloren, aber ich denke, ich sollte mich trotzdem wieder an die Arbeit machen, wenn das Ministerium mich will. Übrigens, wo ist Stephen?»

«Er ruht sich im Mills House aus. Was die Arbeit anbelangt – ich würde eine Weile darüber nachdenken. Meine Gefühle dem Krieg gegenüber haben sich nicht geändert. Als Sumter fiel, waren das auch deine Gefühle. Dieser Krieg ist nicht nur falsch, Cooper, weil alle Kriege falsch sind, sondern auch, weil für eine unmoralische Sache gekämpft wird – nein, bitte, laß mich ausreden. Wir haben die Freiheit anderer menschlicher Wesen gestohlen und aus diesem Diebstahl Vermögen angehäuft.»

Er nahm ihre Hand; seine Stimme klang wie die eines verwirrten Kindes. «Ich weiß, daß du recht hast. Aber ich weiß nicht, was ich als Nächstes tun soll.»

«Überlebe den Krieg. Arbeite für Stephen, wenn du mußt. Was immer du entscheidest, es wird richtig sein. Dein Kopf ist jetzt klar. Aber verspreche dir – und mir –, daß du nach dem Fall des Südens genauso hart für den Frieden arbeiten wirst. Du weißt, was der Haß einem Mann antun kann.»

«Haß bringt immer mehr Haß hervor, und aus dem Schmerz darüber erwacht neuer Haß und – »

Sie ließ ihren Tränen freien Lauf, drückte ihn fester an sich. «Oh, Cooper, wie ich dich liebe. Der Mann, den ich geheiratet habe – er ging für eine Weile weg – aber ich glaube – ich habe ihn wiedergefunden.»

Er hielt sie fest, während sie Freudentränen vergoß.

Schließlich fragte sie ihn, ob er mit Mallory sprechen wollte. Cooper bejahte. Er würde ein frisches Nachthemd und einen Morgenmantel anziehen und ihnen beim Abendessen Gesellschaft leisten. Judith klatschte in die Hände und rannte los, um Marie-Louise zu suchen.

Cooper spülte sich den Mund aus und zuckte beim Anblick des ausgemergelten Mannes im Rasierspiegel zusammen. Er wechselte das Nachthemd, zog einen alten Morgenmantel an und suchte seine Hausschuhe. Dann ging er nach unten.

Marie-Louise war sprachlos, als sie ihn sah. Dann weinte sie auf und warf sich in seine Arme. Judith hielt Coopers Hand, als Mallory kam und Cooper mit ihm sprach.

«Stephen, ich werde für den Rest meines Lebens in deiner Schuld stehen. Dein Besuch heute hat mich gerettet. Du besitzt meine höchste Bewunderung und wirst sie immer haben. Aber ich kann nicht mehr für dich arbeiten. Etwas hat sich verändert. Ich habe mich verändert. Ich möchte, daß der Krieg ein Ende findet. Ich möchte, daß das Sterben aufhört. Deshalb plane ich, meine Zeit mit Schreiben und Reden zu verbringen, für ehrenvolle Friedensverhandlungen in Verbindung mit der Emanzipation eines jeden Negers, der noch im Süden in Sklaverei gehalten wird.»

Mallorys geöffneter Mund zeigte einige verwirrte Reaktionen: Unglauben, Spott, Ärger. Schließlich murmelte er: «Oh?» Seine Stimme wurde schärfer. «Und von wo aus willst du diesen neuen, anspruchsvollen Kreuzzug leiten?»

«Von Mont Royal aus. Meine Familie und ich gehen heim.»

101

Während das Öl in der Lampe niederbrannte, machten Orry und Charles Pläne.

«Wir können den Befehl schreiben, ihn aus dem Libby-Gefängnis zu entlassen.»

«Mit schreiben meinst du fälschen», unterbrach Charles und nahm für einen Moment den Zigarrenstummel aus dem Mund.

«Also gut, fälschen. Vermutlich hast du rein technisch gesehen recht, da die Entlassung illegal ist.»

«Was brauchen wir sonst noch?»

«Eine graue Jacke und Hosen als Ersatz für seine Uniform. Ein Pferd.»

«Das Pferd besorge ich.»

Orry nickte. «Schließlich braucht er noch einen Paß. Darum kann ich mich auch kümmern. Wie er über den Rapidan kommt, ist seine Sache. Noch einen Whiskey?»

Charles leerte sein Glas und schob es seinem Cousin zu, der betroffen war von der Art und Weise, wie die Zeit und der Krieg ihr Verhältnis zueinander geändert hatte. Sie waren nicht länger Mann und Junge, Lehrer und Schüler, sondern Erwachsene, Gleichgestellte. Orry schenkte wieder ein und sagte: «Ich habe vor, dich ins Gefängnis zu begleiten. Ich werde dir nicht allein das Risiko aufhalsen.»

Charles nahm seine Füße vom Schreibtisch und knallte sie auf den Boden. «Oh doch, das wirst du, Cousin. Du hast einen höheren Rang als ich, aber ich gehe allein, und damit hat sich's.»

«Ich kann nicht zulassen – »

«Den Teufel kannst du nicht», unterbrach ihn Charles hart. «Ich fürchte, du hast eine wichtige Kleinigkeit vergessen. Es ist nicht deine Schuld, aber für die Wachen ist es zu leicht, sich später an dich zu erinnern und dich zu beschreiben. Ich bin nicht scharf darauf, daß die Behörden eine Woche, nachdem sie dich geschnappt haben, hinter mir her sind. Dies muß ein Soloauftritt bleiben.»

Ihm war keine andere Möglichkeit eingefallen, Orry zusätzliche Gefahren zu ersparen, aber er versteckte seine Motive hinter einem kalten Lächeln, während er auf Orrys hochgesteckten Ärmel schaute.

«In diesem Punkt, Cousin, muß ich auf meiner Methode bestehen.» Charles drehte sich in seinem Stuhl. «Was meinst du dazu, Madeline?»

Von der Kommode aus, wo sie gestanden und zugehört hatte, sagte Madeline: «Ich glaube, du hast recht.»

«Verflucht noch mal», sagte Orry. «Noch eine Verschwörung.»

Charles paffte schon wieder an seiner Zigarre. «Noch eine? Was war die erste?»

«Bloß so eine Redensart», sagte Orry, der Madelines besorgten Blick bemerkte. «Wir hören ständig von eingebildeten Verschwörungen gegen die Regierung.» Er hatte bereits beschlossen, weder Powells Gruppe noch Ashtons Beteiligung daran zu erwähnen. Charles verachtete Ashton, und wenn diese Verachtung neu geschürt wurde, konnte ihn das von seiner Aufgabe ablenken.

Nur ein Detail mußte noch geklärt werden. Charles sprach es an. «Wann?»

Orry sagte: «Ich kann die notwendigen Schreibarbeiten am Morgen erledigen.»

«Dann bringe ich ihn morgen abend raus.»

Charles band Sport an einen der Eisenpfosten in der Twenty-first, gerade um die Ecke von Libbys Haupteingang. Ein steifer Wind trieb Fischgestank vom Kanal hoch. Weiter unten konnte er einen Wachposten sehen. Er wußte, daß sie um das ganze Gebäude herum standen.

Charles streichelte den Grauen. Ohne die Zigarre aus dem Mund zu nehmen, sagte er: «Ruh dich aus, solange du noch kannst. Bald schon wirst du doppelte Last schleppen müssen.»

Zumindest hoffte er das. Er war sich keineswegs sicher, und die Krämpfe in seinem Magen machten ihm das schmerzhaft klar.

Der Wind wirbelte Staubwolken auf. Charles stemmte sich dagegen und stieg die Gefängnisstufen hoch, vorbei an einer bewaffneten Wache, einem rotgesichtigen Jungen mit blonden Locken und porzellanblauen Augen. Der Soldat starrte ihn scharf an.

Drinnen rümpfte Charles die Nase über den Gestank, während er dem diensttuenden Corporal den gefälschten Befehl gab. «Gefangener Hazard. William Hazard. Ich soll ihn zum Verhör in General Winders Büro bringen.»

Ohne dem Befehl einen zweiten Blick zu gönnen, blätterte der Corporal einen Stapel zerknitterter Blätter durch, las die mit Tinte geschriebenen Namen. Andere Wachen kamen vorbei. Einer starrte Charles lange an, ging aber weiter.

«Hazard, Hazard – da haben wir's. Sie finden ihn im obersten Stock. Fragen Sie im Wachraum.»

Der Corporal zog die Schreibtischschublade auf und wollte den Überstellungsbefehl weglegen. Charles schnippte mit den Fingern. «Geben Sie mir das. Ich will oben nicht aufgehalten werden.»

Der Unteroffizier reagierte, ohne nachzudenken – womit Charles gerechnet hatte. Er dankte dem Corporal, indem er mit dem gefälschten Befehl eine Art Salut andeutete, dann wandte er sich ab und stieg die quietschenden Stufen hoch.

Bevor er den obersten Stock erreichte, zog er die Hutkrempe tiefer, um sein Gesicht ein wenig zu verbergen. Dann trat er in das Lichtrechteck an der Tür des Wachraums. Wieder zeigte er seinen Befehl vor, wiederholte das, was er unten schon gesagt hatte.

«Hätten eine Tragbahre mitbringen sollen», teilte ihm der gelangweilte Wachposten mit. «Hazard läuft zur Zeit nicht besonders gut.» Er wandte sich an den anderen Soldaten im Raum. «Such ihn, Sid.»

«Zum Teufel. Du bist dran.»

Knurrend trat der erste Soldat an Charles vorbei. «Mächtig komisch, ihn zu dieser Nachtzeit zum Verhör zu schleppen.»

«Wenn Sie Ihre Einwände General Winder zukommen lassen möchten, dann erledige ich das für Sie, Soldat. Zusammen mit Ihrem Namen.» Charles sagte es rauh und grob, verließ sich auf das, was ihn lange Dienstjahre gelehrt hatten: Auf Einschüchterung reagieren Männer für gewöhnlich sofort. Es hatte unten funktioniert, und es funktionierte auch hier.

Am Eingang eines großen Raumes, in dem Hunderte von Gefangenen dicht gedrängt saßen oder lagen, hielt der Wachposten an. «Hazard? Wo ist William Hazard?»

«Billy», sagte jemand und stieß den Gefangenen neben sich an. Charles hielt den Atem an, als eine abgezehrte Gestalt sich langsam aufsetzte, dann mit Hilfe anderer auf die Füße kam.

Charles wartete, spürte, wie sein Herzschlag schneller wurde. Dies war der erste kritische Moment: wenn der Gefangene mit seiner Krücke nahe genug herangehumpelt war, um ihn zu erkennen.

Ein Schweißtropfen fiel von Charles' Nase. Sein Mund fühlte sich an wie eine Tasse Staub. Billy taumelte. Mein Gott, wie schwach er aussah, nur Lumpen und Bart. Charles entdeckte Schürfungen und einen verheilten Riß am Ohr. Sein Freund war geschlagen worden.

Der Wachposten zeigte mit dem Daumen auf Charles. «Dieser Offizier hier bringt dich für 'ne Weile runter in Old Winders Büro. Was hast du diesmal angestellt?»

«Gar nichts.» Durch die Hagerkeit des Gesichts noch größer wirkende Augen schauten Charles an, der insgeheim betete: *Sag kein Wort!*

Billys Unterkiefer klappte herunter. «Bison?» An seinem Gesicht ließ sich ablesen, daß er seinen Fehler sofort erkannte.

Mißtrauisch beobachtete der Wachposten Charles. «Wie hat er Sie genannt?»

«Nichts, was Sie Ihrer Mutter gegenüber wiederholen würden». Er packte Billys dreckigen Ärmel. «Noch ein verfluchtes Wort, und ich liefere dich beim Chef der Militärpolizei in kleinen Stücken ab. Wegen euch Yankeedreck hab' ich bei Malvern Hill einen Bruder verloren.»

Beruhigt sagte der Wachmann: «Weiß auch nicht, warum wir sie so hätscheln. Sollten den ganzen Bau niederbrennen – mit ihnen drinnen.»

«Ganz Ihrer Meinung.» Charles versetzte Billy einen so harten Stoß gegen die Schulter, daß er beinahe gestürzt wäre. Mit der Krücke, eine Hand gegen die Wand gestemmt, richtete er sich auf und warf Charles einen forschenden, vorsichtigen Blick zu. Gut, dachte Charles. Er schob den Gefangenen vorwärts.

Der Wachposten drückte sich noch an der Tür seines Zimmers

herum, beobachtete Charles, der Billy die ersten Stufen hinabschob.
Billy war langsam und unsicher, benötigte offensichtlich die Krücke.
Der Abstieg zum Erdgeschoß würde lange dauern. Je länger sie im
Libby blieben, desto größer war das Risiko einer Entdeckung.

«Bison?» flüsterte Billy, lehnte sich gegen die fleckige Wand. «Ist es
wirklich – ?»

«Sei um Gottes willen still», flüsterte Charles zurück. «Wenn du hier
raus willst, dann benimm dich, als würden wir uns nicht kennen.» Zwei
Wachen kamen die Treppe hoch. Charles stieß Billy an, sagte laut:
«Beweg dich, Blaubauch.»

Der zweite Stock. Billy schwitzte und atmete schwer. Mehrere Männer
beobachteten sie. Charles riß seinen Revolver unter dem Poncho
hervor. «Etwas schneller, oder ich blas dir den Hundesohn den Schädel von
den Schultern.»

Erdgeschoß. Der Corporal vom Dienst stand da, streckte die Hand
aus. «Bitte um den Überstellungsbefehl.»

Charles fischte das Papier aus seiner Tasche. Jetzt waren sie nur
noch ein paar Schritte von den Türen entfernt, die hinaus zur Cary
führten, wo der Wind fast Sturmstärke angenommen hatte. Der Corporal
schloß den Befehl in die Schublade und blieb mit einem undeutbaren
Ausdruck stehen.

Sechs Schritte bis zu den Türen.

Vier.

Zwei.

Billy lehnte seinen Kopf gegen die dreckige Wand. «Bloß einen
Moment – »

Beeil dich. Ein lautloser Schrei von Charles, der zu den Türen eilte,
damit er sich umdrehen und den Corporal im Auge behalten konnte.
Der Corporal runzelte die Stirn, spürte, daß etwas nicht stimmte.

«Mach vorwärts, oder ich schleif dich an den Beinen raus.»

Billy stieß sich von der Wand ab, kämpfte sich die nächste Stufe
hinunter. Charles riß die Tür auf, spürte die Macht des Sturms auf der
anderen Seite. Unter der Hutkrempe hervor beobachtete er weiterhin
den Corporal. Dieser stellte die größte Bedrohung dar, fühlte Charles –
und merkte, daß er sich getäuscht hatte, als er sich an der Tür umdrehte.
Da stand der blonde Wachposten mit erhobenem Gewehr und
flammenden blauen Augen.

«Wohin bringen Sie diesen Gefangenen?»

«Muß dir jeder Antwort geben, Vesey?» murmelte Billy und verriet
damit Charles, daß zwischen den beiden eine besondere Feindschaft
bestand.

«Ich stehe nicht jedem hergelaufenen Soldaten Rede und Antwort», sagte Charles. «Zur Seite.»

«He, Bull, wohin bringen sie diesen Yank?» rief Vesey dem Corporal vom Dienst zu.

«Büro Militärpolizei. Zum Verhör.»

«Militärpolizei?» wiederholte Vesey, während Charles nach Billys Ellbogen griff, um ihm die erste Stufe hinunterzuhelfen. «Mr. Quincy war vor nicht ganz einer Stunde hier, während du beim Essen warst. Er hat nichts davon gesagt, daß ein Gefangener überstellt werden soll.»

Er riß die blaßblauen Augen auf. «Du!» Das Gewehr richtete sich auf Charles. «Rühr dich nicht. Ich kenne jeden von General Winders Jungs, du gehörst nicht dazu. Irgendwas stimmt an der Sache nicht – »

Charles knallte den Lauf seines Colts gegen Veseys Kopf.

102

Vesey schrie auf und prallte gegen die Mauer. Sein Gewehr polterte über das Treppengeländer. Drinnen gab der Corporal Alarm. «Los, um die Ecke», rief Charles Billy zu, einen Moment, bevor sich Vesey mit ausgestreckten Händen auf ihn stürzte.

Charles schlug die Hände weg, schleuderte Vesey gegen die Tür, so daß der Corporal, der sich von innen dagegen stemmte, sie nur schwer aufbekam. Charles wollte die Stufen runterrennen. Wieder versuchte Vesey, ihn zu packen. Zwei Fingernägel rissen blutige Bahnen in Charles' Wange. Vor Schmerz, Wut und Verzweiflung rammte Charles seinen Colt in Veseys Bauch und drückte ab.

Vesey kreischte auf und kippte vornüber. Der Wind trug das Geräusch des Schusses davon. Charles sah, daß Billy am Fuße der Treppe auf Hände und Knie gefallen war. Charles rannte zu ihm hinunter. Obwohl er jetzt dazu in der Lage gewesen wäre, machte der Corporal die Tür nicht auf; statt dessen brüllte er drinnen weiter.

«Los», sagte Charles und riß Billy grob auf die Füße. Billy schrie leise auf. Im Libby ertönten mehr und mehr Stimmen, ein ganzer bellender Chor. An der Ecke tauchte ein Wachposten mit erhobenem Gewehr auf. Er war jung, unerfahren, zögerte. Das brachte einige weitere Sekunden. Charles schleppte Billy schnell zur gegenüberliegenden Ecke, wo sie beinahe mit einem anderen Wachposten zusammengestoßen wären. Charles richtete den Colt auf das Gesicht des Jungen.

«Renn, oder du bist tot, Junge.»

Der Wachposten ließ sein Gewehr fallen und rannte.

Aber ein weiterer Posten kam von der Flußseite des Gebäudes die Straße hochgerannt. Charles band hastig Sport los, schwang sich in den Sattel und feuerte einen Schuß ab, um den rennenden Posten zurückzujagen. Die Zügel des nervösen Grauen fest packend, streckte er seine freie Hand nach unten.

«Halt dich fest, und tritt in den Steigbügel. Schnell!»

Billy stöhnte vor Anstrengung. Charles feuerte erneut, um den Posten in Deckung zu halten. Als er Billy hinter sich spürte, brüllte er: «Nicht loslassen, Bunk!» und spornte den Grauen an, das kurze Stück zur Cary hoch. Der Spitzname seines Freundes aus Akademiezeiten war ihm ganz automatisch über die Lippen gekommen.

Drei Wachposten an der Ecke schossen auf sie, als Sport vorbeidonnerte. Billy schlang seine Arme um Charles' Poncho und klammerte sich fest. Alle drei Schüsse gingen fehl. Der Graue galoppierte davon, in den heulenden Sturm hinein.

Eine Meile vom Gefängnis entfernt zog Billy die zimtfarbene Hose und das Kordhemd aus der Sattelrolle an.

«Jesus», sagte Charles, als er Billy die graue Jacke reichte.

«Was ist?»

«Ich habe diesen Wachposten getötet. Ohne zu überlegen.»

«Du hast einen Orden verdient.»

«Dafür, daß ich einen Jungen erschossen habe?»

«Du hast damit jedem Mann im Libby-Gefängnis einen Dienst erwiesen. Dieser Posten war der Bastard, der mich so zugerichtet hat.»

«Tatsächlich? Dann bin ich froh, daß ich's getan habe.» Charles lächelte auf eine Art, die Billy schaudern ließ. «Also weiter.»

Billy wartete in der Dunkelheit bei Sport, während Charles den Stall betrat, wo er für die Nacht ein Maultier angemietet hatte. «Bringen Sie ihn gegen acht Uhr morgens zurück», sagte der schläfrige Stallmann. «Ich habe noch einen Kunden.»

«Versprochen», sagte Charles und zerrte das störrische Tier in die Dunkelheit.

Er trug seinen eigenen Paß auf sich und Billy den von Orry gefälschten; so kamen sie problemlos durch die nördlichen Verteidigungslinien. In einem Obstgarten stiegen sie ab, und Charles gab seinem Freund ein zweites, kleineres Bündel.

«Madeline hat dir ein bißchen Zwieback und Schinken zurechtgemacht. Ich wünschte, ich hätte eine Waffe für dich oder mehr Ausrüstung, damit du wie ein Soldat auf Urlaub wirkst.»

«Ich schaff's so auch», versprach Billy. «Ich wünschte bloß, wir hätten ein bißchen mehr Zeit, über alles zu reden.» Sie hatten fast pausenlos geredet, nachdem sie den letzten Wachposten hinter sich gelassen hatten; die Schicksale der meisten Mitglieder beider Familien waren durchdiskutiert worden.

Jetzt sagte Charles: «Ich würde dich gerne zu Orry und Madeline bringen, aber es ist besser, wenn du noch vor Tagesanbruch einige Meilen zwischen dich und Richmond legst. Der Paß wird dich durchbringen. Und vergiß nicht, Mütze und Jacke abzulegen, wenn du bei deinen Linien ankommst.»

«Werd' ich nicht – und glaub mir, ich werde mich mit hoch erhobenen Händen nähern.»

Beide versuchten sie herunterzuspielen, was vor ihm lag: ein stundenlanger Ritt, Patrouillen auf der Straße, Hunger, Furcht. Und sein geschwächter Zustand machte all das noch schlimmer. Aber es gab jetzt auch Hoffnung. Ein Ziel. Die Sicherheit seiner eigenen Seite.

«Bison!»

Den Blick auf die Richmond-Straße gerichtet, sagte Charles, «Hm?»

«Du hast mich schon mal gerettet. Jetzt werd' ich immer in deiner Schuld stehen, da komme ich nicht mehr –»

«Schau zu, daß du aus der Konföderation herauskommst, das reicht.»

«Mein schlimmstes Problem ist wahrscheinlich mein Akzent. Wenn ich Fragen beantworten muß –»

«Sprich langsam. So ungefähr. Verschluck ein paar von deinen g's, und sag, du kommst aus dem Westen. Niemand in Virginia weiß wirklich, wie ein Missourirebell redet.»

Billy lächelte. «Gute Idee. Ich war in St. Louis stationiert.» Ernster fügte er hinzu: «Du hast mir von Orrys Heirat und einer Menge anderer Sachen erzählt, aber von dir kein Wort. Wie ist es dir ergangen? Bei welchem Kommando bist du?»

«Ich bin Scout für General Wade Hamptons Kavallerie, ich komme gut zurecht», log Charles. «Ich würde noch weit besser zurechtkommen, wenn dieser Krieg vorüber wäre. Schätze, das wird bald der Fall sein.»

Er wollte was über Gus sagen, aber wozu eine Beziehung erwähnen, die ohnehin enden mußte? «Ich würde gern die ganze Nacht reden, aber du solltest jetzt los.»

«Ja, ich glaube auch.» Mit langsamen Bewegungen, von Schmerzen geplagt, bestieg er das Maultier. Charles half ihm nicht; Billy mußte es selbst schaffen.

Als Billy im Sattel saß, trat Charles vor. Sie schüttelten einander die Hände.

«Gute Reise. Richte Cousine Brett meine besten Grüße aus, wenn du sie siehst.»

«Dasselbe von mir an Orry und Madeline. Ich weiß, was er riskiert hat, um mir zu helfen. Du natürlich auch.»

Das Lachen klang gezwungen. «West Point kümmert sich um seine Leute, nicht wahr?»

«Mach keine Witze, Bison. Ich werde nie in der Lage sein, dir das zurückzuzahlen.»

«Das erwarte ich auch nicht. Weich bloß die nächsten acht oder zehn Monate unseren Kugeln aus, dann können wir einander in Pennsylvania oder South Carolina besuchen. Und jetzt los.»

«Gott segne dich, Bison.»

Mit überraschend kräftiger Stimme trieb Billy das Maultier an und war bald schon in der Dunkelheit verschwunden.

Charles fühlte sich leer und ausgebrannt. Er hätte einen Whiskey dringend nötig gehabt. «Na komm», sagte er zu dem Grauen und schwang sich in den Sattel.

Die Uhr schlug vier. Charles wirbelte, die nackten Füße auf einem Kissen ausgestreckt, den letzten Schluck Bourbon im Glas herum und trank dann aus.

«Ich hab's mit der Angst bekommen und ihn erschossen. Panik – das ist das einzig passende Wort dafür.»

Madeline sagte: «Ich glaube, es ist nicht leicht, jemanden zu töten, selbst wenn es ein Feind ist.»

«Oh, man gewöhnt sich dran», sagte Charles. Sie und Orry tauschten einen schnellen Blick, aber das sah er nicht. «Der Posten war sowieso derjenige, der Billy gefoltert hatte. Was mich beunruhigt, ist die Tatsache, daß ich die Beherrschung verloren habe. Ich dachte, ich hätte genug hinter mir, um mit solchen Situationen fertig zu werden.»

«Wie viele Gefängnisausbrüche hast du denn schon durchgeführt?» fragte Orry leicht sarkastisch.

«Ja, das ist was neues», nickte Charles gedankenverloren.

«Wie sah Billy aus?» fragte Madeline.

«Weiß und krank. Schwach wie sonstwas. Ich habe keine Ahnung, ob er auch nur den halben Weg zum Rapidan schafft.»

«Wie geht's Brett? Hat er was von ihr gesagt?»

Charles schüttelte den Kopf. «Von Brett hat er seit Monaten nichts mehr gehört. Dieser Wachposten, Vesey, hat jeden Brief vernichtet, den Billy schrieb, also wird er wohl auch die ankommenden Briefe vernichtet haben. Orry, hast du ein bißchen Geld für den Stallmann übrig? Sein Maultier wird er nie wiedersehen.»

«Ich kümmere mich drum», versprach Orry.

Charles gähnte. «Habt ihr was dagegen, wenn ich mich schlafen lege?» Er griff nach einer Decke. Orry drehte das Gas ab und wünschte ihm eine gute Nacht. Voll angekleidet rollte sich Charles in die Decke und schloß die Augen.

Der Schlaf wollte nicht kommen. Zu viele Geister waren aufgewacht und strichen durch die Nacht.

Er fiel in Schlaf, als ein ferner Kirchturm fünf Uhr schlug. Er schlief eine Stunde, träumte von Gus und von Billy, der in einem sonnenhellen Feld lag, von Kugeln durchsiebt und von fetten, schwarzen Fliegen umschwärmt.

Madeline schenkte ihnen Kaffee-Ersatz ein, und Charles setzte sich seinem Cousin gegenüber, nachdem er sich zuvor Wasser über Gesicht und Hände gespritzt hatte.

Orrys Gesichtsausdruck zeigte, daß ihm etwas Ernstes durch den Kopf ging. Charles wartete, bis sein Cousin damit herausrückte.

«Wir hatten gestern nacht soviel zu bereden, daß ich gar nicht zu den anderen schlechten Nachrichten gekommen bin.»

«Ärger zu Hause?»

«Nein, direkt hier in der Stadt. Ich habe eine Verschwörung aufgedeckt. Der Präsident und Mitglieder seines Kabinetts sollten ermordet werden.» Charles lächelte ungläubig. «Jemand, der uns beiden gut bekannt ist, ist in die Sache verwickelt.»

«Wer?»

«Deine Cousine. Meine Schwester.»

«Ashton?»

«Ja.»

«Gütiger Himmel», sagte Charles. Er war selbst überrascht, wie wenig ihn diese Mitteilung verwunderte; kaum mehr als mildes Erstaunen. Sein Inneres verhärtete sich mehr und mehr, konnte kaum noch von etwas berührt werden.

Orry erzählte der Reihe nach, was sich alles ereignet hatte.

«Ein paar Tage danach glaubte ich wirklich, ich sei verrückt. Aber das hab' ich jetzt hinter mir. Sie mögen Freunde in hohen Positionen

639

haben, die ihnen geholfen haben, die Spur zu verwischen, aber ich weiß, was ich gesehen habe. Die Verschwörung existiert wirklich, Huntoon ist daran beteiligt, genau wie Ashton.»

«Was wirst du unternehmen?»

Orrys Blick machte Charles klar, daß er nicht der einzige war, der sich einen Panzer zugelegt hatte.

«Ich werde sie mir schnappen.»

103

Sie überraschten ihn beim ersten Tageslicht am Bachufer, schlichen sich an, während er schlief. Keiner der drei stellte sich vor. In Gedanken gab er ihnen Namen – Narbengesicht, Eindäumige, Hundegesicht. Alle trugen sie zerfetzte Konföderiertenuniformen.

Um ihr Mißtrauen zu zerstreuen, teilte er seinen letzten Zwieback und Schinken mit ihnen. Sie berichteten von ihren Erlebnissen während der letzten Tage, wohl mehr, wie Billy vermutete, um das Schweigen des Maimorgens zu füllen.

«Grant schickte hunderttausend in die Wildnis gegen unsere sechzigtausend. Es wurde so heiß gekämpft, daß die Bäume Feuer fingen. Unsere Jungs erstickten entweder am Rauch oder wurden von brennenden Ästen erschlagen.»

«Wie weit ist die Front noch entfernt?» fragte Billy.

Hundegesicht antwortete: «Zwanzig, dreißig Meilen. Was meint ihr?» Seine Gefährten nickten. «Aber wir gehen in die andere Richtung. Zurück nach Alabama.» Er warf Billy einen forschenden Blick zu, wartete auf eine Reaktion; Verachtung vielleicht.

«Die Omen sind schlecht», sagte der Eindäumige. «Old Pete Longstreet, er wurde von einer Kugel von unserer Seite verwundet, gerade so wie vor einem Jahr Stonewall. Und ich habe gehört, der kleine Junge von Jeff Davis ist vor ein paar Tagen vom Balkon des Weißen Hauses gestürzt. Tot. Wie ich schon sagte – schlechte Omen.»

Narbengesicht, der älteste, wischte sich Fett vom Mund. «Mächtig nett von dir, Missouri, deinen Vorrat mit uns zu teilen. Wir haben fast nichts, was uns auf unserm Heimweg helfen könnte», mit einer glatten Bewegung zog er seinen Revolver und richtete ihn auf Billy, «also sind wir dir dankbar, wenn du kein Theater machst und uns ein bißchen unterstützt.»

Fünf Minuten später verschwanden sie mit seinem Maultier und seinem Paß.

Laternenschein fiel auf die nackten, schwarzen Oberkörper. Rufe klangen durch die Dunkelheit, das Klirren und Klappern der Schienen, die von den Waggons abgeladen wurden, Gehämmer, das Gequak der Frösche aus den Sumpfgebieten nahe des Potomac. Eine Gruppe von Georges Männern packte eine Schiene, rannte damit vor und ließ sie auf die ein paar Augenblicke zuvor gelegten Eisenbahnschwellen fallen. Es war die Nacht des 9. Mai; oder genauer, der Morgen des 10. Mai. Seit der gestrigen Morgendämmerung waren die Reparaturarbeiten an der beschädigten Aquia & Fredericksburg-Linie bis hinunter nach Falmouth in Gang.

Die Metzgersrechnung aus den Wäldern hatte schwindelnde Höhen erreicht. Lee hatte sich bei Spotsylvania verschanzt, und vermutlich marschierte die Unionsarmee auf seine Stellungen zu. Ohne daß man es ihm erklärt hätte, wußte George, weshalb am gleichen Morgen, an dem Grant seine Kriegsmaschinerie über den Rapidan gebracht hatte, der größte Teil der Orange & Alexandria aufgegeben und weshalb das Konstruktions-Corps nach Osten zu diesem Dienst abkommandiert worden war. Auf diesen Schienen würden bald schon Tote und Verwundete transportiert werden.

George sah, daß einer seiner besten Arbeiter, ein riesiger brauner Junge namens Scow, plötzlich stolperte. Die Männer hinter ihm wurden zum Halten gezwungen. Eine Laterne an einem Pfahl spiegelte sich in Scows Augen wieder, als er seinen Kommandanten anstarrte.

«Fall gleich um.»

George trat hinter ihn und nahm die Schiene auf seine Schultern. «Ruh dich zehn Minuten aus, dann komm wieder. Wenn wir mit diesen Schienen fertig sind, wird die Potomac-Brücke repariert.»

«Sie geb'n ein von diese Niggers zehn Minuten, Ihn' gehn bald die Minuten aus.»

«Laß das meine Sorge sein. Los.»

Scow rieb sich den Mund; Bewunderung und Mißtrauen mischten sich auf seinem Gesicht. «Sind schon verflucht' Boß», sagte er, marschierte davon und überließ es George, wie er das auffassen sollte. Mit grimmiger Erheiterung überlegte er, was Scow wohl sagen würde, wenn er wüßte, daß sein Kommandant ein gewaltiges Eisenwerk und eine florierende Bank führte.

Er nahm Scows Platz in dem Team ein, das die Schienen schleppte. Er versuchte seine Benommenheit und die sich im Magen ausbreitende Übelkeit zu verbergen. «Macht schon», brüllte er den anderen Männern zu. Er wußte, daß sie sich genauso schlimm fühlten wie er. Aber gemeinsam schleppten sie im Eiltempo die nächste Schiene vor, legten sie ab, sprangen beiseite, während die ersten Hämmer zuschlugen, und rannten zurück, um die nächste zu holen.

Auf der Brock Road fiel Billy auf die Knie und kroch in einen Graben, als eine Granate vorbeizischte und explodierte. Scharfkantige Felsbrocken und Dreck regneten auf seinen nackten Hals und hämmerten die letzte Kraft aus ihm.

Von Westen, Norden, Osten drangen die zahllosen Schlachtgeräusche zu ihm. Am lautesten schienen sie im Osten zu sein. Ohne Zwischenfall hatte er sich durch die raucherfüllten Straßen von Spotsylvania Court House gekämpft. Aber gerade, als er wieder etwas gleichmäßiger zu atmen begann und vor Müdigkeit und Hunger und Schmerzen taumelnd zur Straße zurückkehrte, tauchte aus dem Rauch, der das Grau des Morgens noch vertiefte, ein Captain zu Pferd auf – einer von Jubal Earlys Kommando, wie Billy vermutete.

Der bärtige Offizier war schon an Billy vorbei, ehe er ihn richtig zur Kenntnis nahm. Er riß sein Pferd herum, stieg ab und zog seinen Säbel. «Hier wird nicht desertiert», brüllte er und schlug Billy mit der Flachseite des Säbels über den Rücken. «Die Linien sind dort.»

Mit der Klinge deutete er nach Osten. Ein um seinen rechten Ärmel gebundenes schwarzes Seidenband flatterte in der Brise. Um seinen Akzent zu verbergen, murmelte Billy undeutlich, «Sir, ich habe mein Gewehr verloren –»

«Hier wirst du keinen Ersatz finden.» Ein zweiter Schlag. «Beweg dich, Soldat.»

Billy zwinkerte, dachte: *Irgendwo muß ich durch die Linien. Kann's genauso gut hier versuchen.*

«Du und deine Sorte, ihr ekelt mich an», sagte der Captain. «Wir verlieren einen großen Mann, und ihr tragt zu seiner Erinnerung nichts weiter als Feigheit bei.»

Billy wollte nicht, hatte aber das Gefühl, er müßte etwas sagen. «Versteh nicht, Sir.» Das stimmte. «Wen haben wir verloren?»

«General Stuart, du verdammter Narr. Sheridans Reiterei schlug einen Bogen um unsere Flanke nach Richmond. Vorgestern töteten sie den General bei Yellow Tavern. Und jetzt beweg dich, oder du stehst unter Arrest.»

Billy taumelte los. Eine Granate explodierte über ihm wie eine schwarze Blume. Er bedeckte seinen Kopf und stolperte weiter; jeder Schritt bereitete ihm größere Schmerzen.

Jetzt. Jetzt. *Jetzt.*

Seit zehn Minuten sagte er das zu sich, um seinem zu schwachen Körper die nötige Kraft abzuringen. Schließlich wußte er, daß er dem lautlosen Kommando gehorchen mußte. Mit einer Hand umkrallte Billy das Gewehr, das man ihm gegeben hatte, mit der anderen zerrte er sich über die Verschanzung, während der Sturzbachregen ihn durchweichte.

«He, Missouri, sei nicht verrückt. Noch bißchen näher, und du gehst mit Sicherheit drauf.»

Irgendein Reb-Unteroffizier brüllte ihm das aus der Verschanzung nach, die er gerade eben verlassen hatte. Billy taumelte hoch und hinkte durch hohes, schlüpfriges Gras. Ein Lichtblitz der Union zuckte auf, und als die Dunkelheit zurückkehrte, warf er sein Gewehr und seine Mütze weg. Der nächste Blitz überraschte ihn dabei, wie er seine graue Jacke herunterzerrte. Der gleiche Reb, der zuvor sein Erscheinen ohne weitere Fragen hingenommen hatte, entdeckte ihn. Die Stimme des Unteroffiziers klang zu ihm herüber.

«Der Scheißkerl greift niemand an. Der rennt auf die andere Seite. Erschießt den Bastard.»

Hinter ihm krachten die Gewehre. Mit schmerzenden Lungen bewegte er sich vorwärts, fort von ihnen. Donner grollte im Kielwasser des letzten Blitzes, dann zuckte ein neuer Lichtschein auf, ließ ein Unionsbajonett wie weißglühendes Metall aufleuchten.

Der Wachposten hinter dem Bajonett, einer von Burnsides Männern, entdeckte die zerlumpte Gestalt. Hinter dem Wachposten begannen Gewehre zu krachen, so laut wie die der Rebs. «Nicht schießen», brüllte Billy mit erhobenen Händen in das Kreuzfeuer. «Nicht schießen. Ich bin ein Unionsoffizier, geflüchtet von –»

Auf einem halb in der Erde verborgenen Stein knickte er um, stürzte. Er warf die Arme in die Luft, verlor die Orientierung. So erfuhr er nie, wer den Schuß abgefeuert hatte, der ihn traf; mit einem unterdrückten Aufschrei fiel er vornüber aufs Gesicht.

Aus den Washingtoner Zeitungen erfuhr George mehr über die Frühjahrsoffensive als an Ort und Stelle. Jeder nannte es Grants Kampagne und pries Grants tapfere Männer, obwohl der tatsächliche Kommandeur der Potamac-Armee Generalmajor Meade war. Grant jedoch war ein Armeegeneral, der ins Feld zog. Meade bekam mehr oder weniger die Rolle eines Corps-Kommandeurs zugewiesen. Es wurde Grants Krieg und Grants Plan. Richmond ignorieren, Lees Armee vernichten. Dann würde das Kartenhaus von selbst zusammenfallen.

Aber immer häufiger tauchte in den Zeitungen ein anklagender Satz auf: Grants Verluste. Die dezimierte Armee füllte ihre Reihen wieder auf und marschierte bei Nacht in Verfolgung des sich zurückziehenden Lees. Die Schlagzeilen wiederholten sich wie dumpfer Trommelschlag: UNGEHEURE VERLUSTE DER REBELLEN und EIGENE VERLUSTE ZWÖLFTAUSEND und SCHWERE VERLUSTE AUF BEIDEN SEITEN.

George und der Junge namens Scow beobachteten einen der Todeszüge, die auf der wiedereröffneten Aquia Creek & Fredericksburg von Falmouth aus Richtung Norden fuhren. Die Züge mit den Toten von Falmouth konnten sie stets daran erkennen, daß sie deutlich schneller fuhren als die Züge mit Verwundeten oder Gefangenen. Die Reihe der Waggons war so lang, daß sie gar nicht mehr aufzuhören schien.

«Zwanzig, einundzwanzig – zweiundzwanzig», sagte Scow. «Das sind mächtig viele Särge.»

«Der General tötet auch mächtig viele Männer, aber er wird noch mehr umbringen.»

George schlug Scow freundlich auf die Schulter, in einer für einen Offizier unpassenden Weise, aber das war ihm egal. Das Corps war eine eigenartige Truppe; eigenartig und stolz. «Suchen wir uns was zu essen.»

Kurz darauf saß George mit untergeschlagenen Beinen am Campfeuer und löffelte Bohnen von einem Blechteller, als ein Pfeifton einen weiteren Falmouth-Zug ankündigte. Er beobachtete, wie der weiße Scheinwerferkegel die Biegung nahm.

«Verwundete», sagte George, nachdem er die Geschwindigkeit abgeschätzt hatte. Dann widmete er sich wieder seinen Bohnen, während der Waggon mit seinem Bruder vorbeiratterte.

104

Im Gewittersturm fuhren Virgilia und acht weitere Krankenschwestern mit dem Zug von Aquia Creek nach Falmouth. Dort war ein Nothospital zur Ergänzung der Kirchen, Ställe und Privatheime, die dem gleichen Zweck dienten, errichtet worden. Der hart umkämpfte Grund und Boden um Spotsylvania herum lieferte einen stetigen Strom an Opfern. Die schlimmsten Fälle, die nicht mal eine kurze Eisenbahnfahrt überleben würden, wurden in Falmouth behandelt.

Die Krankenschwester, die das Kommando führte, war Mrs. Neal, der Virgilia bereits dreimal zu entkommen versucht hatte. Miss Dix hatte ihre Versetzungsgesuche jedesmal knapp und bündig abgelehnt. Miss Hazards Dienste waren zu wertvoll. Miss Hazard war ein Gewinn für ihr gegenwärtiges Hospital. Auf Miss Hazards Dienste konnte nicht verzichtet werden.

Virgilia hegte den Verdacht, daß Mrs. Neal hinter diesen Ablehnungen steckte. Die ältere Frau erkannte Virgilias Fähigkeiten, aber es machte ihr Spaß, sie zu frustrieren. Virgilia hingegen verachtete ihre Vorgesetzte weiterhin, konnte sich aber nicht dazu bringen, den Dienst zu quittieren. Die Arbeit befriedigte sie immer noch ungemein. Sie brachte einer Vielzahl von schmerzgepeinigten Männern Trost und Genesung. Der Anblick der Verstümmelten und Sterbenden hielt ihren Haß auf die Südstaatler in voller Stärke am Leben.

«Es heißt, die Kämpfe um Spotsylvania seien fürchterlich gewesen.» Das kam von einer vollbusigen Jungfer namens Thomasina Kisco. Der Rand ihres schwarzen Hutes warf einen scharfen Schatten über ihr Gesicht. «Mit gewaltigen Verlusten.»

«Das wird dafür sorgen, daß Mr. Lincoln im November aus dem Amt entfernt wird», sagte Mrs. Neal. «Er weigerte sich, die Schlächterei zu beenden, also muß die Wahl dafür sorgen.» Sie versäumte es selten, für McClellan und die Friedensdemokraten einzutreten.

«Stimmt es, daß sie auch konföderierte Verwundete in dieses Hospital bringen?» fragte Virgilia.

«Ja.» Mrs. Neals Ton war so kalt wie ihr Blick. Virgilia war an beides gewöhnt. Sie schauderte.

«Ich werde keine feindlichen Soldaten pflegen, Mrs. Neal.»

«Sie werden tun, was Ihnen gesagt wird, Miss Hazard.» Ihr Ärger erzeugte mitfühlende Blicke der anderen – für Virgilia. Mrs. Neal machte einen Rückzieher. «Wirklich, meine Liebe – Sie sind eine ausgezeichnete Krankenschwester, aber Sie akzeptieren offensichtlich keine Disziplin. Warum bleiben sie eigentlich im Dienst?»

Weil ich auf meine Art ebenfalls ein Soldat bin, du dämliche Kuh. Statt es laut zu sagen, wandte sie lediglich den Blick ab.

Der Waggon schwankte, der Wind heulte, der Regen peitschte durch die zerbrochenen Scheiben. Miss Kisco schaute ängstlich zur Decke hoch.

«Dieser Donner ist wahnsinnig laut.»

«Das sind die Kanonen von Spotsylvania», sagte Virgilia.

Der Sturm hielt an, ließ die Leinwand der Zelte des Nothospitals flattern. Virgilia und Miss Kisco wurden einem Pavillon zugeteilt, in den Männer kamen, die zwar schwer verwundet waren, aber nicht sofort operiert werden mußten. Das Schneiden und Sägen fand im nächsten Pavillon statt, wo Mrs. Neal das Kommando übernommen hatte. Stündlich kam sie zur Inspektion bei Virgilia vorbei.

«Und jetzt hier herüber, Miss Hazard», sagte der Chefarzt des Pavillons, ein dicklicher Mann mit schnaufender Stimme. Er riß sie fast mit zu einem Feldbett, auf das die Sanitäter einen schlanken Lieutenant mit seidig braunem Haar gelegt hatten. Der junge Mann war bewußtlos. Obwohl das Feldbett in der dunkelsten Ecke stand, erkannte Virgilia sofort die Farbe der Uniform.

«Dieser Mann ist ein Rebell.»

«Das hab' ich mir beim Anblick des grauen Rocks auch gedacht», sagte der Arzt gereizt. «Zufällig ist er auch noch verwundet.» Er deutete auf den rechten Oberschenkel. «Entfernen Sie bitte diesen Verband.»

Der Arzt riß einen großen Papierfetzen los, der an die Decke geheftet war. «Kugel nahe der Oberschenkelarterie. Gefäß zerrissen, aber nicht verklammert. Er ist ein Mississippi-Junge. Brigade von General Nat Harris. Seinen Namen kann ich nicht entziffern –»

Er hielt das Papier unter die nächste Laterne. Inzwischen zwang sich Virgilia, den Verband zu entfernen. Ein Junge in der nächsten Reihe würgte und weinte. Aus dem Operationszelt hörte sie das Raspeln von Sägen, die sich durch Knochen fraßen. So viel Leiden – und hier pflegte sie einen von denen, die für all dies Leiden verantwortlich waren. Ihre Wut flammte auf wie Feuer in trockenem Unterholz.

Die Wunde des Rebellen war von den Ambulanz-Sanitätern ordentlich versorgt worden. Die blasse Haut des Beines fühlte sich kühl an. Das erklärte die fehlende Blutung; es hatte aufgehört zu bluten, als die Temperatur sank.

«O'Grady.»

Virgilias Kopf ruckte hoch. «Wie bitte?»

«Ich sagte», knurrte der Doktor, «sein Name scheint O'Grady zu sein. Thomas Aloysius O'Grady. Ich wußte gar nicht, daß es irische Kartoffelfresser am Mississippi gibt. Lassen Sie mich mal sehen.»

O'Grady. Ihr Haß auf den Jungen mit den seidigen Haaren verdoppelte sich, weil er diesen Namen trug. Sie krallte sich an ihrer Schürze fest, begann zu drehen, sanft zuerst, dann mit zunehmender Heftigkeit.

«Miss Hazard, sind Sie krank?»

Seine schnaufende Frage riß sie aus ihrer privaten Hölle. «Tut mir leid, Doktor – was sagten Sie?»

«Ich weiß nicht, wo Sie mit Ihren Gedanken sind, aber richten Sie bitte freundlicherweise Ihre Aufmerksamkeit auf diesen Patienten. Wir müssen diese Arterie abklemmen und versuchen, die –»

«Doktor», rief Miss Kisco von der anderen Seite des Pavillons. «Bitte, schnell – ein Notfall.»

Im Weglaufen sagte der Arzt, «Ich kümmere mich um ihn, sobald ich kann. Legen Sie einen neuen Verband an, und behalten Sie ihn im Auge.»

Virgilia holte Gaze und kehrte ans Feldbett von Leutnant O'Grady zurück. Wieviele Unionssoldaten mochte der Mississippi-Junge getötet haben, fragte sie sich. Sie wußte nur eines: Er würde niemanden mehr töten. Wie passend, daß er fast den gleichen Namen trug wie ihr toter Geliebter.

Sie bemerkte Mrs. Neal, die sich am Zelteingang mit einem anderen Arzt unterhielt. Auch die Oberschwester beobachtete Virgilia für einige Momente. Sie versuchte sie ständig bei einem Fehler zu ertappen, aber es gelang ihr nie. Als Mrs. Neal ihre Aufmerksamkeit wieder dem Doktor zuwandte, machte sich Virgilia daran, den verwundeten Oberschenkel sorgfältig neu zu verbinden.

Nichts in ihrem Gesichtsausdruck deutete auf ihre Erregung hin, als sie die Wolldecke über den jungen Lieutenant zog. Als sie noch eine zweite Decke darüberlegte, konnte sie ein kleines Lächeln nicht unterdrücken. Zart strich sie dem Jungen über die kühle Stirn und glitt davon.

Während der nächsten zwanzig Minuten hatte der Chefarzt keine Zeit, sich um Lieutenant O'Grady zu kümmern. Aber Virgilia fand die Zeit, ging zu dem Feldbett, frische Gaze über dem Arm.

Vorsichtig hob sie die Decken an. Helles, arterielles Blut hatte den Verband gerötet. Der Soldat atmete jetzt laut und mühsam – wie erwartet. Sie tastete nach seinem Puls; er war schneller – ebenfalls wie erwartet. Die Decken hatten seine Temperatur nach oben getrieben, und eine zweite Blutung hatte eingesetzt. Auch wie erwartet.

Sie zog die Decken herunter und legte zwei neue Verbände über den ersten. Es würde einige Zeit dauern, bis das pumpende Blut durch diese Lagen gedrungen war. Sollte jemand die Decken aufheben, dann würde ihm wahrscheinlich gar nichts auffallen. Erneut zog Virgilia die Decken hoch und steckte sie ordentlich unter dem Kinn des Jungen fest. Sie spürte keinen Hauch von Gewissensbissen. Dies war der Feind. Sie war ein Soldat. Grady wartete schon lange darauf, gerächt zu werden.

«*Miss Hazard!*»

Der Ruf des Chefarztes ließ sie in die Zeltmitte laufen. Ein Captain mit einer schlimmen Brustwunde wurde auf einer Tragbahre hereingebracht. Das einzig freie Feldbett war das neben O'Grady.

Mit klopfendem Herzen schob sie sich vor O'Gradys Bett, um dem Arzt zumindest teilweise das Blickfeld zu verstellen. Der Arzt, mit lauter dringenden Fällen beschäftigt, nickte lediglich zu O'Grady und fragte: «Wie geht's dem?»

«Zufriedenstellend, als ich das letztemal nach ihm sah, Sir.»

«Scheint schwer zu atmen. Sehen Sie nach ihm.»

«Jawohl, Sir.» Voller Panik wollte sie sich umwenden.

«Ich meine, nachdem Sie mir hier geholfen haben.»

Virgilias Anspannung schwand dahin. Sechs Minuten lang beschäftigten sie sich mit dem Captain, dann taumelte der erschöpfte Arzt weiter zu Miss Kisco, die am Eingang gerade eine neue Ambulanzladung Verwundeter in Empfang nahm. Virgilia holte neue Gaze aus der Vorratskiste und eilte zurück zu O'Grady. Sie hob die Decken und sah die kleinen, leuchtend roten Sterne in dem weißen Feld. Sie lächelte, ein fast sinnliches Lächeln.

Sie legte einen weiteren Verband darüber und zog wieder die Decken hoch. Er verblutete unbemerkt. In einer halben Stunde würde es soweit sein, schätzte sie. Mit einem glücklichen, warmen Gefühl widmete sie sich ihren anderen Arbeiten.

Nach einer dreiviertel Stunde entfernte sie die durchweichten Verbände und ersetzte sie durch einen neuen, letzten Verband. Sie legte die Decken über den Körper. Trotz des Lärms und der schlechten Luft schwebte sie während der nächsten zwanzig Minuten fast euphorisch durch den Pavillon. Dann wurde sie aufgeschreckt.

Von Virgilia unbemerkt, war Mrs. Neal zurückgekehrt, um nach verschiedenen Patienten zu sehen. Ihr scharfer Aufschrei riß Virgilia herum. In der dunklen Ecke entdeckte sie die Oberschwester, ihr kompakter Körper als Silhouette gegen die vom Licht des neuen Tages erhellte Leinwand. Mit der rechten Hand hielt Mrs. Neal die Decken hoch, die Lieutenant O'Gradys Körper bedeckt hatten.

«Doktor – *Doktor*! Der Junge hier ist tot. Wer sollte sich um ihn kümmern?»

105

«Name und Rang des Gefangenen?»

«Soldat Stephen McNaughton.»

«Wo gefangen?»

«Ungefähr drei Meilen nördlich von hier, Sir.» Der Sergeant hatte eine Froschstimme.

Der Schein der Laterne spiegelte sich in den Augen des Regimentsadjutanten wieder; ein Major, halb so alt wie der Gefangene. «Vortreten», befahl er mit leicht rollendem R. Salem Jones, die Kappe in der Hand, machte zwei Schritte auf den Schreibtisch zu.

«Straßengesindel – was anderes kriegen wir nicht mehr. So ein heruntergekommenes, übles Gesindel hat noch keine Armee der Welt ertragen müssen.»

Trotz seiner Besorgnis war Jones im Grunde der gleichen Meinung wie der Major. Als er sich bei seinem letzten Regiment verpflichtet hatte, einer Pennsylvania-Reserveeinheit, hatte man ihn dreieinhalb Tage lang in einem Pferch gehalten, ständig von bewaffneten Wachen beobachtet. Die anderen Rekruten entsetzten ihn: Kriminelle, die ihn abgestochen oder erwürgt und seine Taschen geplündert hätten, wenn er seine Freiwilligenprämie nicht bereits in einem Pokerspiel verloren gehabt hätte.

«Was war dein ursprünglicher Beruf, Soldat McNaughton? Kartenhai? Dieb? Mörder?» Die nächsten Worte des Majors klangen wie Pistolenschüsse. «Egal, ich kenne die wirklichen Antworten. Opportunist. Feigling. Du bist eine Schande für dieses Regiment, für die Armee der Vereinigten Staaten, den Staat New York, Amerika und das Land deiner Vorfahren.»

Heuchlerischer kleiner Sack, dachte Jones, und malte sich verschiedene schmerzvolle Möglichkeiten aus, wie er den Major ermorden würde. Ah, aber er durfte keine Zeit auf Phantasien verschwenden, sondern mußte sich auf seine Rettung konzentrieren. Er hatte das Pech gehabt, sich einen falschen schottischen Namen auszusuchen, und der Adjutant war ein Schotte. Jones hatte das Gefühl, bei diesem Offizier würde er nicht so leicht davonkommen wie bei anderen zuvor.

Der Major schien nicht in der Lage zu sein, sein Temperament zu zügeln – verständlich bei der gewaltigen Anzahl von Galgenvögeln, die zusammengeschaufelt wurde, um Grants Kriegsmaschinerie zu schüren. Der Offizier kam um seinen Schreibtisch herum und pflanzte sich unmittelbar vor Jones auf.

«Wie oft hast du schon die Freiwilligenprämie eingesteckt und bist dann abgehauen? Mehrmals, möchte ich wetten. Nun, McNaughton, in Zukunft wird das nicht mehr so einfach sein.»

Salem Jones bekam weiche Knie. Sein Magen begann zu zucken, als der Major zu dem Sergeant sagte: «Holen Sie den Barbier und lassen Sie ihn das Eisen ansetzen. Und schaffen Sie mir dieses Stück Dreck aus den Augen.»

Zuerst kam die Schere, dann das Rasiermesser. Jones saß auf einem Hocker, während der Unteroffizier, der als Barbier fungierte, ihm die letzten Haare vom fast schon kahlen Schädel kratzte. Ungefähr dreißig Soldaten sahen der Bestrafung zu. Die grinsenden Gesichter versetzten ihn in Wut. Sie gehörten Männern, die sich genau wie er unter falschem Namen gemeldet hatten, um die Prämie einzustreichen und dann sofort zu desertieren. Jones war viermal desertiert, aber er kannte Männer, die es sieben oder acht Mal gemacht hatten und nie erwischt worden waren. Dieses Glück hatte er nicht gehabt, so wie ihm sein ganzes Leben lang das Glück ausgewichen war.

Die Mainacht war warm. Vom großen Feuer aus rief der Sergeant: «Fertig.»

Der Ring der Zuschauer öffnete sich. Jones wurde zu dem Feuer gestoßen, aus dem der Sergeant, dessen rechte Hand durch einen dikken Stulpenhandschuh geschützt war, ein Brandeisen zog. Das Ende war weißglühend.

Sie hielten ihn fest: der schwitzende Sergeant hob das Eisen. *Bastarde!* schrie Jones lautlos. *Ich bring euch um.*

Das weißglühende Eisen näherte sich seinen Augen, wurde größer und größer. Jones krümmte sich, begann zu betteln. «Nein – nein, *nicht!*» Auf einer Seite des grellen Lichtes tauchte ein bekanntes Gesicht auf. Der Major war herausgekommen, um zuzusehen.

«Ich sagte, haltet ihn fest», schnarrte der Sergeant. Hände umklammerten Salem Jones' Kopf. Er begann zu kreischen, einige Sekunden, bevor der Sergeant das Eisen gegen sein Gesicht stieß.

Er schleuderte das brennende Holzscheit gegen das Zelt und rannte los.

Einen grasbewachsenen Damm hinunter, drüben wieder hoch, in einen Garten mit Apfelbäumen hinein. Dort wirbelte er schließlich herum, beobachtete, wie die Flammen am Zelt hochzüngelten. Rufe, Flüche schallten von drinnen heraus. Er hoffte nicht wirklich, der Major würde in den Flammen umkommen, aber zumindest konnte er ihm einen Schrecken einjagen. Er wandte sich ab und rannte weiter.

Drei Tage nach seiner Strafe war Jones wieder zum Dienst eingeteilt worden, weil die Armee sich zum Aufbruch vorbereitete (Nachtmarsch, was mittlerweile die Regel zu sein schien) und weil die Narren glaubten, der rasierte Kopf und das Brandzeichen hätten ihn zerbrochen. Außerdem brauchten sie Leiber, mit denen sie die Kriegsmaschine füttern konnten.

Er hatte sich auf seine letzte Fahnenflucht vorbereitet. Selbst wenn er sich noch mal um einer Prämie willen verpflichten könnte, würde er es nicht mehr tun. Der Krieg war zu grausam geworden. Lee hatte Metzger Grant in den Wäldern standgehalten und ihm bei Spotsylvania einen hohen Blutzoll abverlangt. Aber Grant würde nicht aufgeben. Seine Maxime, in allen Zeitungen des Nordens abgedruckt, lautete: *«Ich habe vor, hier an dieser Front auszukämpfen, und wenn es den ganzen Sommer dauert.»*

Nun, jedenfalls würde er das ohne Salem Jones tun. Er würde sich nach Süden absetzen, so schnell und so weit es ging. Vielleicht sollte er nach South Carolina. Er würde gern dort sein, wenn die Konföderation fiel, was sicherlich bald der Fall sein mußte. Genußvoll gab sich Jones der Vorstellung hin, was er Mont Royal und den Leuten antun konnte, die ihn hinausgeworfen hatten, wenn Carolina zu einer besetzten Provinz werden würde . . .

Jetzt aber mußte er sich erst mal darum kümmern, daß er gut durch die Linien der Union und weiter südlich dann durch die Linien der Konföderierten kam. Beim Biwak des anschließenden Regiments huschte er durch eine Lücke in der Postenkette. Wenige Augenblicke später tauchte der Mond hinter einer Wolke auf und überschüttete ihn mit Licht. Ganz deutlich war das große, schwarze D unter seinem rechten Auge zu erkennen.

Innerhalb von vierundzwanzig Stunden nach Ankunft der Krankenschwestern besserten sich die Zustände im Feldhospital. Inmitten all der Aktivität und gelegentlichen Verwirrung bereitete sich Virgilia auf die unvermeidliche Auseinandersetzung mit Mrs. Neal vor. Sie vermutete, die Oberschwester würde sich zuerst an sie persönlich wenden, anstatt zu dem leitenden Arzt zu gehen; auf diese Befriedigung würde sie nicht verzichten.

Gegen Ende von Virgilias erstem vollem Arbeitstag wurde es ruhiger. Sie trank einen Schluck Kaffee, schlenderte dann in die Abenddämmerung hinaus, vorbei an der Ecke ihres Pavillons. Als sie das Rascheln von Röcken hinter sich hörte, setzte sie sich, ohne sich umzudrehen, angespannt auf einen Baumstumpf.

«Miss Hazard?»

Mit ausdruckslosem Gesicht nahm Virgilia die Gegenwart der älteren Frau zur Kenntnis.

«Ich habe mit Ihnen eine ungemein ernste Angelegenheit zu besprechen. Ich fürchte, wir wissen beide, worum es sich dabei handelt.»

Die Oberschwester ging zu einem anderen Baumstumpf, ihre Untergebene wie ein vorsitzender Richter musternd.

«Sie haben es zugelassen, daß dieser junge Südstaatler verblutet ist, nicht wahr? Mit anderen Worten, Sie haben ihn umgebracht.»

«Von allen lächerlichen, beleidigenden –»

«Es wird Ihnen nichts nützen, mit Aufgebrause und Protesten zum Angriff überzugehen», unterbrach Mrs. Neal. «Sie haben mir im Zug erklärt, sehr deutlich und vor Zeugen, daß Sie keinen verwundeten Feind pflegen würden. Ihr extremer Haß auf den Süden ist allgemein bekannt. Sie bedeckten diesen jungen Mann mit Decken, obwohl Ihnen vollkommen klar war, daß erhöhte Temperatur zu einer erneuten Blutung führen würde.»

«Ja, ich habe ihn zugedeckt. Diesen Fehler geb' ich zu. In der Verwirrung – so viele brauchten Hilfe – die Ärzte schrien durcheinander –»

«Unsinn. Sie sind eine der besten Schwestern, die ich je getroffen habe. Ich habe Sie noch nie leiden können, aber ich spreche Ihnen Ihre Fähigkeiten nicht ab. Sie würden niemals so einen Fehler machen, höchstens mit Absicht.»

Ohne ihre Vorgesetzte anzublicken, bluffte Virgilia: «Wenn ich den Irrtum eingestehe, wird es Ihnen schwerfallen, das Gegenteil zu beweisen.»

«Ich kann's versuchen. Ich werde melden, daß Sie den Patienten im vollen Bewußtsein der Konsequenzen mit Decken zugedeckt und dann die Blutung durch neue Verbände verborgen haben.»

«Ich gebe die Decke zu, sonst nichts.»

«Dann ist jede weitere Diskussion sinnlos. Aber ich weiß, was Sie getan haben, und ich werde Miss Dix die Beweise vorführen. Ich werde dafür sorgen, daß Sie bestraft werden.»

Und damit rauschte sie davon.

Die Dunkelheit senkte sich herab. Erschöpft gab sich Virgilia wilden Phantasien hin. Eine vergitterte Zelle. Hoch über ihr ein Mann in Robe, der das Urteil verkündete.

«Oh Gott», weinte sie leise auf.

Sie riß sich zusammen, rieb sich die Angsttränen aus den Augen. *Behalt die Nerven. Denke klar. Du hast kein Verbrechen begangen. Es war für Grady. Millionen würden es patriotisch nennen. Es war der Feind.*

Aber all diese Vernunftgründe änderten nichts an der Tatsache, daß Mrs. Neal sie melden würde. Es würde eine Untersuchung geben. Es lag an ihr, das zu verhindern und den möglichen Konsequenzen auszuweichen: Anklage, Gefängnis –

Aber wie? *Wie?*

«Da bist du ja, Virgilia.»

Die Frauenstimme erschreckte sie. Sie sah Miss Kisco am Zelteingang. Jetzt erst fiel ihr auf, daß noch etwas in der Stimme der anderen Schwester mitschwang: Feindseligkeit.

«Was ist?»

«Der Chefarzt möchte dich sprechen.»

«Sag ihm, ich komme sofort. Ich bin noch etwas benommen von der Luft drinnen.»

«Gut.» Miss Kisco verschwand.

Virgilia drehte sich um und ging in entgegengesetzter Richtung in die Dunkelheit hinein.

Ihr Paß war in Ordnung; sie hatte keine Schwierigkeiten, den ersten Zug zu nehmen, der Aquia Landing verließ. Bei Sonnenaufgang dampfte sie auf einem Boot den Potomac hinauf.

Nie wieder würde sie zu diesem Feldhospital oder sonst einem Hospital zurückkehren. Aber sie würde sich auch nicht verstecken. Vor dem Pavillon war ihr der Einfall gekommen, daß sie einer Untersuchung nur durch Intervention einer einflußreichen Person ausweichen konnte. Eine Person, mächtig genug, um Mrs. Neal und selbst Miss Dix an die Wand zu drücken.

Sie bedauerte nichts, obwohl es ihr leid tat, daß sie nicht mehr als Krankenschwester arbeiten konnte. Aber wenigstens hatte sie ihre

Karriere im Stile eines guten Soldaten beendet: Sie hatte einen Feind vernichtet.

In der Kühle des frühen Morgens ging sie am City-Pier an Land, entschlossen und ruhig. Sobald sie ein Zimmer gefunden und sich gesäubert hatte, würde sie Kontakt mit dem Kongreßabgeordneten Sam Stout aufnehmen.

106

In seinem Bett im Harewood Convalescent Hospital schrieb Billy:

Sonntag, 5. Juni. Wetter warm. Nachts müssen wir in Moskitonetze gehüllt werden, sonst werden wir aufgefressen. Bäume geben diesem Pavillon während der heißesten Stunden Schatten, aber nichts kann den Leichengeruch vertreiben, der über der Stadt hängt, seit General G. in die Schlacht gezogen ist. Überall Tote; man kann sie nicht mehr zählen.

Erhalte keine verläßlichen Nachrichten, aber die Sanitäter erzählten mir, daß eine weitere große Schlacht vor Richmond geschlagen wird. Vielleicht führt das zum Ende, und ich kann zu Dir heimkehren, meine geliebte Frau. Wenn nicht, dann werde ich in wenigen Tagen auf dem Weg zurück nach Virginia sein – die Kugel, die mich traf, hat den Unterschenkel glatt durchschlagen, ohne großen Schaden anzurichten.

Old Abe läßt sich nächste Woche in Baltimore wieder als Kandidat der sogenannten Nationalen Unions-Partei aufstellen, die anscheinend plötzlich ins Leben gerufen wurde, um Einigkeit zwischen gemäßigt radikalen Republikanern und Pro-Unions-Demokraten zu demonstrieren. Es ist keineswegs sicher, daß L. diesmal siegen wird. Viele sind gegen ihn, und es werden jeden Tag mehr. Ein Offizier meinte gestern hier zu diesem Thema, daß der Nation besser gedient wäre, wenn jemand den Präsidenten ermorden würde. Wie tief müssen wir noch im Wahnsinn versinken, bis all das ein Ende findet?

An dem Tag, an dem Lincoln erneut als Kandidat aufgestellt wurde, mit Gouverneur Johnson von Tennessee, einem Demokraten, als Vize, packte Isabel die Zwillinge und verließ das Haus für einen langen Urlaub in Newport. Washington war unerträglich geworden. Stanley erhob keine Einwände gegen die Abreise seiner Frau, denn sie ermöglichte ihm, eine junge Dame häufiger zu besuchen, deren Bekanntschaft er in einer Aprilnacht gemacht hatte, als er und einige republikanische Kumpels stockbetrunken das große Theater in der Ninth Street besucht hatten.

Das Publikum für die Show bestand fast ausschließlich aus Männern. Vor den Varieté-Künstlern trat eine spärlich bekleidete Tanztruppe auf. Eine der Tänzerinnen, ein vollbusiges Mädchen von ungefähr zwanzig Jahren, war so hübsch, daß Stanley genau wie die schwitzenden Soldaten um ihn herum auf die Bank sprang und brüllte.

Stanley ließ kein Auge von dieser Tänzerin und verwickelte sie anschließend hinter der Bühne in ein Gespräch – was nicht schwierig war, nachdem die junge Dame seine teure Kleidung bemerkt und vernommen hatte, daß er unter anderem ein Vertrauter von Minister Stanton, Senator Wade und dem Kongreßabgeordneten Davis war.

Miss Jeannie Canary – den Nachnamen hatte sie als Ersatz für den unaussprechlichen Namen ihres levantinischen Vaters angenommen – war von Stanleys Freunden fast genauso beeindruckt wie von seinem unerschöpflichen Geldvorrat. In der Nacht nach der erneuten Nominierung lagen sie in Miss Canarys billiger Wohnung auf der Insel – er hatte versprochen, ihr bald eine neue Wohnung zu besorgen – nackt im Bett.

Vom Bourbon angenehm benebelt, lag Stanley auf seinem stattlichen Bauch und spielte mit den Fingerspitzen an Miss Canarys dunklen Brustwarzen herum. Für gewöhnlich lächelte sie ständig. Nicht so heute abend.

«Liebling, ich will das Feuerwerk sehen. Ich möchte die Marinekapelle *Tramp! Tramp! Tramp!* spielen hören.»

«Jeannie», er sprach mit ihr wie mit einem zurückgebliebenen Kind, «diese Feierlichkeiten bedeuten für meine engsten Freunde einen Schlag ins Gesicht. Wie könnte ich daran teilnehmen?»

«Oh, das ist nicht der Grund, weshalb du nein sagst», erwiderte sie, warf sich herum und zeigte ihm ihr rundliches Hinterteil. «Du willst nur nicht mit mir zusammen gesehen werden.»

«Das darf dich doch nicht kränken. Man kennt mich in dieser Stadt. Außerdem bin ich ein verheirateter Mann.»

«Dann hast du hier bei mir auch nichts verloren, oder? Wenn du mich nicht ausführst, brauchst du auch keine neue Wohnung für mich zu mieten. Oder hinter die Bühne zu kommen – niemals mehr.»

Ihren dunklen Augen und ihrem Schmollen war er nicht gewachsen. Er schob seinen farblosen Körper aus dem Bett, suchte die Flasche und trank den letzten Schluck. «Also gut. Ich denke, für eine Stunde könnten wir gehen. Hoffentlich ist dir klar, was für ein Risiko ich für dich auf mich nehme.» Er griff nach seinen übergroßen Unterhosen.

«Oh, Liebling, das tue ich, das tue ich», quietschte sie, schlang duftende Arme um seinen Nacken und preßte ihre Brüste gegen sein schwabbeliges Fleisch. Das waren die Momente, in denen er sich wieder wie ein junger Mann fühlte.

Sie nahmen eine Kutsche, und er versuchte ihr unterwegs zu erklären, weshalb er und seine Freunde Lincoln verachteten.

«Der Präsident hat auf Grant gesetzt, aber Grants Kampagne ist praktisch zum Stehen gekommen. Cold Harbor war eine Katastrophe, deren Ausmaße uns erst jetzt langsam klar wird. Der General hat ungefähr fünfzigtausend Mann verloren – fast die Hälfte der ursprünglichen Streitmacht, mit der er den Rapidan überquerte, fast genausoviel wie Lees gesamte Armee. Die Nation wird eine derart hohe Metzgersrechnung nicht hinnehmen – vor allem jetzt, wo Richmond immer noch nicht erobert ist.»

«Ich bin mir nicht ganz sicher, wo Richmond liegt, Lieber. Irgendwo da unten in North Carolina?»

Seufzend tätschelte er ihre Hand und gab auf. Jeannie Canary war süß und niedlich, doch ihre köstlichen Talente waren begrenzt. Von einer Schauspielerin sollte man vermutlich nicht mehr erwarten, dachte er.

«Ich will aussteigen», beharrte sie, als die Kutsche Ecke Seventh und F von der Menschenmenge aufgehalten wurde. Er versuchte sie zu überreden, in der Kutsche zu bleiben, aber sie öffnete trotzdem die Tür. Mit einem ängstlichen Schauder folgte er ihr.

Feuerwerkskörper explodierten krachend über ihren Köpfen. Die Menge bejubelte die roten, weißen und blauen Sterne. Miss Canary quietschte und klammerte sich an seinen Arm; er bemerkte, daß Fremde sie anschauten. Eine Gänsehaut jagte ihm über den Rücken. Die Gefahr war bis zu einem gewissen Grad pikant, so wie die Erregung, die seiner Meinung nach ein Soldat empfinden mußte.

«Guten Abend, Stanley.»

Erbleichend drehte er sich schnell um und sah den Kongreßabgeordneten Henry Davis aus Maryland, der an seinen Hut tippte, Miss Canary mit einem schiefen Blick streifte und weiterging.

Oh Gott, oh mein Gott, das war alles, was Stanley in den nächsten paar Augenblicken denken konnte. Was für ein Narr er doch war, was für ein absolutes Arschloch. Die Gefahr hier war nicht pikant; sie war tödlich.

Und er zählte nun zu den Opfern.

Charles versuchte um Beauty Stuart zu trauern, aber die Tränen wollten nicht kommen. Als dienstältestem Brigadier hätte nun Hampton das Kommando über die Kavallerie zufallen müssen. Er erhielt sofort einen Großteil der Verantwortung, aber nicht die Beförderung. Charles und Jim Pickles und jeder andere Veteran kannten den Grund. Lee hielt Hampton für zu alt. War er fit genug, um die Belastungen des Kommandos ertragen zu können?

Charles hielt das für lächerlich. Hampton hatte schon seit langem bewiesen, daß er alles ertragen konnte, schlechte Witterung, lange Ritte und Feldzüge, die manchen um Jahre jüngeren Mann aus dem Sattel geworfen hätten. Charles hatte dabei das unangenehme Gefühl, daß die Verzögerung etwas damit zu tun hatte, daß Fitz Lee die Beförderung für sich selbst beanspruchen wollte.

Nach seiner Rückkehr von Richmond hatte Charles keine Chance mehr gehabt, Gus zu besuchen, obwohl er oft an sie dachte. Er hatte beschlossen, daß ihre Liebesaffäre zwar nicht vollkommen beendet, aber abgekühlt werden mußte. Der Krieg half dabei.

Als jedoch die heftigen Kämpfe in den Wäldern begannen, sorgte er sich, daß ihr etwas passieren könnte. Er wußte, daß die Bundestruppen Fredericksburg erneut überrannt hatten und viele der Einwohner geflohen waren. Eine Nachricht von Orry auf seine Anfrage hin besagte, daß sich Gus und ihre freigelassenen Neger nicht in Richmond befanden; zumindest hatten sie nicht bei Orry und Madeline Unterschlupf gesucht. Aus diesem Grund nahm Charles an, daß sie sich noch auf der Farm befand. Er wollte feststellen, ob mit ihr alles in Ordnung war, konnte es aber nicht.

Was war besser, zu wissen oder nichts zu wissen? Jim Pickles erhielt Briefe von Zuhause, und jeder deprimierte ihn mehr. Seine Mutter war krank. Ein Arzt vermutete Krebs und gab ihr kein Jahr mehr.

«Ich muß nach Hause», verkündete Jim eines Tages.

«Das kannst du nicht», sagte Charles sehr bestimmt.

Jim dachte eine Weile nach. «Schätze, du hast recht.» Aber wirklich überzeugt klang er nicht.

Die Bundestruppen standen im Begriff, sich mit Wagen, Ambulanzen und ungefähr achthundert Pferden davonzumachen. Calbraith Butlers Brigade kämpfte anderswo, also schickte Hampton Texas Tom Rosser los. Charles ritt mit Rossers Männern; dabei erspähte er den jugendlichen General, den er zuerst an seinem scharlachroten

Halstuch erkannte. Charles feuerte einen Schuß ab, verfehlte ihn. Custer schoß zurück und ritt davon. Es war zweifelhaft, ob er Charles erkannt hatte, der mittlerweile eher einem bärtigen Banditen als einem Soldaten ähnelte.

Am nächsten Nachmittag kämpfte Charles zu Fuß hinter eilig errichteten Verschanzungen auf einer Seite der Virginia-Central-Schienen. Er und Jim waren wieder bei Butlers Kavalleristen. Jenseits der Eisenbahnschienen formte sich Sheridans Kavallerie, rückte zu Fuß vor, während Blechinstrumente dröhnend *Garryowen* spielten.

«Hast du je so 'nen Krach gehört?» brüllte Jim und duckte sich, als eine Kugel knapp über ihm pfiff. Seine Bemerkung bezog sich nicht auf das Gewehrfeuer.

«Little Phil läßt immer mächtig aufspielen», erwiderte Charles, leerte seinen Revolver und duckte sich dann, um nachzuladen. «Es heißt, er will damit die Rebellenschreie übertönen.»

«Das hier ist bestimmt der musikalischste Krieg, der je geführt wurde», bemerkte Jim. «Eins ist sicher – es ist nicht die Art von Krieg, mit der ich gerechnet habe.»

«Niemand hat damit gerechnet», sagte Charles und schoß einem Jungen ein Loch ins Bein.

Und weiter stürmten sie vor, mit ihren Gewehren aus der Hüfte schießend. Kurz vor Sonnenuntergang fand der letzte Angriff statt. Als er verebbt war, zog Sheridan seine Männer aus der Schlacht zurück. Während der Nacht zogen sie sich Richtung North Anna zurück. Charles und die anderen Scouts befanden sich an der Spitze der Verfolger. Deshalb entdeckten auch sie die Horrorszene.

Jim stieß zuerst darauf, in der Nähe eines verlassenen Bundescamps. Er galoppierte zu Charles und meldete, was er gefunden hatte. Dann kotzte er, bevor er sich weit genug zur Seite beugen konnte, über eine Schrotflinte, seinen Sattel und sein überraschtes Pferd.

Charles ritt zu der sonnigen Weide. Er roch das Gemetzel, bevor er es sah. Er hörte es auch – Aasfresser und Millionen von Fliegen. Mit zusammengepreßten Lippen ritt er Augenblicke später zum vorübergehenden Hauptquartier des Generals.

Hampton verlor seine charakteristische Gentleman-Haltung, als er zu der Stelle ritt. Eine Brise wehte durch seinen weißen Bart, während er die phantastischen Skulpturen der aufeinandergehäuften, fliegenbedeckten Pferde anstarrte.

«Haben Sie gezählt?» flüsterte er.

«Es sind so viele, so dicht zusammen, es läßt sich kaum feststellen, General. Ich schätze, mindestens achtzig oder neunzig. Jim hat dort drüben bei den Bäumen noch mal soviel oder mehr entdeckt. Ich habe nach Verletzungen gesucht – ich meine Verletzungen, die nicht von den Kugeln stammen, mit denen sie getötet wurden. Ich hab keine gefunden. Die Yanks müssen zu dem Schluß gekommen sein, daß eine Pferdeherde ihren Rückzug verlangsamt.»

«Ich habe verletzte Pferde erschossen, aber noch niemals lahmende. Gesunde Tiere zu töten, mit voller Absicht, das ist noch viel schlimmer. Das ist eine Sünde.»

Und einen Nigger in Ketten zu legen ist keine Sünde? Laut erwiderte er: «Jawohl, Sir.»

«Gott verdamme sie», sagte Hampton.

Angesichts dessen, was sich die Menschen bereits angetan hatten und was aus ihm selbst geworden war, hatte Charles das Gefühl, der General sei ein bißchen spät dran mit seiner Forderung. Gott hatte bereits für den größten Teil der Bevölkerung ordentliche Arbeit geleistet.

Cold Harbor ließ die Fenster von Richmond erneut erzittern. Nachts hielten sich Orry und Madeline eng umschlungen, unfähig, in diesem Kanonendonner Schlaf zu finden.

Jetzt tobten die Kämpfe um Petersburg. Nach viertägigen fruchtlosen Versuchen, die Befestigungen der alten Dimmock-Linie zu überrennen, hatte die Potomac-Armee ihre Attacke beendet und begonnen, Petersburg zu belagern.

«Lee sagte stets, daß wir erledigt sind, wenn die Belagerung beginnt», erklärte Orry Madeline. «Wenn sie wollen, dann können die Bundestruppen über die Flußbasis bei City Point Männer und Nachschub bis zum Ende des Jahrhunderts heranbringen. Wir werden kapitulieren müssen.»

«Vor langer Zeit hat Cooper gesagt, das sei unvermeidlich, nicht wahr?»

«Cooper hatte recht», murmelte er und küßte sie.

Nur noch wenige Blockadebrecher gelangten nach Wilmington. Der nationale Geldvorrat verwandelte sich immer schneller in wertloses Papier. Der Widerstand brach in sich zusammen. Die mächtigen Generäle waren gefallen: Orrys alter Klassenkamerad Old Jack; Stuart, der singende Kavalier. Und der Größte von allen, Bob Lee, konnte nicht siegen.

Eines Morgens nach Cold Harbor erschien Pickett im Kriegsministerium. Abgezehrt, mit stumpfen Augen, glich er einer wandelnden Leiche. Er trug sein parfümiertes Haar immer noch in schulterlangen Locken, aber überall mischten sich weiße Löckchen darunter.

In der staubigen Hitze teilte Orry dem Freund seine persönliche Unzufriedenheit mit. Pickett entgegnete: «In meinem Divisionsstab wird es immer einen Platz für dich geben, wenn die Zeit kommt, wo du dir ein Feldkommando wünschst.» Ein düsterer Unterton deutete an, daß Orry sich eine solche Entscheidung zweimal überlegen sollte. Dachte er an den fehlgeschlagenen Angriff bei Gettysburg, der ihn an einem einzigen Tag um Jahre hatte altern lassen?

«In letzter Zeit hab' ich mir tatsächlich sowas gewünscht, George. Ich habe noch nicht mit Madeline darüber gesprochen, aber ich werde dein Angebot nicht vergessen. Ich weiß das wirklich zu schätzen.»

Pickett sagte nichts, sondern hob lediglich seine Hand und ließ sie wieder fallen. Durch die schrägen Lichtbahnen der Sonne schlich er davon.

Mallory stattete einen Besuch ab, informierte ihn steif, daß Cooper aus dem Dienst geschieden war und erklärt hatte, er beabsichtige, Charleston zu verlassen und nach Mont Royal zurückzukehren.

«Er hat sich drastisch verändert», sagte Mallory. «Ein abrupter und meiner Meinung nach tadelnswerter Wandel zu einer Position Frieden-um-jeden-Preis.»

Gereizt entgegnete Orry: «Sein Wandel zum Befürworter des Krieges war drastisch und tadelnswert, Mr. Mallory. Vielleicht ist der Bruder, den ich einst kannte, wieder zum Vorschein gekommen.»

Das gefiel dem Minister gar nicht, und prompt ging er hinaus. Orry war froh, daß Cooper nach Hause zurückgekehrt war. Doch die mögliche Bedeutung dieses Vorgehens beunruhigte ihn genauso wie ein Vorfall am nächsten Morgen.

«Wer ist diese Frau, die einen Paß beantragt hat?» fragte Orry einen Angestellten.

«Mrs. Manville. Kam '61 von Baltimore, um hier ein Freudenhaus zu eröffnen. Jetzt hat sie zugemacht.»

«Sie geht zurück nach Maryland?»

«Ja, sie versucht es irgendwie. Sie ist fest entschlossen, und wir haben keinen Anlaß, sie aufzuhalten.»

«Ist sie die erste Prostituierte, die einen Paß will?»

«Oh nein, Colonel. Mindestens ein Dutzend seit Cold Harbor.»

In der Marshall Street sagte er an diesem Abend zu Madeline: «Die sogenannten leichten Mädchen verschwinden. Es gibt keinen Zweifel, der Vorhang fällt.»

Ein persönliches Problem plagte Orry weiterhin: das Geheimnis der Verschwörung, die sich anscheinend in Luft aufgelöst hatte. Wann immer er Madeline gegenüber seine Frustration zum Ausdruck brachte, besänftigte sie ihn und bedrängte ihn, das Problem als unlösbar beiseite zu schieben. Seine Antwort war immer die gleiche: «Unmöglich.»

Seine Gefühle explodierten schließlich zu unerwarteter Zeit und an unerwartetem Ort: einem abendlichen Empfang im Finanzministerium zu Ehren von Minister Memminger, der nach Erledigung einiger wichtiger Aufgaben zurückzutreten gedachte. Im Juli sollte das der Fall sein.

Die Gästeliste schloß alle in Memmingers Ministerium Beschäftigten und die Leute aus seinem Heimatstaat ein. Auf Huntoon traf beides zu. Er brachte Ashton zu dem Empfang mit.

Orry brachte Madeline mit.

Orry, an einem Sandwich würgend, ließ Madeline im Gespräch mit einigen Damen zurück und schlenderte zu seiner Schwester hinüber. Natürlich war sie die einzige Frau in einer Gruppe von fünf Männern, wozu auch Huntoon gehörte, der mit dicken Krötenbacken der Erklärung eines älteren Beamten lauschte: «Zum Teufel mit Gouverneur Brown und seiner Meinung. Ich behaupte nach wie vor, daß wir nur mit farbigen Truppen diesen Krieg weiterführen können.»

Huntoon riß sich die Brille von der Nase, um seine eindeutige Haltung zu unterstreichen. «Dann ist es besser zu kapitulieren.»

«Lächerlich», sagte ein anderer Mann. «Die Yankees sind nicht so pingelig. Bei Petersburg vagieren die Niggertruppen wie Fliegenschwärme herum.»

Ashton, die recht verhärmt aussah und sichtlich an Gewicht verloren hatte, entgegnete: «Was sonst könnte man von einer Bastard-Nation erwarten? Ich bin einer Meinung mit James. Besser alles verlieren als faule Kompromisse schließen.»

Wo stammte dieser Fanatismus her, fragte sich Orry. Von Huntoon? Nein, mit größerer Wahrscheinlichkeit von Powell.

Sie sah ihn und löste sich aus der Gruppe der Diskutierenden. «Guten Abend, Orry. Ich sah dich und deine schöne Frau hereinkommen. Wie geht es euch?» Eine Routinefrage, weiter nichts.

«Den Umständen entsprechend gut. Und dir?»

«Oh, ich bin mit tausend Dingen beschäftigt. Hast du gehört, daß Cooper aus dem Marineministerium ausgeschieden ist?» Er nickte. «Es heißt, Minister Mallory sei empört gewesen. Wirklich, Orry, wir könnten genausogut die Sphinx zum Bruder haben. Die würde ich noch eher verstehen als Cooper.»

«So schwer ist das gar nicht zu verstehen. Cooper ist stets ein Idealist gewesen, hochherzig und grundsätzlich gegen jede Form von Demagogie. Und Betrug.»

Ashton war clever genug, um zu erkennen, daß hier ein Element ins Spiel kam, das mit dem bisherigen Gespräch nichts zu tun hatte.

«Soll das Wort Betrug eine Anspielung sein, die ich verstehen müßte?»

«Möglicherweise. Es könnte zum Beispiel auf deinen Geschäftspartner, Mr. Powell, passen.»

Sie hatte sich bei ihm untergehakt; jetzt ließ sie seinen Arm wie ein Stück faules Fleisch fallen. «Cooper hat's dir erzählt? Paßt genau zu diesem Moralapostel.»

«Das hat mit Cooper gar nichts zu tun. Als ich Powell erwähnte, spielte ich damit nicht auf dein kleines maritimes Unternehmen an, sondern auf die Gruppe, die sich früher auf der Farm unten am Fluß traf.»

Vor lauter Überraschung zeigte ihre Fassade Risse, die sie schnell zu maskieren suchte. Er prellte weiter vor. «Sicher kennst du den Ort, von dem ich spreche. Wilton's Bluff – wo die Scharfschützengewehre gelagert waren? Die .45 Kaliber-Whitworths?»

Ein verzweifeltes Lachen. «Wirklich, Orry, ich habe noch nie solch einen Unsinn gehört. Wovon um alles in der Welt sprichst du?»

«Es geht um diese Verschwörerbande. Ich war auf der Farm. Ich sah James dort, und ich sah dich.»

«Quatsch», schnarrte sie durch ihr Lächeln hindurch, machte einen schnellen Schritt an ihm vorbei. «Da kommt Mr. Benjamin.»

Orry wandte sich um. Der rundliche, verbindliche kleine Mann war bereits von Bewunderern umgeben. Er schien mehr daran interessiert, Madeline zu begrüßen, und marschierte geradewegs auf sie zu.

Ashtons letzte Worte waren recht laut gewesen. Huntoon wurde aufmerksam, entschuldigte sich und näherte sich Orry von links. Ashton wirbelte zu ihrem Bruder zurück, rief: «Was du da sagst, ist absurd. Lächerlich.»

«Nenn es, wie du willst», sagte er schulterzuckend. «Ich habe genug gesehen und gehört, um das Ziel dieser Versammlungen mitzubekommen. Gott weiß, wie du in sowas verwickelt werden konntest», Huntoon blieb neben ihm stehen; die Augen quollen ihm heraus, als ihm klar wurde, worum sich das Gespräch drehte, «und ich habe durchaus bemerkt, daß ihr die Spuren verwischt habt. Aber das ist nur vorübergehend. Wir werden euch erwischen.»

Orry hatte seine Schwester unterschätzt. Er hätte niemals mit einem ernsthaften Gegenangriff gerechnet. Sie lächelte charmant.

«Falls wir dich nicht vorher erwischen, mein Lieber. Ich habe ohnehin auf eine günstige Gelegenheit gewartet, um mit dir über die Niggerin in deinem Haus zu sprechen. Oder ist es dein Schlafzimmer?»

Orrys Gesicht wurde eisig. Er blickte sich unauffällig um. Die Party wurde merklich leiser, als einige Gäste bemerkten, daß ein Streit im Gang war, obwohl außer Huntoon niemand wirklich etwas verstehen konnte. Er sah aus, als würde er in den nächsten paar Sekunden tot umfallen.

Ashton tippte mit ihrem Fächer gegen Orrys Handgelenk. «Machen wir ein Geschäft, lieber Bruder. Du bewahrst diskretes Schweigen, und ich ebenso.»

Eine Ader begann an Orrys Schläfe zu pochen. «Droh mir nicht, Ashton. Ich will wissen, wo sich Powell aufhält.»

Süßliches Gift: «Geh zum Teufel.»

Benjamin hörte das ebenso wie Madeline. Sie warf ihrem Mann einen überraschten, besorgten Blick zu. Köpfe drehten sich in jene Richtung.

«Ashton!» warnte Orry mit vor Zorn rauher Stimme.

«Ich wollte dich fragen, Lieber», trällerte sie, «wie du es geschafft hast, die ganze Zeit die Wahrheit so geschickt zu verbergen? Aber ein Captain Bellingham hat mir einen unwiderlegbaren Beweis gezeigt. Ein Porträt, das anscheinend früher in New Orleans in einem –»

Bellingham? Porträt? Der Name sagte ihm nichts, aber bei dem Porträt blitzte eine plötzliche Erinnerung auf und traf ihn wie ein Schlag. Madelines Vater Fabray hatte ihr vor seinem Tod erzählt, daß ein Gemälde ihrer Mutter existierte, auch wenn sie es selbst nie gesehen hatte.

Siegestrunken stellte sich Ashton auf Zehenspitzen, packte Orrys Unterarm und flüsterte: «Du siehst, ich weiß alles über sie. Deine süße Frau ist mehr als nur einmal kurz mit der Teerbürste gestrichen worden. Du warst ein Narr, mich zu beschuldigen.» Sie grub ihre Fingernägel in seinen grauen Ärmel, ließ dann los.

Ihre Röcke hochraffend, rannte Ashton den Gang entlang auf Madeline, Benjamin und den Kreis der Frauen zu und plapperte fröhlich drauflos: «Liebling, sag uns doch die Wahrheit. Als mein Bruder dich heiratete, wußte er da, daß deine Mutter eine Terzeronin aus New Orleans war?» Benjamin, der Madelines Hand gehalten hatte, ließ sie los. «Beschäftigt in einem Haus von schlechtem Ruf?»

Eine rechts neben Madeline stehende Frau trat stirnrunzelnd zurück. Madeline warf Orry einen weiteren Blick zu. Tränen schimmerten in ihren dunklen Augen. Nie hatte er sie so die Beherrschung verlieren sehen. Er hatte den Wunsch, an ihre Seite zu eilen und seine Schwester auf der Stelle umzubringen.

«Komm, Liebes», beharrte Ashton. «Vertrau uns alles an. War deine Mutter nicht eine Niggerprostituierte?»

Orry packte Huntoon an der Schulter. «Bring sie hier raus, bevor ich sie verprügle.»

Mit seinem rechten Arm stieß er Huntoon den Gang hinunter. Huntoons Brille fiel zu Boden, beinahe wäre er darauf getreten. Ashton schäumte vor Wut; bis jetzt hatte sie die Bühne ganz allein für sich gehabt.

Mit schiefer Brille schwankte Huntoon auf sie zu. «Wir gehen.»

«Nein. Ich bin noch nicht fertig.»

«Wir *gehen*.» Sein Schrei wirkte wie ein Schock auf all die anderen. Er stieß Ashton an. Sie merkte, daß Huntoon sich in einem gefährlichen Zustand der Hysterie befand. Sie schenkte Orry ein schnelles, kaltes Lächeln, schüttelte Huntoons Hand ab und ging hinaus.

In Petersburg begann die Artillerie zu feuern. Der Kronleuchter schwankte. Memminger beobachtete Orry mit ausdruckslosen, berechnenden Augen, während Benjamin, schon wieder verbindlich lächelnd, Madeline tröstete.

«Nie zuvor hab' ich ein derart schändliches Benehmen erlebt. Sie besitzen mein volles Mitgefühl. Ich setzte natürlich voraus, die Anschuldigung dieser flegelhaften jungen Frau entbehrte jeglicher Grundlage.»

Madeline zitterte. Orry eilte auf sie zu, angewidert von der Wandlung, die mit Benjamin vorging. Der Minister schlüpfte vollends aus seiner Freundesrolle in die eines Regierungsoffiziellen, indem er noch hinzufügte:

«Oder?»

Orry hatte seine Frau nie mehr geliebt oder bewundert als in dem Moment, wo sie sagte: «Herr Minister, erfordert das Gesetz, daß ich Ihre unhöfliche Frage beantworte?»

«Das Gesetz? Selbstverständlich nicht.» Benjamins Augen glichen denen einer pirschenden Katze. «Und ganz sicher wollte ich nicht unhöflich erscheinen. Aber eine Weigerung könnte von einigen als Eingeständnis gewertet werden.»

Eine Frau mit Muttermal zischte: «Ich zum Beispiel würde gern eine Antwort hören. Es wäre eine Schande, wenn ein Angehöriger unseres eigenen Kriegsministeriums mit einer Farbigen verheiratet wäre.»

«Schert euch doch mitsamt eurer verdammten Bigotterie zum Teufel», rief Madeline. Die Frau fuhr zurück, als hätte sie einen Schlag bekommen. Orry griff nach seiner Frau; irgendwie schaffte er es, all die chaotischen Emotionen der letzten Minuten – Überraschung, Besorgnis, Zorn, schlichte Verwirrung – in den Griff zu bekommen. Mit ruhiger, starker Hand berührte er sie.

«Hier entlang, Liebling. Es ist an der Zeit, daß wir heimgehen.» Sanft legte er seinen Arm um sie. Er spürte, daß sie dicht vor dem Zusammenbruch stand.

Irgendwie kamen sie an den Frauen in ihren Abendkleidern vom letzten Jahr vorbei. Ein heißer Wind wirbelte Papierfetzen und anderen Abfall über den Capitol Square.

«Wie hat sie es herausgefunden?»

«Das weiß Gott allein. Sie sagte etwas über einen Captain Bellingham. Noch nie von ihm gehört. Ich werde in den Akten nachsehen, obwohl die in einem derartigen Durcheinander sind, daß wir nicht mal die Namen der Hälfte der jetzt Diensttuenden wissen. Aber du kannst sicher sein, daß ich's versuchen werde. Den Bastard würde ich zu gern finden.»

«Ich mußte dem Minister nicht antworten. Er hatte kein Recht zu fragen!»

«Nein, das hatte er nicht.»

«Wird es dir im Ministerium schaden?»

«Natürlich nicht», log er.

«War es ein Eingeständnis, als ich mich weigerte zu antworten?»

Als er schwieg, packte sie ihn und schüttelte ihn; ihre Haarnadeln lösten sich, ihre dunklen Locken flatterten, als sie gegen den Wind schrie: «War es das, Orry? Sag die Wahrheit. Die Wahrheit!»

Das Heulen des Windes füllte das Schweigen.

«Ja. Ich fürchte, das war es.»

Obwohl ihr langsam das Geld ausging, verlangte Virgilia eines der besseren Zimmer bei Willard's. «Wir haben auch preisgünstigere Zimmer», sagte der Angestellte am Empfang. «Mit kleineren Betten.»

«Nein, danke. Ich brauche ein großes Bett.»

Um zu sparen, ging sie an diesem Abend nicht in den Speisesaal. Hunger und Nervosität ließen sie nur schwer einschlafen. Am nächsten Morgen nahm sie kein Frühstück zu sich. Sie machte sich auf den Weg, viel zu warm angezogen für diesen Tag.

Sie war schweißgebadet, als sie die Stufen zum Kapitol hochstieg und in das Gebäude schlüpfte. Nach einigem Suchen entdeckte sie Sam Stout an seinem Schreibtisch im Erdgeschoß; die dünnen Beine weit ausgestreckt, sortierte er Dokumente.

665

Würde er kommen, fragte sie sich, als sie wieder hinausschlüpfte. Wenn nicht, dann war sie verloren.

Sie gab den versiegelten Umschlag in seinem Büro ab. Auf den Umschlag hatte sie seinen Namen und die Worte *Vertraulich/Nur vom Empfänger persönlich zu öffnen* geschrieben. Nervös spazierte sie auf der schäbigen Promenade eine halbe Stunde lang auf und ab. Schließlich kehrte sie zu Willard's zurück und warf sich aufs Bett.

Gegen Mittag kaufte sie zwei alte Brötchen bei einem Straßenverkäufer. Eines davon aß sie als Mittagessen auf ihrem Zimmer. Gegen drei entkleidete sie sich und badete. Danach zog sie einen dunklen Rock und eine hübsche Leinenbluse an. Eine dreiviertel Stunde lang beschäftigte sie sich mit ihrer Frisur, dann aß sie das zweite Brötchen.

Geräusche aus dem Nebenzimmer erregten ihre Aufmerksamkeit: ein quietschendes Bett, der stöhnende Aufschrei einer Frau, der sich rhythmisch wiederholte. Ihr Zimmer erschien ihr heiß wie ein Ofen. Mit einem Taschentuch tupfte sie sich die Oberlippe ab.

In ihrer Nachricht hatte sie ihn gebeten, um sieben zu kommen. Um halb zehn saß sie an dem kleinen Tisch, rieb sich mit der linken Hand langsam die Stirn. Ihre Hoffnung und ihre Energie waren der Verzweiflung gewichen. Sie war verrückt gewesen, anzunehmen –

«Was?» sagte sie; ihr Kopf fuhr hoch. Ihr Herz begann zu rasen. Sie erhob sich, zog hastig ihre zerknitterte Bluse über ihren Brüsten straff. Sie richtete ihre Frisur, eilte zur Tür.

«Ja?»

«Schnell, laß mich rein. Ich möchte nicht gesehen werden.»

Der Klang der tiefen Stimme machte sie ganz schwach. Endlich bekam sie die Tür auf.

Er hatte sich verändert. In dem weißen Gesicht wirkten die schweren Brauen immer noch wie schwarze Haken. Sein welliges Haar glänzte, als er sich unnötigerweise bückte, um durch die Tür zu treten; er betonte gern seine Größe.

«Ich entschuldige mich für meine Verspätung», sagte er und schloß die Tür.

«Das brauchst du nicht, Samuel. Ich kann dir gar nicht sagen, wie sehr ich mich freue.» Es fiel ihr schwer, ihn nicht zu berühren.

Sein Blick wanderte von ihrer Bluse zu ihrem Gesicht. «Ich wollte dich wiedersehen. Und in deiner Nachricht stand etwas von einem Notfall.»

Er setzte sich, schlug seine mageren Beine übereinander, lächelte ihr zu. Sie hatte vergessen, wie krumm seine Zähne waren. Trotzdem erschien er ihr wunderschön; die Schönheit der Macht.

«Ich bin so spät dran, weil das Komitee so hart arbeitet. Aber erzähl von deinem Notfall. Ist etwas in Aquia Creek passiert?»

«Falmouth. Ich –» Sie holte tief Luft; der Leinenstoff spannte sich noch mehr. Er spielte mit der Kette seiner Taschenuhr. «Ich muß ganz offen sein. Ich habe den Dienst verlassen. Sie brachten einen schwer verwundeten konföderierten Offizier in das Feldhospital bei Falmouth. Ich ließ ihn sterben. Absichtlich.»

Er zog seine Uhr hervor, öffnete sie und warf einen Blick darauf. Ließ sie wieder einschnappen, steckte sie weg. Das Schweigen wurde unerträglich.

«Ich dachte, ich würde unserer Sache einen guten Dienst erweisen! Er wäre zurückgekehrt, hätte noch mehr von unseren Jungs getötet –» Ihre Stimme brach.

«Erwartest du, daß ich dich verdamme?» Er schüttelte den Kopf. «Ich muß dich loben, Virgilia. Du hast richtig gehandelt.»

Sie eilte auf ihn zu, ließ sich neben seinem Stuhl auf die Knie fallen. «Aber sie wollen mich bestrafen.» Unbewußt streichelte sie seine Beine, während sie die Geschichte von Mrs. Neal und deren Drohungen heraussprudelte. Er hörte so ruhig zu, daß sie von Panik überwältigt wurde. Es schien ihn nicht zu interessieren.

Doch genau das Gegenteil traf zu. «Ist das alles, worüber du dich sorgst, die Witwe eines verdammten Südstaatensympathisanten? So eine Person wird keine Untersuchung in Gang bringen. Ich werde mit ein paar Leuten reden.» Seine Hand kroch in ihr Haar. «Vergiß die ganze Angelegenheit.»

«Oh, Sam, ich danke dir.» Sie legte ihre Wange auf seinen Oberschenkel. «Ich wäre dir so dankbar, wenn du mir diese Schwierigkeiten ersparen könntest.» Alles entwickelte sich genau so, wie sie es erhofft hatte. Bei der Planung war sie traurig gewesen, weil sie sich den Umständen entsprechend mit weniger zufrieden geben mußte, aber vielleicht konnte sie eines Tages den Kompromiß zu ihrem Vorteil ändern.

Er hob ihr Kinn an; sein Lächeln reichte nicht bis zu seinen Augen. «Ich freue mich, helfen zu können, Virgilia. Aber ich bin immer noch ein verheirateter Mann. Auch wenn ich persönlich das gern ändern möchte, ist es unmöglich, wenn ich im Kongreß bleiben möchte. Und ich möchte bleiben – ich habe vor, Sprecher des Hauses zu werden, bevor ich abtrete. Wenn du also meine Unterstützung möchtest, dann zu meinen Bedingungen, nicht zu deinen.»

Einst hatte sie handeln wollen, aber nun war sie zur Aufgabe gezwungen. Nun, warum nicht? Sam Stout würde Karriere machen. Anteil an so einem Mann zu haben war besser als gar nichts.

Er tätschelte ihre Hand. «Nun? Wie ist deine Antwort?»

«Meine Antwort lautet ja, Liebling», sagte sie, erhob sich und begann, ihre Bluse zu öffnen.

108

Nachdem sein Verhältnis bekannt geworden war, schrieb Stanley am nächsten Tag einen Brief an Jeannie Canary. Er teilte ihr mit, daß er wegen dringender Geschäfte die Stadt verlassen müßte, und legte ihr eine Bankanweisung über hundert Dollar bei, um ihren Kummer zu lindern. Dann flüchtete er nach Newport.

Zu seiner Verblüffung zeigte sich Isabel über sein plötzliches Auftauchen in Fairlawn kaum erstaunt. Sie fragte, wie er es geschafft habe, fortzukommen, und er sagte, er habe eine Geschichte erfunden, wonach sich einer der Zwillinge verletzt hatte. Die Geschichte konnte durchaus wahr werden: Draußen auf dem Rasen versuchten sie, sich gegenseitig mit Hufeisen den Schädel einzuschlagen. Mein Gott, wie er diese widerwärtigen Jungs haßte.

Während der Nacht erwachte er und sah Isabel an seiner Schlafzimmertür vorbeigehen, auf dem Weg zu ihrem Zimmer. «War da eben jemand unten an der Tür?»

«Ja. Jemand hat sich in der Haustür geirrt.» Ihre Stimme klang angestrengt.

Am nächsten Morgen, noch vor dem Frühstück, reichte sie ihm seine Jacke. «Bitte mach mit mir einen Spaziergang zum Strand, Stanley.» Obwohl sie es höflich sagte, ließ ihr Tonfall ihm keine Wahl. Bald waren sie allein am Strand. Die Luft war kühl, das Wasser ruhig; Ebbe hatte eingesetzt.

Isabel sagte mit plötzlicher und überraschender Wildheit: «Ich würde gern mit dir über deine neue Freundin sprechen.»

Ein dümmliches Lächeln. «Was für eine Freundin?»

Sie zeigte die Zähne. «Dein Flittchen. Die im Varieté auftritt. Die Person, die letzte Nacht zum Haus kam, besaß die richtige Adresse.» Sie zog ein zusammengeknülltes Blatt aus ihrer Rocktasche. «Und dieses Telegramm.»

So schnell? «Mein Gott, wer – wer informierte –?»

«Das ist nicht wichtig. Ich habe seit Wochen über die Frau Bescheid gewußt und dazu auch keine Erklärung abgegeben. Soviel ich weiß, ist sie kaum talentiert genug, um Schauspielerin genannt zu werden, obwohl sie vermutlich andere, weniger öffentliche Talente besitzt.» Isabel blieb vollkommen beherrscht, wodurch ihr Angriff noch bedrohlicher wirkte.

Er biß sich auf die Fingerknöchel, marschierte im Kreis herum. «Isabel, wenn du es weißt, dann müssen es auch andere wissen. Wie viele?» Sie antwortete nicht. «Ich bin ruiniert.»

«Unsinn. Wie üblich begreifst du nicht, wie die Welt funktioniert. Du zitterst wegen nichts. Niemand kümmert sich darum, ob du eine Geliebte hast, solange du diskret und einigermaßen wohlhabend bist.» Sie entfernte sich einige Schritte von ihm. Mit leeren Augen schaute er zu, wie der Wind den Sand aufwirbelte. «Anderen ist es egal, und mir ist es egal. Du weißt, daß ich diesen Teil der Ehe sowieso verabscheue. Und jetzt möchte ich, daß du meinen nächsten Worten deine volle Aufmerksamkeit schenkst. *Stanley?*»

Sie hob eine Faust und senkte sie wieder, ehe sie fortfuhr: «Privat kannst du tun, was du willst. Aber wenn du dich jemals wieder mit diesem Flittchen in der Öffentlichkeit zeigst – eine Stunde nach deiner Parade mit ihr wußte die ganze Stadt Bescheid –, dann engagiere ich ein ganzes Regiment Rechtsanwälte und knöpfe dir den letzten Penny ab. Hast du das kapiert?»

Ein feiner Sprühregen aus ihrem Mund traf ihn. Mit dem Handrükken wischte er sich die Backe ab. Sie hatte ihn wütend gemacht.

«Ja, ich habe kapiert, wie die Dinge stehen. Ich bin dir vollkommen gleichgültig. Nur mein Geld hält dich. Mein Geld, meine Position –»

Trauer schien in Isabels Stimme mitzuschwingen, als sie mit einem Schulterzucken erwiderte: «Ja. Der Krieg hat viele Dinge verändert. Mehr habe ich dazu nicht zu sagen.»

Er war zu erregt, um zu bemerken, wie unsicher sie ging, als sie ihn verließ. Sie hielt einen Moment inne, um zurückzuschauen, und das reflektierende Sonnenlicht ließ ihre Augen aufstrahlen.

«Als wir uns kennenlernten, habe ich dich gern gehabt.»

Stanley wanderte eine Weile am Strand auf und ab. Plötzlich wurde ihm bewußt, daß er seinen königsblauen Gehrock trug. Er griff in die große Innentasche – ah! Vor Erleichterung zitternd, zog er eine Taschenflasche hervor und entkorkte sie. Er stürzte die Hälfte des Bourbon hinunter, taumelte dann zu einem großen Felsen und setzte sich hin.

Es gab so viele Änderungen, daß er sie kaum alle aufzählen konnte.

Sein Reichtum verschaffte ihm völlige Unabhängigkeit. Er war der Vertraute von Politikern, die innerhalb weniger Jahre die Nation beherrschen würden. Er war verliebt oder glaubte es zumindest. Er war als Ehebrecher entlarvt. Und er war auf dem besten Weg, ein Trinker zu werden, und kümmerte sich einen Dreck darum.

Er trank den restlichen Bourbon aus und schleuderte die Flasche ins Meer. Er mußte der Wahrheit ins Auge sehen. Er war unfähig, mit so vielen Veränderungen fertig zu werden. Er beugte sich vor, die Ellbogen auf die Knie gestützt, das Gesicht in den Händen verborgen, und begann zu weinen.

Stanley wäre überrascht gewesen, hätte er gewußt, daß seine Frau, die er für eiskalt und bösartig hielt, an diesem Morgen ebenfalls weinte. In Fairlawn, hinter verschlossenen Türen, weinte Isabel viel länger und heftiger als er. Als sich schließlich ihre Tränen erschöpft hatten, setzte sie sich hin, dachte nach und wartete darauf, daß ihre geröteten Augen wieder normale Farbe annahmen, damit sie sich vor dem Personal sehen lassen konnte.

Bis auf den Namen verband sie nichts mehr mit ihrem Mann. Nun gut, daran ließ sich nichts ändern. Sie hatte ihn als Instrument benutzt, um Reichtum anzuhäufen, und damit konnte sie ihren Aufstieg zu überwältigender gesellschaftlicher Bedeutung in Washington, ihrem Heimatstaat und der ganzen Nation finanzieren. Wie sehr sie ihre Phantasie auch strapazieren mochte, Stanley besaß einfach nicht die Fähigkeit, eine nationale politische Figur zu werden. Aber er besaß bereits genügend Geld, um solche Männer zu kaufen und zu verkaufen. Da sie stets seine Entscheidungen leiten würde, war in Wirklichkeit sie im Besitz der Macht.

Isabel schob ihren kurzen Abstieg in die Sentimentalität, der sie sich hier und am Strand hingegeben hatte, beiseite und dachte über all die glorreichen Tage nach, die vor ihr lagen. Sie war sicher, daß all das Wahrheit werden würde, wenn sie Stanley halbwegs nüchtern hielt und dafür sorgte, daß er weiterhin die Gunst der Republikaner genoß. Der Erfolg hatte ihn ruiniert, aus Gründen, die sie weder verstand noch benennen konnte.

Es spielte keine Rolle. Manche starke Königin hatte durch einen schwachen König regiert.

109

Am Ende des Tages, an dem er seinen Dienst im Pionierbataillon wieder aufnahm, schrieb Billy in sein Journal:

16. Juni – Petersburg (4 Meilen entfernt). Dampferfahrt nach City Point ereignislos, aber sehr heiß. Sah die grandiose Ponton-brücke bei Broadway Landing. Ich wünschte, ich wäre rechtzeitig zurückgekommen und hätte bei der Erschaffung eines solchen Wunders helfen können. Maj. Duane, der mich bei meiner Ankunft in diesem Lager herzlich begrüßte, meinte, keine Armee der Welt habe je eine größere Pontonbrücke gebaut. Sie erstreckt sich fast über eine halbe Meile von Ufer zu Ufer; wo der Kanal verläuft, erlaubt eine Ziehbrückensektion die Passage von Kanonenbooten.

Kurz vor meiner Ankunft überquerte das Bataillon die Brücke. Unser Camp liegt beim Bryant House, dem gegenwärtigen Hospital der Zweiten Div., aber wir bleiben nicht hier. Wurde von vielen alten Kameraden herzlich begrüßt; alle wollten von meiner Flucht aus dem Libby hören. Ich sagte, unbekannte Unionssym-pathisanten hätten das arrangiert. Selbst jetzt noch könnte C. in irgendeiner Form durch die Wahrheit gefährdet werden; er ist so ein großartiger Freund & hat so viel riskiert, daß ich auf keinen Fall zulassen werde, daß ihm meinetwegen etwas zustößt.

Die Gedanken an C. stimmen mich traurig. Meine brüderliche Zuneigung bleibt davon unberührt, & ich stehe nun doppelt in seiner Schuld, weil er mir zweimal das Leben gerettet hat. Aber er ist nicht mehr der fröhliche Bursche, den ich zum erstenmal in Carolina getroffen & später in W.P. kennengelernt habe. Der Krieg hat ihn in irgendeiner Weise verletzt. Ich habe es überdeut-lich gespürt. Wäre ich literarisch begabt, ich würde nach metapho-rischen Wendungen suchen. Irgendein Zauber hat das Bärenjunge in einen Wolf verwandelt.

110

Diejenigen, die am Ashley wohnten und alt genug waren, um sich an den Mexikanischen Krieg und an Orry Mains Heimkehr zu erinnern, glaubten, die Geschichte würde sich mit Orrys älterem Bruder wiederholen. Orry hatte einen Arm verloren, Cooper einen Sohn. Kaum dasselbe, aber die Folgen waren fast die gleichen. Beide waren verändert, in sich gekehrt. Einige sprachen von ernsthafter geistiger Verwirrung.

Cooper zwang die gelegentlichen Besucher von Mont Royal nicht mehr, sich seine radikale Meinung anzuhören. Man nahm an, daß er immer noch solche Ansichten vertrat, obwohl man da nicht sicher sein konnte. Er beschränkte seine Gespräche mit Außenstehenden auf Allgemeinheiten. Und obwohl Shermans gewaltige Armee auf Atlanta zurollte, weigerte er sich, über den Krieg zu sprechen.

Aber der Krieg war ihm stets gegenwärtig, auch an diesem heißen Juniabend, als er sich nach dem Essen in die Bibliothek zurückzog. Obwohl der Sonnenuntergang die Zimmerwand noch orange färbte, zündete er eine Lampe an und saß bald schon an seinem Schreibtisch. Die Metallfeder kratzte so laut, daß er nicht hörte, wie sich die Tür öffnete. Judith trat mit einer Zeitung ein.

«Du mußt dir den *Mercury* anschauen, Liebster. Eine Nachricht aus Übersee, vorgestern über Wilmington hereingekommen.»

«Ja?» sagte er und blickte von dem Memorandum auf, das er an die Regierung zu schicken beabsichtigte. Er plädierte dafür, weitere Verluste an Menschenleben durch einen Waffenstillstand und sofortige Friedensverhandlungen zu vermeiden.

Er schien kein großes Interesse zu haben, seine Arbeit zu unterbrechen, also fuhr Judith fort: «Der Artikel betrifft die *Alabama*. Sonntag vor einer Woche fuhr sie durch den englischen Kanal. Ein Unionsschiff namens *Kearsarge* hat sie dort versenkt.»

Sofort erkundigte er sich: «Was ist mit der Mannschaft?»

«Diesem Artikel zufolge haben viele überlebt. Der Captain der *Kearsarge* fischte siebzig Mann aus dem Wasser, und eine britische Yacht, die den Hafen von Cherbourg verlassen hatte, um den Kampf zu beobachten, nahm weitere dreißig Offiziere und Matrosen auf.»

«Irgendwas über Semmes?»

«Er wurde von der *Deerhound*, der Yacht, gerettet.»

«Gut. Die Männer sind wichtiger als das Schiff.»

Er gab diese Erklärung mit so viel Gefühl ab, daß Judith gar nicht anders konnte, als zu ihm zu eilen und ihn zu umarmen.

«Cooper, ich liebe dich so sehr. Um uns herum nur Chaos, aber ich bin so dankbar und glücklich, mit dir zusammen hier zu sein.»

«Ich auch.»

«Ich hoffe, ich habe dich nicht gestört. Ich dachte nur, die Nachricht über das Schiff würde dich interessieren.»

Er griff nach ihrer Hand. «Sie war ein wunderschönes Schiff. Aber sie diente den falschen Herren.»

Unvermittelt erhob er sich von seinem Stuhl und küßte sie lang und feurig. Seine Umarmung nahm ihr den Atem.

«Und wenn du mich wirklich liebst, Judith, dann läßt du mich jetzt wieder an meine Arbeit. Ich muß dieses Memorandum beenden, auch wenn unsere heroischen Gesetzgeber es in Fetzen reißen und darauf herumtanzen werden. Und diejenigen, die noch nie einen Kanonenschuß gehört haben, werden am heftigsten reißen und tanzen.»

«Sicher hast du recht. Und ich bin stolz auf dich, daß du es versuchst.»

Mit einem leichten, beschwingten Gefühl schloß Judith die Tür zur Bibliothek. Zum erstenmal seit Charleston empfand sie Gewißheit: Ihr geliebter Gatte war ein neuer, geheilter Mann.

Es war Benjamin, der mit Samthandschuhen das Messer schärfte. Aufgrund seines verbindlichen Diplomatenstils war er der geeignete Mann dafür. Einige Tage nach dem Empfang im Finanzministerium wurde Orry vorgeladen.

«Zuerst möchte ich zum Ausdruck bringen, daß ich stellvertretend für den Präsidenten spreche», sagte Benjamin zu Orry, der steif vor dem Schreibtisch saß. «Er hätte sie gern persönlich empfangen, aber dringende Dienstgeschäfte –» Eine geschmeidige Geste beendete den Satz.

«Der Präsident möchte Ihnen seine tiefe Dankbarkeit für Ihre Sorge um sein Wohlergehen ausdrücken – vor allem wegen Ihrer Warnung vor einer möglichen Verschwörung gegen sein Leben.»

Orry spürte den Schweiß in seinen Kragen rinnen. Stimmen jenseits der geschlossenen Tür klangen schläfrig in der Sommerhitze.

«Die Verschwörung ähnelte zweifellos vielen anderen, von denen wir hören – Wunschdenken, angefeuert von Kneipenmut. Nichtsdestoweniger weiß Mr. Davis Ihre Loyalität zu schätzen. Er – stimmt etwas nicht?»

Orrys angespannter Gesichtsausdruck lieferte die Antwort. Die Regierung glaubte ihm immer noch nicht. In diesem Moment beschloß er, einen Schritt zu unternehmen, den er bis jetzt lediglich erwogen hatte. Aus eigenen Mitteln würde er einen Agenten zur Ausführung des Planes anheuern, den er im Sinn hatte. Sofort.

Er zwang sich zu sagen: «Alles in Ordnung. Fahren Sie fort.»

«Ich habe Ihnen sinngemäß die Botschaft des Präsidenten übermittelt. Jetzt habe ich noch einige Fragen persönlicher Natur. Sind Sie mit Ihrem Posten im Kriegsministerium zufrieden?» Als Orry zögerte, drängte Benjamin: «Seien Sie ganz offen. Es bleibt unter uns.»

«Nun, also – nein. Ich denke, wir kennen beide den wahrscheinlichen Ausgang dieses Krieges.» Er erwartete keine Zustimmung und erhielt auch keine. «Der Gedanke, während der letzten Monate Pässe für Prostituierte auszustellen und die Untaten eines Leuteschinders zu kontrollieren, ist mir verhaßt.»

«Ah, ja, Winder. Sie würden also einen Kampfeinsatz vorziehen?»

«Ich habe es erwogen. Generalmajor Pickett hat mir einen Posten in seinem Divisionsstab angeboten.»

«Armer Pickett. Ich habe nie erlebt, daß ein einziges Ereignis einen Mann so verändert hat.» Benjamin klang aufrichtig, fuhr aber gleich darauf im alten Stil fort: «Da ist ein weiteres Thema, das ich zu meinem Bedauern mit Ihnen besprechen muß. Die Anschuldigung Ihrer Schwester gegen Ihre bezaubernde Gattin.»

Die Worte glitten in ihn hinein wie ein Stilett. Er hatte darauf gewartet, daß die Angelegenheit in irgendeiner Form auf den Tisch kam. Er hatte mit sich gekämpft und war zu einer Entscheidung gelangt, die ihn schmerzte, weil sie sein Gewissen belastete. Aber Madeline war wichtiger.

Er saß sehr aufrecht, in fast herausfordernder Haltung da. «Ja? Was ist damit?»

«Um es ganz direkt auszudrücken – entspricht es der Wahrheit?»

«Nein.»

Benjamin zeigte weder Erleichterung noch sonst eine Reaktion. Er studierte weiterhin seinen Besucher. Bin ich solch ein miserabler Lügner? fragte sich Orry.

«Ihnen ist klar, daß mich die Regierung zu dieser Frage gezwungen hat», sagte Benjamin. «Das Kabinett – im Grunde die gesamte Konföderation – befindet sich in einem schrecklichen Zwiespalt, was die Einberufung von Negern zur Armee anbelangt. Die bloße Erwähnung dieser Idee treibt einige unserer einflußreichsten Leute an den Rand der Unzurechnungsfähigkeit. Sie können sich die ungemein peinliche

Lage vorstellen, wenn wir feststellen müßten, daß ein hoher Beamter unseres Kriegsministeriums –»

Mehr konnte er nicht ertragen. «Verdammt noch mal, Judah, und was ist mit Madelines peinlicher Lage?»

Ungerührt stellte sich Benjamin dem Angriff. «Ich kann ihr das durchaus nachfühlen. Aber diese Beschuldigung geht weit über den persönlichen Bereich hinaus. Würde sie stimmen, dann könnte dadurch die Glaubwürdigkeit der gesamten Regierung befleckt werden. Mr. Davis verweigert die Rekrutierung von nichtweißen –»

«Ich kenne die Einstellung von Mr. Davis», sagte Orry und erhob sich. «Bei allem nötigen Respekt, es geht hier nicht um die Ansichten des Präsidenten, es geht um eine Beschuldigung, die meine Schwester nur aus einem einzigen Grund erhoben hat. Sie hegt seit langem einen Groll gegen mich.»

Wie ein Staatsanwalt fragte Benjamin: «Weshalb?»

«Das spielt keine Rolle. Es handelt sich um eine Familienangelegenheit.»

«Und Sie behaupten, daß dieser sogenannte Groll Mrs. Huntoons einziges Motiv ist?»

«Das ist richtig. Kann ich jetzt gehen?»

«Orry, beruhigen Sie sich. Es ist besser, wenn Sie schlechte Nachrichten von einem Freund hören. Ich bin Ihr Freund, bitte glauben Sie mir das.» Eine Handbewegung. «Setzen Sie sich wieder.»

«Ich bleibe stehen, besten Dank.»

Benjamin seufzte. Einige Sekunden lang herrschte Schweigen.

«Um für alle Betroffenen eine potentiell peinliche Situation zu entschärfen, verlangt der Präsident, daß Mrs. Main so bald wie möglich Richmond verläßt.»

Orrys Hand umklammerte den Besucherstuhl so fest, daß seine Knöchel kalkweiß wurden. «Damit die Regierung von der Teerbürste unberührt bleibt, nicht wahr? Sie glauben meiner Antwort nicht –»

«Ich glaube Ihnen. Aber ich bin ein Beamter dieser Regierung, und es ist meine Pflicht, den Wünschen des Präsidenten Folge zu leisten, und nicht, sie in Frage zu stellen.»

«Damit sie Ihren Job behalten und weiterhin Ihren Sherry genießen können, während die Konföderation zusammenbricht?»

Die olivfarbenen Wangen wurden fahl. Benjamins Stimme senkte sich, klang durch das kleine, kalte Lächeln hindurch noch tödlicher. «Ich werde so tun, als hätten Sie diese Bemerkung nie geäußert. Der Präsident erwartet, daß seiner Bitte innerhalb einer vernünftigen Zeitspanne nachgekommen wird.»

«Seinem Befehl, wollten Sie sagen?»

«Es ist ein höflicherweise als Bitte formulierter Befehl.»

«Das dachte ich mir. Guten Tag.»

«Mein lieber Orry, Sie dürfen mich doch nicht persönlich verantwortlich machen –»

Die Tür knallte zu, bevor er den Satz beendet hatte.

Gegen Mittag legte sich Orrys wilder Zorn etwas. Er konnte wieder seinen Routineaufgaben nachgehen und Fragen seiner Kollegen einigermaßen zusammenhängend beantworten. Auf dem Weg zum Mittagessen kam Seddon an Orrys Schreibtisch vorbei, aber der Minister wich Orrys Blick aus. *Er weiß, was Davis verlangt. Wahrscheinlich wußte er es schon, bevor Judah es mir sagte.* Auf der Stelle entschloß sich Orry, auf Picketts Angebot zurückzukommen.

Madelines Reaktion stand für Orry außer Zweifel. Falls sie überhaupt über seine Entscheidung sprachen, durfte er nur vorsichtige Umschreibungen verwenden, mußte so tun, als wäre es noch längst nicht endgültig. An erster Stelle aber kam jetzt nicht seine Versetzung, sondern er mußte gegenüber Judah, Seddon, dem Präsidenten selbst den Beweis erbringen, daß die Verschwörung tatsächlich existierte.

Er blickte zu einem Eckschreibtisch hinüber, an dem ein junger Zivilist, Josea Pilbeam, saß, der einen Klumpfuß hatte. Pilbeam, ein Junggeselle, hatte im vergangenen Jahr einige Nachforschungen für das Ministerium durchgeführt. Orry ging hinüber, begrüßte ihn liebenswürdig und traf für den Abend eine Verabredung mit ihm. Außerhalb des Ministeriums.

Den restlichen Tag beschäftigte er sich mit der Forderung des Präsidenten. Seine erste, von gekränkter Ehre getragene Reaktion war, sich einfach zu weigern. Andererseits würde Madeline geächtet werden, wenn sie in Richmond blieb. Und nachdem sich Grant bei Petersburg festgesetzt hatte, war Richmond nicht mehr sicher. Orry wünschte keinesfalls, daß seine Frau hier war, wenn die Stadt kapitulierte. Und das konnte nicht mehr lange dauern.

So sehr es ihm auch zuwider war, er mußte zugeben, daß Madeline besser dran war, wenn sie die Stadt verließ.

Was ein weiteres Problem mit sich brachte. Wohin konnte sie gehen? Die nächstliegende Antwort schien ihm bei weitem nicht die beste oder einfachste Möglichkeit darzustellen. Sorgfältig dachte er darüber nach und hatte am späten Nachmittag einen Plan entwickelt, der das geringste Risiko zu beinhalten schien.

Bei Büroschluß verließen er und Josea Pilbeam gemeinsam das Gebäude. An einem ruhigen Tisch in der Spotswood-Bar kam Orry sofort zur Sache.

«Ich verdächtige meine Schwester Ashton – Mrs. James Huntoon – verräterischer Aktivitäten. Ich möchte, daß Sie ihr Haus in der Grace Street abends beobachten, ihr folgen und mir alles melden. Ich zahle gut. Zehn Dollars pro Nacht.»

Pilbeam trank einen Schluck Bier. «Danke für das Angebot, Colonel. Aber ich muß nein sagen.»

«Guter Gott, warum denn?»

«Wir wissen beide, was der konföderierte Dollar wert ist – ungefähr soviel wie der Spruch der Regierung, wir könnten immer noch den Krieg gewinnen. Ich erledige keinen Privatjob gegen Zahlung in unserer Währung.»

Erleichtert sagte Orry: «Ich besorge irgendwie U.S.-Dollars – vorausgesetzt, Sie beginnen morgen abend mit Ihrer Überwachung.»

«Abgemacht», sagte Pilbeam und schüttelte ihm die Hand.

Zum Abendessen teilte Madeline einen kleinen Fisch zwischen ihnen auf und garnierte jeden Teller mit zwei winzigen, gekochten weißen Rüben. Heute sei nichts anderes zu kriegen gewesen, meinte sie.

Er berichtete ihr, er habe die Akten weiter nach einem Offizier namens Bellingham abgesucht. Nichts. «Ich würde sonstwas darum geben, ihn in die Finger zu kriegen.»

Nach dem Essen schlug sie vor, ein paar Gedichte zu lesen, aber Orry schüttelte den Kopf. «Wir müssen miteinander reden.»

«Oh, wie unheilvoll das klingt. Über welches Thema?»

«Über die Notwendigkeit für dich, Richmond zu verlassen, solange es noch möglich ist.»

Ein verletzter Ausdruck huschte über ihr Gesicht. «Das sind die Folgen dieser Party.»

Tiefer in das Netz der Lügen – zu ihrem Besten. «Nein, da hat es lediglich einige hämische Bemerkungen gegeben, die ich überhört habe. Ich habe eigene Gründe, weshalb du abreisen mußt. Zwei Gründe. Erstens wird die Stadt fallen. Wenn nicht diesen Sommer, dann im Herbst oder nächsten Winter. Es ist unvermeidlich, und ich möchte nicht, daß du hier bist, wenn es geschieht. Ich verließ Mexiko, bevor unsere Armee in die Hauptstadt einmarschierte, aber George hat mir einige der Scheußlichkeiten beschrieben. Häuser werden geplündert. Männer werden getötet. Und Frauen – nun, du verstehst, daß ich dich dem nicht aussetzen möchte.»

Sie saß regungslos da und sagte: «Und der zweite Grund?»

«Den hab' ich bereits erwähnt. Ich habe das Ministerium satt. Ich überlege mir, ob ich nicht um eine Versetzung in George Picketts Stab nachsuchen soll.»

«Oh, Orry – nein.»

Schneller Rückzug: «Langsam, langsam, nicht gleich so ernst. Ich sagte, ich überlege. Ich habe noch nichts unternommen.»

«Weshalb willst du dein Leben für eine verlorene Sache riskieren?»

«Die Sache hat nichts damit zu tun. Pickett ist ein Freund, und mir hängt die Schreibtischarbeit zum Halse hinaus. Außerdem besteht kein Anlaß zur Sorge – das ist ja alles erst Spekulation.»

«Hoffen wir, es bleibt dabei. Wie auch immer, was du mit mir vorhast, läuft jedenfalls auf eine Art Verbannung hinaus. Nun, ich danke dir, aber ich bin nicht der Feigling, für den du mich hältst.»

«Jetzt hör mal, ich habe niemals angedeutet –»

«Aber sicher hast du das. Nun, ich habe jedenfalls vor zu bleiben.»

«Ich bestehe darauf, daß du gehst!»

«Du wirst auf gar nichts bestehen!» Sie erhob sich abrupt. «Wenn du mich jetzt entschuldigen würdest, ich muß deine Socken stopfen. In den Läden gibt es keine mehr.» Sie stürmte hinaus.

Immer wenn er wieder damit anfing, weigerte sie sich, ihm zuzuhören. Schweigend gingen sie zu Bett. Gegen drei Uhr schmiegte sie sich an seinen Rücken, rüttelte ihn sanft wach.

«Liebling? Ich fühle mich elend. Ich habe mich scheußlich benommen. Verzeihst du mir? Ich war wütend auf mich, nicht auf dich. Ich weiß, ich habe Schande über dich gebracht –»

Schläfrig, aber auf einmal mit leichtem Herzen rollte er sich herum und berührte ihre Wange. «Niemals. Ich liebe dich so, wie du bist. Ich möchte dich einfach in Sicherheit wissen.»

«Mir geht es mit dir genauso. Ich hasse die Vorstellung, daß du zu George Pickett gehst. Die Belagerungslinien sind gefährlich.»

«Ich sagte dir schon, ich habe lediglich daran gedacht. Andere Dinge kommen zuerst.»

«Du möchtest also, daß ich heim nach Mont Royal gehe?»

«Das wäre ideal, aber ich halte es für unpraktisch und riskant. Südlich von hier triffst du auf die gesamte Unionsarmee. Ich möchte, daß du in die andere Richtung gehst. Nach Lehigh Station.»

Es wirkte, als hätte er Konstantinopel oder Sansibar gesagt. «Orry, unser Zuhause ist South Carolina.»

«Einen Moment. Brett ist in Belvedere. Sie wäre sicher froh über deine Gesellschaft, und ich glaube nicht, daß du lange dort sein müßtest. Nicht mal ein Jahr, wenn ich die Anzeichen richtig deute.»

«Aber ich müßte durch die feindlichen Linien.»

«Das Land nördlich von Richmond ist Niemandsland. Als Grant Lee nach Petersburg jagte, nahm er fast seine gesamte Armee mit. Um Fredericksburg, so besagen unsere Berichte, gibt es beispielsweise kaum Truppen. Und nach Washington hineinzukommen wird nicht schwer sein. Du sagst einfach, du seiest eine Unionssympathisantin, und sie werden dich für eine Frau von schlechtem Ruf halten, die beschlossen hat –»

«Was für eine Frau?» Sie richtete sich auf, schaffte es, ihr Kichern mit vorgetäuschter Empörung zu überspielen.

«Na, na – das wirst du ertragen können. Schlimmstenfalls wirst du einige Beleidigungen und eine kurze Inhaftierung hinnehmen müssen. Ein oder zwei Stunden. Vielleicht wird der Busen, den ich so liebe, abgeklopft, um zu sehen, ob er klirrt.»

«*Klirrt*? Wovon redest du? Du hast den Verstand verloren.»

«Nein. Frauen, die, äh, weniger gut ausgestattet sind als du, nehmen Zuflucht zu metallischen Brustformen.»

«Seit wann bist du ein Fachmann für Metallbrüste geworden?»

«Seit jene Frauen, die diese Formen nicht ausfüllen können, darin Arzneien und Papiergeld schmuggeln.»

Er fühlte sich wie ein Schauspieler, der nur deswegen eine leichtherzige Rolle spielte, weil das Stück es verlangte.

«Vor allem», fuhr er fort, «brauchst du die Reise nach Washington nicht alleine zu machen, wenn Augusta Barclay ihre Farm noch nicht verlassen hat. Ich besorge dir einen von Augustas freigelassenen Negern, der dich bis zu den Unionslinien bringt. Sie hat uns eine Gefälligkeit versprochen.»

«Wann willst du sie besuchen?»

«An diesem Wochenende.»

«Ein Colonel der Konföderierten kann nicht schnurstracks nach Fredericksburg reiten. Wenn du einer dieser Yankee-Einheiten begegnest?»

«Glaub mir, ich habe nicht die Absicht, jemanden wissen zu lassen, daß ich Colonel bin. Hör auf, dir Sorgen zu machen.»

«Leicht gesagt.»

Er kannte eine alte, konventionelle, aber ungemein angenehme Methode, um derartige Unterhaltungen zu stoppen und Ängste zu zerstreuen. Er begann, sie zu küssen. Dann liebten sie sich und schliefen anschließend ein.

Er ersetzte seine Uniform durch einen schwarzen Anzug und steckte sich Madelines Bibel in die Tasche, zusammen mit einem Paß, den er für sich ausgestellt hatte; das heißt, auf Reverend O.O. Manchester. Mit einer gemieteten, mindestens zwanzig Jahre alten Schindmähre machte er sich auf den Weg. Orry hoffte, das Tier würde die über vierzig Meilen bis nach Fredericksburg schaffen.

Die Bibel deutlich sichtbar unter seinem Arm, erkundigte sich Orry bei einem älteren Mann nach dem Weg zu Barclays Farm. Eine Stunde später erreichte er sie, entsetzt von dem, was er vorfand. Charles hatte den Ort ziemlich genau beschrieben. Der Stall und die beiden Ahornbäume waren verschwunden; der Stall war abgerissen worden, von den Bäumen waren nur noch Stümpfe übriggeblieben.

Boz und Washington erkannten ihn und begrüßten ihn freudig, als er von dem zitternden Gaul stieg. Die beiden Neger versuchten ein zertrampeltes Feld zu pflügen. Washington führte den Pflug, Boz spielte das Ersatzpferd.

Er fand Gus in der Küche. Ihr schlichtes Kleid spannte sich über der Taille; sie war rundlicher, als er sie in Erinnerung hatte. Aber auch verhärmt, vor allem um die blauen Augen herum.

«Mehr als die halbe Stadtbevölkerung flüchtete, als die Yankees kamen», erzählte sie, nachdem sie sich von ihrer Überraschung erholt hatte. «Viele von denen, die blieben, nahmen verwundete Feinde auf. Ich ebenfalls. Ich hatte einen Captain hier, einen höflichen Burschen aus Maine, der von oben bis unten mit Bandagen bedeckt war, ansonsten aber recht munter schien. Er wollte sich von mir nicht beim Wechseln der Verbände helfen lassen. Ich ließ ihn von Boz beobachten. Er war gar nicht verwundet, sondern hatte sich lediglich die Verbände von irgend jemandem geborgt, um den Kämpfen auszuweichen. Ich warf ihn hinaus und nahm zwei echte Patienten auf. New Yorker Jungs. Iren – sanft und nett, noch nie zuvor in einer Schlacht gewesen. Einer ging nach acht Tagen. Der andere starb in meinem Bett.»

Sie seufzte. «Ich weiß nicht, warum wir hier weitermachen. Sturheit, denke ich. Und wenn ich gehe, wüßte Charles nicht, wo er mich finden könnte. Hast du – hast du ihn gesehen?»

«Einmal, bevor der Frühjahrsfeldzug richtig losging.» Er berichtete von Billys Flucht aus dem Libby-Gefängnis.

«Ja», sagte sie, «solche Sachen passen zu Charles. Dem alten Charles.» Die seltsame Bemerkung verwirrte Orry. «Und seit dieser Flucht hast du nichts mehr von ihm gehört?»

«Nichts mehr. Aber ich bin sicher, daß es ihm gut geht. Ich beobachte die Verlustlisten sehr sorgfältig.» Kein Grund, ihr zu sagen, daß viele der Toten und Vermißten niemals identifiziert wurden.

«Weshalb ich hier bin, Augusta», fing er an, «ich brauche deine Hilfe – das heißt, die Hilfe eines deiner Männer. Er soll Madeline nach Washington begleiten.»

«Washington? Hast du vergessen, auf welcher Seite wir stehen?»

«Nein.» Er erklärte ihr seinen Plan ausführlicher, und sie stimmte bereitwillig zu, bestand sogar darauf, daß Boz ihn zurück nach Richmond begleitete, um Madeline beim Packen zu helfen. Nachdem Orry ein Stück altes Brot und hausgemachten Käse gegessen hatte – die Eroberer hatten Gus gnädig erlaubt, eine Milchkuh zu behalten –, machten er und Boz sich zum Aufbruch bereit. «Zuerst reitest du, und ich laufe», sagte Orry. «Diese Schindmähre kann uns beide nicht tragen.»

Es war sehr heiß. Orry wedelte sich mit dem Hut Kühlung zu. Er schüttelte Gus die Hand. «Ich komme mit Madeline zurück, sobald ich ihre Wegpapiere fertig habe. Es kann zwei Wochen dauern.»

Es dauerte nicht einmal eine. Die Mains und Boz brachen Ende Juni zu Barclays Farm auf, als die Kriegsnachrichten immer schlimmer wurden. Davis, ein ausgebrannter Mann, unterrichtete die Zeitungen davon, daß er Joe Johnston alle Verstärkungen geschickt hatte, die entbehrt werden konnten. Was immer nun an der Schwelle zu Atlanta passierte, fiel unter die Verantwortlichkeit des Generals, war die Schuld des Generals. Gleichzeitig versuchte Davis, die Journalisten und die Öffentlichkeit davon zu überzeugen, daß sich die Lage in Virginia gebessert hatte, weil Grant weder Lee zu vernichten noch Richmond zu erobern vermochte. Niemand glaubte ihm.

An einem Mittwoch, dem vorletzten Tag des Monats, sagten sich Orry und Madeline auf der Veranda des Farmhauses auf Wiedersehen. Das Wetter paßte sich der Gelegenheit an. Dunkle Wolken zogen hoch, Wind kam auf. Die ersten Tropfen klatschten in den Staub des Hofes. Orry konnte kaum an all das denken, was er schnell noch sagen wollte.

«– sobald du in Washington bist, benütze einige der Greenback-Dollars, um Brett zu telegraphieren.»

«Ja, das hatten wir schon, Liebling. Mehrmals. Boz wird mich sicher zu einer der Potomac-Brücken bringen.» Sie berührte sein Gesicht. «Irgendwie mußt du mich benachrichtigen. Ich werde ständig in Sorge sein.»

«Wenn möglich werde ich einen Kurierbrief schicken.»

Sie trat dicht an ihn heran; Tränen standen in ihren Augen.

«Weißt du, wie sehr ich dich vermissen werde? Wie sehr ich dich liebe? Ich weiß, weshalb du mich fortschickst.»

«Weil es unklug wäre, wenn du bleibst.»

«Tausende von anderen Frauen bleiben in Richmond», unterbrach sie ihn. «Das ist nicht der Grund – du hast mich beschützt, und dafür liebe ich dich mehr denn je.» Staub wirbelte um sie herum. «Deine Vorgesetzten glauben Ashtons Anschuldigung. Mach dir nicht die Mühe, es zu leugnen; ich weiß, daß es so ist. Ein Beamter des Kriegsministeriums mit einer Negerin verheiratet – das ist unerträglich. Also muß man mich loswerden. Ich bin über meine Abreise nicht besonders traurig, außer daß ich dich ganz schrecklich vermissen werde.»

Sie gab ihm einen schnellen, innigen Kuß. Die Wolken öffneten ihre Schleusen, der Regen fiel schwer und heftig. Groß und düster funkelte er sie an. «Wer hat es dir erzählt?»

«Mr. Benjamin, als ich ihn vorgestern zufällig auf der Main Street traf.»

«Dieser schmierige, ehrlose –»

«Er sagte kein Wort, Orry.»

«Aber wie –?»

«Er schnitt mich vollkommen. Sah mich kommen und überquerte schnell die Straße, um mir auszuweichen. Ganz plötzlich begriff ich alles.»

Von Zorn und Kummer geschüttelt, schlang er die Arme um sie. «Gott, wie ich diesen verfluchten Krieg hasse und alles, was er uns angetan hat.»

«Laß ihn uns nicht noch Schlimmeres antun. Opfere ihm nicht noch dein Leben.»

«Ich werde vorsichtig sein. Du auch – versprichst du mir das?»

«Natürlich.»

Er umarmte sie und küßte sie fast eine halbe Minute lang voller Leidenschaft. «Ich liebe dich, meine Madeline.»

«Ich liebe dich, Orry. Wir werden es schaffen.»

«Da bin ich ganz sicher», sagte er und lächelte zum erstenmal.

Sie blieb auf der Veranda stehen, bis der Einspänner im strömenden Regen auf der Straße nicht mehr zu sehen war.

Orry saß gerade seit zehn Minuten an seinem Schreibtisch, als ein Geräusch ihn aufblicken ließ. Josea Pilbeam kam auf ihn zugehinkt und flüsterte: «Ich muß Sie sprechen. Sofort. Es ist dringend.»

Nach dem Sturm war es dunkel und feucht im Treppenhaus. Pilbeam sagte: «Gestern verließen die Lady und ihr Gatte die Stadt für fast vier Stunden.»

«Wohin sind sie gegangen?»

«Zu der Örtlichkeit, die Sie mir beschrieben haben. Sie besprachen sich mit einem schwergewichtigen Mann, den ich noch nie gesehen habe.»

Sie benützten wieder die Farm. Seine Geduld hatte sich ausgezahlt. Er würde Seddon, Benjamin und der ganzen Bande zeigen, daß er kein Spinner war. Aufgeregt fragte er: «Haben Sie den Nachnamen des Mannes gehört?»

Pilbeam schüttelte den Kopf. «Keiner erwähnte ihn, solange ich lauschte.»

«Wo genau haben sie sich getroffen?»

«In dem Gebäude rechts am Rande der Klippe. Nach ungefähr einer Viertelstunde kam noch jemand dazu, den ich erkannte. Er ist oft genug in unserem Büro gewesen.»

«Wer war es?»

Die Marmorwände und Stufen schienen zu grollen und zu zittern, als Pilbeam sagte: «Winders Totschläger. Israel Quincy.»

111

So furchtbar einfach, dachte Orry, während er durch das Feld schlich, dem gleichen Weg folgend, den er beim erstenmal eingeschlagen hatte. Der Detektiv aus Winders Büro hatte keinen Beweis für eine Verschwörung gefunden, weil er selbst daran beteiligt war.

Der Abend war sehr still, kein Mond schien. Die Feuchtigkeit hing schwer in Orrys Kleidung; sein Hemd war bereits schweißgetränkt. Der Boden um ihn herum war erst kürzlich umgegraben und zertrampelt worden. Er erinnerte sich, daß bei seinem ersten Besuch das Feld unkrautbewachsen gewesen war. Dann war er ein zweitesmal hinausgeritten und hatte bemerkt –

Was? Er trieb seinen müden Geist voran, während er durch seine tropfende Nase mühsam Luft holte. Die Erkältung, die er sich auf der Rückfahrt von Barclays Farm geholt hatte, war schlimmer geworden. Er unterdrückte ein Niesen. Ganz deutlich erinnerte er sich an gepflügte Erde bei seinem zweiten Besuch. Merkwürdig, daß jemand das Feld einer verlassenen Farm bearbeitete.

Dumm. Dumm! Wieder so offensichtlich, und wieder war es ihm nicht aufgefallen. Er wußte, wohin die Whitworth-Gewehre und die Munition verschwunden waren. Sie waren direkt vor jedermanns Nase versteckt worden.

«Unter jedermanns Füßen», korrigierte er sich flüsternd. Der Trick stammte geradewegs aus Poes berühmter Detektivgeschichte vom gestohlenen Brief. Als Poe-Anhänger fühlte er sich doppelt gedemütigt. *Und ich möchte wetten, Mr. Quincy übernahm es, diesen Teil der Farm zu untersuchen. Mr. Quincy schlenderte über das frisch gepflügte Feld und bemerkte nichts Ungewöhnliches.*

Hatte auch Powell sich während der ganzen Zeit irgendwo auf dem Grundstück verborgen? Orry steckte sein Taschentuch weg und zog den Navy-Colt aus dem Halfter, den er sich ans linke Bein gebunden hatte. Er spannte den Hammer und schlich vorsichtig weiter.

Er näherte sich demselben erleuchteten Spalt. Nahe am Geräteschuppen entdeckte er einen Einspänner und zwei Sattelpferde beim Haupthaus. Er preßte seine Wange gegen das Holz und biß sich voller Zorn auf die Unterlippe. Auf einer der dreckverschmierten Whitworth-Kisten thronte James Huntoon.

Er hielt ein großes Blatt Papier an den Rändern; eine Art Plan oder Diagramm. Er hielt es schräg, legte es fast auf seinen Bauch, damit die anderen es sehen konnten.

«Dürfte ich um eure Aufmerksamkeit bitten?» sagte eine Stimme. «Das ist der Plan, den Mr. Powell entwickelte, bevor er für einige Tage abberufen wurde, um sich um andere Details unserer Kampagne zu kümmern.» Orry runzelte die Stirn; er konnte den Sprecher nicht sehen, aber die Stimme klang ungemein vertraut.

Er kniete nieder, veränderte seinen Blickwinkel. Mit einem Strohhalm zwischen den Zähnen sah er rechts neben Huntoon den freundlichen Mr. Quincy. Orry begann vor Wut zu kochen.

Die Stimme seiner Schwester: «Sind Sie sicher, daß es funktionieren wird, Captain Bellingham?»

Bellingham? Hatte er den Mann gefunden, der ihr das Gemälde gezeigt hatte?

«Meine liebe Mrs. Huntoon, Höllenmaschinen, die von General Rains vom Torpedo Bureau stammen, haben eine bemerkenswerte Erfolgsstatistik aufzuweisen.»

Ein korpulenter Mann watschelte in sein Blickfeld. Nur sein Rücken war sichtbar, aber seine Kopfform kam Orry ebenso quälend bekannt vor wie seine Stimme.

Und dann identifizierte Orry die Stimme. Das heißt, er gab ihr einen Namen, den richtigen Namen, obwohl er es kaum glauben konnte. Zu seinem kochenden Zorn kamen Erinnerungen, die bis zu seinem ersten Sommer an der Akademie zurückreichten.

Israel Quincy gab ein kicherndes Geräusch von sich. «Die Bombe kann einen wirklich zum Narren halten, Captain. Niemand könnte sie von einem Stück echter Kohle unterscheiden.»

«Bis sie losgeht.» Er reichte Quincy die Höllenmaschine, dessen Hände unter dem Gewicht nach unten sackten. «Untersuchen Sie den Guß. Die Form, die perfekte Färbung des Eisens – genial.»

In diesem Moment sah Orry das Profil des früheren Unionsoffiziers, der irgendwie in eine konföderierte Verschwörung verwickelt worden war. Es bestand kein Zweifel – er hatte Elkanah Bent vor sich, alias Bellingham.

Hätte Orry nicht Bent erkannt, dann wäre alles andere vielleicht nicht geschehen; vielleicht wäre er zurück nach Richmond geritten und hätte eine ganze Kompanie Männer geholt. Aber die lebenslange Vendetta gegen Elkanah Bent öffnete eine Schleuse in Orrys Kopf.

Drei Mann waren im Inneren, aber in seiner Geistesverfassung hätte es auch keine Rolle gespielt, wenn es dreißig gewesen wären. Er hastete um die Ecke des Gebäudes. Den Navy-Colt im Anschlag trat er die Tür mit dem Stiefel ein.

«Keiner bewegt sich.»

Ashton schlug die Hände vor den Mund, Huntoon ließ das Diagramm fallen. Bents Gesicht war voller Verwirrung, die schnell in entsetztes Erkennen überging.

«Orry Main –?»

«Ich werd' verrückt», sagte Quincy, ganz ruhig und professionell, während seine rechte Hand blitzschnell unter seiner Jacke verschwand. Orry wirbelte herum und drückte ab. Die Kugel schleuderte Quincy zurück. Trotzdem zerrte er noch seinen Mehrschüsser heraus, riß immer wieder den Abzug durch; mit der letzten Kugel schoß er sich die linke Stiefelspitze weg, während er zur Seite kippte.

Bent hielt die Kohlen-Bombe, zitternd wie ein Kind, das mit einem gestohlenen Kuchen erwischt wird.

«Captain Bellingham, nicht wahr?» sagte Orry mit rauher Stimme. «Ich hab' verdammt noch mal keine Ahnung, wie Sie hierher kommen, aber ich weiß genau, wo Sie hingehen, Sie und Ihre Freunde. Ins Gefängnis wegen versuchter Ermordung des Präsidenten.»

Bent faßte sich schnell; seine Augen nahmen einen verschlagenen Ausdruck an. Genau wie Orry begriff er nicht, wie es zu dieser erstaunlichen Konfrontation gekommen war, aber über die Konsequenzen war er sich durchaus im klaren.

Huntoon preßte eine Faust gegen seine Lenden und jammerte: «Guter Gott – er weiß es. Er weiß alles!»

«Genau wie Minister Seddon», sagte Orry, «und der Präsident selbst. Du bist erledigt, James. Du ebenfalls, mein geliebtes, verräterisches Dreckstück von einer Schwe –»

Huntoon packte die Laterne und schleuderte sie.

Orry duckte sich. Die Laterne zersplitterte hinter ihm. Öltropfen bespritzten Wand und Boden. Verstreutes Stroh begann zu rauchen.

Orry hatte einen flüchtigen Eindruck von Huntoon, der von Ashton wie ein Kind an der Hand vorbeigezerrt wurde, konnte aber nicht weiter auf ihn achten, weil Bent auf ihn losstürmte, die Bombe in den erhobenen Händen. *Mein Gott, er jagt uns alle in die Luft –*

Bent schlug nach Orrys Kopf. Orry wich aus; Metall scharrte über seine linke Schläfe. Die einzige Explosion war eine Schmerzexplosion.

Erneut knallte Bent die Gußform gegen Orrys linke Schulter, den Stumpf seines amputierten Armes. Orry fiel auf ein Knie; Tränen des Schmerzes liefen ihm über die Wangen. An Bents Absicht bestand kein Zweifel: Das in der Falle sitzende Tier würde töten, um zu entrinnen.

«Arroganter – South Carolina Bastard –», keuchte Bent. Wieder hob er die Gußform, drehte sie, bis die scharfe Spitze auf Orrys Schädel zeigte. «*Jahre* hab ich darauf gewartet –»

Schemenhaft sauste die Gußform auf Orry nieder. Er hob den Colt und feuerte. Die Kugel traf Bents linkes Handgelenk; die Wunde ließ Bent aufschreien, die Gußform zur Seite reißen. Die Bombe streifte Orrys Armstumpf und landete neben dem Feuer, das in dem verstreuten Stroh hochzüngelte.

Haß trieb beide Männer voran. Nie in seinem Leben hatte Orry so intensiven Haß empfunden. Er stemmte sich hoch, drehte den Colt um und schlug Bent den Kolben über den Schädel. Bent kreischte auf.

Wieder schlug Orry zu. Blut spritzte aus Bents Nase. Er schwang den rechten, dann den linken Unterarm hoch, um sein Gesicht zu schützen. Orry fluchte innerlich, während er erneut zuschlug. Bent taumelte nach rechts. Noch einmal schlug Orry zu. Bent wankte –

Das reicht; er ist fertig.

Durch das Prasseln der Flammen hörte er knirschende Räder, schnelle Hufschläge. Huntoon und Ashton flüchteten. Es spielte keine Rolle. Nur dieser fette, sich windende Feigling zählte – und Orrys grenzenlose Wut, die uralte wahnwitzige Feindschaft.

Bent schwankte stärker. *Nimm ihn als Gefangenen; er kann sich nicht mehr wehren.* Die schwache innere Stimme fand kein Gehör. Genauso wahnsinnig wie sein Gegenüber schlug Orry erneut zu.

«*Ah-ha.*» Bents Aufschrei hatte eine bizarre Ähnlichkeit mit Gelächter. «Jesus, Main – Jesus Christus, hab Gnade –»

«Wann hattest du welche?» kreischte Orry und rammte sein rechtes Knie in Bents Genitalien. Bent wankte zurück, ein taumelnder Schritt, noch einer, noch –

Zu spät sprang Orry vor, um ihn festzuhalten. Bents Rücken stieß gegen das Fenster, er fiel hindurch, eine Gesichtsseite von dem splitternden Glas aufgerissen. Im Fallen kreischte er, dann hörte Orry das dumpfe Geräusch eines aufschlagenden Körpers.

Orry streckte den Kopf zum Fenster hinaus. Bent war von einem Klippenvorsprung abgeprallt, fiel immer noch. Wieder und wieder schlug er auf, flog hinaus und landete mit mächtigem Klatschen im Wasser. Für einen kurzen Augenblick schäumte der Fluß auf, dann – nichts mehr.

Orry suchte krampfhaft die Wasseroberfläche nach Bents Körper ab, aber er blieb verschwunden, war bereits abgetrieben worden, auf die am Horizont aufzuckenden roten Lichter der explodierenden Granaten zu.

Er besaß zwei Beweisstücke für die Verschwörung. Orry legte die Kohle-Bombe auf den Boden und entrollte den Plan, den er vor den Flammen gerettet hatte. Im Schein des brennenden Gebäudes studierte er ihn. Zuerst ergab die Anordnung der kleinen Rechtecke innerhalb von größeren Rechtecken keinen Sinn. Dann erkannte er, daß er einen Plan mit den verschiedenen Stockwerken des Finanzministeriums vor sich hatte.

Er sah mit Tinte eingetragene, beschriftete Kreuze. Bei den Kreuzen im Keller stand KOHLE-BOMBEN. In verschiedenen Büros im zweiten Stock, gekennzeichnet durch die Buchstaben J.D., stand ZÜNDSPRENGSATZ. Die Ungeheuerlichkeit des Ganzen ließ ihn erschauern.

Die explodierende Munition erinnerte ihn daran, daß durch den Lärm und die Flammen Leute aufmerksam werden würden. Er wollte keine Zeit auf Erklärungen an Farmer und Militärpatrouillen verschwenden. Er zwang sich, seine durch den Schock erzeugte Lethargie zu überwinden, und ging auf das Farmhaus zu, wobei er merkte, daß er sich beim Kampf den linken Fußknöchel verstaucht hatte.

Trotzdem durchsuchte er schnell das Haus, entdeckte eine Mansarde mit einigen Möbelstücken und Kleidung. Israel Quincy mußte also das Haus durchsucht und dabei mit voller Absicht Powell oder sein Versteck übersehen haben. Hier fand Orry auch ledergebundene

Exemplare mit Berichten über die Fortschritte der Sezessionsbewegungen von Georgia und South Carolina.

Orry wußte nicht, ob Powell gefaßt werden würde, aber er hatte nun ein zweitesmal die Verschwörung aufgedeckt; und, was noch wichtiger war, er konnte nun auch Beweise für deren Existenz vorzeigen.

Er hinkte die Stufen hinunter und zur Hintertür hinaus. Vom Geräteschuppen war nur noch Glut übriggeblieben. Jetzt, wo keine Munition mehr explodierte, hörte er von der Straße her Stimmen. So schnell er konnte, raffte er seine Beweisstücke zusammen und humpelte quer über das gepflügte Feld zu seinem Pferd, das er in dem Obstgarten zurückgelassen hatte. Orry zog den Kopf seines Pferdes herum und ritt auf Richmond zu.

Ein verschlafener Seddon in gestreiftem Nachthemd starrte den Mann an, dessen Gehämmer gegen die Tür ihn geweckt hatte. Orry drückte dem Minister eine schwere Papierrolle und einen Kohleklumpen in die Hand.

«Die Sachen hier beweisen die ganze Geschichte – und Quincys Leiche. Er war einer von ihnen. Wenn das Feuer erloschen ist, werden wir mit Sicherheit geschmolzene Teile der Whitworth-Gewehre finden. Ausreichende Beweise für jeden vernünftigen Menschen», fügte er hinzu, unfähig, die Bitterkeit ganz aus seiner Stimme herauszuhalten.

«Das ist verblüffend. Sie müssen hereinkommen und mir genau berichten –»

«Später, Sir», unterbrach Orry. «Ich muß noch eine Aufgabe erledigen, um diese Sache abschließen zu können. Gehen Sie mit diesem Kohleklumpen vorsichtig um. Wenn Sie ihn ins Feuer werfen, jagen Sie sich selbst in die Luft.»

Er hinkte davon, verschwand in der Dunkelheit.

Als er den leeren Navy-Colt vor der Tür des Hauses in der Grace Street zog, bemerkte Orry dunkle Flecken am Kolben. Bents Blut. Er packte den Lauf und schlug mit dem Colt gegen die Tür. Die Glocke hatte keine Reaktion gebracht.

«Wenn niemand öffnet», brüllte er zum oberen Stock hoch, «schieße ich das Schloß auf.»

Die Vordertür ging auf. Orry rammte mit der Schulter dagegen, erwartete, Huntoons Gesicht vor sich zu sehen. Statt dessen stand Homer da, von der erhobenen Lampe teilweise beleuchtet.

«Sag ihnen, ich will sie sehen, Homer. Beide.»

«Mr. Orry, Sir, sie sind nicht –»

Er ignorierte den alten Mann und ging zur Treppe. «Ashton? Huntoon? Kommt runter, verdammt noch mal.»

Das wilde Echo zeigte ihm, wie dicht er daran war, erneut die Beherrschung zu verlieren. Oben tauchte ein Lichtschein auf. Huntoon näherte sich vorsichtig dem Treppenabsatz, gefolgt von Ashton, die die Lampe trug. Keiner von beiden war fürs Bett gekleidet.

Orry blickte auf; es war einer der seltenen Momente, in denen er eine verängstigte Ashton vor sich hatte.

«Eine alte Szene wiederholt sich, nicht wahr, Ashton? Ich habe dich einmal in South Carolina fortgeschickt, und jetzt tue ich es in Virginia. Diesmal allerdings sind die Einsätze höher. Du riskierst nicht nur meinen Zorn, wenn du bleibst. Du wirst verhaftet werden.»

Huntoon gab einen kleinen, würgenden Laut von sich und trat von der obersten Stufe zurück. Ashton packte ihn am Ärmel. «Bleib stehen, du verdammter Feigling. Ich sagte, bleib stehen!»

Sie beugte sich über das Geländer und spuckte die Worte förmlich aus: «Erzähl den Rest, lieber Bruder.»

Ein kaltes Achselzucken. «Einfach genug. Ich habe Mr. Seddon Beweise übergeben, die ausreichen, euch beide zu hängen. Ich beziehe mich auf die Kohlebombe und den markierten Plan mit den Büroräumen des Präsidenten. Dazu die Reste der Gewehre, Powells persönliche Habseligkeiten und Israel Quincys Leiche. Euer Informant, der sich Bellingham nannte – er ist ebenfalls tot. Im Fluß ertrunken.»

«Das hast du getan?» flüsterte Huntoon.

Orry nickte. «Lediglich euch beide habe ich noch nicht genannt. Ich weiß nicht, weshalb ich euch schonen sollte, bloß weil wir verwandt sind, aber ich tue es, wenn auch nicht für lange. Ihr habt eine Stunde, um die Stadt zu verlassen. Tut Ihr es nicht, dann klage ich euch bei Seddon des Verrates und des versuchten Mordes an. Viertel vor fünf bin ich wieder da.»

Er ging hinaus.

Um halb fünf fuhr er zurück zur Grace Street. Die Haustür war verschlossen, alles lag dunkel da. Er zerbrach ein Fenster und streifte durch sämtliche Räume. Leer.

In ihren Schlafzimmern – getrennte Zimmer, wie ihm auffiel – standen Schubladen offen, lag Kleidung verstreut. Merkwürdigerweise empfand er keine Befriedigung, nur Müdigkeit und Melancholie.

Welcher Dämon mochte Ashton besessen haben? Er würde es nie erfahren. Irgendwie war er dankbar dafür.

Er verließ das Haus, als die große Uhr Viertel vor fünf schlug.

Am folgenden Nachmittag kursierten mehrere Versionen der Geschichte in den Büros um den Capitol Square herum. Gegen vier Uhr kam Seddon auf Orrys Schreibtisch zu.

Er räusperte sich, lächelte und sagte: «Orry, ich habe wunderbare Nachrichten. Ich habe eben mit dem Präsidenten gesprochen, der Ihnen ein schriftliches Lob ausstellen möchte. Es ist das Äquivalent zu einer Auszeichnung für Tapferkeit im Kampf und wird auch ebenso behandelt. Veröffentlichung in zumindest einer Zeitung Ihres Heimatstaates und –»

Seddon zögerte. Orrys Gesicht drückte derart heftigen Abscheu aus, daß der Minister erschrak. Orrys Blick ausweichend, fuhr er weniger herzlich fort: «Mr. Davis möchte Ihnen morgen in seinem Büro die Belobigung verleihen. Können wir einen passenden Zeitpunkt vereinbaren?»

«Ich will diese verfluchte Belobigung nicht. Er hat meine Frau aus Richmond vertrieben.»

Seddon schluckte. «Wollen Sie damit sagen, Colonel, Sie wollen – die Ehre ablehnen?»

«Genau das. Was sicherlich einen weiteren Skandal verursachen wird, nicht wahr? Meine Frau und ich haben uns bereits daran gewöhnt.»

«Ihre Bitterkeit ist verständlich, aber –»

Orry unterbrach ihn. «Ich lehne ab, außer Sie und Mr. Davis versprechen mir sofortige Versetzung zum Stab von General Pickett. Ich habe dieses Büro satt, diese Arbeit, diesen Schweinestall von einer Regierung –»

Mit einer heftigen Armbewegung fegte er alle Papiere von seinem Schreibtisch. Während die Blätter zu Boden flatterten, stand er auf und ging hinaus.

Seddons Gesicht verlor seinen versöhnlichen, weichen Ausdruck. «Ich bin sicher, daß eine Versetzung möglich ist», sagte er laut.

112

In der Folge des Falls Eamon Randolph begann sich Jasper Dills um sein Gehalt zu sorgen. Er hatte nichts mehr von oder über Elkanah Bent gehört. Er wußte, daß Starkwethers Sohn von Baker wegen Brutalität in der Randolph-Sache hinausgeworfen worden war. Das war alles.

Zur Zeit war Dills mit Arbeit überlastet. Obwohl einige seiner Klienten Demokraten waren, wünschte keiner, daß ein Friedenskandidat zum Präsidenten gewählt wurde; ein verkürzter Krieg bedeutete verminderte Profite. Nichtsdestoweniger beschloß er, dem Chef der Spezialabteilung einen Besuch abzustatten, was er dann auch Ende Juni tat. Bakers Antwort fiel knapp aus.

«Ich weiß nicht, was aus Dayton geworden ist. Es kümmert mich auch nicht. Ich folgte den Befehlen, entließ ihn und vergaß ihn dann.»

«Verdammt noch mal, Colonel, Sie müssen doch einige Informationen besitzen. Ist er noch in der Stadt? Wenn nicht, wo ist er dann? Wollen Sie mich zwingen, meine Fragen Mr. Stanton vorzulegen und ihm mitzuteilen, daß Sie mir Ihre Hilfe verweigert haben?»

Sofort zeigte sich Baker kooperativ. «Ich weiß aus sicherer Quelle, daß Dayton sich vor ungefähr einem Monat in Richmond aufhielt.»

«Richmond! Warum das?»

«Ich weiß nicht. Ich erfuhr lediglich, daß er gesehen wurde.»

«Hat er sich vielleicht auf die andere Seite geschlagen?»

Baker zuckte die Achseln. «Möglich. Er war ziemlich wütend, als ich ihn rauswarf. Ehrlich gesagt, ich wünschte, ich hätte ihn nie eingestellt. Ich kenne Ihren Ruf, Mr. Dills. Ich weiß, Sie haben eine Menge Freunde in dieser Regierung. Aber ich verstehe wirklich nicht, weshalb Sie sich so für Dayton interessieren. Was für eine Verbindung besteht da?»

Dills hatte mittlerweile entschieden, daß er sich an höhere Stellen wenden mußte. «Ich bin nicht in der Lage, Ihre Fragen zu beantworten, Colonel Baker. Guten Tag.»

Dills traf eine Verabredung mit Stantons Vertrautem, Stanley Hazard. Hazard war zwar nur Mittelmaß, aber er war reich und hatte sich irgendwie einen Kreis einflußreicher Freunde geschaffen; durch Kauf, wie Dills vermutete, was die übliche Art und Weise darstellte. Allein seine Fähigkeit, bei den wilden Schwankungen der Parteipolitik die

Balance zu halten, zeichnete Hazard aus. Angesichts der Geschichten, die über ihn verbreitet wurden, war Stanley Hazards Überleben doppelt bemerkenswert, vor allem, wenn man das Gerücht berücksichtigte, daß er bereits morgens um halb zehn betrunken war.

Auf winzigen Füßen stieg der Anwalt die Stufen zu Stanleys Büro hoch. In einer Ecke stand ein Messinggefäß, in dem Weihrauchwürfel verbrannt wurden. Um den Alkoholduft zu maskieren?

Dills setzte sich. «Ich weiß, daß Sie ein vielbeschäftigter Mann sind, Mr. Hazard, also lassen Sie mich gleich zur Sache kommen. Erinnern Sie sich an einen Mann, den Sie an Colonel Baker weiterempfahlen? Ein Mann namens Ezra Dayton?»

Stanley richtete sich etwas auf. «Das tue ich tatsächlich. Sie haben ihn empfohlen, aber er wurde entlassen. Höchst unzulänglich –»

«Das bedaure ich zutiefst. Ich konnte das nicht voraussehen. Was mich zu Ihnen führt, ist die Notwendigkeit, etwas über Daytons Aufenthaltsort zu erfahren. Als Gegenleistung wäre ich bereit, einem politischen Kandidaten Ihrer Wahl eine großzügige Spende zukommen zu lassen. Einem Mann der republikanischen Seite, wie ich hoffe.»

«Selbstverständlich.» Stanley zuckte bei diesem Angebot mit keiner Wimper. «Mal sehen, ob wir was haben.» Er rief einen Assistenten, der für zehn Minuten verschwand, bei seiner Rückkehr etwas in Stanleys Ohr flüsterte und wieder hinausging. Stanley seufzte.

«Absolut nichts, fürchte ich. Es tut mir sehr leid. Ich hoffe, das wird Ihr Versprechen nicht beeinträchtigen, da ich Ihr Angebot guten Glaubens angenommen habe.» Dills spürte die Drohung hinter dem widerlichen Lächeln. Er zuckte zurück, als Stanley hinzufügte: «Tausend wären sehr großzügig.»

«Tausend! Ich dachte an wesentlich –» Hastig schluckte Dills. Wie konnte so eine aufgedunsene, blasse Kreatur so viel Macht besitzen? «Aber sicher doch. Ich werde die Anweisung morgen schicken.»

Stanley schrieb etwas auf ein Stück Papier. «Zahlbar auf dieses Konto.»

Bent war verschwunden – und diese Information hatte ihn tausend Dollar gekostet. In übler Stimmung verließ Dills das Gebäude und ging hinüber zum Park, wo seine Kutsche wartete. Doch trotz seines Ärgers erheiterte ihn die Vorstellung des behenden Mr. Hazard. Hinter dem Weihrauchduft hatte Dills eindeutig Whiskey gerochen. Was für ein verblüffender Balanceakt.

Ah, es gab viele solcher Balanceakte in Washington. Es war, das hatte ihn die Erfahrung gelehrt, eine Stadt der Raubtiere, in der Verkleidung von Patrioten.

In Lehigh Station wurden neue Gräber ausgehoben, die ankommenden Frachtzüge brachten neue Särge, ankommende Wagen gelegentlich Verwundete oder auf Dauer Verstümmelte. Ab und zu war in der Stadt auch ein gesunder Mann zu sehen, der gerade jetzt nicht zu Hause sein sollte. Brett wohnte lange genug hier, um solche Männer zu erkennen.

Sie beschloß, der örtlichen Feier am 4. Juli fernzubleiben, und widmete sich statt dessen neun Stunden lang Scipio Browns Kindern. Es war eine Zeit drückender Hitze, sinkender Moral, plötzlicher Alarmmeldungen. Jubal Earlys Armee hatte Washington eingekreist und alle Bahn- und Telegraphenlinien nach Baltimore unterbrochen. Jubal Earlys Armee hatte Silver Spring erreicht, in Sichtweite der Unionsbefestigungen entlang Rock Creek. Jubal Earlys Armee hatte fast schon Washington in der Tasche gehabt, bevor sie nach Pennsylvania abgedrängt worden war. Wie weit mochten die Rebs diesmal in den Staat vordringen?

Es war eine Zeit der allgemeinen Kriegsmüdigkeit, voller Zynismus. Aber all das spielte in Bretts Leben nur eine untergeordnete Rolle. Mit Charles Mains Hilfe war Billy aus dem Libby-Gefängnis entkommen, hatte das Feindesland durchquert und während der titanischen Schlacht bei Spotsylvania die Unionslinien erreicht. Eine Kugel hatte ihm eine harmlose Beinwunde zugefügt, aber in seinen Briefen schrieb er, daß er sich vollkommen erholt hatte und zu seiner Einheit bei Petersburg zurückgekehrt war.

Diese Wendung machte sie froh und glücklich. In geringerem Maße taten das auch die Besuche von Scipio Brown, der jede zweite oder dritte Woche mit einem neuen Kind erschien. Die Räumlichkeiten waren längst hoffnungslos überfüllt. Aber Brown brachte weiterhin kohlschwarze oder kaffeebraune Kinder, und sie verliebte sich sofort in jedes einzelne von ihnen.

Constance beobachtete all das verblüfft und amüsiert. «Ich sage dir, Brett, am Tag vor Scipios Ankunft bist du jeweils viel glücklicher als am Tag seiner Abreise.»

«Tatsächlich?» Ein Lächeln, ein Schulterzucken. «Ja, ich glaube auch. Ich mag ihn.»

Constance nickte; beide Frauen wußten, daß dies die einzig nötige Erklärung war. Doch in ihren Briefen an George schrieb Constance von einem bemerkenswerten Wandel.

Dann traf als große Überraschung eine telegraphische Bitte von Madeline Main ein. Sie befand sich in Washington.

«Orry wollte nicht, daß sie nach South Carolina geht», sagte Constance, nachdem sie die Nachricht ein zweitesmal gelesen hatte. «Mit Hilfe eines Schwarzen von Fredericksburg erreichte sie Fort Du Pont und überquerte die Linien. Einen Tag hielt man sie zum Verhör fest, dann wurde sie entlassen. Sie bittet um Erlaubnis, herkommen zu dürfen.»

Sofort sagte Brett: «Ich glaube, jemand sollte nach Washington fahren, um ihr behilflich zu sein. Ich bin bereit.»

«Das überlasse ich dir nicht allein. Wir fahren beide.»

Und so unternahmen die beiden Frauen die lange, schmutzige Bahnfahrt, während es mit der Belagerung von Petersburg nicht voranging und Sherman vor Atlanta zum Stillstand zu kommen schien. Die Hälfte der Passagiere warf ängstliche Blicke zum Fenster hinaus, aber zwischen Lehigh Station und Washington sahen sie keinen einzigen Rebellen. In einem kleinen, dunklen Zimmer auf der Insel begrüßte sie Madeline. Sie wirkte etwas matronenhafter, war aber immer noch eine Schönheit, wie Brett feststellte, bevor sie sich umarmten.

«Wie schön, dich zu sehen», sagte Constance. «Ich bin froh, daß Orry dich in diese Richtung anstatt nach Süden geschickt hat, wo so viele Gefahren lauern.»

«Wir werden gut für dich sorgen», versprach Brett. «Du siehst erschöpft aus.»

Madelines Gesichtsausdruck wechselte. «Bevor wir fahren, möchte ich euch sagen, weshalb ich Richmond verlassen mußte. Andere Leute haben erfahren, was Orry wußte, seit ich von Resolute flüchtete. Ich -»

Sie schwieg einen Moment, schien mit der Last zu kämpfen. «Ich habe Negerblut in mir. Meine Mutter war eine Terzeronin.»

Brett saß ganz still, wagte aus Angst, Madeline zu beschämen, keine Bewegung. Ruhig fuhr Madeline fort: «Ihr wißt, was das in der Konföderation bedeutet. Ein Tropfen schwarzen Blutes, und du bist ein Schwarzer.» Sie hielt inne. «Wird das auch in Lehigh Station so sein?»

Constance antwortete zuerst. «Ganz sicher nicht. Du hättest es uns nicht zu erzählen brauchen.»

«Oh doch, dazu fühle ich mich verpflichtet.»

Brett war sich nicht sicher, was sie empfand. Widerstreitende Gefühle, in ferner Kindheit eingepflanzt, tobten in ihr.

«Seid ihr überzeugt davon, daß es keinen Unterschied macht?» fragte Madeline.

«Keinen», sagte Brett und wünschte, es wäre so.

«Wäre ich auf der Straße am Fluß geblieben, dann hätten sie mich sicher erwischt», sagte Andy. «Sie kamen zwischen den Palmen hervor

694

– zwei davon auf Mulis –, aber ich kenne ein paar Schleichpfade, und sie nicht.»

«Setz dich erst mal, ruh dich aus», sagte Philemon Meek und gab ihm seinen eigenen Stuhl. «Ich bin froh, daß dir nichts passiert ist.»

Die schwere Luft des Juliabends füllte das Büro der Plantage. Meek marschierte auf und ab. Wie alt er geworden ist, dachte Cooper.

Meek hatte darauf bestanden, daß sie sich hier berieten, damit niemand vom Hauspersonal etwas hörte. Er wollte nicht, daß sie auch noch fortrannten. Cooper gab sich da geringeren Illusionen hin als der Verwalter. Das Hauspersonal wußte, daß die Guerillabande in der Nähe lagerte, und die Reihen lichteten sich.

Meek hörte auf, seine Brille herumzuwirbeln. «Eins möchte ich ganz klar wissen. Du hast diesmal weiße Männer gesehen?»

«Ja. Zwei im Grau der regulären Armee, drei in zimtfarbenen Uniformen.»

«Wenn weiße Deserteure sich den Reihen der Neger anschließen», sagte der Verwalter, «dann haben wir doppelten Grund zur Furcht.» Er wandte sich Cooper zu. «Ich zweifle kaum daran, daß sie uns angreifen werden, Mr. Main. In diesem Bezirk ist das hier die größte noch in Betrieb befindliche Plantage. Ich meine, wir sollten einige der Sklaven bewaffnen – vorausgesetzt, wir finden irgendwelche Waffen.»

«Ist das der einzige Weg?» schnappte Cooper. «Kampf?»

Nach einigen Sekunden der Verblüffung sagte Meek: «Wenn Sie einen anderen Vorschlag haben, dann würde ich ihn nur zu gern hören.»

Die Stille wurde nur von Insektengeräuschen unterbrochen. Oben beim Haus summte eine Frau die Melodie einer Hymne. Andy spähte angestrengt zum Fenster hinaus.

Cooper wußte, daß er geschlagen war, und seufzte. «In Ordnung. Ich fahre nach Charleston und schaue, ob ich einige gebrauchte Waffen auftreiben kann.»

Brüsk und drängend sagte Meek: «Bald, ja?»

In Richmond packte Orry am nächsten Tag die letzten persönlichen Sachen, mit denen er und Madeline die Räume in der Marshall Street ausgestattet hatten, in eine Kiste. Dann nagelte er sie zu und brachte sie in ein Lagerhaus.

Er stopfte Uniformen und Ausrüstung in einen zerschlissenen Koffer, für den er einen horrenden Preis gezahlt hatte. Als der Abend dämmerte, zog er seine beste graue Uniform an, verschloß die Wohnung und gab der Vermieterin den Schlüssel. Dann bestieg er den

Versorgungswagen, der ihn die siebeneinhalb Meilen Richtung Süden nach Chaffin's Bluff brachte. Dort hielt Picketts Division das rechte Ende der innersten Verbindungslinie, einen der fünf Verteidigungsringe der Stadt.

Trauer lag über George Picketts Gesicht, als der General Orrys Salut erwiderte und ihn im Divisionshauptquartier willkommen hieß.

«Es tut gut, dich endlich doch noch begrüßen zu können.»

«Es tut gut, hier zu sein, Sir.»

Ein melancholisches Lächeln. «Ich hoffe, du bist noch der gleichen Meinung, wenn du einige Wochen in nächster Nachbarschaft zu deinem alten Bekannten aus West Point hinter dir hast. Diesmal stehen wir einem Mann gegenüber, der entweder nicht weiß, wann er geschlagen ist, oder dem es egal ist, ob er eine gesamte Armee beim Versuch, uns zu schlagen, verliert. Es gibt keine wirkungsvolle Möglichkeit, diesem Typ Mann lange zu widerstehen.»

Es gibt eine, dachte Orry. Aber er wollte nicht mit dem Thema der schwarzen Rekruten ihr Wiedersehen und seine ersten Momente im Kriegsgebiet verderben.

113

Drei Frauen speisten. Constance hatte Kerzen entzündet, um eine gemütliche Atmosphäre für das Abendessen zu schaffen. Das war auch gelungen, aber nach ihrem ersten Versuch, ein Gespräch in Gang zu bringen, spielte das kaum noch eine Rolle.

«Nun, da sitzen wir», sie hob ihr Weinglas ihren Gästen entgegen, »drei Kriegswitwen.»

«Ich wünschte, du würdest sowas nicht sagen», rief Brett.

«Oh, meine Liebe, es tut mir leid. Es war ein ungeschickter Versuch, eine leichte Bemerkung zu machen. Ich entschuldige mich.»

«Das ist viel zu ernst, um darüber zu scherzen», sagte Brett, als Bridget und ein weiteres Küchenmädchen die falsche Schildkrötensuppe auftrugen.

«Ich verstehe, was du gemeint hast», sagte Madeline zu Constance, «aber ich muß Brett recht geben.» Sie probierte die Suppe und versuchte Constance mit einem Lächeln zu trösten. «Das ist köstlich.»

Genauso bemüht: «Ich danke dir.»

Danach steuerte Constance das Gespräch auf sicheres Gebiet. Sie lachte und sprach über ihr Gewichtsproblem, in der Hoffnung, daß Scherze auf eigene Kosten ihre Gedankenlosigkeit vergessen lassen würden. Sie bemerkte kaum ein Anzeichen des Erfolgs.

Sie beantwortete Madelines Fragen nach ihrem Vater, der in Los Angeles damit beschäftigt war, sein Spanisch zu verbessern, damit er auch einheimische Mandanten vertreten konnte.

«Und Virgilia?»

«Wir haben nichts mehr von ihr gehört. Ich nehme an, sie ist noch beim Schwestern-Corps.»

«Sie könnte ruhig etwas dankbarer sein für die Unterkunft und die Hilfe, die du ihr gegeben hast», sagte Brett. «Zumindest ein gelegentlicher Brief wäre ein schlichtes Gebot der Höflichkeit.»

Constance griff zum Messer und begann lächelnd das heiße, frische Brot zu schneiden. «Ah, ich glaube nicht, daß Dankbarkeit zu den Tugenden meiner Schwägerin zählt.»

«Besitzt sie überhaupt welche?» konterte Brett, und danach senkte sich grimmiges Schweigen über den Tisch.

Guter Gott, dachte Constance, hat meine dumme Bemerkung all das ausgelöst? Es schien so zu sein.

Madeline spürte die Spannung und sagte zu Brett: «Erzähl mir von dieser Schule für schwarze Waisenkinder, ja?»

«Wenn du magst, nehme ich dich morgen mit hoch.»

«Oh ja, gern.»

Auch Brett schämte sich ihres Ausbruchs. Angst war die Hauptursache dafür. Sie haßte das Wort *Witwe* in Verbindung mit sich selbst.

Doch sie mußte ehrlich sein; noch etwas irritierte sie: Madelines Enthüllung. Brett hatte zu ihrer eigenen Verblüffung unerwartet emotional reagiert. Madeline hatte Bretts Respekt und ihre aufrichtige Zuneigung besessen. Jetzt – sie konnte nicht dagegen ankämpfen – betrachtete sie Orrys Frau mit anderen Gefühlen.

Madeline war sich Bretts neuer Zurückhaltung durchaus bewußt. Das Gespräch an diesem Tisch heute abend war teilweise unerfreulich gewesen. *Drei Kriegswitwen.* Sie verstand die Bemühung um leichte Konversation, fand es aber trotzdem störend. Gott sei Dank hatte Orry nichts unternommen, um sich Picketts Stab anzuschließen. Er sollte in Richmond relativ sicher sein, bis die Stadt fiel. Danach würde er vielleicht für eine Weile interniert werden, aber das würde er bestimmt überleben; er war ein starker, tapferer Mann.

Die Kerzen brannten nieder, die Unterhaltung schleppte sich dahin.

Constances Antworten klangen immer gezwungener, ihre Scherze verkrampft. Als sie ihren Nachtisch beendeten, sagte sie abrupt: «Ich glaube, ich gehe noch auf eine Stunde in die Stadt.»

Madeline fragte: «Soll ich dich begleiten?»

«Danke, nicht nötig. Ich gehe in die Kirche.»

Sie mußte nicht erklären, daß sie es nötig hatte. Ihr Gesicht machte das offensichtlich.

Da sitzen wir. Drei Kriegswitwen.

Seit dieser Bemerkung hatte sie eine Vorahnung befallen: Für eine der drei Frauen am Tisch würden diese Worte wahr werden.

114

Während der ersten zehn Julitage litt Charles unter einem schlimmen Anfall von Ruhr. Am elften Tag stand er auf, obwohl er in seinem geschwächten Zustand immer noch ins Bett gehörte, ließ sich einen Paß ausstellen und machte sich auf den gefährlichen Ritt westlich um Richmond herum, dann weiter nordöstlich nach Fredericksburg. Nur sein Revolver und seine Schrotflinte konnten für seine Sicherheit garantieren.

Es würde sein letzter Abstecher zu Barclays Farm sein. Das hatte er während der Tage im Bett beschlossen. Der Süden würde kämpfend untergehen, und er würde mit untergehen. Das war jetzt seine einzige Pflicht. Er konnte nicht leugnen, daß er Gus liebte, aber sie verdiente einen Mann mit besseren Zukunftsaussichten. Jeden Tag wurden die Chancen, von einer Kugel tödlich getroffen zu werden, größer. Auf kurze Sicht würde er ihr weh tun, aber wenn sie dann einen besseren Mann gefunden hatte, würde sie ihm dankbar sein.

Es hörte gerade zu regnen auf, als er die Farm erreichte. Es war halb sechs abends.

«Major Charles!» Washington sprang auf die Füße, als Charles angeritten kam. «Der Herr steh' uns bei – der alte Sport schaut fast genauso verhungert aus wie Sie. Hatten 'ne Weile nicht mit Ihnen gerechnet. Warten Sie, ich sag Miz Augusta – »

«Ich sag's ihr selber.» Ohne zu lächeln riß Charles die Hinterür auf. «Gus?» Die Küche war leer. Er rief: «Gus, wo zum Teufel steckst du?»

Sie kam den Flur entlanggerannt, die Haarbürste in der Hand. Bei seinem Anblick leuchtete ihr Gesicht auf. Sie warf die Arme um seinen Hals. «Liebling!»

Er preßte seine bärtige Wange gegen die ihre, löste sich aber aus der Umarmung, als sie anfing, ihn zu küssen. Er schwang ein Bein über eine Stuhllehne und setzte sich, suchte in seinem Hemd nach Streichhölzern und einem Zigarrenstummel. Sein Mangel an Gefühl ängstigte sie.

Mit einem langen Holzlöffel rührte sie die Suppe auf dem Ofen um, dann wandte sie sich widerstrebend ihm zu.

«Darling, du siehst krank aus.»

«Ich habe mir wieder die Ruhr eingefangen. Ich weiß nicht, was schlimmer ist, auf einem Feldbett zu liegen und sich zu wünschen, die Gedärme sollten einem rausfallen, oder mit General Hampton durch halb Virginia zu reiten.»

«Ist es so schlimm gewesen?»

«Wir haben mehr Männer und Pferde verloren, als du für möglich halten würdest. Wenigstens drei Kompanien der South Carolina Sixth sitzen ohne Ersatzpferde im Camp.»

Sie blickte zum Fenster hinaus. «Du hast immer noch Sport.»

«Was von ihm übriggeblieben ist.» Er klopfte zweimal auf den Tisch.

Sie strich sich eine blonde Haarsträhne aus dem Gesicht. «Es bricht mir das Herz, so dünn und blaß wie du bist. Und entmutigt.»

«Was sonst kannst du heutzutage erwarten?» Er wurde zunehmend nervöser. Ursprünglich hatte er die Nacht über bleiben wollen, hatte mit ihr schlafen wollen, aber jetzt stellte er fest, daß er ihr das nicht antun konnte; außerdem fehlte ihm die Kraft, es selbst zu ertragen. Abrupt entschied er sich für ein schnelles Ende.

Er biß in den Zigarrenstummel, entzündete das Streichholz am Stuhl. «Die Farm ist total runtergekommen.»

«Den Yankees sei Dank. Kaum ein Tag vergeht, an dem Boz oder Wahington nicht einen Warnschuß auf einen herumschleichenden Deserteur abgeben müssen.»

«Du hättest nicht hierbleiben sollen. Du solltest jetzt nicht hiersein. Wie kannst du was anbauen? Wie könnt ihr überleben, du und die Nigger?»

«Charles, du weißt, daß ich das Wort nicht ausstehen kann, vor allem in Verbindung mit meinen Männern.»

Er zuckte mit den Schultern. «Hab' ich vergessen. Tut mir leid.» Es hörte sich nicht so an.

Sie zupfte an der straff gespannten Taille ihres Kleides. Charles hatte den Kopf gesenkt, den Blick auf das Streichholz an der Zigarre gerichtet.

Verängstigt sagte Gus: «Du klingst, als möchtest du einen Streit vom Zaun brechen.»

Er nahm die Zigarre aus dem Mund. «Jetzt hör mal zu. Es war ein verdammt weiter Ritt hier hoch.»

«Niemand hat dich darum gebeten, vergiß das nicht.» Der alte Schutzpanzer war wieder da. Es schmerzte ihn, aber Schmerz war notwendig für das, was er tun mußte.

Er sah die ärgerliche Verwirrung in ihren blauen Augen und wäre beinahe schwach geworden. Dann fiel ihm Ab Woolner ein und Sharpsburg und – so viele Ereignisse, daß sie kaum in einem Zeitraum von drei Jahren Platz zu haben schienen. Oder daß irgendein Mann sie hatte ertragen können. Er hatte es geschafft, aber er trug die Narben in sich.

Sanfter fragte sie: «Wie lange kannst du bleiben?»

«Wenn's dunkel ist, muß ich mich auf den Rückweg machen.»

«Möchtest du – ?» Die nicht beendete Frage und ihre leichte Drehung zur Schlafzimmertür hin färbten ihre Wangen rot.

«Ich muß Sport Wasser geben und ihn ausruhen lassen», sagte er; jede Faser in ihm sehnte sich danach, mit ihr ins Bett zu gehen. Sie verstand die unausgesprochene Ablehnung.

«Ich mache dir was zum Abendessen, wenn du fertig bist.»

Mit einem Kopfnicken ging er hinaus.

«Schmeckt gut, die Suppe», sagte er ohne Überzeugung und schob die Schüssel zurück. *Jetzt! Zögere es nicht hinaus!*

«Was ich sagen wollte, Gus», er räusperte sich, «wo die Dinge so schlecht stehen, ich weiß nicht, wann ich wieder vorbeikommen kann.»

Gus hob den Kopf, eine schnelle, stolze Bewegung, wie die Reaktion auf einen Schlag. Bitter sagte sie: «Nächste Woche oder nie mehr, das liegt an dir. Ich – » Sie verstummte, schüttelte den Kopf.

«Red weiter.»

Ihre Stimme wurde kräftiger. «Ich hoffe, du erwartest auf deine Ankündigung hin keine Tränenflut. Ich bin mir nicht sicher, ob ich dich in deiner gegenwärtigen Verfassung hier haben will. Die Feststellung, daß der Krieg schrecklich ist, ist nicht gerade neu. Und du scheinst zu vergessen, daß die Männer nicht die gesamte Last tragen. Glaubst du, es ist leichter, eine Frau mit einem Sohn oder einem Mann in der Armee zu sein? Ich weiß, der Krieg hat dir schlimme Dinge angetan. Es steht in deinen Augen geschrieben, liegt in dem, was du sagst, was du tust. Du scheinst von einem Zorn erfüllt zu sein –»

Er stieß den Stuhl zurück, stand auf, die Zigarre zwischen den Zähnen. Nach dem Essen hatte er sich eine neue Zigarre angezündet und beschlossen zu gehen, sobald er sie zu Ende geraucht hatte. Vielleicht sollte er eher gehen.

«Mach dir nicht die Mühe, mir deine Rohheit vorzuführen», zischte Gus wütend. «Ich habe genug davon erlebt. Was gibt dir das Recht, länger und schwerer zu leiden als wir anderen? Ich liebe dich, blöd wie ich bin. Du tust mir leid. Aber ich lasse mich nicht wie irgendein dumpfes Tier behandeln, das nicht brav war. Ich lasse mich nicht treten, Charles. Falls du dich entschließen solltest, wieder herzukommen, dann als der Mann, in den ich mich verliebt habe. Er ist derjenige, den ich will.»

Die Sekunden tickten weg. Er nahm die Zigarre aus dem Mund.

«Dieser Mann ist gestorben.»

Sie erwiderte seinen starren Blick. Leise, ohne jeden Zorn, sagte sie: «Ich glaube, du gehst besser.»

«Ich glaube auch. Danke für das Essen. Paß auf dich auf.»

Er marschierte hinaus, schwang sich auf Sport und ritt in die Nacht hinein.

Sie fühlte sich wie in der Nacht, in der ihr Mann gestorben war. Sie konnte kaum glauben, wie sehr es schmerzte. Hätte sie alles anders machen sollen? Hätte sie sich weigern sollen, ihn zu lieben? Ihre Antwort bestand aus einem spontanen, überzeugten Nein. Aber bei Gott, es tat so weh.

Doch trotz allem empfand sie Stolz, daß sie eine selbständige Frau war. Sie hatte diesen elenden Krieg ertragen, und sie würde ihn weiterhin ertragen. Sie würde auch den Schmerz ertragen, solange er dauerte. Und sie wußte, wie lange das sein würde – bis zur Stunde ihres Todes.

Egal. Sie würde alles ertragen, weil es immer, auch unter den schlimmsten Umständen, einen Grund zum Überleben gab. Ihren eigenen Grund kannte sie nur zu gut und wünschte bloß, sie wäre in der Lage gewesen, es ihm zu sagen. Aber das wäre ein grausamer, egoistischer Einsatz der Wahrheit gewesen.

Zart legte sie ihre Hand auf den Bauch. Dann, als die Uhr Mitternacht schlug, ließ sie sich auf die Knie sinken und begann den Fußboden zu schrubben.

115

In der Nacht nach der Krater-Schlacht schrieb Billy:

Sonntag, 31. Juli. Routinemäßige Kompanieinspektion. Nach den gestrigen Verwüstungen alles ruhig an der Belagerungsfront.

Samstag wurden wir um zwei Uhr nachts geweckt, marschierten dann nach Ft. Meikel, von wo aus wir die Detonation von 8000 Pfund Pulver in dem T-förmigen Minenschacht miterlebten, der von Lt. Col. Pleasants 48th Pennsylvania Volunteers über eine Länge von ungefähr 600 Yards bis unter die Stellungen der Rebellen gegraben worden war. Die Ladung ging mit solch elementarer Gewalt hoch, wie ich es nie zuvor gesehen hatte. Der Plan war ein voller Erfolg, bis Gen. Burnsides IX. Corps in den rauchenden Krater vormarschierte.

Aus noch unbekannten Gründen stockte der Vormarsch; am Grunde des Kraters saßen die Männer in der Falle, während weitere Truppen hineindrängten – und sich wie auf dem Präsentierteller dem feindlichen Gewehr- und Artilleriefeuer darboten. Das forderte gewaltige Verluste & bereitete den Boden für Gen. Mahones Gegenangriff vor, der den brillanten Plan in eine Niederlage verwandelte.

Die Belagerung hält ohne großen Erfolg an. George ist nun in City Point beim RR Corps stationiert, mit der Aufgabe, unsere Bahnversorgungslinien in Gang zu halten. Ich möchte ihn besuchen, bin aber bis jetzt noch nicht dazu gekommen; täglich scheinen neue Aufgaben auf das Bataillon zu warten. Ein Großteil unserer Arbeit wird in nächster Nähe der Rebellenstellungen erledigt, was äußerste Vorsicht und Heimlichkeit notwendig macht. Häufig führen wir unsere Aufträge nachts durch, vollkommen lautlos, sofern das möglich ist. Jeder einzelne Mann weiß, daß ein unbedachter Laut das feindliche Feuer auf uns ziehen kann, wodurch der Krieg für manchen um eine beträchtliche Zeitspanne eher beendet sein könnte als bei der offiziellen Kapitulation. Kein Wunder, daß wir eine tägliche Ration Whiskey ausgeschenkt bekommen. Unser Job ist hart & gefährlich. Ich zögere nie, meinen Whiskey zu trinken. Ich habe viele Gründe, mein Bestes zu geben, um jeden neuen Tag zu überleben. Viele Gründe, aber einer über-

ragt alle anderen. Dieser Grund bist du, meine geliebte Frau. Wie
sehr sehne ich mich danach, dem Töten zu entrinnen und dich
wieder in meinen Armen zu halten.

Mit den farbigen Blättern brachte der Herbst bessere Nachrichten nach Lehigh Station. Am 2. September hatte Sherman Atlanta eingenommen. Das und die erfolgreichen Heldentaten von Little Phil erregten den ganzen Norden.

Der Herbst brachte auch Scipio Brown ein letztesmal nach Belvedere. Überschwenglich wie ein Junge drehte er sich vor Brett, um seine hellblauen Hosen mit den breiten, gelben Streifen und die dunkelblaue Jacke ohne Insignien vorzuführen – wodurch sich Junior-Lieutenants von Senior-Lieutenants unterschieden.

«Lieutenant Brown, Second United States Colored Troops, Kavallerie. Ich ersetze einen Offizier, der bei einem Scharmützel des Regiments bei Spring Hill eine Verwundung erlitt.»

«Oh, Scipio – genau das haben Sie sich doch gewünscht. Sie schauen einfach großartig aus.»

Constance und Madeline waren der gleichen Meinung. Die drei Frauen hatten sich im Wohnzimmer versammelt, um Brown zu begrüßen und mit Sherry und kleinen Kuchen zu verwöhnen.

Er verbeugte sich vor den Damen. «Die Erfrischungen waren köstlich, aber es ist bereits halb sechs vorbei. Mein Zug fährt um sechs. Ich muß mich beeilen.»

Auf Belvederes Veranda stand Brett ihm schließlich allein gegenüber. Brown räusperte sich. «Ich weiß nicht, wie ich mich verabschieden soll. Sie waren mir eine so große Hilfe.»

«Nur zu gern. Ich brauche keinen Dank. Ich liebe jedes dieser Kinder.»

«Wenn Sie ebensoviel Liebe für einen Erwachsenen der gleichen Hautfarbe empfinden werden, dann sind Sie den ganzen Weg gegangen. Aber für Sie ist es bereits ein weiter Weg gewesen. Eine unglaubliche Strecke. Sie sind», ein ganz untypisches Zögern, «Sie sind eine wunderbare Frau. Ich kann verstehen, weshalb Ihr Mann so stolz auf Sie ist.»

Ohne nachzudenken streckte Brett die Hand aus, berührte ihn. «Sie müssen gut auf sich aufpassen. Schreib uns!»

Er trat einen Schritt zurück, löste seinen Ärmel von ihrer Hand. Erst jetzt merkte Brett, was sie getan hatte.

«Natürlich werde ich das, wenn es die Zeit erlaubt.» Plötzlich klang er steif und förmlich. «Ich muß gehen, sonst verpasse ich den Zug.»

Er band sein Mietpferd los, schwang sich leichtfüßig in den Sattel und trabte davon. Im Westen flammte das Licht noch einmal über den Dächern auf, darunter lag alles im Schatten. Bald schon hatte sie den Reiter aus den Augen verloren.

Jetzt erst begriff sie, weshalb sie ihn berührt hatte. Emotionen hatten sie überwältigt: tiefe Besorgnis, Zuneigung und, am verblüffendsten von allem, eine ungemeine Anziehungskraft. Sie konnte es kaum glauben, konnte aber die Erinnerung daran auch nicht leugnen. Einsam und innerlich leer durch Billys lange Abwesenheit, hatte sie sich für einen winzigen Augenblick nach diesem großgewachsenen Mann gesehnt.

Und dabei hatte es nicht das geringste ausgemacht, daß Scipio Brown ein Neger war.

Dieses Gefühl hatte sich unterdessen verflüchtigt, die Erinnerung daran würde ihr immer bleiben. Sie war Billy untreu gewesen, wenn auch nur ganz kurz, und ihr Moralgefühl erzeugte Scham. Mit Billys Hautfarbe hatte das allerdings nichts zu tun. Er war die Liebe einer jeden Frau wert.

Wenn Sie für einen Erwachsenen der gleichen Hautfarbe ebenso viel Liebe empfinden, dann haben Sie es geschafft.

«Oh», flüsterte sie, drehte sich um und rannte ins Haus. «Madeline? Madeline!» Sie rannte durch die Zimmer, bis sie Madeline, Gedichte lesend, gefunden hatte. Als Madeline aufstand, warf Brett die Arme um sie und fing an zu weinen.

«Na, na, was ist denn?» begann Madeline mit vorsichtigem Lächeln.

«Madeline, es tut mir leid. Verzeih mir.»

«Was soll ich dir verzeihen? Du hast nichts Unrechtes getan.»

«Oh doch, das habe ich. Verzeih mir.»

Das Weinen hielt an, und Madeline streichelte die jüngere Frau, um sie zu trösten. Erst fühlte sie sich dabei unbehaglich, aber dann legte sich das. Eine ganze Weile hielt sie ihre Verwandte in den Armen, im Bewußtsein, daß Brett Absolution brauchte, auch wenn sie den genauen Grund dafür nicht kannte.

116

Granaten hatten das Schanzwerk teilweise zerstört. Billy führte den Reparaturtrupp; sie arbeiteten in höchster Eile, damit das Schanzwerk wieder bemannt werden konnte.

Für Oktober war es noch sehr heiß, und Billy schuftete ohne Hemd. Billys Arbeiter gehörten zu einem Zug von Schwarzen, die er in den vergangenen Wochen häufig beaufsichtigt hatte. Der Schwarze, der Billys Männer unmittelbar kommandierte, war ein schwergewichtiger, sanft wirkender Sergeant namens Sebastian, mit einer Haut so hell wie Milchkaffee, einer gewaltigen Hakennase und leicht geschlitzten Augen, die nicht zu seinen anderen Gesichtszügen paßten. Er schonte sich nicht und erwartete das gleiche von den Männern seines Zuges.

Während Billy Seite an Seite mit ihm schwitzte, erkundigte er sich: «Wo leben Sie, Sergeant Sebastian?»

«In Albany, New York, aber früher, da ist mein Opa von einer Farm in South Carolina weggerannt, wo er der einzige Sklave war. Opa war – »

Eine scharlachrote Explosion im Himmel über Petersburg zerschnitt die Unterhaltung. Flüche schallten der heranheulenden Granate entgegen. Billy brüllte ein überflüssiges Kommando, in Deckung zu gehen. Die meisten Männer lagen schon auf dem Boden, als die Granate direkt in die teilweise reparierte Brustwehr einschlug.

Billy schützte seinen Kopf mit beiden Armen. Irgend jemand schrie: «Sergeant Sebastian? Lieutenant Buck ist verwundet oder tot.»

Buck war der Zugoffizier. Sebastian verschwendete keine Zeit. Er kroch hoch, während weiter entfernte Batterien das Feuer eröffneten. «Ich hole ihn rein.»

«Aber es ist nicht sicher während des Bombardements – »

«Zum Teufel mit der Sicherheit. Buck ist verwundet oder tot.»

Geduckt rannte Sebastian am Schanzwerk entlang. Billy hatte seinen Einwand aus Überlegung, nicht aus Feigheit gemacht, aber er wußte, daß Sebastian ihm das nicht glaubte. Er sprang auf und rannte hinter dem Sergeant her.

«Reich ihn runter, Larkin.» Sebastian stand aufrecht, mühte sich, das zerfallende Schanzwerk zu erreichen, wo der schwarze Offizier lag. Billy, der sich geduckt vorwärtsschob, konnte nicht erkennen, was vor sich ging, aber es schien Schwierigkeiten zu geben.

Billy rief: «Können Sie ihn erreichen, Sergeant?»

«Nein.»

«Ich versteh' nicht. Haben Sie ihn?»

«Ich sagte nein», brüllte Sebastian, worauf ein Schütze der anderen Seite einen Schuß auf ihn abgab. Sebastian zuckte zusammen, stöhnte auf und krallte sich in die Erde. Mit schmerzverzerrtem Gesicht richtete er sich wieder auf.

Mit vor Angst trockenem Mund trat Billy neben den Sergeant. «Corporal Larkin?»

«Hier, Sir.»

«Wo ist der Lieutnant getroffen?»

«In der Brust.»

«Versuchen wir's noch mal. Lassen Sie ihn mit den Füßen zuerst runter. Ich weiß, daß Sie verwundet sind, Sebastian. Sie gehen auf der Stelle zurück.»

«Sie können ihn nicht allein tragen. Ich bin ganz in Ordnung.» Es hörte sich nicht so an.

Langsam manövrierten sie den verwundeten Lieutnant herunter in eine horizontale Position, dann trugen sie ihn auf die Schützengräben zu.

«Da wären wir», flüsterte Billy, als die Holzverschanzung auftauchte. «Ihr Männer da unten, nehmt ihn. Vorsichtig – vorsichtig! Ja, so ist's gut – oh, verdammt –» Er spürte, wie Bucks Oberkörper fiel, als Sebastian bewußtlos umkippte.

Billy befahl einem schwarzen Soldaten: «Klettere hinten raus, und besorge Männer mit zwei Tragbahren. Schnell, verflucht noch mal!»

Die halbe Mühe war verschwendet. Die Ärzte holten eine Kugel aus Lieutnant Bucks Brust und flickten ihn mit Erfolg zusammen, aber Sebastian starb bei Tagesanbruch.

An diesem Nachmittag schrieb Billy einige Gedanken in seinem Tagebuch nieder:

> *Kein weißer Mann könnte sich der Gefahr tapferer stellen als die farbigen Truppen. Während des Granatfeuers zeigte Sebastian untadeligen Mut. Welch ein Fehler, daß ich Soldaten seiner Rasse als mir unterlegen betrachtete. Der Tod des Sergeants läßt mich an all dem, an das ich bisher glaubte, heftig zweifeln.*

Der Versorgungszug ratterte südwestwärts. George fuhr, in seinen Mantel gehüllt, auf einem offenen Waggon. Es war ein grauer Samstag; Montag würde der 1. November sein. Die Luft roch nach Schnee und danach, daß die Belagerung nach dem fehlgeschlagenen Vorstoß vom letzten Donnerstag wieder zu einschläfernder Ruhe übergehen würde.

Der Zug nahm eine Biegung; die von Granaten zerfetzten Bäume blieben zurück, ein überfülltes Camp kam ins Blickfeld. Auf gefrorenem Boden wurde schwarze Infanterie gedrillt, während George und sein mürrischer Begleiter vorbeifuhren.

«Schauen Sie sich dieses Spektakel an», sagte der Colonel. «Vor fünf Jahren hätte kein anständiger Christ das für möglich gehalten.»

George hob eine Augenbraue, was der Colonel für Interesse hielt. Hitzig fuhr es fort: «Eine einzige Verschwörung, um den weißen Mann dem Nigger zu unterwerfen. Ich werd' Ihnen sagen, was dabei herauskommt. Blut in den Straßen. Mehr Blut, als je in diesem Krieg vergossen worden ist, denn die Weißen werden nicht zulassen, daß man sie versklavt.»

«Tatsächlich?» sagte George. «Ich dachte, die Sklaverei hört auf, und nicht, sie fängt an. Ich danke Ihnen für die Aufklärung, Sir.»

«Bei Gott, Sie lachen über mich. Ihr Name, Major?»

«Harriet Beecher Stowe», sagte George und sprang vom Waggon.

Mittlerweile hatte es stärker zu schneien begonnen. Düster gestimmt trampte er auf das Camp des Pionierbataillons zu.

Das Camp hallte von Axtschlägen wieder. Der plötzliche Kälteeinbruch hatte den Bau von Hütten beschleunigt.

Der Adjutant im Hauptquartier sagte, Billy sei in einem Arbeitsschuppen am Rande des Lagers. Als Billy seinen Bruder eintreten sah, grinste er und winkte ihm zu. Er war sehr dünn geworden. Schau ich auch so schrecklich aus? fragte sich George. Vermutlich.

Die Brüder umarmten sich. Billy grinste breit: «Wie geht's dir? Beim Gedanken, daß du kommst, konnte ich letzte Nacht nicht schlafen.»

Sie gingen zur Messe und begannen zu erzählen. Billy berichtete von einigen seiner Gefängniserlebnisse.

«Ich glaube, wir können für eine ganze Menge dankbar sein», sagte Billy. «Ich hätte im Gefängnis sterben können. Ohne Charles wäre ich wahrscheinlich auch tot.»

«Irgendeine Ahnung, wo er steckt?»

Billy schüttelte den Kopf. «Wade Hampton hatte hier in der Gegend einige hitzige Gefechte.» Er schaute nachdenklich drein. «Ich kann keine Begeisterung mehr fürs Soldatspielen aufbringen. Ich glaube nicht, daß ich bei der Armee bleiben möchte, falls ich je heil heimkomme.»

«Als ich Herman Haupt das letztemal sah, sprach er über den Westen. Er meint, nach dem Krieg würden da draußen wie verrückt Eisenbahnen gebaut werden. Die Idee der Transkontinentallinie wird zweifellos wieder aufleben. Er meint, für fähige Ingenieure bieten sich da großartige Möglichkeiten.»

«Da kann man mal drüber nachdenken.» Billy nickte. «Vorausgesetzt, wir bringen Bob Lee jemals zur Kapitulation.»

«Die Belagerung zieht sich sicher noch eine Weile hin», stimmte George zu. «Scheußliche Sache. Es heißt, die Rebellen seien am Verhungern. Eine Handvoll Mais pro Tag, wenn überhaupt. Ich weiß, sie haben den ersten Schuß abgefeuert. Ich weiß, sie müssen geschlagen werden, bis sie aufgeben. Aber es gibt Tage, da fühle ich mich so deprimiert wie noch nie in meinem Leben.»

Billy starrte in seine leere Blechtasse. «Mir geht es ebenso.»

George war der ältere der Brüder, und aus irgendeinem Grund hatten nun mal ältere Brüder klug und stark zu sein. Er machte einen ziemlich fadenscheinigen Versuch.

«Wir schaffen es, wir kommen durch, mach dir nur keine Sorgen.»

In den Augen seines Bruders entdeckte George traurige Skepsis. Billy glaubte kein Wort von dem, was er eben gesagt hatte.

Nun, er selbst glaubte es auch nicht. Er hatte zuviel von Washington und Petersburg gesehen. Er hatte die Feuerglocken im April läuten hören, vor langer Zeit schon.

117

Das Kratzen ihrer Feder und das Rauschen des Meeres – das waren die einzigen Geräusche in der vollgestopften, schäbigen Kabine.

Ashton beugte sich über das Rechnungsbuch auf dem winzigen Tisch unter der flackernden Lampe. Huntoon lag in der unteren Koje und betrachtete sie mürrisch. Nach ihrer Abfahrt von Hamilton, Bermuda, hatte er den ganzen ersten Tag mindestens jede halbe Stunde einmal in einen Eimer erbrochen. Am zweiten Tag schaffte er es bis zur Reling, aber der Gestank hielt sich in der Kabine.

Ashton wog neun Pfund weniger als am Tag, an dem Orry ihr Mordkomplott aufgedeckt und sie fortgejagt hatte. Sie sehnte sich nach einer Gelegenheit, sich an ihrem Bruder zu rächen. Im Moment aber hatte sie wichtigere Ziele. Überleben. Montreal erreichen, dann den Südwesten. Ihre Schönheit wieder herstellen; im Augenblick sah sie gräßlich aus.

Ihr dringlichster Wunsch aber war, wieder bei Powell zu sein.

Schwere Brecher schüttelten die *Royal Albert* durch. Es war der Abend des Wahltags im Norden. November, die Zeit der rauhesten See im Nordatlantik.

Von seiner Koje aus röchelte Huntoon: «Wie spät ist es?»

Zahlen niederschreibend sagte Ashton: «Schau auf deine Uhr.»

Er gab pathetische Geräusche von sich, um die damit verbundene Anstrengung zu demonstrieren. «Fast elf. Willst du die Lampe nicht löschen?»

«Erst, wenn ich fertig bin.»

«Was tust du?»

«Unsere Zinsen ausrechnen.» Die Nassau-Bank, in der ihre Profite deponiert waren, würde nicht wissen, wohin sie ihre Quartalsberichte schicken sollte, bis Powell die neue Regierung etabliert hatte.

Schnell rechnete sie die Zahlen zusammen. «Fast eine Viertelmillion Dollar. Das entschädigt uns zumindest einigermaßen für dieses Elend.»

Huntoons runde Brillengläser beschlugen; er schwitzte. «Möglicherweise fordert Lamar einiges von diesem Geld.»

«Oh nein. Er bekommt keinen Penny, bis die neue Regierung im Amt ist, und vielleicht nicht mal dann. Bei diesem Abenteuer riskiert er das Gold aus seiner Mine – wir riskieren unser Leben.»

«Ich opfere lieber unser Bankkonto als unser Leben», entgegnete er weinerlich. «Aber wenn du ehrlich bist, dann riskiert auch Powell mehr als nur sein Gold. Ich meine, er geht die gleichen physischen Gefahren ein wie wir.»

«Das sollte er auch. Es ist sein Plan.»

Ashton liebte Powell, sah aber in ihrer Einstellung keinen Widerspruch. Ein Plan war fehlgeschlagen; es konnte auch ein zweitesmal passieren. Merkwürdigerweise hatte der Fehlschlag Powell nicht verbittert, obwohl er sich wochenlang in dieser dreckigen Mansarde hatte verstecken müssen, bevor er nach Wilmington geflohen war.

Auf Ashtons Betreiben hin hatte Huntoon eine Nachricht in einer von Powells Lieblingskneipen hinterlegt. So hatte er erfahren, was passiert war, und war via Nassau in Hamilton wieder zu ihnen gestoßen. Entdeckung, Flucht, Angst vor Verfolgung, all das hatte seine Entschlossenheit nur noch verstärkt. Ashton war überzeugt, daß Powell diesmal Erfolg haben und eine neue Nation ins Leben rufen würde.

Während der Zeit hier an Bord drängte sie ihn gelegentlich, ihr Einzelheiten über den neuen Staat mitzuteilen. Wo und auf wieviel Land? Wieviele Siedler erwartete er, und von wievielen Bewaffneten sollten sie verteidigt werden? Er behauptete, über sämtliche Antworten zu verfügen, sie aber lieber für sich behalten zu wollen – ein weiterer Grund, weshalb Ashton ihm ihren Körper, aber nicht ihr Geld geben wollte.

«Ohhh.» Huntoon umklammerte seinen Bauch. «Ich glaube, ich sterbe.»

Nur zu, dachte Ashton. Sie stampfte mit dem Fuß auf. «Ich werde noch verrückt, wenn du nicht mit deinem kindischen Gejammer aufhörst.»

«Aber ich fühle mich so schrecklich elend.» Seine Augen waren feucht und schwächlich. «Ich will wieder zurück nach South Carolina – ich will mit der ganzen Sache nichts mehr zu tun haben.»

«Das geht nicht.» Er zuckte vor der Verachtung in ihrer Stimme zurück. «Es *wird* eine neue Konföderation geben, und wir werden eine sehr wichtige Rolle dabei spielen.»

«Ashton, ich weiß einfach nicht, ob ich den Mut habe.»

«Oh doch, du hast.» Sie schüttelte ihn an den Schultern, spuckte ihm fast ins Gesicht. «Bei Gott, du wirst den Mut haben, oder du bist nicht mehr mein Mann. Jetzt schlaf. Ich brauche ein bißchen frische Luft.»

Sie schnappte sich einen Umhang, blies die Lampe aus und knallte die gebrechliche Tür hinter sich zu. Sie fluchte vor sich hin, als sie ihn weinen hörte.

Sie fand Powell an der Reling. Sein Lächeln, als er ihren Kopf an seine Schulter zog, sah sie nicht.

«Ich ertrage das nicht mehr, Lamar», sagte sie. «James macht mich mit seinem ewigen Gejammer verrückt. Ich kann nicht allein in deine Kabine kommen. Ich kann dich nicht küssen, dich nicht mal berühren.» Halb krank und von Liebe überwältigt, griff sie mit der Hand nach unten, klammerte sich fest. «Das ist es, was ich will. Allein damit hast du mich an dich gekettet, wie ein Niggermädchen auf einer Plantage. Ich kann nicht mehr schlafen, ich habe jedes Gefühl für Anstand verloren, ich will nur noch das. Du hast mich zu seiner Sklavin gemacht, und dann hast du ihn mir weggenommen.»

Der geflüsterte Ausbruch entzückte ihn. Sie merkte, was sie getan hatte, und senkte den Kopf. Abrupt ließ sie los. Fast onkelhaft tätschelte er ihren Arm.

«Ich habe ihn dir, wie du es so entzückend formuliert hast, aus reiner Notwendigkeit weggenommen. Was regt dich so auf?»

«Ich will *dich*!»

«Sonst nichts? Geduld», murmelte er. «Nur Geduld. Wir brauchen James noch eine Weile. Ich benötige mindestens einen Mann, der mich nach Virginia City begleitet und mir beim Transport des Goldes von der Mine hilft.»

Powell warf einen schnellen Blick über Deck, dann beugte er sich vor und küßte sie, seine Zunge zwischen ihre Lippen schiebend. Sekunden vergingen, dann löste er sich lächelnd.

«Wovon du vorhin geredet hast, Liebes, wonach es dich so heftig gelüstet, das wird bald wieder dort sein, wo es hingehört.»

Einige Tage später kehrte Cooper aus Charleston zurück. Sein Besuch in der belagerten Stadt konnte kaum als Erfolg bezeichnet werden. Er hatte nicht mehr als zwei alte, rostige Hawkens auftreiben können. Munition vom .50-Kaliber für die Vorderlader hatte es keine gegeben. Dafür hatte er eine Gußform und ein paar Bleibarren entdeckt, die in der nächsten Woche mit dem Dampfer den Ashley hochtransportiert werden würden. Pulver gab es nirgendwo; sie mußten mit dem kleinen Restvorrat auf Mont Royal auskommen.

Auf dem alten Klepper, den er sich von einem Nachbarn geliehen hatte, ritt Cooper die Flußstraße entlang. Durch das plötzlich aufsteigende Krähengeschrei hindurch hörte er eine körperlose Stimme.

«Mist' Cooper?»

Er riß die Taschenpistole aus seiner Jacke. «Wer ist da?»

«Könn' mich nich' sehen, Mist' Cooper. Ich seh' Sie gut.»

Schreck zeigte sich auf Coopers Gesicht, als er die Stimme erkannte.

«Cuffey? Bist du das?»

Das rauhe Gekrächz hallte über die leere Straße. Dann ertönte wieder die Stimme.

«Heißt, Sie sind wieder da. Will Ihnen was sag'n. Das Unterste wird bald oben sein.»

«Wenn du ein Mann bist, Cuffey, dann zeig dich.» Schweigen. «Cuffey?»

CuffeyCuffeyCuffeyCuffey – der Schrei rollte in düstere Ferne. Das Pferd scheute; Cooper zog scharf am Zügel.

«Was ganz unten wird oben sein. Was oben iss', wird kaputtgemacht, zerhackt, niedergebrannt. Für immer, kannst dich drauf verlass'n –» Die unsichtbare Stimme verklang, bis nur noch ein Echo zu hören war.

Mit angeekeltem Gesicht stieß Cooper die Pistole zurück in seine Tasche. Im Galopp trieb er den alten Klepper die Flußstraße entlang. Die Krähen kreischten. Weshalb hörte es sich wie Gelächter an?

118

Graue Wölfe schlichen sich in diesem Herbst in die Gräben der Petersburgfront. Mit Zähnen und Klauen gruben sie sich knurrend ihren Peinigern entgegen.

Graue Wölfe, die von gebranntem Mais lebten, noch mehr aber nach einem oder zwei Schluck Blut dürsteten. Mit zwanzig hatten sie die uralten Augen, die man von hundert Jahren Töten bekommt.

Das kältere Wetter bleichte viele Gesichter; andere blieben vom Sommer sonnengerötet. Ob weiß oder rot, sie sahen bösartig, sie sahen tödlich aus.

Mit Blechtasse, Decke, Patronenschachtel, Gewehr hatten sie sich kreuz und quer über die Landkarte des Staates gekämpft – Plantagenjungs, Farmerjungs, Stadtjungs. Auf der dicken Hornhaut ihrer nackten Füße waren sie zur letzten Stellung marschiert, in Vogelscheuchenklamotten und mit knurrenden Mägen. Sie duckten sich in die Gräben, nur noch mit ihrem Mut bewaffnet und einem Ruf, der größer war als sie alle zusammen. So groß, daß er all die Sprüche und Slogans überdauern würde, an die sie sich gar nicht mehr erinnern konnten.

Graue Wölfe; sie waren bereits zur Legende geworden, als der erste Schnee fiel. Sie waren die Armee von Nordvirginia.

«Haben Sie das gehört?» fragte Orry. Seine Hand ruhte auf dem Knauf des Solingen-Degens. Er und zwei Adjutanten kehrten auf der Straße östlich von Richmond vom Hauptquartier des Ersten Corps zurück, als das Geräusch, laut genug, um die Geräusche der Pferde zu übertönen, sie zum Halten brachte.

Wachsame Blicke huschten von Baum zu Baum; die beiden Adjutanten, junge und unerfahrene Virginier aus Montagues Notbrigade, nickten. «Ein Hilferuf», sagte der eine. «Zumindest glaube ich, das Wort Hilfe gehört zu haben.»

«Sollen wir nachsehen, Sir?» fragte der andere.

Orrys Instinkt sagte nein. Sie waren bereits zu spät dran, und der

Nebel war geradezu ideal für einen Hinterhalt. Er versuchte, sich ganz genau an den Laut zu erinnern; er glaubte, Schmerz herausgehört zu haben.

«Ich gehe voran», sagte er.

Orry atmete tief durch. Ein plötzliches Wiehern erschreckte sein Pferd. Er zügelte durch und ritt, den Revolver im Anschlag, um den nächsten großen Baum; dahinter lag ein gefallener Kavalleriewallach mit einer großen, blutenden Rißwunde an der Seite. Er hob den Kopf und schlug schwach mit den Hufen. Ein Unionspferd, kein Zweifel.

«Wo sind Sie?» rief er in den Nebel.

Schweigen. Feuchtigkeit tropfte aus den Bäumen.

Dann: «Hier.»

Orry trieb sein Pferd voran. Über die Schulter sagte er: «Das Pferd ist erledigt. Erschießt es.»

Das Echo des Schusses rollte davon, dann wieder Stille. Hinter einem weiteren Baum entdeckte Orry ihn; ein blaues Bein mit gelbem Streifen, das andere abgeknickt, um sich gegen die nasse Borke des Baumes zu stemmen. Ihre Blicke trafen sich. Seine Augen waren voller Schmerz, jedoch vorsichtig, fast kalt. Der Kavallerist war ein zäh wirkender, stoppelgesichtiger junger Mann mit schweren Brauen. Seine linke Hand ruhte auf der durchbluteten Taille seines dunkelblauen Waffenrocks. Am linken Oberarm hatte er einen dunkelbraunen, fleckigen Verband.

«Hab' ihn gefunden», sagte Orry, ohne sich umzudrehen. Die Adjutanten ritten heran. Der halb bewußtlose Yank beobachtete sie aus düsteren Augen. «Nehmt ihm den Säbel ab.»

Der Adjutant nahm seinen Revolver in die linke Hand. Der Säbel glitt mit einem stählernen Laut aus der Scheide. Der Adjutant hustete. «Mein Gott, ist der dreckig. Eiter und Läuse und Gott weiß was noch.» Er wandte sich Orry zu. «Üble Wunde, Colonel. Schaut nach Bauchwunde aus.»

«Dein Name und deine Einheit, Billy Yank?» wollte der andere Adjutant wissen.

«Dafür ist später auch noch Zeit», sagte Orry.

Der zweite Adjutant stieg aus dem Sattel. «Könnten ihn genausogut erschießen, oder, Sir? Mit der Verwundung hat er kaum eine Chance.»

Das stimmte. Bauchwunden waren für gewöhnlich tödlich.

Es würde ihren vielbeschäftigten Ärzten Zeit und Mühe ersparen, wenn er jetzt einfach dem Soldaten eine Kugel durchs Herz jagte. Das wäre humaner, als ihn leiden zu lassen. Außerdem traute Orry dem Ausdruck in den Augen des jungen Kavalleristen nicht.

Scham überwältigte ihn. Zu was für einem Monster entwickelte er sich, um so etwas überhaupt in Erwägung zu ziehen?

«Wir sollten die Ärzte entscheiden lassen, wie seine Chancen stehen», sagte er zu den Virginiajungs. Er trat zu dem Verwundeten, der keinerlei Dankbarkeit, keinerlei Emotion zeigte. Seine Vorsicht verwandelte sich in kühles Mitleid. Orry trat zwei Schritt zurück, drehte sich den beiden Adjutanten zu. «Mal sehen, ob wir aus diesen Ästen und einer Satteldecke eine Tragbahre bauen können. Dann –»

Er hörte die Geräusche hinter sich, sah im gleichen Augenblick Schock und Angst auf dem Gesicht des einen Adjutanten. Orrys hochgewachsener Körper hatte den jungen Männern für einen Moment den Blick auf den verwundeten Yank verwehrt, der die Gelegenheit benutzt hatte, um einen verborgenen Colt unter seinem rechten Oberschenkel hervorzuziehen. Er zielte auf Orrys Hinterkopf und drückte ab.

Der Schuß dröhnte; die Kugel fetzte den Oberteil von Orrys Schädel weg. Während er, bereits tot, auf die Knie sank, feuerten die fluchenden, schreienden Adjutanten Schuß um Schuß in den Yank. Die Kugeln rissen ihn in die eine, dann in die andere Richtung, wie eine wahnsinnige Marionette. Als das Schießen aufhörte, legte er sich mit einem seltsamen, friedlichen Seufzer nach rechts, als würde er schlafen.

An diesem Tag verließ Madeline wenige Minuten vor der Mittagszeit Belvedere, um einen Spaziergang durch die Hügel zu machen. Im ganzen Haus herrschte eine Art Jubelstimmung, ausgelöst durch Neuigkeiten, die über den Telegraphen gekommen waren und sich innerhalb von zwei Stunden in Lehigh Station ausgebreitet hatten. Drei Tage zuvor hatte General Sherman dem Präsidenten eine unerwartete Grußbotschaft geschickt.

Ich bitte darum, Ihnen als Weihnachtsgeschenk die Stadt Savannah präsentieren zu dürfen.

Madeline konnte die Feiertagsstimmung nicht teilen. Vor allem Constance verstand das und hielt sich mit ihren Bemerkungen über Shermans unglaublichen Vormarsch auf die Küste zurück.

Vom Hügel oben hörte sie Kirchturmläuten. Nach und nach fielen die anderen Kirchenglocken ein, um die guten Nachrichten zu feiern. Mit gesenktem Kopf wandte sich Madeline ab, nur von einem einzigen Gedanken besessen: *Wenn doch Orry nur zu Weihnachten hier wäre.*

Sie mußte ihre Abneigung gegen das Glockenläuten aufgeben, sie mußte sich darüber freuen. Jeder Unionssieg brachte den Tag näher, an dem Orry Richmond verlassen und zu ihr nach Mont Royal kommen konnte. So betrachtet enthielten die Glocken eine Hoffnungsbotschaft.

Der Friede der Jahreszeit erfüllte sie langsam und zeigte ihr Visionen vieler anderer Weihnachten, die sie mit ihrem geliebten Orry erleben würde. Sie war glücklich, als sie sich wieder auf den Weg nach unten machte.

Sechstes Buch

Das Urteil des Herrn

Ich bin der Ansicht, Sir, daß unsere Leute des Krieges müde sind, sich geschlagen fühlen und nicht mehr kämpfen wollen. Unser Land ist am Ende.

General JOE JOHNSTON zu JEFFERSON DAVIS, nach Appomattox, 1865

119

Mr. Lonzo Perdue, Postangestellter und in dritter Generation Einwohner von Richmond, fühlte sich vom Elend verfolgt. Eine Menge Anzeichen deuteten darauf hin, daß der Todeskampf der Konföderation bereits begonnen hatte, was gleichbedeutend war mit dem Todeskampf der Stadt.

Es war Januar, nach Lonzo Perdues Erinnerung der kälteste Januar seit Menschengedenken. Noch mürrischer als gewöhnlich betrat er an diesem Morgen Goddin Hall, das vierstöckige Backsteingebäude gerade unterhalb vom Capitol Square. Salvarini, sein Kollege, hatte bereits den Inhalt zweier großer Taschen mit eingegangener Post auf den Arbeitstisch gekippt, die in andere Kisten und Taschen sortiert werden mußte.

Sie machten sich über die Briefe her, geschrieben auf Packpapier, Tapetenpapier, Zeitungspapier – auf jedem nur vorstellbaren Papier.

«Die Adressen werden auch jeden Tag vager», beklagte sich Mr. Perdue. «Schau dir das an.» Er hielt einen Umschlag hoch, der sich dadurch unterschied, daß er genau das war – ein richtiger Briefumschlag, versiegelt und mit kühner Handschrift versehen. Der Absender hatte sich in der oberen Ecke als *J. Duncan, Esq.* identifiziert. Die Anschrift lautete: *Maj. Chas. Main, Hampton's Cavalry Corps, C.S.A.*

Salvarini nickte. «Außerdem ist keine Briefmarke drauf.»

«Ja, das hab' ich gesehn», knurrte Mr. Perdue. «Möchte wetten, irgendein verdammter Yankee hat das mit illegalem Kurier geschickt und der Kurier hat sich die Marke geschenkt, als er den Brief hier aufgab. Ich will verflucht sein, wenn ich Feindpost befördere.»

Salvarini war gnädiger. «Vielleicht ist der Absender ein Südstaatler, der sich keine Marke leisten konnte.»

Lonzo Perdue, respektabler Ehemann, besorgter Vater, enttäuschter Patriot, starrte den Brief an, während sich seine Mundwinkel noch weiter nach unten zogen.

«Vorschrift ist Vorschrift», erklärte Mr. Perdue.

«Aber du weißt nicht, was drin steht, Lonzo. Vielleicht ist es wichtig. Nachricht vom Tod eines Verwandten – was in der Art?»

«Dann wird's dieser Major Main schon auf andere Weise erfahren», entgegnete sein Kollege. Mit einem kurzen Rucken des Handgelenks schleuderte Mr. Perdue den Brief in eine Holzkiste, die bereits zur Hälfte mit falsch adressierten Briefen gefüllt war – unzustellbare Sendungen, die gelagert und später vernichtet werden würden.

120

Der Kampf war zweifellos verloren; Charles spielte seine Rolle, aber er fühlte sich zunehmend einsamer. Selbst General Hampton wirkte nicht mehr zuversichtlich, obwohl er schwor, bis zum letzten Blutstropfen zu kämpfen. Der General war mürrisch geworden und steckte, wie manche behaupteten, voller Rachegefühle, seit Preston, sein Sohn und Adjutant, im letzten Oktober bei Hatcher's Run getötet worden war. Im gleichen Gefecht war sein anderer Sohn Wade verwundet worden.

Charles funktionierte, er ritt und schoß, aber sein wirkliches Ich lebte losgelöst von den täglichen Ereignissen. Nach seiner Beförderung war Hampton zum Stab gegangen; und Charles sah ihn nur noch von fern. Calbraith Butlers Division befand sich auf dem Weg in die Heimat, um South Carolina gegen Shermans Horden zu verteidigen.

Zusammen mit der Januarkälte stürzte das Charles in die tiefste Depression, die er je erlebt hatte. Ein Gedanke ging ihm Tag und Nacht nicht aus dem Sinn. Allmählich war er überzeugt davon, daß er den schlimmsten Fehler seines Lebens begangen hatte, als er Gus verlassen hatte.

Sein Bart hing ihm nun bis auf die Brust. Sein eigener Geruch war eine Beleidigung für seine Nase. Um sich in der Eiseskälte warm zu halten, hatte er sich aus Uniformfetzen einen Poncho genäht, der mit der Zeit immer länger wurde und ihm einen neuen Spitznamen einbrachte.

Er trug diesen Mantel, als er und Jim Pickles in einer schwarzen Januarnacht neben einem kleinen Feuer kauerten. Ein scharfer Wind wehte, während sie ihre Tagesration genossen, eine Handvoll Mais, getrocknet und halb verbrannt.

«Gypsy?» Charles blickte auf. Jim wühlte unter seinem dreckigen

Mantel. «Hab' heute Post bekommen. Sechs Wochen alt. Meine Mama liegt im Sterben, wenn sie», er räusperte sich, «nicht schon gestorben ist.» Eine Pause. Er beobachtete seinen Freund angespannt, um die Wirkung seiner nächsten Worte abzuschätzen.

«Ich haue ab.»

Die Ankündigung kam nicht überraschend. Aber Charles' Stimme war so kalt wie das Wetter, als er antwortete:

«Das ist Desertion.»

«Na und? Wenn Mama tot ist, ist niemand da, der sich um die Kleinen kümmern könnte. Niemand außer mir.»

Charles schüttelte den Kopf. «Es ist deine Pflicht zu bleiben.»

«Red mir nicht von Pflicht, wenn sich die halbe Armee bereits nach Süden abgesetzt hat.» Jims Lippen wurden schmal. «Erzähl mir noch so 'nen Quatsch. Ich erkenne Scheiße, wenn ich sie rieche.»

«Macht keinen Unterschied», sagte Charles mit fremder, tödlicher Stimme. «Du kannst nicht gehen.»

«Macht auch keinen Unterschied, wenn ich bleibe.» Jim schleuderte den letzten Rest seiner kleinen Ration ins Feuer; das hätte Charles warnen sollen, vorsichtig zu sein. «Wir sind geschlagen, Gypsy. Erledigt! Jeff Davis weiß es, Bob Lee weiß es, General Hampton – alle bis auf dich.»

«Trotzdem», Charles zuckte die Schultern, «du kannst nicht gehen.» Er starrte ihn an. «Ich werde es nicht zulassen.»

«Sag das noch mal, Gypsy.»

«Einfach genug. Ich lasse nicht zu, daß du desertierst.»

Jim sprang auf die Füße. Sein Körper, einst bullig, wirkte geschrumpft und zerbrechlich. «Du verdammter –»

Er stoppte, schluckte, beherrschte sich. «Halt dich raus, Charlie. Bitte. Du bist mein bester Freund, aber ich schwöre bei Jesus – wenn du mich aufhalten willst, dann tue ich dir weh. Ich werde dir verdammt weh tun.»

Charles, müde und ausgelaugt, starrte weiterhin unter seiner Hutkrempe vor. Jim Pickles meinte, was er sagte. Charles hatte seinen Armee-Colt unter dem Umhang, aber er griff nicht danach. Regungslos blieb er sitzen.

Voller Trauer: «Irgendwas hat dich um den Verstand gebracht, Charlie. Besser, du kurierst dich selbst erst mal aus, bevor du auf andere losgehst.»

Charles starrte vor sich hin.

«Mach's gut. Paß auf dich auf.»

Jim drehte sich um und schlurfte mit langsamen, entschlossenen

Schritten davon. Charles hörte die sich entfernenden Hufschläge von Jims Pferd. Zusammengekrümmt blieb er am sterbenden Feuer sitzen. *Irgendwas hat dich um den Verstand gebracht.* Die Liste ließ sich mühelos zusammenstellen. Der Krieg. Die Liebe zu Gus.

Und sein letzter, unheilvoller Fehler.

Zwei Tage später ritten Charles und fünf weitere Scouts, alle in erbeuteten Yankeeuniformen, erneut los, um die linke Unionsflanke zu beobachten. Im fahlen Licht kurz vor der Morgendämmerung schlugen die Scouts einen weiten Bogen in südöstlicher Richtung, auf die Weldon-Eisenbahnlinie zu. Der leichte Schneefall hörte auf, und der Himmel wurde klar. Sie zogen sich auseinander, jeder außer Sichtweite des anderen, um mehr Grund und Boden abzudecken.

Charles trieb Sport in das weite Schweigen hinein, die Schrotflinte über den Oberschenkeln; es fehlte nicht viel zu der Vorstellung, er betrete irgendeine fantastische weiße Kathedrale.

Schreie zerstörten diese Illusion. Die Schreie eines sterbenden Mannes. Durch den dichten Bodennebel direkt vor ihm drangen sie zu ihm.

Er hielt Sport zurück; der knochige Wallach hatte die Schreie ebenfalls gehört. Charles lauschte. Keine Schüsse. Merkwürdig. Er murmelte ein Kommando. Der Graue strebte vorwärts. Nach vielleicht einer Viertelmeile sah Charles orangefarbene Flecken im Nebel. Wieder hörte er die durchdringenden Schreie und lautes Knacken. Er roch Rauch.

Noch langsamer trieb er Sport voran, begann berittene Männer zu erkennen vor verwaschenem Feuerschein, irgendeinem brennenden Gebäude. Aber warum die Schreie?

Teilweise hinter einem Baum verborgen zählte er zehn Männer. Er sah einen Wagen mit weißer Plane und sechs weitere Männer in blauen Uniformen, die von den anderen mit Pistolen und Schrotflinten bedroht wurden. Einer der zehn drehte sein Pferd. Charles sah einen Offiziersrock mit Goldverschnürung. Und einen Priesterkragen.

Etwas klickte. Er kannte diese Bande lokaler Partisanen.

Hinter ihnen brannte ein teilweise zerstörtes Farmhaus hell und leuchtend. Charles beschloß, sich bemerkbar zu machen. Zuerst aber mußte er die Uniformjacke der Union loswerden. Er kämpfte noch mit dem Ärmel, als er den Reiter mit dem Priesterkragen mit einem Handschuh winken sah. Zwei seiner Männer stiegen ab und zerrten einen der verängstigten Unionssoldaten mit vorgehaltenen Waffen aus der Gruppe. «Marschier da rein, Yank. Genau wie die anderen vor dir.»

Der Gefangene begann zu schreien, noch bevor ihn die Flammen berührten. Einer der Partisanen rammte ihm von hinten ein Bajonett in die Beine, so daß er mit dem Gesicht nach vorn in das Feuer fiel. Sein Haar entzündete sich; dann hüllte ihn der Rauch ein.

Zitternd und fluchend trieb Charles Sport unter den Bäumen hervor, seine Schrotflinte schwenkend. «Major Main, Hamptons Kavallerie. Nicht schießen!»

Die Partisanen hatten sich bereits umgewandt und ihre Waffen auf ihn gerichtet. Er hielt vor den ungewaschenen, gemein wirkenden Männern, deren Verheerungen zum Skandal in der Konföderation geworden waren.

«Was zum Teufel geht hier vor?» fragte Charles, obwohl die Schreie und der üble Gestank nach verbranntem Fleisch eine nur zu deutliche Sprache sprachen.

«Colonel Follywell, Sir», sagte der Anführer. «Und wer sind Sie, um eine solche Frage zu stellen, noch dazu auf so arrogante Weise?»

«Deacon Follywell», sagte Charles, der seine Vermutung bestätigt sah. «Ich habe von Ihnen gehört. Ich sagte bereits, wer ich bin. Major Main. Scout für General Hampton.»

«Können Sie das beweisen?» schoß Follywell zurück.

«Mein Wort genügt. Und das hier.» Charles hob seine Schrotflinte. «Wer sind diese Gefangenen?»

«Gruppe von Pionieren, laut ihrem kommandierenden Offizier. Wir überraschten sie, wie sie dieses verlassene Besitztum schändeten.»

«Wir haben Holz geholt, nichts weiter, du mörderischer Bastard», schrie einer der Gefangenen. Ein Partisan zu Pferd schlug ihn mit dem Gewehrkolben nieder.

«Und so fordern wir, wie es unsere Gewohnheit ist, Vergeltung für die zahlreichen Yankee-Grausamkeiten, während wir gleichzeitig die Verheißung des Apostels Paulus erfüllen: ‹Der Himmel mit seinen Allmächtigen Engeln wird uns den Herrn Jesus offenbaren»», mit erhobenem Zeigefinger deutete der Diakon auf Charles, »»und mit flammendem Feuer Rache nehmen an jenen, die Gott nicht kennen und dem Evangelium unseres Herrn Jesus Christus nicht gehorchen.»»

Charles preßte voller Abscheu die Lippen zusammen. Mit einem leicht drohenden Ausdruck in seinen wäßrigen braunen Augen sagte Deacon Follywell: «Ich nehme an, wir haben eine zufriedenstellende Erklärung abgegeben. Wir werden deshalb mit ihrer freundlichen Erlaubnis unser Werk fortführen.»

Charles schüttelte den Kopf. «Den Teufel haben Sie meine Erlaubnis, Deacon. Bestimmt nicht, um Leute bei lebendigem Leib zu verbrennen. Ich übernehme die Gefangenen.»

Er rechnete damit, daß die Partisanen einem regulären Armeeoffizier gehorchen würden; Follywell hatte sich zweifellos selbst zum Colonel ernannt. Er erkannte seinen Fehler, als Deacon Follywell seinen Säbel zog und die Spitze gegen Charles' Brust drückte.

«Versuchen Sie's, Major, und Sie gehen als nächster in die Flammen.»

Nackte Angst durchzuckte Charles. Er konnte diese Bande nicht zum Gehorsam zwingen. Noch konnte er einfach davonreiten, selbst wenn sein Gewissen das zugelassen hätte, was nicht der Fall war. Im gleichen Moment erkannte er die einzige Möglichkeit, die Yanks zu retten und weitere Morde zu verhindern. Er mußte eine vorübergehende Allianz bilden.

Zum erstenmal betrachtete er die Gefangenen. Sein Magen verkrampfte sich. Der untersetzte, bärtige Offizier, der die Gruppe führte, war Billy Hazard.

Billy erkannte ihn; Charles sah es an dem Schock in den Augen seines Freundes. Aber Billy vermied sorgfältig jedes Zeichen.

Würden die restlichen Yankees kämpfen? Wahrscheinlich, angesichts der Alternative, die ihnen blieb. Konnten sie die doppelte Anzahl Feinde überwältigen? Vielleicht – wenn Charles die Chancen etwas umverteilte. Was ihm jetzt durch den Sinn ging, war eine Abkehr vom Weg, den er seit Sharpsburg gegangen war; irgendwann in diesem trostlosen Winter hatte er zu spät begriffen, wohin dieser Weg führte.

Charles senkte den Kopf und begegnete Follywells starrem Blick. «Droh mir nicht, du ignoranter Farmer. Ich bin ein ordentlich ernannter Offizier der Konföderation und werde diese Männer –»

«Zieht ihn aus dem Sattel.» Follywell winkte seinen Kumpanen zu. Der Reiter rechts von Charles griff nach ihm. Charles verpaßte ihm eine volle Schrotladung.

Die Schrotkugeln machten ein Sieb aus dem Gesicht des Mannes. Follywell röhrte los und holte mit dem Säbel zum tödlichen Schlag aus. Er bekam die zweite Schrotladung. Der Schuß riß ihn aus dem Sattel; sein Kopf kippte über den zerfetzten Nacken.

«Billy – ihr alle – rennt!»

Charles hatte die Chancen acht zu fünf eingeschätzt. Ein Partisan drehte sein Pferd Charles zu, der hastig seinen Colt aus dem Holster zerrte. Zwei Yanks sprangen einen weiteren Partisan an, während der andere auf Charles zielte.

Rufe, Flüche, Kampfgetümmel. Charles wäre getroffen worden, hätte ihm nicht ein anderer von Follywells Männer von hinten den Lauf seines Gewehrs über den Schädel gezogen. Charles rutschte nach links aus dem Sattel. Der Partisan mit dem Gewehr hinter ihm hustete rauh; der Schuß, den der andere Mann abgefeuert hatte, war durch seine rechte Schulter gegangen.

Mit Kopf und Schultern schlug Charles hart auf den Boden. Sport spürte das ungewohnte Zerren am linken Steigbügel, stampfte und scheute. Der Rest ging sehr schnell, aber für Charles lief alles in Zeitlupe ab. Ein weiterer Partisan sprang aus dem Sattel und trat auf Charles' ausgestreckten rechten Arm. Seine Hand öffnete sich. Er verlor seinen Revolver.

Der Partisan warf sich auf Charles, würgte ihn, drückte ihm eine Pistolenmündung gegen die Achselhöhle. Er wappnete sich gegen die Kugel, als ohne Vorwarnung ein wuchtiger Schatten gegen den Partisanen knallte. Die Pistole des Mannes ging los; jemand schrie auf. Erst da begriff Charles, daß Billy im Hechtsprung den Partisanen weggefegt und selbst die Kugel abbekommen hatte.

Der Partisan zu Pferd feuerte. Ein tierisches Bellen folgte dem Schuß. Charles schrie: «*Sport!*»

Billy, verwundet, kämpfte mit dem anderen Partisanen unter dem Bauch des grauen Wallachs. Billy schaffte es, das Handgelenk des Partisanen zu drehen, dessen eigene Pistole zu wenden. Billys Finger glitten über die Finger des anderen Mannes, zwangen ihn, sich selbst in den Bauch zu schießen.

Charles starrte auf Sports linke Schulter, wo die Kugel eingedrungen war. Der Schußkanal ging nach unten. Nicht tief, dachte er, oh Gott, laß es nicht tief sein.

Er griff nach seinem Colt, rollte nach links weg. Der berittene Partisan versuchte erneut, auf ihn zu schießen, war aber zu langsam. Charles umklammerte mit beiden Händen seinen Revolver. Zwei Kugeln töteten den Gegner.

Schwer atmend kroch Billy unter dem Grauen vor. Die anderen Pioniere befanden sich im Handgemenge mit Follywells Männern, noch längst nicht außer Gefahr. Charles schwankte hoch; Billy ebenfalls.

«Hau ab – solange du noch kannst.» Billys Atem kam in weißen Wolken. Vor Schmerz biß er die Zähne zusammen. «Das ist – eine Schuld weniger.»

Schnell drückte Charles den Ärmel seines Freundes. «Paß auf dich auf.»

Er schwang sich in den Sattel; beinahe wären die Vorderbeine des Grauen weggeknickt. Er mußte verschwinden – die Schüsse würden nahegelegene Unionstruppen anlocken –, zuvor aber mußte er noch das Überleben der Yankees sicherstellen. Er feuerte zweimal; zwei Partisanen kippten aus dem Sattel, einer tot, der andere verwundet. Als die Unionspioniere sich der Waffen bemächtigten, rissen die Partisanen ihre Pferde herum und donnerten davon.

Der Wallach begann zu trotten. «Schaffst du es, Sport?» fragte Charles mit trockener, angespannter Stimme. Sie ritten über weißen Schnee, und hinter sich sah er in regelmäßigen Abständen die Blutflecken. Er wußte, wie das Ende aussehen würde, und begann zu fluchen.

Über seine Schulter hinweg erkannte er zwei von Deacon Follywells Partisanen, die ihn verfolgten. Einer ließ die Zügel fallen und feuerte seinen Karabiner ab. Die Kugel schlug vor Sport ein, der mit der Sicherheit des erfahrenen Streitrosses sich seitlich wegbäumte; ein großer, roter Fleck blieb zurück.

Der fahle Sonnenschein warf die bleichen Schatten der Reiter in das Feld, einer vorn, zwei dahinter. Charles schnaufte fast so schwer wie sein Pferd. Er sehnte sich nach dem Schutz des nahen Waldes direkt vor ihm, wußte aber, daß jede zusätzliche Anstrengung weiteres Blut aus Sports Wunde pumpte.

Ein weiterer Schuß der Verfolger. Charles dachte an seine Schrotflinte, die er irgendwann verloren hatte. Er setzte die Sporen ein, und Sport flog über einen Bach, ließ ein rotes Band hinter sich in der Luft flattern.

Peitschende Äste rissen Charles eine Wange auf. Jetzt hörte er den mühsamen Atem des Wallachs, spürte dessen Kraft schwinden. Nach einem weiteren Augenblick sah Charles die Stellungen der Konföderierten. Er schwenkte seinen Hut, stieß den Erkennungsruf aus und deutete auf seine Verfolger. Die Jungs hinter den Verschanzungen begannen zu feuern. Die Partisanen rissen ihre Pferde herum und zogen sich zurück.

Sport stolperte, wäre fast gestürzt. Charles führte ihn zu einem von kahlen Büschen umstandenen Halbkreis und sah zu, wie der Graue langsam auf die rechte Seite kippte und mit bebenden Flanken liegenblieb.

Ohne sich umzudrehen, sagte Charles: «Besorgt mir eine Decke.»

«Sir, hier gibt es keine Decken.»

«Besorgt mir eine Decke!»

Innerhalb von fünf Minuten wurde ihm ein zusammengenähtes Teppichstück gereicht. Charles breitete es vorsichtig über Sport. Der Graue versuchte den Kopf zu heben, als wollte er seinen Herrn sehen. Charles kniete neben ihm nieder; der nasse Boden durchweichte seine Knie.

«Bestes Pferd der Welt», flüsterte er. «Bestes Pferd der Welt.» Zwanzig Minuten später starb Sport.

Zwei Tage später erreichte er zu Fuß die umkämpfte Weldon-Eisenbahnlinie südlich von Petersburg. Eine zerlumpte Gestalt mit einem Revolver an der Hüfte, unter dem Arm einen in Wachstuch gewickelten leichten Kavalleriesäbel, eine Zigarre zwischen den Zähnen, so kletterte er auf einen langsam fahrenden Güterzug. Granaten hatten das Land zerrissen. Er interessierte sich nicht für die Landschaft. Wenn es nach ihm gegangen wäre, dann hätten sie den ganzen Staat Virginia in die Luft jagen können. Was ihnen beinahe auch gelungen wäre.

Scharrende Geräusche weiter vorn machten ihm klar, daß in dem Richtung Süden fahrenden Waggon noch weitere Passagiere saßen. Vielleicht besaßen sie Passierscheine; vielleicht waren es Deserteure. Ihm war es gleichgültig.Er rauchte seine Zigarre bis auf einen Stummel und warf sie weg. Die Nachtluft war so kalt wie sein Inneres. Der Rand seines langen Umhangs flatterte im Wind. Einer der Jungs, die sich in die vordere Ecke drückten, wollte ein paar Worte mit dem neuen Fahrgast wechseln. Nach einem Blick auf das bärtige Gesicht im Schein einer schwankenden Laterne überlegte er es sich anders.

121

Ashton tat alles weh, vom Schlafen in fremden Betten und von der Anstrengung, jede Berührung mit dem Fettleib ihres Mannes zu vermeiden. Wie satt sie dieses Geheuchel hatte, vor James und vor all den Fremden, die sich ständig nach ihrem Akzent erkundigten.

«Jawohl, Sir – ja, doch, Madam – in gewissem Sinne sind wir Südstaatler. Wir sind von Kentucky, aber loyale Unionsanhänger.»

Mit ihren gefälschten Papieren waren sie von Montreal nach Windsor und Detroit gereist, dann weiter nach Chicago und jetzt Anfang Februar nach St. Louis, wo sich ihre Wege trennen würden. Powell und ihr Mann würden mit der Überlandkutsche nach Westen fahren; sie sollte nach Santa Fe.

Am Nachmittag vor ihrer Abreise spürte Powell das Elend, das

Ashton völlig ausfüllte, und riskierte einen Spaziergang mit ihr, während Huntoon sein Nickerchen hielt.

«Tut mir leid, daß wir uns für eine Weile trennen müssen», sagte Powell. «Ich weiß, die Reise war problematisch.»

«Scheußlich.» Ashton schob die Unterlippe vor. «Mir fehlen die Worte, um auszudrücken, wie sehr mir dreckige Betten und billiges Essen zum Hals raushängen.»

In der Annahme, daß in dem geschäftigen Treiben am Fluß sie niemand kennen würde, legte Powell einen Arm um ihre Schultern.

«Ich versteh' dich», murmelte Powell. «Und vor uns liegen auch noch einige harte Tage.» Er streichelte ihre rechte Hand, und sie fragte sich, weshalb sie sich dabei so unbehaglich fühlte.

«Ich freue mich bestimmt nicht auf die Fahrt», sagte sie, ohne zu lächeln.

«In der Kutsche wirst du vollkommen sicher sein. Du hast Geld für Notfälle.»

«Darum geht es nicht. Es ist eine weitere elende Reise.»

Er brauste auf. «Glaubst du, ich hab's leichter? Ganz im Gegenteil. Ich muß zwei Wagen mit geheimer Fracht beladen – ständig auf der Hut vor Dieben. Dann muß ich diese Wagen ein paar hundert Meilen durch die Wildnis auf das Territorium von New Mexico transportieren. Im Vergleich zu dem Risiko könntest du dein Gejammer über eine relativ bequeme Kutschenfahrt ruhig einstellen.»

«Ja, du hast recht – ich entschuldige mich.» Die Erkenntnis, daß auch Powell in letzter Zeit ständig unter großer Anspannung gestanden haben mußte, besänftigte Ashton. Ein bißchen Farbe erschien in ihrem Gesicht, das während des Winters blaß und hager geworden war, weil sie so viel von dem schlechten Essen verweigert hatte. «Ich ertrage James einfach nicht mehr.»

«Vergiß nicht», sagte er sanft, «daß wir eine sehr lange Reise vor uns haben. Wasserlose Wüste und die Bedrohung durch Indianer, da kann jedem meiner Soldaten, die mich begleiten, was passieren.»

Jetzt lachte sie, fühlte sich erleichtert. Ein kurzer Anfall von Mitleid für James überkam sie. Armer Soldat, kurz vor seinem letzten Feldzug. Aber dieses Gefühl ging schnell vorüber.

Einen halben Block entfernt, versteckt im Schatten einer hohen Mauer, schüttelte Huntoon den Kopf, fuhr mit einem Taschentuch unter seine Brillengläser und wischte sich heftig die Augen. Dann folgte er seiner Frau und Powell weiter am Fluß entlang, bis sie hinter einer Pyramide von Fässern verschwanden.

Wieder flossen die Tränen. Benommen, wütend zwinkerte er sie weg. Seit mehr als einem Jahr schon hegte er diesen Verdacht. Lamar, den er immer noch bewunderte, gab er keine Schuld. Der läufigen Hündin, die er geheiratet hatte, gab er die Schuld. Er hatte vorgegeben zu schlafen und war dann hinter dem Pärchen hergeschlichen, weil er einen einwandfreien Beweis benötigte. Er mußte nun einen zweiten Brief schreiben und ihr von dem ersten erzählen.

Er drehte sich um und ging schnell zu dem billigen Hotel zurück, in dem sie hausten.

Huntoon küßte in dem Tumult vor der Abfahrt Ashtons Wange und drückte ihr einen versiegelten Umschlag in die Hand. Mürrisch fragte sie: «Was ist das?»

«Nur – persönliche Sentimentalitäten.» Sein Lächeln war schlaff; er wich ihrem Blick aus. «Öffne ihn, wenn mir etwas zustoßen sollte. Aber nicht vorher. Schwöre, daß du mir diese Bitte erfüllst, Ashton.»

Sie würde alles tun, um von diesem fetten Narren fortzukommen. «Natürlich. Ich schwöre.»

Sie bot ihm ihre Wange zum Abschiedskuß. Huntoon drückte seinen Kopf gegen ihre Schulter, gab ihr so die Chance, Powell einen letzten, sehnsuchtsvollen Blick zuzuwerfen. Powell, sehr elegant an diesem Morgen, wirbelte seinen Stock herum und betrachtete das Liebespaar aus höflicher Entfernung.

Ungeduldig stieß Ashton Huntoon zurück. «Ich muß los.»

«Glückliche Reise, Liebes», sagte er und half ihr in die Kutsche. Sie schaffte es, sich auf den letzten bequemen Sitz zu quetschen.

Sie untersuchte den Briefumschlag. Vorn hatte er *Ashton* draufgeschrieben und den Umschlag mit drei großen Tropfen Wachs verschlossen. Ihm schien viel daran zu liegen, daß seine Bitte erfüllt wurde, wenn er ihn so sorgfältig versiegelt hatte. Nun, bald schon würden es die Umstände erfordern, daß sie diesen Brief öffnete.

Lamar hatte Huntoon untergehakt und winkte mit seinem Stock. Ashton winkte fröhlich zurück. Powells forsches Benehmen und sein zuversichtliches Lächeln sagten ihr, daß sie sich wegen des Briefes keinem Irrtum hingab.

George arbeitete an einer Bahnbrücke der City-Point-Linie, die eine Schlucht überspannte.

«Scow? Ich gehe rüber zu diesem Bach was trinken. Bin gleich zurück.»

«In Ordnung, Major», sagte der Schwarze.

George hakte die Blechtasse von seinem Gürtel und öffnete mit der anderen Hand seine Revolvertasche. Der Bach, außer Sicht der Bahnlinie, strömte nur wenige hundert Yards von der Front entfernt dahin. Aber es war Sonntag und noch früh, also rechnete er mit keiner Gefahr.

George kauerte sich am Ufer nieder und tauchte seine Tasse ins Wasser. Er führte sie gerade zum Mund, als ein Mann hinter einem Baum auf der anderen Seite hervortrat.

George ließ die Tasse fallen, verschüttete das Wasser. Seine Hand flog zu seinem Revolver. Der Reb hob schnell die rechte Hand, mit der Handfläche nach oben.

«Langsam, Billy. Ich will bloß einen Schluck trinken, genau wie du.»

George hielt den Atem an, blieb geduckt stehen, die Hand am Revolver. Der Reb, um einiges größer als er, mochte in seinem Alter sein, mit einem kränklichen Gesichtsausdruck. Sein Gewehr hielt er achtlos, den Lauf gen Himmel gerichtet.

«Bloß was zu trinken?» Der Reb nickte. «Hier.» George hob seine Tasse auf und warf sie über den Bach. Der Impuls war so plötzlich gekommen, daß er ihn nicht ganz begriff.

«Danke.» Der Reb ging oder hinkte vielmehr zum Wasser hinunter, tauchte die Tasse ein und trank gierig. Dann kam die Tasse, im Sonnenlicht aufblitzend, zurückgesegelt. «Noch mal vielen Dank, Billy.» George fing die Tasse auf, tauchte sie ein und trank ebenfalls. Der Reb erhob sich und wischte sich über die Lippen. «Wo kommst du her?»

«Pennsylvania.»

«Oh. Ich hatte gehofft, es sei Indiana.»

«Warum?»

«Mein Bruder lebt dort. Zog vor acht Jahren von Charlottesville auf eine kleine Farm außerhalb von Indianapolis. Er gehört zu einem Freiwilligen-Infanterieregiment. Dachte, du kennst ihn vielleicht. Hugo Hoffmann, mit zwei f.»

«Ich fürchte nein. Die Unionsarmee ist ganz schön groß.»

Hoffmann erwiderte das Lächeln nicht. «Viel größer als unsere.»

«Muß schlimm sein, einen Bruder auf der anderen Seite zu haben. Kommt aber oft genug vor. Cousins kämpfen gegeneinander – und Freunde. Mein bester Freund ist Colonel in eurer Armee.»

«Wie heißt er?»

«Oh, den kennst du nicht. Er ist in Richmond, in eurem Kriegsministerium.»

«Wie heißt er?»

Sturer Deutscher, dachte George. «Main, wie in Main Street. Vorname Orry.»

«Aber den kenne ich. Das heißt, ich habe von ihm gehört. Ist mir im Gedächtnis geblieben, weil es kein gewöhnlicher Name ist. Im letzten Herbst gab es einen Colonel Orry Main beim Stab von General Pikkett.»

George konnte kaum sprechen: «Gab?»

«Ein Verwundeter, dem er helfen wollte, schoß von hinten auf ihn – ein Kavallerist von euch.» Groll schlich sich in seine Stimme; Hoffmanns grüne Augen wurden weniger freundlich. «Wurde viel über den Vorfall geredet, als Beweis für die Barbarei von General Grants Truppen.»

«Du sagtest, er hat auf ihn geschossen. Du meinst doch nicht, er wurde –»

«Getötet? Natürlich wurde er das. Sonst würde doch niemand die Geschichte verbreiten. Okay, Billy, der Trunk war erfrischend. War nett, mit dir zu reden. Tut mir leid, daß ich dir das von deinem Freund sagen mußte. Ich muß jetzt gehen. Ich denke, der Krieg wird nicht mehr lange dauern. Ich hoffe, wir werden's beide heil überstehen. Tut mir leid, das mit deinem Freund.» Er tippte an seine schmierige Mütze. «Leb wohl!»

George sagte ebenfalls «Leb wohl», aber so leise, daß es vom Murmeln des Baches übertönt wurde. Langsam wandte er sich der Eisenbahnlinie zu. Sonnenschein überflutete sein Gesicht und blendete ihn.

Schwankend, zweimal stolpernd, ging er auf die hämmernden Geräusche zu. Als die Bockbrücke in Sicht kam, mußte er sich zurück in die Bäume flüchten, wo er sich versteckte und fünf Minuten lang beim Gedanken an seinen Freund und das Feuer im April weinte.

122

Februar. In der Finsternis über Washington tobte ein elektrischer Sturm. Die aufzuckenden Blitze verliehen dem Diamantanhänger, den Jeannie Canary zwischen ihren großen Brüsten mit den rosigen Spitzen trug, einen unheimlichen Glanz. Sie lag nackt in dem verschwitzten Bett und spielte glücklich mit ihrem neuen Schmuck.

Stanley band sich den Morgenmantel aus königsblauem Samt zu, dann schenkte er sich aus der Whiskeykaraffe ein. Es war nur noch ein kleiner Rest übrig. In Plüschslippern holte er sich aus der kleinen Küche der Fünf-Zimmer-Wohnung, in der er seine Geliebte untergebracht hatte, etwas zu essen und kippte den Inhalt seines Glases hinterher.

Miss Canary ließ den großen Stein in ihren Handflächen hüpfen; ein weiterer Blitz ließ ihn auffunkeln. «Du trinkst sehr viel heute abend, Liebling.»

«Schmieröl für die Maschinerie des Geistes.» Und ein Verteidigungsmittel gegen die ständige Furcht, daß man ihm all das – die kleine Tänzerin, die sechs Millionen Dollar, die sich bei Lashbrook's angesammelt hatten, seine Macht in Republikanerkreisen – wegnehmen könnte, weil er es nicht verdiente. Er nahm einen kräftigen Schluck.

Miss Canary ließ dieses Thema fallen und brachte statt dessen eine Stanley vertraute Klage an.

«Ich wünsche mir so sehr, du würdest mit mir zu Mr. Lincolns Amtseinführung gehen.»

«Ich hab dir schon ein paarmal gesagt, das ist völlig unmöglich.» Isabel kehrte anläßlich dieses Ereignisses von einem langen Aufenthalt in Newport zurück. Sie hatte mit Geld nicht gespart, um Fairlawn in eine Ganzjahresresidenz zu verwandeln, und war dann dort eingezogen, ohne irgendein anderes Familienmitglied um Erlaubnis zu fragen. Der Besitz gehörte den drei Brüdern gemeinsam, aber das hatte Isabel ignoriert, als sie letzten Herbst das Kommando übernahm, kurz nachdem sie ihre unerziehbaren Söhne in einem kleinen Internat in Massachusetts untergebracht hatte.

«Aber ich möchte den Präsidenten so gern aus der Nähe sehen. Ich habe ihn noch nie von nah gesehen.»

«Da hast du nichts versäumt, glaub mir.»

«Du redest oft mit ihm, nicht wahr?» Stanley nickte und trank einen Schluck Whiskey. «Stimmt es, daß er nie badet?»

«Diese Behauptung ist zumindest stark übertrieben.»

Miss Canary kratzte sich. «Aber es heißt, Frauen meiden ihn, weil er riecht.»

«Einige Frauen meiden ihn, weil er gelegentlich mal eine ganz schön gewürzte Geschichte erzählt. Der Westernhumor, ein bißchen bäuerlich», sagte er mit geringschätzigem Achselzucken. «Aber in erster Linie wird er wegen seiner Frau gemieden. Mary Lincoln ist eine eifersüchtige Harpyie.»

«Gestern abend im Theater», sagte Miss Canary, «hörte ich eine schreckliche Geschichte über den Präsidenten. Einige Schauspieler planen, ihn zu kidnappen oder zu töten. Sie alle sollen Südstaatensympathisanten sein, aber Namen hörte ich keine.»

Stanley knöpfte sein Hemd zu und rülpste diskret. «Mein Liebes, wenn ich einen Penny für jede dieser Geschichten bekäme, dann hätten wir bald genug Geld für eine Seereise nach Ägypten.»

«Willst du mit mir nach Ägypten fahren?»

Schnell hob Stanley eine Hand. «Bloß ein Beispiel.» Das arme Kind stellte seine Geduld manchmal wirklich auf eine harte Probe. Aber das verzieh er ihr immer schnell, wenn sie ihre sexuellen Talente demonstrierte.

«Mußt du gehen, Liebling?»

«Ich muß. Um halb zehn erwarte ich einen Gast.»

«Weil du gerade von erwarten sprichst – ich warte immer noch auf meinen Monatswechsel für die Miete.»

«Tatsächlich? Ich werde meinem Buchhalter eins auf die Finger geben. Gleich morgen früh bekommst du ihn.»

Seine Kutsche brachte ihn durch regnerische Straßen zu dem großen Haus in der I-Street. Die Dienerschaft hatte das Gas angezündet und Erfrischungen zurechtgestellt. Doch sein Gast traf erst um elf ein.

Ben Wade warf seinen nassen Umhang ab. Der Butler hob ihn vom Boden auf. Stanley machte eine scharfe Geste. Der Mann ging hinaus und schloß die Tür hinter sich.

Wade eilte zum Herd, um sich aufzuwärmen. «Tut mir leid, daß ich mich verspätet habe. Ich wartete, bis die *River Queen* zurückkehrte.» Er rieb sich, offensichtlich erfreut, die Hände. «Mr. Seward und unser geliebter Führer empfingen die Abgesandten der Konföderation in Hampton Roads. Man sagte mir jedoch, daß es zu keinem Waffenstillstand kommen wird.»

«Immer noch der gleiche zähe Punkt?»

Wade nickte. «Die Frage von zwei Nationen oder einer. Der Präsident beharrt weiterhin auf bedingungsloser Anerkennung des letzteren. Davis weigert sich weiterhin. Das bedeutet, daß Sie noch ein paar Monate der Armee Schuhe verkaufen können», schloß er mit einem listigen Lächeln. Er verließ seinen Platz am Herd, nahm Teller und Gabel und spießte sich ein Stück Truthahnbrust vom Silbertablett. «Ich habe noch eine Neuigkeit.»

«Ich hoffe, es ist die Neuigkeit, auf die ich gewartet habe.»

«Nicht ganz. Ich kann Ihnen die Ernennung zum Chef des Versorgungsamtes für ehemalige Sklaven nicht besorgen.»

«Sie meinen, der Kongreß befürwortet die Einrichtung dieses Amtes nicht?»

«Oh doch. Das wird diesen Monat geschehen – spätestens nächsten.» Über dieses Amt wurde bereits seit dem letzten Jahr diskutiert; es ging dabei um die Regulierung all der Dinge, die die nach Beendigung des Krieges befreiten Sklaven des Südens betrafen. Alles von der Landverteilung bis zur Umsiedlung. Es war ein Weg zu ungeheurer Macht, aber wenn Stanley das Benehmen von Wade richtig deutete – der Senator schien mehr am Essen als am Gespräch interessiert zu sein –, dann war für ihn nicht nur diese Straße gesperrt, sondern das gesamte Thema erledigt.

Für Stanley bedeutete das soviel wie die Amtseinführung des Präsidenten für Miss Canary. «Ben, ich habe der Partei Unmengen Geld gegeben. Ich glaube, das berechtigt mich wenigstens zu einer Antwort. Warum kann ich den Job nicht haben?»

«Sie – äh –» Wade schien von einem Stückchen Truthahn auf seiner Gabel fasziniert.

«Eine offene Antwort, Ben.»

«Also gut. Sie wollen einen Mann mit größerer administrativer Erfahrung. Sie ziehen einen General in Erwägung. Oliver Howard steht ganz oben auf der Liste.»

Stanley wußte, was der Senator ihm in Wirklichkeit sagen wollte. Der radikale Flügel, der jetzt jede wichtige Angelegenheit entschied, hielt ihn für inkompetent.

Wade ging auf seinen reichen Gastgeber zu und legte ihm einen Arm um die Schultern. «Schauen Sie, Stanley. Ich habe Ihnen nie garantiert, daß ich Ihnen den Posten sichern kann. Aber ich werde dafür sorgen, daß Sie zu einem der ersten Assistenten ernannt werden, wenn Sie mögen. Die wahre Macht wird sowieso auf dieser Ebene liegen – Howard wird lediglich eine Galionsfigur sein. Die in der zweiten Reihe werden es sein, die dafür sorgen, daß die Farbigen am Wahltag nach der republikanischen Pfeife tanzen. In einem Jahr können wir den Sprung von einer Minoritätspartei zur einzigen Partei, die wirklich zählt, schaffen.»

Wades glitzernder Blick, die stille Glut seiner Worte besänftigten und überzeugten Stanley.

«In Ordnung, Ben. Ich nehme den höchsten Posten, der mir angeboten wird.»

«Gut – ausgezeichnet!»

Cuffeys Guerillabande war mittlerweile auf zweiundfünfzig Mann angewachsen; fast ein Drittel davon waren weiße Deserteure. Sie hielten zwei Acres dicht bewaldeten, verhältnismäßig soliden Geländes am Rande des Salzsumpfes nahe des Ashley besetzt. Gewehre und Revolver nahmen sie den Weißen ab, die sie auf den Straßen ermordeten; Nahrungsmittel stahlen sie aus den Häusern, Farmen und Reisplantagen des Bezirks.

Dreimal schon hatte Cuffey Trupps angeführt, die Hühner von Mont Royal stahlen. Die Plantage selbst hob er sich für einen besonderen Tag auf. Er suchte den Himmel nach verräterischen Rauchwolken ab und schickte regelmäßig einen seiner weißen Jungs nach Charleston, um sich von der Situation dort berichten zu lassen.

In den kurzen, kühlen Tagen Anfang Februar suchte er den Himmel mit zunehmender Ungeduld ab. Er wußte, daß Sherman, der General, dessen Stil und dessen Ruf er bewunderte, Beaufort und Pocataligo passiert hatte und nach Norden zu auf Columbia marschierte. Bald schon, so hatte sich Cuffey ausgerechnet, würde der Konföderiertengeneral in Charleston den größten Teil seiner Truppen zur Verteidigung der Hauptstadt einsetzen müssen. Dann würde der ganze Bezirk offen und ungeschützt daliegen – und er, Cuffey, konnte damit tun, was er wollte.

123

Am nächsten Morgen gegen zehn erreichte Charles die Stelle, wo sich die Flußstraße mit dem Weg kreuzte, der zu dem großen Haus führte. Seine Lumpen, heiß und stickig, zogen ihn schwer nach unten. Sein winziger Zigarrenstummel – die letzte Zigarre, die er hatte – ging aus, als er den Weg hoch zu der vertrauten Dachlinie starrte, der oberen und unteren Veranda, zu den dichten Reben, die sich am Kamin hochrankten.

Rauch stieg vom Küchengebäude auf. Ein Negermädchen kam heraus und eilte zum Haupthaus. Eine Krähe segelte krächzend vorbei; wäre er nicht so müde gewesen, er hätte gelacht. Er war zu Hause.

Es war keine gute Zeit für eine Heimkehr. Sherman hatte geschworen, Georgia mit Blut und Tränen zu überziehen, und diesen Schwur hatte er eingehalten; dann war er weiter nach Norden gezogen, unter

Umgehung des Ashley-Bezirks. Mit einem erschöpften Staunen in den Augen ging Charles langsam den Weg hoch. Dieser Ort hier schien vom Krieg völlig unberührt. Dann bemerkte er die Veränderungen an den Gebäuden und das Fehlen der Sklaven. Wieviele von ihnen mochten davongerannt sein?

Er ging bis zum Haus, vorbei an dem Kamin, und entdeckte halb verborgen hinter einer Säule eine Frau. Mit vagem Lächeln erhob sie sich von ihrem Stuhl, als er sich näherte. Höflich sagte er: «Hallo, Tante Clarissa.»

Sie betrachtete ihn einige Sekunden lang stirnrunzelnd – vor allem den Revolver und den eingewickelten Degen unter seinem Arm. Dann preßte sie die Handflächen gegen ihre Wangen und kreischte in tödlicher Furcht auf – die Ankündigung seiner Heimkehr.

Jetzt tauchten andere Leute auf. Zwei Hausdiener kamen herausgerannt, um sich um Clarissa zu kümmern. Wie alt und gebeugt sie aussehen, dachte Charles, während er darauf wartete, erkannt zu werden. Es dauerte lange.

«Charles? Charles Main?»

Er schob seinen Hut zurück, brachte aber kein Lächeln zustande; er war fast so erstaunt, wie Clarissa eben gewesen war. «Ja, Judith, ich bin's. Was um alles in der Welt machst du hier?»

«Ich kann's nicht erwarten, dich das gleiche zu fragen.»

«Ich habe mein Pferd bei Petersburg verloren. Ich habe den ganzen Weg hier runter gemacht, auf der Suche nach einem Ersatz.»

«Fahren die Züge?»

«Einige. Meistens bin ich gelaufen. Als ich North Carolina verließ, dachte ich, ich würde schon zuvor irgendwo ein Pferd oder wenigstens ein Muli auftreiben. War ein Irrtum», endete er, als Orrys älterer Bruder auf die Veranda trat. Cooper erkannte Charles und stieß einen Jubelschrei aus. Das Ehepaar geleitete den Neuankömmling in das geliebte, vertraute Haus, aber Charles nahm es kaum zur Kenntnis. Ein Gedanke hämmerte in seinem Kopf: *Wußten sie über Orry Bescheid?*

Charles badete in einer großen Zinkwanne in Coopers und Judiths Schlafzimmer – das gleiche weiträumige Zimmer, das einst Tillet und Clarissa und später vermutlich Orry und Madeline gehört hatte.

Seine Ankunft hatte viel Aufsehen erregt. Neger wimmelten überall im Haus herum – fast so, als wären sie Cooper und Judith gleichgestellt, dachte er ohne jede Feindseligkeit; er registrierte damit lediglich einen weiteren bemerkenswerten Wandel. Er begegnete einem muskulösen Vorarbeiter namens Andy und einer hübschen Negerin namens Jane, die ihm ernst die Hand schüttelte, während sie sagt: «Ich habe von Ihnen gehört.»

Die Botschaft ihres offenen Blickes, weder feindselig noch freundlich, war eindeutig: *Du bist also in der Armee, die dafür kämpft, mein Volk in Fesseln zu halten.*

Philemon Meek, der neue Verwalter, kam zum Mittagessen hereingeschlurft – das üppigste Essen, das sie auftischen konnten, sagte Judith verlegen. Jeder bekam einen Teller mit Safranreis, ein paar Erbsen, ein kleines Stückchen Maisbrot und zwei Stückchen Huhn, die zum zweiten oder dritten Mal gekocht worden waren.

«Du brauchst dich nicht zu entschuldigen», sagte Charles. «Im Vergleich zu der Kost weiter oben im Norden ist das hier ein Festmahl.»

Schnell begann er zu essen. Meek beobachtete ihn über seine Brille hinweg und berichtete Charles dann von der Guerillabande, die in der Nachbarschaft ihr Unwesen trieb.

«Die Bande hat sich hier im Tiefland eingenistet», sagte Meek. «Ich habe gehört, der Anführer ist ein alter Bekannter von Ihnen – ein Nigger namens Cuffey.»

«Cuffey», wiederholte er. «Nicht zu fassen. Glauben Sie, daß Mont Royal Ärger bekommt?»

«Wir bereiten uns auf diese Möglichkeit vor», sagte Meek.

«Ich habe den Eindruck, es sind nicht mehr viele Männer auf der Plantage. Vom Vorarbeiter abgesehen hab' ich nur Leute bemerkt, die so grau wie das Moos vorm Fenster sind.»

«Wir sind bei siebenunddreißig Leuten angekommen», gab Cooper zu. «Die Freiheit ist ein Magnet für menschliche Wesen. Eine Zeitlang hab' auch ich das vergessen, wie ich zu meiner Schande eingestehen muß. Ach was, wozu die Vergangenheit aufrühren? Ich möchte die Neuigkeiten aus Virginia hören. Warst du überhaupt in Richmond? Hast du Orry und Madeline gesehn?»

Cooper wartete auf eine Antwort. Langsam legte Charles die Serviette neben seinen Teller.

«Ich hatte nicht damit gerechnet, der Überbringer schlechter Nachrichten sein zu müssen.»

Judith beugte sich vor. «Oh Gott – ist einer von ihnen krank? Madeline?»

Schweigen.

«Charles?» sagte Cooper fast unhörbar.

Er erzählte es ihnen.

124

Billy, als Invalide mit einer Brustwunde zu Hause, schlief sehr viel. Er war auch nicht wach, als Constance mit bleichem Gesicht den Brief zu Brett in die Bibliothek brachte.

«Er ist von George. Komm, setz dich, bevor du ihn liest.»

Die Nachricht über Orry traf Brett wie ein Hammerschlag. Constance ließ sich neben dem Stuhl auf die Knie sinken, während Brett schluckte und merkwürdige kleine, würgende Laute von sich gab. Sie hob die beiden Blätter auf, deutete hilflos auf sie und schüttelte den Kopf.

«Ich verstehe das nicht. Madeline sagte, er sei noch in Richmond.»

«Das dachten wir alle.»

Jetzt fing Brett an zu weinen, wurde vom Schluchzen geschüttelt. Constance war überrascht, daß dieser Anfall in weniger als einer Minute vorüber war.

Eine halbe Stunde später dachte sie, was für eine bewundernswerte Frau Billy doch geheiratet hatte. Würde sie selbst sich in ähnlicher Lage als ebenso stark erweisen? Nachdem sie sich die verschwollenen Augen getrocknet und den Brief wieder an sich genommen hatte, sagte Brett: «Ich muß hinauf zu Madeline. Ist sie in ihrem Wohnzimmer?»

Constance nickte. «Sie wollte ein bißchen lesen. Soll ich mitkommen?»

«Danke, aber ich glaube, es ist besser, ich gehe alleine.»

Langsam ging Brett am Bibliothekstisch vorbei. Es schien Stunden zu dauern, bis sie die Treppe bewältigt hatte; nie hatte sie einen längeren und schwereren Gang angetreten. Ihre Hand zitterte, als sie an die Tür klopfte.

«Komm rein!» rief Madeline fröhlich.

Geh, dachte Brett. Es wurde ein lautloser Aufschrei. *Geh!* Sie wollte wegrennen.

«Wer ist denn da?»

Mit raschelnden Unterröcken kam Madeline zur Tür und öffnete sie. Ihren Zeigefinger hielt sie in einem schmalen Goldbändchen. Heute trug sie eines ihrer Lieblingskleider aus so tiefblauer Seide, daß es fast schwarz wirkte.

«Brett! Komm doch herein! Ich habe gerade einige von Poes Gedichten gelesen. Eins davon ist Orrys Lieblings... aber Liebes, was ist denn passiert?» Erst jetzt bemerkte sie, daß Brett geweint hatte. «Geht es Billy wieder schlechter?»

«Es ist nicht Billy. Es ist Orry.»

Madelines dunkle Augen weiteten sich angstvoll. Sie nahm ihren Finger aus dem Buch und hielt es sich wie einen Schild vor die Brust. Sie entdeckte den Brief in Bretts Hand.

«Gibt es in Richmond irgendwelche Schwierigkeiten?»

«Orry ist nicht – war nicht – in Richmond. Der Brief ist von George. Eine sehr schlimme Nachricht.»

Mit gekünstelt skeptischem Blick nahm Madeline den Brief zur sonnenhellen Fensternische. Sie beendete die erste Seite und begann die zweite zu lesen. Als erstes Anzeichen einer Reaktion lief ein Zittern über ihre Schultern.

Ihr Kopf flog herum. Ärgerlich sagte sie: «Die Petersburg-Linien? Wie soll er zu den Petersburg-Linien gekommen sein?»

«Ich wollte, ich wüßte es.»

Madeline zwang ihren Blick zurück auf den Brief. Brett sah ihr Profil, sah das Glitzern einer Träne. Das Buch fiel aus Madelines Hand. Ihre Finger knüllten den Brief zusammen. «Orry!» schrie sie auf und sank in einem Gewühl von Seide und Petticoats zusammen.

«Kathleen!» rief Brett in den Flur. «Kathleen, das Salmiakfläschchen! Schnell!»

Brett wirbelte wieder herum. Madeline lag auf dem Perserteppich, schon wieder aus kurzer Ohnmacht erwacht, traf aber keine Anstalten, sich zu erheben. Sie lag auf der Seite, ungeschickt auf beide Hände gestützt. Sie zitterte, ihr Mund stand halb offen. Sie sah Brett an, ohne jedes Erkennen.

Brett fühlte sich wie gelähmt, konnte nicht mal sprechen. Billy war verschont geblieben, aber ihr Bruder war tot. Der Schmerz war gnadenlos. Um wieviel schlimmer mußte es für Madeline sein. Woher sollte sie die Kraft zum Weiterleben nehmen?

125

Charles erwachte am frühen Sonntagmorgen, dem 19. Februar. Er hatte von Gus geträumt.

Er ging hinunter zum Fluß. Überall herrschte erwartungsvolle Stille, seit gestern schon, als die wildesten Gerüchte im Fluß-Bezirk herumzuschwirren begannen. Gerüchte, daß in der vorletzten Nacht Columbia niedergebrannt worden sei.

Gegen Mittag fuhr eine heruntergekommene Kutsche in den Hof. Der Fahrer war Markham Bull, Nachbar und Mitglied der großen, angesehenen Bull-Familie. Markham, ungefähr fünfundfünfzig, befand sich in heller Aufregung. Er war in Columbia gewesen, als Sherman eintraf. In den Wirren nach dem Großbrand Freitagnacht war er mit knapper Not entkommen.

«Die Stadt ist praktisch verschwunden. Die verfluchten Yankees behaupten, Wade Hampton habe das erste Streichholz entzündet, um die Baumwolle anzustecken, damit sie dem Feind nicht in die Hände fiel. Ihr könnt euch nicht vorstellen, wie Shermans Männer gewütet haben. Im Vergleich dazu waren die Goten und Vandalen von ausgesuchter Höflichkeit. Sie haben sogar Millwood niedergebrannt.»

Charles zog die Augenbrauen hoch. «Hamptons Millwood?»

«Jawohl. All seine Familienporträts, seine herrliche Bibliothek, alles vernichtet.»

«Wo ist der General jetzt?»

«Ich weiß es nicht. Ich hörte, er habe vor, westlich vom Mississippi weiterzukämpfen, aber das muß nicht stimmen.»

Im Laufe des Tages verringerte sich die Anzahl der Nachzügler auf der Straße. Die Sonne versteckte sich hinter einer leichten Wolkendecke. Charles polierte seinen Degen. Gegen vier Uhr funkelte die Klinge fast wieder wie neu. Eine Krähe krächzte irgendwo am Fluß hinter dem Haus. Jetzt erst fiel ihm auf, daß er während der letzten Stunde eine ganze Menge Krähenschreie gehört hatte.

Gegen fünf tauchte Cooper wieder auf, mit grauem, angespannten Gesicht. «Charles, du kommst besser rein.»

In der Bibliothek traf er Andy und einen aufgeregten, schwitzenden zwölfjährigen Negerjungen. «Das ist Jarvis, Marthas Sohn», erklärte Cooper seinem Cousin. «Erzähl uns noch mal, was du gesehen hast, Jarvis.»

«Ich sah 'ne Bande weißer und schwarzer Männer im Sumpf, Meile hinter den Hütten. Kommen die Richtung.»

«Wieviel sind eine Bande?» fragte Charles.

«Vierzig. Vielleicht fünfzig. Haben Gewehre. Aber viel Lachen, ganz sicher keine Eile. Ein Negerkerl, war fett wie Waschbär im Sommer. Reitet altes Muli, singt und macht viel Spaß mit allen.»

Andy machte ein finsteres Gesicht. «Muß dieser verdammte Cuffey sein.»

«Danke», sagte Charles zu dem Jungen.

Cooper sagte: «Möchte wissen, wann sie kommen.»

«Ich an Cuffeys Stelle», sagte Charles, «würde bis morgen früh warten, wenn wir alle von der Nachtwache hundemüde sind.»

Andy zögerte. «Wäre vielleicht sinnvoller, zusammenzupacken und zu verschwinden, Mr. Cooper.»

«Nein», sagte Cooper mit so fester, ruhiger Stimme, daß Charles ganz überrascht war. «Dies ist mein Zuhause. Meine Familie erbaute Mont Royal, und ohne Kampf gebe ich es nicht verloren.»

«Das deckt sich mit meinen Empfindungen», sagte Charles. Er brachte ein müdes Lächeln zustande. «Nicht sonderlich intelligent, aber nichtsdestoweniger meine Empfindungen.»

Jane, die vor einiger Zeit in die Bibliothek gekommen war, sagte: «Und die anderen sollen ihr Leben riskieren, um einen Ort zu verteidigen, wo ihr sie wie lebenden Besitz gehalten habt?»

«Jane», begann Andy und trat einen Schritt vor. Sie ignorierte ihn.

Cooper starrte sie finster an, brachte aber seine Gefühle schnell wieder unter Kontrolle. «Niemand wird gezwungen zu bleiben. Weder Sie noch sonst einer der Leute.»

«Aber die meisten werden bleiben», sagte Andy. «Ich bleibe. Es gibt einige gute Dinge auf Mont Royal.»

«Sie können uns später belehren, Miss Jane», sagte Charles mit fast zu scharfer Stimme, weil er ihr insgeheim zustimmte. «Jetzt müssen wir erst mal die Männer zusammenrufen.»

«Und die Frauen und Kinder an einen sicheren Ort schaffen», fügte Cooper hinzu. «Andy, fängst du damit an?»

Andy nickte, nahm Janes Arm und führte sie aus der Bibliothek. Der Griff war etwas zu fest für ihren Geschmack, und sie riß sich los. Charles konnte sie streiten hören, als sie das Haus verließen.

Cooper warf seinem Cousin einen düsteren Blick zu. «Wir sind in einer schlimmen Lage, was?»

«Ich fürchte schon. Die Anzahl spricht gegen uns. Bestenfalls könnten wir einen alten Indianertrick probieren, den ich in Texas gelernt habe.» Stirnrunzelnd betrachtete er den Degen, den er von draußen mitgebracht hatte.

Er merkte, daß Cooper darauf wartete, daß er weitersprach. «Töte den Anführer, dann kehrt manchmal der restliche Kriegstrupp um.»

Cooper zog die Unterlippe hoch. «Ziemlich schwache Hoffnung.»

«Stimmt. Aber haben wir eine andere?»

«Zusammenpacken und verschwinden.»

«Ich dachte, du sagtest –»

«Das hab’ ich auch. Ich möchte diesen Ort hier retten, nicht nur aus sentimentalen Gründen. Ich denke, nach der Kapitulation werden wir ihn zum Überleben dringend nötig haben. Verschwinden wir, dann können wir sicher sein, daß sie nichts verschonen werden.»

«Na gut, damit wäre das erledigt. Wir bleiben.»

«Du mußt nicht.»

«Was?»

«Ich meine es ernst, Charles. Du kamst auf der Suche nach einem Ersatzpferd her, nicht um weiterzukämpfen.»

«Zum Teufel, Cousin, außer Kämpfen habe ich nichts gelernt. Die gegenwärtigen Unannehmlichkeiten haben mich für jede zivilisierte Beschäftigung ungeeignet gemacht.»

Sie starrten einander an; keiner von ihnen lächelte. Charles spürte Ungeduld, so, als ob er es kaum erwarten könnte. Das überschwengliche Gefühl kehrte wieder, intensiver als zuvor. Eine Schlacht stand bevor, jawohl. In der Ferne krächzte eine Krähe, und eine zweite Krähe antwortete.

126

Jedesmal, wenn Virgilia eine Kutsche hörte, eilte sie ans vordere Fenster, nur um wieder enttäuscht zu werden. Warum kam Sam so spät? War daheim etwas schiefgegangen?

Gegen halb acht war die kleine Ente verschmort, und Virgilia befand sich in heller Aufregung. Sie hörte das Geräusch eines Pferdes, wirbelte auf die Tür zu und riß sie auf.

«Sam? Oh, ich habe mir solche Sorgen gemacht!»

Es verwirrte sie, daß er nicht gleich vom Sitz seines Einspänners kletterte. «Ich mußte Emily schnell zur Bahn bringen. Ihr Vater in Muncie ist krank geworden. Sie hat die Kinder mitgenommen. Sie wird mindestens eine Woche fort sein.» Das Licht von der Tür her ließ sein Lächeln sichtbar werden. «Ich kann die Nacht über bleiben, falls ich dazu eingeladen werde.»

«Oh, Darling, das ist ja wunderbar.»

Im Haus legte sie lachend die Arme um seinen Hals und küßte ihn. Er liebte es, ihre Zunge in seinem Mund und anderswo zu spüren. «Sollen wir jetzt oder später essen? Ich fürchte, die Ente ist fast schwarz.»

«Probieren wir sie. Dann können wir mit dem restlichen Abend anfangen, was wir wollen.»

Er ging in den Keller und holte eine der zahlreichen Weinflaschen, mit denen er sie versorgt hatte. Dann prosteten sie sich zu. Es war ein schwerer Bordeaux, ein ausgezeichneter Wein, alles andere als billig. Nachdem er einen Schluck gekostet hatte, sagte er: «Verdammtes Theater mit diesem Inaugurationsball – hast du schon gehört?»

Sie schüttelte den Kopf. «Was soll damit sein? Klingt doch großartig. Im *Star* stand, bloß zehn Dollar für Essen und Tanz im Patent Office.»

«Aber eine Anzahl unserer dunkleren Brüder äußerten den Wunsch, ebenfalls dabei zu sein. Einige der Kongreßfrauen, meine eingeschlossen, hätte beinahe der Schlag getroffen. Emily regte sich eine Stunde lang über die Vorstellung auf, sie könnte von Fred Douglass oder irgendeinem anderen Pavian zum Tanz aufgefordert werden. Das Ball-Komitee mußte schnell beschwichtigen. Die Formulierung war höflich, aber die Botschaft war klar. Keine Kartenverkäufe an Nigger.»

«Ich finde das schändlich.»

«Verwechsle Freiheit nicht mit Gleichheit, Virgilia. Das erstere ist in Ordnung, ein Werkzeug, um Stimmen zu sammeln. Letzteres würde niemals toleriert werden, jedenfalls nicht zu unseren Lebzeiten.»

Sie wandten sich angenehmeren Themen zu. Der Wein entspannte Virgilia und versetzte sie in eine für sie untypische verspielte Stimmung. «Darf ich mich nach dem Platz bei der Inaugurationszeremonie erkundigen?»

«Ich habe einen für dich besorgt. Reservierte Sektion für Würdenträger nahe der Plattform.»

«Oh, großartig, Sam. Ich danke dir.»

«Aber das ist noch nicht alles. Ich habe es auch geschafft, mittags einen Sitz auf der Senatsgalerie für dich zu bekommen. Lincoln wird unten sitzen und seine Frau ganz in deiner Nähe. Wenn alle zur Ablegung des Eides und zur Ansprache des Präsidenten hinausgehen, werden Emily und ich ganz vorn auf der Plattform sitzen.»

Ihre Beschwingtheit ließ sie sagen: «Vielleicht winke ich, wenn ich dich und deine Frau sehe.»

Unter dem Tisch hatte er ihre Hand gestreichelt. Jetzt ließ er sie los. «Ich schätze derartige Bemerkungen nicht.» Sein ernster Ton überraschte sie.

«Sam, ich habe doch nur gescherzt.»

«Ich nicht.»

Verängstigt und ernüchtert sagte sie hastig: «Es tut mir leid, Liebling. Ich weiß, daß wir in der Öffentlichkeit nicht zeigen dürfen, daß wir uns kennen. Ich würde nie etwas tun, was deine Karriere gefährden könnte.» Sie drückte seine Hand. «Glaubst du mir das?»

Beängstigendes Schweigen. Dann, als ihm die Strafe für sie ausreichend erschien, verschwand der harte Zug aus seinem Gesicht. «Ja.»

Virgilia wechselte schnell das Thema. «Ich bin nicht begierig, eine Ansprache vom Gorilla zu hören, aber ich möchte ihn gern aus nächster Nähe sehen. Schaut er wirklich so schlimm aus?»

«Der Mann sieht aus wie eine Mumie. Dreißig Pfund Untergewicht, dazu ständiger Schüttelfrost, hab' ich gehört. Die Leute flüstern sich zu, er sei todkrank. Unglücklicherweise hindern ihn seine Krankheiten nicht daran, mit seiner maultierhaften Sturheit seine Programme durchzudrücken.» Er probierte ein Stückchen Ente. «Sehr gut.»

«Das ist es bestimmt nicht, aber nett von dir, zu lügen.»

Das brachte ihn wieder zum Lächeln. «Mache ich gut, nicht wahr? Ich übe auch jeden Tag. Hast du den Entwurf meiner Rede gelesen?» Sie nickte. «Was hältst du davon?»

Virgilia legte ihre Gabel nieder. «Du sagtest mir, Lincoln würde in seiner Antrittsrede dem Süden gegenüber einen versöhnlichen Ton anschlagen.»

«Soweit ich das feststellen konnte, ja.»

«Ich fürchte, deine Rede klingt ähnlich.»

«Tatsächlich? Zu sanft?»

«Viel zu allgemein und zu höflich. Da erinnert nichts an Shermans Bemerkung, daß er Georgia mit Blut und Tränen überziehen wird. *Du* mußt für die Öffentlichkeit der Mann sein, der den ganzen Süden auf Jahre mit Blut und Tränen überziehen wird, um ihn für seine Verbrechen zu bestrafen. Deine Rede muß ein ganz einfaches, lebhaftes Konzept enthalten, das du bei jeder Gelegenheit wiederholst. Wenn die Leute dann an Kongreßabgeordnete denken, dann kommt ihnen zuerst dein Name in den Sinn.»

Er gluckste. «Das ist ein ehrgeiziges Ziel.»

«Es ist das, was du willst, oder? Natürlich bekommt man nichts umsonst. Und wenn es nicht funktioniert? Na gut, dann wird dein Name eben an *zweiter* Stelle stehen. Aber wenn du etwas Geringeres als den ersten Platz anstrebst, dann wirst du ein Nichts sein.»

Wieder ertönte sein leises Lachen. «Du bist eine bemerkenswerte Frau. Ich habe Glück, dich zur Freundin zu haben.»

«So lange du willst, Darling. Sollen wir die Rede durchsehen?»

«Nicht jetzt.»

Beinahe hätte er den Tisch umgeworfen, so eilig hatte er es, hinter sie zu treten und sie zu umarmen. Sie blieb sitzen, preßte sich gegen die Versteifung in seiner Hose. Sie drehte sich halb um, griff danach, stöhnte leise auf. Seine Hand tastete nach ihren Brüsten. Gemeinsam taumelten sie ins Schlafzimmer, zerrten einander hastig die Kleider vom Leib. Er kniete neben dem Bett nieder, küßte ihre nackten Brüste.

Niemals würde sie ihn gehen lassen. Sie würde ihm helfen, ihn trösten, anleiten – ihm in jeder Beziehung eine Ehefrau sein, nur nicht im legalen Sinne.

Er warf sie auf den Rücken; ihre Petticoats bauschten sich noch um die Knöchel. Sie schrie nach ihm, die Arme ausgebreitet. Sein Geschlecht fühlte sich riesig an, als er sich in sie bohrte. Er war ein potenter, ein sehr potenter Mann, und das nicht nur physisch. Mit ihm – durch ihn – würde sie den armen Grady und die Millionen seinesgleichen rächen. Sie würde sich von ihrem tiefsten Haß befreien.

Sie würde den Süden mit Blut und Tränen überziehen.

127

Am nächsten Morgen sprang der Zeiger der Uhr auf Mont Royal auf eine Minute vor sechs, als ein glühendes Licht funkensprühend in weitem Bogen aus der Dunkelheit geflogen kam. «Sie sind da!» rief Philemon Meek.

Gedankenlos nahm er eine der heruntergedrehten Lampen vom Tisch und eilte zu einem der hohen Fenster. Charles stieß seinen Stuhl zurück. Der Solingen-Degen lag in seiner Scheide auf dem Tischtuch. «Weg mit dem Licht!»

Der verängstigte, aufgeregte Verwalter hörte ihn entweder nicht oder ignorierte die Warnung. Er hob den Vorhang, um besser sehen zu können. «Sie haben das Küchengebäude mit einer Fackel angesteckt. Sie kommen jetzt auf –» Ein Gewehrschuß dröhnte auf, die Fensterscheibe zersplitterte, und Meek wurde über einige Stühle zurückgeschleudert. Sofort entzündete sich das Öl aus der zerbrochenen Lampe. Fluchend sprang Charles auf.

Höhnisches Geschrei trieb aus der Dunkelheit herüber. Charles rannte zu dem Verwalter, eine nutzlose Anstrengung. Die ganze Vorderseite von Meeks Hemd war von roten Punkten übersät, aus denen das Blut lief; die Schrotladung hatte ihn sofort getötet.

Charles kroch zum Fenster. Ein zweites Feuer flammte auf. Das Büro.

«Wir postieren uns besser in der Eingangshalle», sagte er zu Cooper. «Du behältst die Tür zur Flußseite hin im Auge, ich die zur Einfahrt.» Von diesen Positionen aus konnten sie auch die Türen zum Salon beobachten, wo sie alle Frauen und Kinder untergebracht hatten.

Mit angespanntem Gesicht folgte Cooper seinem jüngeren Cousin in die Halle, die das Erdgeschoß von vorn bis hinten durchzog. «Wir bekamen keine Warnung, Charles. Was ist mit all den Burschen passiert, die du auf Wache geschickt hast?»

«Weiß der Teufel. Entweder sie sind tot oder fortgerannt, oder sie haben sich Cuffeys Armee angeschlossen.» Wie jeder fähige Kommandant hatte er den größten Teil der Nacht draußen verbracht, hatte die Wachen kontrolliert und sie aufgemuntert. Vor einer halben Stunde war er hereingekommen, um sich ein bißchen auszuruhen, und das war nun die Folge davon. Keine Warnung.

«Die Seite drüben», flüsterte er plötzlich, sich wieder zusammenkauernd. Ein Schatten schob sich an dem schmalen Fenster links neben der Tür zur Einfahrt vorbei. Er zog seinen Armee-Colt und drückte ab. In das Klirren von Glas hinein sackte die Gestalt zusammen.

«Das wäre einer.»

Hinter ihm klapperte ein Riegel. Er hörte ein Kind weinen, als sich die Salontür öffnete. Judith rief: «Cooper? Wie viele sind –»

«Zu viele», brüllte Charles. «Bleib drin, verdammt noch mal.» Die Tür knallte zu, der Riegel wurde wieder vorgeschoben.

Mit flacher, emotionsloser Stimme sagte Cooper: «Ich gaube nicht, daß wir das überleben werden.»

«Schluß mit diesem Gerede.» Charles rannte zu der Tür auf seiner Seite; an dem schmalen Fenster hatte er eine berittene Gestalt vorüberhuschen sehen. Rauch trieb ins Haus. Eine herausfordernde Stimme schreckte ihn auf.

«He, Charles Main, bist du da drin? Hier iss' einer von deinen Niggers, holt dich jetzt. Werd' dich ausräuchern, Mist' Charles Main. Röst' dich bei lebendig Leib und fick' deine Weiber.»

«Cuffey, du Hundesohn!» Charles rammte seinen rechten Arm durch das zerbrochene Fenster und feuerte. «Komm rein und probier's.»

Jemand schrie auf. Charles hörte die Hufe des Maultiers klappern. Dann Cuffeys Stimme: «Komm schon bald. Komm bald –»

Die für ihn bestimmte Kugel hatte einen anderen getroffen. Verflucht. Solche Verschwendung konnte sich Charles nicht leisten.

«Hier rüber», schrie Cooper, einen Augenblick, bevor die verriegelte Tür auf der Flußseite splitterte; von außen wurde mit schwerem Gartengerät dagegengehämmert.

Die Tür brach ein. Charles wirbelte zu schnell herum und stürzte zu Boden – was ihm das Leben rettete. Schüsse jaulten durch den Raum, etwas riß an seinem Oberschenkel, seiner Hand. Er feuerte seinen Revolver leer. Die Angreifer wichen zurück.

Sein Gesicht oberhalb des Bartes war schweißüberströmt. Er taumelte auf die Füße, bemerkte den glänzenden Blutfleck, den sein Bein auf dem Holzboden zurückgelassen hatte. «Wir müssen die Frauen rausbringen», sagte Cooper.

«Gut. Aber von nun an bleibst du bei ihnen.»

«Wir sind erledigt, was?»

«Nicht, wenn –» Charles schluckte. Er versuchte nachzuladen, aber seine Finger waren taub und unbeholfen. Er konnte die Patronen nicht richtig fassen. Zwei ließ er fallen. Er kniete nieder, um sie zu suchen. «– nicht, wenn ich Cuffey finden kann.»

«Hast ihn gefunden, weißer Mann. Er dich auch.»

Charles blickte zum Treppenabsatz hoch und glaubte für eine Sekunde, den Verstand verloren zu haben. Wie ein aufgeblasener Ballon stand dort Cuffey in einem Ballkleid aus leuchtend gelber Seide.

Charles erinnerte sich, gehört zu haben, daß Shermans Landstreicher und einige der befreiten Sklaven Frauenkleider angezogen hatten, die sie in Georgia erbeutet hatten. Cuffey mußte das ebenfalls gehört haben. Er machte einen trunkenen Eindruck; das Messer mit der breiten Klinge zum Schneiden von Unterholz in seiner rechten Hand ließ ihn noch bizarrer erscheinen. Die Klinge war zwei Fuß lang.

Charles starrte und starrte, suchte nach dem Jungen, der in diesem

Mann verborgen sein mußte. Der Junge, mit dem er gerungen, gefischt, über Frauen geredet und all die anderen Dinge getan hatte, die Jungen so taten. Er konnte diesen verlorenen Freund nirgendwo mehr entdecken.

«Hast ihn gefunden, und er muß dich töten», sagte Cuffey und kam langsam die Treppe herabgestiegen, während Cooper und Charles ihn anstarrten, die leergeschossenen Waffen in den Händen, und die Flammen aus dem zweiten Stock des großen Hauses schlugen. Charles spürte die Hitze durch die Decke dringen.

«Bring die Frauen raus», flüsterte Charles.

«Ich kann dich nicht allein lassen –»

«Geh, Cooper.»

«Geh, geh», sagte Cuffey undeutlich. «Ist Mist' Charles, den ich jetzt will.» Die Männer auf der Veranda zur Einfahrt kreischte er an: «Ihr alle bleibt draußen, bis ich fertig bin, hört ihr? Bleibt weg!»

Langsam ließ Charles den Revolver ins Halfter zurückgleiten. Er wischte seine rote Hand an seiner Hemdbrust ab, griff dann nach der Scheide, die er auf den kleinen Tisch gelegt hatte. Der Paradedegen war zu fein und zierlich, um von großem Nutzen zu sein, aber er war immer noch besser als gar nichts.

Cuffey watschelte die Stufen hinunter; die gelbe Seide raschelte. Das lange Messer preßte er grinsend gegen seine Seite.

«War'n mal Freunde, nich'?»

Er rannte auf Charles zu, beide Hände um das Buschmesser geklammert. Er schlug damit von oben nach unten zu; die pfeifende Klinge hätte Charles den Kopf abgetrennt, wenn er ihn nicht zurückgerissen hätte.

Der kleine Tisch, auf dem der Degen gelegen hatte, brach in der Mitte auseinander. Charles mühte sich, den Degen aus der Scheide zu ziehen, aber irgendwie hatte er sich verklemmt. Cuffeys Klinge kam horizontal angezischt, geradewegs auf seinen Hals zu. Charles wich taumelnd aus. Das Messer knallte in einen Zierspiegel, der in Hunderte reflektierender Glasfragmente zerschellte.

Charles, dessen rechte Beinmuskeln wegen der Wunde spastisch zu zucken begannen, schaffte es endlich, den Zierdegen freizubekommen. Wieder hob Cuffey beide Arme über den Kopf; gewaltige Schweißflecke verfärbten sein Kleid unter den Achseln. Das Buschmesser klirrte gegen den Kronleuchterbehang.

In sinnloser Wut schlug Cuffey nach dem Kronleuchter. Der Behang zerbrach, und ein kurzer Prismenregen ging nieder. Mit nur einem Gedanken im Kopf – beim Fechtunterricht auf der Akademie hatte er es nie zu Eleganz gebracht – stürzte Charles mit ausgestreck-tem Degen vor.

Sein Stiefel rutschte auf einem Glasstück des Kronleuchters aus. Cuffey trat ihn in die Leisten, hart genug, daß er aufstöhnte und nach vorn abknickte. Sein rechtes Bein gab nach. Er stürzte auf das Knie; der Aufprall schmerzte mehr als der Tritt. Das Buschmesser flirrte auf seinen entblößten Nacken nieder.

Charles brachte die Solingen-Klinge hoch und traf Cuffey an der Innenseite des rechten Handgelenks. Blut spritzte. Cuffey ließ das Messer los, das so dicht an Charles' Ohr vorbeizischte, daß er das Metall an seinem Ohrläppchen spürte.

Charles kniete immer noch. Cuffey trat gegen seinen linken Arm. Er kippte weg, rollte herum. Cuffey stampfte mit seinem schweren Stiefel auf Charles' ausgestreckten rechten Arm. Seine Hand öffnete sich. Er verlor den Degengriff.

Mit einer Grimasse – ein Lächeln konnte man es nicht nennen – ließ sich Cuffey mit beiden Knien auf Charles' Brustkorb fallen. Charles bekam ihn zu fassen, und sie rollten auf dem mit Scherben übersäten Boden herum. Charles hielt die schwarze Hand fest, die wie eine Klaue nach seinen Augen schlug, aber er spürte, wie seine Kräfte schnell schwanden.

«Werd-dich-töten-weißer-Mann.» Keuchend riß Cuffey seinen Arm aus Charles' blutenden, glitschigen Fingern los. Seine beiden Hände krallten sich um Charles' Hals.

«Bist erledigt. Wie – alles hier –»

Und so schien es tatsächlich zu sein. Schmerz und Schock betäubten Charles. Die Hände drückten zu, schlossen sich unbarmherzig fester und fester. Charles' blutrote Finger berührten und schlossen sich um etwas, was er nicht sofort identifizieren konnte –

Der geriffelte Degengriff.

Aus den Augenwinkeln sah Cuffey ihn kommen. Charles rammte den leichten Degen in Cuffeys linke Seite, gerade unter seinen Arm. Gleichzeitig ließ Cuffey die blutbeschmierte Kehle von Charles los und wich vor dem Degen zurück. Die Spitze war bereits durch die gelbe Seide gedrungen und glitt nun tiefer. Fünf Zentimeter. Zehn. Fünf-zehn –

Charles spürte, wie die Klinge an einem Knochen abrutschte und weiterglitt. Fünfundzwanzig Zentimeter. Dreißig –

Jetzt kreischte Cuffey, sprang auf und krümmte sich, den tödlichen Stahl tief in seinem Leib. Charles hielt fest. Die Klinge brach direkt vor dem Griff, einige Zentimeter von dem Kleid entfernt. Cuffey zerrte wie verrückt an dem Stahl, schwankte und kreiselte in das brennende Wohnzimmer. Das bauschige Kleid fing Feuer. Flammen liefen den Saum entlang, sprangen nach oben. Drehend und rudernd tanzte Cuffey seinen Todeswalzer, ehe er in das Feuer stürzte.

Die Flammen fanden neue Nahrung, stiegen höher. Charles bekam von Cuffey nichts mehr zu sehen.

Die rauchende Decke krachte und sackte durch. Charles kämpfte sich auf die Füße. Sein rechtes Hosenbein war blutgetränkt. Er erspähte seinen Colt und nahm ihn wieder an sich. Die Fenster im Salon waren herausgeschlagen worden; vermutlich waren Cooper und die anderen auf diesem Weg geflüchtet. Er mußte sie finden. Das große Haus war verloren.

Das Tageslicht dämmerte herauf. Cuffeys Gefolgsleute hatten fast alles Wertvolle an sich gerafft, bevor das Feuer das Haus zerstörte. Sie hatten die Wein- und Schnapsregale geleert, die Garderoben, die Küchenschränke. Er sah dreckige, bärtige Männer, Schwarze und Weiße, die beutebeladen durch die Rauchschwaden glitten.

Es wurde kaum noch geschossen. Aber eine Kugel genügte, und so hielt sich Charles vorsichtig hinter einer der weißen Säulen, als er rief: «Cooper?»

Schweigen.

«Cooper!»

«Charles?»

Die ferne Stimme wies ihm die Richtung. Sie hatten sich in dem Pflanzengewirr des ehemaligen Gartens am Fluß versteckt. Er kroch am Haus entlang, um die Ecke, vorbei am Kamin, spähte über den Rasen.

Niemand. Er wollte schon losrennen, dann fiel ihm ein, daß er noch etwas anderes verkünden mußte.

«Cuffey ist tot, Cooper. Cuffey – ist – tot. Ich habe ihn getötet.»

Die Geräusche des brennenden Mont Royal füllten die Stille. Aber die Stimmen schwiegen. Er wußte, daß sie ihn gehört hatten. Tief sog er die Luft in seine schmerzenden Lungen und rannte los, auf den Ashley zu.

Jemand schoß auf ihn. Die Kugel schlug in das feuchte Gras rechts von ihm, aber weitere Schüsse blieben aus. Im Garten sah er sich von vertrauten Gesichtern umringt. Ohne ein Wort fiel er ohnmächtig nach vorn.

Den ganzen Tag über versteckten sie sich in einem der Reisfelder. Die

Gruppe der Überlebenden bestand aus Cooper, seiner Frau und seiner Tochter, Clarissa, Jane, Andy, einer jungen Küchenmagd namens Sue, ihren beiden kleinen Jungen und Cicero, dem alten, arthritischen Sklaven mit dem weißen Kraushaar. Charles lehnte unerbittlich jeden Vorschlag ab, zum Haus zurückzugehen.

«Nicht vor Anbruch der Dunkelheit. Dann gehe ich zuerst, allein. Sinnlos, noch weitere Menschenleben zu riskieren.»

Der Verband, den er sich noch im Haus angelegt hatte, war seiner Beinwunde gut bekommen. Sie hatte sich geschlossen. Er fühlte sich alles andere als gut, aber er konnte wach bleiben.

Gegen Sonnenuntergang verkündete Charles, daß er jetzt das Haus und die Umgebung inspizieren würde.

«Glaub nicht, daß einer allein gehen sollte», sagte Andy. «Ich gehe mit.»

«Ich würde vorschlagen, wir gehen zu dritt», sagte Cooper. Charles war mittlerweile zu müde, um zu streiten. Achselzuckend gab er nach.

Coopers ganze Aufmerksamkeit war auf das Haus gerichtet. Er flüsterte: «Oh, Gott im Himmel.» Selbst Andy schien erschüttert zu sein. Charles wollte nicht hinschauen, tat es dann aber doch.

Mont Royal war bis auf die Fundamente niedergebrannt; nur noch Schutt und Asche und der große, rauchgeschwärzte Kamin waren zu sehen.

«Wie konnten sie?» sagte Cooper mit zornbebender Stimme. «Wie konnten sie, diese verfluchten, ignoranten Barbaren.»

Sanft sagte Charles: «Wir haben nur bekommen, was du immer vorausgesagt hast.»

Er ging voraus und verschwand hinter dem Kamin. Plötzlich hörten Cooper und Andy ihn wie einen Verrückten lachen.

«Los, schnell», sagte Cooper und rannte los.

Charles stand neben einer Leiche und brüllte wie ein Irrer. Die Ursache seines Heiterkeitsanfalls stand ein Stück weiter zur Einfahrt hin: ein großohriges Maultier mit Zügel und Haltestrick.

«Cuffeys Maultier!», japste Charles. «Mont Royal ist dem Erdboden gleichgemacht, aber ich habe ein Ersatztier. Gedankt sei Gott und Jeff Davis! Jetzt kann der Krieg weitergehen und weiter und weiter –»

Die irre Stimme brach. Er warf ihnen einen beschämten Blick zu und humpelte zur nächsten noch stehenden Eiche. Er lehnte sich mit dem Arm dagegen und verbarg sein Gesicht.

128

An diesem Sonntagmorgen, dem 2. April, verrichteten Mr. Lonzo Perdue und seine Frau und seine Töchter kniend ihr Gebet, als ein Bote durch die St. Pauls-Kirche eilte und dem Präsidenten etwas zuflüsterte. Mr. Perdue beobachtete, wie der weißhaarige Präsident unsicheren Schrittes die Kirche verließ. Mr. Perdue beugte sich zum Ohr seiner Frau.

«Die Verteidigungslinien sind durchbrochen. Hast du sein Gesicht gesehen? Wir müssen packen und einen Zug erwischen.»

Am Bahnhof wurden ohne offizielle Erklärung alle Züge zurückgehalten. Gegen Nachmittag wuchs die Menschenmenge immer stärker an und wurde immer unruhiger. Mr. Perdue und seine Familie wurden bis vor den Bahnhofseingang zurückgedrängt.

Bei Einbruch der Dunkelheit schwirrten wilde Gerüchte durch die riesige Menschenmenge. Es kam zu Gewalttätigkeiten; Soldaten mußten gegen den Mob vorgehen. Dann kam die erste Explosion.

«Oh, Papa!» rief Mr. Perdues Tochter und drängte sich gegen ihren genauso entsetzten Vater. «Was tun sie nur?»

«Gebäude zerstören.»

Gegen elf Uhr war die Stadt ein Nachtasyl, erleuchtet von sich ausbreitenden Feuern. Davis erschien in einer von schwer bewaffneten Soldaten umringten Kutsche. Ein Zug nach Danville warte auf ihn, sagte jemand.

Mr. Perdue begann Verrat zu wittern, als er gewisse andere Personen den Bahnhof betreten sah. Er entdeckte den Halunken Mallory, der so viele wertvolle Dollars mit seinen sinnlosen Marineplänen verschwendet hatte. Trenholm, der Memminger im Schatzamt abgelöst hatte, kam in einer Ambulanz an. Denn erschien Benjamin, glatt und fröhlich wie stets. Die Privilegierten wurden in Sicherheit gebracht.

«Die Frachtwaggons des Sonderzuges werden geöffnet», verkündete ein Bahnbeamter. «Ich wiederhole, die Frachtwaggons werden geöffnet, aber kein Gepäck wird zugelassen. Keins!»

Kreischend und schiebend drängte die Menge vorwärts. Nicht alle konnten sich gleichzeitig durch die Bahnhofstüren quetschen. Wie feindliche Soldaten begannen die Leute aufeinander einzuschlagen.

«Oh, Lonzo – kein Gepäck? Ich kann nicht auch noch die wenigen wertvollen Sachen zurücklassen!»

«Dann bleibst du eben hier, ohne mich. Los, Mädchen, tretet die Frauen beiseite, wenn sie sich nicht bewegen.» Auf die Weise sicherte sich die Familie einen Platz in dem Zug, der um elf Uhr Richmond verließ.

Die sich anklammernden Menschentrauben fielen ab, als der Zug Tempo aufnahm. Mr. Perdues Mantel und seine Krawatte hingen in Fetzen. Er war erschöpft, aber glücklich – sehr zufrieden mit seinem ungewohnt heldenhaften Verhalten angesichts einer gefährlichen Situation.

Flußaufwärts brannten weitere Brücken. Vielleicht hätte ich doch zur Armee gehen sollen, dachte Mr. Perdue, als der Zug ihn in die Nacht trug.

129

Mrs. Burdetta Halloran war vorbereitet, als die Eroberer an diesem Tag in Richmond einmarschierten. Sie hatte fast ihr ganzes restliches Geld für eine der alten Fahnen ausgegeben, die durch die starke Nachfrage ungemein teuer geworden waren. Die Nationalfahne der Konföderierten verbrannte sie in ihrem Kamin.

An diesem Morgen zog die Parade der Yankees an ihrem Haus vorbei, angeführt von den schwarzen Kavalleristen der Fifth Massachusetts Colored Cavalry – ein unglaublicher Anblick. Sie verbarg ihren Zorn und ihre Verachtung und winkte mit ihrem Taschentuch unter dem Sternenbanner, das sie auf ihrer Frontveranda aufgehängt hatte.

Hunderte von Eroberern zogen pfeifend, trommelnd, grinsend vorbei, feierten unter einem Himmel, der von den immer noch brennenden Feuern gefärbt war. An den Flanken der vorüberziehenden Kolonnen sprangen und tanzten Schwarze herum und verhöhnten die Weißen.

Sie bemerkte einen weißen Offizier und jubelte um so lauter. Vielleicht würde ein solcher Mann von ihrer Erscheinung angetan sein. Irgendwie mußte sie überleben. Sie würde überleben.

«Oh, gedankt sei Gott, gedankt sei Gott!» schrie sie unter der alten Fahne und wedelte so heftig mit ihrem Tüchlein, daß ihr ganzer Arm schmerzte. Sie schauspielerte so großartig, daß ihr die Tränen über die

Wangen liefen. Ein rotbackiger Colonel zügelte sein Pferd durch, scherte aus der Kolonne aus und näherte sich langsam ihrem Gartenzaun; sie eilte ihm entgegen und wartete darauf, daß er sie ansprechen würde, während er lächelnd seinen Hut zog.

«Keine Sklaverei mehr – und bald auch kein Krieg mehr, nicht wahr, Captain?»

«Ja, schaut wirklich so aus, als wäre Lee auf der Flucht», stimmte Billy zu. Pinckney Herberts kleine, helle Augen glänzten freudig, als er mit einem Stück Schnur den zusammengerollten Abziehriemen fürs Rasiermesser zusammenband. Billy stutzte seinen langen Bart an den oberen Rändern, und der alte Riemen war abgenutzt.

Er dankte Herbert, nahm sein Wechselgeld und den Riemen und verließ den Laden. Seine Brust begann zwar wieder zu schmerzen, aber mit neuerwachter Lebensfreude spürte er, daß die Dinge bald wieder ihren normalen Gang gehen würden. Zum Zeichen dafür trug er keine Waffe mehr.

Er kam an einem Rekrutierungsbüro vorbei. Drei lärmende Männer lümmelten an einem Geländer, zwischen einem breitschultrigen Negerjungen auf der Straße und dem Büroeingang. Einer der Weißen trug eine dreckige Armeeuniform. Billy erkannte Fessenden, den Mann, der einst Brett belästigt hatte.

«Verschwinde, Nigger», sagte einer der Männer.

«Ja, geh zurück in die Fabrik, und mach dich an die Arbeit», sagte Fessenden, gleichermaßen erheitert. «Bob Lee ist am Rennen. Der Krieg ist fast vorbei. Wir brauchen keine farbigen Jungs, die für uns kämpfen.»

Der Junge hatte eindeutig Angst, aber er schluckte krampfhaft und sagte: «Ich will keinen Ärger. Ich will bloß zur Armee, solange noch Zeit ist.» Er trat einen Schritt vor.

Der junge, pickelige Weiße links neben Fessenden riß etwas aus der Tasche. Ein Schnappen, ein Blitzen und der Junge blieb beim Anblick der langen Klinge des Schnappmessers vollkommen still stehen.

«Boy? Hörst du nicht? Du hast hier nicht rumzustehen, wenn ein weißer Mann –»

«Laßt ihn vorbei!»

Die Stimme aus dem dunklen Schatten ließ alle drei herumwirbeln. Billy trat auf den sonnenbeschienenen Gehsteig hinaus. Verdammter Narr, sagte er zu sich selbst; Schweiß lief ihm über das Gesicht.

Nur Fessenden erkannte ihn. «Das geht dich nichts an, Hazard.»

«Er hat ein Recht darauf, in die Armee einzutreten.»

«Ein Recht?» Der Messerheld kicherte. «Seit wann hat ein Nigger irgendwelche –»

Billy übertönte ihn. «Also, laßt ihn durch!»

«Sag ihm, er soll zum Teufel gehen, Lute», sagte der dritte Mann.

Fessenden kratzte sein stoppeliges Kinn. «Scheiße, weiß nicht recht, Jungs. Er ist'n verwundeter Veteran wie ich.»

«Habe gehört, deine Verwundung sei hinten erfolgt», sagte Billy. «Beim Wegrennen.»

«Du Hundesohn», schrie Fessenden, aber es war der Pickelige mit dem Messer, der Billy angriff. Hastig wich Billy gegen die Wand zurück, zerriß die Schnur, rollte den Abziehriemen auf und zog ihn dem Angreifer mit voller Wucht übers Gesicht.

«Oh, mein Gott!» Kreischend ließ er das Messer fallen. Unter dem schweren Verband pochte Billys Wunde. Benommenheit überkam ihn plötzlich. Zusammengekauert tastete der pickelige junge Mann nach seinem Messer. Billy trat es vom hölzernen Gehsteig in den Staub. Fessenden warf ihm einen empörten Blick zu.

«Scheiße», sagte er. «Als nächstes erzählst du uns, daß Nigger wählen dürfen – wie Weiße.»

«Wenn es ihnen erlaubt ist, für die Regierung zu sterben, dann sollten sie sie auch wählen dürfen, oder, Lute?»

«Jesus», sagte Fessenden kopfschüttelnd. «Was haben sie in der Armee mit dir gemacht? Hast dich in einen dieser verfluchten Radikalen verwandelt.»

Für Billy kam es fast genauso überraschend. Er hatte aus Überzeugung gesprochen, eine Überzeugung, die in ihm gewachsen war, ohne daß es ihm richtig zu Bewußtsein gekommen wäre.

Billy blickte den Negerjungen an. «Du kannst reingehen.»

Bevor der Junge das Büro betrat, schenkte er Billy ein Lächeln. Er sagte: «Danke, Sir», und war im Inneren verschwunden.

«Guten Tag, Gentlemen», bellte Billy im besten Kommandoton.

Pinckney Herbert kam über den Gehsteig gelaufen, um ihm die Hand zu schütteln. Die schmerzhafte Wunde hatte Billy fast vergessen. Er fühlte sich großartig: boshaft erheitert, unerwartet stolz, herrlich lebendig.

# 130

Regen fiel auf das flache Land an diesem Nachmittag. Charles saß am Fuße einer großen Eiche, vor dem Regen einigermaßen geschützt, während er in einer alten Baltimore-Zeitung las, die irgendwie nach Summerville gelangt war, dem Dorf, in dem er und Andy Nahrung aufzutreiben versucht hatten.

Charles war viel länger als geplant auf Mont Royal geblieben. Jede Hand wurde benötigt, um ein neues Haus – nicht viel mehr als eine große Hütte – aufzubauen. Sämtliche Bretter waren entweder zerbrochen oder verkohlt oder beides. Die Folge davon war eine verrückte Konstruktion, aber zumindest bot sie den Überlebenden Schutz.

Die Nahrungssituation war verzweifelt. Ihr Nachbar Markham Bull hatte etwas Mehl und Hefe mit ihnen geteilt. So hatten sie Brot und ihren eigenen Reis, aber kaum etwas anderes. Gelegentliche Besucher berichteten, der ganze Staat sei am Verhungern.

Der Besuch in Summerville bestätigte das. Selbst Säcke mit Gold hätten ihnen nichts genutzt. Es gab nichts zu kaufen.

Charles knüllte die Zeitung zusammen und warf sie weg. Er saß da, starrte in den Regen und bildete sich ein, Gus stehe vor ihm und lächle ihm zu.

Er hielt sich die Hand vor die Augen, fast eine halbe Minute lang, nahm sie wieder weg.

Gus war verschwunden.

Er raffte sich hoch, mit einem Gefühl, als wiege er siebenhundert Pfund. Wegen der Beinwunde noch leicht hinkend machte er sich auf die Suche nach seinem Muli. Er nahm seinen alten Armee-Colt mit, für den er keine Munition besaß, dann das kreuzförmige Degenfragment, das im Notfall als Dolch dienen konnte, und seinen Umhang mit Kleinkram. Er sagte allen auf Wiedersehen und ritt vor Einbruch der Dunkelheit in Richtung Norden davon.

131

Am Palmsonntag unternahmen Brett und Billy einen Spaziergang oberhalb von Belvedere. Immer wieder war Brett die beiden Sachen durchgegangen, die sie ihrem Mann sagen wollte. Das eine hatte direkt mit dem bevorstehenden Ende des Krieges zu tun, das andere weniger.

Sie wußte genau, was sie sagen wollte, aber sie brauchte dazu auch die richtige Umgebung. Deshalb hatte sie den Spaziergang vorgeschlagen.

«Was glaubst du, wann Madeline in der Lage sein wird, nach South Carolina zu reisen?»

Madeline hatte diesen Wunsch geäußert; sie fühlte sich Orrys wegen verpflichtet, sich um Mont Royal zu kümmern.

Er überlegte einen Moment. «Es heißt, von Lees Armee ist so gut wie nichts mehr übrig, ebensowenig von Joe Johnstons. Ich kann mir nicht vorstellen, daß einer von ihnen länger als ein paar Wochen durchhält. Vermutlich kann Madeline im Mai Richtung Heimat aufbrechen, wenn nicht eher.»

Sie griff nach seiner Hand, stand ihm im verblassenden Abendlicht gegenüber.

«Ich möchte mit ihr gehen.»

Ein Lächeln. «Ich dachte mir schon sowas.»

«Ganz so, wie du denkst, ist es nicht. Natürlich möchte ich sehen, wie es um Mont Royal steht, aber ich habe noch ein anderes Motiv. Wobei ich mir», sie blickte ihn offen an, «nicht sicher bin, ob du es billigen wirst. Ich möchte eine Weile auf Mont Royal bleiben. Die befreiten Neger werden Hilfe brauchen, um sich der veränderten Situation anzupassen.»

«Das hört sich entfernt nach der gütigen Plantagenherrin an.»

«Ich gebe zu, ich habe auch Heimweh. Aber die Neger brauchen wirklich Schutz. Sie sind in Gefahr, aus der einen Art der Sklaverei in die nächste überzugehen. Es war dein eigener Bruder, Stanley, der mich gewarnt hat.»

«Stanley? Wie meinst du das?»

So genau wie möglich wiederholte sie Stanleys Bemerkung über den republikanischen Plan, sich mit den befreiten Negern anzufreunden, um ihre Wahlstimmen besser manipulieren zu können.

«Das hat Stanley gesagt?»

«Ja. Er war betrunken, sonst hätte er nicht so offen gesprochen. Ich glaube ihm. Deshalb möchte ich auch heim. Die Sklaverei der Unwissenheit ist so bösartig wie jede andere.»

Sie wartete auf seine Reaktion. Sein Schweigen ließ sich nur als Ablehnung deuten.

Sehr sanft sagte sie: «Wie kann Liebe im Besitz einiger weniger Bevorzugter sein? Oder Freiheit? Ich wurde in diesem Glauben erzogen. Dann kam ich in diesen Staat, in diese Stadt, eine Fremde – und ich lernte.»

«Du hast dich verändert, würde ich sagen.»

«Nenn es, wie du willst. Ich nehme an, du bist dagegen, daß ich –?»

Seine Hand berührte ihre Wange. «Ich bin gegen gar nichts. Ich liebe dich. Ich bin stolz auf dich. Ich glaube dir jedes deiner Worte.» Sein Lächeln wurde noch wärmer. Unter dem Sternenschein beugte er sich über sie, küßte ihren Mund.

«Ich liebe dich, Brett. Und da ich bald schon wieder meinen Dienst antreten muß, gibt es keinen Grund, weshalb du nicht so lange in Mont Royal bleiben solltest, wie du magst.»

«Doch, es gibt einen Grund.»

Die sanften Worte ließen ihn aufhorchen. War das Röte, die in ihre Wangen stieg?

«Liebling», sagte sie, «trotz deiner Wunde warst du so feurig – nun ja, ich bin mir noch nicht ganz sicher, ich war noch bei keinem Arzt, aber ich glaube, wir werden ein Kind haben.»

An diesem Sonntagabend, dem 9. April, befand sich George in Petersburg, nachdem er den Nachmittag damit zugebracht hatte, Baumaterial auf Frachtwaggons zu verladen. Die Petersburg & Lynchburg-Linie, die westlich der Stadt verlief, wurde repariert, um die Armee zu versorgen, die Lee verfolgte. Noch vor Tagesanbruch mußte George nach Burkeville aufbrechen.

Erschöpft marschierte er auf die Zelte zu, die für zu Besuch weilende Offiziere bestimmt waren. Ganz plötzlich galoppierte laut brüllend ein Reiter vorbei: «Kapitulation! Kapitulation!»

Ein verschlafener Offizier stolperte mit baumelnden Hosenträgern und nackter Brust aus dem nächsten Zelt. «Kapitulation! Mein Gott, ich wußte nicht mal, daß wir angegriffen werden.»

Grinsend sagte George: «Ich glaube, jemand anderer hat kapituliert. Hörst du die Musik? Gehen wir uns erkundigen.»

Massenhaft drängten die Männer aus den Zelten. George konnte aus dem allgemeinen Lärm kaum etwas heraushören.

«– irgendwann heute –»

«– der alte Graufuchs fragte Ulysses nach den Bedingungen –»

«– irgendwo draußen bei Appomattox Court House –»

Innerhalb einer Stunde verwandelte sich Petersburg in ein Tollhaus. Es stimmte offensichtlich; die Armee von Northern Virginia legte die Waffen nieder, um weiteres Blutvergießen in einem Krieg, der nicht mehr gewonnen werden konnte, zu vermeiden.

Salven von Revolver- und Gewehrschüssen zerrissen die Dunkelheit. Kleinere und größere Gruppen stimmten patriotische Melodien an. George stemmte die Fäuste in die Hüften und tanzte mit den anderen mit. Er sang aus vollem Herzen und sprang wie verrückt herum, ohne den Graben in der Finsternis richtig wahrzunehmen, obwohl er ihn eindeutig gerochen hatte. Zum Glück sank er nur bis zu den Knien ein, was allerdings auch schon schlimm genug war.

Er säuberte sich am Ufer des friedlichen Appomattox River. Es war eine Nacht, die ewig Stoff für Erzählungen abgeben würde, Geschichten für Kameraden, Ehefrauen, Schätzchen, Kinder und Enkelkinder, wo man gewesen war und was man gerade getan hatte, als die Nachricht bekannt wurde. George konnte sich nicht vorstellen, daß er ganz bei der Wahrheit bleiben würde:

«Ich war in Petersburg, mit der Reparatur der Militäreisenbahn beschäftigt.»

«Warst du glücklich, als du die Nachricht hörtest, Großvater?»

«Du kannst dir gar nicht vorstellen, wie glücklich.»

«Wie hast du gefeiert?»

«Ich fing an zu tanzen und fiel in einen Graben voller Scheiße.»

132

Auch der Friede brachte ganz spezielle Belastungen mit sich, erkannte Stanley Ende der Woche. Der betrunkene Mob tobte durch die Straßen, in den Nächten knallte Feuerwerk, läuteten Glocken, und pausenlos zogen Musiktrupps durch die Straßen. Dazu kam noch Stantons Furcht vor einem Anschlag auf Grant oder den Präsidenten – all das zusammen ergab eine miserable Woche für Stanley.

Vor seinem Abschied vom Kriegsministerium und bevor er den neuen Posten, den Wade ihm verschafft hatte, antrat, wollte Stanton noch einmal alles mit ihm durchgehen. Freitagmorgen hatte Stanley seine Akten vorbereitet, aber Stanton mußte zu einer Kabinettsitzung, die mehrere Stunden dauerte. Stanley war ausgehungert, als er endlich in Stantons Büro gerufen wurde.

Schnell gingen sie die Sachen durch, die Stanley vorbereitet hatte. Stanton machte sich Notizen – diese Akten mußten dahin transferiert werden, jene Verantwortlichkeiten dorthin. Stanley war dankbar, daß der Minister überlastet war und sich ständig um die Sicherheit des Präsidenten sorgte. So konnte er das Büro zwei Stunden früher als erwartet verlassen und noch Jeannie Canary einen Besuch abstatten.

Bald schon bedauerte er diesen Entschluß. Für amouröse Abenteuer hatte er den falschen Tag erwischt, und sie befand sich in launischer Stimmung.

«Willst du mich heute abend nicht ausführen, Liebling? Ich möchte das Stück im Ford-Theater sehen. Es heißt, der Präsident und seine Frau besuchen die Vorstellung. Du weißt, daß ich Mrs. Lincoln noch nie gesehen habe. Kannst du keine Karten besorgen?»

«Jetzt nicht mehr. Außerdem wären wir die meiste Zeit in der Menschenmenge eingequetscht. Dazu kommt noch, daß Tom Taylors Stück furchtbar altmodisch ist. Es würde ein äußerst unangenehmer Abend werden – und entsetzlich langweilig.»

Es war, als hätte eine pervertierte Natur einen schwarzen Frühling geboren. Überall an diesem Wochenende erblühte schwarzer Krepp: an Mantelärmeln, am Stuhl des Präsidenten in der Presbyterianischen Kirche, an den Marmorfassaden der öffentlichen Gebäude.

Booth war entkommen. Stanton verkündete, daß der ganze Süden bestraft werden müsse. Selbst Grant sprach von extremen Vergeltungsmaßnahmen. Die Geschäfte bereiteten sich auf das Staatsbegräbnis am Mittwoch vor, Porträts des ermordeten Präsidenten tauchten in den Schaufenstern auf.

Der Präsident lag im East Room aufgebahrt. Die sich langsam voranschiebenden Schlangen waren ungemein lang. Die meisten würden abends unverrichteter Dinge abziehen müssen. Der Präsident blieb nur diesen einen Tag aufgebahrt.

Der Katafalk war mit schwarzer Seide bedeckt. Auf einer Silberplatte stand:

Abraham Lincoln
Sechzehnter Präsident der Vereinigten Staaten

Geboren 12. Februar 1809
Gestorben 15. April 1865

Fast jeder Farbtupfer im Raum war schwarz abgedeckt. Virgilia wartete auf den schwarz gestrichenen Stufen, die zur rechten Seite des Sarges führten, bis sie an der Reihe war. Sie trat an dem strammstehenden Armeeoffizier vorbei und blickte auf Abraham Lincoln herab. Selbst der Leichenbestatter mit all seinen kosmetischen Fähigkeiten hatte nicht viel ausrichten können. Lincoln sah verbraucht aus. Unter halb geschlossenen Lidern hervor studierte sie die Leiche. Er war zu weich und nachgiebig gewesen. Er hatte eine Bedrohung der hohen Ziele von Männern wie Sam und Thad Stevens dargestellt.

Virgilia fühlte sich gut. Der Anblick des toten Präsidenten deprimierte sie kein bißchen. Sam hatte recht. Im Tode diente der häßliche Prärie-Anwalt seinem Lande besser, als er es je im Leben getan hatte. Seine Ermordung war ein Segen.

133

Huntoon wollte sterben. Zumindest einmal täglich war er überzeugt davon, daß dies innerhalb der nächsten Stunde passieren würde. Er hatte ungefähr fünfundzwanzig Pfund an Gewicht verloren und all seine Energie. Würde er nie wieder in einem richtigen Bett schlafen? Richtig gekochte Speisen essen? Ungestört seiner Toilette nachgehen können?

Jeder Abschnitt des langen Weges von St. Louis war beschwerlich gewesen. Virginia City mit seinen aufragenden Bergen, qualmenden Schornsteinen und rauhen Bergarbeitern wirkte so fremd und bedrohlich wie China. Nachts mußten er und Powell die Goldbarren in die Wagen verladen, entsprechend einem Plan, den Powell in groben Zügen umrissen hatte. Jedes Wagenbett nahm neunzig Barren auf, was auf ein Gesamtgewicht von ungefähr vierhundertsechzig Pfund hinauslief. Bei einem Unzenpreis von zwanzig Dollar sechsundsiebzig Cent ergab das einen Wert von knapp hundertfünfzigtausend Dollar. Dasselbe beim zweiten Wagen.

«Das ist lediglich die erste Ladung», erinnerte Powell. «Es wird noch mehr kommen, aber nicht sofort. Ich habe über ein Jahr gebraucht, um diese Ladung zusammenzustellen. Ich mußte aus der Ferne unter größter Geheimhaltung arbeiten, per Kurier. Von nun an wird es schneller gehen.»

Die Wagen waren verstärkt worden; die beiden Männer hatten falsche Böden in jeden Wagen genagelt und sie mit dreckigen Decken bedeckt. Auf die Decken kamen Proviantschachteln und am nächsten Tag noch einige Kisten mit Spencergewehren. Für jeden Wagen wurden sechs Pferde benötigt.

Dann heuerte Powell die Fahrer an – zwei reguläre Fahrer, einen dritten Mann als Ersatz. Der Führer, noch rauher und brutaler als die anderen, war ein ungefähr vierzigjähriger Schotte namens Banquo Collins mit einem Schnurrbart, den er sich wie ein Chinese hatte wachsen lassen.

Huntoon haßte jeden einzelnen Tag der Reise, er haßte das ständige Gerede, mit dem sie ihn auf den Arm nahmen, aber es erschreckte ihn noch mehr, als eines Tages plötzlich Schluß damit war. Die Fahrer fixierten wortlos den zerklüfteten Horizont. Collins begann Huntoon mit Warnungen vor Indianern zu bombardieren, und das geschah nicht nur zum Scherz.

«Wir sind jetzt im Apachenland. Die wildesten Krieger, die Gott je geschaffen hat – obwohl manche behaupten, Satan habe ihm dabei geholfen.»

Collins wußte nicht genau, wieviel Gold sich in den Wagen befand. Aber es mußte eine ganze Menge sein. Vermutlich Barren. Natürlich hatte ihm Powell nichts davon gesagt; er hatte es selbst nach und nach herausfinden müssen. Die geheime Fracht brachte ihn dazu, sich auf verschiedene Eventualitäten vorzubereiten, denn er befürchtete, daß sie verfolgt wurden, schon seit drei Tagen. Er schätzte die Bande der Jicarilla-Indianer auf zehn bis zwanzig Mann. Sollte es zu einem Zusammenstoß mit ihnen kommen, dann war Collins entschlossen, nicht nur seine Haut und seinen Skalp zu retten, sondern auch mit einem Teil des Goldes abzuhauen.

An diesem Abend lagerten sie zwischen hoch aufragenden Felsblöcken in einem tiefen Einschnitt oberhalb eines Flusses, den sie überqueren mußten. Collins versicherte Powell, daß es drei Meilen weiter südlich einen leichten Abstieg gebe, aber dieser Lagerplatz hier sei einfacher zu verteidigen.

«Besser hier als auf offener Fläche.»

«Glauben Sie, daß die Apachen so nahe sind?»

«Da bin ich mir sicher.»

«Wie lange brauchen wir noch bis Santa Fe? Drei Tage?»

«Vielleicht ein bißchen länger.» Collins riskierte bei Powell keine Lüge. Die Augen des Mannes und seine unverhüllte Anspannung warnten ihn davor. «Ich würde vorschlagen, Sir, daß wir jetzt Feuer machen und dicht zusammenbleiben. Falls Sie einen Spaziergang machen, dann nicht weit.»

«In Ordnung.»

Powell fuhr sich mit schmaler Hand über das Haar. Es fühlte sich trocken an. Vor Wochen schon war ihm die Pomade ausgegangen. Er haßte Hüte. Als Folge davon tauchten immer mehr graue Haare auf. Er mußte wie eine Vogelscheuche aussehen. Wie eine alte Vogelscheuche. Er fragte sich, ob Ashton wohl darüber lachen würde. Während er sich gegen das Wagenrad lehnte, stellte er sie sich nackt vor.

Huntoon erhob sich mit entschuldigendem Gesichtsausdruck und verschwand hinter einem Felsen. Zwei Fahrer kicherten bei dem plätschernden Geräusch.

Noch drei Tage bis Santa Fe. Apachen in der Nähe. Powell beschloß, nicht länger zu warten. Huntoon war nützlich gewesen, hatte untergeordnete Arbeiten verrichtet, aber jetzt hatte er seinen Zweck erfüllt.

Powell verließ das Feuer und ging zwischen den Felsbrocken hindurch zum Rand der Schlucht. Der Grund lag jetzt bereits in pechschwarzem Schatten verborgen.

Er blickte nach Osten, wo Ashton auf ihn wartete. Die Erkenntnis, wie sehr er sie vermißte, verblüffte und schockierte ihn. Auf seine Weise liebte er sie. Für seinen neuen Staat würde sie eine ideale First Lady abgeben.

Ungefähr eine Stunde später, als sich die Nacht herabsenkte, überprüfte er seine vierläufige Sharps. Er steckte die Waffe unter seinen staubigen Gehrock und ging an das rauchende Feuer zu Huntoon.

«James, mein Freund?» sagte er, ihn an der Schulter berührend. Huntoons Brillengläser blitzten im Schein des Feuers, als er sich umdrehte.

«Was ist?»

«Begleitest du mich auf einen kleinen Spaziergang? Ich habe was mit dir zu besprechen.»

Mürrisch sagte Huntoon: «Ist es wichtig?»

Ein charmantes Lächeln. «Sonst hätte ich nicht gefragt.»

«Ich bin entsetzlich müde.»

«Nur fünf Minuten. Dann kannst du lange schlafen.»

«Also gut.»

Das Feuer knackte unter dem schwarzen Himmel, als sie auf die

Felsen zugingen. Aus ziemlicher Nähe ertönte ein Tierschrei, halb Japsen, halb Knurren. Banquo Collins richtete sich auf und schob seine Hutkrempe hoch. Einer der Fahrer warf dem Scout einen Blick zu.

«Berglöwe?»

«Nein, mein Junge. Dieses Tier hat zwei Beine.»

134

Am gleichen Tag, um einiges früher, ritt Charles weiter nach Norden in den Frühling von Carolina hinein; ein grünes, wogendes, blühendes Land. Er bemerkte kaum etwas davon, sah nur Gus vor sich.

Er ritt in dem heißen Sonnenschein dahin, als er einen Reiter auf sich zukommen sah. Sofort war er auf der Hut, bis ihm klar wurde, daß er sich immer noch in North Carolina befand. Der Reiter trug eine graue Uniform.

«Colonel Courtney Talcott, First Light Artillery Regiment von North Carolina, zu Ihren Diensten, Sir. An Ihrem Hemd und Revolver sehe ich, daß Sie vermutlich Soldat sind?» Ein gewisser Verdacht schwang in der Frage des Colonels mit.

Charles murmelte: «Jawohl, Sir. Major Main, Hamptons Kavallerie-Scouts. Wo ist die Armee?»

«Die Armee von Northern Virginia?» Charles nickte. «Dann haben Sie es noch gar nicht gehört?»

«Was gehört? Ich war unten am Ashley, auf der Suche nach einem Ersatzpferd.»

«Vor mehr als drei Wochen hat General Lee von General Grant die Übergabebedingungen verlangt. In Appomattox, in Virginia.»

Charles schüttelte den Kopf. «Das wußte ich nicht. Ich habe mir beim Zurückreiten Zeit gelassen.»

«Das kann man wohl sagen.» Talcotts Stimme klang mißbilligend. «Sie müssen nicht weiter. Die Armee hat sich aufgelöst. General Johnston und seine Männer befanden sich noch im Feld, aber möglicherweise haben auch sie mittlerweile kapituliert. Der Krieg ist vorbei.»

Schweigen. Der Artillerieoffizier warf Charles einen schrägen Blick zu und wiederholte mit mehr Betonung: «Vorbei.»

Charles zwinkerte und nickte: «Ich wußte, daß es so kommen würde. Ich wußte nur nicht wann.» Der Offizier machte ein finsteres Gesicht. «Danke für die Information.»

Frostig: «Nichts zu danken. Ich an Ihrer Stelle würde umkehren und heimreiten, Major. In Virginia gibt es nichts mehr zu tun.»

Oh doch, es gab.

Der Artillerist ritt weiter. Charles blieb in sich zusammengesunken mitten auf der Straße auf seinem Maultier sitzen. Jetzt war es offiziell. Sie hatten verloren. Für einen Augenblick haßte er jeden verdammten Yankee, aber das ging schnell vorüber. Eine Mischung aus Erleichterung und Verzweiflung überwältigte ihn.

Er wußte, daß es für ihn nur einen Weg gab, wenn er nicht den Verstand verlieren wollte: nach Virginia zu reiten und zu versuchen, den Schaden wieder gutzumachen, den er in seiner Dummheit angerichtet hatte. Zuerst aber kam die Pflicht. Immer kam die Pflicht zuerst. Er mußte sich um Mont Royal kümmern, mußte es vor Gefahren schützen, die er jetzt noch gar nicht erahnen konnte. In dem Moment, wo er zu Hause alles erledigt hatte – Virginia.

Er hob die Zügel, drehte den Kopf des Mulis und ritt schnell den Weg zurück, den er gekommen war.

135

Ein strahlender Vollmond stand am Himmel; Huntoon und Powell erreichten den Rand der Schlucht. Huntoon war froh, stehenbleiben zu können. Seine Füße schmerzten. Powells rechte Hand glitt in seine Jackentasche.

Huntoon nahm seine Brille ab, polierte die Gläser und sagte schließlich: «Was möchtest du mit mir besprechen?»

Mit einem rätselhaften: «Schau da runter!» nickte Powell in Richtung Schlucht. Huntoon beugte sich vor, spähte in den Abgrund. Powell zog die vierläufige Sharps und schoß ihm in den Rücken.

Der Anwalt stieß einen kleinen, japsenden Schrei aus. Er drehte sich um und griff nach Powells Jackenaufschlag. Powell schlug mit der freien Hand nach ihm. Huntoons Brille verschwand in der Finsternis unter ihm.

Huntoon blinzelte wie ein neugeborenes Tier, versuchte, den Blick auf den Mann zu richten, der auf ihn geschossen hatte. Während der Schmerz durch seinen Körper fuhr, verstand er den ganzen Verrat. Von Anfang an war alles so geplant gewesen.

Wie naiv er doch gewesen war! Natürlich hatte er vermutet, daß Ashton und Powell ein Liebespaar waren. Deshalb hatte er ja auch den Brief an seinen Anwaltskollegen in Charleston geschrieben. Später dann, in der neuerwachten Hoffnung, Ashtons Zuneigung durch eine Mutprobe seinerseits zurückzugewinnen, hatte er die Instruktionen in diesem Brief bedauert, war aber nie dazugekommen, sie zurückzunehmen. Und was er in St. Louis gesehen hatte, war der Anlaß für den zweiten Brief gewesen; den Brief, den er ihr gegeben hatte.

«Laß mich los», sagte Powell angeekelt und jagte Huntoon eine zweite Kugel direkt in den Bauch. Huntoon taumelte zurück und machte einen Schritt in den leeren Raum. Dann war nur noch das dumpfe Aufschlagen von Huntoons Körper zu hören.

Lächelnd betrachtete Powell den vollen Mond. Er stellte sich Ashtons Brüste mit den dunklen Warzen vor, die nun ihm allein gehörten. Er fühlte sich jugendlich. Zufrieden. Erfrischt.

Hinter einem Felsblock tauchte für einen kurzen Augenblick ein kleiner, dünner Mann im Mondlicht auf. Powell sah den Mann nicht, auch nicht den zweiten, der auftauchte, als der erste sprang. Er hörte den Aufprall und wirbelte erschrocken herum. Er packte die Sharps, aber irgendwie verfing sie sich im Jackenfutter. Der Tomahawk knallte auf seinen Kopf, ein mächtiger, genau gezielter Schlag, der seine linke Schläfe zerschmetterte. Er war bereits tot, als er auf die Knie stürzte und vornüber sank.

Der kleine Apache grinste und hielt die bluttriefende Keule triumphierend in die Höhe. Sein Gefährte sprang und landete neben ihm. Ein halbes Dutzend weitere Indianer glitten hinter den Felsen hervor, barfuß und leicht wie Tänzer. Sie schlichen auf das Stimmengewirr und den Schein des Feuers zu.

Als die beiden Schüsse aufbellten und die Fahrer losbrüllten, begann Banquo Collins seine Ausrüstung zusammenzuraffen. Einer der Fahrer fragte: «Wer hat geschossen? Apachen?»

«Bezweifle ich. Die nehmen lieber eine Keule oder schlitzen dir mit einem Messer die Kehle auf. Außerdem riskieren sie's nicht, bei einem Kampf nachts zu sterben. Sie glauben, im Jenseits hätten sie dann die gleichen Bedingungen wie in der Todesstunde, und sie möchten lieber im ewigen Sonnenschein leben. Also nichts zu befürchten, klar?»

Jetzt hatte Collins seine Ausrüstung beieinander. Er zog den Hut in die Stirn und marschierte los, weg vom Feuer. Jetzt wurde der Fahrer munter. «Wohin zum Teufel gehst du?»

Mit gesenktem Kopf marschierte der Scout weiter. Noch ein paar Schritte, und er konnte zwischen den großen –

«Collins, du feiger Hund, komm zurück!»

Er warf sich zur Seite und griff zum Revolver. Der Schuß, den der Fahrer abgefeuert hatte, ging zwei Meter daneben und prallte vom Felsen ab. Collins verschwendete keine Kugel. Nach einigen weiteren Schritten drehte er sich um. Er sah die Jicarillas aus der Dunkelheit jenseits des Feuers hervorstürmen und die drei Männer umzingeln. In wilder Angst stürzte Collins davon, hörte hinter sich das scharfe Bellen, mit dem sie Kojoten imitierten. Das Bellen war nicht laut genug, um die Schreie zu übertönen.

Stolpernd und taumelnd durchquerte Collins den Fluß. Die Männer waren ihm egal; was zählte, war seine eigene Haut und dann, in zweiter Linie, die Wagen mit ihrer wertvollen Fracht. Im Flachwasser auf der anderen Seite eilte er flußaufwärts, bis er einen guten Beobachtungspunkt erreichte. Er befand sich fast gegenüber der Schluchtmündung, über der das Camp lag. Die Apachen hatten Holz auf das Feuer gelegt. Gelegentlich sah er Flammen über die hohen Felsen schlagen.

Bald merkte er, daß er die Ursache des Feuers falsch eingeschätzt hatte. Die Flammen stammten von einem der Wagen, der zwischen den Felsen auftauchte, geschoben von fünfzehn oder zwanzig tobenden Indianern. Das ganze vordere Drittel des Wagens brannte hellauf.

Grunzend und schreiend stießen die Apachen den Wagen über den Schluchtrand. Holz splitterte, das Feuer teilte sich, schlug an verschiedenen Stellen auf. Die Apachen verschwanden, tauchten bald mit dem zweiten brennenden Wagen auf, den sie ebenfalls in den Abgrund schickten. Dann standen sie da, jaulten und brüllten und schüttelten ihre Keulen und Lanzen.

Collins würde die Überreste genau untersuchen, das stand fest, aber bestimmt würde er das nicht in dieser Nacht tun. Er mußte nur die Nacht überleben. Bei Tagesanbruch war die Apachenbande bestimmt verschwunden. Die Trümmer der Wagen lagen für eine Weile sicher in der Schlucht; hier kam nicht oft jemand vorbei. Er konnte Wochen, sogar Monate später zurückkommen, er würde bestimmt das vorfinden, was in den Wagen verborgen gewesen war – vor allem, wenn es sich wirklich um Gold gehandelt hatte.

Banquo Collins wußte nicht viel über Metalle, nur eines wußte er:

Gold konnte seine Form verändern, aber es konnte nicht zerstört werden.

In bester Stimmung machte er sich auf den Weg. Gelegentlich leckte er sich die Lippen, wenn er sich selbst als reichen Tourist sah, Austern schlürfend und auf jedem Knie eine Hure.

136

Heimkehrende Soldaten legten ab und zu eine Rast auf Mont Royal ein und berichteten den Mains in lebhaften Bildern vom Ruin des ganzen Staates. Dafür erhielten sie Wasser aus der Quelle. Nahrungsmittel hatte Cooper keine anzubieten.

Columbia war verbrannte Erde. Negerbanden verstopften die Straßen, befreit, aber von ihrem Status verwirrt und hungernd. Es gab weder für Weiße noch für Schwarze was zu essen. In den meisten Dörfern hatten die Besitzer ihre Läden mit Brettern zugenagelt.

Cooper versuchte es mit einer Juni-Ernte. Zur Bearbeitung des Bodens mit den wenigen rostigen Geräten hatte er nur Andy, Cicero, der für diese Arbeit zu alt war, Jane und seine Tochter zur Verfügung. Judith half aus, wenn sie nicht gerade kochte oder sonst mit dem Haushalt beschäftigt war.

Tausend Fragen hämmerten in seinem Kopf, bis er so sehr schmerzte wie sein Körper. Würden sie genügend Reis ernten, um ein bißchen davon verkaufen zu können? Um den Winter überleben zu können? Würde der Süden auf Jahre hinaus von feindlichen Truppen besetzt werden? Würde –

Er hob den Kopf von seiner Arbeit, als Andy scharf seinen Namen rief, und wischte sich den Schweiß aus den Augen. Judith kam über die Dämme gerannt, die die Reisfelder voneinander trennten.

«Cooper, deine Mutter. Wie gewöhnlich ging ich zu ihr, während sie ihr Nickerchen hielt. Nach ihrem Gesichtsaudruck zu schließen ist sie in Frieden gestorben. Vielleicht ohne jeden Schmerz. Es tut mir so leid, Liebling.»

Er legte einen schmerzenden Arm um sie; seine Augen füllten sich mit Tränen. Für den Rest des Tages kehrten sie zu dem Holzhaus zurück.

Cooper hatte schon vor langem entdeckt, daß das Leben eine perverse Art hatte, einen mit dem Unerwarteten zu überraschen. In der Dämmerung hämmerte er mit Andy einen Sarg für Clarissa zusammen, als Jane auftauchte.

«Wir haben drei Besucher.»

Cooper fuhr sich mit dem Unterarm über die nasse Stirn. «Noch mehr Soldaten?»

Sie schüttelte den Kopf. «Sie kamen mit der Eisenbahn, soweit es ging. Dann schafften sie es, ein altes Maultier und einen Wagen zu kaufen und – »

Gereizt sagte er: «Wer immer sie auch sind, du weißt, was du ihnen zu sagen hast. Sie können lagern und die Quelle benutzen. Aber Nahrungsmittel haben wir keine.»

«Sie werden diese Leute schon ernähren müssen», sagte Jane. «Es sind Ihre Schwester mit ihrem Mann und Miss Madeline.»

Als es ihm einigermaßen sicher erschien, fuhr Jasper Dills in das besetzte Richmond. Er war entsetzt von der allgemeinen Zerstörung nach dem Zusammenbruch und der Flucht der Regierung der Konföderation. Einige halbwegs stabile Gebäude standen noch, aber ganze Häuserreihen waren zerstört. Es war die schönste Frühlingszeit, und die Luft hätte nach Blumen und erwachendem Grün riechen sollen. In Richmond roch die Luft nur nach Rauch.

Dills war hochgradig nervös, als er die Marketenderzelte erreichte, wo er mit seinem Kontaktmann zusammentraf, einem ehemaligen Agenten von Lafayette Baker, den Dills zu einem hohen Preis angeheuert und nach Virginia geschickt hatte, um eine möglicherweise nicht existierende Spur zu suchen.

Der Agent, ein untersetzter Bursche mit einem Schielauge, trank Lagerbier, während Dills eine jämmerliche Limonade zu sich nahm.

«Also, was haben Sie zu berichten?»

«Bis vor sechs Tagen hatte ich gar nichts. Bin fast drei Wochen den James rauf und runter, bevor ich auf was stieß. Ist aber immer noch nicht viel.»

Der Agent bestellte sich noch ein Bier. «Anfang Juni letzten Jahres sah ein Farmer eine Leiche im James treiben. Zivilkleidung. Der Körper war zu weit vom Ufer weg, um herausgeholt werden zu können, aber die Beschreibung – ein fetter, dunkelhaariger Mann – paßt in groben Zügen auf Captain Dayton.»

«Letzten Juni, sagten Sie?» Dills leckte sich die Lippen. Die Zahlungen waren während der ganzen Zeit erfolgt. «Wo war das?»

«Der Farmer war am Ostufer, ungefähr eine halbe Meile oberhalb der Pontonbrücke, die von der Armee im Herbst gebaut wurde. Ich trieb mich noch weitere drei Tage in der Gegend herum und stellte Fragen, aber es kam nichts dabei raus. Jetzt will ich mein Geld.»

«Ihr Bericht ist unbefriedigend.»

Der Agent packte das dünne Handgelenk des Anwalts. «Ich habe meine Arbeit getan. Ich will mein Geld.»

Dills holte die Bankgutschrift aus seiner Jacke. Der Agent betrachtete sie mißtrauisch, steckte sie ein, stürzte den Rest seines Bieres hinunter und verschwand.

Nach längerem Nachdenken kam der Anwalt zum Schluß, daß auch ein Bericht ohne konkretes Ergebnis seinen Wert hatte. Er konnte weiterhin Memoranden schreiben und versichern, daß Bent am Leben war. Das brachte ihm ein zeitlich unbegrenztes, festes Monatseinkommen – eine gewaltige Summe im Vergleich zu der kleinen Investition.

Er entspannte sich, ignorierte den Geruch von Rauch und billigem Parfüm und bestellte sich ein zweites Glas Limonade.

137

Dem gemurmelten Amen folgte ein Augenblick des Schweigens. Die Beerdigung von Clarissa Gault Main war vorüber. Andy sagte: «Ich erledige den Rest. Sie müssen nicht alle bleiben.»

Billy legte den Arm um Brett und führte sie durch das Tor in dem vollkommen verrosteten Zaun. Schmiedeeisen, bemerkte er. Eisen von Hazard hätte länger gehalten. Für einen Moment beunruhigte ihn der Gedanke.

Cooper und die anderen folgten dem jungen Paar. Plötzlich hielt Brett an und blickte durch die Eichen hinüber zu den schwarzen Aschehaufen, wo das Haus gestanden hatte. Wieder kamen ihr die Tränen, aber es ging schnell vorüber. Sie schüttelte den Kopf und wandte sich Billy zu.

«Mutters Tod gerade jetzt – es ist eine Art Wasserscheide, nicht wahr? Das Ende von Etwas. Dieses Haus, diese Plantage – nie war es ganz das, was es zu sein schien. Doch was immer es gewesen sein mag, es ist nun für immer dahin.»

Madeline hörte ihre Worte und nickte melancholisch. Cooper antwortete ruhig, jedoch mit einer Glut, die seine jüngere Schwester überraschte.

«Das Schlimmste haben wir ziehen lassen, aber das Beste werden wir wieder aufbauen. Und dafür mit jedem Atemzug kämpfen.»

Wer ist er? fragte sich Brett staunend. Ich kenne ihn kaum. Der alte Cooper hätte so etwas nie gesagt. Ich bin nicht die einzige, die der Krieg verändert hat.

Drei Tage später tauchte Charles auf seinem Muli auf. Brett eilte ihm entgegen und umarmte ihn. Er preßte seine bärtige Wange gegen die ihre, aber es war nur eine mechanische Bewegung. Er war mürrisch und in sich gekehrt. Als Brett ihn über seine Erlebnisse bei Hamptons Kavallerie auszufragen versuchte, wischte er ihre Fragen mit gereizten, nichtssagenden Antworten vom Tisch.

Noch vor dem Abendbrot fand Madeline Gelegenheit, mit ihm zu sprechen. «Wie geht's Augusta Barclay?»

«Keine Ahnung. Habe sie lange nicht mehr gesehen.»

«Ist sie noch in Fredericksburg?»

«Ich hoffe es. In ein paar Tagen werde ich hinreiten und sie suchen.»

Es schien so, als wäre Hochsaison für Besucher. Am folgenden Montag, als Charles sich gerade zum Aufbruch anschickte, erschien Wade Hampton zu Pferd. Er war auf dem Weg nach Charleston, hatte aber vorbeigeschaut, weil er von Clarissas Tod und dem Großbrand auf Mont Royal gehört hatte. Außerdem hoffte er, einige Informationen über einen seiner besten Scouts zu bekommen. Er war mehr als überrascht, Charles persönlich anzutreffen, und war über dessen schlechte Verfassung sichtlich erschrocken.

Hampton, grauer, als Charles ihn in Erinnerung hatte, trug keine Uniform mehr, aber immer noch einen Revolver. Seinen Lieblingsrevolver mit dem Elfenbeingriff.

Aufgrund seines hohen militärischen Ranges hatte man Hampton die Amnestie verweigert, die der Mehrzahl der konföderierten Soldaten nach der Kapitulation gewährt worden war. Der General trug seine Bürde frei und offen. Seine Bitterkeit wurde besonders deutlich, als er um den Schutt herumging, der einst das Herrenhaus gewesen war.

«So schlimm wie Millwood», sagte er kopfschüttelnd. «Wir sollten ein Foto davon machen und es Grant schicken. Vielleicht begreift er dann die wirkliche Bedeutung von dem, was er fortschrittlichen Krieg nennt.»

Hampton erkundigte sich nach Charles' letzten Tagen bei der Kavallerie. Charles hatte wenig zu sagen. Hampton umriß kurz seine eigenen Erlebnisse. Er hatte tatsächlich westlich des Mississippi weiterkämpfen wollen. «Durch das, was sie meinem Sohn und meinem Bruder und meinem Zuhause angetan hatten, fühlte ich mich moralisch nicht an die Kapitulation gebunden.» Und so war er hinter dem fliehenden Präsidenten und dessen Leuten hergeritten.

«Ich hätte Mr. Davis bis Texas eskortiert. Sogar bis Mexiko. Ich hatte einen kleinen Trupp loyaler Männer bei mir, zumindest glaubte ich das, aber plötzlich stand ich ganz alleine da.»

Cooper fragte: «Wissen Sie, wo Davis jetzt ist?»

«Nein. Vermutlich in irgendeinem Gefängnis – vielleicht haben sie ihn sogar aufgehängt. Booth hat uns riesigen Schaden zugefügt.»

«Hat man irgendwas von ihm gehört?» frage Billy.

«Oh ja. Vor einigen Wochen wurde er auf einer Farm in der Nähe von Rappahannock gestellt und erschossen.»

«Nun, Gentlemen», Charles erhob sich, «ich bitte, mich zu entschuldigen. Ich habe einiges in Virginia zu erledigen und möchte bei Tagesanbruch aufbrechen. Ich überlasse Euch Euren hohen Idealen sowie den Wiederaufbau unseres glorreichen Staates.»

Diese Bitterkeit verblüffte Billy. Er hatte seinen Freund als leichtherzig in Erinnerung, schnell zu einem Lachen bereit. Dieses heruntergekommene, bärtige Skelett hatte nichts mit Bison Main zu tun.

«Jemand muß für den Süden kämpfen», erklärte Cooper. «Wir müssen ihn mit allen friedlichen Mitteln verteidigen, sonst wird auf Generationen hinaus nichts weiter bleiben als verbrannte Erde und Verzweiflung.»

Charles starrte ihn an. «Früher hast du ganz anders gesprochen, Cousin.»

«Nichtsdestoweniger hat er recht», sagte Hampton mit einem Hauch der alten Autorität in der Stimme. «Der Staat wird gute Männer sehr nötig brauchen. Sie eingeschlossen, Charles.»

Charles deutete eine kleine Verbeugung an und lächelte. «Nein, besten Dank, General. Ich habe meine Schuldigkeit getan. Ich habe Gott weiß wie viele menschliche Wesen getötet, Amerikaner wie ich, aufgrund der hochgestochenen Prinzipien des hochgestochenen Mr. Davis und seiner Kollegen. Verlangen Sie nicht von mir, noch etwas für den Süden oder dessen verfehlte Sache zu tun.»

Hampton sprang auf die Füße, seine untersetzte Gestalt eine Silhouette gegen das verblassende Licht im Westen. «Es ist auch Ihr Land, Sir. *Ihre* Sache.»

«Falsch, Sir. Es war meine Sache. Bis zur Kapitulation hab' ich Befehlen gehorcht, aber keinen Augenblick länger. Guten Abend, Gentlemen.»

Es war Samstag, der 13. Mai; Davis und seine kleine Gruppe waren in einem Biwak in der Nähe von Irwinville, Georgia, ergriffen worden. George war zusammen mit Constance auf einem Küstendampfer von Philadelphia nach Charleston gekommen. Die allgemeine Zerstörung entsetzte ihn. Die vielen niedergebrannten Häuser und Gebäude bekümmerten ihn; noch trauriger stimmten ihn die überall herumlungernden Neger. Sie schienen alles andere als glücklich zu sein.

«Es ist nur recht, daß sie endlich ihre Freiheit haben», sagte er zu Constance, als sie an Bord der uralten Schaluppe *Osprey* gingen, die sie den Ashley hochbringen sollte. George trug einen dunklen Anzug; er war noch nicht ausgemustert, weigerte sich jedoch, Uniform zu tragen. Auch so zog er genügend feindselige Blicke an.

«Aber es gibt praktische Probleme», fuhr er fort. «Wie soll die Freiheit sie ernähren? Sie kleiden? Ausbilden?» Selbst wenn praktische Antworten gefunden werden konnten – würden die Nordstaatler sich damit abfinden, jetzt, wo der militärische Sieg errungen war? Menschen wie seine Schwester Virgilia sicherlich, aber sie waren bestimmt in der Minderzahl. Die Einstellung der Mehrheit zeigte sich in dem Telegramm, das er noch in der Tasche hatte.

Die Nachricht kam von Wotherspoon und hatte ihn kurz vor Auslaufen erreicht: SECHS MÄNNER GEKÜNDIGT AUS PROTEST GEGEN EINSTELLUNG VON ZWEI FARBIGEN.

Sofort hatte er zurücktelegraphiert: DIE SECHS SOLLEN GEHEN. HAZARD. Aber das Gesamtbild wurde dadurch nicht geändert.

Als Antwort auf seine Fragen sagte Constance: «Das ist die Aufgabe des Amtes für befreite Sklaven, nicht wahr? General Howard soll ein anständiger, fähiger Mann sein.»

«Schau dir bloß an, wer sich als einer seiner Assistenten in das Amt geschlichen hat. Glaubst du wirklich, Stanley ist aus humanitären Gründen dort? Uns stehen schlimme Zeiten bevor, einige Jahre, fürchte ich, wenn die Wunden nicht heilen. Wenn man nicht zuläßt, daß sie heilen.»

Ihre Fahrt den Ashley hinauf verlief ereignislos – bis die Plantage sichtbar wurde. George stieß einen leisen Ruf aus. Constance umklammerte die Reling.

«Mein Gott», sagte er. «Selbst der Pier ist verschwunden.»

«Sie müssen über eine Planke an Land gehen», sagte der Kapitän. Sein Blick deutete an, daß er alles andere als traurig gewesen wäre, wenn die beiden dabei in das schlammige Wasser gefallen wären.

Während Constance wartete, marschierte George den Rasen hoch. Ein Neger kam ihm entgegengeeilt. Er stellte sich als Andy vor.

«George Hazard.» Sie schüttelten einander die Hände. Andy erkannte den Namen und rannte los, um Cooper und den anderen, die auf den Reisfeldern arbeiteten, die Nachricht zu überbringen.

Cooper und Judith zeigten sich erstaunt über die Ankunft der Besucher. Sie taten erfreut, aber ihre Müdigkeit und Erschöpfung schimmerte durch, ebenso wie eine unmißverständliche Zurückhaltung. Beim Anblick der verarmten Mains stieg leise Verzweiflung in George auf. Er hoffte, das Heilmittel in seinem Gepäck würde zumindest leichte Linderung bringen.

Madeline und Judith führten die Besucher zu der notdürftig errichteten Veranda – Bretter und Kisten, vor dem neuen Holzhaus aufgebaut – und gingen dann hinein, um einige Erfrischungen zuzubereiten.

Eine halbe Stunde lang tauschten sie zögernd Informationen über die beiden Familien aus. George brachte Madeline gegenüber sein Mitgefühl zum Ausdruck, dann fragte er Cooper: «Wo ist Orrys Grab? Ich möchte ihm gerne die letzte Ehre erweisen.»

«Ich zeige dir das Kreuz, das wir errichtet haben. Das Grab selbst ist leer.»

«Sie haben seine Leiche nicht heimgeschickt?»

«Oh doch, sie haben ihn in einen Zug gesteckt. Irgendwo in North Carolina versagte wieder mal unser großartiges Transportsystem, der Zug entgleiste, und es kam zu einem furchtbaren Unfall. Vierzig Piniensärge verbrannten, George Pickett schrieb, daß nichts übriggeblieben sei.»

Selten in seinem Leben hatte George einen solchen Schmerz empfunden. «Ich möchte trotzdem . . . trotzdem gern das Kreuz sehen und dort ein bißchen allein bleiben.»

Cooper beschrieb ihm den Weg zum Friedhof. Bei dem Kreuz zog George den Brief aus der Tasche, den er vier Jahre lang in seinem Schreibtisch aufbewahrt hatte. Den Brief an Orry. Er kniete nieder und grub vor dem Kreuz ein Loch in den sandigen Boden. Er legte den Brief hinein und glättete den Sand wieder. Obwohl er kein sehr religiöser Mensch war, faltete er die Hände und senkte den Kopf. So verharrte er dreißig Minuten und sagte seinem Freund auf Wiedersehen.

Der Nachmittag war eine Last. Die Mains schienen Fremde geworden zu sein. Oder verzerrte lediglich ihre Notlage die Perspektive?

Nein, vieles hatte sich geändert; bedeutete das, daß sich alles geändert hatte?

Das Abendessen hob die Stimmung ein bißchen, und die Unterhaltung wurde etwas lebhafter. Cooper bildete eine Ausnahme. Er sagte
kaum etwas. Georges Befürchtungen verstärkten sich. Cooper anzusehen, das war so, als versuche man eine Seite in einer orientalischen
Sprache zu lesen. Nichts ließ sich entziffern.

George räusperte sich. «Lange vor dieser schrecklichen Zeit waren
unsere Familien eng miteinander befreundet.» Brett drückte sich gegen
Billy, der hinter ihr stand. «In einigen Fällen sogar mehr als nur befreundet», fügte er mit mildem Lächeln hinzu.

Der liebevolle Blick von Constance ermutigte ihn, und er fuhr zuversichtlicher fort: «Das muß auch so bleiben. Vor vier Jahren glaubte ich,
daß wir einer schweren Prüfung entgegengehen würden. Orry und ich,
wir versprachen uns, daß wir trotz des Krieges die Bande der Freundschaft zwischen uns und unseren Familien erhalten würden.»

Dann kam das Feuer, und ich befürchtete, das sei nicht möglich.

«Wir schafften es», er wandte sich zu Cooper, «zumindest meiner
Einschätzung nach.»

Orrys Bruder schwieg weiterhin. Mühsam fuhr George fort: «Jetzt
fürchte ich etwas anderes. Ich glaube, uns steht eine zweite Zeitspanne
der Feindseligkeit und des Kampfes bevor, die auf ihre Weise noch
schlimmer als der Krieg werden könnte. Bei all dem Kummer und den
Verlusten auf beiden Seiten, wie ließe sich das vermeiden? Wir müssen
bereit sein, all dem zu trotzen. Wir müssen wieder –»

Er hob einfach nur die rechte Hand; sein Gesicht schweifte langsam
von Gesicht zu Gesicht. Dann, ganz ruhig: «Wir müssen die Bande
stark halten.»

Niemand bewegte sich. Niemand sprach. Gott im Himmel, er hatte
versagt. Er persönlich hatte versagt, aber, schlimmer noch, er hatte
auch Orry im Stich gelassen. Wenn er nur die richtigen Worte finden
könnte.

Brett reagierte als erste, griff nach Billys Hand. Madeline, die Augen
voller Tränen, nickte einmal kräftig und zustimmend. Doch es war
Cooper, der ernst für sie alle sprach.

«Ja.»

Die plötzliche Erleichterung machte George ganz benommen; er sah
die Mains lächeln, sich erheben und hielt hastig beide Hände in die
Höhe. «Einen Moment noch. Es gibt einen besonderen Grund für

unseren Besuch auf Mont Royal. Ich wollte Euch ein Zeichen für meinen Glauben an unsere Freundschaft überbringen.»

Er ging zu dem Holzklotz zurück, der ihm als Hocker diente, und schob mit dem Fuß eine kleine Mappe vor. «Erkennt das jemand?»

Mit einem leicht verwirrten Lächeln kratzte sich Cooper am Kinn. «Hat sie nicht meinem Bruder gehört?»

«Ja. In dieser Mappe brachte Orry das Geld, um das Darlehen zurückzuzahlen, das ich zur Finanzierung der *Star of Carolina* gegeben hatte. Orry machte im Frühjahr 1861 die gefährliche Reise nach Lehigh Station mit über sechshunderttausend Dollar in bar – alles, was er zusammenkratzen konnte. Das werde ich ihm nie vergessen, auch nicht», wieder räusperte er sich, «wieviel mir Orry bedeutete. Ich kam her, um ebenso wie er eine Ehrenschuld zurückzuzahlen. Ich möchte einige meiner Mittel in eure Hände legen, um euch beim Wiederaufbau zu helfen.»

Er nahm die Mappe und überreichte sie Cooper. «Ich konnte keine zuverlässigen Informationen über die Banksituation in diesem Staat bekommen. Vermutlich ist sie immer noch chaotisch.»

Cooper nickte.

«Nun, ich bin Hauptaktionär der Bank von Lehigh Station, die ich bei Kriegsbeginn gründete. In dieser Mappe befindet sich ein auf meine Bank gezogener Kreditbrief. Der ursprüngliche Betrag beläuft sich auf vierzigtausend Dollar», Madeline schnappte nach Luft, «aber es steht mehr zur Verfügung. Soviel Ihr braucht. Jetzt –» er errötete überraschenderweise. «Ich frage mich, ob ich noch ein bißchen von dem köstlichen Beerenpunsch haben könnte, den es heute nachmittag gegeben hat? Meine Kehle ist plötzlich ganz ausgetrocknet.»

138

Santa Fe war fliegenverseucht und scheußlich. Ashton war überzeugt davon, daß die Hölle, falls sie existierte, nicht heißer sein konnte.

Nach drei Wochen Wartezeit in ihrem zwar sauberen, aber vollgestopften Zimmer kam sie sich wie ein altes Weib vor. Die staubtrockene Luft machte Falten, vor allem um die Augen herum. Würde Lamar ihre trockene, sonnengerötete Haut mißfallen?

Als sie nach dieser entsetzlich langen Kutschenfahrt Santa Fe erreicht hatte, fand sie Powells Brief vor und rechnete mit dem Eintreffen der beiden Wagen innerhalb einer Woche. Die Woche verging, dann die nächste, dann die dritte. Ihr Optimismus begann ebenso zu schwinden wie ihre Geldmittel. Jetzt waren ihr nur noch ein paar Dollar geblieben.

An einem Samstag gegen Ende der dritten Woche erregte ein kleiner Aufruhr auf der sonnenüberfluteten Plaza ihre Aufmerksamkeit. Eine Kavalleriepatrouille war mit der Leiche eines jungen Mannes aufgetaucht.

«Haben ihn bei Winslows Handelsstation aufgegabelt, westlich von hier am Rio Puerco», erklärte der Yankee-Lieutenant. «So weit – drei, vier Meilen – ist er mit seinen drei Stichwunden gekrochen, nachdem die Jicarillas den Rest seines Trupps massakriert hatten.»

Ashton überlief es eiskalt. Über das Rauschen in ihren Ohren hinweg hörte sie schwach die Stimme des Lieutenants.

«Winslow verband seine Wunden, aber länger als zwölf Stunden lebte der Junge nicht mehr.» Nein, dachte Ashton, Powells Trupp war es bestimmt nicht.

Sie fürchtete sich, die Aufmerksamkeit dieser wüst aussehenden Soldaten zu erregen, aber schließlich konnte sie ihre Neugier nicht länger unterdrücken und näherte sich dem Sergeant, der von allen noch den saubersten Eindruck machte.

«Können Sie mir sagen, ob dieser Trupp Wagen mit sich führte?»

Der Sergeant stammte aus Indiana, war aber trotzdem höflich und hilfreich. «Ja, Ma'am, der Händler sagte, der tote Junge habe Wagen erwähnt. Zwei wurden verbrannt und in die Schlucht gestoßen, wo das Massaker passiert war.»

Sie schwankte benommen. Die Augen des Sergeants wurden schmal. Was spielte es schon für eine Rolle, wenn er mißtrauisch wurde? Sie brauchte Gewißheit.

«Hieß der Anführer des Trupps Powell?»

«Richtig. Irgendein Reb.»

«Und er ist – ?»

Ein Nicken. Erst dann dachte Ashton an ihren Mann.

«Der Rest auch?»

«Alle. Kannten Sie jemanden davon?»

«Mr. Powell – nur dem Namen nach, nicht persönlich.»

Das Mißtrauen des Sergeants wuchs. Wenn sie in keiner Verbindung zu den Opfern stand, weshalb hatte sie sich nach den Wagen erkundigt? Hochmütig wandte sich Ashton von dem Sergeant ab und lauschte den Worten des Lieutenants, der mit anderen über die Wagen sprach.

«Nach dem Tod des jungen Mannes ritten Winslow und seine beiden Söhne zu der Stelle. Die Apachen waren längst verschwunden. Winslow entdeckte Teile eines Wagenrads und eine Menge Asche auf dem Grund der Schlucht, aber das war schon alles. Die Geier und die großen Katzen hatten sich die Leichen geholt.»

In ihrem Zimmer setzte sich Ashton zitternd aufs Bett. Zwei Wagen enthielten dreihunderttausend in Gold – dahin. Ebenso wie Powell. Sie hatte Lamar Powell mehr geliebt als jeden anderen Mann.

Nein. Das war vorbei, und sie mußte sich dieser Tatsache stellen. Sie saß allein in dieser gottverlassenen Wildnis, ohne irgendwelche finanziellen Mittel bis auf das Konto in Nassau, das jetzt ihr allein gehörte.

Während der nächsten zwei oder drei Monate würde sie zwar kaum an das Geld auf den Bahamas herankommen, aber eines wußte sie mit Sicherheit: Sie würde von diesem Geld so lange leben, bis sie die Schlucht entdeckt hatte, in der die Überreste der Wagen lagen. Der Händler und seine Söhne hatten nicht weiter nachgeforscht, wahrscheinlich, weil ihnen nie in den Sinn gekommen wäre, daß unter der Asche Goldbarren versteckt sein könnten. Je mehr sie an den Schatz dachte, desto schneller schwand ihr Kummer um Powell dahin.

James' Tod löste keinerlei Trauergefühle bei ihr aus. Er war schon immer ein Schwächling gewesen. Der Gedanke an ihn brachte die Erinnerung an den versiegelten Brief, den er ihr in St. Louis übergeben hatte. In der Annahme, daß es sich ohnehin nur um sentimentales Geschwätz handeln würde, hatte sie ihn in ihre Tasche gestopft und vergessen.

Der Brief war alles andere als sentimental. Nach brüsker Anrede stand da:

Ich habe mich Mr. Powells Abenteuer nicht nur aus Gründen der Loyalität angeschlossen. Ich bewundere Mr. Powells Ansichten bezüglich der Rechte und Ideale des Südens, muß aber hier eingestehen, daß ich ihn persönlich verabscheue aufgrund meines Verdachts in bezug auf ihn und Dich. Mir fehlt zwar ein echter Beweis, aber ich bin überzeugt davon, daß Du schon seit einiger Zeit seine Geliebte bist.

Im Falle eines vorzeitigen Ablebens meinerseits kann ich wenigstens dafür sorgen, daß Deine Hurerei nicht auch noch belohnt wird. Bevor ich Richmond verließ, schrieb ich einen von Zeugen bestätigten Brief an meinen alten Partner der Kanzlei Thomas &

Huntoon, Charleston. In Detroit bekam ich seinen Eingang als Testament bestätigt, das nun anstatt meines alten Testaments in Kraft tritt. Das unselige Geld von der Water Witch, *das laut Ehegesetz mir gehört, wird nun im Falle meines Todes an meine Verwandten verteilt werden. Der Rest wird mildtätigen Zwecken zugeführt. Du wirst keinen Penny davon bekommen.*

Das ist nur eine kleine Vergeltung für das viele Unrecht, das Du mir angetan hast.

James

Ashton taumelte hoch, zerknüllte den Brief. «Das ist nicht wahr», flüsterte sie.

Sie packte ihr Täschchen und schleuderte es gegen die Jalousie. «Nicht wahr.» Sie kippte das Bett um, knallte den Stuhl gegen die Wand. Die Vermieterin hämmerte gegen die Tür.

«Señora, qué pasa aqui adentro?»

Der Stuhl zerbrach. Kreischend zerschmetterte sie die Waschschüssel.

«Nicht wahr – nicht wahr – *nicht wahr!*»

«Señora, está enferma?»

Die letzten Worte fielen in eine sturmgepeitschte Leere, als Ashton die Augen verdrehte und in Ohnmacht fiel.

Die Vermieterin drückte, bis der Haken an der Tür brach. Keuchend erklärte Ashton, sie habe einen Anfall gehabt, und versprach, alles zu bezahlen, was sie zerstört hatte.

Den ganzen Nachmittag und Abend lag Ashton stocksteif im Bett, ihr Gehirn ein einziges Chaos. Endlich, gegen Morgen, begann die Luft abzukühlen. Sie schlief ein und erwachte kurz vor Mittag.

Sie richtete sich auf und hielt sich den Kopf. Von Nassau würde sie keinen Dollar bekommen. Aber da draußen lag Gold. Sie war noch nicht geschlagen. Sie zog ihr bestes und leichtestes Kleid an. Nach den langen Reisen befand es sich in bedauernswertem Zustand, aber immerhin brachte das Korsett ihren Busen großartig zur Geltung. Und nur darauf kam es an.

Sie verließ ihr Zimmer und stieg die Stufen hinab. Man hatte ihr gesagt, der Hausherr sei ein Yankee. Als sie die Bar betrat, klappten den Männern buchstäblich die Unterkiefer herab. Sie kümmerte sich nicht darum, sondern ging auf den kräftigen Mann hinter der Bar zu, in dessen blonden Haar sich schon eine Menge Weiß zeigte.

Ashton lächelte ihn an. «Sie sind Amerikaner, ja?»

«Richtig.»

«Ich ebenfalls. Durch unerwartete Umstände hier gestrandet.»

«Ich habe Sie schon auf der Straße bemerkt. Fragte mich, in was für einer Lage –»

«Darf ich Ihnen eine Frage stellen? Vertraulich?»

«Sicher.» Es entging ihr nicht, wie sein Blick über ihre Brüste wanderte.

«Ich möchte gern die Namen der zwei oder drei reichsten Männer in dieser Gegend wissen.»

«Der zwei oder drei – ?»

«Reichsten.»

«Hab' ich tatsächlich richtig gehört.» Amüsiert fügte er hinzu: «Verheiratet oder unverheiratet?»

Zum Teufel mit ihm. Er hielt sie für ein dämliches Weibchen, über das man sich lustig machen konnte. Sie würde ihn eines besseren belehren. Ich werde auch das durchstehen, ich überlebe das, so wie ich alles andere überlebt habe. Und wenn ich soweit bin, dann wird jeder Mann in dieser Gegend des Landes um zwei Minuten meiner Zeit betteln.

«Ma'am? Verheiratet oder unverheiratet?»

Ashtons Lächeln war betörend.

«Das spielt wirklich keine Rolle.»

139

Unter dem stillen Sternenhimmel, kurz nach Sonnenuntergang, schlenderten Andy und Jane am Ashley entlang; sie unterhielten sich leise, suchten nach Antwort auf eine Frage, die Madeline gestellt hatte.

Ciceros Zukunft war klar. Er war zu alt, um neu zu beginnen. Er beschwerte sich sogar über die unerwünschte Freiheit, die Vater Abraham ihm aufgedrängt hatte, weil sie sein Leben durcheinanderbrachte. Jane wollte ihn zurechtweisen, überlegte es sich dann aber anders. Cicero war über siebzig; sie begriff, daß für ihn jede Veränderung eine Bedrohung darstellte.

Bei ihr und bei Andy war das anders. Und so spazierten sie eng umschlungen dahin, unterbrachen ihr Gespräch nur für einen gelegentlichen Kuß. Nach einer Stunde kehrten sie Hand in Hand zum Holzhaus zurück.

Alle waren noch auf, weil George und Constance morgen mit der flußabwärtsfahrenden *Osprey* abreisten. Madeline lächelte dem schwarzen Paar zu. «Hallo, Andy – Jane! Kommt herein!»

Jane fing an: «Wenn der Zeitpunkt schlecht ist, um mit euch zu reden –»

«Ganz und gar nicht. Kommt nur.»

Andy räusperte sich. «Wir wollten nur die Frage nach unseren weiteren Plänen beantworten.»

Es wurde still; die gesamte Aufmerksamkeit richtete sich auf sie. Jane sprach für sie beide.

«Wir dachten, wir bleiben noch ein bißchen in South Carolina.»

«Als freie Menschen», fügte Andy hinzu.

«Es ist jetzt auch unser Staat», sagte Jane. «Unser Land, ebenso wie das des weißen Mannes.»

Ihre Worte klangen leicht herausfordernd. Vielleicht zögerte Cooper deswegen einen Moment, bevor er sagte: «Natürlich ist es das. Ich begrüße eure Entscheidung. Ich würde mich freuen, euch hier zu behalten, wenn ihr nichts anderes im Sinn habt.»

Jane schüttelte den Kopf, blickte dann zu dem starken, stolzen Mann an ihrer Seite. «Mont Royal war gut zu mir. Besser, als ich erwartet hatte.»

«Aber wir können nicht ohne Lohn arbeiten», sagte Andy. «Jetzt nicht mehr.»

Cooper und Madeline tauschten zustimmende Blicke. «Einverstanden», sagte Cooper. «Dank George ist das jetzt möglich.»

Jane lächelte. Erleichterung zeigte sich auf den Gesichtern der anderen. Andy trat vor.

«Noch eins –»

«Ja?» sagte Judith.

«Wir möchten heiraten.»

Glückwünsche kamen von allen Seiten, bis Andy unterbrach. «Aber nicht auf die alte Weise. Nicht, indem wir über Besen springen. Und wir werden beide unsere Namen ändern. Jane und Andy sind Sklavennamen. Sie wurden uns gegeben. Wir möchten uns unsere eigenen Namen aussuchen.»

Angespanntes Schweigen. Dann hob Cooper einfach nur die Hand. «Gut.»

George sagte: «Ich wünsche euch beiden das Beste. Es wird nicht leicht sein für euch hier unten, zumindest nicht in der nächsten Zukunft. Aber ich bin mir gar nicht sicher, ob es im Norden viel besser wäre.»

Mit einem Hauch von Traurigkeit sagte Jane: «Ich weiß. Die Leute fühlen sich von schwarzen Gesichtern irgendwie bedroht. Das macht ihnen Angst. Nun, ich kann es nicht ändern. Sie haben für unsere Freiheit gekämpft, Major Hazard, jetzt müssen wir den Kampf weiterführen. Ich rechne mit vielen weiteren Kämpfen, bevor die Weißen auch nur beginnen, uns zu akzeptieren.»

In dem folgenden unbehaglichen Schweigen runzelte Cooper die Stirn, und Billy mußte sich eingestehen, daß Jane recht hatte. Er brauchte sich nur seine eigene Einstellung, die er noch vor ein paar Jahren gehabt hatte, vor Augen zu führen. Er teilte die Auffassung seines Bruders: Ein Krieg war zwar vorbei, aber der nächste begann gerade.

140

Unkraut und wilde Gräser, die seinem Maultier bis über die Knie reichten, wehten im warmen Wind. Charles' Umhang bauschte sich, als er in den Hof einbog; ein unheilvolles Gefühl beschlich ihn. Die Felder waren nicht bearbeitet worden. Es war ein herrlicher Tag. Die frische Luft hätte das Haus gesäubert, aber alle Fensterläden waren verschlossen. Die offene Stalltür bildete ein finsteres Rechteck.

«Washington? Boz?»

Der Wind pfiff.

«Irgend jemand hier?»

Sonnenblumen wiegten sich dort, wo der Garten gewesen war. Weshalb wartete er auf eine Antwort? Hatte er die nicht schon erhalten, als er auf der vernarbten Straße über den letzten Hügel geritten war und das Haus so still hatte liegen sehen, die Felder leer und unbestellt im Sonnenschein?

Sie hatte das Haus abgesperrt, bevor sie – wohin auch immer – weggegangen war. Mit einem Ellbogen zerbrach er das Fenster an der Küchentür, griff hindurch und sperrte auf. Möbel und Küchengeschirr befanden sich noch an Ort und Stelle.

Er rannte in ihr Schlafzimmer; seine Stiefel polterten über den Boden. Das Bett war ordentlich gemacht, und auf dem Tischchen daneben entdeckte er ein Buch von Pope, mit einem blauen Band als Lesezeichen. Bestimmt hätte sie das nicht zurückgelassen, wenn sie für längere Zeit fortbleiben wollte. In ein oder zwei Tagen würde sie zurück sein.

Zur Bestätigung riß er ihren Schrank auf, in Erwartung, ihre Kleidung vorzufinden.

Leer.

Er zersägte einige Bretter, nagelte sie innen vor das zerbrochene Fenster, nahm das Buch und zurrte die Tür mit einem Stück Seil zu.

Er wollte gerade sein Muli besteigen, als er das Buch beim Lesezeichen aufschlug. Er schluckte. Das Gedicht hieß «Ode an die Einsamkeit». Mit zierlicher Feder hatte Gus vier Zeilen unterstrichen.

So laß mich leben, ungesehen, unbekannt,
So laß mich sterben unbeklagt;
Aus der Welt mich stehlen, und kein Stein
Verrät den Ort, an dem ich liege.

Er fluchte und klappte das Buch zu. Ein Schauder lief ihm über den Rücken. Den ganzen Weg bis Fredericksburg trieb er das Maultier mit den Stiefeln an.

In zwei Läden forschte er ohne Erfolg nach. Der Besitzer des dritten Ladens, ein stämmiger Metzger, gab ihm einige Informationen.

«Sie hat ihre beiden freien Neger gehen lassen. Der jüngere, Boz, kam hier durch und erzählte es mir. Paar Nächte später verschwand sie ohne ein Wort.»

«Wie lange ist das her?»

«Einige Monate.»

«Und seitdem haben Sie sie nicht mehr gesehen?»

«So ist es.»

«Aber wohin zum Teufel ist sie verschwunden?»

«Was glaubst du, wen du vor dir hast, Soldat? Ich bin ein Mann der Union.» Seine Hand glitt über den feuchten, roten Holzblock zum Hackmesser. «An deiner Stelle wäre ich höflicher zu Leuten, die euch geschlagen haben, sonst tun sie's vielleicht noch mal.»

Charles lief rot an, zügelte aber seinen Ärger. «Tut mir leid. Ich bin weit geritten, um sie zu finden.»

Der Metzger grinste. «Vielleicht wollte sie gar nicht von dir gefunden werden? Je daran gedacht? Mrs. Barclay hat ihre Farm verlassen, ohne einer Seele in Fredericksburg oder Umgebung zu sagen, wohin sie geht.»

Charles ging hinaus, betroffen von der Wahrheit in den bösartigen Worten des Metzgers. Sie hatte seine Rückkehr nicht gewünscht, sonst hätte sie auf ihn gewartet. Oder zumindest ihr Reiseziel verraten. Statt dessen hatte sie ein Gedicht über den Tod zurückgelassen. Das Ende von allem.

Der Schmerz, die Ungewißheit des Verlustes trafen Charles von Sekunde zu Sekunde schwerer. Er versuchte seine Gefühle nicht zu unterdrücken. Und selbst wenn er es gewollt hätte, er hätte es gar nicht gekonnt.

141

Der Corporal, der den Zwei-Mann-Trupp befehligte, stammte aus Illinois. Seine Ausbildung hatte er an einem winzigen College im Nachbarstaat erhalten und war dann nach Danville zurückgekehrt, wo er an einer Schule, die aus einem einzigen Zimmer bestand, unterrichtete, ehe er sich freiwillig meldete. Er war vierundzwanzig Jahre alt. Sein kleiner Trupp war einer von den vielen, die im Schutt von Richmond nach unverbrannten Regierungsdokumenten suchen sollten.

«Hier ist eine kaum beschädigte Kiste, Sid», sagte einer der Soldaten. In diesem Teil des Lagerhauses hatten sie gestern einige Pakete noch nicht zugestellter Briefe entdeckt, die meisten davon zumindest angesengt. Als sie die Kiste aufbrachen, fanden sie anscheinend unversehrte Bündel, wurden aber gleich darauf enttäuscht. Der Soldat zeigte Sid den obersten Brief eines Bündels, das er in der Hand hielt.

«Müssen einen kräftigen Regen abgekriegt haben. Schätze, die Kiste war nicht dicht. Adressen sind unleserlich.»

Der Corporal studierte den Brief.

«Sind die anderen auch so?»

Der Soldat blätterte den Stoß durch. «Alle gleich.»

Erfreut sagte Sid: «Ich denke, dann sollten wir die Briefe öffnen. Vielleicht steht drinnen noch mal die Adresse.» Das war ein Vorwand; er langweilte sich und wollte eine Weile sitzen.

Sie rissen einen Brief nach dem anderen auf. Nach zwanzig Minuten langweilte Sid sich schon wieder. Aber Befehl war nun mal Befehl.

Nach einer Stunde richtete er sich plötzlich auf. «Hör mal, der hier klingt interessant. Unterschrieben von J.B. Duncan – einem unserer eigenen Offiziere.»

Er zeigte dem Soldaten die Abkürzungen und Initialen, die auf den Namen folgten. «Brigadier General, Freiwilligenarmee der Vereinigten Staaten. Aber adressiert ist er an jemanden, den er ‹Mein lieber Major Main› nennt. Meinst du, das ist ein Reb, Chauncey?»

«Ziemlich wahrscheinlich, sonst wäre der Brief kaum hier, oder?»

Sid nickte. «Scheint um irgendeine Frau namens Augusta zu gehen – oh Gott, hör dir das an: *Sie wurde von Ihnen schwanger, und obwohl sie zur Zeit Ihres letzten Besuches um ihren Zustand wußte, sagte sie nichts, um keinen moralischen Druck auf Sie auszuüben -* » Mit neu erwachter Begeisterung sagte Sid: «Das ist wenigstens mal ein gebildeter Mann. Tolle Geschichte.»

«Ziemlich heiße Sache», bemerkte Chauncey.

Sid las weiter. «*Die Schwangerschaft war genauso schwierig, um nicht zu sagen gefährlich, wie jene zur Zeit ihrer Ehe mit Mr. Barclay. Den unglücklichen Ausgang kennen Sie, glaube ich. Da sie während der schlimmsten Kämpfe närrischerweise auf ihrer einsamen Farm blieb, veranlaßte ich, daß meine Nichte über den Potomac geschmuggelt wurde und in mein gegenwärtiges Haus in Washington kam. Hier brachte sie am 23. Dezember Ihren Sohn zur Welt, einen hübschen, gesunden Jungen, dem sie den Namen Charles gab. Bedauerlicherweise muß ich sagen – *»

Der Corporal brach ab. Er warf dem Soldaten einen melancholischen Blick zu.

«Was ist los, Sid?»

«*...muß ich sagen, daß die Geburt tragisch endete. Eine Stunde danach starb die arme Augusta. Sie schied dahin mit Ihrem Namen auf den Lippen. Ich weiß, sie liebte Sie mehr als das Leben selbst, denn sie hat es mir gesagt.*»

Sid wischte sich die Nase. «Mein Gott!» Er fuhr fort: «*Ich habe Ihnen bereits zwei Briefe geschrieben und mit privatem Boten nach Richmond geschickt. Wenn diese unseligen Zeiten vorüber sind, dann haben Sie Anspruch auf Ihren Sohn. Ich werde so lange für ihn sorgen, bis Sie ihn holen; sollte das nicht der Fall sein, dann werde ich mich so lange um ihn kümmern, wie das einem alten Junggesellen möglich ist. Ich bringe Ihnen keine feindseligen Gefühle entgegen. Ich bete, daß dieser Brief Sie bei guter Gesundheit erreicht. Mögen Sie sich über den guten Teil meiner Nachrichten freuen. Hochachtungsvoll –*»

«Der Brief sollte auf jeden Fall zugestellt werden», sagte Chauncey.

Sid faltete den Brief zusammen, steckte ihn wieder in den Umschlag. «Ich bring ihn selber zum Lieutenant.»

«Gut», sagte Chauncey und starrte Sid an. Sid starrte zurück. Beide wußten, daß es nicht einfach, daß es fast hoffnungslos sein würde. Die Regierung von diesem verdammten Davis hatte so viele Aufzeichnungen verbrannt – wie sollten sie da einen Rebellenmajor unter den Hunderttausenden Richtung Süden ziehenden Soldaten finden?

142

Nachdem er Fredericksburg verlassen hatte, zog Charles drei Tage lang ziellos umher. Jede Nacht lag er wach. Verlor ohne jede Provokation die Beherrschung und hätte dafür in einer Kneipe beinahe ein Messer zwischen die Rippen bekommen. Er wollte weinen und konnte nicht.

Er lagerte am Straßenrand und schreckte mit einem Ruck hoch. Etwas hatte ihn im Gesicht gekitzelt; der halbe Zügel, immer noch an einen Ast gebunden. Er war mitten durchgebissen worden. Das Maultier war verschwunden, mit Sattel und allem Drum und Dran. Zum Glück hatte er noch seinen Colt.

Er ging mitten auf die Straßenkreuzung und betrachtete das tote, leere Land um sich herum. Einen seltsamen Augenblick lang fühlte er sich, als hätte sich die gesamte Macht der Union gegen ihn persönlich verschworen. Er wollte nichts weiter als sich niederlegen. Aufhören. Für immer.

Erinnerungen drängten sich auf. Gus. Für eine Weile genoß er die Gedanken an sie. Dabei fiel ihm ein Detail ein, das er ganz vergessen hatte. Ein Name.

Brigadier Duncan.

Mit dem Handrücken wischte er sich über den Mund. Gus hatte ihm unmißverständlich signalisiert, daß ihre Liebesaffäre vorüber war, aber er konnte sich zumindest erkundigen, wo sie sich aufhielt und wie es ihr ging. Duncan war vielleicht in der Lage, ihm dabei behilflich zu sein – falls er ihn finden konnte.

Es gab nur einen Ort, wo er mit der Suche beginnen konnte. Er nahm seinen Umhang und machte sich von der Kreuzung in nördlicher Richtung auf. Nach einer halben Stunde hatte er eine Negerfamilie eingeholt, die vorhin an ihm vorbeigegangen war und nun am Wegrand lagerte. Die beiden Erwachsenen schauten alarmiert drein. Charles versuchte ein Lächeln. Es fiel ihm sehr schwer.

«Abend.»

«Abend», sagte der Vater.

Die Frau, weniger mißtrauisch als ihr Mann, sagte: «Gehen Sie nach Norden?»

«Washington.»

«Wir auch. Möchten Sie sich setzen und ausruhen?»

«Ja, danke.» Eines der beiden Mädchen kicherte und lächelte ihn an. «Ich habe mein Maultier verloren. Ich bin ziemlich müde.»

Endlich lächelte auch der Vater. «Ich wurde müde geboren, aber in letzter Zeit fühle ich mich besser.»

Charles wünschte, er könnte das auch von sich sagen. «Wenn ihr wollt, dann helfe ich euch, den Karren zu ziehen.»

«Sie sind ein Soldat.» Er meinte damit nicht Unionssoldat.

«War», sagte Charles. «*War.*»

143

Brigadier Jack Duncan, ein untersetzter Offizier mit grauem Kraushaar, marschierte mit gestrafften Schultern ins Kriegsministerium. Eine halbe Stunde später verließ er es wieder mit strahlendem Gesicht.

Er hatte eine kurze, aber äußerst befriedigende Unterredung mit Mr. Stanton gehabt, der ihm lediglich die ersehnte Abkommandierung zur kämpfenden Truppe genehmigt hatte. Sie war ihm während des Krieges verweigert worden, da General Halleck nicht auf seine administrativen Fähigkeiten verzichten wollte. Jetzt hatte Duncan seine Marschbefehle in der Tasche.

Er war zu der West-Kavallerie abkommandiert worden, wo erfahrene Männer zur Bekämpfung der Indianer benötigt wurden. Seine Abreise stand unmittelbar bevor.

Beim Überqueren der überfüllten, lärmenden Pennsylvania Avenue bemerkte der Brigadier einen schlanken, zäh wirkenden Burschen mit langem Bart, grauem Hemd und Armee-Colt. Offensichtlich nervös kaute der Mann auf einer Zigarre herum und studierte das Gebäude, das Duncan eben verlassen hatte. Ein Reb, aus seiner gesamten Erscheinung zu schließen. Hunderte von Ex-Konföderierten schienen die Stadt zu überschwemmen, aber im Grunde gab es nur einen Reb, für den sich Duncan interessierte: ein Major namens Main.

Würde er je von dem Burschen hören? Er begann es zu bezweifeln. Auf seine drei Briefe hatte er keine Antwort erhalten. Höchstwahrscheinlich war Main tot. Duncan fühlte sich leicht schuldig, daß er für das Schweigen dankbar war. Er genoß es, sich um den kleinen Charles kümmern zu können. Zusätzlich zu seiner Haushälterin hatte er ein nettes irisches Mädchen eingestellt.

Bald erreichte er das kleine Haus, das er einige Blocks von der Avenue entfernt gemietet hatte. Überschwenglich wie ein Junge sprang er die Treppe hoch.

«Maureen? Wo ist mein Großneffe? Bringen Sie ihn her. Ich habe großartige Neuigkeiten. Wir verlassen noch heute abend die Stadt.»

Wenige Dinge im Leben hatten Charles eingeschüchtert. Washington schüchterte ihn jetzt ein. So viele verdammte Yankees. Er kam sich vor wie ein Tier aus den Wäldern, von Jägern umzingelt.

Mit vorgetäuscht zuversichtlicher Miene marschierte er die Stufen zum Kriegsministerium hoch und ging durch die erste offene Tür. In einem großen Raum wühlten Soldaten und Zivilangestellte hinter einem Schalter in den Papierstößen auf ihren Schreibtischen herum. Einer der Angestellten in Blau, vollkommen kahl, obwohl er kaum dreißig sein konnte, näherte sich dem Schalter, nachdem er Charles drei Minuten hatte warten lassen.

«Ja?»

«Ich versuche, einen Armeeoffizier zu finden? Bin ich hier richtig?»

«Haben Sie nicht die falsche Stadt erwischt?» unterbrach ihn der Angestellte. «Das Kriegsministerium der Vereinigten Staaten führt keine Rebellenakten. Und falls es Ihnen noch niemand gesagt hat, falls Sie amnestiert wurden: Sie dürfen diese Waffe nicht tragen.» Er wandte sich ab.

«Entschuldigen Sie», sagte Charles. «Der Offizier gehört zu Ihrer Armee.» Kaum hatte er es ausgesprochen, da wußte er, daß er einen Fehler gemacht hatte. Damit hatte er seine frühere Zugehörigkeit bestätigt. «Sein Name ist – »

«Ich fürchte, wir können Ihnen nicht helfen. Wir haben anderes zu tun, als jedem amnestierten Verräter Auskünfte zu geben, der hier reinmarschiert kommt.»

«Soldat», sagte Charles, vor Wut kochend. «Ich frage Sie so höflich, wie es mir möglich ist. Ich muß diesen Mann finden. Wenn Sie mir sagen, in welchem Büro – »

«Niemand in diesem Gebäude kann Ihnen helfen», sagte der Angestellte sehr laut. Andere wurden aufmerksam. «Warum fragen Sie nicht Jeff Davis? Heute morgen haben sie ihn in Fort Monroe eingesperrt.»

«Mich interessiert nicht, wo Jeff – » Wieder wandte sich der Angestellte ab.

Charles ließ seine Zigarre fallen, seine Hand schoß über den Schalter und packte den Angestellten am Kragen. «Hör mir zu, verdammt noch mal.»

Allgemeine Verwirrung. Rennende Männer, Rufe, Charles schrie am lautesten. «Sie können zumindest so höflich sein und – »

Stimmen:

«Er hat einen Revolver.»

«Nehmt ihm die Waffe weg.»

«Paßt auf, vielleicht – »

Hände packten ihn von hinten. Der andere Soldat, ein riesengroßer Kerl, war um den Schalter herumgerannt. «Komm, Reb, sei vernünftig», sagte der große Mann gar nicht unfreundlich. «Verschwinde von hier, bevor – »

«Was zum Teufel ist hier los?»

Bei den gebellten Worten nahmen die Soldaten Haltung an. Charles drehte sich um und sah einen strengen, weißhaarigen Offizier in mittleren Jahren vor sich, an dessen rechter Hand drei Finger fehlten.

«Colonel», fing der Angestellte an, «dieser Reb hier kam reinmarschiert und stellte beleidigende Forderungen. Eine höfliche Ablehnung akzeptierte er nicht. Statt dessen versuchte er – »

Die Worte wirbelten durch Charles' Kopf; er starrte den Unionsoffizier an und sah eine Farm in Virginia vor sich, in einem anderen Jahr, in einem anderen Leben.

Mit heiserer Stimme sagte er: «Prevo?»

«Richtig. Ich erinnere mich an Sie. Hamptons Kavallerie. Davor West Point.»

Jemand im Büro murmelte: «Oh, ein Akademie-Treffen.»

Prevos Blick brachte den Sprecher zum Schweigen. Dann sagte er zu Charles: «Was gibt es hier für Schwierigkeiten?»

«Ich kam her, weil ich Hilfe brauche. Ich muß unbedingt einen Brigadier Duncan in der Unionsarmee finden.»

«Sollte nicht schwer sein», sagte Prevo; seine Gereiztheit richtete sich gegen den errötenden Angestellten. «Sie sollten aber nicht mit diesem Revolver herumspazieren. Vor allem nicht in diesem Gebäude. Geben Sie ihn mir, und wir werden sehen, was wir tun können.»

Charles beruhigte sich und schnallte seinen Revolvergurt ab. Prevo hing ihn sich über die Schulter und sagte zu dem glatzköpfigen Angestellten: «Ihren Namen, Soldat! Warum haben Sie den Mann nicht ins Personalbüro geschickt?» Zu Charles: «Dort hat man die gegenwärtige Adresse des Brigadiers. Ich kenne ihn nicht.»

«Sir», stammelte der Angestellte. «Dieser Mann ist ein Reb. Schauen Sie ihn an. Arrogant, dreckig – »

«Halten Sie den Mund», sagte Prevo. «Der Krieg ist vorbei. Zumindest haben das die Generäle Grant und Lee erklärt, auch wenn Sie dazu anscheinend nicht in der Lage sind.»

Der gedemütigte Mann starrte zu Boden. Zu dem großen Soldaten sagte Prevo: «In einer Stunde möchte ich seinen Namen auf meinem Schreibtisch haben.»

«Jawohl, Sir.»

«Kommen Sie, Main. Ihr Name ist mir jetzt auch wieder eingefallen. Ich zeige Ihnen das richtige Büro.»

«Danke, Prevo», sagte Charles. «Ich habe Sie gleich erkannt. Georgetown Mounted Dragoons.»

«Und einige andere Einheiten seitdem. Jede einzelne wurde in Virginia so stark dezimiert, daß ich schließlich hier landete. In ein paar Monaten werde ich wieder draußen sein. Hier entlang – nach rechts. Gleich werden wir wissen, wo dieser General Duncan steckt.»

«Ich bin Ihnen sehr dankbar, Prevo. Ich muß ihn unbedingt sprechen.»

«Beruflich?»

«Persönlich.»

Prevo hielt vor einer geschlossenen Tür. «Hier ist das Büro.» Alle Falten in seinem erschöpften Gesicht bewegten sich, als er sich ein Lächeln abmühte. «Ich war zwar nur das erste Jahr dort, aber ich denke gern an die Akademiezeit. Übrigens – haben Sie es eilig?»

«Nein. Ich muß Duncan finden, aber es eilt nicht.»

«Ausgezeichnet. Dann lade ich Sie hinterher zu einem Drink ein. Und», fügte er mit gesenkter Stimme hinzu, «gebe Ihnen Ihren Revolver zurück.» Mit einem Finger und dem Daumen öffnete er die Tür so mühelos, als hätte er noch seine sämtlichen Finger.

144

Auf Duncans Ruf hin brachte Maureen, eine rundliche junge Frau, das Baby aus der Küche. Der Junge hatte dunkle Haare und ein fröhliches, rundes Gesichtchen.

«Sagten Sie *heute abend*, Sir? Wohin gehen wir?»

Das Kind erkannte seinen Großonkel und krähte vergnügt, als der Brigadier es in die Beuge seines linken Armes bettete. «Ins Grenzgebiet – uns die Rothäute anschauen.» Besorgt: «Kommen Sie mit?»

«Aber ja, General. Ich habe einiges über den Westen gelesen. Da gibt es großartige Möglichkeiten – und es ist nicht so überfüllt wie hier im Osten.»

Mit listigem Lächeln ergänzte er: «Außerdem gibt es in der Kavallerie der Vereinigten Staaten viele anständige Männer, alleinstehende Männer, die sich nichts mehr wünschen, als eine attraktive, junge Frau zum Heiraten zu finden.»

Maureens Augen glänzten. «Ja, Sir. Das habe ich auch gelesen.»

Mrs. Caldwell, die vollbusige Haushälterin in mittleren Jahren, kam die Treppe hinunter. «Ah, Sir, Sie sind es. Ich war oben, aber ich hörte Sie kommen.»

«Nur, um unsere Abreise zu verkünden. Noch heute abend.» Er erklärte seiner Haushälterin den Stand der Dinge, während der Kleine zufrieden an einem seiner Finger nuckelte.

«Dann ist das also eine Beförderung, Sir?»

«Ja, Mrs. Caldwell.»

«Meinen aufrichtigen Glückwunsch.» Sie wischte sich die Augen. «Es tut mir so leid, daß Sie gehen. Die letzten fünf Jahre sind so schnell vergangen. Und sehr angenehm.»

«Danke. Jetzt müssen wir uns über Ihre Zukunft unterhalten.»

Mrs. Caldwell zeigte sich über die großzügige Regelung erfreut und fand an der plötzlichen Abreise sogar eine positive Seite. «Meine verwitwete Schwester in Alexandria hat mich gebeten, sie zu besuchen. Vielleicht bleibe ich einige Wochen. Wann geht Ihr Zug, General?»

«Punkt sechs.»

«Dann fahre ich noch heute zu meiner Schwester. Ich nehme mir eine Mietkutsche.»

«Nehmen Sie das Pferd und den Einspänner. Ich schenke sie Ihnen. Ich brauche sie nicht mehr.»

«Oh, Sir, das ist ungemein großzügig von Ihnen.»

«Nicht großzügiger, als Sie es gewesen sind», sagte er in Erinnerung an gewisse Nächte, in denen sie beide einsam gewesen waren, in denen sie mehr als nur eine gute Haushälterin gewesen war. Ihre Blicke trafen sich, dann schaute sie errötend zur Seite.

«Wenn Sie mich entschuldigen, mache ich mich jetzt ans Packen, Sir.» In den nächsten paar Stunden mußte noch vieles getan werden.

Selbst der kleine Charles schien den abrupten Wandel in ihrem Leben zu begrüßen. Er kaute kräftiger denn je am Finger seines Großonkel.

In Willards Saloonbar zog Charles ebenfalls die Blicke auf sich, aber Prevos Gegenwart verhinderte Ärger.

Sie fingen mit einem Whiskey an. Das führte, während die Stunden in angenehmem Erinnerungsaustausch verrannen, zu drei weiteren Whiskeys. Charles spürte eine Art von Hochstimmung, wie er sie seit Sharpsburg nicht mehr empfunden hatte. Nicht nur, daß ein Zettel mit Duncans Adresse in seiner Tasche steckte, der Brigadier befand sich auch hier in Washington.

Leicht beschwipst hielt sich Prevo seine Taschenuhr dicht vor die Nase. «Um Viertel nach fünf hab ich eine Verabredung im Ministerium. Da bleiben uns noch zwanzig Minuten für einen Abschiedsschluck. In Ordnung?»

«In Ordnung. Dann mache ich einen Spaziergang zu Duncan.» Prevo winkte dem Kellner. Charles fuhr fort: «Das gibt mir die Chance, etwas zur Sprache zu bringen, das mich schon seit langem beunruhigt.»

Prevo lächelte leicht verwirrt und wartete.

«Erinnern Sie sich noch an den Tag, an dem wir uns trafen? Ich gab Ihnen mein Wort, daß sich die Schmugglerin nicht im Haus befindet.»

Prevo nickte. «Ihr Wort als Offizier und West Pointler. Ich akzeptierte das.»

«Aber es war ein Trick. Oh, ich sagte die nackte Wahrheit. Sie war nicht im Haus.» Der Kellner kam mit zwei frischen Drinks. Charles wartete, bis er wieder weg war. «Sie versteckte sich im Wald.»

«Ich weiß.»

Charles, der gerade sein Glas zum Mund führte, versprühte einen kleinen Whiskeyregen.

«Ich hatte den Buggy entdeckt. Meine Männer zum Glück nicht.»

Charles stellte kopfschüttelnd das Glas ab. «Ich verstehe nicht. Warum – ?»

«Ich sollte sie verfolgen; von Fangen hatte niemand was gesagt. Es gefiel mir nicht, Krieg gegen Frauen zu führen, und es gefällt mir heute noch nicht.»

«Verdammte Schande, daß einige eurer Jungs nicht auch so dachten. Was Sherman und seine stinkenden Landstreicher in South Carolina angerichtet haben – »

Abrupt schwieg er. Prevos Augen waren kalt geworden.

«Ich entschuldige mich. Was Sie zu diesem Angestellten sagten, gilt auch für mich. Der Krieg ist vorbei. Manchmal vergesse ich das.»

Prevo blickte auf seine verstümmelte rechte Hand. «Ich auch, Charles. Wir alle haben dafür gezahlt. Wir alle werden auf Jahre hinaus daran denken.»

Zehn nach fünf schieden sie draußen auf der Straße mit einem festen Händedruck als Freunde.

Am Baltimore & Ohio-Bahnhof bestiegen Brigadier Duncan und Maureen, die das Baby trug, ihren Zug. Die Bahnsteiguhr zeigte 5:35.

145

Noch leicht schwankend ging Charles den Häuserblock entlang und studierte die Hausnummern. Es schnürte ihm die Kehle zu, als er die richtige Nummer entdeckte, und er wurde sehr schnell nüchtern.

Das Haus lag dunkel und verlassen da. Nirgendwo war ein Licht zu sehen. Panik überfiel ihn; er sprang die Stufen hoch und klopfte hart gegen die Tür.

«Hallo? Irgend jemand da?» Wenn er nun umgezogen war? Wenn er ihn nicht finden konnte? «Hallo?»

Hinter dem Haus hörte er Geräusche. Räder, ein Pferd.

Er rannte zum Ende der Veranda, gerade als ein von einer kräftigen Frau gefahrener Einspänner vorbeirollte.

«Ma'am? Darf ich Sie etwas fragen?»

Sie wandte den Kopf, sah die bärtige, bedrohliche Gestalt. Mrs. Caldwells instinktive Reaktion war Furcht. Sie peitschte auf das Pferd ein.

«Warten Sie! Ich muß Sie fragen –»

Sie bog in die Straße ein. Charles sprang über das Geländer, rannte hinter dem Einspänner her. Keuchend warf er sich davor. «Bitte halten Sie. Es ist sehr wichtig, daß ich –»

«Verschwinden Sie!» Mrs. Caldwell schlug mit der Peitsche nach ihm. Charles' Hand schoß vor und umklammerte ihr Handgelenk.

«Verdammt noch mal, hören Sie mich an», sagte Charles schwer atmend. «Ich muß unbedingt General Duncan finden.»

Er ließ sie los und trat zurück. Die Peitsche in ihrer Hand zitterte, aber sie sah nun weniger verängstigt aus. «Ich wollte Sie nicht erschrecken, aber es ist ungemein wichtig, daß ich den Brigadier spreche. Das hier ist doch sein Haus, oder?»

Widerstrebend: «War sein Haus.»

«War?»

«Der General ist versetzt worden.»

Charles' Magen klumpte sich zusammen. «Wann?»

«Jetzt in diesem Augenblick ist er am Bahnhof. Sein Zug fährt um sechs. Und jetzt, Sir, bestehe ich darauf, Ihren Namen zu erfahren.»

«Sechs», wiederholte Charles. «Das muß es jetzt gleich sein – »

«Ihren Namen, Sir, oder ich fahre auf der Stelle los.»

«Charles Main.»

Sie reagierte, als hätte er sie geschlagen. «Zuletzt in der konföderierten Armee?» Er nickte. «Dann sind Sie der – »

«Rücken Sie rüber», sagte er plötzlich und schob sie praktisch auf die andere Seite des Sitzes. «Halten Sie sich fest. Ich werde diesen Zug erwischen. Hü!»

Er ließ die Zügel klatschen. Mrs. Caldwell kreischte auf, als der Einspänner wie ein von der Sehne schnellender Pfeil losschoß.

Nach einer Fahrt, bei der Mrs. Caldwell ein Dutzend Tode gestorben war, kam der Einspänner direkt vor dem Bahnhof knirschend zum Stehen. Die Uhr zeigte auf eine Minute nach sechs.

«Der Zug nach Baltimore?» brüllte Charles einen Uniformierten an, der gerade ein Eisentor zurollte.

«Gerade abgefahren», sagte der Mann und deutete auf die Dampfwolken am Bahnsteig. Charles quetschte sich seitlich durch die Öffnung. «He, Sie können nicht – »

Sofort waren drei Bahnbeamte hinter ihm her. Sie waren älter und in schlechter Verfassung; er war mager und verzweifelt. Doch seine Lungen begannen bald vor Anstrengung zu schmerzen. Und er verlor das Rennen. Der Zug hatte bereits die überdachte Halle verlassen.

Er sah das Ende des Bahnsteigs vor sich auftauchen. Zu spät, um sein Tempo noch zu bremsen. Er sprang auf die Schienen.

Er landete schief. Sein verwundetes Bein knickte weg, er stürzte auf die Schwellen. «Haltet den Mann!» brüllte einer seiner Verfolger.

Keuchend stemmte sich Charles hoch, rannte weiter, rannte schneller als je zuvor in seinem Leben. Bis auf eine Handbreit kam er an den letzten Waggon heran, legte seine ganze Kraft in einen letzten, langen Schritt.

Mit beiden Händen erwischte er die hinterste Querstange. Der Zug zerrte ihn weiter. Er warf beide Beine hoch; ein Stiefel glitt auf der eisernen Stufe ab. Aber er zog sich hoch –

Zog –

Nach Luft ringend taumelte er mit weichen Knien auf die hintere Plattform. Die Waggontür ging auf, und ein breitschultriger Schaffner versperrte ihm den Weg. Der Bahnbeamte sah die Verfolger über die Schwellen stolpern, verstand ihre Rufe und Gesten.

«Bitte», sagte Charles, «lassen Sie mich rein.»

«Runter vom Zug.»

«Sie begreifen nicht. Es handelt sich um einen Notfall. Einer Ihrer Passagiere – »

«Runter, oder ich werfe Sie runter», sagte der Schaffner und gab ihm einen Stoß. Charles taumelte zurück, trat ins Leere und erwischte gerade noch das Geländer.

«Runter!» brüllte der Schaffner, die Hände zum zweiten, entscheidenden Stoß erhoben. Etwas Hartes rammte sich in seine Magengegend. Beim Anblick von Charles' Armee-Colt blieb er stocksteif stehen.

«Sie haben zehn Sekunden, um den Zug anzuhalten.»

«Ich kann unmöglich – »

Charles spannte den Hahn.

«Zehn Sekunden.»

In einem Durcheinander von Signalflaggen und Alarmpfeifen stoppte der Zug.

146

Nur Brigadier Duncans Einfluß hatte Charles es zu verdanken, daß er nicht auf der Stelle eingesperrt wurde. Am gleichen Abend noch gegen halb elf saßen sich die beiden Männer im Wohnzimmer von Duncans altem Haus gegenüber, ihre Gesichter grimmig wie die von Gegnern, die sich noch im Krieg befinden. Die irische Kinderschwester war mit dem Kind nach oben gegangen, das Charles voller Verwirrung, ja sogar Abneigung angeblickt hatte. Nach der Rückkehr vom Bahnhof hatte Duncan ihm die ganze Geschichte erzählt.

Von Nordwesten her zog ein Sturm herauf. Charles saß in einem Plüschsessel, ein unberührtes Glas Whiskey vor sich. Seine von der Lampe erhellten Augen wirkten tot – so tot, wie er sich innerlich fühlte.

Plötzlich beugte er sich zornig vor. «Warum hat sie mir nichts gesagt?»

«Major Main», erwiderte der Brigadier eisig korrekt, «das ist das dritte, möglicherweise das vierte Mal, daß Sie mir diese Frage stellen. Sie liebte Sie sehr. Sie war voller Trauer, weil der Krieg Sie – beschädigt hatte, um ihren Ausdruck zu verwenden. Beschädigt bis zu dem Punkt, wo Sie irrtümlich glaubten, Sie könnten die Beziehung nicht länger aufrechterhalten. Meine Nichte war eine anständige, ehrbare junge Frau.» Sein Tonfall ließ keinen Zweifel daran, daß Charles über diese Eigenschaften nicht verfügte. «Sie weigerte sich, ihren – Zustand als Druckmittel gegen Sie einzusetzen. Ich werde Ihnen das alles nicht noch mal erklären. Tatsächlich beginne ich zu bedauern, daß Sie mich gefunden haben. Ich begreife Ihre Kälte Ihrem eigen Fleisch und Blut gegenüber nicht.»

«Das Baby hat sie umgebracht.»

«In Ihrem Kopf stimmt tatsächlich etwas nicht, Main. Die Umstände haben sie umgebracht. Ihre Zartheit hat sie umgebracht. Sie wollte das Kind. Sie wollte Ihren Sohn zur Welt bringen – sie gab ihm Ihren Namen. Wollen Sie ernsthaft nichts mit ihm zu tun haben?»

Gequält sagte Charles: «Ich weiß es nicht.»

«Nun, ich werde den morgigen Abendzug um sechs Uhr nach Baltimore und dem Westen nehmen. Wenn Sie Ihren Sohn nicht wollen, ich will ihn.»

Ein benommenes Zwinkern. «Westen?»

«Dienst bei der Grenz-Kavallerie, falls Sie das was angeht. Wenn Sie mich jetzt entschuldigen, ich möchte mich zurückziehen.» Angestrengte Höflichkeit ließ ihn an der Tür innehalten. «Im zweiten Stock gibt es ein leeres Schlafzimmer. Sie können dort die Nacht verbringen, wenn Sie mögen.» Duncans Blick geißelte ihn. «Sollte Ihr Sohn weinen, bemühen Sie sich nicht. Maureen und ich werden nach ihm sehen.»

«Verdammt noch mal, reden Sie nicht so mit mir», schrie Charles aufspringend. «Ich habe sie geliebt! Nie habe ich jemanden so geliebt! Ihr zuliebe wollte ich die Beziehung abbrechen, damit sie sich nicht ständig sorgen mußte. Wenn das Ihrer Meinung nach ein Verbrechen ist, dann zum Teufel mit Ihnen. Als ich den Zug stoppte, wußte ich nichts von einem Sohn. Ich wollte nur wissen, wo sie – sie – »

«Sie ist auf dem Privatfriedhof in Georgetown beerdigt. Ein Kreuz steht dort. Ich werde mich morgen vor meiner Abreise nach Ihrer Entscheidung über den kleinen Charles erkundigen.»

«Ich kann nicht. Ich weiß nicht, was es ist.»

«Möge Gott Erbarmen haben mit einem Mann, der solche Worte sprechen muß.»

Der Brigadier marschierte die Stufen hoch. Am oberen Treppenabsatz hörte er die Haustür knallen, dann ein Donnergrollen, dann Stille. Mit einem Kopfschütteln und plötzlich absackenden Schultern ging er zu seinem Zimmer, ein bekümmerter, bestürzter Mann.

Charles marschierte den ganzen Weg nach Georgetown, bei Blitz und Donner und Regen. Er schreckte die Bewohner einer Hütte aus dem Schlaf und erkundigte sich nach dem Weg zum Friedhof.

In pechschwarzer Finsternis trat er das Tor auf und schwankte auf den Friedhof. Nach langer Suche im Lichtschein der Blitze fand er das Grab. Der Grabstein war klein und rechteckig; Duncan hatte nur ihren Namen und das Jahr ihrer Geburt und ihres Todes eingravieren lassen.

Charles, vom Regen völlig durchweicht, sank auf die Knie. Er spürte weder die Nässe noch die Kälte. Nur das Elend, dieses schreckliche, zerstörende Elend. Er kniete neben dem Grab, ballte die Hände und begann auf seine Schenkel zu hämmern.

Was sollte er tun, nun, da er diese Schuld auf sich geladen hatte? Was sollte er mit dem Kind tun, für das er verantwortlich war, so wie er für diesen Grabstein verantwortlich war? Was sollte er tun?

Ein kleiner, fremder Laut drang aus seiner Kehle; der Kummer eines Tieres. Dann, tief in seinem Inneren, begann sich etwas aufzubauen, eine Macht, die sich unmöglich unterdrücken ließ. Er öffnete seine schmerzenden Fäuste. Hob seine rechte Hand an das nasse Gesicht, an die Augen. Das war kein Regen.

Er warf sich vornüber auf das Grab, nasse Körper gegen nasse Erde gepreßt, und weinte zum erstenmal seit Sharpsburg wieder.

Bis nach Tagesanbruch, als der Sturm nachließ, hielt Charles Totenwache an Augusta Barclays Grab. Zitternd und mit klappernden Zähnen marschierte er den langen Weg zurück. Gegen zehn Uhr erreichte er das Haus des Brigadiers.

Die physischen und psychischen Anstrengungen der vergangenen Nacht hatten Duncan lange schlafen lassen, und er saß gerade beim Frühstück, als Charles Main in der Tür auftauchte. Er bot einen unglaublichen Anblick.

Mit zusammengebissenen Zähnen kämpfte Duncan um seine Selbstbeherrschung. Mit rotem Gesicht sagte er: «Jesus! Was haben Sie getan, gesoffen und die restliche Nacht in der Gosse verbracht?»

«Ich habe die Nacht an ihrem Grab verbracht. Ich habe über meinen Sohn nachgedacht, habe versucht, eine Entscheidung zu treffen.»

Langsam richtete sich Duncan auf, bis sein Rücken die Stuhllehne nicht mehr berührte. Seine Augen waren voller feindseliger Herausforderung.

«Und?»

147

«Nächste Station ist Lehigh Station. Der Zug hält jetzt in – »

Die Stimme des Schaffners verhallte, als er den Waggon verließ. In weniger als einer Stunde sollten sie in Belvedere sein. George war dankbar; er war erledigt. Constance ebenfalls, der Art und Weise nach zu schließen, wie sie mit geschlossenen Augen an ihm lehnte.

Eine gewaltige Woge der Liebe für die rundliche Frau an seiner Seite überschwemmte ihn. Liebe für sie und für seine Kinder, deren Leben er wieder in die Hand nehmen mußte, für die er sich vom Soldaten wieder in den Vater verwandeln mußte. Liebe war es gewesen, die ihn die vergangenen vier Jahre hatte überstehen lassen, sinnierte er. Und nichts anderes würde sie durch die vor ihnen liegenden Jahre bringen.

George dachte an den ermordeten Präsidenten. Zumindest für fünf Tage hatte Abraham Lincoln die Gewißheit gehabt, daß sein Nordstern noch hell und rein leuchtete, über der abkühlenden Glut der Feuer, die zuerst in jenem längst vergangenen Frühling aufgeflammt waren, an den sich George noch so lebhaft erinnerte. Die Union stand – stark verändert, aber im Fundament unberührt.

Er schloß die Augen, ruhte sich für einen Moment aus. Dann zog er den Kreis seiner Gedanken enger, dachte an die Veränderungen in seiner unmittelbareren Umgebung.

Orry tot – und seine Witwe machte kein Geheimnis daraus, daß sie zumindest nach strengster Südstaatenauffassung eine Negerin war. Zuerst hatte er es von Billy erfahren, aber Madeline hatte ganz offen darüber gesprochen, bevor die Hazards Mont Royal verließen.

Und Charles. Der Krieg hatte ihn ausgebrannt, ihn zu einem mürrischen, zornigen Mann gemacht. Im Gegensatz dazu bereitete sich Brett voller Freude auf ihre Mutterrolle vor und hörte sich oft genug mehr wie Virgilia als wie eine Südstaatlerin an.

Cooper zeigte gelegentlich neue, fast reaktionäre Einstellungen, als hätte er schließlich das Südstaatenerbe akzeptiert, das er so lange verachtet hatte. Aber Cooper hatte seinen Sohn verloren, und er wurde langsam alt. Das Alter brachte konservative Gedanken und Meinungen mit sich, wie George nur zu gut wußte.

Billys Einstellung den Schwarzen gegenüber hatte sich geändert, nicht jedoch seine Pläne für sein zukünftiges Leben. Seine restlichen zwei Wochen Urlaub wollte er noch bei den Mains verbringen, dann aber wieder zu den Pionieren zurückkehren.

Wie tief hatte doch dieser durch den Krieg beschleunigte Wandlungsprozeß sie alle, das ganze Land berührt. Und warum leugneten so viele die universelle Kontinuität dieses Prozesses, fragte sich George. Sie gaben Gott die Schuld, ihren Frauen, der Regierung, Büchern, unzähligen Kombinationen von Ereignissen – manchmal sogar den Stimmen in ihren Köpfen. Sie lebten gequälte, unglückliche Leben, versuchten, den Niagara mit einer Teetasse einzudämmen.

Er bezweifelte, daß irgend jemand diese Leute ändern konnte. Sie waren der Fluch und die Bürde einer Rasse, die sich in halber Finsternis einen Berg hochquälte. Sie waren – er lächelte müde – so beständig und dauerhaft wie der Wandel, den sie so haßten.

Was ihn an eine kleine, aber wichtige Veränderung erinnerte, die er auf Belvedere vorzunehmen wünschte. Als sie auf Belvedere angekommen waren, überraschte er Constance damit, daß er – nachdem er eine halbe Stunde lang seinen Sohn und seine Tochte begrüßt hatte – durch die Küche hinaus und den Hügel hoch ging und mit einem grünen Lorbeerzweig zurückkehrte. Er legte ihn neben das Meteoriteneisen auf den Tisch in der Bibliothek.

«Ich möchte, daß hier stets ein frischer Zweig liegt», sagte George. «Wo wir ihn alle sehen können.»

Am gleichen Abend saßen sich Brigadier Duncan und Charles in einem Erste-Klasse-Abteil des Sechs-Uhr-Zuges nach Baltimore gegenüber. Charles machte in seiner zerlumpten Kleidung kaum den Eindruck, als gehörte er hierhin. Duncan bestand darauf, daß sie auf der Reise nach Westen einen anständigen Anzug kauften.

Seit seiner Rückkehr vom Friedhof hatte Duncan mehrfach versucht, Charles auszufragen, wie er zu seiner Entscheidung gelangt war, aber Charles konnte unmöglich all die unterschiedlichen Gefühle beschreiben, die ihn durchströmt hatten.

Es gab so viele Möglichkeiten, er konnte in die Berge gehen und den Guerillakrieg gegen die Yankees fortsetzen. Er konnte heimgehen und sich dem Trunk und dem Müßiggang hingeben. Er konnte Selbstmord begehen. Und dann war da noch der Westen, Duncans Reiseziel. Er hatte den Westen schon immer geliebt, und Duncan wiederholte eindringlich, wie sehr da draußen Kavalleristen benötigt wurden. Charles hatte nichts anderes gelernt.

Aber all das spielte nur am Rande eine Rolle, verglichen mit dem, was ihm bei seiner Totenwache bewußt geworden war: der Tod von Gus und das Leben seines Sohnes. Das waren keine voneinander getrennten Dinge, sie waren unlösbar miteinander verbunden. Noch immer liebte er Augusta Barclay mehr als das Leben selbst. Also mußte er auch den Jungen lieben. Er mußte für den Jungen ebenso leben wie für sie, weil die beiden eine Einheit bildeten.

Duncan runzelte die Stirn, als er Charles' düsteren Gesichtsausdruck sah. Er fragte sich, ob Charles die Folgen seiner Entscheidung ganz erfaßt hatte. Duncan räusperte sich.

«Wissen Sie, mein Junge, den Dienst, den Sie antreten wollen – wieder in der regulären Armee –, das wird nicht einfach sein für einen Mann Ihrer Herkunft.»

Charles reagierte sofort gereizt. Hart biß er auf seine kalte Zigarre.

«Ich habe genau wie Sie die Akademie absolviert, General. Ich bin kein Dilettant. Ich habe die Uniform einmal getauscht. Ich kann es auch ein zweitesmal tun. Es ist wieder ein Land, nicht wahr?»

«Das stimmt. Aber ich möchte Sie nur vor dem Unvermeidlichen warnen. Unhöflichkeiten. Beleidigungen – »

Mit harter Stimme sagte Charles: «Damit werde ich fertig.» Ein Sonnenstrahl blitzte zwischen den Hügeln auf und erhellte sein verwüstetes Gesicht.

Dankbar blickte Duncan auf. «Ah – Maureen – »

Das Kindermädchen kam mit dem Baby aus der Zweiten Klasse. «Er ist wach, General. Ich dachte, vielleicht möchten Sie – » Sie wußte nicht, an wen sie sich wenden sollte.

«Geben Sie ihn mir!» Dann, sich beherrschend, sagte Charles mit sanfterer Stimme: «Danke, Maureen.»

Mit unendlicher Vorsicht nahm er das Bündel in den Arm, während sich Duncan vorbeugte und den Deckenzipfel vom Gesicht des Kindes hob. Duncan strahlte, der Prototyp eines stolzen Großonkels.

Das rosige Kind betrachtete seinen Vater mit weit geöffneten Augen. Voller Furcht, ihm weh zu tun, versuchte Charles ein zögerndes Lächeln. Der kleine Charles verzog das Gesicht und brüllte los. «Wiegen Sie ihn, um Gottes willen.»

Das half, Charles hatte nie zuvor ein Kind geschaukelt, aber er lernte schnell.

«Ganz ehrlich, mein Junge», sagte Duncan. «Ich freue mich zwar sehr, daß wir hier gemeinsam unterwegs sind, aber erstaunt bin ich trotzdem. Ich war fest davon überzeugt, daß Sie mit Ihrem Sohn nach South Carolina zurückkehren und ihn als Südstaatler erziehen.»

Der junge Vater starrte den älteren Mann an. «Charles ist Amerikaner. Genau so werde ich ihn erziehen.»

Duncan räusperte sich, um sein Einverständnis anzudeuten. «Übrigens, er hat noch einen zweiten Vornamen.»

«Das haben Sie mir nicht gesagt.»

«Hatte ich vergessen. Der Tag war wohl etwas außergewöhnlich. Sein voller Name lautet Charles Augustus. Meine Nichte wählte ihn vor – »

Er preßte eine Hand gegen die Lippen. Auch ihm fiel die Erinnerung schwer, erkannte Charles.

«Vor ihrer Entbindung. Sie sagte, sie habe den Spitznamen Gus immer geliebt.»

Charles spürte Tränen aufsteigen und zwinkerte schnell. Er blickte auf seinen Sohn herab, dessen Gesicht sich geheimnisvoll gerötet hatte, so, als müßte er sich sehr anstrengen. Duncan sagte: «Oh, ich glaube, wir brauchen Maureens Hilfe. Ich hole sie.»

Er trat auf den Gang hinaus. Vorsichtig berührte Charles das Kinn seines Sohnes. Das Baby packte seinen Zeigefinger, steckte ihn sich in den Mund und begann heftig daran zu nagen.

Duncan hatte Charles bereits klargemacht, daß Sauberkeit unerläß-
lich war. Heute hatte er sich schon dreimal die Hände geschrubbt – ein
Rekord in seinem Erwachsenenleben. Er wackelte mit dem Finger.
Charles Augustus gurgelte. Charles lächelte. Seine ganze Aufmerksamkeit war auf seinen Sohn gerichtet; er sah weder den Zaun, der plötzlich neben den Schienen auftauchte, noch die aufflatternden, vom Zug
erschreckten Bussarde, die sich an den verwesenden Überresten eines
schwarzen Pferdes gütlich getan hatten.

> Der Krieg hat eine tiefe Kluft aufgerissen zwi-
> schen dem, was zuvor in unserem Jahrhundert
> geschehen war, und dem, was seitdem geschehen
> ist . . . Ich habe nicht das Gefühl, in dem Land
> zu leben, in dem ich geboren wurde.
>
> George Ticknor, Harvard, 1869

Nachwort

Alles änderte sich, änderte sich vollkommen: Eine schreckliche Schönheit ward geboren.

So schrieb Yeats in «Ostern 1916». Diese Worte wurden zum Leitspruch für dieses Buch.

Es wurde nicht geschrieben, um zum x-ten Male zu demonstrieren, daß der Krieg die Hölle ist, was er natürlich ist; oder um die Sklaverei wieder einmal als unser abscheulichstes Nationalverbrechen zu entlarven, woran wohl kaum ein Zweifel besteht. Beide Begriffe spielen in dieser Geschichte eine wichtige Rolle, doch was ich in erster Linie zeigen wollte, ist der Wandel als universelle Kraft, die größte Neuorientierung, die Amerika innerhalb einer kurzen Zeitspanne vornahm: im Bürgerkrieg.

In seinem Buch *Ordeal by Fire: The Civil War and Reconstruction* charakterisiert James McPherson den Krieg in großartiger Weise als «das zentrale Ereignis im historischen Bewußtsein Amerikas...(Es) bewahrte dieses Land vor der Zerstörung und bestimmte auf lange Sicht, zu was für einer Nation es sich entwickeln würde. Der Krieg regelte zwei fundamentale Dinge:...ob (die Vereinigten Staaten) zu einer Nation mit souveräner Nationalregierung oder zu einer jederzeit auflösbaren Konföderation souveräner Staaten werden würden; und ob diese Nation, geboren aus der Erklärung heraus, daß alle Menschen ein gleiches Recht auf Freiheit haben, weiterhin als größtes Sklavenhalterland der Welt existieren sollte.»

Aber abgesehen von einer starken Erzählstruktur benötigte das Buch meiner Meinung nach drei Dinge, wenn es seinen Ansprüchen gerecht werden sollte.

Erstens Detailgenauigkeit. Und zwar nicht die Details der bekannten Ereignisse. Während der Entwicklung des Buches vom ersten Entwurf bis zur Endfassung entstand vor meinem geistigen Auge ein neues, großes Schild. (Das mittlerweile sehr alte Schild, das ich ständig vor mir hatte, trug die Aufschrift: *In erster Linie wird eine Geschichte erzählt.*) Auf dem neuen Schild stand: *Nicht noch einmal Gettysburg.*

Die Details, die ich wollte, fand ich oft genug auf Nebenwegen an faszinierenden Orten, die in Romanen über den Bürgerkrieg meist links liegengelassen werden. Beispielsweise auf dem Grund des Hafens von Charleston, wo das erstaunlich kleine Tauchboot einen dramatischen Wandel des Seekrieges auslöste. In der Bürokratie und in Kavallerie-Camps. Bei den Pionieren und den Mannschaften des militärischen Eisenbahnbaus. Im Inneren des Libby-Gefängnisses, in Liverpool und im Waffenamt in Washington.

In der Hoffnung, daß die Dinge, die mich interessierten, auch die Leser interessieren würden, wählte ich eine Anzahl weniger bekannter Nebenschauplätze und begann mit den Recherchen, die sich über ein Jahr hinzogen. An Material besteht wirklich kein Mangel, doch meine Suche galt ganz bestimmten Besonderheiten, was es hieß, in diesem Kampf als Soldat zu dienen und ihn zu überleben.

Aus diesem Grund trifft Charles auf die ersten Landminen auf der Halbinsel, und Cooper experimentiert mit «Torpedos» (diese Bezeichnung ist leicht verwirrend, da zu der Zeit damit Seeminen gemeint waren). Aus diesem Grund taucht Cooper mit der *Hunley*, deren Nachbau in voller Größe heute vor dem Eingang des Museums von Charleston steht. Deshalb wird hier weniger von Generälen und mehr von Soldaten mit all ihren Problemen berichtet.

Einige der erfundenen Details haben durchaus eine gewisse Wahrscheinlichkeit für sich. Powells Plan zum Beispiel, keineswegs unwahrscheinlicher als der tatsächliche Plan, eine «dritte Nation» durch Anschluß der sogenannten Grenzstaaten an den Mittleren Westen zu etablieren. Diese Idee schwirrte während des Winters 1862/63 durch Richmond. Zu Beginn des Krieges ging das Gerücht einer pazifischen Konföderation um, die ebenfalls im Buch erwähnt wird.

Die geplante Ermordung von Davis ist eine Erfindung, aber auch sie erscheint nur logisch. Wenn Lincoln ständig als Ziel von Mordanschlägen betrachtet wurde, warum dann nicht auch sein konföderierter Widerpart? Zumal Davis genauso leidenschaftlich gehaßt wurde, ganz besonders von seinen eigenen Baumwollpflanzern.

Die zweite Zutat, die ich benötigte und die auch im Nachwort von *Die Erben Kains* erwähnt wird, war historische Exaktheit.

Ich meine damit nicht Unfehlbarkeit. Bei einem so langen und komplexen Roman ist es unmöglich, perfekt zu sein. Aber es ist absolut notwendig, es zumindest zu versuchen. Während der Anfangszeit meiner Arbeit bekam ich in diesem Punkt einen wirkungsvollen Anschauungsunterricht vorgesetzt.

Schon immer ein Fan der Filme von Errol Flynn, nahm ich einen auf Band auf, den ich schon seit Jahren nicht mehr gesehen hatte: *Santa Fe Trail*. Warner Brothers brachte ihn 1940 heraus, und er ist auch heute noch häufig im Fernsehen zu sehen. Es kommen darin folgende Männer als Angehörige der West-Point-Klasse von 1854 vor: Jeb Stuart, gespielt von Flynn – zumindest dieser Jahrgang ist korrekt. Außerdem Longstreet (Klasse von '42), Pickett ('46), Hood ('53) und Stuarts bester Kumpel, George Custer ('61). Der junge Custer wird von Ronald Reagan dargestellt.

Im Verlaufe der wirren Handlung – Flynn-Anhänger betrachten das Ganze als einen seiner schwächeren Filme – begegnen wir einem silberhaarigen Schauspieler, der den Typ des ehrenwerten Geschäftsmannes verkörpert. Dieser ehrenwerte Geschäftsmann besitzt eine Eisenbahn in Kansas und eine Tochter, die Jeb heiratet. Mit anderen Worten, Jeb kommt auch nicht annähernd dazu, das zu tun, was er in der Realität getan hat: die Tochter von Philip St. George Cooke zu heiraten, des Karriereoffiziers, der im Krieg zu seinem verschworenen Feind wurde und den er bei seinem Ritt um McClellan herum zu demütigen suchte.

Stuarts ewig grinsender Kumpel Custer ist gezwungen, sich mit einer faden Blondine zufrieden zu geben, der Tochter von Jeff Davis. Davis schaut aus wie ein Lincoln aus dem Schlußverkauf: das Mädchen ähnelt einem Revuegirl aus einem billigen Musical.

Schlimmer noch, es ist ein seltsam rückgratloser Film, was die Sklavenfrage betrifft. An einer Stelle kämpfen die Kavalleristen gegen John Brown in dem «verfluchten» Kansas, aber sowohl Stuart als auch Custer erklären, daß «andere» in der Sklavenfrage «entscheiden» müssen. Sie führen «lediglich Befehle aus» und haben offensichtlich in wichtigen nationalen Angelegenheiten keine eigene Meinung.

Dieser Film strotzte also von Ungenauigkeiten. Da Menschen und nicht Maschinen Romane – und Drehbücher – schreiben, wird es immer zu Fehlern kommen, wenn man die Vergangenheit wiederauferstehen läßt. (Im ersten Buch dieser Trilogie leistete ich mir einen Schnitzer mit Münzbezeichnungen.) Aber unbeabsichtigte Fehler sind nicht ganz das gleiche wie grobe Veränderungen der Geschichte, wie sie in vielen Romanen toleriert werden, am schlimmsten aber in Filmen auftauchen. Ich hoffe, die Leser haben nichts dergleichen in diesem Buch entdecken können.

Der Fairneß halber muß gesagt werden, daß nicht nur Filmemacher an der Vergangenheit herumpfuschen. Als Volk neigen wir alle dazu, im Laufe der Generationen Mythen aufzubauen. So ist unsere Ikonen-Version von Lincoln für immer auf den allwissenden, ewig ruhigen Idealisten und Humanisten festgelegt worden anstatt auf den von Zweifeln getriebenen, depressiven und verhaßten politischen Pragmatiker, der durch die Umstände und sein eigenes Gewissen zur Größe getrieben wurde. Unser Lee ist der ewig gütige Held, nicht der Soldat, dessen Fähigkeiten und Entscheidungen oft genug in Zweifel gezogen wurden und dem viele Mit-Konföderierte ihre Verachtung durch Spitznamen wie «Granny» und «Rückzugs-Lee» zum Ausdruck brachten. Wir mythisieren nicht nur Individuen, sondern auch den Krieg selbst. Unsere natürliche menschliche Tendenz, Glanz und Gloria dem Schmutz und Elend vorzuziehen, hat den Krieg mit einer Patina überzogen – um ihm seine Romantik zurückzugeben. Die hatte er auch – für ungefähr neunzig Tage. Danach kam der Horror. Und der Horror wurde größer und größer.

Obwohl der Film *Vom Winde verweht* all die Bewunderung und Ehren verdient, die er erhalten hat, ist er keine glaubwürdige Nachbildung der Geschichte; der Film ist eine Romanze. Das brennende Atlanta ist ein gewaltiges Spektakel, sagt aber wenig über persönliche Tragödien aus. Sklaverei ist nie ein Thema; die Hausneger auf Tara sind glücklich, niedlich und offensichtlich zufrieden. Und trotz einiger Hospitalszenen wird echtes Leid nie dargestellt, bis auf die berühmte Einstellung, wo der Kamerakran steigt und steigt und mit verheerender Eindringlichkeit immer mehr und mehr Verstümmelte ins Blickfeld geraten läßt.

Es mag unfair sein, einen Klassiker nach anderen als den zu seiner Zeit gültigen Normen zu beurteilen. Andererseits besitzen die sozialen Ansichten von Charles Dickens durchaus bis heute Gültigkeit.

Ich habe zwei Probleme mit dem autoritären *Vom Winde verweht*, den ich trotz seiner eindeutig negativen Aspekte schamlos liebe. Erstens ist es die größte filmische Darstellung des Krieges und somit eine stillschweigende Gültigkeitserklärung seiner eigenen zweifelhaften Moral. Und zweitens kommt nur ein in letzter Zeit gedrehter Film – David L. Wolpers Meilensteinproduktion *Roots* – seiner Wirkung und seinem populären Zuschnitt nahe. Dies mag eine anhaltende, wertvolle Erinnerung an die unterschiedlichen Normen der dreißiger Jahre und des neuen Amerika sein: der Unterschied zwischen Mythos und Wahrheit.

Der Genauigkeit zuliebe folgte ich den Spuren des Krieges, besuchte noch einmal jedes östliche Schlachtfeld und jeden historischen Park. Die meisten hatte ich zuvor schon besucht, jedoch nicht alle. Ich sah Little Brandy Station 1982 an einem wunderbaren Frühlingstag. In der gleichen Woche verbrachte ich einen ganzen feuchten, nebligen, einsamen Samstag in Antietam.

In Kapiteln, in denen es um Schlachten und Feldzüge geht, werden die Leser bemerkt haben, daß kaum Namen und Nummern militärischer Einheiten verwendet werden. Eine Armee-Organisation ist stets komplex, das trifft jedoch in verstärktem Maße auf den Bürgerkrieg zu, da die Armeen auf beiden Seiten mehrfach umstrukturiert wurden, den speziellen Vorstellungen des jeweils kommandierenden Generals entsprechend. Ich glaube, das Nummerngewirr von Armeen, Divisionen und Regimentern ist in erster Linie für Spezialisten von Interesse. Als Fundament eines Schlachtberichts verwirrt und irritiert es jedoch lediglich. Aus diesem Grunde habe ich es vermieden. Nichtsdestoweniger habe ich mich bemüht, für die Erzählung wichtige Armee-Einheiten zur richtigen Zeit am richtigen Ort erscheinen zu lassen.

Noch einige andere Dinge müssen erwähnt werden, um keine Irrtümer aufkommen zu lassen.

Wade Hampton führte tatsächlich die «Iron Scouts», doch diejenigen, deren Taten hier beschrieben werden, sind fiktiv.

Ich bekenne mich schuldig, in einem Punkt absichtlich ein ganzes Stück vom Pfad der Wahrheit abgewichen zu sein: Ich habe mich gegen den Versuch entschieden, das nachzuahmen, was Douglas Southall Freeman so treffend als «den überladenen Konversationsstil der Epoche» bezeichnete. «Selbst beiläufige Gespräche waren im alltäglichen Gebrauch bedachtsam und steif.» Billys Pionierkamerad Boone ist ein Typ, der einen Hauch von diesem Stil vermitteln soll, aber wirklich nur einen Hauch.

Als dritte Zutat benötigte ich Hilfe. Hilfe von Experten. Hilfe von Personen, die mich auf Gebieten unterstützten, die nicht direkt mit den Recherchen zu tun hatten. Und Hilfe von jenen, die mir allein durch ihre Gegenwart Unterstützung zukommen ließen. Ihnen allen möchte ich öffentlich danken und sie gleichzeitig von jeglicher Verantwortung dafür freisprechen, daß ich möglicherweise irgendwelches von ihnen zur Verfügung gestellte Material mißhandelt habe. Auch sind sie keineswegs verantwortlich für meine Interpretation der Fakten.

Ich beginne mit Ruth Gaul von der Hilton Head Island Bibliothek, die sehr geduldig all das Material in anderen Bibliotheken aufspürte, das ich benötigte. Die Quellennachweise aus zweiter Hand, die Tagebücher, Briefsammlungen, Monographien und Fotokopien von Ausbildungs-Handbüchern, Landkarten und anderes überstiegen die Zahl 300. Wir fanden sogar eine schmale, aber faszinierende Sammlung konföderierter Kriegsrezepte, viele davon mit Ersatzstoffen für bestimmte Nahrungsmittel. Ohne Ruth und die gleichfalls äußerst hilfsbereiten Leute der Bibliotheken von Beaufort County und South Carolina State wären die Recherchen so gut wie unmöglich gewesen.

Außerdem schulde ich, wie jeder Student des Bürgerkriegs, sehr viel dem Buch *The War of the Rebellion: A Compilation of the Official*

Records of the Union and Confederate Armies (Eine Sammlung der offiziellen Aufzeichnungen der Armeen der Union und der Konföderation). Dieses monumentale und zu Recht berühmte Werk wurde 1864 begonnen und 1927 vollendet. Es beläuft sich auf 128 Bände, die Atlanten nicht mitgezählt. Ich habe einen Freund, der eine der wenigen Gesamtausgaben besitzt, die sich in diesem Land in privater Hand befinden. Für diese unschätzbare Hilfe möchte ich ihm hier danken, allerdings nicht namentlich, da er es vorzieht, anonym zu bleiben.

Senator Ernest Hollings und Ms. Jan Buvinger und ihr Personal der Volksbibliothek Charleston halfen mir, eine Kopie der aufschlußreichen, wenn auch langatmigen Debatte über das West-Point-Bewilligungsgesetz aufzuspüren.

Mein Freund Jay Mundhenk, dessen Bürgerkriegs-Kenntnisse nicht einmal von seinen Fähigkeiten als Chef und Gastgeber übertroffen werden, löste mehrere schwierige Probleme bezüglich einiger Operationen in Nord-Virginia, als ich an einem toten Punkt angelangt war.

Wie schon bei *Die Erben Kains* war die West-Point-Bibliothek auch bei diesem Buch wieder überaus kooperativ.

Dr. med. Arnold Graham Smith gab mir wertvolle Ratschläge in medizinischen Angelegenheiten. Mein alter Freund und Klassenkamerad Walter Meade von Avon Books trug auf eine spezielle Art und Weise zum Gelingen bei, die nur er versteht.

Und mein Verleger, Bill Jovanovich, stand stets mit ganzer Überzeugung hinter dem Projekt.

Mein Anwalt, Berater und Freund, Frank Curtis, begleitete mich auf Schritt und Tritt während dieser zweijährigen Reise bis zur Vollendung.

Das gilt auch für alle Mitglieder meiner Familie, jedoch ganz besonders für meine Frau Rachel, der gegenüber ich hier noch einmal meine Dankbarkeit und Liebe zum Ausdruck bringen möchte.

Hilton Head Island, 30. April 1984 JOHN JAKES

John Jakes

Die Erben Kains

Erzählt wird die Geschichte der Familie Main,
Plantagenbesitzer und Sklavenhalter, und des
Industriellenclans der Hazard aus dem Norden,
deren Wege sich in den Söhnen kreuzen. Diese,
Orry Main und George Hazard, begegnen sich
1842 in der Offizierschule West Point. Sie werden
Freunde, miteinander verbunden wie Brüder,
und ahnen nicht, daß nur zu bald ein mörderischer Krieg sie zu Todfeinden machen wird . . .

Das Buch zur
TV-Serie
«Fackeln im Sturm»

734 Seiten, gebunden

«. . . John Jakes hält vollumfänglich, was das
Genre des historischen Romans verspricht: Sein
Buch fesselt den Leser von der ersten bis zur
letzten Seite und nimmt ihn mit auf einen
faszinierenden Ausflug in die Vergangenheit.»
(Washington Post)

John Jakes

Die Erben Kains